백제사 신연구

백제사 신연구

2022년 2월 28일 초판 1쇄 발행

지은이   이도학
펴낸이   권혁재
편 집   권이지

인 쇄   성광인쇄
펴낸곳   학연문화사
등 록   1988년 2월 26일 제2-501호
주 소   서울시 금천구 가산디지털1로 16 가산2차SKV1AP타워 1415호

전 화   02-6223-2301
팩 스   02-6223-2303
E-mail   hak7891@chol.com

ISBN   978-89-5508-460-3 03910

백제사 신연구

이도학 지음

학연문화사

머리말

　내가 백제사 연구에 매진한 지도 어언 40년이 넘었다. 대학부터 대학원 석사와 박사 논문이 모두 백제사였다. 대학시절 학교 신문에 게재한 글에서 백제 건국자들은 고구려가 아니라 부여에서 출원했음을 언급했다. 그리고 백제와 고구려의 대결은 부여 시조인 동명의 후예로서의 嫡統 경쟁이었음을 밝혔다. 대학생의 눈으로 사료를 볼 때도 백제 건국자들은 부여에서 출원한 게 분명했다. 그들 스스로 부여 출원을 곳곳에서 천명했고, 게다가 왕실의 '부여씨', 국호 '(남)부여'가 무엇을 말하겠는가? 심지어 개로왕은 북위에 보낸 국서에서 자국은 고구려와 함께 부여에서 나왔다고 했다. 이 보다 정확하고 정직한 기록이 어디에 있겠는가? 모두 백제 당대 백제인들의 인식이었기 때문이다. 그럼에도 '시조 온조' 운운하는 것은 미신에 불과했다. 온조는 고려 때 '만들어진 역사'였기에, 근거없는 소리였다. 미신은 근거 없는 믿음을 가리키는 게 아니겠는가?

　나는 대학 때 무령왕릉 매지권을 토대로 무녕왕의 계보가 개로왕의 아우인 곤지임을 밝혔다. 그때까지 이병도 선생을 비롯한 기존의 전문가들은 다르게 해석해 왔지만, 이후 노중국과 양기석 교수 등등 모두 나의 견해를 수용해 주었다. 지금은 누구나 아는 것처럼 당연시하고 있지만, 인용해 주어야 할 사안인데다가, 기존의 설을 깨뜨리고 세운 産苦의 산물이었다. 누구나 무임 승차하는 '임자 없는 나룻배'는 아닌 것이다.

　나는 1995년 8월에 박사학위논문 「백제 집권국가 형성과정 연구」를 최종 정리하여 저서 『백제고대국가연구』로 출간했다. 마음 속으로 광복 50주년 기념일에 출간되기를 바랐다. 그랬더니 8월 14일 저녁 무렵 서천의 건지산성에서 하산했을 때 출판사로부터 연락이 왔다. 이 책은 2쇄까지 2천부가 판매되었다. 인세로 레이저 프린터기를 장만하는 즐거움이 따랐다. 학술서를 보통 초판 300부 간행하는 지금의 현실과 비교하면 격세지감을 갖게 한다.

　이후 나는 백제사 개설서를 비롯해 여러 권의 연구서를 출간했다. 지금의 잣대로 볼 때도 내용들은 가히 파격적이었다. 가령 『백제도성연구』(2018)가 출간된 직후 출판사 사장은 시달렸다고 고백했다. 이 책의 출간으로 불편해지는 자들이 사장에게 마구 화풀이를 한 것이다. 온유한 성정의 사장은 심하게 시달렸다며 고개를 절레절레하였다. 현재 한국 학계와 학문 시장의 현주소를 알려주는 것이다. 그렇지만 진실의 힘은 누구도 막지 못한다는 확신을 지니고 있다.

물론 기존 연구에 힘을 실어주거나 조금 보태주는 작업이 의미가 없지는 않다. 그렇다고 모든 연구를 이렇게 할 수는 없지 않겠는가? 잘못된 사안을 짚고 넘어가는 일이 더 값지고 賞讚받아야 할 일이 아니겠는가? 논문을 집필하여 게재할 때마다 불편해 하는 이들이 연신 발생했다. 그렇지만 이는 내가 부여받은 최소한의 소명이요 역할이라고 自慰하며 감내할 수밖에 없었다.

본서는 2010년 가을 이후에 발표한 논문들을 집성한 것이다. 흩어져 있는 논문들에게 집을 마련해 줘야겠다는 차원에서였다. 그러나 본서의 분량이 많은 관계로 몇 편은 제외할 수밖에 없었다. 그리고 이해를 돕우기 위한 목적의 사진도 자제할 수밖에 없는 실정이었다. 게다가 기획 발표 논문들로 인해 내용상 겹치는 부분이 나왔다. 삭제하고 싶었지만 논문 한편 한편 자체의 완성도를 고려해 남겨두었다. 중복되는 부분은 오히려 내가 강조하고자 하는, 그러니까 악센트를 부과한 사안으로 받아주면 좋겠다.

본서의 출간과 관련해 대학 때부터 고귀한 인연을 맺었고, 사랑해 주시면서 많은 배려와 도움과 가르침을 주신 은사이신 曺永祿 선생님께 감사를 올린다. 이 제자는 언제나 선생님의 건강을 기원할 따름이고, 항시 선생님과 함께 있기를 바랄 뿐이다.

2022년 2월 3일 오전 스타벅스에서

이도학

목 차

건국자 정체성부터 遺民까지

백제 시조 온조 기록에 대한 검증

1. 머리말

백제 시조하면 대부분 溫祚를 거론하고 있다. 중·고등학교 국사 교과서에도 이와 같이 적혀 있는 관계로 확정된 사실인양 받아들이는 경우가 너무나 많다. 그러나 백제 시조로서의 온조 기사를 수용하기에는 석연치 않은 점이 적지 않다. 사실 온조 기사는 백제 때 생성된 관계로 유구한 내력을 지녔다고 믿지만, 어디까지나 이는 막연한 생각에 불과한 것일 수 있다. 일단 온조 기사는 비류 설화와 相衝됨에도 불구하고 兩者에 대한 사료 비판 없이 막연히 온조 기사가 백제 이래의 전승이 아니겠냐고 간주해 왔다. 이야 말로 근거 없는 추측에 불과할 따름이다. 요컨대 비류 기사에 대한 분석이나 검토 없이 온조 기사만 취신하는 형국이었다. 兩 傳承은 외형상 50:50의 지분을 지닌 상황이었지만 백제본기 본문에 적혀 있다는 利點으로 인해 부지불식간에 온조 기사를 맹신하는 경향이 지배해 왔다.[1] 『삼국사기』를 편찬한 김부식 자신도 백제 시조에 대한 여러 전승을 소개하면서 어느 것이 옳은 지 판단이 서지 않았다. 그랬기에 "未知孰是" 곧 "어느 것이 옳은 지 모르겠다"라고 하지 않았던가? 이런 이유로 인해 온조 기사에 대한 집중 검증을 시도해 보기로 하였다. 이와 관련해 다음과 같은 원칙과 기준에서 본고를 작성했음을 밝혀 둔다.

첫째, 『삼국사기』 백제본기에는 온조 시조 기사 뿐 아니라 비류 시조 기사가 竝存하고 있다. 온조 기사를 고구려계라고 한다면 비류 기사는 북부여 즉 부여계가 된다. 兩者는

---

1   『삼국사기』 본문과 割註의 기록 가운데 前者가 타당할 것으로 지목하는 논자들이 있다. 그러나 이러한 주장은 타당성이 없다. 고구려본기에서 "시조 東明聖王의 姓은 高요, 이름은 朱蒙이다[鄒牟라고도 하고, 衆牟(解)라고도 한다]"는 문구에서 시조 이름을 본문과는 달리 할주에서는 鄒牟 혹은 衆牟라고 적어 놓았다. 이 경우 鄒牟는 당대의 금석문 표기와 일치하고 있다. 衆牟는 보덕국왕 책봉문에 적힌 仲牟와 연결된다. 따라서 割註의 표기가 고구려 당대의 표기요, 본문의 朱蒙은 후대 표기로 드러났다. 그 밖에 백제 비유왕의 계보에 대해 『삼국사기』 본문에는 구이신왕의 長子라고 했다. 그러나 그 할주에서 전지왕의 庶子라고 한 기록이 타당한 것으로 밝혀졌다(李道學, 『백제 한성·웅진성시대 연구』, 일지사, 2010, 260~261쪽). 따라서 본문 기록이 割註보다 사료적 신빙성이 높다는 주장은 근거 없음이 드러났다.

전혀 상이한 기사인 관계로 면밀한 사료 검토가 선결되지 않은 상황에서의 특정 기사 수용은 신뢰성을 떨어뜨리는 요인이다. 둘째, 세계 역사상 유례가 없을 정도로 동일한 사서에 2종류의 相異한 기사가 공존하였다. 그뿐 아니라, 백제 당시에도 그 밖에 다수의 시조 이름들이 전해져왔다. 仇台나 都慕大王 그리고 東明王의 존재가 바로 그들이다. 바로 이러한 상황에서는 하나의 기준을 설정하지 않을 수 없다. 비록 우리나라 문헌이지만 후대의 기록인데다가 상이한 기사가 共存하고 있는『삼국사기』의 기록은 일단 뒤로 미루기로 했다. 반면 당시 백제인들의 관념 속에서 살피는 것이 역사적 실체에 접근하는 요체라고 판단되었다. 요컨대 이와 같은 원칙과 기준 속에서 온조 기사의 생성 시기와 출현 배경을 비롯한 역사성을 검증해 보았다. 아울러 본고의 논지 전개상 필자의 기존 연구에 대한 의존이 불가피했음을 밝혀둔다.[2]

2. 백제 시조에 대한 기록과 인식

1) 백제 始祖에 대한 기록

백제 건국 세력에 대한 인식과 관련해 교과서가 일종의 準據가 된다. 현행 고등학교 국사 교과서에서는 백제 건국 세력에 대해 다음과 같이 기술하였다.

> 백제는 한강 유역의 토착 세력과 고구려 계통의 유이민 세력의 결합으로 성립되었는데(기원전 18), 우수한 철기 문화를 보유한 유이민 집단이 지배층을 형성하였다.[3]

2 　本稿가 지닌 의미에 대해서는 심사평의 다음과 같은 구절이 도움이 될 듯 싶다. "본 논문에서는 온조설화가 고려 건국 당시 후백제와의 통합과정에서의 현실적 필요성에서 '만들어진 역사'라고 보고 있다. 온조설화가 고려시대에 삼국 유민의 통합을 위한 이데올로기적 필요성에서 성립되었다고 보는 선행연구로 李道學, 2005,「高句麗와 百濟의 出系 認識 檢討」『高句麗硏究』20이 있다. 따라서 완전히 독창적인 견해라고 볼 수는 없다. 하지만 본 논문은 고려시기까지 포함한 역사의 큰 흐름도 고려했지만 백제 건국설화 중 온조설화의 성립과정을 과학적인 입장에서 추적해갔다는 점에서 학계에 기여하는 바가 적지 않다고 판단된다." 그런데 심사평과는 달리 필자는 위의 논문에서 '삼국 유민의 통합'이 아니라 백제 유민들에 대한 열등감 조장 의도에서 온조 설화가 성립되었다고 하였다.

3 　교육과학기술부,『고등학교 국사』2010, 47쪽.

백제의 건국/ 백제는 고구려 주몽의 아들로 알려진 온조가 남하하여 한강 유역의 하남 위례성에 정착한 후 마한 소국의 하나로 발전하였다.[4]

　위의 기술에서 보듯이 백제 건국 세력의 계통을 고구려계로 간주하는 견해가 확정적인 듯한 인상을 준다. 그러나 백제 건국 세력의 계통에 대해서는 위 기록의 근거인 a 기록 외에도 별도의 기록인 b가 『삼국사기』에 함께 등장한다. 이와 더불어 여타 사서에 보이는 그 밖의 백제 시조 기사도 다음과 같이 함께 소개해 보았다.

　a. 백제 시조 온조왕은 그의 아버지가 鄒牟인데 혹은 朱蒙이라고도 한다. 북부여로부터 난을 피하여 졸본부여에 이르렀더니 부여왕이 아들은 없고 딸만 셋이 있었다. 주몽을 보자 보통 사람이 아님을 알고(見朱蒙 知非常人) 둘째 딸로써 아내를 삼게 하였다. 그 후 얼마되지 않아서 부여왕이 죽자 주몽이 그 자리를 이었다. 주몽이 두 아들을 낳았는데 맏아들은 沸流요 둘째 아들은 溫祚라고 한다[혹은 주몽이 졸본에 이르러 越郡 여자에게 장가 들어 두 아들을 낳았다고 한다]. 주몽이 북부여에 있을 때 낳은 아들이 와서 태자가 되었다. 비류와 온조는 태자에게 용납되지 못할까 염려하여 드디어 오간·마려 등 열 명의 신하와 함께 남쪽으로 떠나니 백성들 중에서 따르는 자가 많았다. … 그의 世系는 고구려와 함께 부여에서 나온 까닭에 '扶餘'로써 氏를 삼았다.

　b. 일설에는 "시조 비류왕은 그 아버지가 優台이니 북부여왕 解扶婁의 庶孫이요 어머니는 召西奴이니 졸본 사람 延陀勃의 딸이다. 처음 우태에게로 시집을 와서 두 아들을 낳았는데 맏이는 비류요 둘째는 온조였다. 우태가 죽자 졸본에 홀로 살았다. 뒤에 주몽이 부여에서 용납되지 못하여 前漢 建昭 2년 봄 2월에 남쪽으로 도망하여 졸본에 이르러 도읍을 정하고 고구려라고 하였다. 소서노에게 장가 들어 왕비를 삼았다. 그가 창업하여 기반을 개척하는데 자못 내조가 있었으므로 주몽이 그녀를 특별히 사랑하여 후하게 대하였고 비류 등을 자기 아들처럼 여겼었다. 주몽이 부여에서 낳았던 禮氏의 아들 孺留가 찾아 오자 그를 세워 태자를 삼았고 왕위를 잇게 하였다. 이에 비류가 아우인 온조에게 이르기를 '처음 대왕이 부여에서의 난을 피하여 도망하여 이곳에 왔을 때에 우리 어머니가 가산을 털어서 邦業을 이루는 것을 도왔으니 그 공로가 컸었다. 대왕이 세상을 뜨신 후 나라가 유류에게 귀속되니 우리들이 공연히 이곳에 있으면서 몸에 군더더기 살처럼 울울하게 지내기보다는 차라리 어머니를 모시고 남

4　교육과학기술부, 『고등학교 국사』 2010, 47쪽.

쪽으로 가서 땅을 선택하여 따로 國都를 세우는 것만 같지 못하다'하였다. 드디어 아우와 함께 무리를 데리고 浿水와 帶水를 건너 미추홀에 이르러서 거주했다"고 한다.

c-1. 백제는 그 선대가 대개 마한의 屬國이었는데, 부여의 別種이다. 仇台라는 사람이 있어 처음 帶方의 옛 땅에서 나라를 세웠다. … 또 해마다 네 번 그 시조인 仇台의 廟에 제사를 지낸다(『周書』 권49, 백제 조).

c-2. 東明의 후손으로 구태라는 사람이 있었는데, 어질고 신망이 돈독하여 처음으로 대방의 옛 땅에서 나라를 세웠다. … 그 시조인 구태의 사당을 國城에 세웠는데 해마다 네 차례 그곳에 제사한다(『隋書』 권 81, 백제 조).

c-3. 구태의 제사를 받드는데, 부여의 후예임을 계승하였다[…『括地志』에서 말하기를 百濟城에는 그 祖인 仇台廟를 세우고 해마다 네 차례 그 곳에 제사한다](『翰苑』 권30, 백제 조).

c-4. 백제는 곧 후한말 부여왕 尉仇台의 후예이다. 처음에 百家가 바다를 건너왔다고 하여 백제라고 칭하였다. … 또 해마다 네 번씩 그 시조 구태의 사당에 제사지낸다(『通典』 권185, 百濟 條).

d-1. 海東古記를 살펴 보니까 혹은 始祖를 東明이라고 한다(『삼국사기』 권32, 雜志, 祭祀, 백제 조).

d-2. 始祖 東明王의 廟에 拜謁하였다(『삼국사기』 권23, 다루왕 2년 조).

e. 대저 백제 태조 都慕大王은 日神이 降靈하여 부여 땅을 모두 차지하고 開國하였다. 天帝로부터 錄을 받아 諸韓을 통솔하고 王을 일컫게 되었다(『續日本紀』 권40, 延曆 9년 7월 조).

위의 기록을 놓고 볼 때 백제 시조는 溫祚나 沸流 외에 仇台·東明·都慕大王 등이 있다. 여기서 c의 구태는 부여계로 보인다. 그리고 d의 동명은 주지하듯이 부여 시조를 가리키지만, 연개소문의 아들인 천남산의 묘지명에서도 "옛날에 東明이 氣를 느끼고 㴲川을 넘어 開國하였고, 朱蒙은 日을 품고 浿水에 임해 開都하였다"[5]고 했다. 즉 고구려 당시에 東明과 朱蒙을 동일 인물로 인식하지 않았음을 알 수 있다. 그런 만큼『삼국사기』의 底本을 인용한 구절에서 "해동고기를 살펴보니까 혹은 始祖를 東明이라고 한다"[6]·"始祖

---

5 韓國古代社會研究所,『譯註 韓國古代金石文 I 』1992, 529쪽.
6 『三國史記』 권32, 祭祀志, 백제 조.

인 東明王廟에 拜謁하였다"[7]라고 한 기록의 동명은 주몽이 아닌 부여 시조를 가리킬 수 있다. 물론 소위『해동고기』라는『삼국사기』底本의 편찬 시점은 알 수 없는데다가『해동고기』에서도 동명을 주몽과 일치시켜 인식했을 수도 있다. 이와 관련해 e에 보이는 도모대왕의 존재를『신찬성씨록』에서 "菅野朝臣, 同國(百濟: 필자) 都慕王十世孫貴首王之後也"·"和朝臣, 百濟國都慕王十八世孫武寧王之後也"라고 하였다. 즉 都慕大王(都慕王)을 起點으로 한 백제왕들의 혈연 의식이 나타나고 있다. 여기서 도모왕과 추모왕을 동일 인물로 간주하는 견해가 많다. 그러나『신찬성씨록』을 보면 "長背連, 高麗國王鄒牟[一名 朱蒙]之後也"·"高井造, 高麗國主鄒牟王二十世孫汝安祁王之後也"라고 했다. 즉 鄒牟와 朱蒙을 同名異記로 간주하면서 高麗 즉 고구려 '國王' 혹은 '國主'라고 하였다. 그렇지만 '高麗國王 鄒牟(朱蒙)'는, 동일한『신찬성씨록』에 적힌 '百濟 都慕王'과는 서로 다른 별개의 인물로 엄연히 구분되어 있다. 따라서 '백제 태조 도모대왕'은 고구려 시조인 鄒牟와는 명백히 다른 인물임을 알게 된다.[8]

앞에서 언급한 815년에 편찬된『신찬성씨록』은 일본열도 내 고구려 유민들의 계보 의식을 반영한다. 그러한 계보 의식은 國亡 후 고구려 유민들이 일본열도로 망명한 이후가 아니라 고구려 당대에 생성된 것임은 분명하다. 그렇다고 할 때 고구려 말기까지도 주몽을 동명과 일치시킨 인식은 생성되지 않았을 수 있다.『신찬성씨록』에서 주몽과 추모는 일치시켰지만 東明에 대한 어떠한 언급도 없기 때문이다. 오히려 앞에서 언급한 소위『해동고기』에 수록된 동명왕은 부여 시조를 가리킬 공산이 크다. 그렇다면『해동고기』에서도 백제 시조를 부여 시조와 동일 인물로 인식한 것이다.

기왕에 분석된 백제 시조에 대한 검토에 따른다면 백제 건국 세력은 고구려계인 온조 설화만 제외하고 그 나머지는 죄다 부여계임을 알려준다.[9] 더구나『삼국사기』자체의 기사만 하더라도 원초적인 요소가 더 많이 포함된 부여계 비류 기사가 時點上 온조 기사보다 앞선 것이다.[10] 이 뿐 아니라 주지하듯이 온조 기사에는 천손 설화 요소가 없다. 천손 설화는 국가적 자부심과 왕실의 존엄성을 과시하기 위한 차원에서라도 응당 포함했어야

---

7 『三國史記』권23, 다루왕 2년 조.

8 이상의 서술은 李道學,「高句麗와 百濟의 出系 認識 檢討」『高句麗研究』20, 2005 ;『고구려 광개토왕릉비문 연구』, 서경문화사, 2006, 73~76쪽에 의하였다.

9 이에 대해서는 李道學,『백제 고대국가 연구』, 일지사, 1995, 55~72쪽을 참조하기 바란다.

10 金杜珍,『建國神話와 祭儀』, 일조각, 1999, 175쪽.

할 요소였다. 그러므로 천손 설화가 없는 온조 기사는 2차 자료임을 헤아릴 수 있다. 일단 제시된 기록 가운데 천손 설화적인 요소는 e의 도모대왕 설화에 보인다. "日神 降靈" 云云이라는 구절은 비록 8세기 말에 편찬된 『속일본기』에 수록된 내용이지만 他者의 이야기가 아니라 백제 왕실의 고유 전승을 반영한 것이다. 온조 기사나 비류 기사 모두 건국설화의 도입부, 즉 건국자의 출생과 관련해 日光感應出誕說話的 요소가 없다. 이 점에서 볼 때 온조·비류 기사는 시기적으로 도모대왕 설화 보다도 후대에 생성되었거나 본래의 설화소가 사라진 후대적인 면면만 남아 있음을 뜻한다.

도모대왕 출생 설화에 보이는 日光感應出誕的 요소가 백제 건국설화에 담긴 원형 설화소임을 알 수 있다. 또 그러한 요소가 백제 멸망 이후에도 전승되어 일본측 사서에 수록된 것이다. 주지하듯이 백제 멸망 후 그 유민들이 대거 이주한 곳이 일본열도였다. 또 그곳의 역사서인 『속일본기』에 日光感應出誕的 설화소가 남아 있는 것이다. 이러한 사실은 백제 때 國祖 전승은 온조 기사와 相異했을 가능성을 암시한다. 나아가 이는 온조 기사 뿐 아니라 비류 기사도 백제 때의 원형에서 많이 벗어났을 가능성을 제기해 준다.

2) 백제 당시의 始祖 인식

온조 기사는 백제 때의 전승과는 거리가 있음을 발견했다. 그러면 백제인들의 시조 인식은 어떠했을까? 앞에서 인용한 c-1~c-3에 구태라는 백제 시조에 대한 기록이 보인다. 즉 "東明의 후손으로 구태라는 사람이 있었는데"·"부여의 후예임을 계승하였다"라고 하여 구태가 부여계임을 밝히고 있다. 더욱이 중국 사서인 c에서는 "해마다 네 번 그 시조인 仇台의 廟에 제사를 지낸다"라고 하여 구체적인 기록을 남겼다. 이는 당시의 견문에 의해 직접 목격했거나 확인한 사실임을 뜻한다. 사비성에 도읍하던 시기에 백제인들은 구태를 시조로 받들었음을 가리킨다. 그러한 구태의 정체는 명확하지 않지만 "백제는 곧 후한 말 부여왕 尉仇台의 후예이다(c-4)"라고 하여 부여왕과 결부 짓는 전승도 확인되고 있다. 이러한 전승의 사실 여부를 떠나 472년에 개로왕이 北魏에 보낸 국서에서 "저희는 고구려와 함께 근원이 夫餘에서 나왔습니다"[11]고 하며 백제 왕실이 대외적으로 자국의 정체성을 부여에서 찾았던 사실과 부합한다. 혹자는 개로왕 국서의 '부여'를 '졸본부여'로

---

11 『魏書』권100, 百濟國傳.

추측하기도 하지만, 고구려를 가리키는 졸본부여에서 고구려가 출원할 수는 없다. 고구려인들은 자국의 시조가 '북부여'에서 나왔음을 누누이 자랑했기 때문이다. 더구나 後述하겠지만 '졸본부여'는 정작 당사국인 고구려측 전승 자체에는 등장하지 않기 때문에 출원지가 될 수 없다. 그 밖에 "그 世系는 고구려와 함께 부여에서 나온 까닭에 '扶餘'로써 氏를 삼았다"[12]고 했다. 실제 백제 왕실의 성씨는 扶餘氏였다. 온조 건국기사가 맞다면 백제 건국 세력은 고구려 왕실에서 출원한 게 되므로 '高氏'를 칭했어야 맞지 않은가? 고구려 왕실은 "나라 이름을 高句麗라 하고 그로 말미암아 高로써 姓을 삼았다"[13]라고 했기 때문이다. 그러나 백제 왕실의 氏는 일관되게 부여씨였다. 이와 관련해 더욱 중요한 사실은 370년경을 시간적 대상으로 하는 다음의 기사이다.

> f. 燕의 散騎侍郎인 餘蔚이 扶餘·高句麗 및 上黨 質子 오백여 인을 거느리고[…燕은 대개 兵을 보내어 上黨을 수자리 하면서, 그 子弟를 取하여 鄴에 머물러 두어 質을 삼았다. 餘蔚은 扶餘王子인 까닭에 몰래 여러 質子들을 이끌고 門을 열어 秦兵을 받아들였다.…] 밤에 鄴의 北門을 열고 秦兵을 받아들였다.[14]

위의 인용에서 前秦王 苻堅이 前燕의 수도를 공격했을 때였다. 전연의 散騎侍郎 餘蔚이 '扶餘質子' 등을 거느리고 城門을 열어 苻堅의 군대를 맞아들이는 기사와 그 註가 주목된다. 위의 [ ]에 보이는 元代 학자인 胡三省의 註에 의하면 餘蔚을 '扶餘王子'로 註釋하였다. 이러한 주석을 수용한다면 餘蔚의 '餘'는 백제 관련 중국 사서에서 광범위하게 확인되고 있듯이 複姓인 '扶餘'의 單字 표기가 분명하다. 따라서 부여 王子의 성씨는 부여씨로 확인되었다.[15] 곧 부여 왕실의 성씨가 부여씨로 밝혀진 것이다. 백제 왕실의 뿌리를 이 보다 더 명료하게 말해주는 자료가 어디 있겠는가? 370년경 부여 '餘蔚王子'의 국적을 정확히 짚는다면 북부여로 밝혀졌다.[16] 비류 기사(b)에 따른다면 백제 시조 비류는 북부

---

12 『三國史記』권23, 시조왕 건국기사 조.
13 『三國史記』권13, 東明聖王 즉위년 조.
14 『資治通鑑』권102, 晋紀 24, 海西公 下 條.
15 李道學, 『백제 고대국가 연구』, 일지사, 1995, 54~55쪽.
16 李道學, 「高句麗와 夫餘 關係에 대한 再檢討」『고구려의 역사와 대외관계』, 한국학중앙연구원 동아시아고대사연구소, 2006 ;『고구려 광개토왕릉비문연구』, 서경문화사, 2006, 53쪽.

여 해부루왕의 庶孫이라고 했다. 그렇다면 북부여 왕실의 氏는 부여씨와 해씨로 相異한 게 된다. 이러한 배경은 정확히 추단할 수 없지만 해씨에서 부여씨로 分枝化 내지는 왕실 교체의 결과일 수 있다.

그런데 『삼국사기』와는 달리 『삼국유사』에서는 "世系는 고구려와 더불어 부여에서 함께 나왔으므로 解로써 氏를 삼았다"[17]라고 하였다. 여기서 어는 기록이 맞는지 단정하기 어렵다. 다만 兩者의 기록을 모두 만족시킨다면 부여씨가 곧 해씨라는 等式이 나오게 된다. 그렇다면 백제 왕실의 氏는 解氏를 칭한 북부여 왕실과 정확히 부합된다. 곧 온조 기사와는 달리 비류 시조 기사의 신뢰성이 엿보이는 것이다.

어쨌든 『삼국사기』 온조왕기에서 북부의 解婁를 右輔로 삼으면서 "본시 부여인이다"[18]고 하였고, 비류 기사에도 북부여왕의 氏가 해씨로 등장하고 있다. 그런 만큼 해루가 부여인임은 분명하다. 이 사실은 백제 건국에 부여 출신들이 실제 참여했음을 뜻하는 것이다. 이에 반해 백제인 가운데 '본시 고구려인'이라는 기록은 없다. 그리고 백제인들은 시조에 대한 인식은 변함 없이 부여에서 기원을 찾았다. 이 점은 백제에서 국왕을 가리키는 호칭인 '於羅瑕'가 부여에서 왕을 일컫는 보통명사에서 기인한[19] 점에서도 방증된다. 요컨대 이 같은 검토를 통해 백제 건국 세력이 고구려를 경유해서는 남하하지 않았음을 알 수 있다.

그 밖에 백제의 종족 계통과 관련해 "부여의 別種이다"[20]라고 했다. 여기서 別種은 支派를 가리킨다. 중국 사서에 보면 고구려 역시 부여의 별종이라고 했다. 이 기록을 통해서도 백제와 고구려는 뿌리가 동일한 대등한 형제국가이며 경쟁 상대임을 읽을 수 있다. 부여로부터 내려오는 역사적 법통을 백제 왕실이 계승했다고 여겼기에 538년에 성왕은 천도와 동시에 국호를 바꾸고 있다. 즉 "봄에 泗沘로 도읍을 옮겼다[다른 이름은 所夫里였다]. 국호를 南扶餘라고 하였다"[21]라는 기록이 그것을 말한다. 국호를 '부여'로 고쳤다면 그에 맞추어 국가적 정체성을 찾으려고 했을 것이다. 이와 관련해 부여 시조를 백제 시조로 받아들였을 게 자명하다. 부여 시조인 동명이 백제 시조로 인식된 데는 이러한 배

17　『三國遺事』권2, 南扶餘 前百濟 北扶餘 條

18　『三國史記』권23, 시조왕 41년 조.

19　李道學, 『백제 고대국가 연구』, 일지사, 1995, 53~54쪽.

20　『舊唐書』권199, 동이전 백제 조.

21　『三國史記』권26, 성왕 16년 조.

경에서 연유했을 것이다.

지금까지의 검토를 통해 『삼국사기』에 적힌 2종류의 시조 전승 가운데 고구려계 온조 기사 보다는 부여계 비류 기사가 백제 당시의 정서에 부합됨을 알 수 있다. 이 점은 다른 자료를 통해서도 검증된다. 우선 백제 시조라는 '구태'를 비류의 父의 이름인 優台와 관련 짓는 게 가능하다.[22] 물론 "8월에 갈사왕의 孫 都頭가 나라를 들어 항복해 오자 도두로 써 于台[職名 혹은 優台라고 한다]를 삼았다"[23]는 기사에 職名으로 優台가 보인다. 그렇더라도 비류 기사의 우태가 고유명사적 성격을 지녔음은 부인할 수 없다. 더욱이 『삼국사기』 해당 기사의 底本인 소위 『해동고기』에 백제 시조로 '동명'과 '우태'가 함께 보인다.[24] 우태 는 비류의 父인 만큼 비류 기사의 존재가 『삼국사기』 저본에서 확인된 것이다. 이러한 우 태가 부여계 인명인 것은 분명하다.[25] 그리고 비류계 기사에는 시조 비류의 族系를 解氏 라고 했다. 『삼국유사』에서도 백제 왕실의 氏를 해씨라고 했지만 『삼국사기』에서는 부여 씨라고 하였다. 여기서 양자를 만족시키는 방법은 부여씨=해씨라는 등식의 성립이다. 물론 그 깊은 내력을 알 수 없지만, 부여씨와 해씨가 공히 부여계로서 상호 무관하지 않 았음은 분명하다. 그렇다면 부여씨 족원에 근거한 백제 왕실과 비류 기사와의 연관성은 더욱 부정하기 어렵다.

---

22 『東史綱目』附錄 上, 考異, 優台仇台之別 ; 『海東繹史』권18, 禮志1, 祭禮 條 ; 千寬宇, 「三韓의 國家形成 (下)」『韓國學報』3, 1976, 142~143쪽.

23 『三國史記』권15, 태조대왕 16년 조.

24 『三國史記』권32, 祭祀志, 백제 조.

25 중국 문헌에서 최초로 이름이 등장하는 부여왕은 尉仇台인데, 태자로서 120년에 후한의 궁성을 방문한 바 있다. 또 한편으로 그는 2세기 말에서 3세기 초에 요동에서 세력을 떨치던 公孫度의 딸과 혼인한 부여 왕의 이름이기도 하다. 그러나 양자 간에는 연대상의 차이가 크므로 동일 인물이라기 보다는 별개의 인 물로 파악하기도 한다. 고구려에도 동일한 왕명이 있는 경우에는 앞시대 인물의 이름을 닮았다는 뜻으로 후대 인물의 이름 앞에 '位' 字가 붙여지고 있다. 宮(6대 태조왕)과 位宮(11대 동천왕)이 그러한 예라고 하 겠다. 이러한 맥락에서 볼 때 '位'와 '尉'는 동일하게 쓰여지므로 2세기 초에 등장하는 인물은 仇台인 반면 에 그 말기에 보이는 부여왕은 尉仇台라고 할 수 있다. 혹은 양자는 모두 이름이 위구태인 반면 정작 구태 는 그 윗대의 걸출한 인물이었을지도 모른다.

仇台는 부여왕으로서 보다도 백제의 시조로서 역사서에 자주 등장하고 있다. 『周書』를 비롯한 중국 역사 서에서 '부여의 별종'으로 기록된 백제의 시조를 仇台라고 하였기 때문이다. 『三國史記』에서는 또 한 사람 의 백제 시조인 沸流의 父를 부여인 優台라고 하였다. 그런데 尉仇台의 '위구'의 促音은 '우'가 되므로 優台 와 연결이 됨은 주지의 사실이다. 그러므로 어떠한 형태로든 부여왕과 백제 시조에 대한 인식이 관련을 맺고 있음을 발견할 수 있다(李道學, 『백제 고대국가 연구』, 일지사, 1995, 71~72쪽 註82).

비류 기사에 따르면 비류의 족원을 북부여 해부루왕에서 찾았다. 그러한 해부루왕의 아들인 금와왕이 繼位한 후 류화부인을 거두어 준 상황에서 추모가 출생했다. 다음의 기사가 그러한 사실을 보여준다.

g. 시조 東明聖王은 성이 高氏이고 이름이 朱蒙[鄒牟 또는 衆解라고도 하였다]이다. 앞서 扶餘王 解夫婁 가 늙도록 아들이 없어 산천에 제사를 드려 대를 이을 자식을 구하였는데 그가 탄 말이 鯤淵에 이르러 큰 돌을 보고 서로 마주하여 눈물을 흘렸다. 왕은 이상히 여겨 사람을 시켜서 그 돌을 옮기니 어린 아이가 있었는데 금색의 개구리[개구리는 또는 달팽이라고도 한다] 모양이었다. 왕은 기뻐하며 말하기를 "이 것은 바로 하늘이 나에게 자식을 준 것이다." 하고는 거두어 길렀는데, 이름을 金蛙라 하였다. 그가 장성하자 태자로 삼았다. … 이 때에 太白山 남쪽 優渤水에서 한 여자를 발견하고 물으니 (그 여자가) 대답하였다. "저는 河伯의 딸이며 이름이 柳花입니다. 여러 동생과 나가 노는데 그 때에 한 남자가 스스로 천제의 아들 해모수라 하고 나를 熊心山 아래 압록수 가의 집으로 꾀어서 사통하고 곧 바로 가서는 돌아오지 않았습니다. 부모는 내가 중매없이 남을 좇았다고 책망하여 마침내 우발수에서 귀양살이 하게 하였습니다." 금와는 이상하게 여겨서 방 안에 가두었는데, 햇빛에 비치자 (류화는) 몸을 당겨 피하였으나 햇빛이 또 좇아와 비쳤다. 그래서 임신을 하여 알 하나를 낳았는데 크기가 다섯 되 쯤 되었다. … 한 사내 아이가 껍질을 깨고 나왔는데 골격과 외모가 빼어나고 기이하였다. 나이가 겨우 일곱 살이었을 때에 남달리 뛰어나 스스로 활과 화살을 만들어 쏘면 백발백중이었다. 부여의 속어에 활 잘 쏘는 것을 朱蒙이라고 하였으므로 이것으로 이름을 삼았다. … 왕자와 여러 신하가 또 죽이려고 꾀하자, 주몽의 어머니가 이것을 눈치채고 (주몽에게) 일렀다. … 그들과 함께 卒本川[魏書에는 "紇升骨城에 이르렀다"고 하였다]에 이르렀다. 그 토양이 기름지고 아름다우며, 산하가 험하고 견고한 것을 보고 마침내 도읍하려고 하였으나, 궁실을 지을 겨를이 없었으므로 다만 沸流水 가에 초막을 짓고 살았다. 나라 이름을 高句麗라 하고 그로 말미암아 高로써 姓을 삼았다[혹은 말하기를 주몽이 졸본부여에 이르렀던 바 왕이 아들이 없었기에 주몽을 보자 보통 인물이 아님을 알고 그의 딸로 주몽의 아내를 삼게 하였다. 왕이 돌아가자 주몽이 왕위를 이었다고 한다].[26]

비록 장황한 인용이기는 하지만, 위의 기사를 놓고 볼 때 추모는 금와왕의 의붓아들인 동시에 결과적으로 해부루왕의 庶孫인 셈이다. 백제 시조 비류왕의 경우는 해부루왕의

26　『三國史記』권13, 東明聖王 즉위년 조.

曾庶孫이 된다. 이렇게 본다면 백제나 고구려의 시조 모두 북부여 해부루왕을 軸으로 해서 同源이 되는 것이다. 백제인들이 고구려인에 대해 同源 의식을 가질 수 있는 근거라고 하겠다. 백제의 부여창 태자와 고구려 장수가 대적했을 때 "姓이 같다"[27]고 하였다. 그러니 이 말에는 동질 의식 표출 이상의 의미가 담겼다고 보아야겠다.

3. 온조 기사의 검토와 그 생성 배경

1) 『삼국사기』 고구려본기와 백제본기의 검토

백제인들은 자국의 기원을 일관되게 부여에서 찾았다. 이에 걸맞게끔 왕실의 氏도 부여씨였다. 중국인들도 백제를 부여의 한 갈래로 인식했다. 그 뿐 아니라 부여 시조인 동명왕을 자국 시조로 받아들였고, 심지어 국호까지 부여로 일컬었다. 이러한 정서에 부합되는 건국 설화는 북부여 출원설을 내세운 비류 기사였다. 「광개토왕릉비문」과 「모두루묘지」에서 보듯이 고구려 왕실은 자국의 연원을 북부여에서 찾았다. 그런 만큼 백제의 비류 기사는 고구려와 대등한 관계를 천명한 것이다. 이처럼 백제 당시의 정서와 딱 부합되는 북부여계의 비류 기사가 존재함에도 불구하고 어떻게 고구려 시조 아들이라는 온조 기사가 부지할 수 있었을까? 백제 당시에는 고구려계의 온조 건국 기사가 비집고 설 자리가 없었다. 백제인들은 자국의 기원과 정체성에 대해 분명한 입장을 취했을 뿐 아니라 적지 않은 기록도 남겼다.

만약 온조 기사가 백제 때 존재했다면 온조의 출생과 관련한 고구려 시조 추모와 엮어진 기록이 『삼국사기』에서 확인되어야 마땅하다. 그런데 『삼국사기』 고구려본기에는 북부여를 탈출한 추모가 졸본에서 결혼한 기록이 보이지 않는다. 물론 "혹은 말하기를 주몽이 졸본부여에 이르렀던 바 왕이 아들이 없었기에 주몽을 보자 보통 인물이 아님을 알고 그의 딸로 주몽의 아내를 삼게 하였다. 왕이 돌아가자 주몽이 그 位를 이었다(g)"[28]는 기사가 있다. 註의 형태로 달린 이 기사는 고구려측 原所傳에는 없었다. 백제본기의 所

---

27 『日本書紀』 권19, 欽明 14년 조.
28 『三國史記』 권13, 東明聖王 즉위년 조.

傳을 고구려본기에 끼워넣었던 것으로 보인다. 그렇게 볼 수 있는 근거는 다음과 같다.

첫째, 위의 기사에 보이는 '졸본부여'는 고구려본기 어디에서도 확인되지 않는다. 고구려본기에서는 추모의 남하 과정이나 유리 왕자가 父王을 찾아가는 데서도 그 목적지를 '卒本川'[29]이나 '卒本'[30]이라고만 하였다. 고구려왕들의 始祖廟 祭祀地도 일관되게 '卒本'으로만 표기되었다. 『삼국사기』 지리지 고구려 조에 인용된 「古記」에도 "朱蒙이 扶餘로부터의 難을 피해 도망와 卒本에 이르렀다"[31]라고 하여 역시 '卒本'으로 표기했다. 이렇듯 국가의 존재로서 '졸본부여'의 실체를 담고 있는 기록은 전무하기 때문이다. 게다가 비류 기사(b)에도 '卒本'으로 표기된 바 고구려 건국설화 체재와 연결되고 있다. 물론 『삼국사기』 지리지에서는 소위 『古典記』를 인용한 온조왕 개국 기사에 "卒本扶餘로부터 慰禮城에 이르러 都邑을 세우고 王을 칭했다"[32]라고 하여 '卒本扶餘'가 보인다. 그렇지만 이는 어디까지나 압축된 기록에 불과하다. 그런 만큼 『古典記』에 원래부터 '卒本扶餘'로 표기되었는지 여부를 확인하기는 어렵다. 이와 더불어 『구삼국사』에는 '卒本'이 보이지 않는다는 견해도 있다. 그러나 「동명왕편」에 보면 渡河說話와 비둘기가 오곡종자를 전하는 내용에 이어 "왕이 스스로 띠자리 위에 앉아서"라고 한 후에 詩로써 그 상황을 노래하였다. 여기서 도읍지에 관한 언급이 생략되었음을 알 수 있다. 자연히 이와 연계된 '卒本' 지명도 누락될 수밖에 없었을 것이다. 요컨대 『구삼국사』 자체에 '卒本'이 보이지 않는 게 아니었다. 서사시인 「동명왕편」에서만 생략되었을 뿐이다.

둘째, 고구려본기 割註의 所傳은, 백제본기에 적힌 추모의 남하와 졸본부여왕의 둘째 딸과 결혼한 온조 기사(a)를 압축한 게 분명하다.[33] 따라서 고구려측 소전에는 당초 추모와 온조의 母와 연결된 기록이 없었음을 알 수 있다. 그런데 『삼국사기』 백제본기에는 "혹은 주몽이 졸본에 와서 越郡의 여자를 娶하여 두 아들을 낳았다고 한다(a)"[34]라는 기

---

29 『三國史記』 권13, 東明聖王 즉위년 조.

30 『三國史記』 권13, 瑠璃明王 즉위년 조.

31 『三國史記』 권37, 地理志, 고구려 조.

32 『三國史記』 권37, 地理志, 백제 조.

33 李康來 역시 다음과 같은 견해를 피력한 바 있다. "주몽이 卒本扶餘王의 사위로 나타나는 분주의 이설은 백제본기 溫祚의 건국 내용에서 보다 구체적으로 서술되고 있다. 즉 고구려본기의 '一云'이 전하는 분주의 내용은 백제본기의 始祖 溫祚說 계통의 자료와 同軌에 있다(李康來, 『三國史記 典據論』, 민족사, 1996, 136쪽)"고 하였다.

34 『三國史記』 권23, 시조왕 즉위년 조.

사가 보인다. 즉 추모가 졸본부여왕의 딸과 혼인한 온조 기사(a)와는 다른, 異說이 동일한『삼국사기』백제본기에 割註로 적혀 있다. 이 기록의 原所傳은 고구려측 전승일 가능성이 높다. 일례로 온조 기사에 등장하는 '졸본부여' 대신 '卒本'으로만 적혀 있는 것도 그렇게 간주할 수 있는 유력한 방증이 된다. 어쩌면 "越郡의 여자를 娶하여 두 아들을 낳았다"는 기사는 비류나 온조 기사의 원형이었을 소지마저 제공하고 있다.

셋째, 추모의 남하 과정과 관련해 다음과 같은『삼국사기』의 고구려측 기록을 확인해볼 필요가 있다.

h. 19년 여름 4월에 왕자 類利가 부여로부터 그 어머니와 함께 도망해 오니, 왕은 기뻐하고 [그를] 태자로 삼았다. 가을 9월에 왕이 죽었다. 그 때 나이가 40세였다. 龍山에 장사지내고 동명성왕이라고 이름하였다.[35]

i. 琉璃明王이 왕위에 올랐다. 이름은 類利이다. 혹은 孺留라고도 하였다. 주몽의 맏아들이고, 어머니는 禮氏이다. 전에 주몽은 부여에 있을 때 예씨의 딸에게 장가들어 [그 여자가] 아이를 배었는데 주몽이 떠난 뒤에 아이를 낳았으니 이 아이가 유리이다.[36]

백제 건국 세력이 고구려 왕실에서 分派되었다면 고구려본기에 그러한 사건이 언급되었어야 마땅하다. 왜냐하면 이 사건은 당초 고구려 땅에서 발생한 만큼 외면할 수 없는 기록이기 때문이다. 그러나 위에서 인용한 고구려본기의 h와 i에서는 일체 기록이 없다. 그런데 반해 비류 기사(b)에는 "禮氏와 孺留 등 주몽 전승에 보이는 구체적인 人名이 나타나고 있다"[37]라고 지적되었다. 그렇듯이 비류 기사는 온조 기사의 허술한 내용과는 크게 대비되고 있다. 그 반면에 비류 기사에서는 백제 건국에 관한 서술이 취약하다는 지적을 받는다. 그러나 이는 당초의 기록이 그러했던 것 같지는 않다. 이는『삼국사기』본문에 수록된 온조 기사와 중첩된 부분인 관계로 수록하지 않았기 때문일 것이다. 요컨대 이러한 검토를 통해 비류 기사보다도 취약한 내용으로 짜여진 온조 기사는 백제 당대에

---

35 『三國史記』권13, 東明聖王 19년 조.

36 『三國史記』권13, 琉璃明王 즉위년 조.

37 林起煥,「百濟 始祖傳承의 형성과 변천에 관한 고찰」『百濟研究』28, 1998, 17쪽.

생겨나지 않았을 가능성이 한층 커진다.

넷째, 『삼국사기』 祭祀志에서 "海東古記를 살펴보면 혹 始祖 東明이라하고 혹은 始祖 優台라고 하였다(d-1)"[38]라고 한 기록을 검토해 보자. 여기서 '始祖 東明'을 고구려 시조 추모로 간주할 수 있겠지만 취하기 어려운 근거는 다음과 같다. 첫째, 『삼국사기』 백제본기의 온조 기사에서 그 父를 추모 혹은 주몽으로만 표기하였을 뿐 '東明'이라고 한 적이 없다. 둘째, 『삼국사기』 상의 동명이 추모라면 온조왕 즉위년 곧 개국년 조의 "동명왕묘를 세웠다"고 한 기사를 통해서 검증이 가능하다. 즉 이 기사의 동명왕이 추모왕을 가리킨다면, 고구려의 동명묘는 제3대 대무신왕 3년에 와서야 건립된[39] 사실과 연결짓기 어렵다. 왜냐하면 고구려 왕실은 國祖인 추모왕의 직계 후예임에도 불구하고 그 사당을 백제보다 후대에 건립한 것이 되기 때문이다. 따라서 『삼국사기』 상의 '동명왕'은 고구려본기에서 謚號 관련 기사만 빼 놓고는 고구려가 아닌 부여 시조를 가리킨다고 보아야 타당하다. 반면 비류 기사는 『해동고기』에서 '始祖 優台'라고하여 그 존재가 확인된다. '始祖 優台' 기사는 곧 비류의 父를 시조로 인식했기 때문이다. 이 점에서도 비류 기사의 연원이 온조 기사보다 오래 되었음을 시사받을 수 있다.

2) 仇台와 溫祚의 동일 여부 검토

중국 사서에 보이는 백제 시조 구태를 온조와 결부 지으면서 구태 전승을 온조 기사와 일치시켜 보려는 견해가 있다.[40] 이와 관련해 다음과 같은 『隋書』의 백제 건국 기사를 먼저 살펴 보았다.

j. 백제의 先祖는 高麗國에서 나왔다. 그 나라 왕의 어떤 侍婢가 갑자기 임신을 하게 되자 왕이 그녀를 죽이고자 하였다. 시비가 "계란만한 물건이 와서 내게 닿은 까닭에 임신하게 되었다"라고 말하였다. 왕이 그녀를 보냈다. 후에 드디어 한 남자를 낳자 그를 뒷간에 버렸으나 오래도록 죽지 않자 神靈스럽게 여겼다. 이름은 東明인데, 장성하게 되자 고려왕이 그를 꺼려 하였다. 동명이 두려워서 달아나

38　『三國史記』 권32, 祭祀志.
39　『三國史記』 권14, 대무신왕 3년 조.
40　林起煥, 「百濟 始祖傳乘의 형성과 변천에 관한 고찰」 『百濟研究』 28, 1998, 10~17쪽.

淹水에 이르렀다. 부여인들이 모두 그를 받들었다. 東明의 후손인 仇台라는 사람이 있는데, 仁信이 敦
篤해서 帶方 故地에서 비로소 그 나라를 세웠다.[41]

위의 인용에 보이는 '高麗國'은 의심할 나위없이 板本에 '槀離國' 등으로 기재된 '槀離
國'을 誤記한 것이다. 누가 보더라도 부여 건국설화를 백제 건국설화로 錯亂을 일으킨 게
명백하다. 그리고 『梁書』나 『南史』에서는 백제를 '三韓國'에서 출원한 것으로 기재하였
다. 그러나 『周書』에서 백제를 가리켜 "馬韓의 屬國, 夫餘의 別種"[42]라고 하였다. 백제의
소재지는 마한 영역이지만 그 기원은 夫餘임을 명확히 해 주었다. 이렇듯 중국 史書에서
는 백제의 부여 출원설로 일관되었고, 또 異見없이 그렇게 인식되었던 것이다.[43]

그런데 林起煥은 구태와 온조를 일치시켜 보았다. 관련 근거로서 그는 첫째, 양자는
모두 '동명'의 후예로 나타나고 있다는 점을 거론했다. 그러나 온조 기사 자체는 온조가
동명이 아니라 추모의 아들로 나타난다. 설령 추모를 동명으로 인식했다고 하자. 그렇더
라도 온조 기사에서는 고구려 시조와 연관 짓고 있을 뿐이다. 반면 구태 전승은 부여 시
조인 동명의 후손으로 적혀 있다. 그렇기 때문에 양자는 본질적으로 계보가 구분된다.
이런 이유로 "따라서 동명의 혈통적 계통을 표방하고 있다는 점에서 양 전승(온조와 구태
전승; 필자)은 일치한다고 보아도 무방하다"[44]는 해석은 수긍하기 어렵다. 오히려 북부여
출원설을 내세우고 있는 비류 기사야 말로 부여 시조 東明의 후손을 표방한 구태 전승
(c-2)과 연결되고 있다.

둘째, 양자는 '漢山'과 '帶方故地'라는 건국지의 차이는 있지만 표현상의 차이에 불과
하다고 했다. 셋째, 시조의 덕성을 나타내는 양자의 기록이 일치된다는 것이다. 즉 "구태
전승은 '篤於仁信'라고 하였고, 온조 기사에는 직접적으로 표현하지 않았지만 '人民安泰
… 其臣民皆歸於慰禮'의 표현에서 온조의 왕으로서의 덕망을 간접적으로 드러내주고 있

---

41 『隋書』 권81, 東夷傳 百濟 條.
42 『周書』 권49, 異域上 百濟 條.
43 물론 南朝系 史書에서는 백제와 三韓을 연결지어 거론하고 있다. 그러나 『周書』 권49 異域上 百濟 條에서
    에서 "其先蓋馬韓之屬國 夫餘之別種"라고 한 구절에 잘 나와 있듯이 백제의 소속이 三韓 즉 馬韓이라는
    것을 말하고 있을 뿐이다. 동일한 南朝系 史書인 『周書』에서 '夫餘之別種'이라고 덧붙였듯이 엄연히 백제
    의 부여 출원설을 내세우고 있다. 여타 南朝系 史書에서는 백제의 출원지가 생략되어 있을 뿐이다. 그렇
    다고 그 기원이 삼한을 가리키는 것은 아니라고 하겠다. 이렇게 간주하는 게 온당한 해석이 아닐까 싶다.
44 林起煥, 「百濟 始祖傳承의 형성과 변천에 관한 고찰」 『百濟研究』 28, 1998, 14쪽.

다. 따라서 이 부분 역시 일정하게 양 전승이 통하는 일면이 있다고 볼 수 있다"고 했다. 그리고 넷째, "온조 전승의 '以十臣爲輔翼 國號十濟 … 百姓樂從 改號百濟'와 구태 전승의 '以百家濟海 因號百濟'라는 구절은 내용상의 차이는 있으나, 국호를 설명하는 방식은 매우 유사함을 보여준다"[45]고 했다. 그런데 여기서 둘째와 셋째는 견강부회식으로 연결시킨 자의적인 해석에 불과하다. 『삼국사기』 백제본기 온조왕기에는 여타 왕들의 경우와는 달리 정작 온조왕의 성품에 관한 구절이 없다. 넷째는 '高麗' 국호의 기원을 '山高水麗'에서 찾는 식의 견강부회 측면이 강하다. 이 같은 부회적인 서술은 양자 간의 본질적인 유사성을 가리키는 것은 아니다. 그러므로 이러한 주장을 취신하기는 어렵다.

林起煥이 언급한 온조와 구태의 동일 여부는 다음과 같은 측면에서도 취하기 어렵다. 첫째, 구태와 온조는 人名에서 유사성이 전혀 확인되지 않는다. 온조가 구태와 동일한 인물을 가리킨다면 왜 구태로 일컫게 되었는지에 대한 해명이 없다. 이 점 대단히 중요한 사안임에도 건너뛰었다. 오히려 人名과 관련해 구태를 고이왕과 연결 짓고 있지 않은가?[46] 둘째, 林起煥은 "온조 전승이 백제 말기의 왕계 의식을 반영한 자료에 의거하였을 가능성이 가장 크다고 보겠다"[47]고 하였다. 그러나 백제 말기의 상황까지 수록한 『구당서』와 『신당서』 등에서는 백제를 여전히 '부여별종'이라고 하였다. 백제가 성왕대에 국호를 남부여로 改號하면서까지 부여 전통을 내세우고 있다. 이러한 상황에서 백제가 고구려계 온조 기사를 수용한다는 것은 시대 정서와 부딪칠 뿐 아니라 그러한 흔적은 발견되지도 않았다. 더구나 부여씨를 冠稱하는 백제 왕실이 고구려계의 온조 기사를 수용한다는 것은 '改姓'을 해야 가능한 일대 자기 부정이므로 수긍하기 어렵다. 셋째, 온조 기사와 비류 기사 모두 백제 시조의 북부여 기원을 말하고 있으므로 후대에 변개된 것이 아니라고 했다.[48] 그러나 온조 기사에서는 추모의 출신지만 북부여일 뿐이다. 정작 백제 시조라는 온조는 고구려에서 출원했다고 하므로 북부여와는 직접 관련되지도 않는다. 넷째, 온조 기사는 비류 기사 보다 내용이 단순하다. 게다가 온조 기사는 비류 기사 보다 후대에 생성되었다고 한다. 그런 만큼 온조 기사는 비류 기사에서 파생된 후대의 산물로 간주된다. 따라서 온조 기사를 비류 기사와 同列에 놓고 그 성격을 논하기는 어렵다. 온조 기사

45 　林起煥, 「百濟 始祖傳乘의 형성과 변천에 관한 고찰」 『百濟研究』 28, 1998, 15쪽.
46 　李丙燾, 『韓國古代史研究』, 박영사, 1976, 476쪽.
47 　林起煥, 「百濟 始祖傳乘의 형성과 변천에 관한 고찰」 『百濟研究』 28, 1998, 13쪽.
48 　林起煥, 「百濟 始祖傳乘의 형성과 변천에 관한 고찰」 『百濟研究』 28, 1998, 13쪽.

를 백제 당대의 전승으로 간주할 아무런 근거도 없기 때문이다. 다섯째, 온조의 父라는 추모의 북부여 출원설은 금석문 자료와 부합된다. 그러므로 추모의 북부여 출원설은『삼국사기』고구려본기의 동부여 출원설보다 오래된 것이라고 했다. 그러나 이와는 달리 추모의 동부여 출원설은 역사적 사실인데 반해 북부여 출원설은 오히려 선언적인 의미밖에는 없다고 한다.[49] 만약 이러한 견해가 타당하다면, 추모의 북부여 출원 기록이 더 이상 온조 기사의 역사성을 보장해 주는 準據가 되기는 어렵다.

이와 더불어 최근에는 온조 기사에 대한 적극적인 해석이 다음과 같이 제기되었기에 다시금 검토해 본다.

    k.『삼국사기』백제본기에 실린 시조 온조가 주몽의 아들이라고 되어 있는 설화는 백제가 고구려에 대해 상당히 우호적인 인식을 가졌던 시기에 채택되었을 것이다. 그 시기는 두 나라의 관계사로 7세기 이후일 것으로 짐작된다. 그 이전 시기에는 부여계승설 또는 "고구려와 더불어 부여로부터 왔다"고 하는 것이 출원에 대한 백제의 공식적인 입장이었을 것이다.[50]

위와 같은 서술에 이어 김현숙은 "두 나라는 6세기 말에 이르러 처음으로 관계변화의 조짐을 보이다가 7세기에 와서 비로소 나당연합에 맞서는 공동대열을 형성한다. 려제 두 나라는 이때에 이르러서야 비로소 서로에 대해 우호적이면서 대등한 관계로 인식하게 되었을 것이다"[51]라고 했다. 김현숙은 구체적인 논거 제시 없이 관련 근거를『삼국사기』선덕왕 13년(644) 조와 보장왕 3년 조, 그리고 의자왕 4년(644) 조와 의자왕 11년(651) 조에서 찾았다. 백제 초기부터 전승되어 왔던 온조 기사가 백제와 고구려가 우호적인 관계로 돌아선 644년이나 651년 이후 공식적인 시조로 온조가 채택되었다고 했다. 백제 멸망 직전에 온조 기사가 국가 시조기사로 인정되었다는 게 된다. 그러나 김현숙의 이러한 주장은 백제인들이 지닌 기존의 仇台 전승과는 배치되고 있다. 그런 만큼 기존 전승의 破棄를 가리키는 상징적인 일대 큰 사건이 전제되어야만 가능한 주장이 아닐까. 더구나 건국설화상 고구려 시조와 백제 시조를 父子關係로 설정하는 일은 고구려측 논리라면

49 　李道學,「高句麗의 夫餘 出源에 관한 認識의 變遷」『高句麗研究』27, 2007, 144쪽.
50 　金賢淑,「百濟와 高句麗의 相互認識」『2010세계대백제전 국제학술회의』2010, 167쪽.
51 　金賢淑,「百濟와 高句麗의 相互認識」『2010세계대백제전 국제학술회의』2010, 167쪽.

가능할 수는 있다. 그러나 백제 스스로 고구려를 父國, 自國을 子國으로 설정한다는 것은 상상하기 어렵다. 우호적인 상황이라면 백제 근초고왕과 가야 수장들의 관계처럼 오히려 兄弟關係를 언명하는 게 맞지 않을까? 그것도 백제인들의 서술이라면 백제 시조가 '兄'으로 위상지어져야 마땅하지 않을까 싶다.

그런데 우호적인 시기에도 양국이 父子나 兄弟와 같은 從屬 관계가 아니라 대등한 관계를 명시하는 것이 상례였다. 이는 다음의 기사를 통해서 헤아릴 수 있다.

> I. 저희는 근원이 고구려와 함께 부여에서 나왔으므로 先世 때부터 舊款을 독실히 존중하였으나 그 조부 釗가 경솔히 이웃과의 우호를 廢하고 몸소 많은 군대를 이끌고 우리 강토를 짓밟으므로 저의 할아비인 須는 군사를 정비하여 기회를 따라 달려 가서 쳐서 矢石이 잠시 오가는 사이에 釗의 수급을 베어서 걸었습니다. 이로부터 뒤에 그들은 감히 우리를 엿보지 못하다가 馬氏가 궁할 무렵부터 그 남은 무리가 도망하여 더러운 무리가 점점 성하게 되고 드디어는 빈번히 침범하여 원한을 만들고 禍가 이어져서 30여년이 되었으며, 재물이 없어지고 힘도 다하여 자연 군색해졌습니다.[52]

위의 기사에 보이는 同源 意識은 정통성 주장과 관련해 경쟁과 대립 관계로 치달을 수밖에 없는 속성을 보여준다. 그렇지만 비록 명분상이더라도 兩國이 同源이라고 인식했을 때는 우호적인 분위기를 표방할 수밖에 없다. 이와 관련해 백제측에서 자국 시조가 고구려 시조의 아들임을 표방했다고 하자. 그러면 경우에 따라서 백제는 고구려와 수평 관계의 破棄라는 정치적 손실도 감내해야 한다. 그리고 세력 경쟁에서 이탈한 집단이라면 본국에 대해 우호적인 감정을 지녔을 리 없다. 더구나 백제 시조가 고구려 시조의 아들이라는 인식은 양국이 대등한 관계라기 보다는 종속적인 관계임을 自認하는 아킬레스 腱이기도 하다. 따라서 양국 간의 "우호적이면서 대등한 관계"를 운위하는 것은 부적절해 보인다.

중국 사서에는 일관되게 백제를 '부여별종'이라고 하였다. 백제 당시에 온조 기사가 공식적으로 채택되었다면 최소한 '고려별종'에 대한 기록 하나쯤은 나왔어야하지 않았을까. 그리고 온조 기사가 국초부터 전해왔다고 하자. 그러면 이러한 기사는 백제 왕실의 부여 출자설에 정면으로 배치된다. 그럼에도 이 기사가 거의 7세기 동안 생명을 유지하

---

52 『三國史記』 권25, 개로왕 18년 조.

면서 내려왔다는 게 가능할 수 있었을까? 더구나 백제 때부터 엄존하고 있던 비류 기사는 온조 기사보다 앞선 전승으로 파악되고 있다. 그렇다면 이와 정면으로 배치될 뿐 아니라 국가 정체성에 위배되는 고구려계의 온조 기사가 오랜 기간에 걸쳐 전승될 수 있었을까 하는 의구심마저 든다. 기사 내용의 소소한 차이나 異同이 아니라 始祖를 전혀 달리하는 기사가 백제 당시에 전승될 수는 없었을 것이다. 또 그러한 사례가 세계 역사상 어디에 있던가? 이는 국가 정체성과 결부된 중차대한 사안이기 때문이다.

4. 온조 기사의 출현 시기와 그 배경

온조 기사의 출현 시기와 그 배경을 살펴 보도록 하자. 이와 관련해 "그렇다면 현재와 같은 내용의 건국설화가 백제본기에 수록된 시기는 언제였을까? 이에 대해 고려가 후백제에 대해 정통성을 주장하기 위해 이런 내용을『삼국사기』편찬시에 실었으리라고 보는 설이 있다(이도학, 2005, 앞의 논문)"[53]고 언급되었지만, 이는 사실과 다르다. 김현숙이 지칭한 필자의 글은 "『삼국사기』이전의 사서에서 이미 온조를 주몽의 아들로 誤記하게 된 것으로 추측할 수 있다"[54]고 하였기 때문이다. 필자는 동일한 글에서『구삼국사』편찬 시 이와 같은 내용의 온조 기사가 갖추어졌을 것으로 보았다.[55] 그러면 이러한 주장의 타당성 여부를 떠나 선행 기사인 비류 기사와 온조 기사를 상호 비교해 볼 필요가 있다. 兩 記事에서 비류가 형이고, 온조가 동생인 것은 동일하다. 그 뿐 아니라 추모가 남하해서 비류·온조 형제의 어머니와 혼인하여 국가를 세운 것도 동일한 모티브이다. 그런데 비류 기사가 더 오래되었다고 한다.[56] 이러한 경우에는 비류 기사에서 온조 기사가 파생되었을 가능성을 짚어 보아야 한다.

비류 기사와 온조 기사는 기본 골격이 동일하다. 그렇지만 비류 기사 구조에서 온조를 끄집어 내어 그 계보를 고구려 시조 추모와 접속시켜 또 하나의 서사체계를 만들었음을 발견하게 된다. 이러한 사례는『삼국유사』王曆篇이나 동일한 책에 인용된『단군기』에서

53 김현숙,「百濟와 高句麗의 相互認識」『2010세계대백제전 국제학술회의』2010, 159쪽.

54 李道學,「高句麗와 百濟의 出系 認識 檢討」『高句麗硏究』20, 2005 ; 2006,『고구려 광개토왕릉비문연구』, 서경문화사, 2006, 80쪽.

55 李道學,『고구려 광개토왕릉비문연구』, 서경문화사, 2006, 80~81쪽.

56 金杜珍,『建國神話와 祭儀』, 일조각, 1999, 175쪽.

추모를 단군의 아들로 기록하거나 그렇게 설정한 것과 비슷한 맥락에서 생각해 볼 수 있다. 그리고 『삼국유사』에 인용된 「壇君記」에 의하면 檀君은 西河 河伯의 딸과의 사이에서 북부여왕인 夫婁를 낳았다고 한다.[57] 그러한 解夫婁王의 庶孫인 優台의 아들이 곧 비류라고 했다. 그렇다면 백제 역시 그 淵源이 고조선의 단군과 연결되는 것이다. 문제는 이러한 기록이 사실일 리는 없다. 다만 고려 초기 역사 인식의 한 단면을 말해 줄 뿐이다.

이와 관련해 『삼국사기』 고구려본기에서는 정작 추모와 온조를 관련시킨 기록이 없다는 점도 유의된다. 다만 그 割註에서 "혹은 말하기를 주몽이 졸본부여에 이르렀던 바 왕이 아들이 없었기에 주몽을 보자 보통 인물이 아님을 알고 그의 딸로 주몽의 아내를 삼게 하였다. 왕이 돌아가자 주몽이 왕위를 이었다고 한다(g)"[58]라고 한 구절은 앞에서 언급했듯이 김부식이 백제측 기록을 고구려본기에 끼워넣은 것에 불과하다. 이러한 맥락에서 볼 때 온조와 추모도 실제 혈연상으로는 관련짓기 어렵다. 다시 말해 온조의 계보를 주몽과 연결짓는 기록의 신빙성은 떨어진다. 그럼에도 『삼국사기』 백제본기에서 兩者를 계보상으로 연결 짓는데는 그 만한 이유가 있었을 것이다.

그러면 온조를 추모의 아들로 연결지음으로써 기대할 수 있는 정치적 효과는 무엇일까? 일단 고구려와 백제의 후신인 고려와 후백제가 기실은 同源임을 인식시킬 수 있다. 만약 이러한 인식이 공감대를 형성한다면 삼국민의 대통합을 이루려는 고려 조정의 정치적 의도와 부합된다. 온조 기사의 기원을 이러한 맥락에서 찾을 수 있다. 이는 곧 백제 유민들에 대한 열등감 조장 의도[59] 보다는 후백제 유민들을 융합시켜 대통합을 이루려는 의도에 부합한다. 이러한 추론은 다음과 같은 '역사 만들기' 사례가 이해에 도움이 될 것이다.

『삼국유사』 왕력편에는 추모가 단군의 아들로 기록되었다. 이는 『삼국유사』 저자의 인식이기 보다는 그 이전의 역사 인식에 근거한 것이었다. 왜냐하면 이는 『삼국유사』 고구려 조나 『제왕운기』에 인용된 『단군기』 혹은 『단군본기』에서 단군이 북부여왕 해부루를 낳았다는 인식과 軌를 같이하기 때문이다. 단군과의 계승관계는 북부여와 고구려로 각각 이어지고 있다. 이러한 인식은 그 底本에 근거한 것이므로 『삼국유사』나 『제왕운기』

---

57 『三國遺事』 권1, 紀異, 고구려 조.
58 『三國史記』 권13, 동명성왕 즉위년 조.
59 李道學, 「高句麗와 百濟의 出系 認識 檢討」 『高句麗研究』 20, 2005 ; 『고구려 광개토왕릉비문 연구』, 서경문화사, 2006, 79쪽.

이전부터의 역사 인식이었다. 그리고 이 단계를 거쳐 1287년에 저술된『제왕운기』에서는 단군이 북부여나 고구려만의 조상이 아니라 한국사 전체의 조상으로 그 격이 격상되고 있다.

이와 더불어 한국사의 출발점으로서 단군이 자리잡게 된 사실이다. 종전에는 1361년에 白文寶가 공민왕에게 개혁의 필요성을 역설하면서 지금이 단군에서부터 3600년이 되어 '周元之會'를 맞이했으므로 개혁의 好期라고 말한 구절을 거론하고는 했다. 그러나 이보다 74년 전에 간행된『제왕운기』에 보면 경순왕이 고려에 항복한 사실을 노래하면서 "우리 태조 18년이다. 단군 원년 무진으로부터 이때까지가 무릇 3288년이다"라고 하였다.[60]『제왕운기』에서는 한국사의 출발점으로서 단군과 그 건국이 지닌 역사적 의미를 새롭게 설정했던 것이다. 이렇듯 13세기 후반에 이르러서야 단군은 한국사 전체의 시조로 그 격이 올라 갔다. 그 배경은 13세기 전반기까지 있었던 신라·고구려·백제의 삼국재건운동(1190·1217·1237년)을 힘겹게 진압한 고려 조정의 정치적 모색에서 비롯되었다는 시각이 우세하다. 진정한 통일국가라고 일각에서 말하는 高麗였다. 그렇지만 때 늦은 삼국재건운동은 기실 고려의 국가적 통합력이 대단히 취약했음을 반증한다. 이것을 타개하기 위해 고려 조정은 삼국보다 연원이 장구하였던 고조선과 그 시조인 단군을 정점으로 하는 겨레 의식을 조성하고자 했던 것이다.[61]

이상에서 살폈듯이 백제와 고구려의 시조들은 궁극적으로 단군으로 귀결되고 있다. 물론 이는 역사적 사실과는 무관한 일정한 정치적 의도에서 나온 '역사 만들기'의 산물에 불과하였다. 정치적 산물로서 '역사 만들기'는 이 경우만 아니었을 것이다. 고려는 물리적으로 후삼국을 통일한 직후에 정치적 대통합을 위한 방편으로 또 하나의 '역사 만들기'를 시도했을 가능성이 있다. 고구려를 계승한 고려가 백제를 승계한 후백제를 제압한 직후인 고려 초에 편찬한 역사서가『구삼국사』였다.[62] 이때 고려는 소위 삼한 통합의 도덕적 당위성을 확보하기 위한 목적에서 백제 왕실의 뿌리를 고구려에 접속시켰던 게 아닐까. 그러한 혐의로서『삼국사기』백제본기와는 달리 고구려본기에는 온조 건국기사가 없다는 점을 지목할 수 있다. 쉽게 말해 양쪽 전승이 서로 아귀가 맞지 않다. 백제 건국 세

---

60 李道學,「古朝鮮史의 몇 가지 問題에 관한 再檢討」『東國史學』37, 2002, 27~28쪽

61 이상의 서술은 徐永大,『한국고대 神觀念의 사회적 의미』, 서울대학교 박사학위청구논문, 1991, 119~120쪽에 의하였다.

62 末松保和,「舊三國史と三國史記」『朝鮮學報』39·40合輯, 1966, 9쪽.

력이 고구려 왕실에서 分派되었다면 고구려본기에 그러한 사건이 언급되었어야 마땅하다. 왜냐하면 이 사건은 당초 고구려 땅에서 발생한 일인 만큼 외면할 수 없는 기록이기 때문이다. 더구나 백제 왕실에 대한 고구려 왕실의 우월성을 과시할 수 있는 소재로서 適格이었다. 그러나 고구려측 당초의 所傳에는 일체 기록이 없다. 이러한 것만 보더라도 온조 기사의 생성 시점에 의문이 제기되지 않을 수 없는 것이다.

이와 관련해 "혹은 주몽이 졸본에 와서 越郡의 여자를 娶하여 두 아들을 낳았다고도 한다(a)"는 고구려측 전승이 비류와 온조 기사의 모태가 된 듯한 인상을 주지만, 현 상황에서는 더 이상의 추론을 전개할 만한 動力은 없다. 다만 비류 기사에서 우태의 次子로 적힌 온조를 따로 떼어 그를 시조로 하는 독립된 건국설화를 만들었다. 그럼에 따라 백제 시조 온조는 추모의 아들로 설정되어 백제와 고구려는 기실 同源의 나라가 되었다. 요컨대 온조 기사는 후삼국 통일 이후 대통합을 위한 '역사 만들기'의 소산이었다.

참고로 다른 왕들의 본기에서도 그렇지만, 『삼국사기』 온조왕본기의 年代記 역시 始祖 이름 대신 '王'으로만 기재되었다. 始祖本紀의 주인공이 '온조왕'이라는 어떠한 단서도 제공해 주지 않았다. 이 점 환기시키고자 한다. 물론 제2대 다루왕의 계보를 "온조왕의 元子"라고 한 기술은 시조를 온조로 前提한데서 연계된 표현에 불과할 수 있다.

5. 맺음말

『삼국사기』 백제본기에 게재된 온조 기사는 곧 백제 개국설화로서 의심 없이 수용되는 경향이 있다. 온조 기사는 백제 때부터의 所傳이 아니겠냐는 믿음을 가져 왔다. 그렇지만 이에 대한 근본적인 의문 제기나 치밀한 검증은 없었다. 더욱이 온조 기사는 당시에 흔히 확인되듯이 시조의 출생과 관련한 신화적인 요소가 전혀 없다. 게다가 온조 기사는 동일한 『삼국사기』에 게재된 비류 기사와 충돌하고 있다. 그럼에도 온조와 비류 기사에 대한 상호 비교·검토가 제대로 이행되지 못했다.

백제 왕실의 전승에 따르면 도모대왕 설화에 보이는 日神感應出誕說이 건국시조설화의 원형이 된다. 이 전승은 백제 말기까지 존속한 관계로 일본측 史書인 『續日本紀』에 수록될 수 있었다. 그런데 온조 기사가 개국 이후나 7세기대에 생성되거나 채택되었다는 견해가 있다. 그러나 이 견해는 우선 도모대왕 설화와 배치되기 때문에 설득력이 떨어진다. 도모대왕은 동명왕과 동일한 神格으로서, 성왕대에 국호를 '南扶餘'로 고치는 등 부여로의 정통성을 천명하는 상황에서 격상된 신격으로 보인다. 이와는 별도로 廟祠를 갖추고 있었던 仇台는 온조 기사와는 전혀 연결되지 않는 신격이었다. 그 반면 구태는 어느 정도 비류 기사와의 연결점이 보이고 있다. 게다가 백제 왕실은 全時期에 걸쳐 부여로부터의 전통을 일관되게 강조하였다. 가령 북부여 왕실의 성씨이기도 했던 부여씨라는 백제 王姓의 존재, '부여별종'이라는 종족 계통에 관한 기록, 國書에서 자신들의 부여 기원에 대한 언급, '남부여'로의 改號를 통해 볼 때 백제는 일관되게 부여 기원설을 천명했다. 이러한 정서에서는 고구려 출원의 온조 기사가 비집고 들어설 틈이 없었다고 보는 게 정직한 해석이 아닐까. 온조 기사대로 한다면 형식상 백제 왕실은 高氏를 칭했어야 마땅하다. 백제 말기에 와서 설령 온조 기사가 국가 시조기사로 채택되었다고 하더라도 왕실의 성씨인 부여씨와 연결되지 않는다. 그럼에도 어떻게 추모의 아들 云云하는 설화가 생성될 수 있을까? 이 부분은 지극히 상식에 관한 사안이지만, 간과한 것인지 외면한 것인지 모를 정도로 度外視하였다.

이러한 맥락에서 볼 때 온조 기사는 백제 멸망 이후 어느 때 생성되었다고 보는 게 순리적인 해석이 아닐까 싶다. 이와 관련해 주목되는 사안이 고려시대의 역사 인식이었다. 추모를 단군의 아들로 설정했을 뿐 아니라, 동 · 북부여와 삼국을 비롯한 諸政治勢力을 단군의 후예로 설정한 것이다. 이는 단군을 정점으로 하는 단일한 역사체계 확립을 통한 대통합과 융합을 이루려는 정치적 의도에서 생겨난 '만들어진 역사'의 전형이었다. '만들어진 역사'가 필요한 시점은 고려시대 때 몇 번 있었다. 그 첫 번째는 후삼국을 힘겹게 통일한 직후였을 것이다. 고려 초에 편찬된『구삼국사』를 통해 백제의 시조 전승에서 비류의 弟로 적혀 있는 온조를 뽑아와서 추모와 연결시키는 '역사 만들기'가 단행된 것으로 보인다. 그럼에 따라 고구려를 계승한 고려 왕조의 정치적 優位는 보장되었다. 게다가 이는 백제를 계승한 후백제와 고구려의 後身인 고려와의 동질성을 운위할 수 있는 好材이기도 했다. 고려 왕조는 대통합을 위한 명제로서 백제 시조를 온조로 설정하여 고구려 시조인 추모의 아들로 접속시킨 것으로 본다. 백제 당시에 존재할 수 없었던 고구려계의 온조 國祖가 생성된 배경은 이 같은 정치적 배경에서 출현한 것으로 해석되었다.

「百濟 始祖 溫祚說話에 대한 檢證」『한국사상사학』36, 한국사상사학회, 2010.

백제 건국 세력은 어디서 와서,
어디에 정착했는가?

1. 머리말

백제 건국 세력의 계통에 대해서는 고구려계 주민의 이동과 한강유역 정착으로 간주하는 시각이 지배적이다. 이러한 견해는 현재 한국 학계의 정설로 자리잡았다. 그랬기에 중고등학교 한국사 교과서에 이러한 내용이 수록되어 있다. 그러나 백제 시조는 널리 알려진 온조 외에 비류와 구태, 그리고 도모대왕과 동명왕이 보인다. 史書에서는 모두 5명의 백제 시조가 등장하고 있다. 이 가운데 온조만 고구려계일뿐 비류 등 나머지 4명은 부여계로 적혀 있다. 게다가 백제 당시의 기록을 보더라도 백제인들은 일관되게 자신들이 부여에서 기원했음을 천명했다. 그랬기에 왕실의 氏가 부여씨였고, 한때 국호를 부여로 바꾼 적도 있었다.

가장 중요한 것은 백제인들 스스로의 자국의 정체성 인식이다. 그럼에도 『삼국사기』의 기록에 과중할 정도로 의미 부여를 한 것으로 보겠다. 『삼국사기』 기록을 존중하는 것은 좋다. 그렇지만 동일한 『삼국사기』에 수록된 비류왕 시조 기록을 忽視해 왔다는 것이다. 비류왕 시조 기록은 여타 자료에서 백제 건국 세력이 부여에서 내려왔다는 일관된 증언과 부합하고 있다. 게다가 고구려계통 주민의 이주를 뜻하는 물증으로 지목해 왔던 서울 석촌동의 적석총의 편년이 下向되었다. 백제 건국기와는 직접 관련이 없는 것으로 드러났다. 그럼에 따라 고구려계 주민의 서울 지역 정착과 이주를 입증할 만한 문헌과 물증은 대단히 취약해진 것이다.

본고에서는 문헌과 물증에 대한 엄정한 분석과 최근의 고고학적 연구성과를 수용하여 백제 건국 세력의 초기 정착지가 서울이 아니라 인천권임을 증명하고자 했다. 그럼으로써 비류 시조 전승의 타당성을 입증하는 동시에 백제사의 판을 새롭게 짜는데 기여하려고 한다.

2. '始祖 溫祚' 기록의 검증

1) 백제 시조에 대한 검토

백제 건국 세력의 계통에 대해서는 보편적으로 통용되는 견해의 문제점을 우선 검증하면서 시작하고자 한다. 이와 관련해 상징성이 높은 고등학교 국사 교과서에서는 다음과 같이 서술되어 있다.

> a. 백제의 건국: 백제는 고구려 주몽의 아들로 알려진 온조가 남하하여 한강 유역의 하남 위례성에 정착한 후 마한의 소국 가운데 하나로 발전하였다.[1]

> b. 백제의 건국 세력: 백제의 건국 설화에는 백제를 세운 온조가 고구려 주몽의 아들로 나오는데, 이는 백제 건국 세력이 고구려 계통의 이주민 세력임을 보여주는 것이다. 백제 왕실이 부여씨를 칭하고, 서울 석촌동 돌무지무덤이 고구려 무덤과 유사한 양식인 것은 이러한 사실을 뒷받침한다.[2]

위의 b 서술에서 '백제 왕실이 부여씨를 칭하고'는 『삼국사기』에 수록된 부여계 비류 시조 전승과 부합된다. 논리상 이러한 서술은 백제 건국 세력을 고구려계로 간주하는 근거가 되기는 어렵다. 오히려 그 반대편 견해에 무게를 실어준다. 어쨌든 백제 건국 세력의 계통을 고구려계로 간주하는 견해가 정설이 되었음을 뜻한다. 다음은 한성백제박물관에서 2013년 3.26~5.26일까지 전시했던『특별전 온조, 서울의 역사를 열다-백제 건국과 왕도 한성』에 대한 관련 책자의 내용 분석이다.

> c. 온조, 나라를 세우다
>
> 기록 속의 백제왕은 모두 31명이다. 그중 21명이 지금의 서울에서 즉위하였고, 5명은 지금의 공주, 5명은 지금의 부여에서 즉위하였다. 도읍을 두 번이나 옮겼지만, 왕실은 바뀌지 않았다.

---

1 교육과학기술부,『고등학교 국사』2010, 47쪽.
2 최준채,『고등학교 한국사』, 법문사, 2011, 25쪽.

백제왕실의 시조는 기록마다 달라서 동명東明 혹은 구태仇台라고 전한다. 백제에 대해 가장 자세한 기록인『삼국사기』에는 첫 임금이 온조왕溫祚王으로 적혀 있다. 백제의 첫 임금이 비류왕沸流王이라는 이야기도 전하지만 근거가 자세하지 않다. 온조왕은 도읍을 정하자마자 여름 5월에 동명왕묘東明王廟부터 세웠다고 한다. 이후 백제의 왕들은 주로 봄 정월에 동명왕묘에서 제사를 지냈다.

온조왕이 자리잡은 곳은 한강 남쪽의 위례성慰禮城이다. 부아악負兒嶽(북한산)에서 한강유역을 굽어보며 지금의 송파구 풍납동·방이동 일대를 국가의 터전으로 선택한 것이다.[3]

위와 같은 특별전 도록의 내용을 검증하고자 한다. 여기서 주안점을 둔 것은 상기한 인용문 가운데 "백제의 첫 임금이 비류왕(沸流王)이라는 이야기도 전하지만 근거가 자세하지 않다"는 구절이다. 여기서 '이야기'라는 단어는『삼국사기』에서…적혀 있다'는 온조와는 달리 전후 문맥상 전설같은 인상을 주고 있다. '비류왕이라는 이야기'도 온조와 함께『삼국사기』에 적혀 있다고 서술했어야 마땅하다. 여기서 '적혀 있다'와 '이야기도 전하지만'은 독자에게 주는 인상은 天壤之差인 것이다. 즉『삼국사기』에 적혀 있는' 온조와는 달리 '이야기로 전하는' 비류 기록의 신빙성을 은연 중 낮추고 있다는 인상을 준다. 사전 지식이나 정보가 전무한 일반인이나 비전공자의 입장에서는 당연히 비류 시조 기록의 신빙성이 낮다는 인상을 받게 된다. 그러면 과연 '이야기로 전하는' 데다가 '근거가 자세하지 않다'는 비류 시조 기록의 신빙성을 검증해 보고자 한다. 아울러 온조와 비류 兩 기록을 다음에 보듯이 함께 소개한 후 하나하나 검토해 본다.

d. 백제 시조 溫祚王은 그의 아버지가 鄒牟인데 혹은 朱蒙이라고도 한다. 북부여로부터 난을 피하여 졸본 부여에 이르렀더니 부여왕이 아들은 없고 딸만 셋이 있었다. 주몽을 보자 보통 사람이 아님을 알고 둘째 딸로써 아내를 삼게 하였다. 그 후 얼마되지 않아서 부여왕이 죽자 주몽이 그 자리를 이었다. 주몽이 두 아들을 낳았는데 맏아들은 沸流요 둘째 아들은 溫祚라고 한다[혹은 주몽이 졸본에 이르러 越郡 여자에게 장가 들어 두 아들을 낳았다고 한다]. 주몽이 북부여에 있을 때 낳은 아들이 와서 태자가 되었다. 비류와 온조는 태자에게 용납되지 못할까 염려하여 드디어 烏干·馬黎 등 10臣과 함께 남쪽으로 떠나니 백성들 중에서 따르는 자가 많았다. 드디어 漢山에 이르러 負兒岳에 올라서 살 만한 땅을 살폈다. 비류가 바닷가에서 살자고 하니 열 명의 신하가 諫하여 말하기를 "생각하건대 이곳

---

3 한성백제박물관,『온조, 서울의 역사를 열다』2013, 9쪽.

河南의 땅은 북은 漢水를 띠고, 동으로 높은 산악에 의거하고 있으며, 남으로는 비옥한 들판이 바라보이고, 서로는 큰 바다에 막혔습니다. 이러한 천험의 좋은 땅이야말로 얻기 어려운 것이니 여기에 도읍을 정하는 것이 마땅 하지 않겠습니까?"라고 하였다. 비류는 듣지 않고 그 백성들을 나누어 가지고 彌鄒忽로 가서 살게 되었다. 온조는 하남 위례성에 도읍을 정하고 열 명의 신하로써 보좌를 삼고 나라 이름을 十濟라 하였다. 이 때는 前漢 成帝의 鴻嘉 3년이었다. 비류가 미추홀은 땅이 습하고 물이 짜서 편히 살 수가 없었다. 慰禮로 돌아와서 보니 이곳 도읍이 정비되고 인민들이 태평하였기에 그만 부끄럽고 후회하며 죽으니 그의 신하와 백성들은 모두 위례로 歸屬하였다. 그 뒤로부터 날로 백성들이 즐겁게 따르므로 국호를 百濟라고 하였다. 그의 世系는 고구려와 함께 부여에서 나온 까닭에 扶餘로써 氏를 삼았다.

e. 일설에는 "시조 沸流王은 그 아버지가 優台이니 북부여왕 解扶婁의 庶孫이요 어머니는 召西奴이니 졸본 사람 延陁勃의 딸이다. 처음 우태에게로 시집을 와서 두 아들을 낳았는데 맏이는 비류요 둘째는 온조였다. 우태가 죽자 졸본에 홀로 살았다. 뒤에 주몽이 부여에서 용납되지 못하여 前漢 建昭 2년 봄 2월에 남쪽으로 도망하여 졸본에 이르러 도읍을 정하고 고구려라 하였다. 소서노에게 장가 들어 왕비를 삼았다. 그가 창업하여 기반을 개척하는데 자못 내조가 있었으므로 주몽이 그녀를 특별히 사랑하여 후하게 대하였고 비류 등을 자기 아들처럼 여겼었다. 주몽이 부여에서 낳았던 禮氏의 아들 孺留가 찾아 오자 그를 세워 태자를 삼았고 왕위를 잇게 하였다. 이에 비류가 아우인 온조에게 이르기를 '처음 대왕이 부여에서의 난을 피하여 도망하여 이곳에 왔을 때에 우리 어머니가 가산을 털어서 邦業을 이루는 것을 도왔으니 그 공로가 컸었다. 대왕이 세상을 뜨신 후 나라가 유류에게 귀속되니 우리들이 공연히 이곳에 있으면서 몸에 군더더기 살처럼 울하게 지내기보다는 차라리 어머니를 모시고 남쪽으로 가서 땅을 선택하여 따로 國都를 세우는 것만 같지 못하다'하였다. 드디어 아우와 함께 무리를 데리고 浿水와 帶水를 건너 미추홀에 이르러서 거주했다"고 한다.

『삼국사기』에 수록된 위의 온조와 비류 시조 관련 기록을 도표로 만들면 다음과 같다.

	시조 온조	시조 비류
부모	鄒牟(朱蒙): 고구려 시조 졸본부여 왕 둘째 딸; 越郡 여자	優台: 북부여 왕 解扶婁의 庶孫 召西奴: 졸본 사람 延陁勃의 딸
남하 과정	烏干·馬黎 등 10臣 및 백성과 함께 남하	어머니 모시고 浿水와 帶水를 건넘
정착지	위례	미추홀

그런데 "내륙 위례성에 자리잡은 온조 일행은 육로를 이용하고, 바닷가 미추홀 자리잡은 비류일행은 해로를 이용했다고 보는 학자들이 많다"[4]는 주장도 있다. 그러나 이러한 주장은 정황에 의존한 것일 뿐이다. 문헌 기록에 보이는 비류 집단의 이동 과정에 대한 비판이나 문제점 지적은 없었다. 그리고 "모든 설화에서 비류가 언니, 온조가 아우인 것은 비류 집단이 한강유역에 먼저 자리잡은 탓이라고 해석한다"[5]고 했다. 그런데 언니는 현재의 국어사전을 보면 "같은 항렬의 자매(姉妹) 사이에서, 나이가 적은 쪽 여자가 나이가 많은 쪽 여자를 높여 가리키거나 부르는 말"이다. 그러므로 앞의 서술은 비류와 온조를 姉妹 즉 여성으로 만든 것이다. 그리고 '탓'이라는 단어를 구사했다. 그런데 '탓'은 국어사전에서 "잘못된 일이나 부정적 현상을 야기한 원인이나 까닭"으로 정의하고 있다. 그러므로 위의 구절은 비류 집단이 한강유역에 먼저 자리잡은 것이 잘못된 일이라는 뜻이다. 이는 적절하지 않은 문구일 뿐 아니라 비류 집단은 앞의 구절에서 해로를 이용해 미추홀 인천에 정착했다고 하였다. 그러므로 비류 집단이 한강유역에 먼저 정착했다는 주장은 어불성설이다.

앞에서 인용한 d의 『삼국사기』 기사에 따르면 백제 국호는 十濟에서 百濟로 발전했다는 것이다. 그러나 이에 대해서 星湖 李瀷은 "後人들이 '十濟로부터 伯濟에 이른 것이다'라는 것은 터무니 없는 말이다"[6]고 冷笑에 부친 바 있다.[7] 그리고 c와 d의 기사에 따르면 백제 왕실 세력의 계통은 명백히 고구려계의 온조와 부여계의 비류로 구분되었다. 이에 대한 是非는 順菴 安鼎福이 제대로 짚고 있다. 그는 "지금 보건대 백제가 고구려의 高氏 姓을 따르지 않고 扶餘氏라 하였으며, 또한 개로왕이 魏에 올린 表를 고찰하건대 '臣은 고구려와 함께 근원이 부여에서 나왔습니다'고 하였으니, 이 말이 증거가 되고, 따라서 優台의 후손이 분명하다"[8]라고 명쾌하게 설파하였다. 백제 시조는 추모가 아니라 부여계 우태의 후손 비류임을 논증한 것이다.[9]

---

4 한성백제박물관, 『온조, 서울의 역사를 열다』 2013, 17쪽.

5 한성백제박물관, 『온조, 서울의 역사를 열다』 2013, 49쪽.

6 『星湖僿說』 제2권, 天地門, 三韓金馬 項.

7 김영심 또한 "십신을 선주토착세력이라 보기 어렵다면, '十濟'라는 명칭 또한 역사성을 가진다기 보다는 백제에서 부회된 것으로 생각된다"라는 견해에 동의했다(김영심, 「백제 누가 세웠나--문헌학적 측면」 『백제, 누가 언제 세웠나』, 한성백제박물관, 2012, 94쪽).

8 『東史綱目』 第1上, 계묘년 마한 조.

9 단재 신채호도 안정복과 동일한 근거를 제시한 후에 "本紀에는 沸流 · 溫祚를 鄒牟의 子라함이 二誤이다

그럼에도 "비류를 시조로 인정하는 전승에서 비류라는 명칭은 압록강유역에서 주몽으로 대표되는 桂婁部 집단과 쟁투를 벌였던 松讓王의 沸流國과 동일하기 때문에 비류 집단의 출자를 비류국, 즉 消奴部 집단과 연결시킬 수도 있다"[10]고 했다. 이러한 견해는 본인 말마따나 어디까지나 막연한 추측에 불과하다. 이 견해 자체가 『삼국사기』에 적힌 비류왕의 부여 出源說을 넘어설 수는 없다. 혹은 주몽이 부여에서 남하할 때 동행한 陜父와 烏伊・摩離 가운데 협보는 유리왕 22년에 南韓으로 망명하였다. 그리고 나머지 2명인 烏伊・摩離는 온조를 따라 남하한 烏干・馬黎와 동일인이라는 것이다.[11] 만약 그렇다면 온조 세력은 고구려 건국 세력과의 동질성을 말할 근거가 갖추어진다. 하지만 瑠璃王 33년에 "8월에 왕이 烏伊・摩離에게 命하여 군사 2만 명을 거느리고 서쪽으로 梁貊을 정벌하여 그 나라를 멸망시켰고, 진격하여 漢의 고구려현을 습격하였다"[12]고 했다. 온조 남하 이후에도 烏伊・摩離가 고구려에 남아있었음을 알리고 있다. 따라서 烏伊・摩離와 烏干・馬黎는 별개의 인물로 밝혀졌다. 아울러 온조 세력과 주몽 세력을 동일시했던 견해는 근거를 상실하였다.

백제 건국 세력의 계통에 대해서는 모두 5種의 所傳이 전한다. 이 가운데 온조 기록만 제외한 나머지 4傳承은 부여와 연관 지어 나타난다.[13] 그런데 백제 왕실은 자신의 출자를 부여에, 때로는 고구려에 연결시켰다는 견해가 있다. 후자의 근거는 백제 위덕왕이 태자 시절에 대적했던 고구려 장수에게 同姓이라고 한 말에 두었다.[14] 그렇지만 고구려 장수의 성씨가 高氏라는 근거는 없다. 설령 그렇더라도 백제 王姓은 扶餘氏인 관계로 同姓은 아니다. 오히려 "姓是同姓"[15]라고 한 문면대로라면 고구려 장수의 성씨가 餘氏일 가능성은 있다. 사실 고구려 장수의 물음에 위덕왕 자신이 "姓是同姓"라고 答한 것이다. 그런 만큼 고구려 장수가 餘氏였기에 위덕왕이 "姓是同姓"으로 답했다고 보아야 정황상 자연

(丹齋申采浩先生紀念事業會, 『改訂版 丹齋 申采浩全集(上卷)』, 螢雪出版社, 1987, 127쪽)"고 했다.

10 송호정, 「고고학 자료를 통해 본 백제의 기원」 『백제의 기원과 건국』(백제문화사대계 연구총서 2), 충남역사문화연구원, 2007, 166쪽. 그런데 氏는 본 논문에서 始終 溫祚를 '溫祖'로 표기하였다.

11 권오영, 「백제의 성립과 발전」 『한국사 6』, 국사편찬위원회, 1995, 17쪽.

12 『三國史記』 권13, 유리왕 33년 조.

13 李道學, 「三國史記에 보이는 溫祚王像」 『先史와 古代』 19, 2003; 『백제 한성・웅진성시대 연구』, 一志社, 2010, 21쪽.

14 권오영, 「백제의 성립과 발전」 『한국사 6』, 국사편찬위원회, 1995, 18쪽.

15 『日本書紀』 권19, 欽明 14년 조.

스럽다. 요컨대 이 기사는 백제 王姓이 高氏라는 근거는 아니다. 그런 만큼 이 구절은 어디까지나 同源 정도의 意味로 받아들이면 족할 것 같다.

백제 왕실은 全時期에 걸쳐 부여로부터의 전통을 일관되게 강조하였다. 가령 북부여 왕실의 성씨이기도 했던 扶餘氏라는 백제 王姓의 존재, '夫餘之別種'이라는 종족 계통에 관한 기록, 國書에서 자신들의 부여 기원에 대한 闡明, '南扶餘'로의 改號를 통해 볼 때 백제는 始終如一하게 부여 기원설을 밝혔다.[16] 이러한 정서에서는 고구려 출원의 온조 기사가 비집고 설 틈이 없었다고 보는 게 정직한 해석이 아닐까. 온조 기사대로 한다면 형식상 백제 왕실은 高氏를 칭했어야 마땅하다. 혹자의 견해대로 백제 말기에 와서 설령 온조 기사가 국가 시조전승으로 채택되었다고 하자. 그렇더라도 이는 백제 왕실의 성씨인 부여씨와 연결되지 않는다. 그럼에도 어떻게 추모의 아들 云云하는 전승이 생성될 수 있을까? 이 부분은 지극히 상식에 관한 사안이지만, 간과한 것인지 외면한 것인지 모를 정도로 度外視하였다. 815년에 집성된『新撰姓氏錄』에 따르면 시조 沸流王은 '避流王'으로서 그 존재가 확인된다.[17]『海東高僧傳』에서도 그를 '避流'라고 하였다. 이는 온조왕의 존재가 동일한『신찬성씨록』에서 확인되지 않고 있는 점과 비교되는 사안이다. 결국 온조왕 시조설은 9세기대 이후에야 만들어졌을 수 있다.

이러한 맥락에서 볼 때 백제 멸망 이후 어느 때 온조 시조설이 생성되었을 가능성이다. 이와 관련해『삼국사기』이전 고려시대 역사 인식에 대한 이해가 긴요해진다.『구삼국사』를 보면 추모를 단군의 아들로 설정했을 뿐 아니라, 동·북부여와 삼국을 비롯한 諸政治勢力을 단군의 후예로 설정하였다. 이는 단군을 정점으로 하는 단일한 역사체계 확립을 통한 대통합과 융합을 이루려는 정치적 의도에서 생겨난 '만들어진 역사'의 전형이었다. '만들어진 역사'가 필요한 시점은 고려시대에도 있었다. 우선 高麗가 후삼국을 힘겹게 통일한 직후였을 것이다. 고려 전기에 편찬된『구삼국사』를 통해 백제의 시조 전승에서 비류의 弟로 적혀 있는 온조를 뽑아와서 추모와 연결시키는 '역사 만들기'가 단행된 것으로 보인다. 그럼에 따라 고구려를 계승한 고려 왕조의 정치적 優位는 보장되었다. 게다가 이는 백제를 계승한 후백제와 고구려의 後身인 고려와의 동질성을 운위할 수

---

16 李道學,『백제 고대국가 연구』, 일지사, 1995, 52~55쪽.

17 송호정,「고고학 자료를 통해 본 백제의 기원」『백제의 기원과 건국』(백제문화사대계 연구총서 2), 충남역사문화연구원, 2007, 166쪽 註. 59.

있는 好材이기도 했다. 고려 왕조는 대통합을 위한 명제로서 백제 시조를 온조로 설정하여 고구려 시조인 추모의 아들로 접속시킨 것으로 본다. 백제 당시에 존재할 수 없었던 고구려계의 온조 기사가 생성된 배경은 이 같은 정치적 배경에서 출현한 것으로 해석된다.[18]

우리나라 고유 전승에는 백제 시조를 東明이나 優台로 기록하였다. 이는 『삼국사기』의 다음 기사를 통해서 알 수 있다.

> f. 『海東古記』를 살펴보면, 혹은 始祖 東明이라 하고, 혹은 始祖 優台라고 한다.[19]

백제 시조에 대해서는 東明이나 優台 기록밖에는 없음을 알 수 있다. 여기서 東明은 부여 시조를 가리킨다.[20] 優台에 대해서는 丁若鏞이나 安鼎福 모두 仇台로 지목했다.[21] 이와 관련해 優台의 異體字를 혼동하여 仇台로 표기했다는 견해도 있다. 그러나 尉仇台나 仇台는 중국 사서에서 일찍부터 등장하고 있을 뿐 아니라 수록 문헌도 많다. 즉 12세기 중엽에 편찬된 『삼국사기』보다 훨씬 이전에 등장했다. 이러한 점에 비추어 볼 때 優台는, 仇台와 동일할 뿐 아니라 그 보다 후대에 생성된 표기로 지목된다. 仇台와 비류왕의 父로 전하는 優台는 동일한 인물이었다. 그렇지만 仇台(優台)의 실체는 비류왕의 遠祖로 보인다.

2) 『삼국사기』 온조왕본기가 비류왕본기인 근거

『삼국사기』 온조왕본기는 기실 부여계의 비류왕본기라는 점이다. 『삼국사기』 온조왕본기는 본기의 주체를 '王'으로만 표기했을 뿐 온조왕이라는 구체적인 인물을 지칭한 바는 없다. 그런 만큼 이 상황에서는 온조왕본기의 주체를 섣불리 예단할 수 없다. 그런데 이와 관련해 온조왕본기의 주체가 온조왕이 될 수 없는 몇 가지 片鱗을 묶어 볼 수 있다.

---

18 李道學, 「檀君 國祖 意識과 境域 認識의 變遷-『舊三國史』와 관련하여-」 『한국사상사학보』 40, 2012, 406쪽.
19 『三國史記』 권32, 雜志1, 祭祀 條.
20 李道學, 「百濟 慰禮文化의 史的 性格」 『東大新聞』 1981. 5. 12.
21 『與猶堂全書』 「我邦疆域考」 其一, 帶方考.
    『東史綱目』 附錄, 上卷, 上, 考異.

즉『삼국사기』온조왕본기는 기실 비류왕본기임을 입증할 수 있는 근거를 비록 장황하기는 하지만 사안의 비중에 비추어 다음과 같이 죄다 수록했다.

첫째,『삼국사기』온조왕 13년 조의 기사에 보이는 王母의 존재이다. 즉 "…국모가 세상을 떠나고"라는 기사에서 王母의 존재가 확인된다. 백제 시조왕의 王母는 d의 온조왕 기사에서는 졸본부여왕의 둘째 딸 혹은 越郡의 여자로 서로 다르게 적혀 있을 뿐이다. 그런데 e의 비류왕 전승에서는 그 이름이 소서노로 밝혀져 있을 뿐 아니라 두 아들과 함께 남하한 것으로 전해졌다. 온조왕 기사에서는 王母가 함께 남하한 기록이 없다. 따라서 온조왕본기의 王母는 소서노를 가리킨다고 보아야 한다. 이 점에서 온조왕본기의 내용은 기실 비류왕 전승과 일치된다.

둘째, 백제 시조왕의 왕모 즉 國母는 기원전 6년에 61세로 사망했다. 이것을 역산하면 국모는 기원전 66年生임을 알 수 있다. 반면 추모는 기원전 19년에 40세로 사망했다고 한다. 추모는 기원전 58年生인 것이다. 兩者를 비교해 봤을 때 국모가 추모보다 무려 8세나 年上으로 드러난다. 추모가 온조왕 기사처럼 부여왕의 '둘째딸'과 결혼했다면 부여왕의 여러 딸 가운데 연령대를 서로 맞췄음을 뜻한다. 그러나 소서노가 추모보다 훨씬 연상으로 드러나고 있다. 이러한 경우라면 추모가 두 아들을 둔 寡婦 소서노와 혼인했다는 비류왕 전승과 정황상 어긋나지 않는다.

셋째,『삼국사기』는 王母의 사망 때 연령을 구체적으로 摘示하였다. 이는 지극히 이례적인 기록인 것이다. 더불어 온조왕 기사와는 달리 비류왕 전승에서 이례적으로 왕모의 이름을 소서노로 명기한 사실과 잘 연결되고 있다.

넷째,『삼국사기』고구려본기에서는 온조와 비류 형제 전승이 수록되지 않았다. 이들이 당초 왕위를 계승할 수 있는 위치였다면 유리 왕자의 등장과 더불어 남하했다는 기록이 비치지 않을 리 없다. 그런데 백제본기의 비류와 온조 형제가 추모의 아들이라는 기사는 고구려본기의 추모 전승과 연결되지 않는다. 이 사실은 추모왕의 아들이라는 온조왕 기사의 신빙성을 떨어뜨린다.

다섯째, 시조에 대한 인식이『삼국사기』고구려본기와 百濟本紀間에 相異하다는 것이다. 고구려본기에서는 '시조 동명성왕'이라고 한 반면, 백제본기에서는 '始祖東明王廟(다루왕 2년 조)'라고 했다. 여기서 동명성왕과 동명왕은 동일 인물처럼 간주될 수 있다. 그러나 兩者는 별개의 인물로 구분해야 될 것 같다. 비류왕 전승에서 '시조 비류왕'이라고 했듯이 백제는 엄연히 자국의 시조가 존재했다. 더욱이 백제본기 첫 장에서 '시조 온조왕'

이라고 하였다. 그럼에도 '시조 동명성왕'이 백제 시조를 가리키는 '동명왕'과 동일시 될 수 없다. 前者의 동명성왕은 어디까지나 고구려 시조인 추모를 가리킬 뿐이었다. 반면 後者는 부여 시조를 가리킨다고 보아야 할 것 같다. 백제 건국 세력의 淵源과 관련해 부여 시조를 자국 시조로 간주했을 가능성이다. 그리고 비류왕 전승에 따르면 '북부여왕 해부루'가 등장한다. 해부루는 淵源이 부여 시조 동명왕과 결부되어 있다. 그러니 동명왕은 부여계 비류왕 전승과도 연계되는 요소이다.

여섯째, 온조왕본기의 인물 중 비류왕 전승과 연결될 수 있는 요소가 보인다. 즉 "봄 정월에 右輔 乙音이 죽었으므로 북부의 解婁를 임명하여 우보로 삼았다. 해루는 본래 부여인인데, 지식이 깊었으며 나이 70을 넘겼지만 팔 힘이 줄지 않았으므로 이를 채용하였다(41년 조)"는 기사이다. 해루의 해씨는 백제 8大姓의 기원과 관련 있는 흥미 있는 근거를 제시해 주었다. 백제 한성기 眞氏와 더불어 유력한 귀족 가문이었던 解氏의 출원지가 부여라는 것이다. 더욱이 해씨는 비류왕 시조전승에서 그 族祖로 언급된 해부루왕과도 연결되고 있다. 온조왕 전승에서는 온조가 고구려에서 10臣과 함께 남하했다고 했을 뿐 해씨와 관련된 어떠한 문자도 남기지 않았다. 이 역시 온조왕본기의 실체가 비류왕 전승에 기반을 두었음을 시사한다.

일곱째, 마한왕이 백제 시조를 힐난하면서 "왕이 처음 江을 건너와서 발붙일 곳이 없기에(24년 조)"라고 한 구절이다. 이 구절은 비류왕 전승에서 패수와 대수를 건너왔다는 기록과 부합한다. 온조왕 기사에는 南下한 기록만 있을 뿐 渡江 기사는 없다. 게다가 온조왕본기에는 "漢水의 동북쪽 부락에 기근이 들어 고구려로 도망해 간 자가 1천여 戶나 되니, 浿水와 帶水 사이가 텅비어 사는 사람이 없었다(37년 조)"라고 하여 패수와 대수의 존재가 확인된다. 이 역시 온조왕본기가 기실 비류왕본기임을 가리키는 방증이 된다.

여덟째, 『삼국유사』에 따르면 온조왕을 일컬어 "체격이 컸다. 성격은 효성스럽고 우애가 있었다. 말 타고 쏘는 것을 잘했다(體洪大 性孝友 善騎射: 남부여 후백제)"라고 하였다. 이 기록은 『삼국사기』에서는 보이지 않는다. 그런데 "性孝友"라는 평가는 어머니를 모시고 내려오지도 않았을 뿐더러 형인 비류와도 결별하여 미추홀과 위례로 쪼개진 온조 시조 기사와는 부합하지 않는다. 반면 어머니인 소서노를 모시고 내려왔을 뿐 아니라 아우인 온조와 함께 미추홀에 정착한 비류 시조 기사와는 부합한다. 이로써도 '백제시조 온조왕'은 '백제시조 비류왕'임을 입증할 수 있다.

지금까지의 검토를 통해 『삼국사기』 온조왕본기의 '王'은 온조왕이기 보다는 비류왕 전승의 비류왕으로 드러났다. 백제 다른 왕들의 본기에서도 그렇지만, 『삼국사기』 온조왕 본기의 年代記 역시 始祖 이름 대신 '王'으로만 기재되었다. 즉 始祖本紀의 주인공이 '온조왕'이라는 어떠한 단서도 제공해 주지 않았다. 이 점 환기시키고자 한다. 물론 제2대 다루왕의 계보를 "온조왕의 元子"라고 한 기술은 시조를 온조로 前提한데서 연계된 표현에 불과하였다. 요컨대 백제 건국 세력은 고구려가 아닌 부여계 세력임을 다시금 단언할 수 있다.[22]

3. 祭儀를 통해 본 백제 始祖

백제에서 가장 비중이 큰 祭儀는 국가 최고 조상신인 國祖神과 宇宙의 最高神인 天神에 대한 祭儀였다. 이와 관련해 『삼국사기』에 보이는 祭儀處로는 國初부터 등장하는 東明廟와 國母廟 그리고 南壇이 주목된다. 동명묘는 '始祖東明廟(다루왕 2년 조)'라고 하였다. 따라서 동명묘는 백제 始祖廟임을 알 수 있다. 國母廟는 "4월에 廟를 세우고 國母를 제사 지냈다"[23]라고 하였다. 여기서 國母는 백제 시조와 함께 南下하였다가 사망한 王母를 가리킨다. 이는 "왕모가 61세로 돌아가셨다"라고 한 기사에 이어 "國母가 세상을 뜨는 등"[24]라고한데서 알 수 있다. 王母가 백제 시조와 함께 남하한 사실은 『삼국사기』 온조 기사에는 보이지 않는다. 그러나 비류전승에는 그 사실이 보인다.

그러면 '始祖 東明'의 정체는 누구일까? 이와 관련해 '始祖 東明'을 고구려 시조 鄒牟라고 가정해 보자. 그러면 鄒牟王의 왕모가 국모인 것이다. 백제 시조인 추모왕의 왕모인 류화부인은 사망한 동부여에 사당이 건립되었다.[25] 따라서 '시조 동명'과 『삼국사기』 백제본기의 國母는 서로 관련 없음을 알 수 있다. 그렇다면 『삼국사기』 백제본기의 國母는 백제 건국자의 王母라고 보아야 한다. 온조 기사에 따른다면 온조는 고구려 추모왕의 아들이다. 이렇게 본다면 형식논리상 '國母'는 추모왕의 妃여야만 한다. 그녀는 온조 기사대

22   李道學, 「『삼국사기』 온조왕본기'의 主體에 대한 再解釋」 『21세기의 한국고고학 V』, 주류성, 2012, 676~678쪽.
23   『三國史記』 권23, 온조왕 17년 조.
24   『三國史記』 권23, 온조왕 13년 조.
25   『三國史記』 권13, 동명성왕 14년 조.

로 한다면 졸본부여왕의 女인 것이다. 그런데 온조 기사에는 백제 건국자가 王母를 대동하여 남하한 기록이 없다.

국모가 백제 건국자의 왕모임이 분명하다고 하자. 그러면 '시조 동명'은 도저히 비류와 같은 '백제 시조'를 가리킬 수는 없다. 일단 이름에서 연관성이 전혀 없기 때문이다. 오히려 '동명'은 백제인들이 관념적으로 시조로 인식했던 者라고 보아야 한다. 바로 그러한 선상에서 볼 때 백제 '시조 동명'은 부여 시조 동명왕을 가리킨다고 하겠다.

이 사실은 백제가 부여에서 기원했다는 주장과 깊은 연관을 맺고 있다.[26] 일단 『삼국사기』 백제본기의 비류왕 시조전승에 따르면 백제 건국자는 부여에서 남하했다. 비류왕의 족계는 북부여 해부루왕의 庶孫인 우태의 아들이었다. 비류왕은 부여계임을 알려준다. 더구나 고구려계 온조 기사와는 달리 비류왕은 소서노라는 王母를 대동하고 내려왔다.[27] 그 왕모가 사망하자 國母廟를 세웠던 것이다. 게다가 백제 왕실은 부여씨였고, 백제왕 스스로 자신들의 출원지를 부여라고 천명하였다. 성왕이 사비성으로 천도한 후의 국호로 '부여'가 생겨났다. 이렇듯 백제 왕실은 일관되게 자신들의 출원지를 부여라고 했었다.[28] 이러한 맥락에서 볼 때 백제 왕실이 부여 시조 동명을, 자국의 遠祖 내지는 元祖로 충분히 언명할 수 있는 상황이었다. 더구나 족원이 동일한 백제와 고구려가 대결하는 구도에서 동명왕을 시조로 하는 廟의 건립은 정치적 優位 선점이라는 의미까지 지녔다.[29]

'백제 시조 동명왕' 사당은 『삼국사기』 기록대로 국초부터 존재했다고 단정하기는 어렵다. 『삼국사기』 온조왕본기는 근초고왕대 사실의 投影이라고 할 때[30] 더욱 그러한 생각이 든다. 오히려 고구려와의 대결 구도 속에서 갈등이 심화되었고, 또 고구려에 대한 우위를 확보했던 근초고왕대에 건립되었을 수 있다고 본다. 문제는 백제왕들이 즉위 초, 정확하게 말하면 재위 2년째 되던 해 정월에 동명묘에 배알하는 기사가 보인다. 즉 책계왕

---

26 이에 대한 구체적이고도 상세한 논의는 고고학적 물증까지 제시한 李道學, 「百濟 建國勢力의 系統과 漢城期 墓制」 『百濟學報』 10, 2013을 참조하기 바란다.

26 이에 대한 구체적이고도 상세한 논의는 고고학적 물증까지 제시한 李道學, 「百濟 建國勢力의 系統과 漢城期 墓制」 『百濟學報』 10, 2013을 참조하기 바란다.

27 필자는 7가지 근거를 제시하면서 『삼국사기』 온조왕본기가 기실은 비류왕본기임을 입증했다(李道學, 「『삼국사기』 온조왕본기의 主體에 대한 再解釋」 『21세기의 한국고고학 Ⅴ』, 주류성, 2012, 676~678쪽).

28 李道學, 『백제 고대국가연구』, 일지사, 1995, 52~55쪽.

29 李道學, 「百濟 慰禮文化의 史的 性格」 『東大新聞』 1981.5.12; 『한국고대문화산책』, 서문문화사, 1999, 53쪽.

30 李道學, 「百濟의 起源과 國家發展過程에 관한 檢討」 『韓國學論集』 19, 1991, 183~184쪽; 『백제 한성·웅진성시대 연구』, 일지사, 2010, 30~32쪽.

· 분서왕 · 아화왕 · 전지왕본기 2년 조가 그것이다.[31] 물론 확인되지 않는 왕들의 경우도 많지만, 책계왕 이전 개루왕 · 초고왕 · 구수왕 · 고이왕본기의 경우는 재위 2년째 기록 자체가 없다. 따라서 이 경우는 기사 누락이 분명하다고 보겠다. 여기서 재위 2년은 「창왕사리감 명문」의 기년과 맞추어 볼 때 즉위 원년으로 새로 설정해야 맞을 것 같다.[32] 그렇다고 한다면 백제왕들의 즉위 의례로서 동명묘 배알을 상정할 수 있다. 그런데, 동명묘 배알이 웅진성 도읍기 이후부터는 전혀 확인되지 않는다. 이 사실은 단순히 기사 누락으로만 돌리기 어렵다. 백제는 한강유역 상실 이후에는 동명묘에 배알할 수 없는 상황이었음을 암시해준다. 이와 관련해 고구려는 천도에도 불구하고 시조묘 배알을 위해 평양성에서 졸본까지 국왕들이 행차했다. 이와 마찬 가지로 '시조 동명묘'는 不遷位처럼 옮길 수 없는 신성불가침 구역으로 보인다. 그렇기 때문에 한강유역을 상실한 웅진성 천도 이후에는 동명묘 배알 기사가 등장하지 않은 것 같다.[33]

사비성 천도와 더불어 부여 계승을 표방하면서 국호까지 改號했음에도 동명묘가 부활되지 않은 이유는 이러한 데 있었던 것 같다. 그렇다고 백제 왕실이 부여 계승을 포기한 것은 아니었다. 국호를 '부여'로 改號하는 등 오히려 부여 계승의지가 고조된 정황이 비치기 때문이다. 이와 관련해 555년에 倭側에서 거론했던 建邦之神에 대한 제사 소홀 문제를 다음의 인용을 통해 살펴 보고자 한다.

　g. 근원인 대저 建邦神은 天地가 생겨나는 代에 草木도 말을 하는 때에 하늘로부터 내려와 國家를 만든 神이다. 근래에 듣자니 너희 나라는 (建邦神을) 돌보지 않고 제사지내지 않는다고 하니 바 야흐로 지금 前過를 뉘우치고 고쳐서 神宮을 修理하고 神靈을 받들어 제사하면 나라가 가히 昌 盛할 것이니 너희는 마땅히 잊지 말라.[34]

위의 기사는 관산성 패전의 요인을 倭側에서 경고조로 언급하였다. 여기서 建邦神은

31　다만 비류왕은 9년 4월에 동명묘 배알을 하였는데(『三國史記』 권24, 비류왕 9년 조), 즉위 의례와는 무관한 특별한 동기가 있었던 것 같다. 동명묘에서 기우제를 지내기도 하는 등 所請이나 관직 제수와 관련 있을 수 있다.

32　李道學, 『백제 사비성시대 연구』, 일지사, 2010, 168쪽 註 29.

33　李道學, 「百濟 慰禮文化의 史的 性格」『東大新聞』1981. 5. 12;『한국고대문화산책』, 서문문화사, 1999, 53쪽.

34　『日本書紀』 권19, 欽明 16년 2월 조.

위의 인용 문구 바로 앞 구절에서 "옛적에 웅략천황대에 백제가 고구려의 핍박을 받아 심히 累卵의 위기에 놓여 있었지만, 건방신에게 청탁하라는 신탁에 따라 부탁하였더니 백제를 구했다"라고 하여 보인다. 여기서 '累卵의 위기'는 475년에 한성 함락으로 백제가 위기에 처한 상황을 염두에 둔 것 같다. 그때 백제는 건방신에게 부탁해서 국가를 再興시켰지만 지금은 제사지내지 않는다는 것이다. 여기서 建邦神은 '天地' 云云하는 구절만 본다면 宇宙創造를 연상시킨다. 그러나 建邦神은 문자 그대로 건국시조를 일컫는 게 맞을 것 같다.[35] 백제인들이 건국시조로 인식했던 神格은 동명묘의 '시조 동명'으로 지목하는 게 사리에 맞다. 그러한 동명묘 제사가 웅진성 도읍기 이래로 단절되자 경고하는 것으로 보인다.[36]

그러면 동명묘 대신 어떠한 제사가 대안으로 생겨났을까? 기존의 백제 시조묘인 동명묘를 대신하는 시조의 사묘로서 등장하는 게 仇台廟였다. 즉 "또 每歲 그 시조인 仇台의 廟에 4회 祭祀지낸다"고 했다.[37] 여기서 구태는 동일한 『주서』에서 "(백제는) 부여의 別種이다. 仇台라는 이가 처음에 帶方 故地에서 나라를 세웠다"[38]고 하여 백제 시조임을 분명히 하였다. 이와 계통이 동일한 『北史』에서는 백제의 출원지를 索離國에서 찾았다. 색리국을 탈출한 東明의 후손으로 구태를 거론했다. 그러면서 "東明의 후손인 구태는 매우 어질고 신의가 두터웠다. 처음에 대방 고지에서 나라를 세웠다. 漢의 요동태수 공손도는 딸을 (구태에게) 시집보냈는데, 마침내 東夷 중에서 强國이 되었다"[39]고 했다. 물론 이 기사의 구태를 부여 위구태왕의 誤謬라는 지적도 있지만.[40] 誤謬 여부는 뒤에서 곧 밝혀질 것이다. 어쨌든 백제인들이 자국 시조 구태의 계통을 부여와 연관 지어 인식한 것은 분명하다.

仇台는 국모를 대동해서 남하한 始祖 비류왕의 父인 優台와 音似하다. 그리고 부여왕 위구태의 뒷 이름과도 音이 연결된다. 그렇지만 흔히들 氏나 姓을 생략하거나 2字 名을 單字로 표기한 사례가 많다. 가령 고구려왕 位宮(동천왕)의 '位'를 빼고 그 曾祖 태조왕을

---

35 建邦之神을 백제의 建國神 즉 백제 王家의 祖上神으로 보는 견해(石田一良, 「建邦の神」『社會科學の方法』 82, 1976 ; 洪淳昶 譯, 『韓日關係研究所紀要』8, 1978, 21~31쪽)를 취한다.

36 李道學, 『백제 고대국가연구』, 일지사, 1995, 71쪽.

37 『周書』권49, 異域上 百濟 條.

38 『周書』권49, 異域上 百濟 條.

39 『北史』권94, 백제전.

40 李丙燾, 『韓國古代史研究』, 박영사, 1976, 473쪽.

가리키는 '宮'으로 표기하기도 한다.[41] 이러한 맥락에서 본다면 구태와 위구태는 동일 일물일 가능성이 있다. 실제 『通典』에서 "백제는 곧 後漢末 부여왕 위구태의 후손이다"[42]고 못박기까지 했다. 구태의 정체를 부여왕 위구태라고 한 것이다. 부여왕 위구태는 강성했던 요동태수 공손도와 동맹하여 고구려와 鮮卑를 견제했을 정도로 자국의 위상을 높였다. 문제는 위구태 이후 부여는 쇠락의 길을 걸었다는 것이다.[43] 그럴수록 부여인들에게 위구태는 中興의 祖로 인식되었음이 분명하다. 게다가 앞에서 인용한 사비성 도읍기를 시대적 배경으로 한 史書에서 백제의 계통을 부여에서 찾았다. 즉 백제를 한결같이 '夫餘 別種'이라고 하였다.[44] 이러한 맥락에서 볼 때 구태묘는 부여계 神格을 제사하는 곳임을 알 수 있다. 실제 『翰苑』에서도 "仇台의 祠를 받들고, 夫餘의 胄를 纂하였다"[45]라고 했다. 게다가 국호를 '부여'로 改號했을 정도로 부여로부터의 계승 의식이 高潮되던 시기였다. 그랬기에 백제는 상실한 동명묘에 대한 代案을 모색했을 수 있다. 그 결과 역시 부여에서 중시조적인 위상을 지닌 위구태를 자국의 시조로 수용한 것 같다.[46] 구태는 온조도 비류도 아니고 부여왕 위구태였다. 앞에서 언급했듯이 백제인들은 부여 시조 동명을 자국의 연원과 결부 지었다. 그렇듯이 부여의 중시조격인 구태도 이와 동일한 맥락에서 살필 수 있다. 『翰苑』에 인용된 「括地志」에 따르면 "百濟城에 그 祖인 구태묘를 세워놓고 四時에 이곳에서 제사지낸다"고 했다. 구태묘는 백제 왕성 안에 소재한, 그것도 1년에 4회나 정기적으로 제사했던 位格 높은 國祠였다.

　『翰苑』에 인용된 「括地志」에 따르면 백제에서는 四仲之月에 '天及五帝之神'에게 제사지냈다고 한다. 그러면서 "겨울과 여름에는 鼓角을 사용하여 歌舞를 연주하며, 봄과 가을에는 노래만 할 뿐이다"[47]고 했다. 이로 볼 때 백제에서는 天이나 五帝神에 대한 제사 중 겨울과 여름을 가장 성대하게 집전했음을 알 수 있다. 이는 다음과 같은 백제의 天地 祭儀 기사를 통해서도 뒷받침된다.

41　『三國志』권30, 동이전 고구려 조.
42　『通典』권185, 邊防, 東夷上 백제 조.
43　『三國志』권30, 동이전 부여 조.
44　『舊唐書』권199, 동이전 백제 조.
45　『翰苑』권30, 蕃夷部 百濟 條.
46　李道學, 『백제 고대국가연구』, 일지사, 1995, 70~72쪽.
47　『翰苑』권30, 蕃夷部 百濟 條.

h-1. 2월에 왕은 大壇을 설치하고 친히 天地에 제사지냈는데, 異鳥 5마리가 와서 날았다.[48]

h-2. 정월에 天地에 제사하는데 鼓吹를 사용했다.[49]

h-3. 정월에 왕은 大壇을 설치하고 天地와 山川에 제사를 지냈다.[50]

h-4. 정월에 왕은 南壇에서 天地에 제사를 지냈다.[51]

h-5. 정월에 南郊에서 天地에 제사지냈는데 왕이 친히 犧牲을 베었다.[52]

h-6. 정월에 天地 神祇에게 제사지냈다.[53]

h-7. 정월에 동명묘에 배알하고, 또 南壇에서 天地에 제사지냈다.[54]

h-8. 정월에 왕이 동명묘에 배알하고, 南壇에서 天地에 제사지냈으며, 罪囚를 大赦하였다.[55]

h-9. 10월에 왕이 壇을 설치하고 天地에 제사지냈다.[56]

위의 h-7과 h-8 기사를 통해 동명묘와 天地에 대한 제의는 서로 별개였음을 알려준다. 이와 관련해 부여의 祭天 행사가 주목된다. 즉 "殷正月에 하늘에 제사지내는데, 國中大會에서는 연일 飮食歌舞하는데, 이름하여 迎鼓라고 한다. 이때는 刑獄을 집행하고 죄수를 풀어준다"[57]고 한 祭天 의례이다. 여기서 迎鼓의 字意는 '북 맞이'인데, '북'은 샤먼을 대변하는 물체였다. 청동기시대 이래로 샤먼이 사용한 북의 존재는 시베리아 지역에서 확인되었다. 그리고 러시아 서부를 흐르는 볼가강(Volga) 지류에 해당하는 오카(Oka) 江 암벽에 그려진 폭 18㎝ 규모의 북 그림으로 증명되어졌다. 북소리는 샤먼이 神과 접촉을 유도하는데 반드시 필요한 것이었다. 게다가 神을 즐겁게 하고 神을 돌려보내는 것 역시 북소리 역할이었다.[58] 부여인들은 북을 맞아 神을 불러들이고, 神을 坐定시킴으로써 축

---

48 『三國史記』 권23, 시조왕 20년 조.

49 『三國史記』 권24, 고이왕 5년 조.

50 『三國史記』 권24, 고이왕 10년 조.

51 『三國史記』 권24, 고이왕 14년 조.

52 『三國史記』 권24, 비류왕 10년 조.

53 『三國史記』 권24, 근초고왕 2년 조.

54 『三國史記』 권25, 아화왕 2년 조.

55 『三國史記』 권25, 전지왕 2년 조.

56 『三國史記』 권26, 동성왕 11년 조.

57 『三國志』 권30, 동이전 부여 조.

58 양종승, 「샤머니즘의 본질과 내세관 그리고 샤먼 유산들」『하늘과 땅을 잇는 사람들, 샤먼』, 국립민속박물관, 2011, 311쪽.

제 시작을 알렸다.

迎鼓라고 한 제천 의례는 殷正月인 음력 12월에 행하여졌다. 그런데 고구려의 동맹이나 동예의 무천, 삼한의 상달제 등은 음력 10월에 행하여졌기에 추수감사제적인 성격을 지녔다.[59] 이와는 달리 부여의 영고는 한겨울에 행하여졌다. 이 사실은 부여가 농경사회가 아니라는 게 아니다. 부여를 건국한 세력이 북방에서 내려왔다는 사실이다. 그렇기 때문에 迎鼓는 북방 수렵민 사회의 전통을 계승한 證左라고 볼 수 있다. 즉 부여인들은 자신들의 정체성을 유지하였고, 또 부여인들은 제의 공동체를 통하여 그것을 지키려고 했음을 알게 된다.

그런데 백제의 天地 제의는 2월과 10월에도 있었지만 주로 正月에 집전되었다. 正月은 음력 절기로 본다면 '春'에 속한다. 그렇지만 "겨울과 여름에는 鼓角을 사용하였다"고 한 『翰苑』기록과 c-2의 『삼국사기』에 보이는 정월 天地 제의와 鼓吹 사용이 서로 부합한다. 그러므로 『삼국사기』의 '正月'은 『翰苑』에서 말하고 있는 '겨울'의 범주에 속한다고 하겠다. 요컨대 백제에서 天地 祭儀는 정월에 집중되었다. 이 사실은 일단 匈奴와 같은 유목·수렵민 사회와의 연관성을 시사해준다. 흉노에서는 3차례에 걸친 큰 회합이 있었다. 즉 매년 정월 單于庭에서의 제사, 5월 蘢城에서 大會 때 祖上이나 天地 등에 대한 제사, 가을에 蹛林에서의 大會 때 인구와 가축수를 헤아리는 것이다.[60] 이 중 세 번째는 祭儀야 행해졌겠지만 본질상 앞의 두 번의 大祭와는 성격이 다르다. 그리고 첫째와 둘째 祭儀는 계절적으로 겨울과 여름에 해당한다. 이는 백제의 祭天이 겨울과 여름에 가장 성한 사실과 부합한다. 사실 백제에는 5세기 중엽에 좌현왕이나 우현왕과 같은 유목민 사회의 職制가 확인된 바 있다.[61] 그러므로 이제는 祭儀와 관련해서도 백제와 유목민 내지는 수렵민 사회와의 연관성을 운위할만하다.

백제의 祭天 儀禮는 부여의 영고 이래의 전통을 유지하고 있는 것 같다. 부여의 '迎鼓'는 그 의미가 '북 맞이'인데, 백제의 冬·夏 祭天에서는 鼓角이나 鼓吹 즉 북을 사용한 사실이 보인다. 그리고 백제에서는 天地 제사를 대부분 정월에 거행한 사실과 鼓吹의 사용이 확인된다. 사비성 도읍기를 기록한 「괄지지」의 기록과 결부 지어 볼 때 부여의 迎鼓와

---

59   李丙燾, 『韓國古代史研究』, 博英社, 1976, 223쪽.

60   『史記』권110, 匈奴傳.

61   『宋書』권97, 夷蠻傳 百濟國.

동일한 분위기를 자아내고 있다. 게다가 『翰苑』에 게재된 사비성 도읍기의 "鼓角을 사용하여 歌舞를 연주"한 겨울 제천 의례는 '飮食歌舞'한 부여의 國中大會와 유사하다. 이는 마한에서 파종기인 5월과 추수기인 10월에 "鬼神에게 제사하고 무리가 모여서 歌舞한다"[62]는 농경 의례와는 성격이 다르다.

백제는 농사의 흉풍과 직결된 氣象에 대해서는 비상하게 관심을 투사했다. 이는 백제의 기원이 되는 다음과 같은 부여의 사례를 통해서도 짐작할 수 있다.

> i. 옛 부여의 풍속에는 가뭄이나 장마가 계속되어 5穀이 영글지 않으면 그 허물을 왕에게 돌려 갈 자느니 혹은 죽이자느니 하였다고 한다.[63]

위의 사례는 농사의 흉풍이 국왕의 운명을 결정 지었음을 말해준다. 반면 왕이 농사에 비상하게 신경을 투사할 수밖에 없는 상황임을 반증해준다. 이와 마찬 가지로 백제에서도 다음에서 보듯이 국왕이 祈雨祭를 지낸 데서도 그 비중을 헤아릴 수 있다.

> j-1. 4월에 크게 가물었다. 왕이 동명묘에 빌었더니 비가 왔다.[64]
> j-2. 여름에 크게 가물어 볏모가 말라 죽으므로 王이 친히 橫岳에서 제사 지내자 곧 비가 왔다.[65]
> j-3. 크게 한발이 들어 王이 漆岳寺에 행차하여 祈雨祭를 지냈다.[66]

j-1 기사를 통해 백제 최고의 사묘인 동명묘에서 기우제가 행해졌음을 알게 된다. 부여 시조인 동명은 日光에 感應하여 출생하였다고 한다. 게다가 동명은 天帝의 子로 자처하였다.[67] 이러한 맥락에서 볼 때 天帝의 子인 동명왕을 제사지내는 동명묘에서의 기우제는 당연한 제의로 여겨질 수 있다. 백제왕이 東明王의 父이자 天上을 주재하는 日神인 天帝를 통해 旱魃을 해소하고자 한 것이다.[68]

---

62 『三國志』권30, 동이전 마한 조.
63 『三國志』권30, 동이전 부여 조.
64 『三國史記』권24, 仇首王 14년 조
65 『三國史記』권25, 阿莘王 11년 조.
66 『三國史記』권27, 法王 2년 조.
67 『三國志』권30, 동이전 부여 조.
68 이상의 서술은 李道學, 「百濟의 祭儀와 百濟金銅大香爐」『충청학과 충청문화』17, 충청남도역사문화연구

4. 백제 건국 세력의 墓制와 夫餘系 物證

『삼국사기』 상에 전하는 온조와 비류 시조 기사 가운데 어느 전승을 취신할 수 있는가 여부가 긴요하다. 먼저 온조 기사를 취신하는 입장에서 그것을 검증해 보도록 한다. 백제 건국 세력이 고구려에서 기원했다면 이른 시기 적석총의 존재가 한강유역에서 확인되어야 할 것이다. 하지만 그러한 유구는 적어도 현재 서울 일원에서는 확인된 바 없다.[69] 고구려계 적석총의 조성 시기는 4세기 중반 이후 즉 후반경으로 간주하고 있다.[70] 비록 남·북한강유역과 임진강유역에서 1~2세기경 적석총의 존재가 보고되기는 하였다. 그렇지만 이들 소위 무기단식 적석총의 실체를 필자가 葺石封土墳으로 규정한[71] 이래로 葺石墓,[72] 혹은 葺石式 積石墓[73]로 간주했다. 즉 이들 유구와 고구려 적석총과의 관련성을 배제하였다. 따라서 葺石封土墳을 백제 건국 세력의 계통을 알려주는 지표로 삼기는 어렵게 되었다.[74] 즙석봉토분이라는 동일한 묘제를 조영하는 墓制共同體의 등장을 3세기 중엽으로 지목할 수 있었다.[75] 이와 더불어 고구려와 연관 지을 수 있는 그 밖의 물질 자료는 3세기 중·후반까지 한강유역에서 확인되지 않고 있다.[76] 따라서 현재 서울 지

원, 2013, 30~39쪽에 의하였다.

69 권오영, 「백제의 성립과 발전」『한국사 6』, 국사편찬위원회, 1995, 19~20쪽 註 26. "서울에서 기단식 적석묘의 출현은 3세기대로 올라갈 수 없다는 입장도 있다(李道學, 「百濟集權國家形成過程研究」, 한양대학교 사학과박사학위청구논문, 1991, 33~36쪽; 박순발, 「漢城百濟 成立期 諸墓制의 編年 檢討」『백제 고고학의 제문제』, 한국고대학회 제5회 학술발표회 발표문, 1993)."

70 李道學, 「百濟의 起源과 國家發展過程에 관한 檢討」『韓國學論集』19, 1991, 189쪽. 166쪽;『백제 고대국가 연구』, 일지사, 1995, 83쪽. 96쪽; 朴淳發, 『한성백제의 誕生』, 서경문화사, 2001, 30쪽.

71 李道學, 「百濟의 起源과 國家發展過程에 관한 檢討」『韓國學論集』19, 한양대학교 한국학연구소, 1991, 154~156쪽. 188쪽.

72 崔秉鉉, 「墓制를 통해서 본 4~5세기 韓國古代社會」『韓國古代史論叢』6, 1994, 7쪽. 15쪽. 40쪽.

73 朴淳發, 「한성백제 성립기 諸墓制의 編年檢討」『先史와 古代』6, 1994;『한성백제의 誕生』, 서경문화사, 2001, 133쪽.

74 朴淳發은 이들 묘제와 濊와의 관련성을 云謂하지만(朴淳發, 『한성백제의 誕生』, 서경문화사, 2001, 137쪽),『三國志』에 게재된 濊의 공간적 범위와는 연결되지 않는다. 게다가 濊의 墓制인 木槨墓와도 관련되지 않고 있다. 어느모로 보나 이들 묘제는 濊와의 整合性은 보이지 않는다.

75 李道學, 「百濟의 起源과 國家發展過程에 관한 檢討」『韓國學論集』19, 1991, 188쪽.

76 송호정, 「고고학 자료를 통해 본 백제의 기원」『백제의 기원과 건국』(백제문화사대계 연구총서 2), 충남역사문화연구원, 2007, 173쪽.

역에서 4세기 중반 이전으로 소급되는 적석총은 존재하지 않는다.[77] 일례로 석촌동 2호분의 편년도 4세기 후반경[78] 혹은 4세기 중엽을[79] 소급할 수 없다고 한다.[80] 그리고 기단식 적석총은 근초고왕대에 처음 등장한 것으로 본다.[81]

물론 부여에서 출원한 고구려 건국 세력처럼 백제 건국 세력의 현지 묘제 채용 가능성도 배제할 수 없다. 그렇다고 한다면 적석총과의 관련성은 더욱 희박해진다. 흔히 온조전승과 결부 짓는 묘제로서 적석총 가운데 석촌동 3호분을 云謂한다. 백제가 적석총을 조영한 점을 주목하여 고구려와의 계통적 연관성을 생각할 수는 있다. 그러나 이는 어디까지나 墳墓採擇으로 보겠다. 백제의 경우도 무령왕릉이 계통적 연고도 없는 중국 南朝계통의 전축분을 채용한 바 있다. 이후 백제 왕실의 묘제는 다시금 석실분으로 바뀌었다. 신라에서도 왕실교체와 같은 외부적인 변화가 없는 적석목곽분 단계에서 석실분으로 묘제가 바뀌었다.[82] 이러한 해석은 墳墓가 지닌 보수적 성격에 위배되는듯 하지만 기실 묘제가 피장자의 계통을 알려주는 절대적 지표가 되기도 어렵다는 점을 말하고 있다. 왜냐하면 부여에서 혼강유역으로 이주해온 계루부 고구려 왕실의 경우 종족 본래의 묘제인 토광묘나 석관묘를 버리고 新定着地의 적석총을 채용하였기 때문이다.[83] 게다가 백제도 적석총에서 석실분으로 묘제가 전환되고 있다. 요컨대 장대한 규모를 자랑하는 석촌동 3호분은 王者의 威嚴 과시를 목적으로 한 고구려 墓制 採用의 결과였다.[84]

백제 건국 세력의 기원을 부여에서 찾는다고 하자. 이는 부여 출원 집단이 고구려를 경유해서 남하·건국했다는 누구 말마따나 애매하고도 막연한 주장과는 성격을 달리해

---

77 李道學,「百濟의 起源과 國家發展過程에 관한 檢討」『韓國學論集』19, 1991, 166쪽;『백제 고대국가 연구』, 일지사, 1995, 83쪽; 朴淳發,『한성백제의 誕生』, 서경문화사, 2001, 155쪽.

78 李道學,「百濟의 起源과 國家發展過程에 관한 檢討」『韓國學論集』19, 1991, 154쪽;『백제 고대국가 연구』, 일지사, 1995, 77쪽.

79 朴淳發,『한성백제의 誕生』, 서경문화사, 2001, 153쪽.

80 석촌동 2호분과 같은 형식의 묘제를 토광분구묘에 기원을 둔 '粘土充壙式 積石塚'으로 命名하였다(李道學,「百濟의 起源과 國家發展過程에 관한 檢討」『韓國學論集』19, 1991, 154쪽;『백제 고대국가 연구』, 일지사, 1995, 78쪽).

81 李道學,「百濟의 起源과 國家發展過程에 관한 檢討」『韓國學論集』19, 1991, 190쪽;『백제 고대국가 연구』, 일지사, 1995, 123쪽; 朴淳發,『한성백제의 誕生』, 서경문화사, 2001, 154쪽.

82 李道學,「百濟의 起源과 國家發展過程에 관한 檢討」『韓國學論集』19, 1991, 171쪽;『백제 고대국가 연구』, 일지사, 1995, 109쪽.

83 田村晃一,「高句麗と積石塚」『樂浪と高句麗の考古學』, 同成社, 2001, 349쪽.

84 李道學,『백제 고대국가 연구』, 일지사, 1995, 110쪽.

야 한다. 고구려 지역에서 내려온 집단이 백제를 건국했다는 주장은 아니기 때문이다. 그러면 부여에서 출원한 집단의 존재를 암시하는 물증은 있을까? 그러한 물증은 생활유적과 분묘유적에서 함께 찾을 수밖에 없다. 주지하듯이 백제와 관련된 서울 지역의 이른 시기 묘제는 土壙墓이다. 백제 건국 세력이 현지의 토광묘를 채택하였을 가능성도 고려해 볼만하다. 그렇지만 마한 지역에 산재한 墓制 토광묘의 기원을 부여와 관련 짓기에는 선뜻 어려워 보인다. 그러나 火葬이나 殉葬 가능성이 보이는 토광묘의 존재를 놓고 볼 때 부여와의 관련성은 오히려 크게 다가올 수 있다. 그렇다면 백제 한성기에 생활유적과 墳墓遺蹟에서 출토된 夫餘 관련 물증을 다음과 같이 제시해 본다.[85]

첫째, 풍납동토성에서 출토된 銀製裝飾片이다. 이러한 은제장식편은 부여 영역이었던 길림성 楡樹縣 老河深遺蹟에서 출토된 金製耳飾과 형태가 거의 동일하다.[86] 노하심 中層에서 출토된 金製耳飾은 2개인데, 葉片의 길이는 각각 1.35cm, 폭 0.6cm, 두께 0.02mm, 그리고 길이 1.3cm, 두께 0.7cm, 두께 0.02mm이다.[87] 그러나 풍납동토성 은제장식편은 약 5cm에 불과하여 耳飾片 보다는 冠帽 裝飾일 가능성이 높다. 그렇다고 할 때 신분의 지표이기도 한 冠帽 양상이 백제와 부여가 동일했을 수 있다. 이 점 명백히 백제의 부여 출원

85　다음의 논지와 관련해 몇 가지 언급해 둘 사안이 있다. 본고 중 '백제 건국 세력의 墓制와 夫餘系 物證'은 李道學, 「백제 건국 세력의 계통과 한성기 묘제」『한성지역 백제 고분의 새로운 인식과 해석』, 제13회 백제학회정기발표회, 2013.3.2, 59~72쪽;「百濟 建國勢力의 系統과 漢城期 墓制」『百濟學報』10, 2013, 5~25쪽에 의하였음을 밝혀 둔다. 본고에서 인용한 한강문화재연구원, 『김포 운양동 유적 II (2권)』(36册), 2013은 판권에 2013년 3월로만 적혀 있다. 필자가 본 연구원의 厚意로 본 보고서를 2013년 6월 11일에 입수할 수 있었다. 그런데『김포 운양동 유적 I (2권)』(42册)은 2013년 8월 26일 간행으로 판권에는 적혀 있다. 그러나 본 보고서 I 은 필자가 한강문화재연구원을 公務로 방문했던 2014년 8월 12일에도 간행되지 않았다. 그때 필자는 해당 논문이 수록된『百濟學報』10集 別刷 2부를 기증하고 왔었다. 필자가 연구원으로부터 본 보고서 I 을 우편으로 수령한 것은 2015년 2월 11일이었다. 따라서 본 보고서 I 에 수록된 내용은 필자의 앞선 논고들보다 뒤에 나왔음을 분명히 알려주고자 한다. 그리고 무슨 연유인지 한강연구원 홈페이지의 보고서 발간 목록에는『김포 운양동 유적 II』를『김포 운양동 유적』으로만 표기했다. 실제 간행 순서와는 차이가 나므로 헷갈리게 된다. 그리고 본 보고서 간행 날짜도 실제 보고서 판권과는 차이가 난다. 게다가 제39책이나 제40册이 2014년 1월 1일 간행으로 적혀 있다. 선후가 뒤바뀌어 있는 것이다. 알 수 없는 일로 생각된다. 따라서 본 보고서 I (1권), 'VI. 고찰, 1. 김포 운양동 분구묘' 편의 "따라서 현재의 자료만으로 인천과 김포 일대를 아우르는 특정 마한 소국을 비정하기에는 무리가 있다. 이에 잠정적으로 비류와 관련한 마한 소국으로 비정해 두고자 한다(683쪽)"는 문구는 필자 논고보다 뒤에 집필된 것이다. 이 점을 분명히 해 둔다.

86　국립문화재연구소,『풍납토성 XIII』2012, 554~555쪽.

87　吉林省文物考古硏究所,『楡樹老河深』, 文物出版社, 1987, 58~59쪽. 圖版 40.

설을 뒷받침해준다.

둘째, 김포 운양동 2세기 중후엽~3세기 전반대 분구묘에서[88] 출토된 弧片形 金耳飾 1 쌍(2-9지점 6구역 1호 분구묘)과 1개(1-11지점 12호 분구묘), 모두 3개의 弧片形 金耳飾은 老河深 中層遺蹟(41호·93호·103호)에서 출토된 金耳飾과 동일한 형식이다.[89] 운양동 금이식은 현재 국내에서 출토된 가장 이른 시기의 제품이다.[90] 그러한 운양동 弧片形 金耳飾의 중심지는 길림시 일대에 거점을 둔 夫餘였다.[91] 弧片形 金耳飾은 압록강 右岸의 通化 石湖 王八(月恃)子墓群에서도 유사한 것이 1개 출토되었다.[92] 길림시에서 제작한 弧片形 金耳飾 완제품이 압록강 右岸을 경유하여 김포 운양동에까지 도달한 것이다. 즉 弧片形 金耳飾의 출토지를 따라 吉林→通化→鴨綠江→大同江→臨津江→金浦(仁川)로 이어지는 夫餘 出源 백제 건국 집단의 南下路를 상정해 볼 수 있다. 이는 비류 집단이 패수와 대수를 건너 미추홀에 정착했다는 『삼국사기』 기사와 부합한다. 비류 세력이 처음 정착한 미추홀 즉 지금의 인천은 부여 계통의 金耳飾이 출토된 김포 지역과 동일한 세력권이기 때문이다. 이 사실은 곧 비류 세력의 미추홀 정착이라는 역사적 사실을 뒷받침해 준다. 나아가 운양동 주구묘에 부장된 金耳飾은 18K 이상의 높은 金純度를 지닌 耳飾이라는 것이다.[93] 게다가 철제 장검과 환두대도가 3점이나 출토된 분구묘는 모두 대형분이었다.[94] 그렇다면 최고급 신분의 집단이 부여에서 남하했음을 암시해 주는 물증이 될 수 있다.[95] 아울러 백제 건국 세력이 주구묘라는 현지 마한의 묘제를 채용한 사실을 알려준다. 운양동 유적

---

88 한강문화재연구원, 『김포 운양동 유적 II (2권)』 2013, 228쪽.

89 吉林省文物考古研究所, 『楡樹老河深』, 文物出版社, 1987, 59쪽. 60쪽. 圖版 43.
노하심 유적에서 3件 5점의 金耳飾이 운양동 것과 유사하다고 한다(이한상, 「김포 운양동 유적 출토 금제 이식에 대한 검토」 『김포 운양동 유적 II (2권)』, 한강문화재연구원, 2013, 261쪽).
한편 노하심 유적의 金耳飾을 金製護指나 金指甲套로 간주하는 주장에 대해서는 이한상이 충분한 근거 제시를 통해 부당함을 밝혔다(이한상, 위의 논문, 265쪽).

90 한강문화재연구원, 『김포 운양동 유적 II (2권)』 2013, 268쪽.

91 이한상, 「김포 운양동 유적 출토 금제 이식에 대한 검토」 『김포 운양동 유적 II (2권)』, 한강문화재연구원, 2013, 265쪽.

92 安文榮·唐音, 「鴨綠江右岸雲鳳水庫淹沒區古墓葬調査與發掘」 『2007中國重要考古發現』, 文物出版社, 2008, 83쪽.

93 한강문화재연구원, 『김포 운양동 유적 II (2권)』 2013, 154쪽.

94 김기옥, 「한강 하류역 원삼국시대 외래계 유물」 『崇實大學校韓國基督敎博物館誌』 9, 2013, 47쪽.

95 이 유물을 부여족의 이동과 결부 짓는 견해는 신경철, 「백제 문화의 원류, 백제와 고구려 문화; 토론문」 『백제사람들 서울 역사를 열다』, 한성백제박물관 국제학술회의, 2011.

은 서해안 지역 초현기 마한 분구묘 중 최고 위계를 지녔다.[96] 이 사실은 운양동 세력이 서해안 지역의 정치적 중심이었음을 뜻한다. 나아가 운양동 세력이 백제로 발전했음을 암시해주기에 충분하다.

셋째, 김포 운양동 분구묘에서 출토된 瑪瑙·유리구슬·管玉은[97] 노하심 중층유적의 출토상과 부합하고 있다. 대부분의 노하심 中層 유적에서는 『삼국지』 부여 조에서 부여 특산물로 소개된 '朱玉'인 瑪瑙가 부장되어 있기 때문이다.[98] 그리고 이곳에서는 유리구슬·管玉·구슬이 출토되었다.[99] 노하심 유적의 6각형 유리구슬은 운양동에서도 출토되었기 때문이다.[100] 게다가 운양동 분구묘에 부장된 철제 장검과 동일한 형식은 노하심 유적에서도 확인된다.[101] 특히 철제 장검의 청동제 劍鞢은 노하심 유적과 동일한 형식이다.[102] 그 밖에 운양동 분구묘에서 출토된 이조선돌대주조철부 역시 노하심 유적에서도 확인된다.[103]

넷째, 풍납동토성 경당 지구에서는 제의와 관련해 馬頭를 매장한 坑의 존재이다. 경당 지구 9號遺蹟에서는 毁棄된 토기들과 더불어 9체분 馬頭와 1체분 牛頭 모두 10개의 獸頭가 출토되었다. 이러한 현상은 모종의 제의와 연관 짓게 하였다.[104] 실제 풍납동토성 197번지 일대의 나-10호 주거지에서는 말의 견갑골을 이용한 卜骨이 확인되었다.[105] 따라서 馬頭坑은 祭儀 유구일 가능성을 높여주었다. 바로 그러한 馬頭坑이 老河深에서도 확인된다. 老河深 墳墓 구역의 중앙에 위치하고 있는 馬頭坑은 길이 2.97m, 폭 0.75m의 장방형이다. 그 안에 7片의 馬頭骨이 남아 있다. 坑 내에서는 다른 유물은 발견되지 않고 3匹 정도의 말 개체분만 확인되었다.[106] 이 같은 祭儀는 비록 생활유적과 분묘유적이라는 차이에도 불구하고 種族이나 집단의 정체성과 관련 있다. 그러한 관계로 쉽게 변화되지

---

96 한강문화재연구원, 『김포 운양동 유적 II (2권)』 2013, 228쪽.

97 한강문화재연구원, 『김포 운양동 유적 II (1권)』 2013, 126쪽. 130쪽.

98 吉林省文物考古研究所, 『楡樹老河深』 文物出版社, 1987, 14~39쪽.

99 吉林省文物考古研究所, 『楡樹老河深』 文物出版社, 1987, 68쪽.

100 한강문화재연구원, 『김포 운양동 유적 II (1권)』 2013, 126쪽. 130쪽.

101 한강문화재연구원, 『김포 운양동 유적 II (2권)』 2013, 223쪽.

102 吉林省文物考古研究所, 『楡樹老河深』文物出版社, 1987, 77쪽 圖 72, 劍 5(I 式木柄鐵劍).

103 김기옥, 「한강 하류역 원삼국시대 외래계 유물」 『崇實大學校韓國基督敎博物館誌』 9, 2013, 47쪽.

104 한신대학교 박물관, 『風納土城 IV (本文·圖面)』 2004, 319~322쪽.

105 국립문화재연구소, 『풍납토성 XIV』 2012, 518~519쪽.

106 吉林省文物考古研究所, 『楡樹老河深』 文物出版社, 1987, 38~40쪽.

않는 속성을 지녔다. 게다가 馬頭 祭儀 유구는 고구려 영역에서는 명확하게 알려진 바 없다. 따라서 풍납동토성에 거주했던 백제 건국 세력의 계통은 "其國善養牲"[107], 즉 제사 때 제물로 바치는 가축인 犧牲을[108] 잘 길렀다는 부여와 연관될 가능성을 높여준다.[109]

다섯째, 부여에서 冠帽에 金銀을 장식하는 "以金銀飾帽"라는 기사는 고구려에서 "衣服皆錦 繡金銀以自飾 大加主簿頭著幘 如幘而無餘 其小加著折風 形如弁"라고 한 기사와는 대응하지 않는다. 즉 『삼국지』에서 "言語諸事 多與夫餘同 其性氣衣服有異"라고 하였듯이 '衣服'에 있어서는 부여와 고구려는 차이가 있다고 했다. 구체적으로 말해 부여와 고구려는 冠帽에서 차이가 보인다. 반면 夫餘의 金銀 冠飾은 백제의 무령왕릉에 부장된 金花 冠飾과 연결되고 있다. 金花飾烏羅冠을 착용한[110] 백제왕 冠帽의 金花飾을 가리키기 때문이다. 백제에서 6품 이상의 官人은 銀花冠飾을 착용하였다.[111] 물론 고구려도 7세기대에는 관련 기록이 보이지만, 백제는 신분의 지표로서 상징성이 지대한 冠帽와 관련해 계통적으로 부여와 연결된다. 여기서 백제의 銀花冠飾은 흔히 운위하는 소위 銀製冠飾은 아니다.[112] 銀花冠飾은 부여 왕흥사 목탑에 관테와 함께 부장되었던 花形 雲母 冠飾일 가능성이 높다. 이는 나주 복암리 3호분 제5호 석실에 관테가 부장된 데다가 雲母片이 출토된 것과 연결되기 때문이다. 물론 제5호 석실에서는 '銀製冠飾'이 부장되어 있었다. 여기서 제5호 석실에 부장된 雲母片은 왕흥사 목탑 터의 花形 雲母 冠飾과 성격이 동일할 수 있다. 왕흥사 목탑 터에서는 '銀製冠飾'은 부장된 바 없었다. 그렇다면 同 석실의 '銀製冠飾'은 실제 冠飾이 아닐 가능성이 높아진다. 더욱이 5호 석실에서는 2개의 관테가 부장되어 있었다. 2개의 관모가 부장되었다는 게 된다.[113] 이러한 점에서도 단 1개가 부장된 '銀製冠飾'은 冠飾일 가능성이 희박해진다. 실제 제6호 석실에서는 '銀製冠飾'이 현

---

107 『三國志』권30, 東夷傳 夫餘 條.
108 韓國精神文化研究院, 『譯註 經國大典 註釋篇』1986, 120쪽.
109 나주 복암리 3호분 1호 석실묘의 말뼈와 복암리 2호분 주구에서도 추정 馬齒가 출토된 바 있다. 그러나 이것의 성격은 犧牲보다는 순장 가능성이 더 높게 제기되었다(박중환, 「백제권역 동물희생 관련 考古자료의 성격」『百濟文化』47, 2012, 188~191쪽).
110 『三國史記』권24, 고이왕 28년 조.
111 『三國史記』권24, 고이왕 27년 조.
112 오은석, 「백제 '銀花冠飾'의 형상과 정치적 성격 검증」『동아시아고대학』35, 2014, 27~57쪽.
113 나주문화재연구소, 『나주 복암리 3호분』2006, 230~231쪽.

실 바깥 즉 연도에 부장되어 있었다.[114] 이와 관련해 동아대학교 소장 李忠武公 영정에 따르면 관모 정면에 銀花를 붙여놓았다. 花形 雲母 冠飾을 연상시킨다. 게다가 '銀製冠飾'은 폭이 좁고 밑이 뾰족한데다가 관모 장착에 필요한 구멍도 없다. '銀製冠飾'은 관모에 고정시킬 수가 없는 것이다. 따라서 '銀製冠飾'은 冠飾은 아니라고 본다. 그러나 花形 白色 雲母 冠飾은 문헌의 銀花冠飾을 가리킨다고 하겠다. 또 그러한 전통은 부여와 연결지을 수 있게 된다.

여섯째, 고구려와 차이가 있다는 부여의 복장은 "白布大袂袍袴履革鞜"라고 하였다. 고이왕의 복장을 "紫大袖袍"에 '烏韋履'라고 하였다. 이러한 백제의 衣服은 부여와 부합하고 있다. 「양직공도」에 보이는 백제 사신은 左衽의 커다란 도포를 무릎을 약간 덮을 만큼 착용하였다. 관모 앞 부분은 지워져서 자세히 살필 수는 없으나 銀花 장식이 있었을 것으로 보인다. 도포 밑에는 바지 부리가 넓은 開口袴를 입었다.[115] 이러한 복장 역시 부여와 부합한다.

일곱째, 백제 건국 세력과 직접 관련된 묘제는 부여 계통의 묘제이기도 한 목관 토광묘임을 방증해 주는 근거가 보인다. 즉 석촌동 고분군 B 지역 대형토광묘와 즙석봉토분 사이에 위치한 화장 유구이다. 목관을 놓고 그 전체를 불태운 화장 유구가 된다.[116] 이러한 장례 형태는 매장할 때 관목을 묘광에 내려놓은 후 다시 불을 지르는 노하심 고분과 유사하다.[117]

여덟째, 석촌동의 대형토광묘 안에서 8基의 목관이 동시에 매장되었고[118] 여성 인골까지 출토된 사례이다. 즉 폭 2.6~3.2m, 길이 10m 이상되는 대형 토광을 거의 남북 방향으로 깊이 0.8m 정도 판 다음 목관을 안치하였다. 현재 확인된 목관은 모두 8개이다. 이 8개 목관은 동시에 안치된 것으로 판단되며 각 목관에 대한 개별 무덤 구덩이는 없고 하나의 대형 토광 바닥에 목관들을 나란히 놓은 후 목관 사이 사이에는 회청색 뻘흙 혹은 논흙과 같은 점토질이 강한 토양을 채워 다졌다. 개별 목관의 깊이는 현재 남은 정황으

114 나주문화재연구소, 『나주 복암리 3호분』, 2006, 302~303쪽. 307쪽.
115 李道學, 「梁職貢圖의 百濟 使臣圖와 題記」 『百濟文化 海外調査報告書(6)』, 국립공주박물관, 2008 ; 『백제 한성·웅진성시대 연구』, 一志社, 2010, 452쪽.
116 서울大學校 博物館, 『石村洞3號墳 東쪽古墳群 整理調査報告』 1986, 31쪽. 25쪽.
117 吉林省文物考古研究所, 『楡樹老河深』, 文物出版社, 1987, 18쪽.
118 서울大學校 博物館, 『石村洞3號墳 東쪽古墳群 整理調査報告』 1986, 27쪽.

로 미루어 35㎝ 내외였을 것으로 추정된다. 목관 상부의 전체 무덤 구덩이 내에는 이 구덩이를 만들 때 파낸 흙을 다시 채우고 나서 마지막으로 1~2겹의 깬돌로 덮어 묘역을 만들고 있다. 8기의 목관 가운데 1기는 순장묘에 흔히 등장하는 부장곽(5호 · 180㎝)이라는 것이다. 그 나머지 7기 중에서 7호 목관만 길이 308㎝에 폭이 66㎝로 제일 규모가 크다. 나머지 6기의 목관 길이는 178㎝(2호) · 230㎝(3호) · 255㎝(1호) · 256㎝(8호) · 275㎝(4호) · 295㎝(6호)이다. 그리고 1호 · 2호 · 6호 목관에는 유물이 전혀 없었다. 다만 3호 · 4호 · 8호 목관에서만 토기 1점이 부장되었을 뿐이다. 반면 7호 목관에서는 보고서 표현대로 한다면 '비교적 다양한 부장 유물'을 가지고 있다. 철제 낫과 가래 끝쇠 1점씩과 토기 1점과 소형 철검이 부장되어 있었다.[119] 7호 목관을 중심으로 한 종속성과 동시성이 확인된다. 더욱이 層位가 동일한 8기의 목관이 일렬로 매장되었다는 자체가 추가장 가능성을 희박하게 해준다. 이렇듯 8기의 목관이 동시에 묻혔다는 게 강제성의 근거가 되지 않을까 한다. 요컨대 이처럼 순장 조건을 충족한다면 집단묘인 석촌동 대형토광묘의 순장묘 가능성을 제기할 수 있다. 동시에, 대형토광묘가 순장묘일 가능성이 있다면 응당 그 기원을 부여에서 찾을 수밖에 없다.

아홉째, 석촌동 고분군에서는 선비계의 금제 귀고리가 출토된 바 있다.[120] 그리고 백제에서 등장하는 유목민 사회의 직제인 左 · 右賢王制 역시 이것과 분리되지 않는다.[121] 즉 백제의 기원이 고구려 보다는 부여와의 연관성을 암시해 준다. 그리고 1~2세기에 제작된 것으로 추정되는 부여 유목문화계 銅柄鐵劍이 충북 청주시 오송읍 생명과학단지의 마한계 토광묘에서 출토되었다. 이러한 장검(길이 약 1m, 손잡이 15㎝)은 중국 길림성 老河深 유적과 요녕성 西岔溝 유적에서 출토된 바 있다.[122] 이 역시 백제 건국 세력의 계통을 암시해주는 물증이 된다. 백제 지역에서 출토된 4세기 후반~5세기대 귀고리나 마구류 가운데 모용선비계가 확인되었다. 위신재와 마구류에 있어서 鮮卑系가 확인된다는 것은 중요한 의미를 지녔다. 백제가 최소한 4세기 후반 이전부터 모용선비와 접촉했음을 뜻하는 동시에 兩者間의 지리적 인접 가능성을 암시해준다. 이와 관련해 청주 일원에서 출토된 선비계의 馬鐸 2점은 중국의 요녕성 북표시 西溝에서 출토된 마탁과 동일한 계통으

119   서울大學校 博物館, 『石村洞3號墳 東쪽古墳群 整理調査報告』1986, 23~27쪽.
120   李道學, 「百濟의 起源과 慕容鮮卑」『충북문화재연구』4, 충청북도문화재연구원, 2010, 7~28쪽.
121   李道學, 『백제 고대국가 연구』, 일지사, 1995, 123쪽.
122   박상현, 「청주 고분서 출토--부여 유목문화와 마한 교류 입증하는 사료」『연합뉴스』2016. 8. 31.

로 간주할 수 있었다. 보다 중요한 사실은 청주 신봉동 고분에서 수습한 것으로 전하는 鐵鍑의 존재였다. 동복과 철복은 한반도에서는 모두 5개밖에 확인되지 않았다. 평양의 낙랑 유적에서 1개, 김해에서 3개, 그리고 청주에서 1개인 것이다. 김해 대성동 고분에서 출토된 동복 2개는 부여족의 이동과 결부지어 의미를 크게 부여하기도 했다. 반면 선비계의 북방적인 문화 요소는 백제 지역에서도 확인되었다. 특히 청주 지역에서 출토된 馬鐸과 鐵鍑의 존재는 새롭게 조명될 수 있다. 청주 봉명동 출토 馬鐸은 方廓 안에 乳頭形이 2개씩 陽刻된 호드긴 톨고이 01-1호 출토 흉노 유물과 연관성이 깊다. 그리고 경주 황오동 16호분의 마탁과도 관련 지을 수 있다. 이러한 면에 비추어 보더라도 청주 출토 마탁은 북방계, 그것도 유목계 유물임은 더욱 분명해진다. 후자의 경우는 신라 김씨 왕가의 기원을 흉노와 관련 짓는 물증으로의 활용도 배제할 수 없다.[123]

열 번째, 인천에는 비류 관련 유적과 전승이 남아 있다. 반면 서울 지역에는 온조 관련 지명이나 전승이 전혀 없다. 가령 "彌鄒忽: 지금의 仁川이다. 세속에 전해오기를, 文鶴山 위에 비류성의 터가 있고 성문의 문짝 판자가 지금도 오히려 남아 있으며, 성안에 沸流井이 있는데 물맛이 시원하다'고 한다. 『여지승람』에 실리지 않아 한스럽다"[124]고 했다. 문학산 밑에서도 '백제 우물' 터를 확인한 바 있다.[125] 그리고 『여지도서』에서는 "문학산 꼭대기는 꽤 평평한데 미추홀의 옛 도읍지이고, 돌로 쌓은 성의 터가 있다"[126]고 했다. 문학산성은 본래 土城을 삼국시대 말기에 石城으로 개축하였다.[127] 게다가 문학산성 주변에 대한 지표조사 결과 백제 초기 토기편들이 수습되었다.[128] 그러므로 문학산 토성은 백제 성일 가능성이 높다. 『仁川邑誌』에는 "府邑 남쪽 남산(문학산)에 미추홀 왕릉이라고 불리는 능이 있는데 봉분이 헐리고 망부석이 넘어져 방치된 채 흉하다"고 적혀 있다.

미추홀 遺址로 언급되는 곳이 관교동 토성지이다. 이에 대해서는 다음과 같이 적혀 있다. 관교동 토성지: 관교동 북쪽 일명 승학산을 둘러싸고 있었다는 토성이다. 1949년 이경성의 『인천의 명소고적』에 처음 기록된 이래. 문학산을 비롯한 인천 지역에서 고고학

123 李道學, 「百濟의 起源과 慕容鮮卑」 『충북문화재연구』 4, 충청북도문화재연구원, 2010, 7~28쪽.
124 『東史綱目』 第1卷上, 계묘년 조.
125 李道學, 「백제국의 성장과 소금통로의 확보」 『우리 문화』 전국문화원연합회, 1991-2 ; 『한국고대사 산책』, 서문문화사, 1999, 62~63쪽.
126 『輿地圖書』 京畿道, 仁川都護府, 古跡 條.
127 인천광역시, 『문학산성 지표조사 보고서』 1997, 99쪽.
128 인하대학교 박물관, 『인천 문학산 주변 지역 일대 지표조사』 2002.

적 조사를 통하여 확인된 백제유적은 8곳이다. 선학동과 문학동 등 문학산 주변에서 2곳, 문학산 서쪽 끝 해안에서 건너다 보이는 영종도에서 6곳의 백제토기 산포지가 확인된다. 모두 지표조사로 확인된 곳이어서 유구의 성격은 명확치 않다. 다만 주변 환경과 지형으로 볼 때 대부분 생활유적으로 보이고, 중산동 구 영종진 유적은 연안방어시설일 가능성이 있다. 수습된 백제 토기편은 40여 점이고 일부 와편도 확인된다. 연대는 기원 2~5세기에 걸쳐 있는데 발굴조사를 거쳐야 분명해질 것이다. 이들 유적은 인천지역 백제문화의 성격만이 아니라 인천지역사 연구에도 중요한 의미를 지닌다. 문학산 일대의 백제관련 전승이 가치를 부여받을 수 있기 때문이다.[129] 인천 중산동 유적에서도 백제 주거지에서 토기가 출토되었다.[130] 그 밖에 문학산 동쪽 기슭 월드컵경기장 예정부지 2곳에서 백제토기편이 수습되었다.[131]

지금까지의 분석을 통해 백제 건국 집단은 비류 세력이었다. 이들은 패수(예성강)와 대수(임진강)를 건너 미추홀인 지금의 김포와 인천 지역으로 이주해 왔다. 이후 비류 집단은 위례로 불리었던 지금의 서울 지역으로 진출하여 새로운 터전으로 잡았다. 온조 시조 기록에서는 이 사실을 비틀어서 서술했다. 즉 미추홀에 정착했던 비류 집단이 국가 경영에 실패하여 서울의 위례 지역으로 흡수된 양 묘사한 것이다.

5. 맺음말

『삼국사기』를 비롯한 문헌자료에서는 일관되게 백제 건국 세력의 부여 출원을 闡明하고 있다. 그것도 후대 기록만 아니라 백제 當代의 기록에서 그 같은 사실이 多數 확인되었다. 이러한 맥락에서 본다면 유일하게 백제 건국 세력을 고구려 계통으로 기록한 온조 시조 기사는 의문을 낳게 한다. 실제 『삼국사기』 온조왕본기를 분석해 본 결과 기실 그 속성은 비류왕본기임이 밝혀졌다. 따라서 더 이상 백제 시조 온조왕은 云謂할 수 없게 한다. 결국 온조왕 시조 기사는 대통합을 필요로 했던 高麗 전반기에 생성된 '만들어진

---

129   인천일보, 「"백제"가 중심이었던 인천 고대사」 2001. 4. 11.
130   장흥선, 「인천 중산동유적 백제 주거지 출토 토기 고찰」 『인천 중산동유적』 2012, 790~795쪽.
131   인천광역시, 『문학산성 지표조사 보고서』 1997, 6쪽.

역사'의 결과였다는 사실이 밝혀졌다.

백제의 국가적 祭儀로서 가장 격이 높았던 제의처는 국왕이 집전하는 國祖神을 모신 東明廟였다. 동명묘는 부여 시조인 동명왕을 제사지내는 사당이었다. 백제 건국 세력은 부여로부터 내려오는 정통성을 자국이 지녔다고 믿었기에 부여 시조를 제사지냈다. 동명묘는 不遷位와 같은 절대적 위상을 지닌 사묘였다. 그랬기에 동명묘가 소재한 한성을 상실하고 웅진성으로 천도한 이후 백제왕들의 동명묘 拜謁은 가능하지 않았다. 반면 사비성 도읍기에 백제는 그 代案으로 부여의 중시조격인 위구태를 제사지냈다. 바로 1년에 4회나 제사 지내던 백제 '始祖 仇台廟'였다. 仇台와 비류왕의 父로 전하는 優台, 비록 관념성을 지닌 가탁한 인물이라고 하더라도 동일한 인물을 가리켰다.

백제왕이 겨울과 여름에 집전하는 제의 대상으로서는 天地가 있었다. 특히 祭天의 경우 대부분 겨울에 하였고 가장 盛大하였다. 이때는 북[鼓]을 사용하였고 '歌舞'를 했다. 이는 殷正月에 하였던 부여 迎鼓의 '飮食歌舞'와 유사하다. 그리고 흉노에서 겨울과 여름에 天地 제의가 있었던 것처럼 백제 제의에는 북방적 색채가 보인다. 이는 백제 건국 세력의 정체성을 반영하는 것이다. 이 같은 祭天을 통해 백제 왕실을 비롯한 건국 세력은 일체감을 조성하고자 했던 것 같다.

백제금동대향로는 국가나 왕실과 관련한 祭儀에 사용된 祭具였다. 五樂師 頭髮은 禿頭에다가 오른쪽 귀언저리에 머리채를 끌어 모아 묶은 형식[兩角髻]에 속한다. 즉 剃頭辮髮에 속하는 것으로 역시 북방 유목민족 사회의 頭髮 형태가 된다. 그렇다면 이는 부여에서 출원한 백제인들이 자국의 정체성과 연계된 모습으로써 산악과 하늘에 제의하는 장면으로 볼 수 있다. 그리고 이는 사비성으로 천도한 백제가 '부여'로 改號하면서 국가의 정체성을 찾고자 한 흐름과 연관된다.

백제 건국 세력의 고구려 출원설의 근거가 되었던 게 적석총이었다. 그러나 한강유역 소위 무기단식 적석총의 속성은 고구려와는 무관한 葺石封土墳 혹은 葺石墓니 葺石式 積石墓로 일컫게 되었다. 이들 고분에 대한 호칭은 다르지만 그 본질은 동일한 것이다. 물론 전형적인 고구려계의 기단식 적석총은 4세기 후반에 조영되었다. 그러나 이는 주민의 이동과는 무관한 墓制 採用에 불과한 현상이었다.

백제 건국 세력이 부여에서 출원했음은 문헌 뿐 아니라 고고학적 물증을 통해서도 입증되었다. 가령 풍납동토성에서 출토된 銀製裝飾片이나 馬頭坑을 비롯하여 冠帽와 服裝, 墓制와 埋葬風習을 통해 뒷받침될 수 있었다. 무엇 보다도 김포 운양동 3세기대 주구묘에서 출토된 弧片形 金耳飾은 백제 건국 세력의 南下路를 시사해 주는 중요한 단서가 되었다. 즉 弧片形 金耳飾의 출토지를 따라 吉林→通化→鴨綠江→大同江→臨津江→金浦로 이어지는 夫餘 出源 백제 건국 집단의 南下路를 상정해 볼 수 있다. 이는 비류 집단이 패수와 대수를 건너 미추홀에 정착했다는『삼국사기』기사와 부합한다. 비류 세력이 처음 정착한 미추홀 즉 지금의 인천은 부여 계통의 金耳飾이 출토된 김포 지역과 동일한 세력권이었다. 이 사실은 곧 비류의 미추홀 정착의 역사적 사실을 뒷받침해 준다. 그리고 보고서에 따르면 운양동 주구묘는 낙랑이나 진한 및 변한과도 교류를 주도했던 마한 최고의 위계로 분류되고 있다. 그러한 서해안 지역 중심이 되었던 미추홀에 근거한 비류 집단이 서울 지역으로 진출했음을 생각하게 한다. 끝으로 서울 지역에는 온조와 관련한 어떠한 전승이나 유적도 전하지 않고 있다. 그런데 반해 인천에서는 미추홀 왕릉이나 산성, 그리고 비류 우물 등이 전하고 있다. 이 사실은 온조 시조 기록의 허구성을 암시해 주는 한편, 비류 시조 기록의 실체를 방증해 준다고 보겠다. 결국 미추홀에 정착했던 비류 집단이 위례가 있던 지금의 서울 지역으로 진입하여 새로운 터전을 잡았음을 알 수 있었다.

「백제 건국 세력은 어디서 와서, 어디에 정착했는가?」『백제, 그 시작을 보다』, 하남역사박물관, 2016.

百濟의 起源과 慕容鮮卑

1. 머리말

백제의 기원에 대해서는 건국설화의 해석에 따라 고구려계로 믿는 이들이 많았다. 즉 고구려계의 온조 기사를 취신하는 경향이 지배적이었다. 그러나 『삼국사기』에 온조 기사와 倂記된 비류 설화는 부여계 설화로서 당대 백제인들의 자국 인식과 부합되고 있다. 그러한 백제의 기원이 부여임은 너무나 분명하다.[1] 이와 더불어 백제는 어떤 면에서 볼 때 고구려보다도 북방적인 요소가 많다. 즉 左·右賢王制과 같은 職制 뿐 아니라 귀고리나 마구류 등과 같은 유물에서도 慕容鮮卑[2]와 같은 유목민족 세계와의 교류 내지는 그러한 반경에 속했음을 시사하는 자료들이 보인다. 이와 맞물려 백제의 존재가 만주 지역에서 확인되는 기록들은[3] 단순히 誤記로 간주할 수 없는 구체적인 실체로서 성큼 다가왔다는 인상을 주고 있다.

필자는 특히 청주 봉명동에서 출토된 '大吉' 銘 馬鐸의 경우 모용선비와의 연관성을 상정해 온 바 있었다. 그러던 터에 최근 청주 신봉동 출토로 전해지는 鐵鍑의 존재를 확인하고서는 백제의 기원을 만주 지역에서 찾았던 기존 自說의 타당성을 확인하고자 했다. 이 같은 취지의 본고를 통해 기존에 주장되던 백제의 기원에 대한 전면적인 재검토와 더불어 고정 관념에서 벗어난 발상의 전환이 필요하지 않을까 싶다. 요컨대 본고를 통해 좀 더 다양한 시각에서, 또 기존의 고정 관념에서 벗어난 유연한 사고 속에서 백제사 연구의 새로운 방향을 모색하는 기제가 되고자 했다.

---

1 이에 대해서는 李道學, 『백제 고대국가 연구』, 일지사, 1995, 55~72쪽을 참조하기 바란다.
2 '慕容鮮卑'라는 호칭은 「모두루묘지」에 적혀 있는 당대의 表記이기에 취했다.
3 이와 관련해 李道學, 『백제 고대국가 연구』, 일지사, 1995, 108~126쪽; 『백제 한성·웅진성시대 연구』, 일지사, 2010, 40~51쪽을 참조하기 바란다.

2. 문헌에서 확인되는 백제의 북방적 요소

한반도 서남부 지역을 영역으로 하는 백제에는 의외로 북방적인 요소가 많이 눈에 띈다. 이러한 북방적인 요소는 백제 건국 세력이 고구려에서 출원했기 때문에 당연한 물산으로 간주하기 쉽다. 그러나 백제는 고구려에서 출원하지도 않았을 뿐 아니라 본고에서의 '북방적인 요소'는 고구려에서도 확인되지 않는 유목적인 요소를 가리키는 것이다. 가령 左·右賢王制가 일례가 된다. 458년에 백제 개로왕이 劉宋에 제수를 요청한 귀족 명단의 官爵 가운데 左·右賢王의 존재가 확인되고 있다. 左·右賢王制는 흉노를 비롯해서 돌궐과 같은 유목 사회의 직제인 관계로 劉宋에 제수를 요청할 수 있는 사안은 아니었다. 실제 冠軍將軍 右賢王 餘紀나 征虜將軍 左賢王 餘昆이 관작을 제수받은 것은 중국의 직제에 보이는 관군장군이나 정로장군 등에 국한되었을 뿐 左·右賢王은 해당되지 않았다. 이러한 맥락에서 볼 때 左·右賢王職은 백제의 전통적인 직제였음을 알 수 있다. 나아가 이러한 직제의 기원이 유목민 사회였던 만큼, 백제 국가의 정체성을 알려주는 단초가 된다. 주지하듯이 유목민 사회에서 左·右賢王은 單于의 近親者들이 임용되고 있는데, 백제의 경우도 王子나 王弟인 만큼[4] 그러한 운용 방식에 있어서도 별반 차이가 나지 않기 때문이다.

백제 사회에서의 북방적인 요소는 국왕에 대한 호칭과 더불어 종족의 정체성을 반영하는 頭髮을 통해서도 확인할 수 있다. 먼저 백제 왕의 호칭인 鞬吉支는 Konikisi 또는 Kokisi로도 일컫고 있다. 이는 돌궐에서 '天子'의 뜻으로 쾨키시(Kök Kishi)라고 일컫던 말과[5] 연결이 가능하다. 아울러 백제금동대향로에 보면 5인의 주악상 머리 모습은 禿頭에다가 오른쪽 귀언저리에 머리채를 끌어 모아 묶은 형식[兩角髻]에 속한다.[6] 다음에 보이는 이 같은 두발 양식은 剃頭辮髮에 속하는 것으로 역시 유목민 사회의 頭髮 형태가 된다.

이와 관련해 백제 성씨 가운데 難氏의[7] 계통을 유목민족인 오환에서 찾는 주장도 있지

4　李道學,「漢城末·熊津時代 百濟 王位繼承과 王權의 性格」『韓國史研究』50·51合集, 1985 ;『백제 한성·웅진성시대 연구』, 일지사, 2010, 297~298쪽.

5　최한우,『중앙아시아』, 도서출판 펴내기, 1992, 21쪽.

6　권태원,『백제의 의복과 장신구』, 주류성, 2004, 81쪽.

7　李文基,「百濟 遺民 難元慶墓誌의 紹介」『慶北史學』23, 2000, 493~526쪽.

만 흉노의 氏로 명백히 나타나고 있다.[8] 그리고
백제 조정의 귀족 가문인 段氏 역시 漢族뿐 아니
라 선비 계통의 段部에서 그 연원을 찾을 수도
있게 된다. 백제에서 확보했던 사막 건조 지대
의 운송 수단인 낙타와 초원 지대의 가축인 羊이
나 나귀 및 노새의 존재는[9] 정확히 흉노와 같은
유목사회에서 目睹할 수 있는 가축에 속한다.[10]
나귀는 특히 선비의 중요한 운송 수단으로 알려
져 있다. 그 밖에 근구수태자가 북계의 표지로서
"이에 돌을 쌓아 표를 했다(乃積石爲表)"는 행적은
유목계 출신인 北魏 帝王들의 잦은 '단을 쌓고 행

사진 1 | 五樂師 중 한 명(국립부여박물관)

적을 기록했다(築壇記行)'거나 '돌을 쌓고 행적을 기록했다(累石記行)'는 사적과 성격이 동일
하다. 더욱이 군사령관인 국왕 근초고왕의 전쟁수행 양식은 親征→掠奪→分配라는 유목
형 군주의 그것과도 부합된다. 그 밖에 흉노와 오환의 경우 선우 妻族의 위세가 강대했
다고 한다.[11] 고구려에도 왕비족제가 있었지만 국왕의 姻族이 강한 곳은 단연 백제였다.[12]
이러한 사회적 전통도 백제가 유목사회에 몸 담겼던 영향으로 보아 무리가 없을 것 같
다.

그리고 백제에서 왕비를 '오루쿠'라고 일컬었다. 이러한 호칭은 遼 태조가 멸망시킨 발
해의 왕 大諲譔과 그 妻(王妃)에게 각각 하사한 거란어 이름인 오로고(烏魯古)나 아리기(阿
里只)와[13] 관련 있어 보인다. '오로'나[14] '아리'는 위례성이나 아리수 혹은 욱리하의 '위례'·

---

8 『史記』권110, 흉노전. "朕書日 右賢王不請聽後義盧侯難氏等計 絶二主之約 離兄弟之親"
9 李道學, 「백제의 對倭 교역의 展開 樣相」『민족발전연구』제13-14호, 2006, 111쪽.
10 『史記』권110, 흉노전.
11 사와다 이사오·김숙경 譯, 『지금은 사라진 고대 유목국가 이야기, 흉노』, 아이필드, 2007, 125쪽.
12 李基白, 「百濟王位繼承考」『歷史學報』11, 1959, 44쪽에서 근초고왕에서 아화왕대까지를 가리켜 "王族과
   王妃族의 聯合政權時代라고도 부를 수 있는 時期이다"고 했을 정도로 근초고왕 이후 국왕의 姻族이 득세
   하였다. 그런데 이러한 요소는 흉노를 비롯한 유목민 사회의 전통과 동떨어진 것은 아니라는 점에서 주
   목을 요한다.
13 『遼史』권2, 天顯 원년 秋7월 조.
14 烏魯古는 옛 투르크어·몽골어에서 '크다'는 의미를 지닌 '울룩'이란 語音과 동일하다고 한다(이재성, 「南
   匈奴列傳 譯註」『譯註 中國正史外國傳 3』, 동북아역사재단, 2009, 309쪽).

'아리'·'욱리'와 마찬 가지로 '大'의 뜻을 지녔기 때문이다. 백제 왕비 호칭 오루쿠는 '大夫人'의 뜻으로 보인다. 그 밖에 北魏의 8大姓과[15] 사비성 도읍기 백제 8大姓과의 묘한 연관성도 간과해서는 안될듯 싶다.[16] 그리고 선비의 角端弓과 백제의 角弓, 年幼한 조카를 제끼고 연만한 叔父가 즉위하는 기풍, 사냥터에서의 政變 등에 이르기까지 양자 간에는 공통점이 많다는 점이다.

그러면 백제 사회와 문화에서 目睹되는 이 같은 북방 유목적 요소는 어디서 유래한 것일까? 이와 관련해 다음의 기사를 살펴보지 않을 수 없다. 345년에 전연의 記室參軍인 封裕가 국왕인 모용황에게 건의한 상서인 것이다.

> 高句麗·百濟 및 宇文·段部의 사람은 모두 兵勢를 옮겼는데, 中國의 義를 사모하여 온 것 같지는 않으니 모두들 돌아갈 생각이 마음에 있습니다. 지금 戶가 10萬이나 좁은 都城에 몰려들고 있어서 장차 국가에 큰 害가 될까 두렵습니다. 마땅히 그 兄弟宗族을 나누어서 서쪽 경계의 여러 城으로 옮겨 이들을 恩寵으로 慰撫하고 法으로 단속하면 됩니다.[17]

위의 기사는 전연의 수도인 龍城(요녕성 조양시)으로 붙잡혀 온 주변국 포로들의 처리 문제가 된다. 여기서 '백제'라는 국호가 중국 사서에 처음 보이는 것이다. 아울러 백제는 前燕의 공격 대상 국가인 고구려라든지 우문부·단부 등과 병칭되고 있다. 그러므로 雄姿를 드러낸 백제는 345년 이전에 전연과의 교전 끝에 이미 상당한 숫자의 포로가 발생했음을 짐작시킨다. 백제가 전연과 교전을 하기 위해서는 그 영역이 전연 인근에 소재했어야 가능한 일이다. 이 사안은 요서경략과는 관련이 없기 때문에 한반도 서남부 지역의 백제가 진출한 것으로 간주할 수도 없다. 결국 4세기 중반 이전에 백제가 전연의 주변에 소재하였기에 交戰이 발생한 것으로 볼 수 있다. 또 그러한 해석이 자연스러운 것이다. 그러면 이와 관련해 다음의 『자치통감』 영화 2년(346) 정월 조 기사를 보자.

---

15 가와카스 요시오·임대희, 『중국의 역사─위진남북조』, 혜안, 2004, 378~379쪽.

16 백제 8大姓의 북위와의 연관성을 딱히 유목적이라고 단정할 수야 없겠지만, 양자 간의 교류가 적지 않았던 상황에서 확인되는 만큼, 차후에 심도 있는 논의를 통해 일정한 의미 부여가 필요할 수 있다.

17 『晋書』권109, 慕容皝載記. "句麗·百濟及于文·段部之人 皆兵勢所徙 非如中國慕義而至 咸有思歸之心 今戶垂十萬 狹湊都城 恐方將爲國家深害 宜分其兄弟宗屬 徙于西境諸城 撫之以恩 檢之以法 使不得散在居人 知國之虛實"

처음에 夫餘는 鹿山에 거처하였는데, 百濟의 침략을 받아 部落이 衰殘해져서 서쪽으로 燕나라 근처로 옮겼으나 방비를 하지 않았다. 燕王 皝은 세자 儁을 보내어 慕容軍·慕容恪·慕輿根 3장군을 거느리고 17,000餘 騎로 부여를 습격하게 하였다. 儁은 가운데 거처하면서 지휘를 하고 군사는 모두 恪에게 맡겼다. 드디어 부여를 빼앗고 그 王 玄 및 部落의 5萬餘 口를 사로잡아 돌아 왔다. 皝은 玄을 鎭軍將軍으로 삼고 딸을 妻로 삼게 하였다.[18]

그런데 위의 기사에 보이는 '百濟'를 고구려의 誤記로 간주하여 왔다.[19] 만약 이 기사가 오기라면 『晉書』慕容皝載記에 등장하는 '백제'의 존재를 어떻게 설명할 것인가? 그것도 하나의 사료가 아니라 계통이 서로 다른 사서에서 그렇게 전하고 있기 때문에 단순히 誤記로만 돌리는 것은 궁색한 해석에 불과하다. 285년에 부여는 전연의 침공을 받아 破局에 직면했다가 西晉의 지원을 받아 復國된 바 있다. 서진과 우호 관계에 있으면서 전연에 공동 대처하고 있던 국가가 고구려였다. 그러니 고구려로서는 3세기 말경에 서진의 보호 아래 있던 부여를 공격할 정황이 되지 못한다. 문헌에 보면 고구려가 4세기 전반에 북상했다는 하등의 기록도 발견하기 어렵다. 고구려와 전연과의 전쟁 기사가 빈출함에도 불구하고 고구려와 부여 관계 기사는 일체 비치지 않고 있다. 당시 고구려는 전연의 압박에 시달리고 있던터였기에 고구려가 부여를 몰아붙일 객관적인 정황이 되지도 못한다. 게다가 3세기대 부여의 남쪽 경계는 '고구려'였지만[20] 4세기대에는 '선비'와 접하였다.[21] 전연의 영향력이 부여에 미친 시기가 285년 이후였다. 따라서 이러한 지리 관계 기사는 285년 이후 4세기대에 접어들어 기존 부여의 남부 영역을 전연이 장악한 상태를 가리킨다. 그런 만큼 고구려가 4세기 전반에 부여를 직접 공격하는 일은 가능할 수도 없었다. 요컨대 이러한 점들은 위의 기사에 보이는 '백제'가 '고구려'의 誤記일 수 없음을 다시금 확인시켜준다.

어쨌든 위의 기사를 놓고 볼 때 백제는 부여를 공격했음을 알 수 있다. 서쪽으로 前燕

---

18   『資治通鑑』권97, 永和 2년 정월 조. "初夫餘居于鹿山 爲百濟所侵 部落衰散 西徙近燕 而不設備 燕王皝遣世子儁 帥慕容軍·慕容恪·慕輿根三將軍 萬七千騎襲夫餘 儁居中指授 軍事皆以任恪 遂拔夫餘 虜其王玄 及部落五萬餘口而還 皝以玄爲鎭軍將軍 妻以女"

19   日夜開三郞,「夫餘國考」『史淵』34, 1946, 37쪽; 池內宏,「夫餘考」『滿鮮地理歷史硏究報告 13』1932;『滿鮮史硏究(上世篇 第一冊)』, 吉川弘文館, 1951, 460쪽; 李丙燾,『韓國古代史硏究』, 박영사, 1976, 221쪽.

20   『三國志』권30, 東夷傳 夫餘 條. "南與高句麗 東與挹婁 西與鮮卑接 北有弱水"

21   『晉書』권97, 東夷傳 夫餘 條. "南接鮮卑 北有弱水"

근처로 이동한 부여에 대한 지배권을 놓고 백제는 전연과 교전할 수 있는 객관적인 상황을 제공해 주고 있다. 345년에 전연의 記室參軍인 封裕가 국왕인 모용황에게 건의한 상서의 시점을 놓고 볼 때 백제는 345년 이전에 전연과 교전을 했음을 알 수 있다. 전연과의 교전에서 백제가 連敗한 듯한 인상을 심어주고 있다. 더 이상 전연의 상대가 되지 못한 듯한 인상과 더불어 봉유의 포로 안정 시책이라는 것도 전연과 백제와의 관계가 일단 매듭지어졌음을 암시해 준다. 그랬기에 그 이듬 해인 346년에 전연이 부여를 공격해서 完破할 수 있었던 것으로 보인다. 요컨대 지금까지의 논의를 통해 백제가 전연 곧 모용선비와 군사적 충돌을 통한 흔적과, 그로 인해 모용선비와 인접한 만주 지역에 소재했음을 알 수 있다. 이러한 線上에서 필자는 만주 지역의 백제가 1세기경의 1차 이동에 이어 4세기 중엽경에 2차 이동한 것으로 지목한 바 있다.

3. 遺物이 말하는 백제와 모용선비

1) 귀고리

백제 지역에서 출토된 유물 가운데 모용선비 계통이 확인되고 있다. 물론 이는 느닷없는 것으로 돌릴 수 있겠지만 앞서 소개한 문헌 기록들과 잘 연계된 물증이 될 수 있다. 그런 만큼 갑작스런 물증이 아니라 지극히 자연스러운 현상으로 판단될 여지가 크다. 특히 이러한 유물들은 위세품인 귀고리와 더불어 마구류라는 점에서 그것이 지닌 상징성이 지대하다.

우선 석촌동 제4호분 주변에서 출토된 귀고리는 主環 3개와 이것에서부터 분리된 垂飾이 달렸다. 이 귀고리는 15개의 金環을 오므리고 구부려 고리를 만들고 서로 연결하여 길쭉한 금사슬을 만들었다. 그리고 맨 밑에는 조그마한 心葉形板을 매달아 장식하였다.[22] 최근 백제 한성 도읍기의 고분에서 출토된 귀고리를 분류해 놓은 성과에 따르면 한성기 귀고리는 모두 6개 유형으로 구분된다고 한다. 그런데 석촌동 제4호분 주변에서 출토된 귀고리와 동일한 양식은 그 밖의 2개 所에서 출토되었다. 즉 익산 입점리 1호묘와

22　李漢祥, 「百濟 耳飾에 대한 基礎的 硏究」 『湖西史學』 3, 2000, 24쪽.

사진 2 | 喇嘛洞Ⅱ M71
(요녕성고고문물연구소)

사진 3 | 석촌동 고분
(서울대학교 박물관)

사진 4 | 곡성 석곡
(서울대학교 박물관)

사진 5 | 익산 입점
리 고분
(국립문화재연구소)

곡성 석곡에서 출토된 귀고리가 된다.

익산 입점리 것은 주환에 금실을 걸어 조금 늘어뜨린 다음 그 아랫쪽에 사슬을 연결하고 그 끝에 三翼形 垂下飾을 매달았다. 곡성 것은 매우 가는 주환에 작은 유환을 걸고 금고리 8개를 연결한 사슬 아래에 둥근 고리와 큼직한 심엽형판을 매달았다. 심엽형 수하식의 가장 자리에는 각목대를 부착하였다. 심엽형 수하식의 금판은 아랫 부분은 둥글게 처리하였고 각목대를 길게 늘어뜨려 뾰족하게 만들었다. 이와 함께 사슬과 심엽형판 사이에 유환을 끼우는 것은 석촌동 제4호분 주변에서 출토된 귀고리 보다는 발달된 모습이라는 평가를 받고 있다.[23]

그런데 석촌동과 익산 그리고 곡성에서 출토된 귀고리와 동일한 형태의 그것이 중국 요녕성 朝陽市의 동북쪽인 北票市 喇嘛洞Ⅱ M71에서 출토되었다(사진 2). 라마동에서 출토된 금제 귀고리는 주환의 직경이 2.8~3.3㎝이며, 수식을 포함한 전체 길이는 5.8㎝에 이른다.[24] 백제 지역에서 출토된 귀고리와 동일한 그것을 부장하였던 북표 라마동 고분군은 모용선비족이 세운 前燕·後燕·北燕의 이른바 三燕 시기에 조성되었는데, 1993년

---

23 李漢祥,「百濟 耳飾에 대한 基礎的 硏究」『湖西史學』3, 2000, 31쪽.
24 遼寧省文物考古硏究所,『三燕文物精髓』, 遼寧人民出版社, 2002, 42쪽. 128쪽. 이에 대해서는 李道學,『서울의 백제고분, 석촌동고분』, 송파문화원, 2004, 232~234쪽에 상세히 서술되어 있다.

가을부터 1998년 겨울에 이르기까지 420基를 발굴한 바 있다. 이 가운데 라마동Ⅱ M71호 고분에서 백제와 연결되는 귀고리가 출토되었던 것이다.[25]

그러면 어떻게 하여 백제가 모용선비의 문물을 섭취할 수 있었던 것일까? 혹자는 "백제와 선비의 관계를 문헌 기록에서 확인할 수 없어 백제가 선비의 문물을 받아들인 경로를 추적하는 것은 難題가 아닐 수 없다"고 했다. 그러면서 東晋을 경유한 모용선비 문물의 접촉 가능성이나 고구려와의 전쟁을 통한 모용선비 문물의 접촉 가능성을 상정했다. 그러나 간접 접촉을 상정하고 있는 전자나 후자 모두 가능성이 없다고 판단된다. 동진이나 고구려에서 선비계 귀고리가 출토된 적이 없었으므로, 그 쪽을 경유했으리라는 추측은 설득력이 없다. 오히려 백제가 선비와 직접 접촉했을 가능성을 설정해야만 타당성이 높은 것이다. 실제로 양자 간에는 접촉했던 정황이 포착되고 있다.[26] 그러나 본질적으로는 4세기 중엽경 만주 지역 백제 세력의 남하와 결부짓는다면 무리가 없다.

2) 馬具類

대가야가 소재한 고령 지산동 고분에서 선비 계통의 마구류들이 출토된 바 있다. 대가야가 선비와 연결될 수 있는 정치・지리적 배경은 확인되지 않는다. 그런데 지산동 32호분과 유사한 재갈이 천안 두정동Ⅰ-5호 목관묘에서 출토된 바 있다. 단면 5각형의 장병 등자는 원주 법천리 등자와 유사한 형태이다. 그리고 지산동 35호분의 타원형 경판비는 천안 용원리 108호분 경판비와 유사하다고 한다. 현재까지 드러난 자료를 통해 볼 때 대가야의 지산동 집단이 백제와 깊은 관련성을 보여준다는 것이다. 백제 지역인 두정동 고분에서 출토된 재갈의 경우 "이른바 삽자루형 인수로서 2조선으로 된 철봉의 가운데 부분이 오므라들었다가 넓어지면서 끝에 핀을 꽂아 마무리하여, 북방 지역 특히 鮮卑系 마구 특징을 잘 반영하고 있다"[27]고 했다. 백제 초기 馬具의 도입은 모용선비와

---

25 라마동Ⅱ M71호 고분에서 출토된 금제 귀고리는 필자가 요녕성박물관에서 여러 차례에 걸쳐 實見하고 촬영한 바 있다.

26 李道學, 「高句麗와 百濟의 對立과 東아시아 世界」『高句麗研究』21, 2005 ;『고구려 광개토왕릉비문 연구』, 서경문화사, 2006, 103~108쪽.

27 成正鏞, 「大伽倻와 百濟」『大加耶와 周邊諸國』, 학술문화사, 2002, 101쪽.

의 교섭의 산물로서 騎乘用 마구의 移入 가능성을 제기한 것이다.[28] 그렇기 때문에 선비 문물이 백제를 경유해서 대가야에 전래되었을 가능성이 제기된 바 있다.[29] 선비계 마구류가 출토된 지산동 32호분의 조성 연대를 5세기 전반으로 설정할 수 있다고 한다.[30] 그렇다면 시간상으로 볼 때 400년 이전 백제와 후연과의 교류 가능성을 상정하는 게 자연스러워진다. 실제 백제 중앙권력과 선비와의 직접 교섭에 의해 선비계 마구류가 백제로 수입되었을 가능성이 제기된 바 있다. 백제 지역에서 출토된 선비계의 귀고리와 마구류는 만주 지역 백제와 후연간의 교류를 입증해 주는 물증으로의 해석이 가능하다. 그것이 만주 백제 세력의 남하와 관련해 한반도 지역으로 전파된 것으로 볼 수 있게 된다. 결국 대가야 고분에서 출토된 선비계 마구류는 백제를 경유한 산물이었다.

사진 6 | 청주 봉명동 馬鐸

3) 馬鐸

청주 봉명동 A-52호 토광묘에서 출토된 馬鐸은 복판 테두리 안에 '大吉' 銘文이 양각되었다. 이는 〈사진 8〉과 〈사진 9〉에 보이는 북표 西溝村에서 출토된 마탁과 기본적으로 동일한 양식이다.

청주 봉명동 고분에서 출토된 '大吉' 銘 馬鐸(사진 6)은 높이가 6.9㎝인데[31] 반해 북표 西溝에서 출토된 마탁(사진 8 · 9)은 높이가 4.3㎝이다. 西溝 馬鐸은 吉祥句인 '大吉

사진 7 | 청원 송대리 馬鐸

28 成正鏞,「中西部 馬韓地域의 百濟 領域化過程研究」, 서울대학교박사학위청구논문, 2000, 110쪽.

29 姜賢淑,「考古學에서 본 4 · 5世紀代 高句麗와 加耶의 成長」『加耶와 廣開土大王』, 金海市, 2003, 90쪽. 이와 관련해 백제가 고구려와의 전쟁을 통해 선비 문물을 접했을 것으로 추측할 수 있다. 그러나 이러한 견해는 공간적으로 서로 떨어진 백제와 선비가 감히 접촉할 수 없다고 단정한 데서 말미암은 것이다.

30 金世基,『고분 자료로 본 대가야 연구』, 학연문화사, 2003, 233쪽.

31 忠北大學校博物館,『淸州鳳鳴洞遺蹟(Ⅱ) 본문편』2005, 147쪽.

사진 8 | 북표 西溝 馬鐸, 뒷면
(遼寧省文物考古研究所)

사진 9 | 북표 西溝 馬鐸, 앞면
(遼寧省文物考古研究所)

利'와 '宜牛馬' 3字가 앞뒷면에 양각되었다. 그리고 명문 주변과 兩側面에는 돌기된 邊框과 和網格文이 있다.[32] 이와 관련해 청원 송대리 출토 마탁 가운데도 和網格文이 존재한다(사진 7).

그런데 요녕성 북표 西溝의 마탁과 흡사한 것이 경주 황오동 신라 고분에서 출토된 바 있다.[33] 황오동 고분에서는 '大吉利'가 아니라 '大富貴'로 적혀 있고, '宜牛馬'가 아닌 '宜牛羊'이라고 양각되어 있다. 後者의 명문은 유목적인 색채가 더욱 강하다고 할 수 있다. 그러한 황오동 고분에 부장된 마탁의 유입 경로는 확인할 수 없다. 그렇지만 선비계의 마탁이 분명한 만큼 차후에 그 유입 경로에 대해서는 차분한 추적이 필요할 것 같다. 다만 '大富貴' 銘 마탁이 출토된 황오동 16호분은 5~6세기로 편년되지만, 봉명동 마탁의 편년은 4세기 후반을 下限으로 하고 있다.[34]

청주 봉명동과 청원 송대리에서 출토된 마탁 역시 埋納 時差幅은 있지만 모용선비와의 관련성은 분명하다. 이 유물은 청주 지역 세력이 낙랑이나 漢과의 교섭 과정에서 수

---

32 遼寧省文物考古研究所,『三燕文物精髓』,遼寧人民出版社, 2002, 132쪽.

33 국립경주박물관,『文字로 본 新羅』2002, 15쪽.

34 忠北大學校博物館,『淸州鳳鳴洞遺蹟(Ⅱ) 본문편』2005, 572쪽.

사진 10 | 황오동 고분 마탁, 앞면
(국립경주박물관)

사진 11 | 황오동 고분 마탁, 뒷면
(국립경주박물관)

입한 것으로 추정하지만[35] 선비계 유물을 중국을 매체로 하여 얻었다는 것은 설득력이 별로 없다. 오히려 북표에서 출토된 마탁과의 연관성이 크므로 양자 간의 교류[36] 내지는 그와 연관 있는 집단의 이주로 파악된다.

4) 銅鍑

북방민족이 고대에 사용하던 취사도구의 일종을 중국에서는 ordos式 銅鍑이라고 일컫고 있다(본고에서는 편의상 철복까지 포함해서 동복으로 표기하기로 했다). 북방민족들은 목축을 주로 하면서 가축을 따라 옮기고, 물과 풀을 따라 옮겨 다녔다. 이동생활에서 口緣 위에 양쪽으로 귀가 달린 솥은 가지고 다니기에 편리할 뿐 아니라 고정된 화로를 사용하지 않는 등 거주가 일정하지 않은 유목생활에 적합하였다.

동복은 양 귀에 끈을 꿰어 말안장에 매달 수 있는 이동식 솥이었다. 그러한 동복은 顧志界의 분류에 의한다면 형태에 따라 다음과 같은 4가지 유형으로 구분된다.[37]

---

35   국립부여박물관, 『百濟의 文字』, 2002, 111쪽.

36   국립부여박물관, 『百濟의 文字』, 2002, 111쪽.

37   顧志界, 「鄂尒多斯式銅(鐵)釜的形態分析」『北方文物』3, 1986, 20쪽.

時代＼様式	A I	B I	B II	C
春秋戰國	（圖）			
漢		（圖）	（圖）	
魏晉南北朝		（圖）		（圖）

도면 1 | 顧志界의 동복 분류표

사진 12 | 永吉縣 烏拉街學古村 출토(좌), 舒蘭縣 白旗嘎牙河磚廠 출토(우)

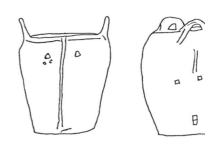

도면 2 | 좌측 사진과 동일

　지금은 燒失되었지만 길림시박물관에는 永吉縣 烏拉街學古村과 舒蘭縣 白旗嘎牙河磚廠에서 각각 출토된 굽이 없는 平底 형태의 동복이 진열되었다. 부여 영역이었던 영길현과 서란현에서 출토된 이들 동복(사진 12)은 顧志界의 분류에 의한다면 B II식에 해당되며, 漢代에서 三國時代에 걸쳐 행하였던 양식이다. B II식 가운데 길림시박물관에 소장되었던 동복과 동일한 양식은 내몽골의 伊盟補洞溝에서도 출토되었다. 또 길림성 楡樹老河深과 집안박물관의 소장품에서도 확인된 바 있다. 그러므로 이러한 양식의 동복은 내몽골·유수노하심·서란현·영길현과 고구려 영역 및 경상남도 김해의 대성동 고분에서도 출토된 것이다.

그런데 지금까지 한반도에서 출토된 동복은 모두 4개로 알려졌다. 즉 평양에서 1개, 그리고 김해 대성동에서 2개, 김해 양동리에서 철복 1개인 것이다. 그러므로 3개나 되는 동복이 김해에서만 출토되었다. 더욱이 한반도에서 출토된 다른 3개는 모두 C 형식으로 시기가 3세기 중반 이후로 떨어진다. 그런데 반해 대성동 29호분에서 출토된 동복은 BⅡ 식으로서 내몽골과 부여 영역에서의 출토품과 동일한 양식이다. 부여의 주된 묘제가 木槨墓라는 사실이 확인되었는데, 김해 대성동 고분에서도 목곽묘가 확인되었다. 이러한 이유로 김해 대성동 고분 조성 세력을 부여계로 지목하고 있는 것이다.[38] 요컨대 부여 영역에서 출토된 2개의 동복과 똑같은 양식의 제품이 한반도 중부권에 위치한 백제나 신라 영역을 훌쩍 뛰어넘어 그 남단인 김해 지역에서 다시금 출토되었다. 이처럼 계통이 동일한 동복이 지리적으로 크게 격절된 곳에서 각각 출토되었음은 단순히 문화의 전파로 해석하기 보다는 주민의 이동을 뜻하지 않을까? 동복은 이동성 위주의 생활에서 쓰여졌던 食器였다. 그런 만큼 기동력을 생명으로하는 이들이 단기간 내에 한반도 남단까지 이른다는 것은 결코 우연만은 아니라고 하겠다.[39]

사진 13 | 北票 喇嘛洞Ⅱ M328 출토 동복. 높이 15.8cm (요녕성고고문물연구소)

사진 14 | 北票 喇嘛洞Ⅱ M166 출토 동복. 높이 17.5cm(요녕성고고문물연구소)

38 申敬澈,「金海 大成洞 古墳群의 발굴조사 성과」『慶南鄕土史論叢』1992, 241~253쪽.
39 李道學,「銅鍑文化의 移動과 금관가야의 탄생」『우리문화』, 전국문화원연합회, 1995-2 ;『고대문화산책』, 1999, 서문화사, 78~83쪽.

사진 15 | 신봉동 수습 鐵鍑, 높이 17.5㎝

그런데 이러한 동복이 백제 영역인 충북 청주 신봉동 백제 고분에서도 수습되었다. 신봉동 鐵鍑의 器形 자체는 〈도면 1〉과 맞춰 보면 BⅡ-10에 가깝다. 이 철복은 몸통에 2개의 귀가 달려 있고 높이는 18㎝이다.[40] 신봉동 철복(사진 15)은 북표 라마동에서 출토된 〈사진 13〉의 동복과 器形이 동일한 C式이다. 특히 신봉동 출토 철복은 몸통에 돌기가 돌려져 있다. 이 역시 북표 라마동에서 출토된 〈사진 13〉의 동복과 동일한 양식이다. 한편 永吉縣 출토 부여 동복(사진 12(左))의 縱線 돌기는 〈사진 14〉의 동복과 같이 구연부에서 밑바닥까지 이어졌다. 이러한 따라서 부여 동복이나 선비 동복 간에는 본질적인 차이가 없음을 알 수 있다.

5) 청주 지역과 선비계 유물

청주 신봉동에서 출토된 철복은 수습 유물인 만큼 제작 연대를 가늠하기는 어렵다. 다만 신봉동 고분군의 最盛期가 4세기 후반~5세기 중엽이라고 할 때[41] 참조할 수 있을 것 같다. 그리고 청주 지역에서 출토된 철복과 봉명동 마탁은 모두 모용선비와 관련이 깊은 것으로 드러났다. 봉명동 토광묘는 4세기 후반을 下限으로 하고 있어, 신봉동 고분군과 시간상 前後로 상호 연결되고 있다. 이와 관련해 천안 두정동 Ⅰ-5호 목관묘에서 출토된 재갈과 천안 용원리 108호분에서 출토된 경판비 역시 모용선비와의 관련성이 지적된 바 있다. 모용선비계의 귀고리 역시 서울의 석촌동과 익산 및 곡성에서도 출토된 바 있

40　국립청주박물관, 『충청북도 박물관 미술관 찾아가기』 2009, 80쪽.
2010년 11월 4일에 청주백제유물전시관에 소장된 신봉동 철복을 조사한 바에 따르면 높이는 17.5㎝에, 最大 口徑은 16.5㎝, 바닥 너비는 10.5㎝로 계측되었다. 신봉동 철복 조사를 도와주신 충청북도문화재연구원의 張浩秀 院長님과 청주백제유물전시관의 강민식 室長께 감사드린다.
41　忠北大學校博物館, 『淸州 新鳳洞古墳群』 1995, 294쪽.

다. 이러한 유물들은 백제와 모용선비 간의 교류가 상당힌 긴밀했음을 뜻하는 증거이기도 하다. 또 나아가서 이는 左·右賢王制를 비롯한 문헌에서 확인할 수 있는 북방적 요소들과 모순 없이 잘 부합되고 있다.

그렇다면 이러한 물증들은 어떠한 결과물들일까? 문화교류적인 측면에서 해석해 볼 수도 있다. 일단 고구려를 통해서 선비계의 문물이 백제로 전파되었을 가능성이다. 그러나 정작 고구려에서는 이러한 선비계의 물증이 뚜렷하지 못한 만큼 고구려를 매개로 한 교류 가능성은 희박해진다. 역시 이러한 물증은 史書에서 백제가 前燕과 交戰한 기록을 놓고 볼 때 서로 인접해 있었음을 뜻하는 만큼 직접 교류의 산물로 받아들여진다. 또 그렇게 해석하는 것이 자연스럽다. 나아가서 부여를 서쪽으로 밀어붙였던 백제의 原住地를 만주 지역으로 설정하는 게 무리하지 않았음을 뒷받침해준다.

백제 지역에서 출토된 선비계 유물은 위신재로서의 귀고리와 騎馬와 관련한 마구류 및 마탁과 동복 등이었다. 정치적인 성격을 띤 위신재인 귀고리는 지방의 거점 지역에서 출토되었다. 즉 백제 지역에서 출토된 선비계의 귀고리와 마구류는 4세기 중·후반 백제의 폭발적인 정복력의 배경을 암시해 주는 물증이 될 수 있었다. 백제 왕실은 2개였고, 만주 지역에서 남하해 온 백제 세력에 의한 통합과, 그와 같은 외적 수혈로 인해 백제는 重裝騎兵 중심의 전투를 구사해서 빠르게 영역을 확장해 갈 수 있었던 要因이 다시금 확인된 것이다. 그리고 서울 석촌동에서부터 출토된 선비계의 금제 귀고리는 담로제 시행의 근거가 되는 동시에, 일종의 點의 지배 형태인 담로의 실재를 확인시켜 주는 물적 근거로서 중요한 기능을 하게 되었던 것이다.[42]

반면 선비계 마구류는 천안과 청주 지역에서 출토되는 양상을 보인다. 이 점은 각별히 주목을 요한다고 보겠다. 더욱이 4세기 후반~5세기 중엽이 중심 연대인 신봉동 고분군은 백제 지역 단일 분묘군으로는 최다량의 마구와 무기 그리고 武具가 출토되었다. 그렇기 때문에 이 고분의 피장자를 군사적 성격이 강한 집단의 분묘로 지목하는데는 대체로 의견이 일치하고 있다. 이렇듯 청주 지역에서 출토된 풍부한 武具類와 馬具類에서 나타나듯이 무장적 성격의 기동 병력을 보유하고 있던 집단으로 추정이 가능하다고 한다.[43] 주지하듯이 천안이나 청주는 교통의 要路인 것이다. 이와 관련해 청주 신봉동 고분군을 전

---

42   이에 대해서는 李道學, 『서울의 백제고분, 석촌동 고분』, 송파문화원, 2004, 229~243쪽을 참조바란다.

43   申鐘煥, 「淸州 新鳳洞 出土 遺物의 外來的 要素에 關한 一考」 『嶺南考古學』 18, 1996, 107~108쪽.

사단의 분묘로 간주하는 시각이 있듯이 선비계 유물은 의미심장한 시사를 한다. 백제가 영토 확장을 할 때 청주나 천안 지역은 영토 확장의 교두보였기에 騎馬戰的인 요소들이 많이 남겨 질 수 있었다고 본다. 백제가 남쪽으로 영역을 확장할 때 북방적인 기마집단이 주력을 이루면서 나간 것으로 추정되어진다. 백제의 국도였던 지금의 서울 지역은 훼손이 심했던 관계로 그러한 요소가 남아 있지 못하였다. 반면 청주와 그 주변은 백제 영토 팽창의 교두보였고, 지속적인 새로운 영토 개척 상황에서 군사적 색채가 강한 지배자 집단이 상주한 관계로 봉명동과 신봉동에 有關 분묘가 연이어 조성될 수 있었을 것이다.

최근 북한강유역인 강원도 화천군 하남면 원천리 마을 유적에서 백제가 서북방 진출을 위한 교두보로 이용했던 시설이 확인되었다고 한다. 특히 발굴된 등자와 재갈과 같은 마구류와 갑옷류는 한반도 중부 지방에서는 출토된 사례가 없는 북방계에 속할 가능성이 큰 것으로 판단하고 있다. 이러한 북방계 마구류 등을 통해 백제의 국가적 정체성과 더불어 세력 팽창에 성공한 요인을 가늠할 수 있게 된다.

4. 백제와 鮮卑間의 짧은 협력, 긴 葛藤

만주 지역의 백제가 성장해 가는 과정에서 모용선비는 극복의 대상이었다. 그런 가운데서 양자 간의 군사적 충돌로 인해 백제는 다수의 포로를 발생시킨 바 있다. 그렇다고 백제가 모용선비와 激突만 한 것은 아니었다. 양자 간의 이해 관계와 국제 정세의 흐름에 따라 얼마든지 입장이 바뀔 수 있는 소지가 있었다. 이와 관련해 백제의 요서경략 기사를 주목해 본다. 이 기록의 연원이 되는 『송서』와 『양서』 백제 조의 관련 구절을 다음과 같이 인용해 보았다.

 a. 백제국은 본래 고려와 함께 요동의 동쪽 천여 里에 있었다. 그후 고려가 요동을 경략하자 백제는 요서를 경략하였다. 백제가 다스리는 곳을 진평군 진평현이라고 했다.[44]

 b. 백제는 옛날의 來夷로 마한의 무리이다. 晉末에 고구려가 요동의 樂浪을 경략하자, (백제) 역시

---

44 『宋書』 권97, 夷蠻傳 백제국 조. "百濟國 本與高驪俱在遼東之東千餘里 其後高驪略有遼東 百濟略有遼西 百濟所治 謂之晋平郡 晋平縣"

요서의 晉平縣을 (경략함이) 있었다.[45]

　　c. 그 나라는 본래 고구려와 더불어 요동의 동쪽에 있었다. 晉 때 고구려가 이미 요동을 경략하자 백제 역시 요서와 진평 2개 군의 땅을 차지하고 스스로 백제군을 두었다.[46]

　　위의 기사를 보면 고구려의 遼東經略 기사에 이어 백제의 진평군 설치 기사가 보인다. 백제의 요서경략 시점은 명시되지 않았지만 「양직공도」에서 '晉末', 『양서』에서 '晉世', 『송서』에서도 백제가 설치한 郡名을 晉平郡이라고 하여, 모두 '晉'의 존재가 거론되었다. 백제의 요서경략 기사는 488년에 편찬된 晉의 後身인 劉宋의 역사를 담은 『송서』에 제일 먼저 적혀 있다. 여기서 西晉과 東晉은 후대의 구분일 뿐 당시는 모두 '晉'으로 일컬어졌다. 그러므로 晉末은 동진말로 지목하는 게 자연스럽다. 더구나 고구려가 요동을 완점한 시점과 결부 지어 본다면, 백제의 요서경략은 동진이 멸망하는 420년을 하한으로 한다. 대략 동진말인 400~420년 어느 시점으로 볼 수 있다.

　　백제의 요서경략 기사는 『양서』를 비롯한 중국 사서에 명백히 적혀 있다. 이와 더불어 백제가 북위와의 전쟁에서 승리한 기록이 『삼국사기』와 중국 정사인 『남제서』에 각각 보인다. 이 기사 역시 유목민족인 선비족이 세운 북위가 바다를 가로질러 백제를 공격했을 리도 없고, 그렇다고 백제가 해상으로 진출해서 북위를 공격했을 것 같지도 않다는 판단 하에 오류로 간주되기도 한다. 또는 백제 동성왕이 북위의 앙숙인 南齊의 황제로부터 칭찬받을 목적에서 만들어낸 허위 기록이라는 주장까지 나왔다. 혹은 백제가 북위가 아니라 고구려와 치른 전쟁으로 해석하거나, 고구려 양해 하에 북위군이 육로를 이용해 백제를 침공했다는 기상천외한 해석도 나왔다. 모두 백제의 해상진출을 부정하려는 저의가 담겼다.

　　이쯤 되면 '해양강국 백제'라는 말은 구두선이나 메아리 없는 구호에 불과하다는 생각이 든다. 한반도를 공간적 범위로 해서 고구려와 자웅을 겨루던 백제가 무대를 바꿔 요서 지역에 진출하게 된 것은 양국 간의 전쟁과 역학 구도가 국제성을 띠었기에 가능한 일이었다. 「광개토왕릉비문」에 보이는 신라 구원을 명분으로 한 400년 고구려군 5만 명

45　「梁職貢圖」百濟國使 條. "百濟舊來夷 馬韓之屬 晉末駒麗略有遼東樂浪 亦有遼西晉平縣"

46　『梁書』권54, 東夷傳 百濟 條. "其國本與句驪在遼東之東 晉世句驪旣略有遼東 百濟亦據有遼西·晉平二郡 地矣 自置百濟郡"

의 낙동강유역 출병도 기실은 백제의 사주를 받은 倭 세력의 신라 침공이라는 유인책의 덫에 걸린 것이었다. 이때를 놓치지 않고 後燕이 고구려의 배후를 기습하여 서쪽 700여 리의 땅을 일거에 약취하고 말았다. 고구려의 낙동강유역 진출은 이로 인해 실패로 돌아갔다. 당시 백제는 왜와 후연과 연계하여 고구려와 신라에 맞서고 있었다. 400년 이후 후연과 고구려는 요동 지역의 지배권을 놓고 사투를 벌였다. 그렇지만 후연은 고구려에게 시종 밀리고 있었을 뿐 아니라 대릉하 방면의 숙군성까지 빼앗겼고, 심지어는 지금의 북경인 燕郡까지 공격을 받았을 정도로 수세에 놓였다. 다급한 후연이 고구려의 앙숙인 백제에 지원을 요청함에 따라 백제군은 요서 지역에 진출해서 고구려의 西進을 막고자 했다. 그런데 그 직후 붕괴된 후연 정권의 후신이자 고구려 왕족 출신인 高雲의 북연 정권은 408년에 고구려와 우호관계를 맺었다. 돌변한 상황에 후연을 지원할 목적으로 요서 지역에 출병한 백제군의 입장이 모호해졌다. 결국 백제군은 기왕에 진출한 요서 지역에 대한 실효 지배의 과정을 밟게 되었다. 그 산물이 요서 지역의 진평군이었다. 그러고 보면 "고구려가 요동을 경략하자 백제는 요서를 경략했다"는 구절은 정확한 기록인 것이다. 488년과 490년에 백제가 북위의 기병 수십만의 침공을 격퇴하고 해상전에서 승리한 전쟁은 진평군을 에워싼 전투가 분명하다고 본다. 이러한 점을 고려할 때 요서 지역의 진평군은 북중국을 통일한 북위 정권이 들어선 이후에도 존속했던 것 같다.[47]

이와 관련해 백제가 북위와 전쟁한 기사를 검토하지 않을 수 없다. 다음과 같은 관련 기사는 백제의 화북 진출이나 요서경략과 관련해 일찍부터 주목을 받아 왔다.

　　d. 魏에서 군대를 보내어 와서 정벌하였으나 우리에게 패했다.[48]

　　e. 魏가 군대를 보내어 백제를 쳤으나 백제에게 패하였다.[49]

　　f. 이 해에 魏虜가 또 騎兵 수십만을 동원하여 백제를 공격하여 그 境界에 들어 가니 牟大가 장군 沙法名 · 贊首流 · 解禮昆 · 木干那를 파견하여 무리를 거느리고 虜軍을 기습 공격하여 그들을 크게 무찔 렀다. 建武 2년(495년 ; 동성왕 17)에 모대가 사신을 보내어 표문을 올려 말하기를 "지난 庚午年(490년)에 獫狁이 잘못을 뉘우치지 않고 군사를 일으켜 깊숙히 쳐들어 왔습니다. 臣이 沙法名 등을 파견하여

47　李道學, 「百濟의 海上活動 記錄에 관한 檢證」 『2010 세계대백제전 국제학술회의』, 세계대백제전조직위원회, 2010, 322~325쪽.
48　『三國史記』 권26, 동성왕 10년 조.
49　『資治通鑑』 권136, 永明 6년 조

군사를 거느리고 역습케 하여 밤에 번개처럼 기습 공격하니, 匈梨가 당황하여 마치 바닷물이 들끓듯 붕괴되었습니다. 이 기회를 타서 쫓아가 베니 시체가 들을 붉게 했습니다. 이로 말미암아 그 예리한 기세가 꺾이어 고래처럼 사납던 것이 그 흉포함을 감추었습니다. 지금 천하가 조용해진 것은 실상 사법명 등의 꾀이오니 그 공훈을 찾아 마땅히 표창해 주어야 할 것입니다. 이제 사법명을 임시로 征虜將軍 邁羅王으로, 贊首流를 임시로 安國將軍 辟中王으로, 解禮昆을 임시로 武威將軍 弗中侯로 삼고, 木干那는 과거에 軍功이 있는 데다가 또 臺와 舫을 때려 부수었으므로 임시로 廣威將軍 面中侯로 삼았습니다. 엎드려 바라옵건대 天恩을 베푸시어 특별히 관작을 제수하여 주십시오"라고 하였다.[50]

백제와 북위와의 전쟁은 "이 해에 魏虜가 또 騎兵 수십만을 동원하여"라고 한 구절의 '又'에서 알 수 있듯이 490년 이전에 이미 있었다. 이는 바로 d와 e의 永明 6년(488)에 있었던 전쟁을 가리킨다고 보면 지극히 자연스럽다. 그런데 d와 e의 '騎兵 수십만'의 動員과 f의 경오년(490)에는 "시체가 들을 붉게 하였습니다"고 한 만큼 육상전으로 보일 수 있다. 그런데 f에서 백제군 장수들의 전공에 "舫을 때려 부수었다"고 하였으므로 육상전과 해상전의 배합을 헤아릴수 있다. 이와 관련해 백제군이 때려부순 '臺'는 영토 안의 접경 지역이나 해안 지역의 감시가 쉬운 곳에 마련한 초소라는 점과 더불어, 舫의 파괴와 연계되어 있다. 따라서 백제는 육상에서 북위군의 공격을 받았지만, 臺와 舫을 때려부술 정도로 역습에 성공했다고 하므로, 戰場은 북위 연안에서의 상륙전을 가리킬 수 있다. 그렇다고 한다면 여기서 북위군 '騎兵 수십만'이 당초 침공해 온 백제 영역은 北魏와 陸續된 遼西 지역으로 지목하는 게 자연스럽다.[51]

진평군의 소멸 시기는 연구 과제로 남았다. 그렇지만 우리나라 역사상 최초의 해외파병이었던 백제의 요서 진출은 우리 역사 무대의 공간적 범위가 한반도를 뛰어넘었을 정도로 국제성을 지녔음과 더불어 해양강국의 위용을 확인시켜 주었다는 점에서 의미가 크다. 아울러 지금까지의 검토를 통해 4세기 중엽경 백제와 선비는 대립과 갈등 관계였지만, 그 말경에는 고구려에 공동 대응하는 우호적인 관계로 발전했다. 이러한 선상에서 백제는 요서 지역에 진출해서 실효 지배의 과정을 밟게 되었던 것이다. 그 뒤 백제는 선

---

50 『南齊書』권58, 동이전 백제 조.
51 이상의 서술은 李道學, 「百濟의 海上活動 記錄에 관한 檢證」『2010 세계대백제전 국제학술회의』, 세계대백제전조직위원회, 2010, 325~326쪽에 근거하였다.

비를 族源으로 하는 북위와 요서 지역의 지배권 유지를 에워싸고 갈등을 빚었다. 그렇지만 고구려의 군사적 압박에 苦戰하던 백제는 고구려에 공동 대응했던 과거 모용선비와의 우호관계를 상기하면서 472년에 군사적 지원을 북위에 요청한 바 있다. 그리고 5세기 말경에 백제는 요서 지역의 지배권을 둘러싸고 북위와의 전쟁에서 승리하였다. 이렇듯 백제의 기원과 성장에서 鮮卑는 갈등과 우호 그리고 反目을 거듭했던 존재였다.

백제는 그러나 모용선비의 마구류를 비롯한 우월한 군사 물자를 획득함으로써 한반도 내에서의 마한 장악과 낙동강유역 진출, 그리고 고구려와의 전쟁에서 다대한 성과를 거둘 수 있었다고 본다. 이 점 백제가 모용선비와의 관계에서 얻은 일종의 선물이었다.

5. 맺음말

백제의 발상지에 대해서는 만주 지역에서 찾는 게 합당하다고 본다. 왜냐하면 백제가 당초에는 만주 지역에 소재했음을 알리는 기록들이 다수 확인되었기 때문이다. 『宋書』에 따르면 백제는 "본래 고구려와 함께 요동의 동쪽 千餘 里에 소재하였다"고 했다. 『宋書』가 편찬되는 488년 이전 어느 시점에는 백제가 당초 만주 지역에 소재했음을 알리는 기록인 것이다. 이와 관련해 『晉書』 모용황재기에 따르면 백제가 前燕의 군대와 交戰하여 다수의 포로를 발생시켰음을 알리고 있다. 『자치통감』에서는 백제가 부여를 서쪽으로 밀어붙인 기록이 보인다. 이러한 기록들은 비록 단편적인 문구에 불과하다. 그렇지만 여러 史書에서 交叉確認式으로 백제의 존재가 당초 만주 지역에 소재했음을 알리는 不動의 문자인 것이다. 이와 더불어 鞬吉支라는 백제왕의 호칭을 비롯하여 左·右賢王制에 이르기까지 북방 유목적인 요소들이 확인되었다.

문헌적인 근거 외에 유물이 가세하였다. 백제 지역에서 출토된 4세기 후반~5세기대 귀고리나 마구류 가운데 모용선비계가 확인되었다. 위신재와 마구류에 있어서 鮮卑系가 확인된다는 것은 중요한 의미를 지녔다. 백제가 최소한 4세기 후반 이전부터 모용선비와 접촉했음을 뜻하는 동시에 兩者間의 지리적 인접 가능성을 암시해준다. 이와 관련해 청주 일원에서 출토된 선비계의 馬鐸 2점은 중국의 요녕성 북표시 西溝에서 출토된 마탁과 동일한 계통으로 간주할 수 있었다. 보다 중요한 사실은 청주 신봉동 고분에서 수습한 것으로 전하는 鐵鍑의 존재였다. 동복과 철복은 한반도에서는 모두 5개밖에 확인되지 않았다. 평양의 낙랑 유적에서 1개, 김해에서 3개, 그리고 청주에서 1개인 것이다. 김해 대성동 고분에서 출토된 동복 2개는 부여족의 이동과 결부지어 의미를 크게 부여하기도 했다. 반면 선비계의 북방적인 문화 요소는 백제 지역에서도 확인되었다. 특히 청주 지역에서 출토된 馬鐸과 鐵鍑의 존재는 새롭게 조명될 수 있다. 戰士團의 墓地로 불릴 정도로 군사적인 성격의 부장품이 유달리도 많았던 신봉동 고분의 성격과 결부지어 볼 수 있었다. 즉 청주 일원에서 확인된 북방적인 선비계 유물은 백제가 남방 경영과 관련해 이곳을 중시했음을 뜻한다. 교통의 要路인 천안에서도 선비계 마구류가 출토되는 현상과 결부지어 볼 때 더욱 그러한 생각이 든다.

문헌이나 유물을 통해 백제는 선비를 비롯한 북방문화의 영향을 지대하게 받았음이 확인되었다. 백제의 북방적 요소는 어느 면에서는 고구려와도 크게 구별되는 사안이기에 확실히 주목을 요한다. 곧 史書에 기록된 만주 지역 백제의 존재를 웅변해 주는 물적 증거물이라는 점에서 큰 의미를 부여할 수 있었다.

追記) 청주 봉명동 출토 馬鐸은 方廓 안에 乳頭形이 2개씩 陽刻된 호드긴 톨고이 01-1호 출토 흉노 유물과 연관성이 깊다. 그리고 경주 황오동 16호분의 마탁과도 관련 지을 수 있다. 이러한 면에 비추어 보더라도 청주 출토 마탁은 북방계, 그것도 유목계 유물임은 더욱 분명해진다. 후자의 경우는 신라 김씨 왕가의 기원을 흉노와 관련 짓는 물증으로의 활용도 배제할 수 없다.

「百濟의 起源과 慕容鮮卑」『충북문화재연구』 4, 충청북도문화재연구원, 2010.

동성왕의 즉위 과정에 대한 재검증

1. 머리말

백제 제24대 동성왕의 즉위 과정에 대해서는 적지 않은 논의가 제기되었다. 이 문제는 동성왕의 계보가 선결되지 않고서는 구명할 수 없는 사안이었다. 『삼국사기』에 따르면 동성왕은 무녕왕의 父로 적혀 있다. 즉 무녕왕을 동성왕의 第2子로 적어놓았다. 이와 관련해 혹자는 "무령왕릉이 발견됨으로써 동성왕의 異母兄說이 가장 타당한 것으로 받아들여지고 있다"고 했다. 쉽게 말해 무령왕릉의 매지권을 통해 무녕왕의 계보가 동성왕의 子가 아니라 兩者가 형제관계로 밝혀졌다는 것이다. 그런데 이러한 소견은 "무령왕릉이 발견됨으로써" 자연 취득하게 된 정보는 아니었다. 분석과 검증을 통해 『삼국사기』 계보의 오류가 드러나게 됨에 따라 확인된 사실이었다. 그것도 무령왕릉 발굴 이후 상당한 시간이 경과된 이후였다.[1]

문제는 동성왕의 즉위 과정을 에워싼 정치적 복선이 간단하지 않았다는 것이다. 물론 동성왕은 『삼국사기』 기사대로라면 "삼근왕이 세상을 떠나자 즉위했다"[2]는 기록처럼 순탄한 즉위로 간주했을 법하다. 그러나 13세에 즉위한 삼근왕이 재위 3년만인 15세의 연령에 사망했다는 것이다. 이 경우 자연사일 가능성도 있겠지만 다른 원인으로 인한 사망 가능성이 더욱 높은 것은 부인하기 어렵다. 게다가 『일본서기』 기록대로라면 동성왕은 幼年에 倭國에서 건너와 즉위한 것이다. 여기서 동성왕이 倭에서 체류하고 있었다는 사실과, 즉위하기 위해 귀국할 때 왜왕이 병력을 딸려서 보냈다는 것은 단순한 안전 귀국 문제뿐 아니라 왜의 영향력이 가세했음을 의미한다. 곧 삼근왕의 사망과 동성왕의 즉위 과정이 국·내외적으로 복잡다기한 정치적 역학관계의 산물이었을 가능성을 제기해 준다.

본고에서는 삼근왕의 사망과 동성왕의 즉위를 에워싼 기왕의 특정 연구 성과를 점검

---

1 李道學, 「百濟 王系에 對한 異說의 檢討」 『東國』 18, 東國大學校 校紙編輯委員會, 1982, 164~178쪽; 「漢城末·熊津時代 百濟 王系의 檢討」 『韓國史研究』 45, 1984, 1~27쪽.

2 『三國史記』 권26, 동성왕 즉위년 조.

하는 의도에서 기획하였다

2. 문주왕의 피살과 해구의 반란

동성왕의 즉위 상황에 대한 의미 부여와 관련해 다음과 같은 서술이 있다. 즉 "동성왕은 熊津 遷都 이후 불과 5년 사이에 3명의 왕이 교체되는 국가적 위기 상황에서 즉위하였다"[3]는 서술이다. 동성왕은 479년에 즉위하였으니, 웅진성 천도가 단행된 475년 겨울부터로 환산하면 햇수로는 5년이지만, 滿 4년에 불과하다. 한성 함락은 475년 9월에 함락되었기에 웅진성으로의 천도는 기실 해를 넘긴 476년으로 설정해야 합당하다. 이렇게 보면 웅진성 천도에서부터 동성왕이 즉위하기까지에는 3년이라는 극히 짧은 기간에 불과했던 것이다. 여기서 동성왕은 웅진성 천도 후 '3명의 왕이 교체되는' 상황에서 즉위했다고 하지만, '교체'의 의미는 이런데 사용하는 것 같지는 않아 보인다. 국어사전에 따르면 交替는 "(사람이나 사물 따위를) 대신하여 갈아 바꿈"이라고 정의했다. 그리고 예문으로서 "사무원을 교체한다"는 글귀를 제시하였다.[4] 왕이 생존한 상황에서 최고 통수권자 교체가 이루어진 게 아니었다. 이유야 어떻든 왕이 사망한 관계로 새 왕이 즉위한 것이다. 그러니 이것을 '교체'라고 云謂하기는 어렵지 않을까 한다. 웅진성 천도 후에 동성왕이 즉위하기 직전까지는 문주왕과 삼근왕이라는 2명의 왕밖에는 없었다. 이것을 또 '3명의 왕이 교체되는'이라고 서술하는 것은 타당하지 않겠다.

문제는 동성왕대 정권의 성격과 왕권 강화에 대한 이해도와 분석력이다. 그런데 기존의 이 방면 연구 성과의 미진함을 질책하면서 동성왕대 왕권 강화가 신진세력과 남래 귀족이라는 兩者 對決構圖로 인식한 것을 비판하면서 그 요인을 "동성왕의 즉위를 도운 다양한 공신 세력에 대한 이해가 부족한 데 있지 않나 여겨진다"[5]고 결론내렸다. 그러면서 이해 부족의 당사자로 김주성을 지목해서 비판하였다. 그러나 이러한 대결 구도는 김주성 이전부터 제기되었던 것으로 김주성 혼자 도맡아 비판받아야할 성질은 전혀 아니다. 그

---

3 鄭載潤, 「東城王의 卽位와 政局 運營」 『한국고대사연구』 20, 2000, 499쪽.
4 신기철・신용철, 『새 우리말 큰사전(상)』, 三省出版社, 1980, 358쪽.
5 鄭載潤, 「東城王의 卽位와 政局 運營」 『한국고대사연구』 20, 2000, 501쪽.

리고 동성왕의 독특한 정국 운영 방식을 갖고 단계별로 대응했지만 "이 점이 간과되었다고 할 수 있다"고 논단했다. 그 밖에 기존 연구에서는 "(동성왕) 失政의 구체적인 내용이 무엇인지는 밝히지 못하고 있다"[6]고 자신하였다. 요컨대 이 같이 질책하며 새로운 연구 성과를 자신한 정재윤 주장의 타당성은 본고를 통해서 밝혀지게 될 것 같다.

웅진성 천도를 단행했던 문주왕은 병관좌평 해구에게 사냥터에서 살해되었다. 그런데 사냥터에서 해구가 도적을 시켜 왕을 살해하였다면 궁색한 짓이라는 해석이 제기되었다. 해구가 권력을 장악하였다면 궁실내에서 충분히 도모할 수 있는 일이라고 했다. 궁실 바깥에서 해구가 문주왕을 살해한 것은 해구에 대한 견제 세력이 부상했음을 뜻하는 것이라고 한다. 바로 그 구심적 역할을 시도했던 이가 王弟인 곤지라고 했다. 그러나 곤지는 해구가 문주왕을 살해하기 직전에 사망했으므로, 사냥터에서 문주왕 살해와는 전후 시점이 맞지 않다. 그러면 문주왕의 피살과 삼근왕의 즉위와 해구의 반란으로 이어지는 전후 과정을 검토해 보자. 관련 기사는 다음과 같다.

a. (문주왕) 2년 가을 8월에 해구를 임명하여 병관좌평을 삼았다.[7]

b. (문주왕) 3년 봄 2월에 대궐을 중수하였다. 여름 4월에 王弟 곤지를 임명하여 내신좌평으로 삼았다. 맏아들 삼근을 봉하여 태자로 삼았다. 5월에 黑龍이 웅진에 나타났다. 가을 7월에 내신좌평 곤지가 죽었다.[8]

c. (문주왕) 4년 가을 8월에 兵官佐平 解仇가 권력을 제마음대로 하고 법도를 어지럽혔으며, 임금을 없애려는 마음을 가졌으나 왕이 制御할 수 없었다. 9월에 왕은 사냥을 나가 밖에서 잤는데 해구가 도적을 시켜 왕을 해치게 하여 마침내 세상을 떴다.[9]

d. 三斤王은[혹은 王乞이라고도 하는데] 文周王의 長子였다. 王이 세상을 뜨자 왕위를 이었는데, 그때 연령이 13세였다. 軍國政事 일체를 佐平 解仇에게 맡겼다.

---

6 이상의 인용은 정재윤, 「東城王의 卽位와 政局 運營」『한국고대사연구』20, 2000, 501쪽에 근거하였다.

7 『三國史記』권25, 문주왕 2년 8월 조.

8 『三國史記』권25, 문주왕 3년 조.

9 『三國史記』권25, 문주왕 4년 8월 조.

2년 봄에 佐平 解仇가 恩率 燕信과 함께 무리를 모아 大豆城에 웅거하면서 반란을 일으켰다. 王이 佐平 眞男에게 명하여 兵 2천으로 이들을 토벌하였지만 이기지 못하였다. 다시 德率 眞老에게 명하여 精兵 5백을 거느리고 쳐서 解仇를 죽였다. 燕信은 高句麗로 달아나자 그 妻子를 거두어 熊津 저자에서 베었다.[10]

e. 3년… 가을 9월에 大豆城을 斗谷으로 옮겼다. 겨울 11월에 왕이 죽었다.

위의 기사에 보이는 문주왕 3년과 4년은 별개의 연도가 아니라 동일한 연도인 문주왕 3년인 477년으로 지목하는 게 맞다.[11] 그런데 혹자는 해구 반란의 시말을 놓고서 해구가 권력 다툼에서 패하지 않았더라면 반란을 일으키지 않았을 것이라고 했다. 이와 관련해 해구가 병관좌평에 임명되는 476년 8월 이후의 동정을 주시해 본다. 문주왕이 궁궐을 중수한 것은 한성 함락과 웅진성 천도로 인해 실추된 왕권을 강화하기 위한 조치였다. 이와 맞물려 문주왕이 13세의 長子 삼근을 태자로 책봉한 것은 왕위에 대한 확고한 수호 의지의 천명이었다. 문주왕은 무期 태자 책봉을 통해 動亂의 시기에 불안정하기 이를 데 없는 후계체제를 구축하고자 한 것이다. 이와 더불어 왕제인 곤지를 내신좌평에 임명함으로써 태자 삼근에 대한 후원 세력의 입지를 강화시켜주는 한편 왕족 세력의 결속을 통해 난국을 타개하고자 한 것으로 보인다. 그런데 黑龍 출현 2개월 후에 곤지가 사망하였다. 이는 전후 정황상 곤지가 해구에게 피살된 것으로 간주할 수 있게 한다.[12]

위기에 처한 백제 왕실의 버팀목 역할을 했던 곤지가 사망한 직후인 그해 8월부터 해구의 권력 농단이 보이고 있다. 해구의 권력 장악에 눈엣가시와 같은 존재가 곤지였음을 암시하고도 남는다. 바로 그 직후에 해구가 보낸 자객에 의해 문주왕이 사냥터에서 숙박하다가 살해되고 말았다. 이 글귀에 잇대어 적힌 d 기사에 따르면 "軍國政事 일체를 佐平 解仇에게 맡겼다. 2년 봄에 佐平 解仇가 恩率 燕信과 함께 무리를 모아 大豆城에 웅거하면서 반란을 일으켰다"고 하였다. 백제 조정의 권력을 장악했다는 해구가 갑자기 반란을

---

10 『三國史記』권26, 삼근왕 원년 · 2년 조.

11 문주왕의 피살 시기는 연표의 것이 옳으므로, 본문의 "四年" 2字는 衍文이고 8월 이하의 귀절은 前年(3년) 조에 접속시켜야 한다고 한다(李丙燾, 『國譯 三國史記』乙酉文化社, 1977, 397쪽 註6).

12 李道學, 「漢城末 · 熊津時代 百濟王位繼承과 王權의 性格」 『韓國史研究』 50 · 51合集, 1985; 『백제 한성 · 웅진성시대연구』, 일지사, 2010, 287쪽. 306쪽.

일으켰다. 또 그 반란의 거점이 都城도 아닌 大豆城이라는 지방으로 나타나고 있다. 더욱이 대두성은 476년에 漢北의 民戶를 이주시킨 곳으로서[13] 南遷 귀족인 해구와 연고가 깊은 지역이었다. 그런데 백제 중앙에서 권력을 장악했던 해구가 지방의 일개 성에 웅거하였다. 이는 그가 중앙에서 밀려난 결과였을 것이다.

그러면 해구가 국왕인 문주왕까지 제거한 직후에 넘볼 수 있는 것은 무엇이었을까? 혹자는 삼근왕을 옹립하여 권력을 오로지하는 것으로 추측하기도 했다. 그러나 c에서 "兵官佐平 解仇가 권력을 제마음대로 하고 법도를 어지럽혔으며, 임금을 없애려는 마음을 가졌으나 왕이 制御할 수 없었다"라고 하였듯이 해구가 권력을 독점한 상황이었다. 해구는 문주왕을 장악한 상황에서 굳이 그를 제거한 후 다른 이도 아닌 문주왕의 왕자인 삼근 태자를 옹립한다는 게 자연스러운 일일까? 당시 해구가 백제 조정의 권력을 석권했기에 곤지에 이은 문주왕의 살해까지 단행한 것으로 간주하는 게 지극히 온당한 해석일 것이다. 그럼에도 해구가 중앙에서 패배하였기에 지방의 일개 대두성으로 밀려나서 항전했다고 보아야 맞는 정황이 된다. 이때 해구가 넘보았던 것은 왕위였을 게다. 한성 함락과 웅진성 천도로 인해 실추된 부여씨 왕실의 대안으로 건국 세력이었던 解氏에 의한 王統 교체를 시도해 볼만한 입장이었다. 그러나 권력 독점과 왕실 교체는 성격이 다른 차원의 문제였다. 그랬기에 해씨 세력에 눌려 있던 眞氏 세력이 반발하여 汎扶餘氏 세력을 규합하여 제동을 걸었다고 보아야 한다. 이 싸움에서 해구가 패배하여 지방으로 달아났고, 결국 항복하지 않고 항전했기에 '叛'으로 몰렸던 것이다. 그런 만큼 "만약 해구의 반란군이 그 위세로 수도에까지 이른다면 해구를 축출한 세력은 커다란 위기에 봉착하였을 것이다"[14]라는 주장은 先後가 뒤바뀐 해석이라고 하겠다. 누누이 언급하지만 해구는 지방에서 반란을 일으킨 게 아니었다. 그는 중앙에서 밀려나 지방의 본거지로 후퇴한 것에 불과하였다. 그리고 해구는 敗死한 것이다.

---

13 『三國史記』 권26, 문주왕 2년 조.
14 정재윤, 「東城王의 卽位와 政局 運營」『한국고대사연구』 20, 2000, 504쪽.

3. 동성왕의 즉위 과정

1) 동성왕의 옹립 배경

삼근왕이 사망한 후 즉위한 왕은 삼근왕의 후손이나 문주왕의 후손 즉 삼근왕의 아우는 아니었다. 물론 이 문제는 여러 가지 정치적 곡절과 결부 지어 볼 수 있다. 그러나 무엇 보다도 다음과 같은 기술을 주목할 필요는 있을 것 같다. 즉 " … 위의 사료 a-1에 의하면 文周는 蓋鹵王이 戰死하자 왕위에 오르고 있다. 文周가 이와 같이 왕위에 오를 수 있었던 점은 바로 위의 사료 a-2에 보이는 것처럼 蓋鹵王의 直系인 왕자들이 다 몰살당하였기 때문에 가능한 것으로 보인다. 『新撰姓氏錄』에 蓋鹵王의 후예 씨족이 보이지 않는다는 사실에서도 위의 기사가 사실일 가능성이 크다고 생각된다[15]. 즉 『新撰姓氏錄』에는 백제계 이주민들의 선조가 나오고 있는데, 毗有王 · 昆支 · 東城王 · 武寧王 등 당시 후손이 있는 왕들은 그의 후손임을 칭하는 이주민들이 나타나 있다. 그러나 직계가 단절된 것으로 보이는 文周 · 蓋鹵王의 후손들은 보이지 않아, 蓋鹵王의 직계는 단절된 것으로 보아도 무리가 없을 듯하다"[16]는 서술이다.

그런데 이러한 주장은 이미 "즉 한성 안에 있던 왕 뿐 아니라 大后 · 王子 등도 모두 고구려군에게 몰살당하였다고 했다. 뿐만 아니라, 8천여 명이나 고구려군에게 포로가 되었다[17]. 이러한 한성 함락 당시의 정황은 개로왕의 子로서 문주왕의 嗣位를 더욱 어렵게 한다. 실제 『신찬성씨록』에는 개로왕의 후예씨족이 등장하지 않고 있다. 이는 한성함락으로 인한 개로왕 직계의 단절을 더 한층 의미하는 것이 된다"[18]거나 "문주왕이나 삼근왕의 후예 씨족이 『신찬성씨록』에 등장하지 않은 점이라든지"[19]라고 하여 동일한 주장이 이미 제기된 바 있다.

동성왕의 즉위 배경에 대해서는 적지 않은 논의가 제기된 바 있다. 일단 동성왕의 즉

15　梁起錫, 「웅진천도와 중흥」 『한국사 6』, 국사편찬위원회, 1995, 71쪽

16　정재윤, 「웅진시대 백제 정치사의 전개와 그 특성」, 서강대학교 박사학위청구논문, 1999, 55쪽.

17　『三國史記』권18, 장수왕 63년 조. "九月 王帥兵三萬侵百濟 陷王所都漢城殺其王扶餘慶 虜男女八千而歸"

18　李道學, 「漢城末 · 熊津時代 百濟 王系의 檢討」 『韓國史研究』 45, 1984 ; 李道學, 『백제 한성 · 웅진성시대 연구』, 일지사, 2010, 265쪽,

19　李道學, 「漢城末 · 熊津時代 百濟王位繼承과 王權의 性格」 『韓國史研究』 50 · 51合集, 1985; 『백제 한성 · 웅진성시대연구』, 일지사, 2010, 300쪽.

위에 대한 기사가 『일본서기』에 다음과 같이 보인다.

> f. 23년 여름 4월 百濟 文斤王이 세상을 떴다. 天王이 昆支王의 五子 가운데 두번째인 末多王이 幼年임에도 聰明하므로 勅하여 內裏로 불렀다. 친히 머리와 얼굴을 쓰다듬고, 타이르심이 慇懃하였다. 그 나라의 왕으로 삼고 곧 兵器를 내려주고 아울러 筑紫國 軍士 5백 인을 보내 호위하여 그 나라로 보냈다. 그가 東城王이 된다.[20]

위의 기사에 따르면 백제 문근왕 즉, 삼근왕이 사망하자 왜왕이 곤지의 5子 중 第2子인 동성왕이 나이가 어리나 총명하기 때문에 불러 격려하고 군사로 호위하여 귀국시켰다고 했다. 여기서 삼근왕의 사망을 웅략 23년인 479년으로 명시하였고, 그에 따라 동성왕이 귀국했다는 것이다. 그런데 『삼국사기』에서는 삼근왕의 사망을 다음과 같이 적었다.

> g. 겨울 11월에 왕이 세상을 떴다.[21]

동성왕의 사망 시점을 놓고 『일본서기』와 『삼국사기』는 차이점을 보이고 있다. 동성왕의 귀국은 479년 4월인데 반해 삼근왕의 사망은 479년 11월이었다. 『일본서기』에 따른다면 479년 4월 이전에 삼근왕이 사망했음을 알 수 있다. 여기서 어느 기록이 맞는가 하는 문제와 동성왕의 즉위 배경에 대한 구명이 따라야 한다. 그러면 동성왕의 귀국 배경과 후원 세력을 고찰해 보도록 하자.

동성왕은 "담력이 남보다 월등하였으며, 활을 잘 쏘아 백번 쏘면 백번 맞혔다"고 했고, "어린 나이에 총명한 것으로 나타난다"고 했다. 이러한 기록을 고려하면 동성왕은 문무를 겸비했고, 성년이 아니더라도 옹립될 수 있다고 했다.[22] 그런데 百發百中 기록은 동성왕의 즉위 전의 능력만을 가리킨다고 단정할 수 만은 없다. 즉위년 조 구절은 동성왕이 사냥에 능한 재위 기간의 기록과 관련해 붙여진 總評的 성격을 지녔기 때문이다. 동성왕이 田獵한 『삼국사기』의 다음과 같은 기사에 근거했던 것으로 보인다.

---

20 『日本書紀』권14, 雄略 23년 조.
21 『三國史記』권26, 삼근왕 3년 조.
22 정재윤, 「東城王의 卽位와 政局 運營」『한국고대사연구』20, 2000, 509쪽 註24.

* 여름 4월에 웅진 북쪽에서 전렵을 하면서 神鹿을 사로잡았다(동성왕 5년 조).
* 왕이 서울 서쪽의 사비 벌판에서 전렵을 하였다(동성왕 12년 9월 조).
* 겨울 10월에 왕이 牛鳴谷에서 전렵하다가 직접 사슴을 쏘았다(동성왕 14년 조).
* 여름 4월에 牛頭城에서 전렵하다가 雨雹을 만나 중지했다(동성왕 22년 조).
* 11월에 熊川 북쪽 벌판에서 전렵을 하였다(동성왕 23년 조).
* 왕이 사비 동쪽 벌판에서 전렵을 하였다(동성왕 23년 10월 조).
* 熊川 북쪽 벌판에서 전렵을 하였다. 또 사비 서쪽 벌판에서 전렵을 하였다(동성왕 23년 11월 조).

역대 백제왕들 가운데 전렵 기사가 가장 많은 왕이 동성왕이었다. 더구나 동성왕은 神鹿을 사로잡거나 사슴을 쏜 기사가 2건이나 보이고 있다. 무려 7건이나 보이는 동성왕의 전렵 기사와 신록이나 사슴을 사로잡거나 쏜 기사는 百發百中 명사수의 일면을 보여 주었을 것이다. 그랬기에 새로 즉위한 왕을 소개하는 冒頭의 총평에서 그러한 기록을 남겼다고 보는 게 자연스러울 것 같다. 幼年에 즉위하는 동성왕이 그러하였다기 보다는 재위 기간 동안의 행적과 맞물린 기록이라고 볼 때 자연스럽다. 요컨대 즉위기의 기사는 동성왕이 어떤 왕인가에 대한 紹介文이었다. 그런 만큼 이 글이 즉위 전의 행적만을 가리킨다고 단정해서는 안될 것 같다. 일례로 성왕에 대한 『삼국사기』 즉위기의 서술을 살펴 보자.

> h. 聖王은 이름이 明穠이고 무녕왕의 아들이다. 지혜와 식견이 빼어나고 일을 잘 결단하였다. 무녕
> 이 죽자 왕위를 이었는데 나라 사람들이 일컬어 성왕이라 하였다.[23]

여기서 "일을 잘 결단하였다"고 한 성왕에 대한 품성은 반대 귀족 세력을 제압하고 사비성 천도를 단행하였기에 붙여진 總評일 것이다. 따라서 국왕 재위 기간의 품성 기사를 즉위 전으로만 한정시켜서는 안될 것이다. 요컨대 동성왕의 '善射' 기사도 즉위 전의 武人的 풍모에만 국한시켜서는 안될 것 같다. 아울러 간과할 수 없는 것은 즉위시 동성왕의 연령이 무녕왕과 별반 차이가 없었고, 총명했기에 농간에 적합하다는 이유로 동성왕을 옹립했다는 주장은 설득력이 없어 보인다는 주장이다. 그러나 e의 기사에 따르면 동성왕을 일러 "나이는 어리나 총명하다"고 했고, 왜왕이 격려 차원에서 머리와 얼굴을 쓰

---

23 『三國史記』 권26, 성왕 즉위년 조.

다듬어 준 기사가 보인다. 그러한 '幼年'은 진흥왕이 즉위한 상황을 순수비에서 "寡人幼年承基"라고 한 기사와 관련 지어 볼만하다. 여기서 幼年은 진흥왕이 7세에 즉위한 사실과 부합된다고 한다.[24] 설령 幼年의 上限을 아무리 올려 잡는다고 해도 國役을 지는 15세 미만인 것은 분명한 것이다. 그러므로 동성왕이 당시 18세인 "무녕왕과는 나이 차이가 별반 없었던 것으로 추정된다"[25]는 주장은 성립되기 어렵다. 더욱이 오랜 훈련이 필요한 射擊과 관련해 少年도 아닌 幼年에 "百發百中"했다는 평가를 얻기는 어려웠을 것이다.

진씨를 비롯한 백제 귀족들이 동성왕을 옹립한 이유를 국내에 거주한 무녕왕보다는 유년의 동성왕이 왜국에 체류한 관계로 국내 政情에 어두웠던 관계로 다루기 용이하다는 판단도 게재되었을 법하다. 혹자는 동성왕 보다는 무녕왕이 다루기 용이한 인물이었을 것으로 판단하였다. 즉 "즉 무녕왕은 『삼국사기』에 의하면 '눈매가 그림과 같았으며 인자하고 너그러워 백성들의 마음이 그에게 쏠렸다'[26]라고 하여 상당히 부드러운 인물로 묘사되었다. 이와 같이 부드러운 인물을 배제하고 동성왕과 같이 강성 인물을 농간의 목적으로 옹립하였다는 주장은 다소 납득할 수 없는 점이 있다. 더욱이 진씨 등이 세력을 키우기에는 庶子인 무녕왕이 적당한 인물일 수도 있다. 왕에 정통성이 없는 인물을 옹립하였을 때, 추대한 인물들은 그 공신이 되어 정권을 잡기가 쉽기 때문이다"[27]고 했다. 일단 여기서 혹자는 '상당히 부드러운 인물'은 다루기가 용이한 것으로 판단했다는 점이다. 그러나 이러한 성품의 소유자들 가운데는 外柔內剛形이 존재한다는 점을 간과한 것 같다. 실제 무녕왕은 즉위와 동시에 고구려와의 전쟁에서 거듭 승전했을 뿐 아니라 자신의 나라를 "다시 강국을 만들었다"고 했을 정도로 국력을 회복한 英主로 평가받았다.[28] 이는 무녕왕이 위기를 타개하는 과단성 있는 정치를 했기에 나온 평가였다. 따라서 무녕왕에 대한 '상당히 부드러운 인물'이라는 인식은 優柔不斷한 성품과의 혼동에서 비롯되었음을 알 수 있다. 정말 부드러운 인물은 '性柔不斷'했다는 문주왕이었다. 문주왕이야 말로 우유부단의 대명사격이 될 수 있다.

무녕왕 즉위기에 보면 혹자의 인용문대로 한다면 "눈매가 그림과 같았으며 인자하고

---

24 韓國古代社會研究所, 『譯註 韓國古代金石文 Ⅱ』 1992, 60쪽.

25 정재윤, 「東城王의 卽位와 政局 運營」 『한국고대사연구』 20, 2000, 509쪽 註24.

26 『三國史記』 권26, 무녕왕 즉위년 조.

27 정재윤, 「東城王의 卽位와 政局 運營」 『한국고대사연구』 20, 2000, 509~510쪽 註24.

28 李基白, 「百濟史上의 武寧王」 『武寧王陵』, 문화공보부 문화재관리국, 1974, 70쪽.

너그러워 백성들의 마음이 그에게 쏠렸다"고 했다. 그런데 '眉目'은 '눈매'가 아니라 '얼굴 모양'을 가리킨다. 즉 무녕왕의 얼굴이 그림과 같은 美男이었음을 뜻한다. 여기서 중요한 것은 '상당히 부드러운 인물' 무녕왕에게 민심이 쏠렸다는 사실이다. 민심의 支持를 등에 업고 있는 무녕왕을 진씨와 같은 실권 귀족들이 옹립할 리 없는 것이다. 따라서 혹자의 견해는 '부드러운 남자' 무녕왕의 정치적 힘을 간과한 해석이었음이 드러난다. 게다가 옹립 대상 왕족이 있을 때 연령이 많은 왕자보다는 적은 이가 우선 대상이 된다는 것은 두 말할 나위 없다. 그 이유는 사회 경험이 부족할 수록 다루기 쉬운 인물이기 때문이었다. 동성왕이 무녕왕 보다 연령이 아래인 것은 누구나 인정하는 사실이 아닌가? 그리고 무녕왕을 庶子라고 단정했는데, 무녕왕이 庶子인 근거를 제시해 주면 좋겠다. 이는 막연한 추측에서 기인한 것일 뿐 역사적 사실에 근거한 바는 아니기 때문에 논거로까지 삼기는 힘들 것 같다. 설령 庶子라고해도 왕위계승의 결격 사유가 된 것은 아니기 때문이다. 가령 비유왕은 구이신왕 사망 후 庶弟로서 즉위한 것으로 밝혀졌기 때문이다.

479년에 동성왕이 즉위할 때 이모형인 무녕왕은 18세였다. 동성왕은 '幼年'이라고 했으므로 15세 미만으로 지목할 수 있다. 여기서 옹립의 성격을 거론하지 않을 수 없다. 앞의 서술에서 혹자는 幼年의 동성왕이 왜에 장기간 체류한데다가 국내 정정에 어두웠기 때문에 진씨에 의해 옹립되었다는 기존 견해를 비판하면서 색다른 주장을 펼쳤기 때문이다. 여기서 옹립의 성격에 대한 오해가 있는 것 같다. 옹립은 주지하듯이 귀족들이 왕족을 국왕으로 추대하는 것이다. 그런데 옹립에는 국왕 후보자의 연령이나 능력과 자질이 중요한 지표가 되는 것은 아니었다. 이 경우는 '擇君'이 빈번했던 조선 후기의 정치 상황을 통해서도 확인되지 않았던가? 연령과 능력보다 국왕 후보자에 대한 정치적 이해관계가 추대하는 측과 맞아떨어져야만 하였다. 아무리 능력이 출중하다고 하더라도 즉위 후 자신들의 이해와 부닥칠 때는 난감한 일이 아니겠는가? 그러한 점을 예견하는 高度의 정치적 계산에서 옹립은 이루어 진다는 것이다. 실권 귀족인 진씨들에게는 동성왕이 幼年에 이미 문무에 출중했고, 총명한 것은 별로 중요하지 않았다. 자신들과 이해가 부합되는 인물인지가 우선시 되었을 뿐이었다. 또 그렇게 판단되었기에 옹립했다고 간주하는 게 정상적인 해석이 아니겠는가?

동성왕의 옹립에는 복합적인 사안이 깔려 있었다고 본다. 삼근왕을 이어 즉위하게 된 동성왕은 타국에서 귀국하였다는 것이다. 이러한 상황이라면 백제 조정과 왜국의 이해관계가 서로 맞아 떨어져야만 동성왕의 귀국이 가능한 일임은 말할 나위 없다. 백제 조정에서 동성왕을 옹립했다고 하더라도 왜왕이 용인하지 않는다면 귀국 자체가 성사될 수 없는 일이었다. 혹은 왜국에서 동성왕을 옹립했다손치더라도 백제 조정이 거부한다며 즉위할 수 없는 것이다. 그런 관계로 왜국에서 귀국한 동성왕의 즉위에는 필시 백제 측의 호응이 있었다고 보아야만 한다. 일단 왜국에서 귀국한 동성왕이 왜왕의 지원을 받았음은 분명하다. 여기서『일본서기』논법대로라면 왜왕이 동성왕을 임명한 것이 된다. 이는 물론 사실은 아니라고 하더라도 왜국에서 즉위하기 위해 귀국하는 동성왕에게 현실적으로 가장 영향력을 미칠 수 있는 위치에 있었던 이가 왜왕임은 부인할 수 없다. 특히 왜왕이 곤지왕의 5子 가운데 第2子인 동성왕을 지원했다는 사실은 음미해 볼 대목이다. 왜냐하면『일본서기』는 웅략 5년 7월 조에서 "軍君이 서울에 들어왔다. 이미 다섯 명의 아들이 있었다"라고 적었다. 461년에 무녕왕을 출생한 직후에 곤지가 倭京에 도착했을 때 그에게는 5子가 있었다는 것이다. 이때는 무녕왕의 아우인 동성왕이 출생하기도 전이었다. 무녕왕 출생설화의 진위를 떠나 이것에 의한다면 무녕왕은 출생과 더불어 백제로 돌아 갔다. 왜국에 거주한 곤지의 5명의 子는 461년 이전에 출생한 子들임을 알 수 있다. 동성왕은 왜국에 거주했던 곤지의 5子 가운데 두 번째 子로 이해하기에는 뭔가 아귀가 맞지 않는다고 느껴진다. 그러나 어쨌든 곤지의 아들을 비롯한 그의 族的 기반이 일본열도에 구축되었음을 시시해준다. 그리고 또 하나는 왜국에 거주하는 곤지의 子 가운데 맏이가 아닌 동성왕을 왜왕이 지원했다는 것이다. 여기에는 왜왕이나 백제 조정에서 곤지의 子 가운데 幼年을 원했다는 점과 더불어, 聰明한 관계로 양국 간의 관계를 매끄럽게 잘 유지할 수 있는 인물로서는 적합하다는 판단에서 비롯되었을 가능성이다. 특히 倭 朝政이 곤지의 子 가운데 즉위 적임자를 물색한 것은 곤지의 對倭 기반과 무관해 보이지 않는다.

곤지는 458년 중국 남조 정권인 劉宋으로부터 왕족을 포함한 11명의 백제 귀족 가운데 가장 높은 征虜將軍 左賢王을 제수받은 바 있다. 軍君으로 일컬어졌던 그는 당시 개로왕 정권의 兵權을 장악한 세력가였다. 여기서 좌현왕은 흉노와 같은 유목국가에 등장하는 직제로서 동방을 관장하였다. 좌현왕의 용례를 백제에도 적용하는 게 가능하다면 곤지는 왜와 연관 있는 역할을 하였으리라고 믿어진다. 실제 그는 461년에 고구려의 남진 압박에 왜와 공동 대처하기 위한 군사 협력관계로 일본열도에 건너간 이후 近飛鳥 지역을 개척하여 근거지로 삼았다.『신찬성씨록』에 수록된 河內飛鳥戸造의 先祖와 飛鳥戸神社의 祭神이 곤지인 점에서도 이 점은 입증되고 있다. 461년에 곤지가 왜에 파견된 목적을 請兵使로만 국한시키기 어려운 점이 있다. 이와 관련해 곤지의 소임을 일본내에 있는 백제 귀족 세력의 경제적 기반의 흡수라는 차원에서 해석하였다.[29]

2) 곤지의 子에 대한 분석

곤지의 자식들은 어떻게 구성되어 있었을까? 동성왕과 무녕왕은 배다른 형제 간이라고 하자. 또 무녕왕이 동성왕의 형인 것은 분명하다. 그러면 461년에 곤지가 왜로 갈 때 낳았다는 무녕왕이 맏이였을까? 그럴 가능성은 없다고 판단된다. 곤지가 혼인도 하지 않은 상태로 왜로 건너갔다고는 보이지 않기 때문이다. 물론 당시 그의 연령을 정확히 판단할 수 있는 자료는 없다. 그렇기는 하지만 458년에 유송으로부터 관작을 받은 11명의 귀족 가운데 가장 격이 높은 정로장군 좌현왕에 있던 이가 곤지였다. 이러한 그의 위상을 놓고 볼 때 곤지는 최소한 458년 이전에는 혼인했다고 보아야 한다. 그런 만큼 무녕왕이 곤지의 맏이일 가능성은 상대적으로 적어진다. 실제로 곤지가 왜에 갔을 때였다. 그때 곤지에게는 이미 5子가 있었다고 했다. 『일본서기』는 웅략 5년 7월 조에서 "軍君이 서울에 들어왔다. 이미 5子가 있었다"라고 적었다. 왜? 하필 느닷없이 5子 이야기가 나온 것일까? 문맥을 놓고 볼 때 곤지의 5子는 倭에 있었다는 것이 된다. 물론 그렇지 않을 수도 있다. 그러나 분명한 것은 무녕왕은 곤지의 맏아들이 아니라는 것이다. 곤지가 5子를 거느렸다는 것은 남녀 同數로 할 때 열 명 가량의 자녀가 있었다는 말이 된다. 나아가 곤지의 아내가 여러 명이 존재했음을 생각하게 한다.

그러면 무녕왕은 곤지에게 어떤 의미를 주는 아들이었을까? 무녕왕의 어머니는 곤지와는 어떤 관계였을까? 이와 관련해 먼저 "이미 5子가 있었다"는 기록에 보이는 5子는 곤지의 總子數로 보아야 마땅하다. 왜냐하면 『일본서기』 웅략 23년 조에 보면 "곤지의 5子 중 두 번째 말다왕(昆支王五子中第二末多王)"이라는 기사가 있기 때문이다.

여기서 말다왕은 동성왕을 가리킨다. 그런데 앞서 언급했듯이 곤지가 왜에 가는 461년에 '이미 5子'가 거론되었다. 그럼에도 479에는 '幼年'에 불과한 동성왕을 곤지의 둘째 아들이라고 했다. 특히 武烈紀에서 무녕왕을 동성왕의 형이라고 하였다. 그렇다면 무녕

---

29 李道學,「百濟의 交易網과 그 體系의 變遷」『韓國學報』63, 1991, 87~90쪽; 李道學,「百濟의 交易과 그 性格」『STRATEGY21』2-2, 1999, 74~77쪽.

왕은 長子, 동성왕은 次子로 비정하면 아무런 문제가 없다. 이렇게 본다면 곤지는 461년에 무녕왕을 낳고, 그 몇 년 후에 동성왕을, 또 여러 해 뒤에 3명의 子를 낳았음을 알려준다. 결국 무녕왕은 곤지의 長子라는 말이 된다. 이 사실은 461년까지 곤지가 미혼이었든지 아니면 부인과 관련한 어떤 사정이 게재되었음을 뜻한다. 곤지가 왜로 건너가게 되고, 개로왕의 임신한 婦人을 달라고 한 복잡한 스토리의 일면에는 새로운 배우자의 영입을 상징하고 있다. 기왕의 혼인 관계에 대한 청산을 뜻하는 일로 받아들일 수 있을까?

이에 대한 실마리가 472년에 북위에 개로왕이 파견한 使臣 餘禮의 존재이다. 그의 직함은 '冠軍將軍·駙馬都尉弗斯侯·長史'로 나타나고 있다. 주목할만한 사실은 여례가 부마도위로 기록되어 있다는 점이다. 부마도위는 왕의 사위를 가리키는 관작이다. 이는 여례가 개로왕의 사위임을 뜻한다. 그렇다고 할 때 개로왕은 472년 경에는 장성한 딸이 있었다는 것을 알려준다. 나아가 그가 즉위하는 455년 이전에 결혼하여 자녀를 두었음을 시사하고 있다. 이 사실은 개로왕의 아우로서 조정의 제1인자인 곤지의 경우도 왜로 건너가는 461년 무렵에는 이미 결혼한 상태였다고 보아야 한다. 그렇다면 무녕왕의 존재를 어떻게 해석해야할까? 여기서 개로왕은 전통적 왕비족인 해씨나 진씨를 요직에 기용하지 않았다는 사실이다. 그는 同姓인 餘禮의 '餘氏' 즉 부여씨를 사위로 맞았다. 이 사실은 개로왕이 근친혼을 단행한 것으로 생각되지는 않는다. 개로왕은 다른쪽 부여씨 가문에서 딸의 배우자를 맞이한 것으로 보인다. 개로왕은 왕족 중심의 강력한 지배체제를 구축하고 있는 터였다. 개로왕은 범부여씨 세력의 결속을 강화하는 차원에서 혼인을 추진했던 것으로 보인다. 이러한 배경에서 본다면 곤지의 경우도 왕실의 입장을 무시할 수는 없었을 것이다. 결국 그도 '새 출발'하게 된 것으로 보인다. 이러한 맥락에서 볼 때 곤지가 왜에 갔을 때 "이미 5子가 있었다"는 기록은 전처 소생을 가리킨다고 보아야 한다. 『일본서기』에서 굳이 '이미'라는 표현을 구사한 것은 곤지가 새 여자를 얻어 아들을 낳은 사실과 견주어서 초혼이 아니라는 사실을 일깨우기 위한 기록으로 보인다.

이 점은 개로왕의 아우인 문주의 경우를 통해서도 유추가 가능하지 않을까 싶다. 문주는 458년 당시 輔國將軍의 장군호를 받으며 당당하게 등장한 바 있다. 또 그는 개로왕을 보필하여 상좌평에 오르기도 했다. 그러한 문주의 長子인 三斤은 465년에 출생하였다. 그렇지만 458년에 관작을 받은 문주가 미혼으로는 생각되지 않는다. 그렇다고 할 때 461~462년 경의 부여씨 왕족들 사이에 일대 혼인 개변이 일어난 것으로 유추할 수 있다. 또 그러한 맥락에서 문주왕도 재혼한 여성과의 사이에서 삼근왕을 465년에 낳았다고 보는 게 어떨까 싶다.

곤지는 당초 백제 왕실의 姻族인 진씨나 해씨 여성과 결혼했던 것 같다. 그러한 그는 개로왕 집권 후에 개로왕을 보좌하여 강력한 권력 구축에 기여했던 것으로 보인다. 그가 458년에 백제 조정 제1위인 정로장군 좌현왕으로 등장한 것을 통해 미루어 볼 수 있다. 이때 개로왕이 구축한 권력은 왕족 중심의 친위체제였다. 이와 관련해 전통적인 가문인 진씨나 해씨 세력이 도태되었다는 것이다. 이러한 사실은 곤지 자신을 옥조이고 있던 기존 혼인 관계의 청산으로까지 이어지게 한 것 같다. 461년에 곤지가 왜로 갔을 때 "이미 5子가 있었다"는 기록은, 이러한 '혼인 변혁'을 시사하는 근거라고 하겠다.

3) 동성왕의 귀국 시점

삼근왕이 시퍼렇게 살아 있는데, 동성왕이 귀국해서 즉위하려 했다는 견해가 있다. 479년 4월에 귀국한 동성왕이 급기야 11월에 삼근왕을 제거하고 즉위했다는 해석이다.[30] 기존의 왕과 새로 즉위하고자 왜국에서 건너온 新王 후보자가 무려 7개월이나 대치하다가 결국 동성왕이 기존의 삼근왕을 제거하고 즉위했다는 것이다.[31] 479년 9월에 해씨 세력의 근거지인 대두성에서 두곡으로 사민시킨 직후에 삼근왕이 사망했다. 이것은 곧 삼근왕 제거로 간주할 수 있다는 논리였다. 그러나 동성왕의 귀국과 즉위는 삼근왕의 사망에 기인한 것으로 f의 『일본서기』 기사에 분명히 보인다. 『삼국사기』에 적힌 11월과는 달리 삼근왕의 사망은 479년 4월 이전이었다. 그리고 해씨 세력은 478년 봄에 주모자인 해구가 참살되고, 동조자였던 연신이 고구려로 도망함으로써 '해구의 난'은 일단락되었다. 즉 478년 봄에 해구의 반란을 진압한 진씨 세력이 이미 권력을 독점한 상황이었다. 479년 9월에 대두성을 두곡으로 옮긴 것은 다른 사안의 발생을 암시해 줄 수 있다. 가령 삼근왕의 사망에 이은 479년 4월 동성왕의 귀국과 즉위를 둘러싼 갈등이 증폭되었을 가능성이다. 이러한 갈등은 필시 왕위계승 분쟁일 수밖에 없다고 본다. 추측컨대 漢北 南遷 주민들의 거점인 대두성이 깊숙이 관여했었다. 그렇지만 동성왕 세력이 이들을 제압한 결과 徙民으로 결말이 난 것으로 보여진다.

---

30 정재윤, 「東城王의 卽位와 政局 運營」 『한국고대사연구』 20, 2000, 506쪽.
31 정재윤, 「웅진시대 백제 정치사의 전개와 그 특성」, 서강대학교 박사학위청구논문, 1999, 79쪽.

문제는 삼근왕의 사망 시점이 479년 11월인 지의 여부이다. 즉위년칭원법에 따른 『삼국사기』에서는 동성왕의 즉위 시점에 맞춰서 삼근왕의 사망을 479년 11월로 기재하였을 가능성을 忽視했다는 것이다. 出家修道 문제로 空位說까지 제기되었을 뿐 아니라 「창왕사리감 명문」과도 기년이 맞지 않았던 게 위덕왕의 즉위년이었다. 그러나 『삼국사기』에서는 기년에 맞추기 위해 이러한 상황들을 배제하고 일괄적으로 기재했을 가능성이다. 즉 『일본서기』에서 위덕왕의 즉위년은 557년으로 되어 있으나, 사리감 명문을 통해 그 즉위 원년은 555년으로 밝혀졌다. 그러므로 일부 학자들을 혹하게 하였던 空位說의 타당성은 일단 희박한 것처럼 보였다. 그런데 『삼국사기』에 적용되는 即位年稱元法은 금석문 자료와 맞추어 볼 때, 삼국 당시의 칭원법으로 간주하기 어렵다는 점이다. 칭원법과 직접 관련은 없지만 여기에 문제가 있음은, 「광개토왕릉비문」에 의해서였다. 즉 광개토왕의 즉위 원년은 『삼국사기』에 의거한 392년이 아니라 1년 앞당겨진 391년으로 밝혀진 바 있다. 그런데 사리감 명문을 통하여 확인된 사실은 성왕이 전사한 554년 7월의 이듬해인 555년이 위덕왕의 즉위 원년으로 밝혀지게 되어 踰年稱元法을 사용한 사실이 밝혀졌다. 아울러 위덕왕의 즉위에는 空位가 존재했지만 결국 재위하였다. 그런 만큼, 기년법에 따라 逆으로 555년을 즉위 원년으로 설정했을 수 있다. 이러한 맥락에서 본다면 시간상의 공백을 없애기 위한 목적으로 동성왕의 즉위 시점인 479년 11월을 아예 삼근왕의 사망 시점으로 맞췄을 수 있다. 이는 역사 조작이라기 보다는 사망과 재위 간의 공백을 없애 동성왕의 즉위 흠결을 없애기 위한 조치로 해석된다.

그런데 국왕이 건재한 상황에서 왜국에서 귀국한 왕위 계승자는 없었다. 국왕이 사망한 연후에야 왜국에 체류하던 왕자나 왕제가 귀국하여 즉위하는 일이 상례였었다. 이와 관련해 전지 태자가 즉위할 때의 다음과 같은 상황을 연상하면 될 것 같다.

g. 腆支王[혹은 直支라고 하였다]은 梁書에는 이름을 映이라고 하였다. 阿莘의 맏아들이다. 阿莘이 재위 제3년에 태자로 삼았고, 6년에 왜국에 볼모로 보냈다. 14년에 왕이 죽자 왕의 둘째 동생 訓解가 攝政하면서 태자의 환국을 기다렸는데, 막내 동생 碟禮가 훈해를 죽이고 스스로 왕이 되었다. 전지가 왜국에서 訃音을 듣고 소리내어 울며 귀국하기를 청하니 왜왕이 병사 100명으로써 호위해 보냈다. [전지가] 국경에 이르자 한성 사람 解忠이 와서 고하였다. "대왕이 죽자 왕의 동생 혈례가 형을 죽이고 스스로 왕이 되었습니다. 원컨대 태자는 경솔히 들어가지 마십시오." 전지는 倭人을 머물러 두어 자기를 호위하게 하고, 바다의 섬에 의거하여 기다렸더니, 나라 사람들이 혈례를 죽이고 전지를 맞아 왕위

에 오르게 하였다. 왕비는 八須夫人이니 아들 久尒辛을 낳았다.

전지왕의 즉위 과정은 『일본서기』에서도 다음과 같이 왜국에서 환국한 사실이 적혀 있다.

　h. 이해에 百濟 阿花王이 세상을 떴다. 天皇은 直支王을 불러 그에게 말하기를 "너는 본국으로 돌아
　가 왕위를 이으라!" 그리고는 또 東韓의 땅을 내려주고 그를 보냈다[東韓은 甘羅城 高難城 爾林城이
　다].[32]

　왜국에서 귀국한 전지왕의 즉위는 『삼국사기』와 『일본서기』에서 보듯이 모두 아화왕의 사망과 연계되어 있다. 이와 마찬 가지로 삼근왕이 사망한 때문에 동성왕이 즉위차 귀국한 것이다. 그러나 삼근왕이 건재한 상황에서 동성왕이 귀국하여 대치했다는 근거는 어디에서도 찾기 어렵다. 그러므로 이 사안을 정리하면 삼근왕은 479년 4월 이전에 사망하고, 4월에 귀국한 동성왕이 11월에야 즉위하였다. 『삼국사기』는 동성왕의 즉위 시점에 맞춰서 삼근왕의 사망 시점을 설정한 데 불과한 것으로 보여진다. 이 사실은 동성왕의 즉위 과정이 간단하지 않음을 암시해 준다. g에 게재된 전지 태자의 즉위 과정에서 보듯이 동성왕의 즉위에도 반대하는 세력이 엄존했음을 알 수 있다. 그것은 왕위계승권을 가진 왕족 간의 갈등일 가능성이 높다고 본다. 물론 왕족 간의 갈등에는 귀족 세력들의 이해가 착종하는 만큼, 여타 귀족 세력들이 가세하였을 것임은 분명하다.

　이와 더불어 479년 9월의 해씨 세력의 거점이었던 대두성을 두곡으로 옮긴 件은 남천 귀족 세력 일부가 동성왕의 즉위에 반대하였기에, 이들을 제거한 후에야 즉위가 가능했음을 암시한다. 사민의 경우는 상대를 토벌한 직후에 단행하기 마련이다. 이는 다음과 같은 사례가 방증한다.

　I. 가을 7월에 悉直이 반란을 일으켰으므로 군사를 보내 토벌하여 평정하고, 그 남은 무리들을 남쪽
　의 변방으로 옮겼다."[33]

32　『日本書紀』 권10, 應神 16년 조.
33　『三國史記』 권1, 파사이사금 25년 조.

j. 13년 봄 2월에 淸海鎭을 폐지하고 그 사람들을 碧骨郡으로 옮겼다."[34]

그럼에도 불구하고 해구의 반란이 토평된 이후까지 존속하다가 해구의 거점이었던 대두성을 두곡으로 옮긴 것이다. 이는 해구에 대한 斬殺이 곧 '해구의 난'을 평정한 것은 아닌 듯하다. 해씨 세력이 여전히 할거하다가 두곡으로 옮기기 직전에 제거되었음을 알 수 있다. 그러한 세력은 여전히 동성왕 즉위의 장애물이었을 게 자명하다. 다시 말해 삼근왕의 사망과 동성왕의 귀국이라는 권력 교체와 空白期를 틈탄 內戰의 再燃을 상정해 볼 수 있다. 진씨 세력의 동성왕 옹립에 반대하는 해구 殘黨을 비롯한 群小 勢力 연합이 漢北 南遷 주민들의 거점인 대두성을 기반으로 곤지의 다른 왕자를 옹립하고 항전했음을 시사해 준다. 사민 기사는 동성왕 즉위에 반대하는 세력이 여전히 온존했음을 뜻하는 징표로 받아들일 수 있다. 요컨대 동성왕의 즉위는 국내의 진씨 세력과 倭 조정과의 共謀의 산물이었다.

4. 맺음말

「무녕왕릉 매지권」을 단서로 한 한성말·웅진성 도읍 초기 백제 왕계의 오류가 밝혀졌다. 그로 인해 國難期였던 웅진성 도읍기의 정치적 역학관계도 새롭게 조명받게 되었다. 우선 문주왕의 피살과 삼근왕의 短命 직후 즉위한 동성왕의 즉위 배경에 대해 倭 세력과 백제 조정의 眞氏 세력의 결탁이 있었기에 가능한 일이었다고 본다. 그러한 동성왕은 일본열도에 세력 기반을 구축한 곤지의 第2子로 알려졌다. 곤지가 河內飛鳥 일대에 기반을 구축한 사실은 이미 알려진 바 있다. 그런데 곤지의 5子 중 동성왕이 옹립된 배경에 대해서는 무녕왕이 庶子인데 반해 동성왕은 嫡子로 간주했다. 그리고 동성왕은 문무겸비한 총명한 인물이었기 때문에 백제 중흥에 적임자라는 현실 판단에 기인했다는 것이다.

그러나 옹립은 국왕 후보자의 聰明 보다는 지원 세력의 이해득실이 1차 요인임은 두말할 나위 없다. 동성왕의 경우도 他國인 왜국에서 거주한데다가 幼年이었다. 동성왕은 국내 실정에 어둡고 다루기 용이한 연령이었다. 이것이 동성왕 옹립의 주된 배경이었던 것

---

34 『三國史記』권11, 문성왕 13년 조.

으로 간주하는 게 타당할 듯하다. 이와 더불어『일본서기』에서는 479년 4월에 동성왕이 귀국했다고 적혀 있다. 이때 귀국한 동성왕은 그해 11월에 삼근왕을 죽이고 즉위했다는 주장이 제기되었다. 그러나 삼근왕이 479년 4월 이전에 사망함에 따라 동성왕이 옹립되어 귀국한 것이다. 그런데 환국한 동성왕이 즉각 즉위할 수 없는 변수가 도사리고 있었다. 解氏 殘黨과 南遷 귀족 일부가 곤지의 다른 왕자를 옹립하여 저항했던 것 같다. 그러한 왕위계승 분쟁을 정리하고 동성왕이 즉위한 시점이 479년 11월이었다. 그런데 칭원법과는 무관하게 삼근왕 사망과 동성왕 즉위 간의 공백을 메워 동성왕 즉위의 흠결을 없애려고 했다. 그러한 차원에서 삼근왕의 사망을 479년 11월로 설정한 것으로 밝혔다.

「東城王의 卽位 過程에 대한 再檢證」『白山學報』91, 2011.

백제 멸망기 동아시아 관계

1. 머리말

　경쟁과 견제와 우호가 反復과 反覆을 거듭하면서 전쟁으로 치닫는 양상이 동북 아시아의 7세기 중엽이었다. 국가 이해가 맞물린 데다가 자력으로 상황을 타개하기 어려운 현실에서는 자연 외교의 비중이 클 수밖에 없었다. 백제 의자왕은 국가의 존립과 관련된 외교에서 비상한 능력을 발휘했다. 중국왕조의 통일국가인 唐의 역할과 비중은 삼국의 동란 상황에서는 더욱 증대될 수밖에 없었다. 의자왕은 재위 12년까지는 당에 대한 조공을 게을 리 하지 않았다. 문제는 백제와의 전쟁에서 계속 밀리고 있던 신라의 입장이었다. 신라는 자력으로 타개할 수 없는 국가적 위기를 극복하기 위해 바다 건너에 있는 당의 손을 빌리지 않을 수 없었다. 당이 현실적으로 삼국 간의 문제에 힘을 미치기는 어려웠다. 의자왕 역시 당에 조공을 빈번히하는 등 틈을 보이지 않았기 때문이다. 게다가 의자왕이 당에 적대적인 입장을 취하지도 않았다. 그러나 신라가 對唐 외교에 사활을 걸다시피한 관계로 양상은 급변하게 되었다.

　본고에서는 백제를 둘러싼 동아시아의 국제 정세를 살핌으로써 백제 멸망의 외적 요인을 구명하고자 한다. 그럼으로써 내부 요인과 결합된 백제 멸망 요인의 복합적인 성격이 드러날 것으로 본다. 백제 멸망 요인에 대한 입체적인 분석을 시도하였다.

2. 백제

1) 신라 고립전략 추진

　무왕의 원자였지만 무려 33년 간의 왕자 시절을 거쳐 태자로 책봉되었다가 즉위한 의자왕이었다. 의자왕의 즉위 과정이 순탄하지 않았음을 뜻한다. 순응하는 이미지의 '海東曾閔'이나 '해동증자'라는 칭송에서 알 수 있듯이 의자왕은 기존 정치 구도를 인정하고 타협하는 선에서 재위 전반기를 보냈다. 그러나 대외 관계에서만은 달랐다. 의자왕은 즉위와 동시에 신라에 대한 총공격을 단행했다. 신라측에서는 "백제왕 의자가 크게 군사를 일으켜 나라 서쪽의 40여 성(城)을 공취했다(『삼국사기』 권5, 선덕왕 11년)"고 하였다. 그 직후 백제는 신라의 대야성을 함락시켰고, 아울러 신라와 당과의 연결 통로인 당항성(경기도 화성) 공략을 단행했다. 그러자 신라가 화급히 당에 군사 지원을 요청하였다. 의자왕은 당항성에 대한 포위를 풀고 즉각 철수시켰다. 그가 국제 정세의 흐름에 밝고 신축성 있게 대응했음을 뜻한다. 고구려와 손잡은 의자왕의 군사적 압박의 강도는 신라 태종 무열왕의 아들인 김법민 태자의 다음 말에 잘 녹아 있다. "고구려와 백제가 순치와 같이 서로 의지하며 마침내 무기를 들고 번갈아 침략해 오니 大城과 重鎭이 모두 백제에게 병합된 바 되어 강토는 날로 줄어들고 위력도 쇠하였습니다(『삼국사기』 권28, 의자왕 11년)." 실제 신라는 대야성 함락 이후 옛 가라 지역을 대부분 상실했을 뿐 아니라 거점을 낙동강 東岸의 경상북도 경산으로 후퇴시켰을 정도로 절대적 열세에 놓였다. 이곳에 설치된 押梁州 軍主에 최고의 명장이자 중신인 김유신을 임명했다(『삼국사기』 권5, 선덕왕 11년). 신라 조정이 지닌 절박감을 읽을 수 있다.

이와 연계된 신라의 구원 요청으로 당은 삼국 문제에 본격적으로 개입할 수 있는 명분을 얻었다. 당 태종은 644년에 사농승 相里玄奬을 보내 백제와 고구려에 告諭하였다. 그러자 의자왕은 撤軍과 사과를 통해 재빠르게 당의 압박에서 벗어나고자 하였다. 그러나 이것은 어디까지나 명분적이고 형식적인 행위에 불과했다.

의자왕은 당 태종이 고구려 원정을 위해 신라로부터 군사를 징발한다는 말을 들었다. 의자왕은 그 틈을 타서 신라의 7개 성을 습취하는(『삼국사기』 권28, 의자왕 5년) 기민함을 보였다. 이러한 상황에서 태종을 이은 당 고종은 신라로부터 공취한 성을 반환하지 않으면 백제를 공격하겠다고 으름장을 놓았다(『삼국사기』 권28, 의자왕 11년). 그 이듬해인 『삼국사기』 의자왕 12년 조에서 백제가 당에 조공한 것을 끝으로 더 이상의 관계는 보이지 않는다. 의자왕은 신라의 영토를 반환하라는 당 고종의 요구를 수용할 수 없음을 분명히 했다. 그러니 당을 매개로 한 백제와 신라의 조공 외교는 이제 신라의 독주로 이어졌다. 신라와 당의 유착은 심화되었다. 이로 인한 백제의 고립은 필연적일 수밖에 없었다. 그러나 의자왕은 이에 대응하여 고구려와 連和하고 왜와의 관계를 한층 돈독하게 구축했다.

의자왕대에 신라로부터 점령한 성의 총 숫자는 자그마치 100개 성을 웃돈다.[1] 백제를 넘어 한국 역사상 어떤 군주도 의자왕대 만큼 영역을 확장하지 못했다. 그런데 『삼국사기』의자왕 15년 조의 대승 이후 4년 가까이 백제는 신라에 대한 공세가 뜸하였다. 신라로서는 백제의 공세가 소강 국면에 접어들자 안도하면서 오히려 백제를 자극하지 않으려고 했다. 이는 의자왕의 관심이 내정으로 옮겨진 일과 긴밀한 관련이 있다. 실제 의자왕은 대외 정복전의 대승에 이은 國主母의 사망을 기화로 정변을 통해 정계 개편을 일대 단행했다.

2) 정변으로써 강력한 왕권 구축

의자왕은 사실상 국주모의 '섭정' 속에서 외정에 주력하고 있었다. 해동증자라는 칭송을 받았던 의자왕은 계모인 국주모를 극진히 섬겼다. 『일본서기』황극 원년(642) 조에는 국주모의 사망에 이어 弟王子 등과 같은 근친 왕족들에 대한 추방 사건이 덧붙여 있다. 그런데 이 기사는 금석문 자료 등과 결부지어 전후 정치적 상황을 검토해 볼 때 錯亂으로 파악되었다. 『일본서기』에는 智積 즉 砂宅智積이 641년 11월에 사망했다고 하였다. 그러나 「사택지적비문」에 따르면 사택지적은 甲寅年인 654년 정월에도 건재했다.[2] 『일본서기』에서 사망했다고 한 사택지적은 654년에도 생존해 있었다. 그러니 이와 연계된 황극 원년 조의 정변 기사는 제명 원년(655) 조에 배치되어야만 한다. 이러한 기사 착란은 기실 동일 인물인 황극과 제명의 복벽(復辟)으로 인한 혼동에 기인했다. 『일본서기』의 7세기대 기사에서 유독 착란이 많이 확인되고 있다. 한결같이 기사 배열의 착오였다.[3] 따라서 기본적인 사료 검토가 전제되어야만 정변 기사의 시점이 보다 명료해질 수 있다.

의자왕의 정변은 재위 15년(655)에 단행되었다. 이는 의자왕대의 정치사가 재위 15년을 기점으로 큰 변화가 이루어진다는 종전의 인식과도 부합된다. 그러나 기존 연구에서 지적하고 있는 왕권의 후퇴가 아니라 지배세력의 교체와 더불어 강력한 왕권 확립의 전

---

1   李道學, 『백제사비성시대연구』, 일지사, 2010, 175쪽.

2   井上光貞, 『日本の歷史 (3)飛鳥の朝廷』, 小學館, 1974, 278쪽에 보면 사택지적비 사진 설명으로 "政界를 은퇴한 智積이 갑인년에 건립한 碑"라고 했다.

3   李道學, 「『日本書紀』의 百濟 義慈王代 政變 記事의 檢討」『韓國古代史硏究』11, 1997, 419~420쪽.

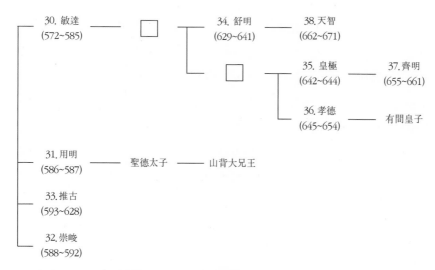

```
30. 敏達          ┌─── 34. 舒明 ─── 38. 天智
(572~585)   ┌─□─┤    (629~641)    (662~671)
            │    │
            │   ┌─□─┐
            │   │   │  35. 皇極 ─── 37. 齊明
            │   │   │  (642~644)    (655~661)
            │   │   │
            │   │   └  36. 孝德 ─── 有間皇子
            │          (645~654)
31. 用明 ─── 聖德太子 ─── 山背大兄王
(586~587)

33. 推古
(593~628)

32. 崇峻
(588~592)
```

도 1 | 황극과 제명을 중심으로 한 왕위 계승관계 * ( ) 안은 재위 기간

기가 되었다.[4]

의자왕은 沙乇氏[5] 국주모의 사망을 기화로 정변을 단행해 강력한 권력을 구축하였다. 太子位의 변동은 이와 엮어져 있었다. 의자왕은 재위 4년에 "왕자 隆을 세워 태자를 삼고 大赦하였다(『삼국사기』 권28, 의자왕 4년)"고 했다. 그런데 의자왕 20년 조에는 "드디어 태자 孝와 함께 北鄙로 달아났다. …태자의 아들 文思가 왕자 융에게 이르기를 '왕과 태자가 밖으로 나갔는데 지금 숙부가 제멋대로 왕이 되니…(『삼국사기』 권28, 의자왕 20년)'"라고 했다. 효가 태자였다. 의자왕 4년에 책봉된 융은 적어도 그 20년에는 더 이상 태자로 있지 않았다. 이때는 효가 태자였다. 태자가 교체되었음을 알 수 있다. 그 시점은 655년 정월 정변 단행 직후인 그해 2월에 "태자궁을 지극히 화려하게 수리하였다(『삼국사기』 권28, 의자왕 15년)"고 한 기사와 연결 짓는 게 무리가 없다. 의자왕은 효의 모계 세력 힘을 빌어 정변에 성공한 것이다.[6]

의자왕 정권 말기에 소왕 지위의 왕자들이 2명이나 확인된다(『舊唐書』 권199, 동이전 백

---

4   의자왕대에 강력한 왕권이 구축되었음은, 국왕을 축으로 한 '小王' 혹은 '外王'의 존재가 확인된데서도 뒷받침된다(李道學, 「漢城末·熊津時代 百濟 王位繼承과 王權의 性格」『韓國史硏究』50·51 合集, 1985, 24쪽).

5   「미륵사지 서탑사리봉안기」에 적힌 '沙乇積德'의 '乇'을 '택'으로 읽거나 '宅'으로 變造하여 표기하고 있다. 玉篇에서 '乇'은 '풀잎·부탁할 탁'의 뜻과 音 밖에 없다. 그러니 '사택적덕'이 아니라 '사탁적덕'이 맞다.

6   李道學, 「『日本書紀』의 百濟 義慈王代 政變 記事의 檢討」『韓國古代史硏究』11, 1997, 131쪽.

제). 그런 만큼 의자왕 정권은 대왕과 태자 그리고 왕자들로 짜여진 내왕·외왕이라는 소왕과, 지방에 거점을 둔 왕자 좌평과, 왕제와 일반 귀족들로 구성된 중앙의 좌평으로 권력 상층부를 구성했다. 의자왕은 중앙의 '내 좌평'과 지방에 식읍을 둔 '외 좌평'으로 좌평제의 이원화를 구축하였다. 의자왕은 친아우나 친자 중심의 직계 왕족들과, 사택씨라는 외척 세력을 기반으로 강고한 친위 체제를 구축했다. 이는 기존의 정치판을 새로 짜는 정치적 물갈이 성격을 지닌 정치 개혁이었다.[7] 백제 왕과 권력을 공유했던 세력이 그간의 사탁씨에서 砂宅氏로 넘어간 것이다. 전체 沙氏 가문의 分化를 상정할 수 있다.

3. 당

당을 세운 고조의 둘째 아들 秦王 李世民이 626년 7월에 형과 아우를 살해하고 집권했다. 그러한 '玄武門之變'과 관련해 '禁庭蹀血'이라는 용어를 낳았다. 대궐의 뜰에 유혈이 낭자하여 그것을 밟고 다닐 정도로 처참했다는 뜻이다.

당 태종이 집권하면서 고구려와의 관계는 악화되기 시작했다. 결국 645년(보장왕4)부터 고구려와 당 간의 전쟁이 발발하였다. 전쟁의 실제적인 동인은 중국왕조 중심의 일원적인 세계질서를 확립에 있었다. 즉 당은 조공책봉 관계를 통한 인접국의 蕃國化 만이 아니라, 인접 국가들과 세력들을 정복하여 羈縻州로 만들어 지배하려는 것을 궁극적인 대외정책의 지향점으로 삼았다.[8] 그 목표의 가장 중요한 대상은 수·당 이래 돌궐과 고구려였다.[9] 그런데 당 태종은 630년에 突厥第一可汗國을 멸망시켰기에 이제는 고구려 문제를 해결하려고 했다. 때문에 양국의 대립은 악화될 수밖에 없었고, 전쟁은 필연적이었다. 그러던 중 642년에 연개소문이 쿠데타를 일으켜 영류왕을 시해하였다. 당 태종은 이를 고구려 침공의 중요한 빌미로 삼았다. 아울러 고구려 실권자 연개소문의 신라와 당에 대한 강경책도 전쟁 발발의 주요한 요인으로 작용하였다.[10]

300년만에 통일제국을 이룬 隋 이래로 고구려 침공의 명분은 고토회복이었다. 당 태

7 李道學, 『백제사비성시대연구』, 일지사, 2010, 180쪽.
8 노태돈, 「삼국통일전쟁의 전개」『삼국통일전쟁사』, 서울대학교 출판부, 2009, 81쪽.
9 朴漢濟, 「七世紀 隋唐 兩朝의 韓半島進出 經緯에 대한 一考」『東洋史學硏究』43집, 1993, 25쪽.
10 李在成, 『고구려와 유목민족의 관계사연구』, 소나무, 2018, 317쪽.

종 역시 요동은 본시 중국 땅이었기에 회복하기 위해 전쟁을 불사한다는 명분을 걸었다. 중국 역대 왕조에서 삼국 왕들에게 수여한 낙랑·대방·현도 郡名 관작은 과거 중국이 통치하던 기구를 연상시킨다. 즉 삼국 왕들을 통한 과거 중국 故地에 대한 위임 통치라는 저의를 깔고 있었다. 언젠가는 중국 황제가 이곳에 대한 권리와 영유권을 직접 행사하겠다는 의도였다. 이미 밝혀진 이러한 요인과 여러 가지 사안이 얽혀졌다. 당 태종은 이것을 정리했다. 그 결과 고구려 침공의 명분을 실지회복과 패륜 응징이라는 도덕성에서 찾았다. 주지하듯이 이는 순전히 중국의 국내 민심을 수습하고 외정에 대한 지지를 얻기 위한 목적에서였다.

고구려에 시달리던 신라는 643년 9월에 당에 구원을 요청하였다. 그러자 당 태종은 상리현장을 고구려로 보내 신라 공격 중단을 요청했다. 당시 연개소문은 신라에 빼앗긴 자국의 남부 지역을 탈환하기 위해 몸소 전선에 나가 있었다. 연개소문이 군대를 지휘하여 신라의 2개 성을 점령한 직후였다. 상리현장을 접한 연개소문은 신라를 치는 목적을 말했다. 즉 고구려가 30년 전에 수와 서북 요동 지역에서 사투를 벌이고 있는 틈을 타서 신라가 자국의 남부 지역 500리를 일거에 탈취했다는 것이다. 그러니 신라가 자국의 영토를 반환하지 않는 한 전쟁을 중단할 수 없다고 했다. 귀국한 상리현장의 보고를 접한 당 태종은 고구려 원정을 대놓고 말했다. 그러나 당 조정에서는 고구려 원정에 대해 찬반 양론이 갈릴 정도로 의견이 분분하였다. 그렇기 때문에 당 태종은 직접 고구려 공격에 나서려고 하지 않았다. 요서 지역 蕃軍으로써 고구려를 공격하게 하는 이른바 以夷制夷 策을 구사하고자 했다. 당군의 직접적인 손실 없이 고구려를 굴복시키려고 하였다. 그런데 고구려군이 당의 영주를 공격했다가 참패한 사건도 침공의 도화선이 되었다.[11]

위기를 느낀 연개소문은 644년 9월에 사신을 당에 보내 백금과 미녀를 바쳤다. 아울러 연개소문은 관인 50명을 보내 숙위를 요청했다. 적절한 선에서 당과 타협하려는 기도였다. 그러자 당 태종은 이유를 붙여 고구려 관인 50명을 감옥에 구금했다. 연개소문은 피할수만 있다면 전쟁을 피하고자 했다. 그런데 당 태종은 고구려 원정의 목표를 연개소문한 개인에 대한 징벌로 좁혔다. 그랬기에 당 태종은 연개소문과 타협할 여지를 두지 않았다.

645년에 당 태종은 대군을 동원하여 일제히 고구려를 침공했다. 당 태종의 고구려 원

---

11   李在成, 『고구려와 유목민족의 관계사연구』, 소나무, 2018, 315~323쪽.

정에는 백제의 지원도 한몫했다. 645년 5월에 唐 甲士 6만 명이 지금의 요녕성 요양시 부근인 馬首山에 주둔한 기사에 이은, 다음 기사에 보인다.

처음에 태종이 백제국에 사신을 보내어 金漆을 채취해 오게 하여 鐵甲에 칠하게 하였는데, 모두 황금빛과 붉은 빛이 번쩍거려 그 빛이 兼金보다 더 찬란하였다. 또 五綵를 가지고 玄金에 물들여 山文甲을 만들어 장군들에게 입혀 따르게 하였다(『冊府元龜』 권117, 帝王部 親征 第2).

위의 기사는 고구려 원정에 동원된 당 장군들에게 사기를 높이기 위한 목적으로 백제 명광개를 입혔음을 알린다. 이와 동일한 시점과 상황에서의 기사가 『신당서』에 다음과 같이 보인다.

이 때에 백제가 金髤鎧를 바치고, 또 玄金으로 山五文鎧를 만들어 (보내와) 사졸들이 (그것을) 입고 종군하였다. 태종과 (李)勣의 (군사가) 모이자 갑옷이 햇빛에 번쩍거렸다(『신당서』 권220, 동이전 고려).

여기서 백제가 원료를 제공했든 아니면 완공품을 제공했든 간에 당군은 백제의 손을 빌은 명광개를 입고 고구려 정벌에 나선 게 분명하다.[12] 그런데 주필산 전투에서 고구려의 15만 대군은 참패하고 말았다. 이때 고구려의 동쪽 끝인 지금의 훈춘 지역 장관 李他仁도 항복하였다.[13] 말갈 군대까지 동원한 15명의 대병력은 고구려가 국운을 걸고 지방 병력을 총동원한 결과였다. 고구려가 당군과 격전을 치를 때 僧軍도 참전한 사실이 드러났다. 안시성을 포위했던 당군은 9월에 접어들어 요동 지방의 기후가 추워지고 군량 또한 다했다. 게다가 당 태종은 퇴주로의 차단을 두려워했다. 연개소문이 당 후방을 교란시킬 것을 부추겼던 설연타가 당 태종이 아직 돌아오지 못한 틈을 타서 하남으로 쳐들어갔다. 그러자 당 태종은 황급히 퇴각할 수밖에 없었다.[14]

당 태종의 뒤를 이은 당 고종은 기존의 고구려와의 대결 구도를 넘어 백제에 대한 압박까지 가했다. 삼국 전체의 정세에 개입한 당 고종은 신라와 연합하여 백제와 고구려를

---

12 공산성 출토 칠갑이 설령 백제 제작이라고 하더라도 着服한 이가 唐 장군임은 너무나 분명하다(李道學, 「公山城 出土 漆甲의 性格에 대한 再檢討」 『인문학논총』 28, 경성대학교 인문학연구소, 2012, 10~21쪽).

13 李道學, 『삼국통일 어떻게 이루었나』 학연문화사, 2018, 179쪽.

14 손영종, 『조선단대사(고구려사 4)』 과학백과사전출판사, 2008, 124~125쪽.

차례로 멸망시키는 구상을 확정했다.

4) 고구려

당은 수와 동일한 순서를 밟아 고구려에 대한 침공을 준비하였다. 이에 대비하여 631년부터 16년 간에 걸쳐 고구려는 동북쪽으로는 扶餘城(農安)에서 서남쪽으로는 발해만의 卑沙城(大連)에 이르는 천리장성을 축조했다. 631년에는 고구려를 방문한 당 사신이 고구려의 對隋戰 戰勝紀念物인 京觀을 헐어버리고 갔다. 경관의 '경'은 '높은 언덕'을, '관'은 '궁문 양 옆에 있는 높은 臺의 형상'을 가리킨다(『용비어천가』 40장). 싸움에서 죽은 시체를 쌓아놓고 그 위에 흙을 덮어 敵을 이긴 공로를 드러내는 것이다. 이러한 위기의식과 긴장된 상황 하에서 다시금 귀족들 간의 분쟁이 야기되어 연개소문 일파에 의한 정변이 감행되었다고 한다. 이러한 견해는 지금까지 학계의 통설이었다.

漢族과 접한 고구려의 西界에 대해 『구당서』와 『신당서』를 비롯한 중국의 역사서들은 한결 같이 "(고구려의) 서북은 요수를 건너 영주에 이르렀다(西北渡遼水至于營州)"고 했다. 당 태종이 고구려 침공과 관련해 644년에 韋挺을 유주로 보내 군량을 수송하게 했다. 이때의 상황을 "유주 이북 요수까지 2천여 리에는 (당의) 주현이 없으므로 군량을 가져올 데가 없다(『舊唐書』 권77, 韋挺傳)"고 실토하였다. 이것은 오늘의 明代 만리장성 이북이 당 영역이 아니었음을 자인한 것이다. 644년 당시까지만 해도 요서 지역은 공식적으로 당의 영토가 아니었음을 알려준다.[15]

그러면 고구려의 西境으로서 631년(영류왕 14)부터 16년 간에 걸쳐 축조한 천리장성이 지닌 의미는 무엇이었을까? 漢代 이래 중국 역대 왕조가 평양성을 공격했을 때 육로와 수로를 함께 이용한 점을 상기할 때 천리장성은 무모한 토목 공사였다. 線에 불과한 천리장성이 군사 방어적으로 유효한 기제가 되기는 어렵다. 실제 고구려와 당과의 전쟁에서 천리장성의 존재감 자체는 아예 없었다. 더욱이 천리장성 축조 이전에 고구려와 당 간에 긴장 관계는 없었다. 그러므로 고구려의 천리장성 축조 배경을 당과의 대립 구도 속에서 이해하는 것은 맞지 않다.

천리장성 축조로써 고구려는 자국의 경계선을 요하 동쪽으로 설정하였다. 그럼으로

---

15 손영종, 『조선단대사(고구려사 4)』, 과학백과사전출판사, 2008, 108쪽.

써 더 이상 요하 서쪽 지역을 넘보지 않겠다는 화해의 표지였다. 중국의 당과 고구려가 각자의 계선을 설정하고 인정하도록 한 것이다.[16] 그런데 이러한 계선은 연개소문이 642년 10월 東盟祭 때를 이용하여 정변을 단행함으로써 무력해졌다.[17] 참고로 장안성 부벽루 밑의 절벽에 소재한 麒麟窟이 평양성 천도 후 이전된 동맹제 때의 제의 시설인 隧穴로 밝혀졌다.[18] 동명제 때는 기린굴 속에 있는 수혈신을 맞다다가 장안성에서 가장 높은 北城에 소재한 九梯宮에 봉안한 후 국왕이 제사를 집전했다고 한다.

그런데 당으로부터 압박을 받고 있던 연개소문은 천리장성 자체를 인정하지 않았다. 고구려와 당과의 공존 속에서 비정상 권력인 자신의 퇴출을 기정 사실화한 것으로 간주하였기 때문이다. 당은 더 이상의 고구려 영토에 대한 욕심없이 연개소문 제거로만 목표를 좁혔다. 이에 대한 반발로 연개소문이 집권한 고구려는 천리장성 서쪽 지역으로 진출을 시도했다. 국경 지표인 천리장성 자체를 무력화하려는 기도였다.

연개소문은 백제와는 세력 연합을, 신라에 대해서는 압박을, 왜에 대해서는 우호 관계를 유지했다. 연개소문은 신라와 당 간의 결속에 대응할 목적으로 유목민족이나 서역과도 긴밀한 관계를 맺었다.

5. 신라

1) 국가적 위기

우리나라 역사상 여왕통치의 단서를 연 선덕여왕은 진평왕의 맏딸이었다. 여왕이 즉위하게 된 배경을 『삼국유사』에는 '聖骨男盡' 즉 성골 신분의 남자가 없었기 때문이라고 했다. 선덕여왕의 이미지는 '善德王知機三事' 즉 여왕이 하늘의 기밀을 알았던 세 가지 일화로 상징된다. 예언 능력을 갖춘 선덕여왕의 무녀적 색채는 비담의 난 이후 정치적 변화와 관련 있음직하다. 선덕여왕을 옹호하였고 이후 권력을 장악한 김춘추와 그 후손

---

16 李道學, 「「廣開土王陵碑文」에 보이는 '南方'」 『嶺南學』 24, 2013, 29~32쪽.
17 李道學, 「高句麗의 內紛과 內戰」 『高句麗硏究』 24, 2006, 33~37쪽.
18 李道學, 「平壤 九梯宮의 性格과 그 認識」 『國學硏究』 3, 1990, 229~234쪽.

들은 여왕 지지의 정당성을 내세울 필요가 있었다. 그러기 위해 선덕여왕을 실체보다 과장되게 기록한 것으로 분석되었다.[19]

선덕여왕대 신라는 백제의 공격으로 서부 영역을 대거 상실하고 말았다. 신라의 앞마당격인 지금의 구미나 성주 방면에도 백제군이 진출한 상황이었다. 위기감이 고조된 신라 조정에서 선택할 수 있는 방법은 그리 많지 않았다. 이러한 백제의 군사적 압박에 영향력을 행사할 수 있는 국가는 고구려요, 두 번째는 당이었고, 세 번째는 왜였다. 한반도에 영역을 미치고 있을 뿐 아니라 신라와 접경하고 있는 해동삼국의 하나이자 대국인 고구려가 가장 유효한 대상이었다. 642년 대야성 함락과 실권자인 김춘추의 딸과 사위의 피살은 신라 지배층의 위기감을 고조시켰다. 피부로 느끼는 백제로부터의 군사적 위협을 타개하기 위해 신라 조정은 중신이자 복수심에 불타 있던 김춘추를 고구려에 파견했다. 김춘추는 고구려의 보장왕과 연개소문과도 담판했다. 그러나 연개소문의 영토 반환 요구로 인해 김춘추는 성과 없이 귀환하고 말았다. 그 다음으로 신라가 택할 수 있는 대안은 바다 건너에 있는 당이었다. 그런데 643년 당에 파견된 신라 사신에게 당 태종은 "그대 나라는 婦人을 임금으로 삼아 이웃 나라의 업신여김을 받고 있으니 이는 임금을 잃고 적을 받아들이는 격이라 해마다 편안한 적이 없다. 내가 친족의 한 사람을 보내어 그대 나라의 임금을 삼되 자연 혼자 갈수는 없으므로 마땅히 군사를 보내어 보호하게 하고, 그대 나라가 안정됨을 기다려 스스로 지키게 맡기려 한다(『삼국사기』 권5, 선덕왕 12년)"고 하였다. 이러한 당 태종의 방책은 오히려 여왕의 정치적 입지를 더욱 약화시켰다.

그러나 신라가 국가적 위기를 타개하기 위한 현실적 방안은 고구려와의 제휴가 물건너 간 상황에서는 당과 연합하는 길밖에 없었다. 국가의 생존이 무엇 보다 우선한 절체절명의 명제였기 때문이었다. 당 태종이 고구려를 침공할 때 신라는 5만이라는 대병을 동원해서 고구려의 水口城을 함락시킨 사실을 당에 알렸다(『구당서』 권199, 동이전 신라). 신라와 당과의 공동 전선이 가동되고 있음과 더불어, 이에 대한 자신들의 노력을 각인시키고자 했다. 643년의 수구성 공격은 신라가 당과 연합한 최초의 군사 작전이라는 점에서 의미가 크다. 당의 이해에 신라가 일단 가담하였다. 신라측 의도에도 당이 끌려 올 수 있는 기제를 마련한 것이다.

19　李道學, 「모란 같은 향훈(香薰)의 선덕여왕, 그 설화의 허와 실」『꿈이 담긴 한국고대사노트(상)』, 일지사, 1996, 240~247쪽.

신라로서는 고구려 보다 백제의 군사적 위협에서 벗어나는 게 시급하였다. 고구려의 신라 침공 지역은 임진강유역이나 한강유역이었다. 이 곳은 모두 소백산맥 바깥이었다. 그 반면 백제의 신라 침공은 소백산맥이라는 천험의 담장 역할을 하는 방어선을 뚫고 이루어졌다. 그랬기에 백제의 위협 강도는 고구려에 비할 바가 아니었다. 더구나 백제군은 낙동강 동편으로 진출해서 신라를 시종 옥죄고 있었다.

2) 신라 최대의 내전 상황

毗曇의 난은 신라 상대등의 요직에 있던 비담이 647년(선덕여왕 16)에 일으킨 반란이다. 즉 "여왕이 정치를 잘 하지 못한다"고 주장하며 선덕여왕을 축출하기 위한 목적의 내란이었다(『삼국사기』권5, 선덕왕 16년). 선덕여왕의 폐위를 목적으로 한 이 내란은 권력 중추부 내의 지배층이 분열하는 격렬한 정치투쟁의 양상을 띠었다. 이 내란의 분위기 속에서 선덕여왕은 사망하고 진덕여왕이 즉위하는 대사건이 이어졌다. 그로부터 7년 후인 654년에 김춘추가 태종 무열왕으로 즉위했다.

비담은 난의 명분을 당 태종의 '여왕폐위안'에서 구하였다. 따라서 그 난은 고구려 · 백제와의 항쟁과 그 과정에 개입된 당의 동향을 직접 매개로 하여 발발했다. 즉 비담의 난은 당시 신라가 처한 대외적 위기감이 內政으로 轉化하여, 내란으로 발현된 것이다. 결국 4년에 걸친 주도권 싸움에서 패배한 의존파를 대신하여 난을 진압하고 정권을 장악한 것은, 김춘추 · 김유신의 자립파였다. 그런데 중요한 사실은 자립파가 승리자였다는 점보다는, 전통적 권위의 威光을 지닌 정치적 首班으로서의 신라 왕, 爭亂의 시대를 군사로서 직접 지배하는 김유신, 그리고 국가 존망에 깊이 관련되는 외교를 짊어진 김춘추의 3세력이 결합하여, 신라 독자의 권력집중 방식을 성립시켰다는 점이다. 그 결과 이 후에 전개된 삼국통일의 시련을 극복할 수 있는 親唐自立의 장기적이고도 공고한 체제가 확립될 수 있었다. 실제 신라는 곡절 많고 복잡한 삼국통일 과정에서, 친당책을 추구하면서도 자립노선을 일관되게 견지하였다. 그 결과 신라는 백제 · 고구려 유민을 포섭하여 백제 고토를 회복하고, 당군을 한반도에서 축출할 수 있었다.[20]

요컨대 비담의 난은 고대 동아시아의 동란기를 배경으로, 복잡한 삼국통일 과정에서

---

20 武田幸男, 新羅 '毗曇の亂'の一視覺」『三上次男博士喜壽記念論文集(歷史編)』, 平凡社, 1985, 234~246쪽.

있었던 국제적인 정치 사건이었다. 친당자주파가 집권한 신라의 입장에서 볼 때 백제에 영향력을 미칠 수 있는 국가는 이제 왜 밖에는 없었다. 신라 조정은 고구려에 보낸 바 있던 김춘추를 647년에는 왜에 보냈다. 김춘추는 공작이나 앵무새와 같은 진귀한 남방 鳥類를 싣고 倭庭을 밟았다(『일본서기』 권25, 孝德 3년). 이러한 남방 조류 선물은 신라의 교역 범위와 국력을 과시하고자 한데 있었다. 신라의 5세기대 고분에서 출토된 土偶 중에는 타조와 개미핥기 그리고 물소 등 열대나 남방산이 보인다. 백제와 비등하거나 그 이상의 항해 능력과 교역권을 체감하게 하고자 했다.[21] 그렇다고 김춘추는 왜가 당장 자국편을 들어줄 것으로 판단하지는 않았다. 다만 왜가 백제와 신라 사이의 분쟁에 개입하지 않기 만해도 큰 이득으로 간주했을 법하다. 木畵紫檀碁局 등을 보낸 의자왕에[22] 대응하는 김춘추의 선물 외교도 일정한 성과를 거두었던 것 같다. 『일본서기』에 보이는 김춘추에 대한 호의적인 평가도 신라 외교의 작은 성과였다. 의자왕 역시 바둑두기가 주는 친근감뿐 아니라 과 동남아시아 産인 바둑판과 바둑돌을 통해 광활한 지역에 미친 백제의 국력을 왜에 체감시키려고 했다.

3) 당과 연계한 통일 구상

648년에 당에 들어간 김춘추는 당 태종과 대면한 후 중대한 약정을 하였다. 당 태종은 "내가 두 나라를 평정하게 되면 평양 이남 백제의 토지는 모두 그대들 신라에 주어서 길이 편안하게 하겠소"라고 했다. 당이 백제와 고구려를 멸망시킨 후의 영역 분장과 관련해 백제는 신라로 귀속시켜주겠다고 했지만 고구려에 대해서는 '평양 이남'만 언급했을 뿐 '고구려 토지'에 대한 명시가 없다. 그 이유는 무엇일까? 당 태종을 비롯한 중국인들은 고구려 영토였던 遼東은 본시 중국 영역이라는 인식을 강하게 지녔다. 그리고 고조선의 수도였던 평양은 周初에 東來한 箕子의 근거지이자 한의 낙랑군이 설치된 곳인 관계로 역시 중국 땅이라는 인식이었다. 그리고 진번군의 후신인 대방군은 백제 건국지로 인식되었기 때문에 삼한 통합론을 제기한 신라의 지배를 인정하는 선에서 마무리 되었다. 당

---

21 이에 대해서는 李道學, 「백제와 인도와의 교류에 대한 접근」『동아시아불교문화연구』 29, 2017, 71~96쪽 참조바란다.

22 목화자단기국의 제작지가 백제임은 이도학, 『삼국통일 어떻게 이루었나』학연문화사, 2018, 239~240쪽에 상세히 논증되었다.

은 당초 고구려 전역에 대한 지배를 기도했을 것이다. 그런데 신라가 제기한 백제의 대방고지 건국설에 따라 대동강 이북의 관할로 후퇴했다. 실제 대방군 영역의 북계는 대동강유역까지로 밝혀졌다.[23] 요컨대 당의 고구려 전역 장악 기도와, 신라의 대방고지 백제연고권 주장이 충돌함에 따라 접점을 대동강선으로 확정한 것이다. 이로써 '평양 이남' 고구려 전역까지 장악하려는 당의 기도는 무산되었다. 그렇지만 신라와 당은 고구려의 소멸에 합의했다.

고구려 영역 가운데 요동반도는 당의 지배로 마무리하였다. 반면 중만주와 동만주 일대가 방치된 것은, 이러한 당의 영토관에 기인하였다. 일종의 무연고지였던 동만주를 기반으로 발해가 흥기할 수 있었던 요인이다. 요컨대 당의 고구려 침공은 고토탈환전이었다. 신라로서는 삼한통합전에 속한다. 고구려 멸망은 중국인들의 누대 숙원 해결과 신라인들의 삼한통합대망론의 귀착점이었다.[24]

6. 왜

1) 정변

618년 중국에는 수의 멸망에 이어 당이 들어섰다. 당은 均田制・租庸調制・府兵制 등을 축으로 하는 중앙집권적 체제를 확립하고 동서로 영토를 확대했다. 당은 고구려에도 출병하였다. 바야흐로 동아시아의 정세는 긴박감을 더해가기 시작했다.

大和 정권 내에도 蘇我馬子를 이어 蘇我蝦夷와 蘇我入鹿 父子가 권세를 장악하고 있었다. 특히 소가노 이루카는 자신의 수중에 권력을 집중시키기 위해 유력한 황위 계승자인 聖德 태자의 아들인 山背大兄王와 그 일족을 참살하였다(643). 이러한 가운데 당으로부터 귀국한 유학생들과 그들의 영향을 받은 야마토 정권 내의 사람들 사이에는 호족이 토지와 인민을 각각 영유하고, 조정의 직무를 세습하는 그 때까지의 체제를 개혁하여 대왕 중심의 새로운 중앙집권적인 정치체제를 만들려는 움직임이 높아만 갔다. 그 결과 舒

---

23   李丙燾,『韓國史 古代篇』, 을유문화사, 1959, 252~253쪽 사이 '高句麗興起 三韓比定圖'
24   李道學,「三國統一期 新羅의 北界 確定 問題」『東國史學』57, 2014, 313~317쪽.

明과 皇極, 두 천황의 아들인 中大兄 황자는 中臣鎌足 등과 함께 645년 궁중에서 소카노 이루카를 암살하고 소가 씨를 타도했다.[25]

2) 大化改新

쿠데타 성공에 이어 고교쿠 천황이 물러나고 孝德 천황이 새로 대왕 위에 올랐다. 나카노 오에 황자는 황태자가 되었다. 그리고 舊豪族들을 좌대신·우대신으로 임명한 후 신정부를 수립했다. 연호를 大化로 고치고, 수도를 難波(오사카)로 옮겼다. 구세력의 도태와 권력 집중 현상이라는 동아시아의 체제변화가 수반되었다. 이듬 해인 646년에 신정부는 4개 조항으로 된 改新의 詔를 반포하였다. 새정치의 기본방침을 알렸다(『일본서기』 권25, 大化 2년). 여기에는 새로운 중앙집권 정치를 이루려는 염원이 담겨 있다. 이후 신정부는 당을 모델로 하여 율령제를 축으로 하는 국가의 건설에 노력을 경주했다. 왜도 동아시아 법제적 국가의 하나로 등장한 것이다.[26]

왜는 고구려와 대립과 갈등 관계에서 출발하여 무수히 충돌했다. 그러나 6세기 후반 이후부터 고구려는 불교를 비롯한 선진 문물을 대거 세례하는 대상으로 왜를 상정하였다. 이로써 백제와 유착된 왜를, 이제는 고구려와의 새로운 관계 속에 끌어당겼다. 고구려가 수와 대결할 때였다. 비록 명목상이라고 하더라도 백제는 수를 편들었다. 백제는 금방이라도 고구려 남부 지역을 침공할 것처럼 외쳤다. 신라의 경우 응당 수를 지원하고 있었다.

고구려는 7세기대에 수·당과 격돌하면서 획득한 포로나 전리품을 왜로 보내주었다. 이 사실은 자국의 강대한 군사력을 과시하면서 동요하지 말라는 메시지였다. 고구려에게 왜는 후방의 든든한 울타리 쯤으로 여겼던 것이다. 고구려를 구원하기 위해 왜군이 출동했다는 기록(天智 즉위전기)은 사실 여부를 떠나 양국 간의 유대를 상징해 준다. 이러한 상황에서 고구려는 왜가 수에 줄서지 않도록 하는데 성공했다. 고구려가 중국과의 대결 국면에서 왜는 최소한 중립을 지켰다. 그랬기에 고구려 멸망 후 왜로 다대한 유민들이 건너

---

25   五味文彦·鳥海靖 編,『もういちど讀む山川日本史』, 山川出版社, 2010, 28~29쪽.
26   五味文彦·鳥海靖 編,『もういちど讀む山川日本史』, 山川出版社, 2010, 29~30쪽.

갈 수 있었다.[27] 백제 역시 전통적 우방인 왜와의 관계에 대해서도 만전을 기했다.

7. 맺음말

동아시아의 7세기 대를 전반과 후반으로 양분해서 살펴본다. 전반은 동아시아 제국들이 정변을 통해 일원적인 권력을 구축하는 시기였다. 626년 당, 642년 고구려, 645년 왜, 647년 신라, 655년 백제에서 각각 정변이 발생했다. 이들 국가 가운데 가장 먼저 강력한 권력을 구축한 당과, 가장 늦은 백제와는 근 30년인 1세대 차이를 보였다. 여기서 대내적 권력 구축이 가장 일렀던 당과 고구려가 정면 대결로 치달았다. 그 와중에서 국론을 통일한 신라는 당과 공고한 결속을 구축했다. 이에 대응하여 백제는 고구려와 연화하고 왜와 돈독한 관계를 구축하였다. 내부를 통일한 강력한 정치력이 외부로 발산된 결과 强對强 구도로 치달았다. 655년 이후 유연성을 잃은 백제 의자왕의 권력 독주는 외교적으로 신라에 대한 압박 가속 패달을 밟은 격이었다.

동아시아 5개국 간의 강대강 구도는 격하게 폭발하였다. 먼저 실험대에 올려진 백제의 멸망에 이어 왜는 위기감이 팽배했다. 그러나 당과 가장 먼저 격돌했던 고구려의 멸망이 뒤따랐다. 신라와 당은 백제와 고구려의 멸망으로 잔뜩 겁을 먹은 왜를 침공하지는 않았다. 백제와 고구려의 멸망을 지켜본 왜는 守成에만 급급했을 뿐 공세적 전의를 완전히 상실했기 때문이었다. 이후 동아시아의 정치 구도는 승자인 신라와 당, 그리고 살아남은 왜 중심으로 급속히 재편되었다.

「백제 멸망기 동아시아 정세」『해외 백제문화재 자료집』, 충청남도역사문화연구원, 2018.

---

27 李道學,「高句麗와 倭의 關係 分析」『東아시아古代學會 第66回 定期學術大會』, 東아시아古代學會, 2017, 30쪽.

공산성 출토 漆甲의 성격에 대한 재검토

1. 머리말

사적 제12호인 공주 공산성의 성안 마을 내 백제 유적 제4차 발굴조사는 2011년 4월 5일-2011년 8월 26일까지 이루어졌다. 2011년 9월에 배포된 「발굴 조사 현장 자료」에 따르면 조사 결과 "백제가 웅진성으로 천도한 직후부터 멸망에 이르기까지의 단계적인 변화와 발전 과정을 파악할 수 있게 되었다"고 한다. 이때만 하더라도 漆甲 존재에 대한 언급은 없었다. 그런데 2011년 10월 12일에 공산성 성안 마을에서 '貞觀十九年' 銘 연대를 지닌 漆甲 출토가 보도되었다. 현장에서 漆甲 실물이 공개된 것은 그 다음 날인 10월 13일이었다. 그렇지만 발굴자를 통해 출토 사실이 보도된 날짜는 10월 12일이었다.

「공산성 성안마을 내 백제왕궁 부속시설유적 현장설명회 자료」는 표지까지 모두 4쪽에 불과했다. 이와 관련한 자료는 모두 사진이었다. 즉 '갑옷 출토 저수시설 전경'·'찰갑 출토 상태'·'△△行貞觀十九年四月二十一日 명문'·'大口典 명문'·'王武監 명문'·'李△銀 명문'이 전부였다. 모두 6컷의 유구와 유물 사진만 수록했을 뿐이었다. 그런데 이남석이 2011년 12월 23일에 발표한 논문에 따르면 그 밖에도 '△△緒'·'史△軍'·'緒' 명문과 '馬'로 추정되는 명문이 확인되었다고 했다.[1] 그러나 발표문에 명문 사진을 수록하지 않은 관계로 소위 '알아 볼 수 없는 글자'라는 '△'을 검증할 수는 없었다. 이때 이남석은 구두로 명문 찰갑 가운데 "엎어진 것은 제끼지 못했다"고 했다. 그는 명문이 더 확인될 가능성을 제기하였다.[2] 그리고 2012년 1월 18일 한국목간학회 발표에서 이남석은 "札甲 6점(36字)에 25字 확인, 10여 점 존재 추정⋯陰刻의 '時質' 銘 札甲 1점"을 언급했다.

앞서의 현장자문회의를 거친 후 백제 의자왕이 피신했던 장소인 공산성에서 출토된 漆

---

1 이남석, 「百濟 熊津城(公州 公山城)의 2011년 發掘資料 檢討」『한국 고대 城의 재발견』, 한국고대학회, 2011. 12. 23, 22쪽. 여기서 '△△緒' 명문은 「현장설명회의자료」에는 수록되지 않았지만, 「연합뉴스」 10월 12일자에는 소개되어 있다. 이로 보아 이 명문은 당초에 확인된 것이었다.
2 이남석은 「백제 공산성 1400년 전 칠(漆) 갑옷의 비밀」『역사스페셜』, KBS, 2012. 2. 9에서 ⅓ 정도만 확인되었을 뿐 전체 글자는 50-60 字 정도일 것으로 추정했다.

甲은 금새 明光鎧로 지목되었다. 문헌에서만 보이던 明光鎧 實物이 출토되었기에 비상한 관심을 유발했다. 明光鎧는 『신당서』에서 "武德 4년에 王 扶餘璋이 처음으로 사신을 보내어 果下馬를 바쳤다. … 5년 뒤에 明光鎧를 바쳤다"[3]고 하여 보인다. 『삼국사기』武王 27년 조에도 이와 동일한 기사가 있다. 『책부원구』에서도 武德 7년 즉 621년에 "9월에 백제가 사신을 보내어 光明甲을 바쳤다"[4]고 했다. 明光鎧나 光明甲 모두 동일한 갑옷을 가리킨다고 할 수 있다. 이 갑옷은 문자 그대로 빛이 나는 갑옷이다. 실제 백제가 당 태종에게 보낸 金髹鎧를 唐軍이 착용하자 "갑옷이 햇빛에 번쩍거렸다"[5]고 했다. 金髹鎧의 '髹'는 '옻칠할'의 뜻을 지녔다. 그러한 옻칠은 『신당서』에서 "(백제의) 세 곳의 섬에서 黃漆이 나는데, 6월에 나무에 구멍을 뚫어 진을 모으면 색이 금빛과 같다"[6]고 한 黃漆일 것이다. 黃漆에 대해 『通典』에서는 "나라의 서남쪽 바다에 세 개의 섬이 있는데, 여기에서 黃漆 나무가 난다. 나무는 小棕樹와 비슷하지만 더 크다. 6월에 汁을 채취해서 기물에다가 칠을 하면 마치 황금과 같아서 사람들의 눈을 부시게 한다"[7]는 보다 구체적인 기록을 남겼다. 이렇듯 기록으로만 전해 왔던 黃漆을 바른 明光鎧 실물이 처음 출토된 것이라고 했다.

그런데 발굴자를 경유한 지금까지의 보도 내용을 놓고 보자. 발굴자는 貞觀 銘 漆甲을 着用한 者로 백제 將帥나 義慈王을 지목하기까지 했다.[8] 현장에서의 자문회의를 통해 취

---

3 『新唐書』권220, 東夷傳 百濟 條.
4 『册府元龜』권970, 外臣部, 朝貢 第3.
5 『新唐書』권220, 東夷傳 高麗 條.
6 『新唐書』권220, 東夷傳 百濟 條.
7 『通典』권185, 邊方, 東夷上 百濟 條.
8 공산성에서 출토된 '명광개'에 대한 보도는 다음과 같이 「연합뉴스」에서 第1報를 선보였다.
(A) 백제갑옷 '명광개' 첫 출토(종합)
공산성서 645년 제작된 황칠 갑옷 발견
(서울=연합뉴스) 김태식 기자 = 기록으로만 전하던 백제시대의 황칠 갑옷인 명광개'가 처음으로 출토됐다. 공주대박물관(관장 이남석)은 공주 공산성안 마을에 대한 올해 제4차 발굴조사 결과, 저수시설 마무리 조사에서 서기 645년을 가리키는 명문 '정관 19년'(貞觀十九年)이라는 글자가 적힌 찰갑(비늘 모양 갑옷) 1령을 수습했다고 12일 밝혔다. 이 갑옷은 저수시설 바닥에 인접한 곳에서 출토됐다. 갑옷에는 '△△行貞觀十九年四月二十一日' '王武監(왕무감)' '大口典(대구전)' '△△緖(서)' '李△銀△(이△은△)' 등의 붉은색 글씨가 적혀 있다. (△는 알아볼 수 없는 글자) 조사단은 특히 이 중에서도 '△△行貞觀十九年四月二十一日(△△행정관십구년사월이십일일)'이라는 기록을 통해 당 태종 정관 19년, 즉 645년이라는 정확한 연대를 파악할 수 있다고 말했다. 정관은 당 태종의 연호이며 645년은 백제 의자왕 재위 5년째다.
이남석 관장은 "이는 우리 고대사회에서 확인한 가죽 갑옷 중에서 가장 오래된 것일뿐만 아니라, 그 형태를 복원할 수 있을 정도로 양호한 상태의 갑옷"이라면서 "특히 갑옷의 제작 및 사용 시기를 구체적으로 알 수 있는

645년(정관 19년)이라는 기록은 함께 출토된 화살촉과 더불어 백제 멸망기의 정황을 파악할 수 있게 한다"고 평가했다. 특히 이번에 출토된 갑옷은 옻칠이 돼 있다는 점에서 삼국사기 등의 옛 문헌에 기록된 백제시대의 갑옷인 '명광개'임이 확실하다는 게 전문가의 지적이다. 명광개란 황칠(黃漆.옻칠)을 하여 그 광채가 상대방의 눈을 부시게 했다는 갑옷이다. 삼국사기 백제본기 무왕조에는 "사신을 당나라로 파견하여 명광개를 바치려 하였는데, 고구려가 길을 막아 당에 입조할 수 없었다"라고 기록하고 있다. 이 관장은 이번 발굴과 관련, "한국 고대사 인식에 매우 중요한 지표를 제공할 수 있을 것으로 기대된다"고 말했다(「연합뉴스」, 2011. 10. 12. 23. 06).

위와 같은 「연합뉴스」 보도에 이어 그 다음 날인 10월 13일 朝刊에서는 일제히 공산성 출토 '명광개'를 보도하였다. 이러한 기사는 전날 보도된 「연합뉴스」에 대부분 근거하였다. 그렇기 때문에 대동소이한 기사가 많았지만 「조선일보」관련 기사를 다음과 같이 轉載해 본다.

(B) 백제 멸망 15년前 가죽갑옷 나왔다

공주 공산성 유적 발굴… 당시 정황 풀 중요한 자료

백제의 어느 장수가 입었던 갑옷일까? 왜 주인의 유골은 없이 갑옷만 웅덩이 속에서 발견됐을까?

백제의 마지막 임금인 의자왕(재위 641-660) 때 백제 장수가 입었던 것으로 추정되는 가죽 갑옷이 1400여년 만에 세상에 나왔다. 백제가 멸망하기 15년 전인 645년 연대가 또렷이 적힌 데다 국내에서 가장 오래된 가죽 갑옷으로 밝혀져 백제 멸망기의 수수께끼를 풀어줄 수 있을지 관심을 모은다.

공주대박물관(관장 이남석)은 충남 공주 공산성(사적 제12호) 성안마을 유적에 대한 4차 발굴의 마무리 조사 과정에서 서기 645년을 가리키는 '貞觀十九年(정관19년)'이라는 글자가 적힌 찰갑(비늘 모양 갑옷) 1령을 수습했다고 12일 밝혔다. 갑옷은 저수지 바닥에 인접한 곳에서 출토됐으며, 모두 1000여 조각이다. '△△行貞觀十九年四月二十一日(△△행정관십구년사월이십일일)' '王武監(왕무감)' '大口典(대구전)' '△△緖(서)', '李△銀△' 등 20여자가 붉은색(朱漆)으로 또렷이 적혀 있다. (△는 알아볼 수 없는 글자) 조사단은 특히 이 중에서도 '△△行貞觀十九年四月二十一日'이라는 기록을 통해 645년, 당 태종의 연호인 정관 19년이라는 정확한 연대를 파악할 수 있게 됐다고 말했다. 645년은 백제 의자왕 재위 5년째로, 당 태종이 고구려를 침공해 안시성 전투를 벌였으며 이후로 삼국과 당의 전투와 외교전이 치열하게 벌어졌다.

이남석 관장은 "옻칠한 갑옷은 당시 왕에 준하는 권력을 누린 장수의 것으로 추정되며, 삼국사기 백제 무왕 27년(626)에 백제 갑옷으로 기록된 '명광개(明光鎧)'로 보인다"고 했다(「조선일보」2011. 10. 13.)

(C) KBS 1TV 9시 뉴스

〈앵커 멘트〉 국내에서 가장 오래된 국보급 백제 갑옷이 출토됐습니다. 백제 의자왕 시대의 것으로 추정이 됩니다. 자세히 알아봅니다.

〈질문〉서영준 기자! 우선 어떤 갑옷인지 궁금한데요, 시간이 천4백년 넘게 흘렀는데 온전하게 출토됐다는 게 신기한데요?

〈답변〉예. 천 4백년이 넘게 흘러 사실 저도 직접 보기 전에는 저도 긴가민가했습니다. 갑옷은 검은 뻘 속에서 발견돼 처음에는 구분이 잘 안됐는데요. 워낙 오랜 세월이 흘러 가죽은 대부분 썩어 사라졌지만 옻칠이 된 비늘모양 조각, 즉 찰갑 조각들은 갑옷 모양을 따라 선명하게 남아 있었습니다. 학계는 가죽 갑옷이 처음인데다 기록으로만 전해오던 백제 황칠갑옷이 실제로 확인됐다며 흥분을 감추지 못하고 있습니다. 또 동아시아 최고로 평가받던 백제의 칠공예 수준을 보여주고 있어 국보급으로 평가하고 있습니다.

이남석 공주대 박물관장의 말입니다.

합된 의견제시라고 한다면, 이러한 주장은 몇 가지 점이 전제되었어야 한다. 그 중에서도 백제가 年號, 그것도 唐 年號를 사용했다는 근거가 제시되어야 한다. 그렇지 않다면 지금까지의 주장은 억측에 불과한 것으로 재고되어 마땅하다. 아울러 공산성 출토 漆甲이 明光鎧라고 단정했지만, 옻칠이라는 주장도 제기되었다. 해당 漆甲의 塗料는 보존 처리가 끝나야 알 수 있다. 대략 3년 정도의 기간이 소요된다고 한다. 그러나 발굴자를 통해 이미 수습할 수 없을 정도로 의견이 너무 앞서나간 상황에 이르렀다. 더구나 발굴자

〈인터뷰〉 이남석(공주대 박물관장): "인식으로만 알고 있던 고대문화의 수준을 실견할 수 있는 것이기 때문에 그 가치는 국보급으로 취급해도 손색이 없다고 저는 생각합니다."
〈질문〉 그런데 그 갑옷이 의자왕 때 사용됐다고 하는데 의자왕이 입었을 가능성도 있나요?
〈답변〉 예. 갑옷이 의자왕 때 사용됐다는 근거는 찰갑조각에 써 있는 글씨 때문입니다. 갑옷의 어깨 부분으로 추정이 되는 한 찰갑 조각에 당나라 태종 때 연호인 정관 19년이란 붉은색 글씨가 선명하게 적혀 있었습니다. 이 시기는 서기 6백45년, 즉 의자왕 재위 5년째 되는 해입니다. 그래서 갑옷이 의자왕 때 사용됐고 전설적인 황칠갑옷에 의전용 갑옷이란 점에서 의자왕이 입었을 가능성도 있습니다.
이남석 관장의 말입니다.
〈인터뷰〉 이남석(공주대 박물관장): "의자왕을 지칭할 수 있는데 그것을 단정할 수 없습니다만 적어도 그렇게 추정은 해봐도 무리는 없을 거라고 생각합니다." 또 갑옷 주변이 불에 탄 흔적으로 가득했고 많은 당나라 화살촉도 출토돼 백제멸망기의 정황 파악에도 도움이 될 것으로 보입니다. 이 때문에 관할 자치단체는 당초 관광지로 개발하려던 계획을 재검토하기로 했습니다.
이태묵 공주시 시민국장의 말입니다.
〈인터뷰〉 이태묵(충남 공주시 시민국장): "백제마을을 조성하려고 했었어요. 그런데 이런 건물지라든가 갑옷이 발굴되면서 우리가 여러가지 재검토가 필요하다고 생각하고 있습니다." 또 공주시와 공주대박물관은 발굴이 끝나는 대로 갑옷 원형복원에 나서겠다고 밝혔습니다. 지금까지 대전에서 KBS뉴스 서영준입니다(KBS 1TV, 2011.10.13. 밤 9시 뉴스).

그런데 10월 19일자 「연합뉴스」에서 이남석은 다음과 같은 소견을 밝혔다.
공주대박물관 이남석 관장은 "갑옷 비늘 중 붉은색 글씨가 확인된 것은 6편 가량이지만, 비늘 조각이 엉킨 상태라 글씨가 적힌 자료가 더 확인될 가능성도 배제할 수 없다"고 말했다. 이 관장은 나아가 "현재 우리가 확인하고 발표한 명문(銘文) 내용을 두고 이 갑옷이 백제산이니, 혹은 중국 당나라 유물이니 하는 주장이 벌써 제기되기도 하지만, 보존처리 결과와 추후 예정된 분석 결과가 나와야 확인할 수 있을 것"이라고 말했다(「연합뉴스」 2011.10.19).

위의 기사에서 이남석은 남의 이야기하듯이 신중함을 강조하고 있다. 그런데 정작 "주보돈 경북대 사학과 교수도 '발굴 관계자들이 사전에 백제의 연호에 대한 옛 문헌상의 정보를 충실히 검토했어야 하는데, 다소 앞서나간 느낌이라고 말했다"(「한겨레신문」 2011.10.18. 紙面版은 2011.10.19.)고 했듯이 발굴 관계자인 이남석이 백제 갑옷이니 의자왕 착용설까지 흘린 바람에 반론이 제기된 것이 아닌가? 事端의 장본인이 훈수 두듯이 하는 발언인 관계로 어리둥절하게 하는 것이다.

가 제기한 漆甲 着用者가 백제인이라는 견해는 수긍하기 어려웠다. 본고는 완성도 높은
보고서의 간행을 지원하려는 차원에서 발굴자 견해의 미비점이나 誤判 가능성을 제기해
보았다. 아울러 공산성에 埋納되기까지의 漆甲 經路를 문헌 사료와 결부지어 그 역사적
배경을 추정하고자 했다.[9] 이러한 작업은 백제 甲冑文化의 선진성이나 漆 産業의 우수성
을 云謂하기 이전에 선결되어야 할 事案이었다.

2. 漆甲에 대한 검증

1) 漆甲은 明光鎧가 맞는가?

공산성 출토 漆甲은 이남석의 견해처럼 명광
개가 맞는가? 명광개는 後漢代부터 그러한 이름
의 갑옷이 등장한 것 같다. 일례로 曹操의 아들
인 曹植의 「上賜鎧表」에서 "先帝께서 臣에게 鎧
를 下賜하셨는데, 黑光과 明光 각 1領이다"라고
하여 보인다. 그러나 명광개에 대한 형태 묘사는
없다. 光輝燦然한 비단을 明光錦이라고 하듯이
明光에서 鎧의 이름이 유래했음을 알 수 있다.
그러나 명광개 실물은 전하지 않고 고분에서 출
토된 陶俑의 갑옷을 통해 유추하고 있는 형편이
다. 일반적으로 명광개는 가슴에 護心鏡이라는

도 1 | 貞觀 19년 銘 漆甲 명문

둥근 거울 모양의 장식을 단 갑옷을 의미하고 있다. 그런데 이것이 공산성 출토 漆甲에
는 보이지 않으므로 명광개로 볼 수 없다고 한다.
이 점을 검토해 보기로 한다. 머리말에서 인용했듯이 백제는 명광개를 唐에 보낸 적이

---

9 필자는 공산성 출토 漆甲이 唐將 갑옷일 가능성을 제일 먼저 다음과 같은 언론에서 제기한 바 있다.
   대전 KBS1 라디오, 「947 전망대」 2011. 10. 13, 17. 39-57; 윤창수, 「공산성 출토 황칠갑옷, 백제 아닌 中
   장수의 것」『서울신문』 2011. 10. 18; 윤창수, 「공산성 출토 황칠갑옷은 당나라 장수 것 확인」『서울신문』
   2011. 10. 26.

도 2 | 공산성 성안 마을 발굴 현장

있다. 백제에서 唐에 보낸 명광개가 唐製와 동일한 성격의 갑옷이라고 하자. 그러면 백제의 특산인 果下馬와 함께 선물할 요인이 되지 못한다. 백제 명광개는 唐의 명광개와는 성격이 틀린 갑옷이기에 朝貢品으로서의 의미가 있지 않았을까? 護心鏡이 붙어 있는 唐의 명광개와는 달리 갑옷에 황칠을 해서 빛이 번쩍였던 것이다. 그랬기에 상대방이 눈이 부셔 제대로 쳐다 볼 수 없는 공격용 갑옷이 백제 명광개였다. 이 점을 뒷받침해주는 기사가 "처음에 태종이 백제국에 사신을 보내어 金漆(황칠을 가리킴; 譯者)을 채취해 오게 하여 鐵甲에 칠하게 하였는데, 모두 황금빛과 붉은 빛이 번쩍거려 그 빛이 兼金(아주 질 좋은 금을 말함; 譯者)보다 더 찬란하였다"[10]라는 구절이다. 이게 백제 명광개가 아니고 무엇이겠는가? 공산성 출토 漆甲은 옻칠이든 어떻든 갑옷 가죽 표면에 칠을 한 게 분명하다. 즉 鐵甲에 칠한 것은 아니다. 보존처리 후 조사 결과가 나오겠지만 漆甲 역시 명광개 종류에 속할 수도 있다. 실제 적외선분광분석을 시도한 결과 황칠의 특징적 주파수가 갑옷

---

10 『册府元龜』 권117, 帝王部, 親征 第2.

시료에서 확인되었다. 옻칠에 황칠을 일부 더한 것이었기 때문이다.[11]

2) 漆甲 着用者에 대한 검증

지금까지 보도된 내용을 간추려 보자. 공산성 출토 貞觀 銘 漆甲을 발굴한 이남석은 이것을 왕에 준하는 신분을 지닌 백제 장군이나 의자왕이 직접 着用했을 가능성까지 열어두었다. 물론 이훈 충남역사문화원 문화재센터장은 "이 갑옷은 문헌에만 보이는 백제의 전설적인 갑옷 '명광개'(明光鎧)일 수밖에 없다"면서 "이 갑옷이 백제 자체 제작일 가능성이 크지만, 혹시라도 당나라 군인이 버리고 간 것일 가능성도 없지는 않다"[12]고 말하면서 다른 가능성도 슬쩍 비친 바 있다. 그럼에도 공산성 출토 漆甲을 백제 장수나 백제 왕이 사용했다는 주장이 당연한 것처럼 유포되고 있다. 백제 무왕 27년인 626년에 "사신을 당나라에 보내 明光鎧를 바쳤다"는 『삼국사기』 기사에 몰입한 듯한 인상을 받는다. 그러나 이러한 주장은 재고되어야 한다. 그 이유는 다음과 같다.

첫째, 찰갑 조각에서 '貞觀十九年四月二十一日'라는 명문에서 중국 연호인 '貞觀'이 보인다. 그런데 백제에서 唐의 연호를 사용해야할 하등의 이유가 없다. 이와 관련해 당시 백제와 唐의 관계를 살펴 보는 게 좋을 것 같다. 백제가 唐의 연호를 채용할 만한 정황 여부를 판단하기 위해서이다. 다음은 『삼국사기』에 적힌 정관 19년인 645년까지 백제 의자왕대의 對唐 교섭 기사가 된다.

* 원년(641) (唐) 太宗은 祠部郎中 鄭文表를 보내 왕을 책봉하여 柱國 帶方郡王 百濟王으로 삼았다. 가을 8월에 사신을 당에 보내 감사의 뜻을 표하고 아울러 토산물을 바쳤다.

* 2년(642) 봄 정월에 사신을 당에 보내 조공하였다.

* 3년(643) 봄 정월에 사신을 당에 보내 조공하였다. 겨울 11월에 왕은 고구려와 和親하고 신라의 黨項城을 빼앗아 [당나라에] 조공하는 길을 막고자 하였다. 마침내 군대를 발동하여 공격하니 신라 왕

---

11 『역사스페셜』「백제 공산성, 1400년 전, 칠(漆)갑옷의 비밀」, KBS 1TV, 2012. 2. 9.
12 「연합뉴스」 2011. 10. 13, 16. 22.

德曼[선덕왕]이 당나라에 사신을 보내 구원을 요청하였다. 왕이 이를 듣고 군대를 철수하였다.

　＊4년(644) 봄 정월에 사신을 唐에 보내 조공하였다. 태종은 司農承 相里玄奬을 보내 두 나라를 타이르니 왕은 표를 받들어 사례하였다.

　＊5년(645) 여름 5월에 왕은 (당) 태종이 친히 고구려를 정벌하면서 신라에서 군사를 징발하였다는 소식을 듣고 그 틈을 타서 신라의 일곱 성을 습격하여 빼앗았다. 신라는 장군 유신을 보내 쳐들어 왔다.

다음은『구당서』에 적힌 의자왕 즉위부터 645년까지의 백제와 唐과의 교섭에 기사이다.

　＊[貞觀] 15년(641) 璋이 卒하였다. 그 아들 의자가 사신을 보내 表文을 올려 슬픔을 알렸다. 태종은 素服 차림으로 哭을 하고, 光祿大夫를 追贈하였으며, 贈物 2백 段을 내렸다. 사신을 보내어 의자를 柱國으로 册命하고 대방군왕 백제왕에 봉하였다.

　＊16년(642) 의자가 군대를 일으켜 신라의 40여 성을 빼앗고, 군대를 보내어 지키는 한편, 高麗와 화친을 맺어 通好하고 당항성을 탈취하여 신라의 入朝路를 끊고자 하였다. 이에 신라가 사신을 보내어 위급함을 알리고 구원을 청하니, 태종은 司農丞 相里玄奬에게 조서를 보내어 禍福으로 兩蕃을 설득하였다. 태종이 친히 高麗를 정벌하자 백제는 두 마음을 품고, 그 기회를 틈타 신라의 10城을 습격하여 빼앗았다.

위의 기사를 놓고 볼 때 백제와 唐은 험악한 관계가 아니었다. 그런데 貞觀 연호를 사용했다면 의자왕대에 갑자기 채용했을 것 같지는 않다. 당 태종 즉위 이후부터 백제와의 관계를 살핀다면 무왕대의 관계사를 주목해야 한다. 이와 관련해 貞觀 원년인 627년(무왕 28)에 당 태종이 무왕에게 내린 璽書가 있다. 관련 구절을 인용하면 다음과 같다.

　貞觀 원년에 태종이 그 나라 王에게 "王은 대를 이은 君長으로서 東蕃을 撫有하였다. 바다 한 모퉁이 머나먼 곳에서 風浪이 험난하게 가로 막는 데도 정성이 지극하여 職貢을 빼놓지 않으니, 그 아름다운 뜻은 생각할수록 가상하다. 朕이 삼가 寵命을 받들어 天下에 군림하고부터 생각하는 것은 王道를 넓히고 黎元을 사랑하여 기르는 일이오. 舟車가 통하는 곳과 風雨가 미치는 곳이라면 나의 본 뜻을 이

루어 다 같이 안녕을 누리게 하는 것이 목적이다. 신라왕 김진평은 朕의 藩臣이며, 王의 鄰國이다. 매번 듣건대 군대를 보내어 쉬지 않고 征討하며, 무력만 믿어 잔인한 행위를 예사로 한다하니 너무나도 기대에 어긋난다. 朕은 이미 王의 조카 복신 및 高麗 新羅의 使人을 대하여 함께 通和할 것을 命하고, 함께 화목할 것을 허락하였다. 왕은 아무쪼록 그들과의 지난날의 원한을 잊고, 朕의 본 뜻을 알아서 함께 鄰情을 돈독히 하고 즉시 싸움을 멈추기 바란다"라는 璽書를 내렸다. 이에 璋이 使臣을 보내어 表文을 올려 사죄하였다. 비록 표면상으로는 命을 따른다고 하였지만, 실제에 있어서는 예나 마찬 가지로 원수 사이였다.[13]

위의 인용을 놓고 보더라도 백제 무왕대 이래로 唐은 가까이할 수도 없었다. 그렇다고 唐은 백제가 멀리할 수도 없는 대상이었다. 이는 "비록 표면상으로는 命을 따른다고 하였지만"라는 구절처럼 백제의 唐에 대한 관계는 지극히 의례적인 데 불과했다. 위에서 인용한 당 태종의 璽書에서는 신라의 진평왕이 거론되고 있다. 당시 백제의 공세로 인해 守勢에 놓인 신라는 唐의 지원과 개입이 어느 때 보다도 절실한 상황이었다. 그럼에도 신라는 唐의 연호를 사용하지 않았다. 642년 당시 신라의 연호는 '仁平'이었다. 이러한 정황에서 백제가 이때까지 사용하지 않던 年號, 그것도 중국 연호를 채용해야할 당위성은 보이지 않는다. 472년에 개로왕이 北魏에 乞師하는 절박한 상황에서 보낸 國書에서도 "지난 庚辰年 이후 臣의 나라 서쪽 국경에 있는…"라고 하면서 干支만 사용했을 뿐이다. 요컨대 백제는 北魏 연호를 비롯한 중국 연호를 사용하지 않았다.[14]

둘째, 6-7세기 당시 백제에서는 연호 자체를 사용한 바 없다. 가령 『翰苑』 백제 조에 의하면 "그 기년은 별도의 호칭이 없다. 다만 6甲의 숫자를 차례[次第]로 삼는다"라고 하였다. 백제에서는 紀年을 표시하는데 특별한 연호없이 육갑 干支만 사용하였음을 밝히고 있다. 가령 「무녕왕릉 매지권」·「창왕사리감 명문」·「왕흥사지사리기명문」·「미륵사지 서탑 사리봉안기」·「사택지적비문」 등과 같은 백제 금석문 어디에도 연호 사용이 확인되

---

13 『舊唐書』 권199, 東夷傳 百濟 條.
14 혹자는 七支刀 명문의 '泰和' 연호와 『남제서』에 수록된 동성왕이 南齊에 보낸 국서에서 "지난 泰始 연간에는 나란히 宋朝에 사신으로 갔고"라는 구절을 통해 백제가 대외관계에 중국 연호를 사용했다고 주장한다. 그런데 前者는 백제가 단 한차례 年號를 사용한 4세기 대의 사실이고, 後者는 백제가 南齊에 사신을 파견하면서 과거 사실을 상기할 목적으로 불가피하게 劉宋의 연호를 거론한 데에 불과하다. 백제가 7세기경에도 여전히 중국 연호를 사용했다는 근거가 되기는 어렵다. 그리고 혹자는 백제가 대외관계에 중국 연호를 사용한 사실과 공산성 출토 칠갑의 貞觀 연호와는 무슨 관련이 있는지 설명하지 못했다.

지 않았다. 참고로 관련 금석문을 다음과 같이 게재하였다.

　* 寧東大將軍百濟斯麻王 年六十二歲癸卯年五月丙戌朔七日壬辰崩 到乙巳年八月癸酉朔十二日甲申

安厝登冠大墓 立志如左/ 丙午年十二月 百濟國王太妃壽終 居喪在酉地 己酉年二月癸未朔十二日甲午

改葬還大墓立志如左(「무녕왕릉 매지권」)

　* 百濟昌王十三季太歲在/ 丁亥妹兄公主供養舍利(「창왕사리감 명문」)

　* 丁酉年二月/ 十五日百濟/ 王昌爲三王/ 子立刹本舍/ 利二枚葬時/ 神化爲三(「왕흥사지 사리기명문」)

　* 竊以法王出世 隨機赴感 應物現身 如水中月. 是以託生王宮 示滅雙樹 遺形八斛 利益三千. 遂使光曜

五色 行遶七遍 神通變化 不可思議. 我百濟王后 佐平沙乇積德女 種善因於曠劫 受勝報於今生 撫育萬

民 棟梁三寶. 故能謹捨淨財 造立伽藍. 以己亥年正月卄九日 奉迎舍利…(「미륵사 서탑 사리봉안기」)

　* 甲寅年正月九日 奈祇城砂宅智積 慷身日之易往 慨體月之難還 穿金以建珍堂 鑿玉以立寶塔 巍巍慈

容 吐神光以送雲 莪莪悲貌 含聖明以(「사택지적비문」)

　셋째, 갑옷 명문에 '李△銀' 등과 같이 중국인으로 보이는 인명이 확인된다. 「현장설명
회의자료」에서는 '李△銀'이라고 하여 '李'와 '銀' 사이의 글자인 '△'을 "알아볼 수 없는 글
자"로 처리하였다.[15] 게다가 이 글자를 '李△銀△'라고 하여 4글자로 언급했다. 그러나 [圖
3]에서 보듯이 '李△銀'에서 끊어졌기에 더 이상의 글자는 존재하지 않는다.[16] 여기서 '李
△銀'의 '△'은 '肇'의 異體字로서, 隋代 龍華碑의 字體와 가장 근사하다.[17] 즉 李肇銀인 것
이다. 이와 관련해 백제에서는 최소 25개 이상의 성씨가 확인되었다.[18] 그렇지만 唐의 國

15　이 점은 2012년 2월 9일에 방영된 KBS 「역사스페셜」에서도 매한 가지였다.

16　이남석, 「百濟 熊津城(公州 公山城)의 2011년 發掘資料 檢討」 『한국 고대 城의 재발견』, 한국고대학회,
　　2011. 12. 23, 22쪽에서도 여전히 '李△銀△'으로 판독하였다.

17　北川博邦, 『偏類碑別字』, 法仁文化社, 1990, 183쪽.

18　李弘稙, 「百濟 人名考」 『韓國古代史의 硏究』, 신구문화사, 1971, 333-360쪽.

도 3 | 漆甲 銘文[21]　　　　도 4 | 隋 龍華碑　　　　도 5 | 魏 陽平王太妃李氏 墓誌

姓인 李氏는 고구려와 신라에서는 확인되지만 백제에서는 등장한 바 없다.[19] 따라서 漆甲에 보이는 '李肇銀'은 그 착용자의 이름으로 보아야 할 것 같다. 말할 나위 없이 그는 唐人일 것이다.

넷째, 지금까지 공산성에서 출토된 바 없는 唐盌이 칠갑과 함께 출토된 사실이다. 唐盌은 본 칠갑의 성격을 암시해주는 準據가 될 수 있다. 곧 唐軍이 취식하며 장기간 주둔했던 근거가 된다.[2021]

다섯째, 에서 共伴 출토된 칠갑 명문 중 '大口典'은 문구의 일부에 불과하다. 그러나 중국 軍制에서 그 편린이 확인되고 있다.[22] 따라서 이 명문 역시 唐軍의 주둔을 암시해 주

19　「한국일보 미디어 다음」에서는 "일부 학자는 백제가 중국 연호를 쓴 예가 없음을 들어 중국 갑옷일 가능성을 제기한다. 이도학 한국전통문화학교 교수는 명문 중 '李△銀△'의 '李△銀'을 사람 이름이라고 보고, 백제에는 '오얏 이(李)' 씨 성이 없다며 당나라 장수 '이조은'일 것으로 추론한다. 하지만 공주대박물관 이남석 관장은 성급한 추론이라고 비판한다. 그는 20여자가 하나의 문장으로 길게 이어진 명문을 아직 해독하지 못했기 때문에 '李△銀'이 사람 이름인지 알 길이 없고, 백제 법왕 때 '오얏 이' 성이 나온다고 지적한다(2011. 11. 11)"고 했다. 그러나 『삼국사기』나 『일본서기』 등 어떤 문헌에도 법왕대 아니라 백제 全期間에 걸쳐 이씨 성은 등장한 바 없다. 이남석이 거짓말을 하고 있는 것이다.

20　이남석은 본 唐盌이 부소산성 출토품과 유사하므로, 공산성의 위계를 파악해 준다고 했지만(이남석, 「百濟 熊津城(公州 公山城)의 2011년 發掘資料 檢討」『한국 고대 城의 재발견』, 한국고대학회, 2011. 12. 23, 21쪽), 부소산성에서도 唐軍이 주둔하지 않았던가? 이러니 唐盌을 백제 조정에서 輸入한 물품으로 단정하기에는 難點이 많다는 것이다.

21　공주대학교 박물관, 「공산성 성안마을 내 백제왕궁 부속시설유적 현장설명회 자료」2011. 10. 13.

22　『武經總要(前集)』권6, 制度 3.

도 6 | 漆甲 銘文[27]

는 자료가 된다. 그런데 이남석은 2011년 12월 23일의 발표문에서 이 명문을 '王武監'과 붙여서 '王武監大口典'으로 釋文했다. 그렇다면 이 명문은 唐 최고 신분층이 소유한 武器庫를 가리킬 수 있다. 즉 본 칠갑이 分封王의 武器庫 소속임을 가리키는 것 같다.[23]

여섯째, 삼국시대에는 아직껏 漆甲 출토 사례가 없었다.[24] 그런데 공산성 칠갑옷의 형식은 西安 曲江池에서 출토된 唐代의 철갑편과 유사한 면이 있다.[25] 그리고 이것은 新疆 출토 唐代 갑옷과도 유사하다고 한다.[26]

일곱째, 언론을 통해 새로 공개된 '史△軍' 칠갑 명문을 통해 唐과의 관련성을 다시금 확인하게 되었다.[27]

그런데 '史△軍' 명문의 '△'는 판독 불능인 글자가 아니다. '言' 部 관련 字彙를 대조해 보았을 때 居延圖나 北魏 「寇憑墓誌」나 唐 「姚仲文經幢」의 '護'字 異體字에 가장 근사하다.[28] 그렇다고 하면 '史△軍'은 '史護軍'으로 釋文할 수 있다.[29] '史護軍'과 관련해 監軍御史나 "御史大夫韓安國爲護軍將軍"[30], 혹은 泉獻誠의 墓誌를 지은 唐人 '護軍 梁惟忠'을 통해 보더라도 唐의 관직임을 알 수 있다.

이상과 같은 칠갑 명문 검증을 통해 그 國籍이 唐임을 확인할 수 있었다. 한편 '△△行 貞觀十九年四月二十一日'라고 釋文하여 '行'字 앞에 2글자가 더 존재했던 것처럼 간주했다. 그러나 앞서 〈도 1〉에서 보았듯이 '行'字 위는 부러져 있다. 따라서 현재로서는 명문

---

23 이남석은 2011년 12월 23일의 토론에서 새로 판독한 명문 중 '史△軍'과 '馬'를 염두에 두고 백제의 官名인 長史・司馬와 관련 있다고 했다. 그러나 현재 長史・司馬 명문이 찰갑에서 확인되지 않았을뿐더러 長史・司馬는 중국에서 기원한 官名이다. 그러므로 설령 이러한 명문이 長史・司馬를 가리킨다고 해도 백제 官名을 가리키는 지표가 될 수는 없다.

24 KBS, 「역사스페셜」 2012. 2. 9. 이남석 위의 인터뷰.

25 우재병, 「百濟 熊津城(公州 公山城)의 2011년 發掘資料 檢討; 토론문」, 別紙, 2011. 12. 23.

26 KBS, 「역사스페셜」 2012. 2. 9. 楊泓 인터뷰.

27 KBS, 「역사스페셜」 2012. 2. 9.

28 佐野光一, 『木簡字典』, 雲林筆房, 1985, 675쪽; 北川博邦, 『偏類碑別字』, 法仁文化社, 1990, 217쪽.

29 '李肇銀'의 경우도 판독이 가능한 글자인데, 이와 더불어 각 한 글자씩 不明 처리한 것은 이해하기 어렵다. 불명 처리된 2글자는 모두 칠갑이 唐製라는 근거가 된다는 점에서 공교롭다는 느낌이 든다.

30 『漢書』권94, 匈奴傳(上).

여부를 판단하기는 어렵다. 단지 漆甲 명문 글귀에서 '行' 字가 앞에 보이는 것처럼 문장 가운데 貞觀 연호가 적혀 있다고 판단했다. 즉 貞觀 연호가 문장의 冒頭에 적힌 게 아니었다. 그러므로 칠갑을 唐製로 단정할 근거가 부족하다는 것이다. 그렇지만 이러한 해석은 수용이 어렵다. 일단 '行'에는 여러 가지 뜻이 담겨 있는데, '씀'·'사용함'·'행해질'·'쓰일'의 용례가 보인다.[31] 그러므로 '行貞觀十九年四月二十一日'은 貞觀 19년인 645년에 '사용했다'·'쓰였다'고 해석할 수 있다. 즉 이때 착용했다는 뜻인 것이다. 이러한 맥락에서 본다면 下位者가 上位者에게 '보낸다'는 뜻의 '行' 사용은 가능하지 않다. 쉽게 말해 본 칠갑을 백제에서 唐에 보낸 것은 아니었다.

이와 관련해 갑옷에 진사로 기입한 후 漆을 한 것으로 추정할 수 있다. 그렇다면 '貞觀 十九年四月二十一日에 行해졌다'는 구절은 塗漆 시점을 말할 수 있다. 백제에서 보내 온 黃漆이나 옻칠로든 塗漆이 행해진 시점을 가리키는 것 같다. 요컨대 어떻게 보더라도 본 칠갑을 백제인이 착용했을 가능성은 희박하다.

3. 裝飾刀에 대한 검증

공산성에서 옻칠한 馬甲과 더불어 裝飾刀가 출토되었다. 그러자 그간 열세에 놓여 있던 백제 장수 내지는 의자왕의 漆甲 着用說을 일거에 만회할 好材로 간주하였다. 즉각 「연합뉴스」에서 예의 빠른 속성을 이용해서 〈"칼은 한반도産"…갑옷 중국산 논란 불식될 듯〉라는 題下로 다음과 같이 보도하였다.

… 이 중 대도는 장식이 없지만 길이 55㎝ 안팎인 장식도에서는 은 장식과 함께 특히 손잡이 부분에 금장이 발견됐다.

사진을 통해 이들 칼을 감정한 대전대 교수 이한상은 "중국에는 없는 칼이며, 백제 아니면 신라에서 전형적으로 보이는 종류"라면서 "신라에서는 금관총에서, 백제에서는 공주 송산리 고분에서 이와 비슷한 칼이 출토된 적이 있으며, 이번 공산성 칼은 이들보다

---

31   民衆書林, 『漢韓大字典』 1997, 1849쪽.

늦은 시대에 속하는 유물로 보인다"고 말했다. 갑옷과 함께 출토된 칼이 한반도산이 확실시됨에 따라 이와 같이 나온 글자가 있는 갑옷이 중국 당나라 유물일 것이라는 학계 일각의 주장은 설득력을 잃을 것으로 전망된다.[32]

칠갑이 중국제라는 '학계 일각의 주장이 설득력을 잃을 것으로 전망된다'처럼 절망적인가? 한번 검증해 보자. 옻칠한 馬甲은 출토 사례가 확인되지 않았으므로, 이것만으로는 국적을 알 수 없다. 다만 장식도가 판단의 근거로 이용되었지만, 위의 주장은 수긍하기 어렵다. 해당 유물들이 집수지로 휩쓸려 들어 왔기 때문에 층위는 의미가 없다고 하자. 그렇더라도 각각 출토된 漆甲과 馬甲이나 刀劍類 등과는 처음부터 매납 위치가 동일했다고 볼 근거는 없다.[33] 그렇더라도 漆甲과 馬甲, 그리고 刀劍類가 한 셋트였다는 記者의 假定을 받아들이면서 검증을 해 본다.

우선, '한반도산'이라고 단정한 도검은 大刀가 아니라 裝飾刀(圓頭刀) 1개에 불과했다. 문제는 이 裝飾刀가 전형적인 백제의 칼이 아니라는 것이다. 필자가 2011년 11월 2일에 전화 인터뷰한 이한상의 견해에 따른다면 이와 유사한 장식도는 백제 지역에서는 공주 송산리 4호분(과거의 제1호분) 한 곳에서만 출토되었다. 그리고 신라 고분인 경주 금관총과 일본열도에서도 출토된 바 있다고 했다.[34]

그런데 공산성 장식도는 송산리 4호분보다 무려 150년 정도 이후에 조성된 유구에서 출토되었다. 그리고 이한상의 견해도 그러할 뿐 아니라 실제 사진을 비교해 보면 兩者는 손잡이 부분의 금장 문양도 동일하다고 단정할 수 없다. 공산성 장식도 손잡이 부분의 圓頭 양식은 송산리 4호분 출토품보다 시기적으로 훨씬 후대로 간주되고 있다. 따라서 6세기 초기에 조성된 송산리 4호분에서 단 1개 출토된 장식도의 유사한 면만 놓고서 7세기 중후반에 매납되었을 공산성 장식도의 국적 단정은 무리라고 판단된다. 게다가 정작

---

32 「연합뉴스」, 2011.11.01.

33 우재병은 앞의 토론문에서 漆甲이 "급박하게 폐기된 정황"으로 판단하였다. 그러나 이남석은 '의도적 은닉 상황'을 설정했다(이남석, 「百濟 熊津城(公州 公山城)의 2011년 發掘資料 檢討」『한국 고대 城의 재발견』, 한국고대학회, 2011.12.23, 28쪽). 즉 이남석은 "저수시설 바닥에 인접한 곳에서(이남석, 위의 논문, 21쪽)" 출토된 漆甲과 馬甲 및 장식도 등을 이와 같이 간주했다. 그런데 은닉 장소로는 납득되지 않는 점이 상존한다. 그런 만큼 이남석은 이에 대한 해명이 필요할 것 같다. 설령 이들 유물이 '은닉'되었다고 하더라도 갑옷의 國籍과는 직접 관련도 없다.

34 공산성에서 출토된 장식도와 금관총 출토품과의 관련성은 보이지 않는다. 이 점에 대해서 조금 의아하게 생각하는 바이다.

가장 중요한 당나라 장식도와 비교되지 않았다. 물론 이한상에 따르면 唐 철검 출토는 대명궁을 비롯한 극소한 사례인데, 장식도는 출토되지 않았다. 그렇다고 '중국에는 없는 칼이다'라고 단정할 수는 없다. 아직까지 출토 사례가 없을 뿐이지, 존재하지 않았다는 근거로 삼기는 어렵다. 다만, 이와 유사한 게 백제·신라·왜국에서 사용된 적이 있을 정도로, 공통적으로 통용되는 양식이었다. 그런 관계로, 굳이 백제와 연관 짓는 것은 무리일 뿐 아니라, 광범위하게 사용된 장식도의 震源處가 중국이 아니라고 단정하기도 어렵다.

삼국시대 고분과 일본열도에서 공통적으로 출토되고 있는 공산성 출토 圓頭 장식도 단 1점으로써 唐年號 銘文 漆甲의 국적을 일거에 백제로 逆轉시키려는 시도는 力不足을 넘어 太不足이라는 인상을 준다. 사실 장식도를 백제 것으로 간주할 수 있는 딱 부러지는 근거는 단 하나도 없다. 길이 55㎝ 안팎인 중형 칼인 장식도는 명문이 있는 것도 아니다. 게다가 장식도는 인접국에서도 공통적으로 사용된 사실이 확인되었다. 그러한 장식도는 佩物인 만큼, 선물이거나 전리품일 수도 있다. 이러한 가변성을 지닌 패용물인 장식도와, 착용자의 소속을 알려주는 唐年號가 적힌 漆甲과는 비중이 대등할 수가 없다. 만약 발굴자의 주장대로 漆甲이 백제인의 것, 그것도 백제 장군이나 의자왕이 착용했다면, 밋밋한 大刀나 중형 장식도가 아니라 적어도 (龍鳳文)環頭大刀 정도가 共伴 출토되었어야 格이 맞지 않았을까? 이러한 점에 비추어 보더라도 漆甲의 착용자는 백제인이 되기는 어렵다. 따라서 "… 갑옷과 함께 출토된 칼이 한반도산이 확실시됨에 따라 이와 같이 나온 글자가 있는 갑옷이 중국 당나라 유물일 것이라는 학계 일각의 주장은 설득력을 잃을 것으로 전망된다"는 대못질하는 듯한 주장은 바람대로 되기는 어렵다. 오히려 그 정반대임이 확정되는 전기를 맞을 것으로 보인다. 결국 장식도 1점으로써 唐年號 銘文 漆甲의 국적을 바꿀 수는 없었다. 오히려 동일한 유구의 漆甲에 적힌 명문 '李肇銀'은 漆甲의 착용자인 唐將일 가능성이 높고, 현장에서 출토된 唐盌은 이곳에 주둔한 唐軍의 炊事를 말해주고 있었다.

그러면 공산성 출토 장식도 자루 부분과 송산리 제4호분(과거의 제1호분) 출토 銀製柄頭金具(도 8)를 재검증해 보자. 兩者의 비교를 통해 자루 부분의 穿孔에서 송산리 출토품은 하트형이므로 相異하다. 그리고 공산성 장식도에서는 銀 장식과 함께 특히 손잡이 부분에 금장이 발견되었다. 그러나 송산리 고분 銀製柄頭金具에서는 腐蝕으로 인해 그러한 흔적이 남아 있지 않다. 따라서 현 상태로서는 兩者를 동일한 양식으로 단정할 근거가

도 7 | 공산성 출토 장식도 자루 부분

도 8 | 송산리 고분군 출토 장식도

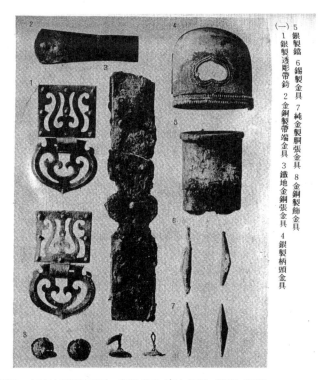

（一）　5 銀製鑣　6 錫製金具　7 純金製胴張金具　8 金銅製飾金具
1 銀製透彫帶銙　2 金銅製帶端金具　3 鐵地金銅張金具　4 銀製柄頭金具

도 9 | 朝鮮總督府, 『昭和二年度古跡調査報告』 圖版 第九 宋山里第一號墳, 1935.

없다. 이는 위에서 게재한 〈도 9〉 朝鮮總督府(1935), 『昭和二年度古跡調査報告』圖版 第九 宋山里第一號墳의 유물 사진과 비교해 보면 다시금 확인된다.[35] 요컨대 공산성 출토 장식도가 百濟産이라는 아무런 근거도 확보할 수 없었다.[36]

3. 漆甲의 埋納 經緯

공산성 출토 칠갑은 어떠한 경로를 통해 묻히게 된 것일까? 이것에 대한 단서는 銘文의 연대가 된다. 즉 '貞觀十九年四月二十一日'은 645년 4월 21일이다. 이때는 당 태종이 고구려를 침공했을 때였다. 『삼국사기』 보장왕 4년 조에 보면 다음과 같은 기사가 있다.

여름 4월에 [이]세적이 通定으로부터 요수를 건너 현도에 이르렀다. 우리 성읍들은 크게 놀라 모두 성문을 닫고 지켰다. 副大摠管 江夏王 道宗이 병사 수천 명을 거느리고 신성에 이르자, 折衝都尉 曹三良이 기병 10여 명을 이끌고 곧바로 성문으로 압박해 오니, 성 안에서는 놀라 소란해져서 감히 나가는 자가 없었다. 영주도독 張儉이 胡兵을 거느리고 선봉이 되어 나아와, 요수를 건너 建安城으로 달려가서, 우리 군사를 깨뜨리고 수천 명을 죽였다. 이세적과 강하왕 도종이 蓋车城을 쳐서 함락시켜, 1만 명을 사로잡고 양곡 10만 석을 빼앗았으며, 그 땅을 蓋州로 삼았다.

위의 기사에 따르면 당 태종의 군대가 개모성을 함락시킨 시점은 대략 645년 4월 하순쯤에 해당한다. 지금의 요녕성 심양 부근에 소재한 개모성을 함락시킨 후 당군은 고구려인 1만 명을 생포했다고 한다.[37] 당 태종의 군대가 대승을 거둔 시점이 645년 4월이고, 또 갑옷 명문이 작성된 시점과 대략 부합한다. 이때 당 태종의 군대가 반드시 확보했을 전리품에 관한 기록은 적혀 있지 않다. 그런데 그해 6월에 당 태종의 군대가 안시성을 구출하기 위해 출동했던 고연수와 고혜진의 고구려군 15만을 격파했다. 그 직후 확보한 전리품 가운데 明光鎧 1만 벌이 보인다.[38] 고구려군도 명광개를 사용했음을 알려준다. 동시

---

35 朝鮮總督府, 『昭和二年度古跡調査報告(第二册)』, 朝鮮印刷株式會社, 1935, 圖版 第九 宋山里第一號墳.
36 공산성 출토 장식도를 무령왕릉 출토 刀子나 倭가 원산지인 규두대도와 결부 짓는 것은 어불성설이다.
37 『資治通鑑』 권197 唐紀 貞觀 19년 조에는 2萬 名으로 적혀 있다.
38 『新唐書』 권220, 東夷傳 高麗 條.

에, 당군이 개모성을 함락한 후 확보한 전리품 가운데 명광개가 포함되었을 가능성을 엿보여준다. 전후 정황에 비추어 볼 때 645년 4월 21일에 당군이 개모성에서 확보한 명광개에 전승 기념으로 명문을 남겼을 가능성을 제기해 준다. 그러나 칠갑 가죽에 먼저 朱記한 후 옻칠했다고 한다면 타당한 추리가 될 수 없다.

이와는 달리 『책부원구』에 따르면 貞觀 19년인 645년 5월에 唐 甲士 6만 명이 지금의 요녕성 요양시 부근인 馬首山에 주둔한 기사에 이어, 다음과 같은 기사를 바로 잇대어 적어 놓았다. 이 문구가 긴요한 단서가 된다.

처음에 태종이 백제국에 사신을 보내어 金漆(황칠을 가리킴; 譯者)을 채취해 오게 하여 鐵甲에 칠하게 하였는데, 모두 황금 빛과 붉은 빛이 번쩍거려 그 빛이 兼金(아주 질 좋은 금을 말함; 譯者)보다 더 찬란하였다. 또 五綵를 가지고 玄金에 물들여 山文甲을 만들어 장군들에게 입혀 따르게 하였다.[39]

위의 기사는 고구려 원정에 동원된 唐將들에게 사기를 높이기 위한 목적으로 명광개를 입혔음을 가리킨다. 이 시점은 645년 5월 기사에 이어 적혀 있지만, '처음에[初]'라고 하였으므로, 5월에 唐 장군들이 명광개를 입고 있는 사유를 밝힌 대목임은 분명하다. 그렇다고 할 때 당 장군들이 명광개를 입은 시점은 공산성 출토 갑옷 명문의 '645년 4월 21일' 명문과 부합된다고 단정할 수 있다. 이와 동일한 시점과 상황에서의 기사가 『신당서』에 다음과 같이 보인다.

이 때에 백제가 金髹鎧를 바치고, 또 玄金으로 山五文鎧를 만들어 (보내와) 士卒들이 (그것을) 입고 從軍하였다. 太宗과 (李)勣의 (군사가) 모이자 갑옷이 햇빛에 번쩍거렸다.[40]

위에서 인용한 두 사료를 놓고 볼 때 약간의 異同이 있음을 알 수 있다. 前者에 따른다면 당 태종이 백제에 사신을 파견하여 金漆 즉 황칠을 채취해 오게 하였다. 그런 다음 그것을 당군 鐵甲에 바르게 하여 백제와 마찬 가지로 공격용 갑옷인 명광개를 구비했다.

---

39 『册府元龜』권117, 帝王部, 親征 第2.
40 『新唐書』권220, 東夷傳 高麗 條.

後者의 경우는 백제가 금휴개를 바쳤다고 한다. 금휴는 '金赤色의 칠'을 가리킨다.[41] 그러므로 금휴개는 명광개와 동일한 갑옷을 가리키는 것 같다. 백제가 보내 온 금휴개와 唐이 자체 제작한 山五文鎧를 입고 종군한 당군의 갑옷이 과연 햇빛에 눈부시게 빛났다고한다. 여기서 백제가 원료를 제공했든 아니면 완공품을 제공했든 간에 당군은 백제의 손을 빌은 명광개를 입고 고구려 정벌에 나선 것은 분명하다. 이에 곁들여 백제가 唐에 제공한 황칠이나 옻칠 塗料를 바른 갑옷의 출품도 상정할 수 있다. 앞에서 고찰했듯이 새롭게 판독한 '史護軍'의 '護軍'은 중국에서 近衛兵을 가리킨다. 그렇다고 할 때 고구려 원정에 참전한 당 태종의 친위군 將帥가 착용한 것임을 알 수 있다.

또 그로부터 15년 후인 660년 7월에는 백제 황칠로 만든 명광개를 여전히 착용한 당장군들이 이제는 백제 침공에 나섰을 수 있다. 그러면 당군과 漆甲이 출토된 공산성은어떤 관련이 있는 것일까? 당군이 공산성에 최초로 접근하게 되는 계기는 백제 의자왕의 항복 때문이었다. 사비도성이 안전하지 못하다고 파악한 의자왕은 660년 7월 13일에태자 효와 함께 북방의 웅진성으로 몸을 빼었다. 그러나 웅진성에서 항전을 준비하던 의자왕은 7월 18일에 당군에 항복하였다. 의자왕은 예하의 熊津方領軍을 거느리고 웅진성으로부터 사비도성에 와서 항복했다.[42] 그는 선선히 항복의 길을 택하였다. 여기에는 양자 간의 어떤 타협이 모색되지 않고서는 생각하기 어려운 측면이 있다. 의자왕은 예하의 臣僚들과 武力 수단을 당군에 깨끗이 헌납하는 항복의 길을 택했다. 그럼으로써 의자왕은 멸망의 岐路에 선 국가의 活路를 트고자 했다. 의자왕은 적대행위를 않겠다는 의사를 분명히 보여주었다. 소정방의 경우도 백제와 氣를 쓰며 싸워야할 하등의 이유가 없었다. 당의 숙적은 고구려였지 백제는 아니었기 때문이다. 백제 멸망은 신라 왕실의 숙원이었다. 당은 궁극적으로 고구려를 장악하기 위한 동방정책의 일환으로 참전하게 된 것이다.[43] 웅진성으로부터 항복하러 오는 의자왕에 대해 다음과 같은 기록이 보인다.

그 대장 예식이 또 義慈를 扶持하고 와서 항복하였다. 태자 隆과 아울러 여러 城主들이 모두 함께 款을 보냈다(其大將禰植 又將義慈來降 太子隆并與諸城主皆同送款).[44]

---

41   中文辭典編纂委員會, 『中文大辭典 9』, 中華文化大學 出版部, 1985, 621쪽.
42   李道學, 「禰寔進墓誌銘'을 통해 본 百濟 禰氏 家門」 『전통문화논총』 5, 한국전통문화대학교, 2007, 79~80쪽.
43   李道學, 「百濟 黑齒常之 墓誌銘의 檢討」 『鄕土文化』 6, 嶺南大學校鄕土文化研究會, 1991, 30쪽.
44   『舊唐書』 권83, 蘇定方傳.

그 장군 예식이 義慈와 더불어 항복하였다(其將禰植與義慈降).[45]

의자왕이 웅진성에서부터 항복하러 옴에 따라 웅진성 일원은 당군이 장악했음을 알 수 있다. 그 선상에서 백제를 멸망시킨 후 당군이 주둔한 공산성에서 어떤 연유로 漆甲을 떨어뜨린 것으로 해석할 수 있다. 이와 더불어 백제 멸망 직후에 구상한 5都督府 중 熊津都督府와의 관련성이다. 신라와 당군의 留鎭本營은 660년 어느 때 사비성에서 웅진성으로 옮겨간 것으로 추정된다. 사비성이 아닌 웅진성을 나·당군이 鎭守했다.[46] 또한 663년에 留鎭朗將 劉仁願이 주둔한 곳이 웅진부성이었다.[47] 664년 3월에 사비산성에 웅거하여 저항하는 백제 餘衆을 웅진도독부에서 출병하여 격파하고 있다. 같은 해 신라가 樂師를 웅진부성에 보내어 唐樂을 배우게 하였다.[48] 게다가 신라와 웅진도독부간의 2차례 서맹이 모두 공주에 있는 熊嶺과 就利山에서 각각 거행되었다.[49] 이러한 점에 비추어 볼 때 660년 8월 이후 당의 留鎭本營이 사비성에서 웅진성으로 옮겨간 것이 분명해진다.[50]

공산성에서 출토된 漆甲의 출토 정황은 불탄 기와 조각을 비롯한 火痕과 무수한 화살촉의 출토를 놓고 볼 때 격렬한 전투 상황과 결부 지을 수 있다.[51] 이러한 정황은 의자왕

---

45 『新唐書』권111, 蘇烈傳.
46 『舊唐書』권199, 東夷傳 百濟 條.
47 『三國史記』권6, 文武王 3년 조.
48 『三國史記』권6, 文武王 4년 조.
49 『三國史記』권6, 文武王 4년 조. 文武王 5년 조.
50 李道學, 『백제 사비성시대 연구』, 일지사, 2010, 381~418쪽.
51 이와 관련해 다음과 같은 입장에서 칠갑의 埋納 經緯가 제기되었다. 즉 "옻칠 된 이 가죽 갑옷은 백제의 어느 장수가 입었던 것이 아니라 전쟁 막바지 위급한 상황에 직면해 백제인 누군가가 적에게 빼앗기지 않으려고 땅에 묻은 것일 수 있다는 주장이 제기됐다. 백제사 연구 권위자인 이남석 공주대 사학과 교수는 17일 연합뉴스와 전화통화에서 "갑옷의 형태나 품격으로 봤을 때 장군들이 입은 갑옷은 아닐 것'이라면서(백제의 마지막 왕인) 의자왕의 것이라고 할 수는 없지만 갑옷의 모양새로 봐서는 왕에 버금가는 사람이 입어야 격에 맞을 정도로 고품격의 갑옷"이라고 말했다. 이 교수는 '옻칠 갑옷 하나만 발굴됐을 때에는 누군가가 전쟁 중에 벗어났거나 폐기한 것으로 생각했다'면서 하지만 '옻칠 갑옷이 발굴된 아래층에서 역시 굉장히 고급스러운 철제 갑옷과 말 갑옷(馬甲)이 잇따라 나온 점으로 미뤄볼 때 전쟁 막바지 다급한 상황 속에서 갑옷들을 적에게 빼앗기지 않으려고 누군가 땅에 묻은 것이 아닌가 추정된다'고 밝혔다. … 이 교수는 '정관19년은 갑옷의 제작 연대가 아니라 역사적 정황, 중국과의 외교관계를 적어놓은 것으로 보인다'면서 "백제가 당나라에 사신을 보내 갑옷을 바쳤다는 기록이 있는데 이번에 발견된 옻칠 갑옷은 중국에 갑옷을 보내면서 모델로 만들어놓은 갑옷일 수도 있다"고 추정했다. … 이 교수는 '조사 자체가 극

이 공산성에서 唐軍에 항복한 상황과는 맞지 않다. 오히려 672년에 신라군이 당군을 축출하는 일련의 전투 상황에 잘 부합한다. 따라서 공산성 출토 칠갑은 웅진도독부의 治所인 공산성에 주둔한 唐軍 將帥의 遺留品으로 보여진다. 요컨대 최소 15년 이상에 걸친 험란한 高句麗戰과 百濟戰을 치른 唐軍 將帥의 戰歷이 묻어 있는 칠갑이었다. 그러한 칠갑이 武具로서 세상에 모습을 드러내게 된 데에는 어떤 형태로든 백제가 介入한 것은 분명하다. 그러니 역사의 아이러니요 기구한 漆甲의 운명을 생각하게 된다.

4. 맺음말

2011년 10월에 公州 公山城에서 출토된 貞觀 19年 銘 漆甲에 대해서 일차적으로 명광개 여부가 논란을 빚었다. 이와 관련해 백제가 명광개를 唐에 보낸 적이 있다. 백제에서 唐에 보낸 명광개가 護心鏡이 붙은 唐製와 동일한 성격의 갑옷이라고 하자. 그러면 백제의 특산인 果下馬와 함께 선물할 요인이 되지 못한다. 백제 명광개는 唐의 명광개와는 성격이 틀린 갑옷이기에 朝貢品으로서의 의미가 있지 않았을까? 護心鏡이 붙어 있는 唐의 명광개와는 달리 갑옷에 황칠을 해서 빛이 번쩍였던 것이다. 그랬기에 상대방이 눈이 부셔 제대로 쳐다 볼 수 없는 공격용 갑옷이 백제 명광개였다. 이 점을 뒷받침해주는 기사가 "처음에 태종이 백제국에 사신을 보내어 金漆(황칠을 가리킴; 譯者)을 채취해 오게 하여 鐵甲에 칠하게 하였는데, 모두 황금 빛과 붉은 빛이 번쩍거려 그 빛이 兼金(아주 질 좋은

___

히 일부만 진행된 상태여서 아직은 다 추정에 불과하다'고 단서를 달면서 '적이 처들어오면 일반적으로 보물을 모두 폐기하는 것처럼 현재까지의 판단으로는 전쟁 막바지 화급한 상황 속에서 백제에서 애지중지하던 갑옷을 적에게 빼앗기지 않으려고 땅에 묻은 것으로 추정된다'고 말했다(「연합뉴스」 2012. 1. 17). 물론 일반론에 입각한다면 그럴 가능성도 제기할 수 있다. 또 필자가 제기한 공산성에 주둔한 의자왕이 항복한 상황이라면 이남석의 추정이 무리하지 않아 보인다. 그렇지 않고 이남석이 제기한 화급한 전쟁 상황이라고 하자. 그렇다면 漆甲은 隱匿 보다는 주인공이 직접 착용하는 게 자신도 보호하는 가장 안전한 보존 방법이 아니었을까? 그리고 隱匿은 기본적으로 다시 회수하는 것을 전제로 한 임시 방편에 불과하다. 그럼에도 회수가 어려운 늪지대나 저수지에 숨겼다는 것은 은닉용 보다는 폐기 관념의 산물일 가능성이 높다. 더구나 은닉한다면 애지중지한 물건을 백제금동대향로처럼 外物로 포장하거나 그러한 공간에 넣어져 있어야 마땅하지 않았을까? 혹은 祭儀와 결부 짓기도 하지만 공반 제의 추정물이 없을뿐더러 많은 화살촉의 존재는 치열한 交戰의 현장임을 말해주고 있다. 이러한 현장 분위기와 水葬 儀禮는 걸 맞지 않아 보인다.

금을 말함; 譯者)보다 더 찬란하였다"라는 구절이다. 보존처리 후 조사 결과가 나오겠지만, 공산성 출토 漆甲은 갑옷 가죽 표면에 두껍게 옻칠을 한 것이다. 그렇지만 이 역시 번쩍거리는 만큼 명광개나 금휴개 종류에 속할 여지를 열어두는 게 좋겠다.

한편, 발굴자는 칠갑을 백제 장수나 의자왕이 착용한 갑옷으로 추정하였다. 그러나 이러한 견해는 취하기 어려운 부분이 많았다. 첫째 明光鎧는 백제만의 특산품은 아니었다. 645년에 唐軍이 안시성을 구출하기 위해 출동했던 고연수와 고혜진의 고구려군 15萬을 격파하였다. 그 직후 확보한 唐軍의 戰利品 가운데 고구려 明光鎧 1만 벌이 보이기 때문이다. 둘째 백제가 唐의 貞觀 年號를 사용했어야 할 하등의 당위성이 없기 때문이었다.

銘文의 연대인 '貞觀十九年四月二十一日'이 漆甲 着用者와 埋納 經緯를 살피는 데 단서가 된다. 이때는 645년 4월 21일로서 당 태종이 고구려를 침공했을 때였다. 당군이 645년 4월에 개모성을 점령한 후 획득한 고구려 명광개였을 수 있다. 그런데 貞觀 19년인 645년 5월에 당나라 甲士 6만 명이 지금의 요녕성 요양시 부근인 馬首山에 주둔하였다. 이 기사에 이어 唐軍 將帥들이 그 전에 백제가 제공한 명광개를 착용한 사실이 보인다. 기록에 따르면 당 태종이 사신을 백제에 파견하여 황칠 재료를 얻었다고 한다. 혹은 백제가 제공한 명광개를 착용했을 수도 있다. 모두 기록에 보이는 것이다. 어쨌든 兩端間에 하나이거나 모두에 해당될 수도 있다. 이러한 흐름 속에서 백제 칠갑이 제공되었을 가능성이다. 이렇게 볼 때 唐將이 착용한 '貞觀' 銘 漆甲 역시 백제의 손을 거쳤을 가능성이 높다. 백제가 황칠 재료나 명광개나 漆甲을 제공했든 간에 護軍 즉 당 태종의 친위군 將帥가 이것을 착용하고 고구려 정벌에 나섰다. 그리고 그로부터 15년 후에 백제 舊都였던 공산성에 그 존재를 남기고 왔다. 이곳은 의자왕이 피신했다가 항복한 장소이기도 했지만 唐軍이 장기간 주둔한 熊津都督府가 설치된 곳이었다. 공산성은 어떤 형태로든 唐軍의 발길이 머물 수밖에 없는 상황이었다. 漆甲 명문에 보이는 李肇銀이라는 이름의 唐將이 착용한 것이다. 결국 출토될 수 있는 공간에서 그 모습을 세상에 드러낸 게 貞觀 銘漆甲이었다. 한편 共伴 출토된 裝飾刀는 송산리 고분에서 출토된 유물과 비교해 봤을 때 百濟産이라는 근거가 없었다. 그러니 해당 裝飾刀 역시 唐製로 간주할 수 있게 되었다.

공산성 출토 漆甲은 백제 갑옷으로 간주할 수 있는 요소가 많았다. 그러나 貞觀 연호가 적혀 있는 등 唐 장군이 착용한 게 분명하였다. 漆甲 명문의 '史△軍'은 '史護軍'으로 釋文할 수 있었다. 여기서 護軍은 唐의 軍職에 보인다. 그런데 이 漆甲은 백제 명광개와 황칠 기술이 唐으로 전래된 과정과 행보를 함께 한 것으로 보아도 틀리지 않을 것 같다. 645년 4월 21일에 당 태종이 唐 장군들의 士氣를 진작시킬 목적에서 백제 황칠을 바른 칠갑을 제작하여 지급했을 수 있다. 唐 護軍 將帥 李肇銀은 이때 받은 칠갑을 착용하고 對高句麗戰을 수행했을 것이다. 급기야 그 15년 후에는 백제를 침공하는 데 착용했으니 아이러니하다고 할 수 있다. 요컨대 이러한 사실은 앞으로 확인될 札甲의 새로운 명문 판독에 따라 명확하게 밝혀질 것이다.

결론적으로 말해 공산성 출토 漆甲은 明光鎧 與否나 埋納 經緯와는 상관 없이 唐將이 着用한 것은 분명하다. 단언하건대 가장 기본적이요 일차적인 본 작업만으로써도 本稿가 지닌 意義는 有效하다고 본다.

「公山城 出土 漆甲의 性格에 대한 再檢討」『인문학논총』28, 경성대학교 인문과학연구소, 2012.

세종시 일원의 백제 가문
- 全氏와 牟氏를 중심으로

1. 머리말

충청남도 세종시 조치원읍에 소재한 비암사에서 발견된 癸酉銘全氏阿彌陀佛碑像(국보 제106호)에는 명문이 전하고 있다. 이 비상과 명문의 존재는 1960년에 확인되었지만 2013년에는 국립청주박물관이 국내 최초로 판독의 신기술인 RTI(Reflectance Transformation Imaging) 촬영을 이용해 고대문자 판독에 새로운 장을 열었다. 계유명전씨아미타불비상을 대상으로 촬영한 결과 20여 字에 이르는 글자에 대해 새로 판독하거나 논란이 있었던 글자를 확실하게 판독하는 성과를 거두었다. 그 결과 계유명전씨아미타불비상에 남아 있는 명문은 대략 260여 字에 이른다.[1]

지금까지 연구에 의해 180여 字가 판독됐다. 국립청주박물관은 이번 판독 작업을 통해 일부 논란이 됐거나 재판독한 글자 10자, 새롭게 찾아낸 글자 4자, 새로 추정한 글자 6자 등 총 20여 字가 넘는 글자를 판독했다.[2] 이들 자료는 향후 학계에 비상한 관심을 불러일으킬 것으로 기대되고 있다. 본고에서는 이러한 성과에 따라 완성도가 높아진 釋文을 근거로 全氏와 眞氏 그리고 牟氏의 근거지와 존재 형태를 살펴 보고자 한다. 이와 더불어 중요한 사안은 癸酉銘全氏阿彌陀佛碑像에 150명, 그리고 癸酉銘三尊千佛碑像 조성에 250명, 총 400명이 참여하였다는 것이다. 문제는 기존 연구에서는 香徒 조직의 힘으로 佛碑像이 조성되었다고만 언급하였다.[3] 佛碑像을 조성한 배경이나 동기에 대한 탐구는 없었다.

이와 관련해 필자는 673년(문무왕 13)의 시점에서 신라가 官等을 지닌 백제 유민들에게

---

1 국립청주박물관, 『불비상 염원을 새기다』, 2013, 89쪽. 97쪽.
2 국립청주박물관, 『불비상 염원을 새기다』, 2013, 97쪽.
3 노중국, 『백제사회사상사』, 지식산업사, 2010, 84쪽.

신라의 京位를 부여한 사실을 주목했다. 주지하듯이 이는 분명 일종의 포섭과 융화책이라고 할 수 있다.[4] 바로 이 시점에 癸酉銘全氏阿彌陀佛碑像과 癸酉銘三尊千佛碑像이 함께 조성되었다. 그리고 癸酉銘全氏阿彌陀佛碑像 명문에 따르면 寺刹까지 조성했던 것이다. 이러한 佛事에는 특별한 의미가 있었을 것으로 보인다. 그 배경을 백제 유민 포섭을 통한 신라의 唐軍 축출이라는 시대적 상황과 결부 지어 推察해 보고자 하였다.

2. 癸酉銘全氏阿彌陀佛碑像 銘文의 檢討

계유명전씨아미타불비상이 발견된 비암사는 대한불교조계종 제6교구 본사인 麻谷寺의 말사이다. 확실한 창건 연대는 알 수 없으나 삼국시대에 창건된 사찰로 전하고 있다. 신라 말에 道詵이 중창하였으며, 그 뒤의 뚜렷한 역사는 전하지 않고 있으나, 조선시대 후기에 편찬된 『全域誌』에 비암사가 기록된 것을 볼 때 그 무렵까지 존속했음을 알 수 있다. 그 뒤 근대에 들어와 극락전 앞뜰에 있는 높이 3m의 고려시대 삼층석탑 정상 부분에서 四面群像이 발견되어 널리 알려지게 되었다. 1991년 대웅전을 지었으며, 1995년 극락보전을 중수하고 산신각과 요사 2동을 지었다. 1996년 범종각을 짓고 1997년 요사 1동을 지었다. 석상 중 癸酉銘全氏阿彌陀佛碑像은 국보 제106호로, 己丑銘阿彌陀如來諸佛菩薩石像과 미륵보살반가석상은 각각 보물 제367호와 제368호로 지정되어 국립청주박물관에 소장되어 있다. 세종시와 그 주변에서 발견된 佛碑像은 지금까지 모두 7개가 된다. 이러한 佛碑像의 造像 연대와 원 소재지 등을 表로 작성하면 다음과 같다.[5]

표 1 | 세종시와 그 주변에서 발견된 佛碑像

명칭	조성연대	원 소재지	현 소장처	문화재등급
계유명전씨아미타삼존석상	673년	세종 비암사	국립청주박물관	국보 제106호
기축명아미타불비상	689년	세종 비암사	국립청주박물관	보물 제367호

---

4 이에 대해서는 김수태, 「新羅 文武王代의 對服屬民 政策」『新羅文化』16, 1999, 45~67쪽을 참조하기 바란다.

5 다음의 表는 유근자, 「황수영 박사의 한국불상 연구」『황수영 박사의 미술사연구 업적』, 한국미술사연구소, 2014, 31쪽을 참고하였다.

명칭	조성연대	원 소재지	현 소장처	문화재등급
미륵보살반가사유비상	673년	세종 비암사	국립청주박물관	보물 제368호
계유명 천불삼존비상	673년	조치원 서광암	국립청주박물관	국보 제108호
세종시 연화사 무인명불상 및 대좌	678년	세종 연화사	연화사	보물 제649호
세종시 연화사 칠존불비상	7세기 후반	세종 연화사	연화사	보물 제650호
삼존불비상	7세기 후반	공주 정안면	동국대박물관	보물 제742호

비암사 극락보전은 충청남도 유형문화재 제79호로 지정된 정면 3칸, 측면 2칸의 다포집이다. 극락보전 내에 아미타불을 안치하였고, 불상 위의 닫집과 조각물들은 그 수법이 우수하다. 이 밖에 사면군상이 발견된 충청남도 유형문화재 제119호인 삼층석탑과 부도 3기가 있다.[6]

그런데 비암사의 존재는『신증동국여지승람』이나『세종실록』지리지를 비롯한 조선 전기의 문헌에서는 확인되지 않는다. 따라서 비암사의 창건 연대는 정확히 알기 어렵다. 그러면 癸酉銘全氏阿彌陀佛碑像의 명문을 검토해 본다. 관련 명문은 다음과 같다.[7]

[판독문]

(正面)

全氏△△

述況右△

二兮介朮

同心敬造

阿彌陀佛

6   이상의 비암사에 대한 서술은 한국정신문화연구원,『한국민족문화대백과사전(10)』1991, 667쪽에 따랐다. 비암사와 불비상 전반에 대해서는 黃壽永,「忠南 燕岐 石像調査--百濟遺民에 의한 石像」『藝術院論文集』3, 1964 ;『黃壽永全集(1)』, 혜안, 1998, 71~107쪽 참조 바란다.

7   국립청주박물관,『불비상 염원을 새기다』2013, 91~94쪽.
이와 관련해 최근에 제기된 강진원,「癸酉銘 阿彌陀三尊四面石像 銘文 검토」『목간과 문자』12, 2014, 218~226쪽의 판독문과 번역도 일부 원용했다. 차제에 본 불비상 명문에 대한 정밀한 再判讀이 요망된다.

像觀音大

(世)至像△

△道△△

上爲(國)△

願敬造化

佛像卅也

此石佛像

內外(幷/井)(百)

十六(徙/徒)△

(向左側面)

△△癸酉年四月十

△△△首

△△道推

△發(願)敬

△△△弥次

乃△止△乃末

牟氏毛△

△等△五

十人智識共

爲國王大臣

及七世父母含靈發願敬造寺智識名記

達率身次願

(日/日/國)△(如)(徙/徒)願

眞武大舍

木口目大舍願

(後面)

与次乃末

三久知乃末

豆兎大舍願

△△△△

△△△△

(以上 上段)

△△大舍願

夫信大舍願

(上)(次)(乃)△

△△△△

△△△師

(이상 제2단)

△大舍△小舍願

△久大舍願

△及△△+舍願

△久大舍願

惠信師

(이상 제3단)

△夫乃末願

林許乃末願

惠明法師

△身(道/通)師

普△△△

(이상 제4단)

(向右側面)

歲(癸)△年五月十五

日爲諸△△敬造此右

諸(佛)

△△△△

大舍△及願

道道大舍

道作公願

上記한 癸酉銘全氏阿彌陀佛碑像 명문에 대한 해석은 다음과 같다. [8]

(正面)

…全氏△△ 述況右△ 二兮介 등이 마음을 모아 (나라를) 위해 阿彌陀佛像과 大(世)至像을 예를 갖추어 만들었다. … 化佛像 20구를 예를 갖추어 만들다. …

(向左側面)

△△癸酉年 4월 10일에 …때문에(造寺--사찰을 만들게 된 이유) 공경되이 발원하여 弥次乃 △止△乃末 牟氏毛△△等을 비롯한 五十人 智識이 함께 國王 大臣 및 七世父母 모든 중생을 위해 예를 갖추어 절을 짓고 이에 관계한 지식의 이름을 기록한다. 達率身次가 發願하고, (日/日/國)△(如)(徙/徒)가 發願하고, 眞武大舍, 木口目 大舍가 發願했다.

(後面)

与次乃末 三久知乃末 豆兎大舍가 發願하고, △△△△△, △△△△, △△大舍가 發願하고, 夫信大舍가 發願하고, (上)(次)(乃) △△△△ △△△△師 △大舍△小舍가 發願하고, △久大舍가 發願하고, △及△ △+舍가 發願하고, △久大舍가 發願하고, △及△△+舍가 發願하고, △久大舍가 發願하고, 惠信師, △夫乃末가 發願하고, 林許乃末이 發願하고, 惠明法師 △身(道/通)師 普△△△

(向右側面)

歲(癸)△年 五月十五에 (여러 불상)…을 위해 예를 갖추어 만들다. 이 오른쪽의 …△△△△大舍 △及

---

8 국립청주박물관,『불비상 염원을 새기다』2013, 98쪽 참조.

이 발원했고, 道道大舍 道作公이 발원했다.

위에 보이는 명문의 작성 시기는 '癸酉'라는 干支와 達率이라는 백제 관등이 신라 관등과 함께 등장하고 있다는 점에서 찾았다. 그 결과 백제가 멸망한 직후로 지목할 수 있어 [9] 673년설이 정설이 되었다. 그리고 위의 명문상 氏로 간주되는 경우는 全氏와 牟氏 그리고 眞武, 木口目을 지목할 수 있다. 이 가운데 '木口目'은 '夫信大舍' 등과 같이 단순 人名으로 보인다. 眞武의 경우도 그렇게 볼 여지가 없지 않다. 그렇지만 牟氏와 엮어서 생각할 부분이 남아 있다. 일단 氏가 분명한 全氏의 경우 史書에서는 확인되지 않는다.

지금까지 佛碑像을 통해 全氏와 牟氏 그리고 眞武와 木口目이라는 氏의 존재를 확인할 수 있었다. 이들의 존재와 관련한 거점으로서 세종시 남면에 소재한 나성리 도시 유적이 주목된다. 문제는 백제가 한성이 함락되어 웅진성으로 천도한 후 이곳을 고구려가 지배했을 가능성이다.[10] 이로 인해 나성리 지역의 백제 지배층들도 금강 이남의 웅진성으로 옮겨 왔다고 보여진다. 그렇지만 이후 무녕왕대에 '更爲强國'을 선언하기 이전에 백제가 이미 이곳을 회복하였음은 분명하다. 당초 세종시 일원에 기반을 가지고 있던 귀족들은 물론이고, 영토 회복에 따른 수복지 徙民으로 인해 이곳을 새로운 거점으로 삼는 귀족들도 나왔다고 본다. 이러한 여러 가지 가능성 속에서 佛碑像에 보이는 氏들과 세종시 일대에 대한 연결 가능성을 타진해 볼 수 있을 듯하다.

어쨌든 백제는 그간 云謂되었던 공주 수촌리 세력 뿐 아니라 세종시 나성리 세력의 지원과 협조로 웅진성 천도가 가능했다고 본다. 새로운 移住 세력은 4세기 말~5세기 초에 나성리의 토착 세력을 밀어내고 취락을 조성했다고 한다.[11] 369년 무렵 근초고왕대에 맹활약했던 木氏 세력이 금강 북쪽 對岸인 나성리에 새로운 기반을 구축했을 가능성이다. 그렇다면 나성리 일대가 木氏의 근거지였기에 이들 세력 반경 인근인 웅진성으로 천도를 추진한 게 아니었을까? 이 점을 생각하게 한다.

---

9   황수영,『한국의 불상』, 문예출판사, 1989, 197쪽. 268~269쪽.

10   이홍종·허의행,「漢城百濟期 據點都市의 構造와 機能--羅城里遺蹟을 중심으로」『百濟研究』60, 2014, 113쪽.

11   中央文化財研究院·韓國土地住宅公社,『燕岐 羅城里遺蹟』2015, 359쪽.

3. 백제의 姓氏

백제의 氏와 관련한 논의에 앞서 鄒牟가 부여에서 남하할 때 동행한 烏伊·摩離는 '온조'를 따라 남하한 烏干·馬黎와 동일인이라는 주장을[12] 검토해 본다. 이러한 주장은 이미 권오영이 제기한 바 있다.[13] 게다가 타당하지도 않은 주장이다. 가령 瑠璃王 33년에 "8월에 왕이 烏伊·摩離에게 命하여 군사 2만 명을 거느리고 서쪽으로 梁貊을 정벌하여 그 나라를 멸망시켰고, 진격하여 漢의 고구려현을 습격하였다"[14]고 했다. '온조' 남하 이후에도 烏伊·摩離가 고구려에 남아있었음을 알리고 있다. 따라서 烏伊·摩離와 烏干·馬黎는 별개의 인물로 밝혀졌다. 아울러 '온조' 세력과 추모 세력을 동일시했던 견해는 근거를 상실하였다.

그러면 이제는 지금까지 문헌과 금석문을 통해 확인된 백제의 氏를 살펴 본다. 이는 대략 다음과 같다.[15]

扶餘, 沙(沙毛·砂宅·沙宅·沙吒), 木劦(木刕·木羅), 國, 眞(眞牟·眞慕), 解, 苩, 燕, 昆解, 鬼室, 憶禮, 東城, 谷那, 四比, 答㶱, 汶休, 古爾, 黑齒, 姬, 段, 王, 馬, 吉, 丁, 賈, 高, 鄭, 趙, 古爾, 難, 禰

위의 氏들을 보면 익히 알려진 沙氏나 木氏 그리고 眞氏는 기실 王氏인 扶餘氏와 마찬가지로 複姓임을 알 수 있다. 다른 여타 氏들도 單姓으로 표기되었지만 실제는 複姓일 가능성이 높다. 漢族 사회에서는 司馬氏나 諸葛氏와 같은 複姓도 있지만 대개는 單姓이다. 반면 複姓의 절대 다수는 非漢族의 胡姓으로 알려져 있다.[16] 그렇다면 북방에서 출원한 백제의 複姓은 자연스러운 현상인 것이다. 다만 백제가 중국과의 외교 관계에서 국왕의 氏를 扶餘氏에서 餘氏로만 표기하였다. 일례로 "백제왕 餘毗가 다시 貢物을 바치므로 餘映의 爵號를 이어 받게 하였다"[17]라고 했다. 이 기사에 등장하는 餘毗는 비유왕이요, 餘

---

12 노중국, 『백제사회사상사』, 지식산업사, 2010, 108쪽.

13 권오영, 「백제의 성립과 발전」 『한국사 6』, 국사편찬위원회, 1995, 17쪽.

14 『三國史記』 권13, 유리왕 33년 조.

15 李弘稙, 「百濟人名考」 『한국고대사의 연구』, 신구문화사, 1971, 333~360쪽; 李道學, 「禰寔進墓誌銘'을 통해 본 百濟 禰氏 家門」 『전통문화논총』 5, 2007; 『백제 사비성시대 연구』, 일지사, 2010, 306쪽.

16 박한제, 『대당제국과 그 유산』, 세창출판사, 2015, 143~144쪽.

17 『宋書』 권97, 夷蠻傳 百濟國 條.

映은 전지왕인 것이다. 귀족들의 複姓 역시 單姓으로만 표기했다. 이는 중국 왕조를 의식한 제한적 漢化策의 산물로 여겨진다.

그러면 姓氏의 姓과 氏는 어떤 차이가 있는 것일까? 이와 관련해『通志』의 다음 기록이 도움을 준다.

三代 이전에는 姓氏는 나뉘어 2개였다. 남자는 氏를 칭하고, 婦人은 姓을 칭했다. 氏로써 貴賤을 분별하였는데, 貴한 者에게는 氏가 있지만 賤한 者에게는 이름은 있어도 氏는 없다. …姓으로써 혼인을 분별한 까닭에 同姓 異姓 庶姓의 구별이 있었다. 氏가 동일하고 姓이 동일하지 않은 者는 혼인이 가능하였다. 姓이 동일하고 氏가 동일하지 않은 者는 혼인할 수가 없었다. 三代 이후에는 姓氏가 합해져서 하나가 되었지만 모두 혼인에서 분별하거나 地望으로써 貴賤을 밝히게 하였다.[18]

위의 기록에 대한 부연 설명이 필요할 것 같다. 원래 姓이라 함은 모계제 사회의 흔적으로 '어머니의 출신지'를 가리키는 말이었다. 반면 氏는 '출생한 뒤에 아버지와 함께 살던 곳'을 가리키는 말이었다. 黃帝의 경우 姓은 姬이고, 氏는 軒轅이었다.[19] 그리고 중국의 경우 元이 그 국호를『周易』에서부터 文義로서 借用하기 전까지는 중국 왕조의 국호는 창업자나 그 조상의 封地의 이름에서 취하는 것이 원칙이었다.[20] 고대 일본에서도 출신지 개념으로 사용하는 경우가 많았다. 가령 蘇我氏의 기원이 著例가 될 것이다. 다음은 蘇我氏의 계보가 된다.

蘇我石川宿彌→滿智→韓子→高麗→稻目→馬子→蝦夷→入鹿

위의 계보에 보이는 滿智는 蘇我氏의 계보 전승에 있어서 최초의 실재적 인물로 간주되고 있다. 이 滿智가 곧 475년 한성 함락시 문무왕을 보필했던 木劦滿致 바로 그 사람이 아닐까? 백제인 木劦滿致는 중앙권력 쟁탈전에 패배하여 476년경이나 그 이후 얼마 안되어 倭로 건너 온 것으로 추정된다. 이 때 木劦滿致와 그 일족은 大和의 소가[曾我] 땅에

---

18 『通志』氏族略第1, 氏族序.
19 박한제,『대당제국과 그 유산』, 세창출판사, 2015, 143쪽.
20 박한제,『대당제국과 그 유산』, 세창출판사, 2015, 22쪽.

정착하여 소가라는 지역 이름을 따서 蘇我氏를 칭하게 되었다고 한다. 蘇我入鹿은 蘇我安作이라고도 불리었다. 그를 林大郎安作이라고도 하였다. 그 林氏를 『신찬성씨록』攝津國諸蕃 條에서 "백제국인 木貴의 후손이다"고 했다. 5세기 말에 大和 朝廷에 영입된 木刕滿致 일족이 생업의 땅으로 정착한 곳이 大和의 曾我 땅이었다. 지금의 橿原市 今井町에서 曾我川 중류 유역에 걸치는 지역이다.[21]

그러면 우리나라에서는 어떠한 기준에서 氏가 연유한 것일까? 이에 대한 가장 분명한 기록은 백제 왕실의 씨인 扶餘氏의 내력에 대한 다음과 같은 기록이다. 즉 "그 世系는 고구려와 더불어 함께 부여에서 나온 까닭에 부여로 氏를 삼았다"[22]고 하였다. 백제 왕실의 출원지가 부여였기에 氏의 기원이 되었다는 것이다. 일종의 본관 개념으로 氏가 사용되었음을 알 수 있다. 이러한 氏의 기원설을 백제의 다른 씨의 기원에도 동일하게 적용하기는 어려울 것이다. 그러나 왕실 부여씨의 기원설은 다른 氏의 경우도 이와 비슷한 사례가 적지 않았음을 시사해준다. 鬼室氏(鬼室福信·鬼室集斯·鬼室集信)의 경우 『신찬성씨록』에 "鬼神의 感化로 말미암았다는 뜻으로 氏를 鬼室로 일컫게 命했다"[23]라고 하였다. 이같은 鬼室氏의 기원설이 적혀 있다. 왕실의 부여씨가 국호나 지명에서 유래했다는 설과는 다른 소전인 것이다. 그렇지만 鬼室氏의 경우 백제 말기에 分枝 등의 연유로 인해 등장하고 있을 뿐이다. 따라서 씨족의 기원과 관련한 소전은 아닌 만큼 논의의 대상에서 조금 빗겨나 있다. 이와 관련해 중국에서 기원한 姬·段·王·馬·吉·丁·賈·高·鄭·趙氏를 제외한 여타 씨의 기원을 타진해 보자. 우선 達率 谷那晋首(閑兵法)[24]의 이름에 보이는 谷那氏의 경우는 관련된 지명이 다음에 보인다.

   * 七枝刀 1口와 七子鏡 1面 및 각종의 重寶를 바쳤다. 이어 말하기를 "臣의 나라 서쪽에 江水가 있는데, 근원은 谷那鐵山에서 나오고 있습니다. 그 먼 곳은 7일을 가도 이르지 못합니다. 마땅히 이 물을 마시면 곧 이 山鐵을 채취할 수 있으므로 길이 聖朝에 바치겠습니다"라고 말하였다.[25]

---

21   門脇禎二, 『新版 飛鳥—その古代史と風土』, 日本放送出版協會, 1977, 46~50쪽.
22   『三國史記』 권23, 시조왕 즉위년 조.
23   『新撰姓氏錄』 右京諸蕃(下) 百濟公.
24   『日本書紀』 권27, 天智 10년 是月 條.
25   『日本書紀』 권9, 神功 52년 조. "則獻七枝刀一口·七子鏡一面 及種種重寶 仍啓日 臣國以西有水 源出自谷那鐵山 其邈七日行之不及 當飲是水 便取是山鐵 以永奉聖朝"

* 우리의 枕彌多禮 및 峴南·支侵·谷那·東韓之地를 빼앗았으므로…[26]

위의 기사를 놓고 볼 때 谷那氏의 谷那는 지명임이 분명하다. 이러한 사례는 다음에 보듯이 黑齒氏의 경우도 동일하게 나타난다.

> 그 祖先은 扶餘氏에서 나와 黑齒에 封해졌으므로 子孫이 인하여 氏를 삼았다(「흑치상지묘지명」).[27]

東城氏의 경우는 "東·西 兩城에 왕이 거처했다"[28]는 기사에 보이는 王城으로서의 東城인지 여부는 알 수 없다. 다만 東城이 지명인 것은 분명하다고 본다. 沙氏의 경우는 그에 대한 표기가 沙乇·砂宅·沙宅·沙吒 등으로 나타나고 있다. 이 중 沙吒는 唐으로 歸化한 인물들에 대한 표기로서 등장한다. 그러나 이는 唐人들의 자의적인 표기이므로 논의 대상이 되지 않는다. 그 나머지 沙乇·砂宅·沙宅氏의 경우는 동일한 가문을 가리킨다고 보여진다. 다만 사탁씨 왕후의 득세로 인해 기존의 '乇'字 표기 위에 'ㅗ'를 올려 위세를 과시했던 것 같다.[29] 그러한 사탁씨의 경우 지명에서 유래했을 가능성이 제기된다. 이와 관련해 沙氏는 『일본서기』에 보이는 沙喙(제명 6년 10월 조)이라는 지명과 관련 짓기도 했다. 즉 "백제의 都城을 말하는 것 같기도 한데"[30]라고 하였다. 또는 이를 "백제 동방의 땅"[31]이라고 했다.

木氏의 경우 "나라 안에 大姓 8族으로 沙氏·燕氏·刕氏·解氏·眞氏·國氏·木氏·苩氏[32]가 있다"고 하여 보인다. 문제는 木氏와 刕氏의 관계이다. 여기서 분명히 '大姓 8族'이라고 하였다. 그러므로 8族의 하나로서 '刕氏'의 존재는 확인된다. 그렇지만 문헌이나 금석문에서 刕氏의 존재는 단 1건도 확인된 바 없다. 이와 관련해 다음과 같은 견해를 일

---

26 『日本書紀』권10, 應神 8년 조.
27 李道學, 「百濟 黑齒常之 墓誌銘의 檢討」 『鄕土文化』 6, 1991 ; 『백제 사비성시대연구』, 일지사, 2010, 271쪽.
28 『舊唐書』권199, 東夷傳 百濟 條.
29 李道學, 「彌勒寺址 西塔 '舍利奉安記'의 分析」 『白山學報』 83, 2009 ; 『백제 사비성시대 연구』, 일지사, 2010, 136쪽.
30 李弘稙, 「百濟人名考」 『한국고대사의 연구』, 신구문화사, 1971, 339쪽.
31 坂本太郞·小島憲之 外, 『日本書紀(下)』, 岩波書店, 1980, 347쪽.
32 『北史』권94, 백제전. 여기서는 苗氏로 적혀 있지만, 『隋書』와 『通典』에는 苩氏로 적혀 있다. 특히 『通典』에는 '苩(音白)'으로 적혀 있을 뿐 아니라 『삼국사기』에도 苩加와 苩奇가 보인다. 따라서 '苩'이 옳다고 하겠다.

단 주목해 본다.

木劦氏는 중국식으로 修하여 木氏 또는 劦氏로 쓴 적이 있는 것 같다. 木氏劦氏는 別姓이 아니다. 應神紀에 木滿致가 있는데 木羅斤資의 子라고 한다. 이것은 蓋鹵王紀의 木劦滿智와 같다. 姓氏錄에 木貴公이 있으며 木吉志가 있다. 역시 木劦을 修한 것이 아닐까. 木氏와 劦氏가 있어서 여기서 木劦이라는 氏가 생긴 것은 아니고 木劦을 修하여 木氏라고도 하고 劦氏라고도 하였을 것이다.[33]

그러면 劦氏와 『일본서기』에 등장하는 木羅斤資 등 '木羅氏'와의 관계이다. 木氏와 劦氏를 합쳐서 木劦로 연칭한다면 '목리'라는 音은 木羅와 닮았다. 실제 『靑莊館全書』에 따르면 '려'로 읽고 있다.[34] 그러면 목려씨인 것이다. 이렇게 본다면 당초 木劦氏였었다. 그러다가 아화시켜 木羅로 일컬어졌다. 그 후 分枝되어 본래의 氏名인 木劦氏가 木氏와 劦氏로 나누어졌을 가능성이다.[35] 비근한 예로 諸葛亮으로 대표되는 諸葛氏의 경우 諸氏와 葛氏로 分枝되었다. 이러한 맥락에서 볼 때 주목되는 氏가 眞牟氏인 것이다. 眞牟氏의 경우도 眞氏와 牟氏로 分枝되었을 수 있기 때문이다. 실제 공교롭게도 명문에 보면 眞武와 牟氏가 함께 등장하고 있다. 癸酉銘三尊千佛碑像에도 '牟氏大舍'라고 하여 牟氏가 보인다.

木氏가 木劦에서 木羅로 일컫다가 木氏와 劦氏로 分枝되었다고 하자. 그렇다면 眞牟氏도 眞慕氏로 아화되었다가 본래의 氏名에 따라 眞氏와 牟氏로 分枝되었을 가능성이다. 이러한 맥락에서 본다면 명문에 등장하는 '眞武大舍'의 '眞'은 氏가 되는 것이다. 또 그렇다면 眞武는 백제계 인물인 것이다.

眞氏는 백제가 한성에 도읍하던 시기에 "9월에 북부 사람 眞果에게 명하여 군사 1천 명을 거느리고 말갈의 석문성을 습격하여 빼앗았다"[36]라고 하였듯이 北部에 속하였다. 그러한 眞氏가 연기 지역과 관련을 맺게 된 것은 한성 함락과 웅진성 천도에 기인한 것으로 보인다. 백제가 웅진성에 천도하여 세력을 재편할 때 眞氏 세력은 웅진성의 북쪽인

33 今西龍, 『百濟史硏究』, 近澤書店, 1934, 296쪽.

34 『靑莊館全書』 권57, 夾葉記 4, 羅句濟麗奇姓.

35 노중국은 '목협'으로 읽고 있다(노중국, 『백제사회사상사』, 지식산업사, 2010, 152쪽). 그러나 木劦는 당초 誤字에 불과했으므로 노중국이 이해를 잘못했음을 뜻한다.

36 『三國史記』 권23, 초고왕 49년 조.

연기 지역에 거주하였을 가능성이다. 물론 眞氏 가운데 중앙의 관직을 맡은 이들은 웅진성에 거주하였을 것임은 두 말할 나위 없다. 문제는 牟氏이다. 牟氏와 관련해 다음의 기사를 주목해 본다.

慶이 죽고 그의 아들 牟都가 왕위에 올랐다. 都가 죽고 그의 아들 牟大가 왕위에 올랐다. 齊 永明 연간에 大에게 都督百濟諸軍事 鎭東大將軍 百濟王이라는 벼슬을 제수하였다.[37]

주지하듯이 위의 기사에 보이는 牟都는 문주왕이고, 牟大는 동성왕을 가리킨다. 여기서 '牟'를 氏로 인식했을 가능성이다. 물론 이는 단순한 백제 王名일 수도 있겠다. 그렇지만 명문에 牟氏가 등장하므로 연관 지어 생각해 볼 수도 있을 것 같다. 그러나 이러할 가능성 보다는 眞牟氏의 경우에서처럼 眞慕氏로 아화되었다가 본래의 氏名에 따라 眞氏와 牟氏로 分枝된 것 같다.

한편 階伯을 姓으로 지목하는 견해가 있다.[38] 이는 『大東地志』에서 "階伯[名升 百濟同姓 官達率 義慈王二十年戰亡]"[39]라는 기록에 근거하였다. 계백에 대한 割註에서 이름을 升이라고 했다. 그러므로 계백은 姓이라는 것이다. 계백이라는 姓은 '百濟同姓'이라고 하였다. 이는 백제 王姓인 扶餘氏와 동일하다는 뜻으로 해석했다. 그런 다음 부여씨에서 계백씨로 分枝되었다는 것이다. 그런데 『大東地志』의 구절을 가만히 음미해 보자. [ ]의 할주는 계백에 대한 부연 설명인 것이다. 여기서 階伯을 姓이라고 할 때 다음과 같은 의문이 제기된다. 우선 『삼국사기』 열전을 놓고 볼 때 이름 없이 姓만 달랑 표기한 사례는 그 어디에도 없다는 것이다. 오히려 이름만 표기할 뿐 姓에 대한 표기가 없는 경우가 대부분이었다. 가령 溫達과 驟徒를 비롯하여 官昌 등등 헤아릴 수도 없다. 그럼에도 姓만으로 열전의 인물을 표기한 사례는 그 어디에도 없지 않은가?

만약 階伯이 姓이었다면 관련 할주는 '[百濟同姓 名升]'로 倒置되어야만 한다. 이러한 맥락에서 볼 때 '名升'은 계백을 설명하면서 '一名升'의 '一' 字가 누락된 것으로 보인다. 계백을 일명 升으로도 일컬었다는 게 된다. 실제 階가 '섬돌'이라는 뜻과 함께 '오르다'라

37 『南史』 권79, 東夷傳 百濟 條.
38 노중국, 『백제사회사상사』, 지식산업사, 2010, 195~197쪽.
39 『大東地志』 권5, 扶餘, 祠院, 義烈祠 條.

는 뜻이 있다. 따라서 '升'은 혹시 그와 연관 있는지 모르겠다. 그리고 '百濟同姓'은 계백의 姓이 왕실과 동일한 부여씨임을 가리킨다. 따라서 階伯이 姓이라는 주장은 타당성 없는 것으로 밝혀졌다.[40]

이와 더불어 '名升' 자체에 대한 의미를 탐색해 보기로 한다. 우선 다음에서 인용한 「司饔院奉事贈吏曹判書李公碑銘」을 보자.[41]

선비들의 의논 널리 미치어갔네 / 士論攸曁

조정 관원 명부 속에 이름 올려져 / 名升于朝

녹봉 받아 어머니를 봉양하였네 / 祿養及親

---

40 階伯을 姓으로 지목하는 견해는 수용이 어렵다. 왜냐하면 『大東地志』의 階伯 割註에서 姓으로 간주할 수 있는 구절은 없기 때문이다. 『大東地志』에서 확인되는 姓 표기는 모두 이름 앞에 놓여있다. 『大東地志』 권 30, 方輿總志 3, 백제 조에서 온조왕을 "始祖王[姓高氏 名溫祚]"라고 하였다. '百濟同姓'이 계백을 姓으로 나타내는 의미였다고 하자. 그렇다면 이는 다른 예와 마찬가지로 이름 앞에 놓여있어야 마땅하다. 또한 『大東地志』에서는 백제 시조 왕의 姓을 高氏로 표기하였다. 그런데 노중국의 주장처럼 '百濟同姓'을 백제 왕의 성과 동일하다는 뜻으로 해석해 보자. 그렇게 되면 '백제 왕성인 부여씨와 동일하다는 뜻이 아니다. '백제 왕성인 高氏와 동일하다'고 해석해야 한다. 왜냐하면 계백의 "名升 百濟同姓"은 『大東地志』의 범위에서 그 의미를 해석해야 하기 때문이다.

'百濟同姓'은 '계백의 姓이 백제 왕의 姓과 같다'로 해석될 수는 있다. '新羅同姓'이라는 구절은 조선시대 金氏 姓 인물에게 사용되고 있기 때문이다. 따라서 이와 동일한 형태의 문구임을 알 수 있다. 결국 계백의 이름이 升이라면 『大東地志』에서 의미하는 계백의 본명은 '高升'이었던 것이다. 또한 계백의 이름이라는 升은 階와 동일하게 '오르다'는 뜻이 내포되어 있다. 『삼국사기』에서는 계백의 이름 표기를 本紀에서는 '堦伯', 列傳에서는 '階伯'으로 하였다. 그리고 『삼국유사』에서는 '偕伯'으로 표기되고 있어 板本이나 서적마다 차이가 있었던 것으로 보인다. 이러한 표기의 차이는 '階'를 訓借한데서 비롯된 것으로 김정호가 이해한 것으로 여겨진다. 따라서 계백의 '階' 字에서 오는 표기 차이가 訓임을 가리키기 위해 '升'으로 이름을 표기한 것으로 간주된다. 더불어 이름 뒤에 붙은 '伯' 字는 김정호가 封爵으로 이해한 것으로 보인다.

이러한 이해 때문에 계백을 백제 왕족으로 간주하여 '백제 왕의 姓과 같다'고 본 것 같다. 이를 입증할 수 있는 것은 『大東地志』에서 온조왕의 표기이다. 『大東地志』에서는 백제의 첫 왕을 '始祖王'으로 표기하였다. 그리고 그 割註에 '姓高氏 名溫祚'를 기재했다. 금관가야의 수로왕은 그대로 '始祖首露王'이라고 적어 그 이름을 별도로 표기하지 않았다. 이를 본다면, 『大東地志』에서는 일반적으로 사용되는 명칭을 자의로 이해하거나 변경하고 있는 것이다. 이러한 자의적인 해석으로 인해 『大東地志』에서는 '계백'을 封爵이 부여된 이름으로 파악했던 것 같다.

41 『淸陰集』 권26, 碑銘.

이는 다음의 사례에서도 확인된다.[42]

선비들은 모두 經學에 통달하고 옛것을 배워 / 士皆通經學古

조정에 이름을 올렸다 / 名升于朝

위의 인용들을 보면 '名升'은 '이름을 올렸다'는 뜻이다. 부여군 義烈祠에도 '名升'이라고 적혀 있다. 이 경우는 처소격 대상으로 祠廟를 상정해 보는 게 가능하다. 계백 위패는 논산 충곡서원에도 모셔져 있기 때문이다. 그렇다면 이 경우는 '名升'이 祠廟에 이름 즉 위패가 올라갔음을 뜻한다고 볼 수 있다. 朝廷이든 祠廟든 이름이 올라간 경우에 '名升'으로 기재한 것 같다. 따라서 朝鮮 末期에 출간된 『大東地志』에 적힌 '名升'은 계백의 이름이 숙종대에 세워진 忠谷書院과 같은 祠廟에 오른 사실을 特記한 것일 수 있다. 구체적으로 말한다면 계백의 위패가 부여에 소재한 義烈祠에 오른 사실을 가리킨다고 하겠다.

그러면 이제는 '百濟同姓'과 같은 용례를 찾아 보기로 한다. 이와 관련해 다음의 '周同姓' 구절을 인용해 보았다.

  * 召康公[(이름은) 奭이며 周同姓이다. 九世까지의 기록이 없다](召康公[奭 周同姓 九世無可紀)[43]

  * 召公 奭은 周同姓과 같은데, 성은 姬氏이다(公奭與周同姓 姓姬氏)[44]

위의 인용 사례에서 보듯이 '百濟同姓'은 扶餘氏 그 자체를 의미한다. 그렇다면 '階伯 [名升 百濟同姓…]'라는 구절은 '階伯은 百濟同姓에 이름을 올렸다'는 뜻이 될 수 있다. 즉 계백은 扶餘氏에 이름을 올릴 수 있었다는 것이다. 이 경우는 賜姓도 고려해 볼 수 있다. 어쨌든 그 이름은 扶餘階伯인 것이다. 따라서 『大東地志』의 기록을 誤讀하여 '階伯升'으로 해석한 견해는 설득력을 잃었다.

---

42 『雲養集』권10, 梁山郡慕聖修契, 序.

43 『靑莊館全書』권25, 紀年兒覽補編.

44 『史記』권34, 燕召公世家.

4. 全氏의 起源 探索

문헌과 금석문에서도 확인되지 않은 全氏의 기원은 알 수 없다. 다만 앞서 살폈듯이 氏가 族源의 發祥地 내지는 起源地와 관련 있다고 한다면 지명에서 찾아 보아야 할 것 같다. 『신증동국여지승람』의 燕岐縣 條와 全義縣 條에 각각 따르면 다음과 같은 기사가 있다.

【성씨】본현 全·耿·萇·河·魏가 있으며, 金·康 모두 續姓이다. 王 開京(연기현).

【성씨】본현 李·兪·河·全(전의현)

위에서 보듯이 全氏가 등장하고 있다. 조선 전기의 연기 지역에서 명문에 보이는 全氏의 존재가 확인된 것이다. 그러면 全氏와 관련한 지명은 언제 등장한 것일까? 이와 관련해 "燕岐·全義를 병합하여 全岐로 하고"[45]라는 기록이 상기된다. 그리고 全義라는 지명은 고려 때 생겨났다고 한다. 이러한 기록만 놓고 본다면 全氏와 관련한 지명은 고려 이전으로 소급되기 어려운 것처럼 비친다. 그러나 지리지에 적혀 있는 지명은 단 하나의 縣級 행정지명에 불과하다는 한계가 있다. 그렇기 때문에 현지에서의 全氏 관련 지명의 소재 여부는 알 수 없다. 이 점 유념해야할 듯 싶다. 현재도 全義 뿐 아니라 全東이라는 지명도 함께 남아 있다. 게다가 全氏 자체가 살았던 곳이다. 가령 『신증동국여지승람』에서 燕岐 縣의 성씨로 全氏가 보인다. 『세종실록』 지리지 연기현 조에도 土姓으로 全氏가 등장한다. 이러한 점에 비추어 볼 때 全氏는 연기 지역의 土豪였을 가능성을 제기해 준다.[46] 『고려사』에 보이는 全氏 일람을 통해서도 확인된다.[47] 연기 지역에 기반을 둔 전씨는 백제 중앙으로 진입하여 귀족이 되었을 수 있다.

癸酉銘全氏阿彌陀佛碑像 명문에서 신라 관등이 확인된 인물은 다음과 같다.

---

45 『太宗實錄』태종 14년 8월 21일 조.

46 黃壽永,「忠南 燕岐 石像調査--百濟遺民에 의한 石像」『藝術院論文集』3, 1964 ;『黃壽永全集 1』, 혜안, 1998, 103쪽.

47 이미 추려 놓은 정선 全氏 관련 자료에 따라서 확인된다.
    cafe.daum.net/alljeonc/J2ns/169 전씨(全氏) 광장

弥△次乃△/ 止△乃末/ 眞武大舍/ 木口目 大舍/ 与次乃末/ 三久知乃末/ 豆兎大舍/ △△大舍/ 夫信大舍/ (上)(次)(乃)△/ △大舍△小舍/ △久大舍/ △及△△+舍/ △久大舍/ △夫乃末/ 林許乃末/ △△大舍/ 道道大舍

위의 인물은 모두 18명이다. 이들의 신라 관등은 乃末(11位)・大舍(12位)・小舍(13位)에 국한된다. 이와 관련해 다음의 기사를 주목해야 한다.

문무왕 13년(673)에 백제에서 온 사람에게 내외 관직을 주었는데 그 位次는 본국에 있을 때의 벼슬에 견주었다. 京位 大奈麻(신라 17관등 중 제10위)는 본래 達率(백제 16관등 중 제2위), 奈麻(신라 17관등 중 제11위)는 본래 恩率(백제 16관등 중 제3위), 大舍(신라 17관등 중 제12위)는 본래 德率(백제 16관등 중 제4위)이다.…[48]

癸酉銘全氏阿彌陀佛碑像 명문을 통해 보면 최소한 6인 이상의 '乃末' 관등을 지닌 인물들을 백제 출신으로 지목해 보자. 그렇다면 이들은 제3 관등인 은솔 출신이었음을 알려준다. 더욱이 達率 身次의 존재를 놓고 볼 때 연기 지역에 백제 귀족들의 밀집도가 높다는 인상을 받게 된다. 達率 身次의 경우는 신라 관등을 지니지 않았다. 그렇지만 그는 비상에 등장하는 인물 가운데 가장 官等이 높다. 게다가 그는 여전히 백제 관등을 지니고 있었다. 그 이유로서는 백제 관등보다 낮게 대우받는 신라 관등을 거부한 행위일 수 있다. 백제에서는 2위였던 달솔이 신라에서 10위 대나마를 받게 되었기 때문이다. 그러나 이들 향도 집단은 身次만 제외하고는 신라의 京位를 받았다. 때문에 이들이 신라에 협조적인 입장이었음은 분명하다. 이러한 맥락에서 볼 때 身次 역시 신라의 京位를 받았던 것 같다. 그만 신라 관위를 받지 않았다고 볼 이유가 없기 때문이다. 그럼에도 身次가 군이 백제 관등 達率을 내세운 것은 자부심의 산물로 보인다. 그는 과거 백제의 第2 官等을 내세움으로써 백제 故地였던 연기 지역에서 대표권을 나타내려는 의도로 생각된다.[49] 達率 身次는 碑像 冒頭에 적힌 全氏와 더불어 연기 지역 사회의 중심적인 위치에 있었던

---

48   『三國史記』권40, 雜志 外官.
49   이에 대한 논의는 강진원, 「癸酉銘 阿彌陀三尊四面石像 銘文 검토」『목간과 문자』12, 2014, 229쪽을 참조하기 바란다.

게 분명하다. 어쨌든 癸酉銘全氏阿彌陀佛碑像이 조성되는 673년은 "처음에 태종왕이 백제를 멸하고 戍兵을 없앴으나 이때에 다시 두게 되었다"[50]라고 한 그 시점인 것이다. 그간 百濟故地에 설치되었던 웅진도독부를 그 前年인 672년에 퇴출하고 신라가 백제 영역을 직접 지배하는 상황이었다.[51] 癸酉銘全氏阿彌陀佛碑像은 이때 백제 유민들에 대한 포섭책의 일환인 동시에 신라에 대한 충성을 유도하기 위한 차원에서 비롯된 佛事의 산물이라고 하겠다. 신라는 자국에 귀의한 백제 지배층들에게 京位를 주어 대우한 것이다.

이와 관련해 다음과 같은 조치원 서광암의 癸酉銘三尊千佛碑像 명문을 주목해 본다.[52]

(우측)

徒(釋)(迦)及諸佛菩薩像造

石記△△是者爲國王大

臣及七世父母法界衆生故敬

(좌측)

造之 香徒名彌次乃(眞)

牟氏大舍 上生大舍 △仁次大舍△

宣大舍贊不小舍 大使△+舍△△

△小舍 △狗(等) 二百五十△

위의 명문에 보면 '香徒名彌次乃'라는 구절이 눈에 띈다. 彌次乃라는 이름을 지닌 香徒의 존재가 확인된 것이다. 彌次乃가 지명임은 명확하다. 이러한 지명은 경기도 안성시 양성면에 소재한 천주교 聖地 '미리내'와 유사한 것이다. 어쨌든 지명을 冠稱한 彌次乃 香徒는 지역 공동체적인 성격의 향도로 보인다.

향도는 불교신앙 활동이 주축을 이루었다. 김유신의 龍華香徒, 그리고 異次頓 무덤의

---

50 『三國史記』권27, 문무왕 13년 조.

51 이에 대해서는 李道學,「熊津都督府의 支配組織과 對日本政策」『白山學報』34, 1987 ;『백제 사비성시대 연구』, 일지사, 2010, 381~418쪽 참조 바란다. 웅진도독부가 한반도에서 퇴출된 시점은 671년이 아니라 672년으로 究明하였다.

52 국립청주박물관,『불비상 염원을 새기다』2013, 27쪽.

禮佛香徒와 萬佛香徒를 제외하고는 모두 불상·鐘·석탑·사찰 등의 조성이나 法會·布施·埋香 등 대규모 노동력과 경제력 제공을 위한 것들이었다. 그리고 향도는 대부분 승려와 일반신도들로서 조직되었고, 규모는 20여~3천여 명에 이르기까지 했다.[53] 실제 위의 명문에 따르면 "(釋)(迦)及諸佛菩薩像造石記"라고 하였다. 즉 釋迦 및 諸佛 菩薩像을 만든 것을 돌에다 기록했다는 것이다. 그리고 造像 목적은 "國王 大臣 및 七世父母 法界衆生을 위하여"라고 했다.

그러면 彌次乃 香徒는 언제 결성된 것인가? 백제가 신라에 통합되기 이전에 존속했으리라는 견해가 있다. 그러나 본 명문은 웅진도독부 축출 직후인 673년에 작성된 것이다. 또 이때 불상이 조성되었다. 백제고지에서 백제 그림자가 완전히 걷힌 시점이라는 것이다. 게다가 불상의 조상자 역시 大舍라는 신라 官位를 지녔다. 이러한 상황에서 조성된 불상의 조상 목적에 등장하는 '國王 大臣'은 비록 의례적인 문투라고 하자. 그렇더라도 신라왕과 그 신하를 가리킴은 분명하다.

이 같은 배경과 더불어 신라의 백제 유민에 대한 적극적인 회유와 포섭 차원을 고려해 보아야 한다. 가령 白城郡 蛇山(稷山) 출신인 素那의 경우 그 妻는 '加林郡 良家 女子'였다.[54] 여기서 가림군은 충청남도 부여군 임천면 지역을 가리킨다. 신라인 소나가 백제 출신 良家의 여자를 妻로 맞게 된 시점은 백제 멸망 이후, 그것도 웅진도독부가 퇴출된 672년 이후라고 보아야 맞을 것 같다. 그렇다면 신라가 웅진도독부 축출 이후 백제 지배층들을 회유하고 포섭하기 위한 전략으로써 혼인 시책까지 단행했음을 알 수 있다. 이와 더불어 불비상에 등장하는 眞氏의 경우 백제 멸망 후 이곳으로 옮겨 왔다는 추측도 제기되었다.

이러한 시대적 맥락에서 본다면 彌次乃는 의미 깊은 지역이었던 것 같다. 그랬기에 彌次乃 香徒는 신라의 지원을 업고 결성되어 造像과 造寺를 통해 백제 유민에 대한 민심을 按撫하는 역할을 했던 것으로 추정된다. 이는 戰亂으로 황폐해진 백제 故土와 민심을 수습하기 위한 목적이었다. 그랬기에 魂靈들을 위한 追福 목적의 사찰과 불상을 조성하게 한 것으로 보인다. 실제 이들이 造像한 아미타불은 아미타신앙에 근거하였다. 아미타신

53　채웅석, 「고려시대 향도의 사회적 성격과 변화」 『國史館論叢』 2, 1989, 88쪽.

54　『三國史記』 권47, 素那傳.

앙은 현세를 떠나 내세의 이상 세계를 구현하는 데 목적을 두었다고 한다.[55] 이는 앞에서 제기한 불비상 조성 배경이나 동기와 어긋나지 않는다.

5. 맺음말

癸酉銘全氏阿彌陀佛碑像이 발견된 세종시 연기 지역은 삼국시대 말기에 백제 영역이었다. 그리고 불비상에 보이는 명문을 분석해 본 결과 대다수가 신라 관등을 지니고 있었다. 그럼에도 백제의 達率 관등 명이 보였다. 게다가 이 가운데 眞氏 내지는 이와 관련된 牟氏는 백제 유력 귀족의 氏였다. 이러한 점에 비추어 볼 때 명문의 序頭에 등장하는 全氏도 백제 귀족으로 추정할 수 있었다. 신라나 고구려에서 全氏가 존재하지 않았던 점에서도 그렇게 볼 수 있다.

그러면 지금까지 명문에서 확인된 이들 귀족들의 근거지는 어디였을까? 眞氏나 牟氏의 경우는 한성기 백제의 북부에 속하였다. 웅진성 천도 이후에 이들의 근거지는 정확히 살피기 어렵다. 全氏의 경우는 氏의 기원과 관련한 근거지로서 佛碑像이 남겨진 全義 지역을 고려해 볼만하다. 왜냐하면 氏는 종족의 발상지에서 유래한 경우가 많기 때문이다. 백제 왕실이 부여에서 출원했기에 부여씨라고 칭한 게 대표적인 사례가 된다. 문제는 全義라는 행정지명이 고려 이전으로 소급되기는 어렵다는 것이다. 그러나 이는 어디까지나 郡縣 단위의 행정지명에만 국한될 뿐이다. 氏의 기원과 관련해 逆으로 생각한다면 오히려 全義라는 지명의 단초는 백제 때부터 존재했을 가능성이다. 그랬기에 지명에서 全氏가 기원했다는 역발상도 제기될 수 있다고 본다.

삼국 중 가장 많은 氏가 확인된 백제의 사례를 놓고 볼 때 全氏 역시 백제 귀족의 일원으로 단정된다. 더구나 불비상이 발견된 지역의 全義라는 지명과 全氏와의 연관성을 생각하게 한다. 바로 이곳으로 신라는 백제 유민 가운데 지배층들을 사민시켜 唐과의 대결 구도 속으로 밀어붙인 듯한 인상을 심어준다. 특히 불비상의 조성 연대인 673년에서 불과 1년 전에 신라는 백제고지에 설치된 唐의 괴뢰정권인 웅진도독부를 축출하였다. 신라가 백제고지를 접수하게 된 상황에서 백제 유민들을 적극적으로 포섭할 필요가 있었

---

55   강진원, 「癸酉銘 阿彌陀三尊四面石像 銘文 검토」『목간과 문자』12, 2014, 232쪽.

다. 그 산물이 과거 백제 관등을 지녔던 백제 유민들에게도 신라 京位를 부여한 것이다. 그럼으로써 이들의 力量을 唐軍 축출로 집결시키려고 하였다.

사실 고구려 멸망 직후 그 유민들은 신라를 도와 唐에 대적한 바 있었다. 반면 백제고지에는 663년 9월의 백강 패전 이후 웅진도독부가 설치되었다. 그러한 웅진도독부가 신라에 의해 축출되었다. 이와 동시에 신라는 즉각 백제 유민들을 포용하여 676년까지 이어진 對唐 전쟁에 동참시키고자 한 것이다. 그랬기에 백제와 고구려 멸망 이후 그 유민들은 신라와 힘을 합쳐 당군을 축출할 수 있었다. 결국 신라에 의한 통일국가의 완성은 이러한 점에서 의미를 찾아 볼 수 있다. 癸酉銘全氏阿彌陀佛碑像의 명문은 이러한 정보를 전해주었다고 판단되어진다. 이와 관련해 673년에 조성된 계유명천불삼존비상에 보이는 彌次乃 香徒는 신라의 지원을 업고 결성되어 造像과 造寺를 통해 민심을 按撫하는 역할을 했던 것으로 추정된다. 戰亂으로 황폐해진 백제 故土와 민심을 수습하기 위한 목적이었다. 그랬기에 戰亂의 산물인 魂靈들을 위한 追福 목적의 사찰과 불상을 조성하게 한 것으로 보인다. 이는 불비상이 지닌 아미타신앙의 목적과도 부합한다.

「세종시 일원의 백제 가문--全氏와 牟氏를 중심으로」, 고려대학교 세종캠퍼스, 2015. 11. 3;
「世宗市 일원 佛碑像의 造像 목적과 百濟 姓氏」『한국학연구』56, 고려대학교 한국학연구소, 2016.

중앙과 지방 그리고 변경

百濟 官制 運營의 實際
-旣存 資料와의 差異를 中心으로-

1. 머리말

백제의 官制 運營에 대해서는 지금까지 많은 논의가 있어 왔다. 그럼에도 이에 대한 분명한 성과를 도출하기는 어려웠다. 다만 官制와 연계된 신분제와 관련해 「흑치상지묘지명」을 통해 백제에서도 신라의 골품제처럼 관등 상한의 신분적 경계선이 포착되었다.[1] 게다가 근자에 백제 당시의 기억이 담긴 「陳法子墓誌銘」을 통해 백제 관제 운영을 보다 분명하게 그려 보는 게 가능해졌다. 이와 관련해 陳法子 4대에 걸친 관직과 관등을 소개하면 다음과 같다.[2]

표 1 | 陳法子 4대에 걸친 관직과 관등

(진법자와의) 관계	성명	직함	관등
曾祖	陳春	太學正	恩率
祖	陳德止	麻連大郡將	達率
父	陳微之	馬徒郡參司軍	德率
본인	陳法子	旣母郡佐官→禀達郡將→司軍	恩率

백제의 관제 운영은 율령 반포 이전과 율령 반포 이후, 그리고 대외적인 팽창에 따라 넓어진 영역과 증가된 주민의 관리를 위해서 운영상의 변화가 따랐을 것임은 자명하다. 그런 만큼 그 曾祖부터 기록된 백제 멸망기의 인물인 진법자의 묘지명은 백제 관제 운영의 구체적인 편린을 시사해 주는 기록으로서 의미가 없지 않았다. 그러나 이 역시 片狀에 불과하다는 한계가 엄존한 것은 분명하다.

따라서 본고에서는 백제 관제에 대한 기록이 가장 명료한 사비성 도읍기를 중심으로

---

1 李道學, 「百濟 黑齒常之 墓誌銘의 檢討」『鄕土文化』6, 1991; 『백제사비성시대연구』, 일지사, 2010, 361쪽.
2 胡戟·榮新江 主編, 『大唐西市博物館所藏墓志』, 北京大學 出版社, 2012, 270~271쪽.

관제 전반의 변천 과정과 성격을 검증해 보고자 하였다. 우선 좌평제의 경우 7세기대에 5좌평에서 6좌평으로의 增職說이 타당한 지 여부가 검증되어야 한다. 게다가 22部司의 경우 관련 기능에 대한 이해가 과연 타당한 지에 대한 근본적인 사료 검증 자체는 미비하였다. 이와 더불어 백제 중앙 관제의 定立과 연계된 그 이전 단계 王·侯制의 성격에 대해서도 살펴 보고자 한다. 나아가 이를 계승한 方·郡·城制 下에서 郡將의 역할과 성격을 구명하고자 했다. 그럼으로써 백제 官制 運營에 대한 지금까지 논의에 대한 기존 인식을 點檢하는 轉機로 삼고자 한다.

2. 中央 官職과 官府 機能에 대한 檢證

1) 佐平

백제의 중앙 관직과 관부에 대한 몇 가지 논의를 제기해 보고자 한다. 우선 백제의 중앙 관부에 속한 최고위직으로는 佐平을 꼽을 수 있다. 좌평직의 등장 시기에 대해서는 다음과 같은 견해가 일반화되었다. 즉 중국 사서의 기록에 근거하여 전지왕대(405~420)에 명칭이 등장한 좌평이 6세기~7세기 초까지의 5좌평에서 무왕대 중엽인 7세기대에는 6좌평으로 변천하였다는 것이다.[3] 그런데 이러한 견해는 5좌평에서 6좌평으로 증설된 좌평직에 대해서는 언급이 없다. 어떤 좌평이 무슨 이유와 필요로 증설되었는지에 대한 설명이 없다는 것이다. 때문에 중국 기록에 적혀 있는 5좌평 기록(翰苑)과 6좌평 기록(舊唐書)을 맹신한 것은 아닌 지 자문하게 한다. 게다가 『삼국사기』에 따르면 6좌평 初任 기사가 등장하는 고이왕기를 빼더라도 웅진성 도읍기의 위사좌평 등장을 마지막으로 6좌평이 대체로 다음과 같이 나타난다. 여기서는 단순히 '좌평'으로만 기재된 것은 게재하지 않았다.

---

3 정동준, 『동아시아 속의 백제 정치제도』, 일지사, 2013, 330~335쪽.

표 2| 기명좌평

이름	직함
우복(庶弟)	내신좌평(비류왕 18)
진의	내신좌평(비류왕 30)
진정(외척)	조정좌평(근초고왕 2)
진고도	내신좌평(근구수왕 2)
진가모	병관좌평(진사왕 6)
洪(서제)	내신좌평(아화왕 3)
진무	병관좌평(아화왕 3)
여신(서제)	내신좌평(전지왕 3)
해수	내법좌평(전지왕 3)
해구	병관좌평(전지왕 3)
여신(왕족)	상좌평(전지왕 4)
해수	상좌평(비유왕 3)
문주(왕제)	상좌평(문주왕 1)
해구	병관좌평(문주왕 2)
곤지(왕제)	내신좌평(문주왕 3)
진로	병관좌평(동성왕 4)/ 內外兵馬事
사약사	내법좌평(동성왕 6)
백가	위사좌평(동성왕 8)
연돌	병관좌평(동성왕 19)

위에서 인용한 記名佐平의 경우 내두좌평만 보이지 않는다. 그렇다고 5좌평에서 6좌평으로 바뀐 후에 내두좌평이 생겨났다는 근거로 삼기는 어렵다. 내법좌평도 단 1건만 확인될 뿐이다. 그러므로 내두좌평의 경우도 기사 누락이 심한 『삼국사기』에 게재되지 않았을 수 있다. 그렇다고 내두좌평이 존재하지 않았다는 근거로 삼기는 어렵다. 『일본서기』에 따르면 487년에 '內頭'의 존재가 확인된다.[4] 이 '內頭'를 곧바로 좌평직과 연결 짓기는 어렵다고해도 내두좌평의 존재에 대한 어떤 연관성을 시사해준다.

만약 통설대로 당초 5좌평제였다고 하자. 그렇다면 다음과 같은 사안에 대한 설명이 전제되어야만 한다. 즉 5좌평이 등장한다는 6세기 보다 앞선 시기에 등장하는 6좌평 기사는 단순한 6좌평에 대한 언급만은 아니었다. 구체적으로 그러한 소임을 지닌 인물들이 보이고 있는 것이다. 그러므로 일일이 해당 좌평에 부회시켰어야 가능한 일이다. 그

---

4 『日本書紀』권15, 顯宗 3년 조.

러나 이게 과연 가능할 수 있을까? 그렇지 않다고 보기 때문에 도식적으로 5좌평 → 6좌평으로의 增職으로 속단할 수는 없다.[5] 게다가 上佐平이 존재하던 시기임에도 『周書』 등에는 그에 대한 기록이 일체 없다. 이로 볼 때 중국 사서의 원 자료 자체에 문제가 있었던 것 같다.[6] 더구나 『舊唐書』와 『新唐書』에서는 6좌평의 소임과 職名이 다음에 보듯이 낱낱이 기재되어 있다.

所置內官曰 內臣佐平掌宣納事 內頭佐平掌庫藏事 內法佐平掌禮儀事 衛士佐平掌宿衛兵事 朝廷佐平掌刑獄事 兵官佐平掌在外兵馬事[7]

그런데 반해 『周書』와 『北史』에는 '左平五人'으로만 적혀 있을 뿐이다. 좌평 기사에 대해서는 이렇듯 『唐書』 계열과 『周書』 계열상의 현저한 차이를 살필 수 있다. 그럼에도 후자의 '五人' 숫자에 과도하게 의미를 부여한 듯한 인상을 준다. 이와 관련해 다음과 같은 백제의 지방 통치 구역인 方에 대한 기록을 주목해 본다.

* 其外更有五方 中方曰古沙城 東方曰得安城 南方曰久知下城 西方曰刀先城 北方曰熊津城 … 方有十郡(『北史』)
* 其外更有五方 中方曰古沙城 東方曰得安城 南方曰久知下城 西方曰刀先城 北方曰熊津城 … 五方各有方領一人(『周書』)
* 五方各有方領一人(『隋書』)
* 又外置六帶方管十郡(『舊唐書』)
* 有六方方統十郡(『新唐書』)

위의 인용에 따르면 전국을 구획한 백제의 方 體制도 『隋書』까지는 5方이었다. 그런데 『舊唐書』부터는 6方으로 늘어나고 있다. 여기서 『舊唐書』의 "又外置六帶方管十郡"라는 기사를 보자. 이 기사는 『新唐書』 기록과 맞추어 볼 때 "又外置六方方管十郡"으로 고쳐

---

5 5좌평제에서 6좌평 설치 시기를 630년대로 지목하기도 한다(정동준, 『동아시아 속의 백제 정치제도』, 일지사, 2013, 372쪽). 이것이 增職이 아니고 무엇이겠는가?
6 李鍾旭, 「百濟의 佐平--三國史記를 중심으로」 『震檀學報』 45, 1978, 30쪽, 註 20.
7 『舊唐書』 권199, 東夷傳 百濟 條.

야 마땅하다. 그렇다면 백제 말기에 와서 5좌평에서 6좌평으로 늘어났다는 기록과 동일하게 5方에서 6方으로 확대된 게 된다. 그런데 5방에서 6방으로 확대된 기록을 취신하지 않듯이 5좌평에서 6좌평으로의 增職 기록도 고려 요인이 될 수 있다. 사실 5方(『北史』·『周書』)과 6佐平(『舊唐書』·『新唐書』)은 구체적으로 그 존재가 각각 확인된다. 이 같은 5방이나 6좌평 기록과는 달리 달랑 숫자만 적혀 있는 게 5좌평 기록이다. 그럼에도 이 기록을 과도하게 신뢰한 셈이다.

숫자상의 변화에 너무 과도한 의미 부여를 했을 가능성이다. 一例를 제시해 본다. 사비성 도읍기의 22部를 『周書』와는 달리 『翰苑』에는 18部로만 적혀 있다. 그러자 『翰苑』 기록에 따라 4개 部가 없어진 것으로 판단하는 경향이 보인다. 이러한 논리라면 1010년 전후해 편찬된 『책부원구』에서 11部로[8] 줄어 든 배경도 백제 최말기에 다시금 7部가 줄어들었다는 이야기가 된다. 그러나 이에 대해서는 논급이 없다. 역으로 말해 이는 22部의 脫字나 誤字에 지나치게 의미를 부여했다는 반증이다. 『翰苑』은 轉寫 과정에서 衍字나 衍文은 물론이고 誤脫字가 많은 것으로 정평이 나 있다.[9] 결국 이러한 여로 요소를 조합해 볼 때 5좌평→6좌평 增職說은 대단히 취약한 견해로 드러난다. 그럼에도 이 설은 通說로 자리잡고 있다.

다음은 佐平 임명권자에 관한 문제이다. 좌평의 선임은 응당 왕의 권한으로서 『삼국사기』에 숱하게 보인다. 그럼에도 불구하고 다음과 같은 『삼국유사』의 政事巖 기사에 근거하여 새로운 해석이 내려진 바 있다.

또 호암사에 정사암이 있었다. 나라에서 장차 재상을 선임하려고 논의할 때면 뽑을 만한 후보자 3~4명의 이름을 써서 상자로 봉하여 바위 위에 둔다. 얼마 지나지 않아서 그것을 취하여 보아 이름 위

---

8   『册府元龜』권962, 外臣部, 官號 百濟國. "各有部 刀部·功德部·藥部·木部·法部·後宮部 外有司軍部·司徒部·司空部·外舍綢部·日官部". 여기에 보이는 '外舍綢部'도 기실은 外舍部와 綢部, 2개 部인데 1개 部로 붙어 있는 것이다. 이것만 보더라도 筆寫上의 脫字나 誤字 가능성을 엿볼 수 있다.

9   竹內理三 校訂·解說, 『翰苑』, 太宰府天滿宮文化研究所, 1977, 145쪽.
    혹자는 『翰苑』의 誤脫字가 다른 부분에서는 1~2字 정도이지만, 4字 이상 脫字가 되는 22부사는, 部의 숫자 감소로 해석했다. 이러한 주장은 誤脫字도 균형을 맞춰서 비례한다는 발상이다. 문제는 이러한 논리라면 『册府元龜』에서는 무려 11部나 줄어들었다. 그럼에도 혹자는 이것을 왜 部의 숫자 감소로 해석하지 않는지 모르겠다.

에 도장 흔적이 있는 자를 재상으로 삼았다. 그래서 정사암이라고 한 것이다.[10]

위의 기사를 토대로 좌평의 선임에 왕이 직접 개입하지 않고 사후 승인만 하는 형태라는 견해가 있다.[11] 그러나 한성 도읍기에 왕이 인척들을 좌평으로 임명한 바 있다. 게다가 상좌평 임명의 경우 "문주가 그를 보좌하여 상좌평에 이르렀다"[12]고 했듯이 왕권의 입김이 직접 미쳤기에 王弟가 상좌평까지 오르게 되었다. 그 뿐 아니라 위에서 인용한 정사암 기사는 어디까지나 속성이 설화인 것이다. 실제 이러한 방법으로 좌평을 선임할 수 있었을지에 대해서는 회의적이라는 생각이 든다. 이와 관련한 남창 손진태의 언급을 다음과 같이 인용해 본다.

> 그런데 百濟에서는 宰相의 選擧가 一種의 無記名投票에 儀하여 行해졌으니, 三·四人 候補者의 이름을 記入한 名簿를 函 속에 넣어 그것을 虎岩寺의 政事巖 위에 두고, 有權者인 大臣들이 各自로 가서 意中 인물의 姓名 上에 豫置된 印을 찍었다. 그래서 多數로 決定한 모양이다. 이것은 公開的이 아니요 秘密的·無記名的이요, 또 宰相을 國王이 自由로 任命할 수 없었던 時期의 選擧方法이었으므로, 이것은 部族勢力의 强弱에 依하여 互選(不合意하면 戰取)하던 初期的의 것도 아니요, 王權의 絶對化한 時代의 方法도 아니었을 것이요, 百濟 勃興期(前 二者의 過渡期)에 있어서의 方法이었을 것이다. 그러나 그것이 少數 特權的임에는 틀림이 없었을 것이다.[13]

남창 손진태는 "宰相을 國王이 自由로 任命할 수 없었던 時期의 選擧方法이었으므로"라고 했다. 그는 정사암 회의의 속성을 꿰뚫어 보고 적확하게 지적했다고 본다. 그러니 정사암 회의는 최소한 7세기대 백제의 정치 상황과는 부합되지 않는다.[14] 이와 더불어 흔

---

10 『三國遺事』권2, 기이, 남부여 전백제 조.
11 정동준, 『동아시아 속의 백제 정치제도』, 일지사, 2013, 172쪽.
12 『三國史記』권26, 文周王 즉위년 조.
13 孫晉泰, 『朝鮮民族史槪論(上)』, 乙酉文化社, 1948, 249쪽.
14 혹자는 정사암 회의를 "6세기 또는 그 이전"으로 주장하고 있다. 설령 정사암 회의의 전통이 6세기 이전으로 거슬러 올라간다고 둘러붙일 수는 있다. 그러나 정사암 자체가 부여 지역에 소재하였으므로 사비성 천도 후인 6세대에도 존재한 것이 된다. 이와 관련해 노중국은 6좌평제를 설명하면서 정사암 회의를 서술했다(노중국, 『백제정치사연구』, 일조각, 1988, 190~191쪽). 정동준에 따르면 6좌평제는 630년경에 신설되었다고 하였다. 이는 '선행연구'에서 정사암 회의를 7세기대로 지목한 게 된다. 더욱이 "좌평 해수'

히들 정사암 회의를 신라에서 국왕을 선출한 오지암 회의와 결부 짓기도 한다. 물론 양자 간에는 동질성도 보이지만, 정사암 회의는 재상 선임이 목적이다. 그러므로 양자 간의 성격은 동일하지 않으므로 서로 견주어서 대입하기는 어렵다.

2) 22部司

사비성 도읍기를 배경으로 하여 22部에 관한 기록이 보인다. 다음은 22部에 관한 기사이다. 그 아래에는 22部司의 기능을 도표화했다.

分掌衆務 內官有前內部・穀部・肉部・內椋部・外椋部・馬部・刀部・功德部・藥部・木部・法部・後宮部

外官有司軍部・司徒部・司空部・司寇部・點口部・客部・外舍部・綢部・日官部・都市部[15]

표 3 | 22部와 직능 추정표(오른쪽 ' / '은 정동준의 견해[16]

구분	관사명	기존 설/ 정동준 설
內官	前內部	국왕 근시・왕명 출납/ 곡물 출납
	穀部	공선/ 왕실창고(內部)
	肉部(內部)	공선
	內椋部	왕실 창고
	外椋部	국용 창고
	馬部	어마・승물
	刀部	무기・무구/ 국왕 호위
	功德部	불교

는 6세기 이래 정원 5명의 정사암회의 구성원일 것이다(정동준, 『동아시아 속의 백제 정치제도』, 일지사, 2013, 278쪽)"라고 하였다. 즉 정사암 회의를 '6세기 이래' 즉 6세기 이후로 간주하였다. 따라서 혹자의 주장은 타당하지 않음을 알 수 있다.

15 『周書』권49, 異域上 百濟 條.
　　여기서 內椋部와 外椋部의 '椋'은 板本에는 '掠'으로 적혀 있다. 그렇지만 부여에서 출토된 목간의 문자와 더불어 文意를 놓고 볼 때 '椋'이 옳다고 판단하여 바로 잡았음을 밝혀둔다.
16 　정동준, 『동아시아 속의 백제 정치제도』, 일지사, 2013, 214쪽.

구분	관사명	기존 설 / 정동준 설
內官	藥部	어의·제약
	木部	왕실 건축
	法部	의례 / 왕족 관리, 궁내 의례
	後宮部	후궁 관리
外官	司軍部	군사
	司徒部	교육·의례
	司空部	토목공사
	司寇部	형벌·사법
	點口部	호구 파악·징발
	客部	외교·사신 접대
	外舍部	인사
	綢部	직물 제조·출납 / 직물 출납
	日官部	천문·역법·점술
	都市部	왕도 시장 관리

위에 보이는 22部의 설치 시기에 대해서는 흔히들 시차를 운위하고 있다. 국가 조직의 확장에 따라 응당 時差를 두고 설치되었을 개연성은 지극히 높다. 그러한 점은 인정하더라도 적어도 司軍部·司徒部·司空部·司寇部라는 4개 관사의 호칭은 『周禮』에 입각한[17] 일관된 관부명이다. 적어도 그때 그때 만든 부서 명은 아니다. 이들 부서를 설치할 때 典故를 『周禮』에서 찾아 일괄적으로 命名한 것으로 보는 게 자연스럽다.[18] 그러면 여기서 한 걸음 나아가 22부사의 성격도 재논의할 필요가 있을 것 같다.

(1) 內官

22部는 內官 12部와 外官 10部로 구성되었다. 그런데 內官의 '內'는 통상 왕실과 관련이 깊으므로 궁중에 설치한 관청이요, 外官은 궁중 바깥에 설치한 관청으로 해석되어진다. 내관 12부 가운데 제일 앞에 적힌 '前內部'의 경우 이 자체만으로는 성격을 알 수 없다. 전내부의 속성과 관련해 왕명 출납을 운위하고는 한다. 그러나 이는 맨 앞에 적혀 있는 관사인 관계로 그러한 추측을 하였을 뿐 특별한 근거가 있는 것은 아니다. 게다가 內

---

17   정동준, 『동아시아 속의 백제 정치제도』, 일지사, 2013, 311쪽.
18   22部司의 설치 시기를 동성왕대 말년의 정치개혁과 관련 짓기도 한다(李鍾旭, 「百濟의 佐平--三國史記를 중심으로」 『震檀學報』 45, 1978, 53쪽). 그럴 가능성은 분명 존재하지만 22部司가 사비성 도읍기에는 처음부터 존재한 것은 사실로 보인다.

官 末尾에 적힌 後宮部의 경우 後宮은 인지도가 높은 문자인 관계로 大王의 妃嬪이나 宮女들을 관리하는 부서로 간주해 왔다. 만약 後宮이 국왕과 관련한 私的 영역의 공간이라고 하자. 그렇다면 정작 가장 중요한 왕의 거처인 本宮의 內裏나 太子宮을 관리하는 부서는 왜 부사제에 편제되지 않았는지? 太子宮이나 王母가 거처하는 西宮 관련 부서도 보이지 않는다. 그럼에도 宮女 관련 부서만 존재한다는 것은 어색한 일이다. 후궁부가 존재한다면 東宮部나 西宮部도 존재했어야 하지 않을까? 『삼국사기』職官志에 따르면 東宮 뿐 아니라 신라 왕궁 안의 세세한 부서까지 언급되어 있지만, 왕의 가장 사적 공간과 관련한 부서는 없다. 따라서 內官 '후궁부'가 지닌 성격은 재검토해야 할 것 같다.

지금까지 논의에서는 內官 12部의 첫 글자인 '前內部'의 '前'이 지닌 의미에 대해서는 주목하지 않았다. 우선 '前內部'의 '前'은 내관 부사의 맨 끝에 적힌 後宮部의 '後'와 대응한다는 인상을 받는다. 그렇다면 〈'앞의' 內部,⋯'끝'은 宮部〉라는 구조적 인식이 가능해진다. 이와 더불어 '前'에는 '먼저'의 뜻이 있고, '後'에는 '딸림'의 뜻이 있다. 또 그렇다면 〈內官에는 '먼저' 內部,⋯宮部가 딸려 있다〉라는 해석도 가능해진다. 어쨌든 이 구절은 내부로부터 궁부에 이른다는 내관의 범위를 가리키는 문구라고 하겠다. 결국 前內部의 속성은 전치사인 '前'을 뺀 '內部'라고 본다. 여기서 '內'는 왕실과 관련 있다고 할 때, 내부는 왕실 內務를 처리하는 총무 담당 부사로 여겨진다. 반면 內官 12부사의 맨 끝에 적혀 있는 後宮部 역시 '後'를 뺀 宮部에서 그 속성을 찾아야 한다. 그렇다고 할 때 宮部는 궁성 관리 부서로 지목할 수 있다. 이렇게 되면 왕실 내부 업무를 총괄하는 내부와 궁성 자체에 대한 관리 부서인 궁부는 앞뒤가 맞는다.[19]

內官 末尾에 적힌 '宮部'의 존재는 이들 부사의 기능이 왕궁, 즉 왕실과 직접 관련 있음을 가리킨다. 그러므로 穀部・馬部・刀部・木部・肉部・藥部 등의 내관 부사는 왕실에 소용되는 관련 물품을 조달하는 부서임을 알 수 있다. 이 가운데 목부를 토목・건축 관련 부서로 지목하는 견해가 많았다. 그러나 내관 12부사는 구체적으로 이름을 적시하였다. 가령 왕실에 소용되는 곡식을 제공하는 관사로서 곡부, 육류를 제공하는 관사로서 육부, 말[馬]・칼[刀]・약재[藥] 등 모두 구체적인 명칭을 사용했다. 그런데 반해 木部를 木材

---

19 內官 12部의 경우만 '前・後'가 적혀 있는 것은 宮中 안의 部솜의 일정한 배치 관계를 뜻한다고 본다. 반면 外官에 '前・後' 표기가 없는 이유는 해당 관부의 성격상 일정한 장소에 소재하지는 않았기 때문일 것이다. 가령 日官部의 경우는 천문관측과 관련한 시설이 있는 곳에 소재하기 마련이다. 즉 內官 部솜와 같은 場所上의 정형성을 갖추기 어려웠던 데서 찾을 수 있다.

所用 일이 아닌 토목·건축과 결부 짓는 해석은 막연한 추측에 불과하다. 게다가 이러한 해석은 外官 사공부의 토목·건축 소관과[20] 겹치고 있다. 우선 內官이 왕실에 소용되는 물품 조달 기능이 크다는 점을 고려해 보자. 그렇다면 木部는 궁중에 소용되는 燃料로서의 땔감 조달 기능을 생각해 볼 수 있다.

반면 內椋部·外椋部·功德部·宮部는 管理 부사라고 하겠다. 여기서 倉庫 부사인 內椋部·外椋部의 성격 구명과 관련해 근초고왕이 초청한 倭使에게 보물 창고[寶藏]를 열어 여러 珍異한 물건을 보여주면서 "우리나라에는 이 같은 珍寶가 많다"[21]고 한 기사를 상기해 본다. 이로 볼 때 椋部는 왕궁에 소재한 것으로 지목된다. 그러나 椋部가 內外로 구분되는 것을 볼 때 外椋部는 왕궁 바깥에 소재했다고 보겠다.[22] 신라의 內庫에는 신라 3寶의 하나인 천사옥대와 神笛 및 玄琴도 보관되었다.[23] 더 거슬러 올라가서 夫餘 왕실의 경우도 창고에 傳世 진보들이 보관되어 있었다.[24] 이렇듯 왕실에서 世傳된 珍寶를 소장하는 공간이 內椋인 것이다.

이와 관련해 『삼국사기』와 『고려사』를 중심으로 궁중 창고에 대한 용례를 다음과 같이 인용해 보았다.

* 金官國의 왕 金仇亥가 왕비와 세 아들 즉 큰 아들 奴宗, 둘째 아들 武德, 막내 아들 武力을 데리고 나라 창고에 있던 보물을 가지고 와서 항복하였다(법흥왕 19년 조).

* 그때 황룡사에 나이가 90세 넘은 사람이 있어 말하였다. "제가 일찍이 그것을 들은 적이 있습니다. 보배로운 띠는 곧 진평대왕이 착용하던 것인데, 대대로 전해져 남쪽 창고에 보관되어 있습니다." 왕이 마침내 창고를 열도록 하였으나 볼 수가 없었다(경명왕 5년 조).

* 그러나 명을 기다리지 않고 왕실의 창고를 封하고 군현을 기록하여 귀순하였으니, 그것은 [고려] 조정에 공로가 있고 백성에게 덕이 있음이 매우 컸다(경순왕 9년 조).

---

20 정동준, 『동아시아 속의 백제 정치제도』, 일지사, 2013, 327쪽.
21 『日本書紀』권9, 神功 46년 조.
22 이문기, 「사비시대 백제 전내부체제의 운영과 변화」 『백제연구』 42, 2005, 73쪽.
23 『三國遺事』권1, 紀異, 天賜玉帶. 『三國遺事』권3, 塔像 4, 栢栗寺.
24 『三國志』권30, 東夷傳 夫餘 條.

* (모용)황이 그 말을 좇아 미천왕의 무덤을 파서 그 시신을 싣고, 창고 안의 여러 대의 보물을 거두고(고국원왕 12년 조).

* 그런 후에 왕의 동생 孝廉과 재상 英景을 포로로 잡고 국가 창고의 진귀한 보물과 무기를 취하고(진훤전).

* 왕은 돌아와서 그 대나무로 피리를 만들어 월성의 天尊庫에 간직해두었다(『삼국유사』 만파식적 조).

* 이에 노비가 된 자 1천여 명을 얻으매 內庫의 布帛으로써 보상하여 돌려보냈다(『고려사』 태조 원년 8월 조).

* 內庫에 있는 銀瓶을 3백 口를 내어 여러 道에 나누어 부쳤는데 (고종 10년 9월 조).

* 己亥에 內庫의 쌀[米] 4,000 石을 내어 이로써 兵糧을 보충하였다(충렬왕 15년 3월 조).

* 內庫의 銀 30斤, 쌀 100石을 노자로 하고… (충선왕 2년 10월 조).

* 乙巳에 명령하여 賊臣의 家財를 일반 시가로 팔고 그 寶玉은 內庫에 속하게 하고 金銀은 戶部에 속하게 하여 國用에 쓰게 하였다(공민왕 6년 1월 조).

위의 용례를 놓고 볼 때 백제 내경부는 穀倉은 물론이고 珍寶를 보관하는 기능도 지녔음을 알 수 있다. 대외적인 정복전의 승리와 관련해 정복지에서 올라오는 막대한 양의 조공품을 보관하기 위해서라도 왕궁 바깥에 왕실 창고가 필요했을 것이다. 그렇지만 왕실의 곡물창고를 담당했던 핵심 部署는 穀部였던 것으로 보인다. 부여 관북리 유적에서 나온 과일 목곽고 등은 왕실 所用 취사 담당처의 소관이었을 것이다. 신라의 경우 궁중 요리사를 통솔하는 부서로 食尺典이 있었다.[25] 이와 마찬 가지로 과일 목곽고는 창고 개념보다는 食料의 저장 개념으로 받아들여야 할 것 같다.

法部의 경우도 종전의 해석과는 성격을 다르게 볼 수 있다. 內官 가운데 法部를 지금

---

25 李丙燾, 『國譯 三國史記』, 을유문화사, 1977, 586쪽.

까지는 의례 혹은 왕족 관리나 궁내 의례 담당 부서로 간주하여 왔다. 그러나 이러한 추정에는 구체적인 근거 제시가 결여되어 있었다. 오히려 '法'의 용례를 『삼국사기』에서 찾는다면 병관좌평 해구의 전횡과 관련하여 "擅權亂法(문주왕 3년 8월 조)"라는 구절이 유의된다. 여기서 '亂法'은 법도를 어지럽혔다는 의미로 사용되었다. 즉 '法'은 법도로 해석할 수 있으므로, 법부는 법을 집행하는 부서로 지목할 수 있다. 그러나 법부가 內官에 포함된 것을 볼 때 왕족 관련 범법에 대한 刑罰을 집행하는 부서일 가능성이 높다.[26] 왕위에 대한 잠재적 권리를 지닌 왕족을 견제하고 통제하는 수단으로서 법부가 제정된 것으로 보인다.

刀部에 대해서는 군기류만 담당하다가 시위 담당 내지는 근위 역으로까지 추정하고 있다.[27] 그러나 이는 확대 해석이라고 본다. 왜냐하면 穀部나 肉部는 문자 그대로 왕실에 곡물과 고기를 공급하는 부서이듯이, 刀部 역시 액면 그대로 왕궁에서 소용되는 각종의 刀劍을 제작하는 부서로 지목하는 게 타당하다고 본다. 도부는 익히 언급되듯이 권력의 정점에 군림하는 왕이 사여품으로 쓰는 도검의 제작을 비롯하여 왕실 소용 도검 제작 일체를 담당한 부서라고 하겠다.

(2) 外官

22部의 外官 10部에 대해서도 재검토가 필요해진다. 이와 관련해 진법자가 은솔 관등으로 사군직이었던 사실이 유의된다. 司軍은 22部 가운데 외관 10부에 속한 사군부의 관직으로 추정할 수 있다. 물론 22部의 장관은 長吏·長史(『隋書』백제 조), 將長·宰官長(『翰苑』소인 괄지지)으로 표기되었다. 그렇지만 사군부의 官長을 사군으로 일컬었을 가능성도 보인다.[28] 사군부는 문자 그대로 군사와 병마를 관장하는 관사였다. 그런데 진법자의 父가 덕솔 관등에 마도군의 參司軍이었다. 참사군을 사군부에 통속된 관직으로 추정하기도 한다. 이러한 參司軍은 중국에서 동일한 직함이 보이지 않았다. 그랬기에 여러 가지

---

26 이와는 달리 法部를 '왕족관리'·'궁내의례' 담당 부서로 지목하기도 한다(정동준, 『동아시아 속의 백제 정치제도』, 일지사, 2013, 215쪽). 그러면서 "왕족 등 예와 깊이 관련되면서 신분이 높은 사람들에게는 사구부가 아닌 법부가 사법 처리 등에 관여하였을 가능성이 있다(정동준, 앞의 책, 213쪽)"고 했다. 法部의 기능을 왕족 관리로 지목한 견해는 黑田達也, 『朝鮮·中國と日本古代大臣制』, 京都大學 學術出版會, 2007, 230~232쪽에서 처음으로 언급되었다.

27 黑田達也, 『朝鮮·中國と日本古代大臣制』, 京都大學 學術出版會, 2007, 230~232쪽.

28 정동준, 「진법자묘지명'의 검토와 백제 관제」 『한국고대사연구』 74, 2014, 199쪽.

추측이 제기되었다. 參司軍의 參司를 중국의 직제에 보이는 三司와 동일한 관직으로 지목하여 보자. 비록 약간의 시차는 있지만 그렇다면 參司는 唐 시기의 獄官에 대한 재판관을 가리킨다.[29] 동시에 參司軍을 三司와 軍職의 조합이라고 한다면, 마도군에서 형벌과 사법 및 郡 병력을 맡아 본 官職으로 추측된다.

그리고 司徒部는 이견 없이 교육이나 의례를 소관하는 外官 부서이다. 이와 관련한 국왕 장례 소관 역시 왕실 자체만의 일은 아니었다. 國喪인 만큼 擧國的인 의례에 속한다. 그런 만큼 국왕 장례 역시 사도부 소관으로 추정된다. 王陵 所用 棺材 조달을 비롯한 능묘 조영 역시 사도부 소관으로 지목할 수 있다.

外官에 속한 外舍部를 지금까지는 관료의 인사를 담당한 직사를 맡아 보던 부서로 추정하였다.[30] 그러나 이 역시 근거 제시가 명료하지 않았고, 막연한 추측에서 벗어나지 못했다. 오히려 佐平들이 예하의 인사권을 쥐고 있었고, 22部司는 국왕이 직접 챙겼을 가능성이다. 그렇다면 外舍와 관련하여 부여의 관북리에서 '北舍' 명문 토기가 출토된 점에 비추어 볼 때 다른 측면에서의 해석이 얼마든지 가능하다. 즉 北舍・外舍라고 할 때 '舍'는 건물을 가리킨다고 보아야 한다. 나주 복암리 목간에 보이는 豆肹舍의 '舍'는 관청을 가리키는 동시에 건물 자체를 포괄하는 개념이기도 하다. 따라서 外舍의 '舍'의 범위를 넓게 잡을 필요는 없다. 일단 外舍는 內舍의 대응된 개념이라고 할 때, 그 기준은 왕궁인 것이다. 그렇다면 外舍는 왕궁 바깥의 별궁이나 왕실 別墅에 대한 관리를 담당했을 수 있다. 또 한편으로는 外官部의 청사 관리, 가령 그 운영이나 수리와도 연관 짓는 것도 가능하다. 내관에 속한 宮部가 王宮 전반에 관한 관리, 가령 수리・건축・보수 등을 맡아 보았다면, 外舍部는 외관 10부의 廳舍 관리를 맡아 본 부사로 추정된다.

그러면 22부와 좌평직과의 관련성 문제이다. 좌평이 22부의 몇 개 부사를 각각 예하에 두었을 것으로 간주하는 견해가 지배적이다. 후술하겠지만 그러나 여기에서는 해결해야 할 문제가 있다. 일단 22부의 우두머리를 '長吏'라고 하였을 뿐 좌평이라고 한 기록은 없

---

29 中文大辭典編纂委員會, 『中文大辭典 1』 1973, 200쪽.
30 武田幸男, 「六世紀における朝鮮三國の國家體制」 『東アジア世界における日本古代史講座 4』, 學生社, 1980, 59쪽.

다.[31] 장리는 백제왕이 임명하는 관인이다.[32] 그렇다면 22부의 장리가 좌평에게 예속되기는 어려워진다. 게다가 22부의 직무는 좌평 소관과 결부 짓기 어려운 측면이 많다. 이는 다음과 같은 表를 통해 살피는 게 도움이 될 것 같다.

표 4 | 『三國史記』와 〈좌평 예하 추정 部〉의 직무대비표

『三國史記』	〈좌평 예하 추정 部〉
內臣佐平=宣納	內官 前內部?
內頭佐平=庫藏	內官 內椋部/ 外椋部
內法佐平=禮儀	外官 司徒部
衛士佐平=宿衛 兵事	
朝廷佐平=刑獄	外官 司寇部
兵官佐平=外 兵馬	外官 司軍部

위의 대비표에 보이는 〈좌평 예하 추정 部〉는 현재 학계의 견해를 소개한 것이다. 그런데 위의 대비표를 놓고 볼 때 6좌평의 직무가 22부를 모두 포괄하지 못함을 알 수 있다. 가령 왕명을 전달하는 내신좌평의 역할에 內官 '전내부'·육부·약부·목부·'후궁부' 뿐 아니라 外官 외사부까지 소관했으리라는[33] 추정은 과다한 인상을 준다. 宣納 담당 部署의 역할 치고는 왕실 살림살이까지도 세세하게 깊숙이 관여하고 있기 때문이다. 더욱 문제되는 바는 宿衛를 담당했던 국왕의 최측근인 위사좌평의 소관 업무 부서가 內官에서 확인되지 않는다. 따라서 좌평 예하 조직으로서의 22부를 운위하기는 어려울 것 같다. 거듭 말해 6좌평 밑에 22부가 존재했다는[34] 주장은 수긍하기 어려워진다. 물론 刀部를 衛士와 결부 짓는 견해가 최근 제기되었다. 그러나 이는 좌평직과 22부가 매끄럽게 연결되지 않자 억지로 꿰어맞춘 궁여지책이라는 인상을 준다.

그런데 병관좌평직을 사군부와 결부 짓기도 한다. 만약 그렇다면 사군좌평이나 병관

---

31 李鍾旭, 「百濟의 佐平--三國史記를 중심으로」, 『震檀學報』 45, 1978, 53쪽. 단, 여기서는 長吏 대신 長史 표기를 취했다.
32 정동준, 『동아시아 속의 백제 정치제도』, 일지사, 2013, 296쪽.
33 정동준, 『동아시아 속의 백제 정치제도』, 일지사, 2013, 291쪽.
34 정동준, 『동아시아 속의 백제 정치제도』, 일지사, 2013, 285쪽.

부라고 일컬어야 자연스럽다. 좌평직이 22부와 관련 있다면 상호간의 호칭 연결이 되어야 한다. 그러나 기실은 그러하지 않다. 「진법자묘지명」에 따르면 3관등인 은솔로서 사군이 눈에 띈다. 여기서 사군은 이미 지적되었듯이 사군부의 長을 가리킬 수 있다. 문제는 사군부의 長은 좌평이 아니라 왕이 임명한다는 것이다. 이렇게 볼 때 사군부가 병관좌평 예하 부서였는지는 회의적이 된다. 더욱이 내관과 외관의 부사를 섞어서 특정 좌평에게 소관하게하는 것은 행정의 일관성이나 체계성과 관련 지어 볼 때 납득하기 어렵다. 이와 관련해 다음의 기사는 左將과 병관좌평의 관계에 대해 시사하는 바 있다.

* 진무를 벼슬 주어 좌장을 삼고 병마사를 맡겼다(아화왕 2년 조).
* 8월에 왕이 武에게 이르기를 "관미성은 …"(아화왕 2년 8월 조).
* 8월에 왕이 무에게 명령하여 고구려를 치게 하였는데 … (아화왕 4년 8월 조).
* 진무로써 병관좌평을 삼고 사두로 좌장을 삼았다(아화왕 7년 조).
* … 왕이 좌장 志忠에게 명하여 步騎 1만을 거느리고 출전하여 이를 물리쳤다(성왕 1년 조).
* 8월에 왕이 좌장 은상에게 명하여 정병 7천을 거느리고 신라의 석토성 등 7성을 쳐서 빼앗았다(의자왕 9년 조).

위의 기사를 놓고 볼 때 좌장과 병관좌평의 역할이 겹치고 있음을 알 수 있다. 그러나 병관좌평이 좌장보다는 직위가 높다. 여기서 양자의 역할을 정리해 본다면 좌장은 병관좌평보다 직위는 낮지만 국왕의 친위부서에 속한다고 보아야 한다.[35] 그렇지 않다면 兩者의 역할은 해석하기 어렵다. 兩者의 역할을 분리한다면 좌장은 사군부를 예하에 둔 軍長으로 여겨진다. 요컨대 당시 백제왕은 친위부서로서 내관과 외관을 휘하에 두었고, 병마권은 사군부의 좌장과 병관좌평이 分掌한 것으로 볼 수 있다.

그러면 좌평직과 22部의 선후 관계이다. 좌평직이 '확정된 22部司' 보다 먼저 생겨났음은 이견이 없다. 그렇다면 22부의 기록 시점과 결부 지어 볼 때 22部는 사비도성 천도 후에 확정되었다고 할 수 있다. 여기서 왕실이나 왕궁 관련 관사로서 內官이 설치되었다면, 왕궁 바깥에 관련 관사로서 外官이 설치된 것으로 보여진다.

都市部는 혹자의 주장처럼 '都城의 市場'을 가리키기 보다는 市場 개념으로 사용되었

---

35   박대재, 「백제 초기의 회의체와 南堂」『韓國史硏究』124, 2004, 17~18쪽.

다. 일례로 "懸首都市 宗黨夷滅"[36]라는 구절을 제시할 수 있다. 그리고 客部의 경우 외교 사신 접대가 소관이라고 한다면, 부사가 왕궁 안에 소재하기는 어렵다. 당연히 왕궁 바깥 都城 안에 소재할 수밖에 없다. 또 그랬기에 客部는 外官 소속인 것이다. 그리고 日官部가 천문과 점술을 맡아 보는 부서임에는 이견이 없다. 신라의 첨성대가 왕궁 바깥에 소재하였지만 역시 도성 안에 소재한 것이다. 백제 外官 日官部도 이와 동일한 공간성을 지녔다고 본다. 이렇게 볼 때 外官은 사비도성이나 국가 전체를 대상으로 하는 국왕 직속의 행정부서로 지목된다.

外官 업무의 1차 대상이 都城內였음은 다음의 사실에서 뒷받침된다. 즉 외관에 속한 사군부의 소임이 軍事라고 할 때 都城 안의 병력을 관장했던 것으로 보인다. 사비도성에는 각 部 마다 500명의 병력이 주둔하고 있었다.[37] 바로 이러한 도성 안의 병력을 관장했던 부서가 사군부로 여겨진다. 그러한 사군부의 長인 좌장은 국왕의 친위세력인 만큼 국가적 전쟁에서의 지휘권도 부여받았던 것 같다. 반면 병관좌평직은 "外兵馬"라고 하였듯이 국왕의 친위병력을 제외한 전국의 병마를 담당한 부서였다. 이와 관련해 다음의 기사를 보자.

7월에 東北 2部 사람들로서 나이 15세 이상을 징발하여 사구성을 쌓았는데 왕은 병관좌평 해구로 하여금 役事를 감독하게 하였다.[38]

병관좌평이 전국의 주민들을 동원한 축성 작업을 감독하고 있다. 이로 볼 때 한성 도읍기의 병관좌평직은 병마 징발 뿐 아니라 축성까지 소관했음을 알려준다. 물론 이러한 병관좌평의 소임을 사비성 도읍기까지 적용하기는 어려울 수도 있다. 그렇지만 기본적인 틀에는 변함이 없었다고 한다면, 築城 소임을 木部로 지목하기는 어려워진다. 따라서 內官 木部의 소관 대상은 어디까지나 왕실에 국한된다는 심증을 확실히 해 준다.

한편 內官의 성격을 왕실 관련 직무로만 설명되지 않는다는 주장도 있다.[39] 그러나 外官인 일관부의 경우도 일관이 왕의 측근인 만큼 왕실 관련 부서가 분명하다. 이와 관련

---

36 『宋書』권99, 二凶.

37 『北史』권94, 백제전.

38 『三國史記』권25, 腆支王 13년 조.

39 정동준, 『동아시아 속의 백제 정치제도』, 일지사, 2013, 222쪽.

해『삼국사기』에서 日官 혹은 日者 내지는 巫者의 용례를 다음과 같이 뽑아 보았다.

* 여름 4월 丁卯 그믐에 日食이 있었다. 5월에 五星이 東方에 모였다. 日者가 王이 怒할까 두려워 거 짓으로 告하기를 "이는 임금의 德이요, 나라의 福입니다"고 하자, 왕이 기뻐했다(차대왕 4년 조).

* 巫者가 말하기를 國壤이 나에게 내려와…(동천왕 8년 조).

* 봄 2월에 왕궁의 우물물이 갑자기 넘쳤고, 漢城의 人家에서 말이 소를 낳았는데 머리 하나에 몸은 둘이었다. 日官이 말하였다. "우물물이 갑자기 넘친 것은 대왕이 우뚝 일어날 징조요, 소가 머리 하나 에 몸이 둘인 것은 대왕이 이웃 나라를 병합할 징조입니다." 왕이 듣고 기뻐하여 드디어 辰韓과 마한 을 병탄할 생각을 가지게 되었다(온조왕 25년 조).

* 9월에 기러기 100여 마리가 왕궁에 모였다. 日官이 말하였다. "기러기는 백성의 상징입니다. 장차 먼 데 있는 사람이 투항해 오는 자가 있을 것입니다." 겨울 10월에 南沃沮의 仇頗解 등 20여 家가 斧壤 에 귀순하니 왕이 이들을 받아들여 漢山 서쪽에 안치하였다(온조왕 43년 조).

* 귀신 하나가 궁궐 안으로 들어와 "백제가 망한다. 백제가 망한다."고 크게 외치고는 곧 땅으로 들 어갔다. 왕이 괴이히 여겨 사람을 시켜 땅을 파보게 했더니 세 자 가량의 깊이에서 한 마리의 거북이 있었다. 그 등에 글이 씌어 있었는데 "백제는 둥근 달과 같고 신라는 초생달과 같다"라고 하였다. 왕이 이를 물으니 巫者가 말하였다. "둥근달과 같다는 것은 가득 찼다는 것입니다. 가득 차면 기울 것입니 다. 초생달과 같다는 것은 아직 차지 않은 것입니다. 차지 않으면 점점 가득 차게 될 것입니다." 왕이 노하여 그를 죽였다. 어느 사람이 말하였다. "둥근달과 같다는 것은 왕성하다는 것이요, 초생달과 같 다는 것은 미약하다는 것입니다. 생각컨대 우리나라는 왕성하게 되고 신라는 점차 미약해진다는 뜻일 까 합니다." 왕이 기뻐하였다(의자왕 20년 조).

* 日官이 아뢰기를 "이 아이는 重午日에 출생하였고 나면서 이빨이 나고, 또 햇빛이 이상하니 아마 장차 국가에 이롭지 못할 것이오니 마땅히 이를 키우지 마십시오!"라고 하였다(궁예전).

日官部의 경우는 분명히 왕궁 바깥에 소재한 外官에 속하지만 王者와 직결된 핵심 부서인 것은 분명하다. 따라서 內官이나 外官 모두 국왕과 직결된 공간적 연결성을 지녔던 것이다.

표 5 | 새로 밝힌 22部司의 職能

구분	관사명	職能
內官	內部	왕실 내무 담당
	穀部	왕실 소용 곡식 관리
	肉部	왕실 소용 육류 관리
	內椋部	왕실 傳世 寶物倉庫
	外椋部	도성 소재 왕실 창고
	馬部	왕실 소용 馬匹 관리
	刀部	왕실 및 국가 소용 도검 관리
	功德部	불교와 사찰 및 승려 관리
	藥部	제약 조제, 채약사 관리
	木部	왕실 소용 땔감 관리
	法部	왕족 관련 犯法 집행
	宮部	궁성 관리
外官	司軍部	都城 5部 군사 운영·관리
	司徒部	교육·의례, 國葬·陵墓 조영
	司空部	토목공사
	司寇部	형벌·사법
	點口部	호구 파악·징발
	客部	사신 접대
	外舍部	外官 10舍 廳舍 관리
	綢部	직물 출납
	日官部	천문·역법·점술 담당
	都市部	市場·國際交易 관리

(3) 任期와 官司 소재지

백제 중앙 22部 관인들의 임기는 어떻게 되는 것일까? 22부의 관인들은 "三年一代"[40]라고 하였다. 정기적으로 인사 이동이 있었음을 알 수 있다. 인사가 하나의 운영 틀 속에서 一絲不亂하게 움직였음을 시사해준다. 유학자나 승려들의 경우도 왜국에 "三年一代"로

---

40 『周書』권49, 異域上 百濟 條.

파견되고 있다.[41] 즉 이들도 22부의 관인들과 동일한 근무 연한을 지녔던 것이다. 이들이야 말로 22부 내지는 이와 연관된 부서에 예속되었을 가능성을 제기해 준다. 가령 왜국에 파견된 유학자들은 사도부에서, 승려들은 공덕부에, 採藥師는 약부에 소속되었음을 알 수 있다. 더욱이 무녕왕대에 단양이와 고안무가 교대로 왜국에 파견되었다.[42] 이로 볼 때 웅진성 도읍기에 이미 관사제 운영에 의해서 왜국으로의 유학자 파견이 이루어졌음을 알려준다. 결국 "三年一代"에 의한 운영은 율령에 근거한 국가 관료 조직의 기본 틀이 완성되었음을 뜻한다. 이러한 운영의 주체는 좌평이기 보다는 국왕으로 지목할 수 있다.

지금까지의 논의를 정리해 보면 22부는 왕의 친위부서로서 내관은 왕궁 안에, 외관은 왕궁 바깥에 소재하였다. 그리고 위사좌평만 제외한 여타 좌평은 전국적인 단위의 소임을 관장했음을 알 수 있다. 그러한 좌평의 집무처는 궁성 안이었을 것으로 보인다. 다음의 기사는 비록 백제 멸망의 조짐을 알려주는 설화적 기록이기는 하지만 사실 자체는 수용할 수 있기 때문이다.

> 2월에 여러 마리 여우가 궁중으로 들어갔는데 한 마리의 白狐가 상좌평의 책상 위에 앉았다.[43]

위의 기사를 통해 상좌평의 책상이 궁중에 있었다는 사실은 좌평들의 집무처 역시 궁중에 소재했음을 가리켜준다. 물론 上·中·下佐平의 3좌평만 집무처가 궁중에 소재하였고, 6좌평은 궁성 바깥에 소재했을 가능성도 있다. 그러나 이 경우도 위사좌평이 궁중에 상주하듯이 나머지 좌평들의 집무처도 궁중으로 지목되어진다. 이렇듯 좌평의 집무처가 공간적으로 궁중에 있었다는 자체가 왕권에 예속된 臣僚로서의 면면을 엿 보여준다. 이 점 부인하기는 어려울 것 같다.

요컨대 백제 관제로서는 국왕 직속의 행정부서인 내관·외관과 內兵馬權을 쥐고 있는 좌장이 존재하였다. 반면 좌평직은 직무상 위사좌평만 제외하고는 직무 범위가 전국이었다. 백제는 2원화된 행정 관부를 운용하였다. 그러나 모두 국왕의 예하에 두면서 강화

---

41   李道學, 「倭의 佛教 受容과 백제계 사찰의 건립배경 및 성격」 『충청학과 충청문화』 19, 2014, 174쪽. 王仁
      은 왜로 건너간 이후 귀국하지 않았기에 "三年一代"는 맞지 않다는 주장도 할 수 있다. 그러나 이 경우는
      왜 조정의 부탁과 아직기의 추천으로 이루어졌기에 年限은 의미가 없다고 본다.
42   『日本書紀』 권17, 繼體 7년 6월 조. 繼體 10년 9월 조.
43   『三國史記』 권28, 義慈王 19년 조.

된 왕권을 뒷받침해주는 역할을 하게 했다.

3. 地方 파견 官職에 대한 檢討

1) 王·侯制의 시행

백제에서 중앙의 귀족이 지방에 파견된 시점은 담로의 설치와 결부 지어 살피기도 한다. 주지하듯이 담로는 전면적 지배 이전인 點의 지배인 거점 지배 단계를 가리킨다. 다음의 기사가 담로 관련 내용이다.

> 治所城을 이름하여 固麻라고 한다. 邑을 檐魯라고 하는데, 중국에서 말하는 郡縣과 같은 것이다. 그 나라에는 22담로가 있는데 모두 子弟宗族을 이곳에 나누어 거주시킨다.[44]

위의 기사는 고마라고 일컬었던 왕성 예하의 지방 통치 거점이자 중국 郡縣에 해당하는 22곳의 담로에는 자제종족을 파견하였음을 알려준다. 담로 기사가 처음으로 남겨진 웅진성 도읍기는 물론이고 그 이전에도 지방의 거점에는 자제종족 파견을 생각하게 한다. 그렇지만 담로 설치에 대해서는 始點을 알려주는 기록은 남아 있지 않다. 다만 한성말·웅진성 도읍기에 보이는 王·侯의 分封을 담로제 시행과 결부지을 수도 있다.

史書에서 가장 일찍 확인된 王·侯의 존재는 개로왕대인 472년에 북위에 사신으로 파견된 불사후 장사 여례이다. 왕족인 여례는 불사 지역의 侯였다. 458년 유송에 봉작을 요청한 기록에 따르면 정로장군 좌현왕 등이 보이므로 '王'의 존재가 확인된다. 주지하듯이 이러한 '王'·'侯'의 존재는 황제체제를 전제로 한 것이다. 그런 만큼 '王'의 존재는 말할 것도 없고 그 정점에 大王의 존재를 시사해준다. 이러한 王·侯制는 大王·王·侯·太守制로 짜여진 체제였다. 그런데 450년(비유왕 24)에 對劉宋 사신인 西河太守 馮野夫의 존재가[45] 주목된다. 여기서 西河太守의 太守는 백제의 王·侯制 시행을 뜻한다. 이러한 맥락

---

44 『梁書』 권54, 東夷傳 百濟 條.
45 『宋書』 권97, 夷蠻傳 百濟國 條.

에서 볼 때 백제의 王·侯制는 최소한 450년까지 소급된다.

그리고 다음에 보이는 백제와 북위 간의 전쟁 기사는 488년과 490년의 사실이라고 한다. 그렇다면 458년을 경유해 472년에서부터 16년 후에도 王·侯의 존재가 이어졌음을 알 수 있다. 결국 다음의 기사를 통해 大王體制에서 왕·후의 존재는 웅진성 도읍기에도 확인되는 것이다.

功에 대하여 보답하고 부지런히 힘쓴 것을 위로하는 일은 실로 그 명성과 공업을 보존시키는 것입니다. 임시로 부여한 영삭장군 臣 姐瑾 등 4인은 충성과 힘을 다하여 나라의 환란을 쓸어 없앴으니 그 뜻의 군셈과 과감함이 名將의 등급에 들 만하며 나라의 干城이요 사직의 튼튼한 울타리라 할 만 합니다. 그들의 노고를 헤아리고 공을 논하면 환히 드러나는 지위에 있어야 마땅하므로 지금 전례에 따라 외람되이 임시 관직을 주었습니다. 엎드려 바라옵건대 은혜를 베푸시어 임시로 내린 관직을 정식으로 인정하여 주십시오. 영삭장군·면중왕 저근은 정치를 두루 잘 보좌하였고 무공 또한 뛰어났으니 이제 임시로 冠軍將軍·都將軍·都漢王이라 하였고, 建威將軍·八中侯 餘古는 젊었을 때부터 임금을 도와 충성과 공로가 진작 드러났으므로 이제 임시로 영삭장군·阿錯王이라 하였고, 건위장군 餘歷은 천성이 충성되고 정성스러워 문무가 함께 두드러졌으므로 이제 임시로 용양장군·邁盧王이라 하였으며, 廣武將軍 餘固는 정치에 공로가 있고 국정을 빛내고 드날렸으므로 이제 임시로 건위장군·弗斯侯라 하였습니다. …

이 해에 위나라 오랑캐가 또다시 騎兵 수십만을 동원하여 백제를 공격하여 그 地境에 들어가니 牟大가 장군 沙法名·贊首流·解禮昆·木干那를 파견하여 무리를 거느리고 오랑캐 군대를 기습 공격하여 그들을 크게 무찔렀다.

建武 2년(495년 : 동성왕 17)에 모대가 사신을 보내어 표문을 올려 말하기를 "지난 庚午年(490년)에 獫狁이 잘못을 뉘우치지 않고 군사를 일으켜 깊숙이 쳐들어 왔습니다. 臣이 沙法名 등을 파견하여 군사를 거느리고 역습케 하여 밤에 번개처럼 기습 공격하니, 匈梨가 당황하여 마치 바닷물이 들끓듯 붕괴되었습니다. 이 기회를 타서 쫓아가 베니 시체가 들을 붉게 했습니다. 이로 말미암아 그 예리한 기세가 꺾이어 고래처럼 사납던 것이 그 흉포함을 감추었습니다.

지금 천하가 조용해진 것은 실상 사법명 등의 꾀이오니 그 공훈을 찾아 마땅히 표창해 주어야 할 것입니다. 이제 사법명을 임시로 征虜將軍·邁羅王으로, 贊首流를 임시로 安國將軍·辟中王으로, 解禮昆을 임시로 武威將軍·弗中侯로 삼고, 木干那는 과거에 軍功이 있는데다가 또 臺와 舫을 때려 부수었으므로 임시로 廣威將軍·面中侯로 삼았습니다. 엎드려 바라옵건대 天恩을 베푸시어 특별히 관작

을 제수하여 주십시오"라고 하였다.[46]

위의 기사를 보면 "지금 전례에 따라 외람되이 임시 관직을 주었습니다"고 했다. 488
년 이전의 王·侯職 부여를 짐작할 수 있다. 王·侯制는 472년의 '불사후'의 존재와도 만
나는 것이다. 그러한 王과 侯에 冠稱한 면중·도한·팔중·아착·매로·불사·매라·벽
중·불중 등이 지명임을 알 수 있다. 이러한 지명은 중국 지명이라기보다는 대부분 백제
지역으로 비정되고 있다. 면중은 전라남도 광주로, 도한은 전라남도 고흥이나 나주 지방
으로, 팔중은 전라남도 나주 일원으로, 아착은 전라남도 여수로, 매로는 전라북도 옥구나
전라남도 보성 혹은 장흥 일원으로, 불사는 전라북도 전주로, 벽중은 전라북도 김제로 비
정되어진다.[47] 이러한 비정이 정곡을 찔렀다고 보기에는 석연치 않은 구석이 많다. 그러
나 『삼국사기』 지리지에 의하면 "阿錯縣은 본래 源村이다"고 하였다. '원촌'은 지금의 여
수 일대이다. 그러므로 아착은 여수 해안가로 볼 수 있다. 게다가 이들 지명은 대략 전라
북도 일부와 전라남도 일원에 몰려 있다는 분포상의 경향성을 보여준다. 그러므로 지명
을 관칭한 왕과 후들은 북위와의 전공이나 국왕을 잘 보좌한 공로로 중국의 장군호를 받
는 동시에, 익히 언급되었듯이 백제가 새로 개척한 영산강유역의 각 지역에 봉해졌다고
하겠다. 백제는 근초고왕대 마한경략을 통해 지금의 노령산맥 이북선까지만 영역화하고
있었기 때문이다.[48]

그러면 위의 기록에 보이는 분봉 인물들에 대한 분석을 시도해 본다. 첫째, 姐瑾·餘古
·餘歷·餘固는 왕정 보좌에 공을 세웠다고 한다. 이 가운데 저근만 빼고 나머지 3명은 왕
족인 것이다. 姐瑾의 경우는 문주왕을 도와 목려만치와 함께 웅진성 천도에 공을 세운 祖
彌桀取의 조미씨와의 관련을 연상시킨다. 扶餘氏를 餘氏로만 표기한 것처럼, 複姓인 祖
彌氏를 單姓인 姐氏로만 표기한 게 아닐까 하는 생각이 든다.[49] 이와 더불어 담로에 파견
된 이들의 성격을 '子弟宗族'이라고 한 점을 유의한다면 저근의 경우는 왕실의 姻族일 가
능성을 제기해 준다. 둘째, 軍功으로 분봉된 沙法名·贊首流·解禮昆·木干那에 대한 성
격이다. 이들은 모두 이성 귀족들이지만 역시 왕실의 姻族이라면 宗族의 범주에 포함되

---

46 『南齊書』 권58, 東夷傳 百濟國 條.
47 末松保和, 『任那興亡史』, 吉川弘文館, 1956, 110~113쪽.
48 李道學, 『백제 고대국가 연구』, 일지사, 1995, 139~141쪽.
49 李道學, 『새로 쓰는 백제사』, 푸른역사, 1997, 177쪽.

는 게 가능하다. 물론 이들은 軍功이라는 특수한 상황에서 分封되고 있으므로, 일상적인 지방 통치 일환으로서의 분봉과는 차이가 날 수도 있다. 그러나 姐瑾 등 4명에 대한 488년의 책봉 요청 명분을 보면 의례적인 것이다. 그리고 분봉되는 귀족들에게 관작을 모두 중국에 요청한 것은 아니라고 본다. 특별히 의미 있는 지역에 분봉되는 귀족들의 위상을 높여주는 한편, 분봉 주체인 백제왕의 권위를 올리기 위한 의도에서 선별된 지역에만 국한된 일로 파악되어진다. 그렇다고 할 때 웅진성 도읍기 백제 왕정은 신복속 지역인 영산강유역에 각별히 신경을 썼기에 비중 있는 자제종족들을 분봉했음을 알 수 있다.

그리고 위의 기록을 통해서 저근은 면중왕에서 도한왕으로, 여고는 팔중후에서 아착왕으로 轉封된 사실을 발견하게 된다. 고흥 안동 고분의 피장자는 도한왕으로 분봉된 대왕권체제하의 王으로 비정된 바 있다.[50] 그리고 495년에는 목간나가 면중후에 봉해졌다. 이러한 사실은 동성왕대의 귀족들은 임지를 바꾸어 계속 이동하면서 지방을 통치했음을 알려준다. 이는 지방을 통치하는 주체가 토착 호족이 아니라 중앙에서 파견한 귀족이었음과 더불어 이들의 轉封은 領地를 가진 諸侯가 되어 권력을 갖는 것을 차단하기 위한 조치였다. 이와 관련해「진법자묘지명」에 따르면 이들 가문은 중앙과 지방을 오간 사실이 보인다. 이 역시 토착화를 원천적으로 차단하기 위한 조치였다.

王·侯들 가운데서 사법명·찬수류·해례곤·목간나를 제외한 그 앞의 4명은 저근만 제외하고는 부여씨 왕족이다. 저근은 "節符와 斧鉞을 받아 모든 변방을 평정하였습니다"고 한 기사에 이어 다시금 언급되고 있다. 그런 만큼 이들은 지방세력에 대한 통제와 흡수 그리고 영산강유역으로의 진출에 공을 세운 인물이었음을 생각하게 한다. 그리고 저근은 면중에 왕으로 파견된데 반해, 木干那는 侯로서 이곳에 부임하였다. 이로써 볼 때 왕과 후들이 특정 지역에 파견되면, 그 지역 이름을 취해서 왕이니 후를 칭한 것이다.

그런데 이러한 王·侯 분봉 체제가 언제까지 이어졌는지는 명확하지 않다. 다만 지방 통치와 관련해「진법자묘지명」은 관인 파견을 증언하고 있다. 진법자의 祖가 역임한 麻連大郡將의 郡將은 방·군·성 체제하에서 郡의 장관을 가리킨다. 방군성 체제의 시행은 538년 성왕의 사비성 천도 이후로 지목하는 견해가 일반적이다. 진법자 祖의 경우도 사비성 천도 이후 출생한 인물인 만큼 그러한 선상에서 살필 수 있다.

---

50   李道學,「금동관이 출토된 고흥 안동 고분의 피장자는 누구인가?」『한국전통문화학보』 37, 2006. 4. 2;『역사가 기억해 주는 이름』, 서경문화사, 2007, 75~79쪽.

지금까지 살펴 본 바에 따른다면 백제는 王·侯制를 시행하였다. 그리고 왕·후들을 지방에 분봉하였으며 轉封되었음을 알려준다. 여기서 分封은 任地에 任期를 지닌 형식이었다. 그러면 임기가 있는 백제 중앙의 귀족들을 파견하는 시점은 언제부터일까? 이와 관련해 근초고왕대에 아직기와 왕인을 倭에 파견한 일이 단서가 된다. 이에 따르면 백제에서는 당시 3년마다 해외 파견자 교대가 있었음을 알 수 있다. 관인을 3년마다 교체한 기록은 『周書』에서 "三年一代"라고 하여 보인다. 그러한 교대의 시행은 4세기 후반 경에 이미 시행되었음을 알려준다. 그렇다면 3년 교대제는 응당 율령에 포함된 내용으로 다시금 상정해 볼 수 있다. 백제에서는 율령 반포와 더불어 관인의 3년 교대제가 시행된 것이다.

2) 官制 운영 실태

진법자 가문의 관직 역임 생활을 통해 관제 운영을 살펴 보도록 한다. 진법자는 615년에 출생하였으므로 백제 멸망기 연령이 46세였다. 그가 은솔 관등에 머물러 있었지만 이때 백제가 660년에 멸망하지 않았다면 제2관등인 달솔까지 승진했을 것으로 보인다. 이와 더불어 진법자 父의 경우 660년 당시 최소 66세 이상이었다고 본다면 제4관등인 덕솔은 최종 관등으로 간주된다. 여기서 진법자의 官歷이 가장 상세하게 남아 있으므로 이것을 중심으로 그 조상들의 관력 뿐 아니라 백제 관제의 흐름을 파악하고자 한다.

「陳法子墓誌銘」에서는 진법자의 관력을 소개하면서 단 3職만 서술하였다. 이 경우는 익히 언급되고 있듯이 관등의 변화가 있을 때의 관직만 언급하였을 가능성이 높다. 진법자는 660년 당시 은솔 관등에 司軍이었다. 그러므로 司軍 직전의 관직으로 적혀 있는 품달군장은 덕솔 관등이었을 때로 보인다. 그런데 그의 祖가 최종 역임한 마련대군장은 달솔 때였다. 이들이 품달군장과 마련대군장을 역임했을 때 관등은 각각 제4관등과 제2관등인 셈이다. 만약 진법자가 품달군장을 역임한 경우도 제3관등인 은솔 때였다고 하자. 그렇더라도 그 祖가 제2관등인 달솔 때 마련대군장을 역임한 일과 비교해 보면 관등상 열세인 것이다. 이는 郡將의 정원이 3인으로서 제4관등인 德率이 임명되었던[51] 사례와 견주어 보자. 그러면 진법자가 품달군장이었을 때 관등은 역시 덕솔일 수 있다. 그런데 그 祖가 마련대군장을 역임했을 때 관등은 달솔이었다. 군장이 달솔인 경우는 흑치상

---

51 『周書』 권49, 異域上 百濟 條.

지가 20세 전후한 시기인 649년(의자왕 9) 경 달솔 관등으로서 風達郡將에 있었다. 그러나 흑치상지는 '地籍'으로 약관이 되지 않아 달솔 관등에 올랐기에 특수한 경우일 수 있다. 문제는 마련대군장이다. 마련이 일반 郡이 아니라 大郡이었기에 군장의 관등이 달솔이었는지? 아니면 3명의 군장 가운데 대군장이었기에 달솔 관등이었는지? 이 문제는 사실 속단하기 어렵다. 그런데 마련은 「양직공도」에 보이는 백제 傍小國에 등장하는 麻連과 동일하다.[52] 小國이었던 마련이 백제에 복속되었다면 당연히 일반 郡과 구분되는 大郡으로 편제되었을 수 있다. 또 그렇다면 마련의 군장은 일반 군의 군장보다 높은 달솔이 파견되었을 가능성이 제기된다.

3) 郡의 位階와 郡將

문헌과 묘지를 통해 볼 때 풍달군(品達郡)에는 달솔과 덕솔 관등의 군장이 부임한 게 된다. 이러한 경우는 3명의 군장 중에는 순위가 정해졌음을 말해 줄 수 있다. 그렇다면 관등이 상이한 3명의 인물이 동일한 군장을 칭하게 된 배경을 구명해야 한다. 일단 지금까지 확인된 기록을 놓고 보면 郡의 군장은 달솔과 은솔, 그리고 덕솔로 구성되었을 가능성을 제기해 준다. 만약 그렇다면『周書』에서는 왜 郡將은 모두 덕솔이 임명되었다고 한 것일까? 이에 대한 해명이 필요할 것 같다. 여기서 달솔 관등인 흑치상지의 경우는 특별한 사례에 속하므로 일반화시켜 백제 지방 통치나 관제 운영과 관련 짓기 어려운 측면도 고려해야 한다. 이렇게 본다면 진법자가 품달군장을 역임할 때 관등은 역시 덕솔에 해당하는 게 타당할 것 같다. 이러한 맥락에서 본다면 진법자의 祖가 달솔로서 역임한 마련대군장은 마련군의 '대군장'이 아니라 마련대군의 군장으로 해석하는 게 온당할 듯싶다.[53] 백제에서는 복속된 지역 가운데 비중이 큰 지역을 大郡으로 편제했음을 뜻한다.

이러한 추정을 郡의 존재 구조와 관련해 살펴 보기로 한다. 우선 사비성 도읍기에 백제는 전국적인 정연한 지방통치인 方-郡-城 體制를 시행하였다. 『주서』백제 조에 의하면 다음과 같은 기록이 보인다.

52　李道學, 「양직공도의 백제 사신도와 제기」『백제 문화 해외 조사보고서 6』, 국립공주박물관, 2008;『백제 한성·웅진성시대연구』, 일지사, 2010, 464~465쪽.

53　논거는 다르지만 이러한 해석은 김영관, 「백제 유민 진법자 묘지명 연구」『백제문화』50, 2014, 119~121쪽에 보인다.

도읍은 固麻城이다. 도읍 밖에는 다시 五方이 있다. 中方은 古沙城이고, 동방은 得安城, 남방은 久知下城, 서방은 刀先城, 북방은 熊津城…오방에는 각각 方領 한 사람이 있는데 달솔로서 임명한다. 郡將은 3인이 있는데 덕솔로서 임명한다. 방에서 거느리는 병사는 1,200명 이하 700명 이상이었다. 성의 안팎의 주민들 및 나머지 작은 성들은 모두 여기에 예속되었다.

여기서 고마성은 사비도성을 가리킨다. 고사성은 전라북도 고부이고, 득안성은 충청남도 은진을, 웅진성은 공주이지만, 나머지 구지하성과 도선성의 위치는 분명하지 않다. 그리고 백제 멸망시에 5부-37군-200성이라고 하였다. 여기서 '부'는 '방'을 가리키는 것이다. 군 예하에 縣格에 해당되는 城이 존재했음을 알 수 있다. 요컨대 백제는 전국을 5개의 구역으로 나누어 5방이라고 불렀다. 이는 『禮記』에 나타난 천하관인 '五方之民'의 영향을 받은 것으로 보인다.[54]

『한원』에 의하면 방이 관장하는 군은 많은 경우에는 10개요 적은 경우에는 6~7개라고 하였다. 이와 관련해 『한원』에서 "郡縣置道使 亦名城主"라고 한 구절을 다른 시각에서 한 번 검토해 본다. 즉 "郡縣置道使"를, "郡의 縣" 즉, 郡 밑의 縣 단위를 가리키는 등등의 해석이 있어 왔다. 그러나 허심하게 이 구절을 접한다면, "郡과 縣에는 道使를 둔다"로 해석이 가능하다.[55] 나아가 이 구절은 『주서』 백제 조의 관련 기사와 연관지어 살펴 보아야만 합리적인 해석이 가능해진다. 즉 方 밑의 10곳 가량의 군 가운데 군장이 존재한 지역은 3곳이다. 그 나머지 여타 군과 현에는 그 하위 관직인 도사가 파견되었다고 해석한다면 아무런 문제가 없다. 5방에는 '각각' 방령이 한 사람씩 있다고 한다. 그러므로 5방 전체에는 5명의 방령이 존재한 것이다. 반면 『주서』의 이 구절은 방 관하 10개의 郡에는 군마다 '각각' 3인의 군장이 존재했다는 내용은 아니다. 방 밑의 군에는 군의 숫자와는 큰 상관 없이 3명의 군장이 있었고, 군장이 파견되지 않은 나머지 군과 현 단위에는 도사가 파견되었다고 하자. 그러면 이는 『한원』의 기록과는 모순이 없다.

이러한 해석에 의한다면, 1개 방에는 3명의 군장이 파견되었다. 그러므로 군장이 파견된 郡은 백제 5方 영역내에서 15개 지역이 된다. 그렇다고 할 때 이 15개 지역은 각별히

54　李道學, 『백제고대국가연구』, 일지사, 1995, 243쪽.

55　郡과 縣의 우두머리를 모두 道使로 일컬을 수 있었을까에 대해 의문을 제기할 수도 있다. 그러나 「진법자묘지명」에 따르면 大郡의 존재가 확인되고 있다. 이는 大郡과는 비중이 적은 일반 郡의 존재를 상정하게 한다. 그렇다면 이들 일반 郡과 縣의 우두머리를 모두 道使로 호칭하는 것은 결코 이상하지 않다고 본다.

의미가 있고 비중이 큰 지역임을 생각할 수 있다. 곧 자제종족을 파견하였던 옛 담로 구역으로서, 方-郡-城 體制에서도 그러한 성격이 남아 있던 곳이 아니었을까. 요컨대 15명의 군장이 파견된 곳과, 그 상급행정 구역인 5 方城 지역을 합해 볼 때 모두 20개이다. 이러한 20개의 구역은, 비록 고정된 숫자는 아니겠지만 기록에 나타나는 22개의 담로 숫자와 대략 맞아 떨어진다는 데서 어느 정도 뒷받침되어진다.[56]

이러한 맥락에서 볼 때 진법자의 祖가 달솔로서 역임한 마련대군장은 마련대군의 군장으로 해석하는 게 온당할 것 같다. 백제 말기에는 전역에 37개 군의 존재가 확인되었다. 그런데 군장이 파견된 군을 15개 지역으로 국한된다면, 郡 마다 규모나 級이 동일하지 않았음을 뜻하는 것이다. 결국 郡은 大郡과 小郡으로 구분되고, 군장이 파견된 곳은 대군이었음을 가리킨다. 진법자의 祖가 달솔로서 역임한 마련군은 대군에 속함을 알 수 있다. 나아가 군장이 파견된 바 있는 품달군과 풍달군을 동일한 군으로 간주할 수 있게 된다. 물론 풍달군장 재직시 흑치상지는 제2관등인 달솔로 기록에 보인다. 그러나 이 경우는 백제 멸망과 국가회복운동기에 부풀려진 것으로 간주된다. 이러한 사례는 「유인원기공비문」을 비롯하여 적지 않게 확인되기 때문이다. 즉 "反逆卽有僞僧道琛 僞扞率鬼室福信 出自閭巷爲其魁首 招集狂狡 堡據任存 蜂屯蝟起 彌山滿谷 假名盜位"라고하여 도침과 복신이 閭巷 출신으로서 남의 이름을 빌리고 지위를 훔쳐서 행세했다는 서술을 하였다.[57] 여기서 복신은 한솔(제5관등)로 기록에 보이지만 문헌에는 恩率(제3관등)로 적혀 있다가 國人이 존경하여 좌평으로 일컬었다고 한다. 백제 멸망 당시 達率(제2관등)이었던 餘自進도 국가회복운동에서 공을 세우자 좌평으로 일컬어졌다.[58] 그런데 군장 3인과 유사한 사례가 다음에서처럼 北魏에서도 보인다.

모든 州에는 3명의 刺史를 두었다. 자사는 품계가 6품인 이를 임명하였으며, 종실의 인물이 1명, 異姓의 인물 2명으로 구성되었다. 이것은 옛날의 上·中·下 三大夫를 닮았다. 郡에는 3명의 태수를 두었으며, 7품인 者를 임용하였다. 縣에는 3명의 縣令·長을 두었으며, 8품인 者를 임용했다.…비록 설치는 하였으나 백성들을 담당하는 데는 미치지 못하였다.[59]

---

56 李道學, 『새로 쓰는 백제사』, 푸른역사, 1997, 441~442쪽.
57 이에 대한 해석은 韓國古代社會研究所, 『譯註 韓國古代金石文 Ⅱ』 1992, 485쪽에 의한다.
58 『日本書紀』권26, 齊明 6년 9월 조.
59 『魏書』권113, 官氏志 職官 延興 2년 5월 조.

위의 기사에 따른다면 北魏에서도 複數의 지방관이 소재했음을 알 수 있다.[60] 즉 刺史 3인은 宗室 1명과 異姓 2명으로 구분되었다. 이러한 경우는 淸朝에서도 하나의 要職에 漢人과 滿人을 함께 임명하여 각기 책임을 지게하는 滿漢竝用制를 연상시킨다. 여기에는 감시 기능이 따랐던 것이다.[61] 풍달군장이었던 흑치상지가 부여씨 왕족 출신이었던 점에 비추어 보자. 그렇다면 북위의 郡太守도 3명이었던 것과[62] 마찬 가지로 백제의 군장 3명 중 1명은 왕족이고 나머지 2명은 異姓 귀족과 현지의 토착 호족 출신일 수도 있다. 나아가 백제가 3명의 군장을 배치한 이유는 北魏나 淸에서와 마찬 가지로 상호 견제라는 측면도 고려했겠지만, 토착 세력에 대한 배려라는 측면도 간과할 수 없다. 백제가 신복속지에 대한 적극적인 경영을 흡수나 점령 개념이 아니라 郡將 발탁을 통한 토착 세력의 기득권을 일정 부분 수용해 주려는 표지로도 해석된다. 그러나 사비성 도읍기 백제의 지방 관제의 연원이 북위에 와 닿았는지는 양국 간의 교류의 활성화에 대한 자료가 없기 때문에 현재로서는 장담할 수 없다. 그렇지만 백제와 북위 간의 전쟁을 비롯한 교류를 통해 얼마든지 영향을 받았을 가능성은 상존한다.[63]

현재로서는 郡將 3人의 성격에 대한 2가지 가능성을 모두 열어두고자 한다.

4. 맺음말

백제의 중앙과 지방 관제에 대해서 검토해 보았다. 그 결과 6세기대에 등장한 5좌평제가 6좌평으로 발전했다는 주장이 성립하려면 그 이전부터 『삼국사기』에 등장하는 좌평 기사를 일괄적으로 소급·부회한 배경이 전제되어야만 한다. 그리고 5좌평의 구체적인 이름을 명시할 수 있어야만 새롭게 증설된 1개 좌평직이 지닌 의미가 살아나게 된다. 게다가 6좌평은 소임과 職名이 모두 기재되어 있지만, 5좌평은 '左平五人' 기록이 전부인

60   이에 대해서는 채민석, 「百濟 王·侯制의 도입과 운영에 대한 試論」『韓國史硏究』166, 2014, 30~31쪽의 서술이 돋보인다.
61   존 킹 페어뱅크·멀골드만 著·김행종·신성곤 譯, 『신중국사』, 까치글방, 2005, 186쪽.
62   채민석, 「百濟 王·侯制의 도입과 운영에 대한 試論」『韓國史硏究』166, 2014, 30~31쪽.
63   이에 대해서는 문헌과 물적 자료를 제시하여 백제와 鮮卑 및 北魏의 교류를 언급한 바 있다(李道學, 「百濟의 海外活動 記錄에 관한 檢證」『충청학과 충청문화』11, 2010, 299~301쪽).

것이다. 문제는 중국 사서에서 5方制가 6方制로 확대된 기록이 보이지만 역시 낱낱이 기재된 5方 기사가 타당함을 알 수 있다. 이와 마찬 가지로 숫자만 적힌 5좌평 기록 역시 그자체 중대한 취약점을 지녔기에 취신하기 어렵다고 본다. 그리고 좌평을 왕이 선임하지 않고 사후 승인했다는 근거로서 정사암 회의를 지목하고 있다. 그러나 설화적인 내용을 근거로 7세기대에 백제가 최고위직을 선임했다는 근거로 잡기에는 사료 비판이 전제되지 않았음을 생각하게 한다.

사비성 도읍기의 중앙 관사인 22部가 있다. 22部의 설치 시기에 대해서는 시차를 운위하기도 한다. 그렇지만 적어도 『周禮』에서 典故를 찾을 수 있는 司軍部・司徒部・司空部・司寇部라는 4개 관사는 기획된 명칭인 만큼 일괄 설치된 부서로 지목된다. 그리고 『周書』에서 처음으로 보이는 22부의 內官 12부 가운데 맨 앞의 '前內部'와 맨 끝의 '後宮部'에 보이는 '前・後'는 내관 12부의 첫 번째와 마지막 部署를 표시하는 문자에 불과하다. 그렇게 보면 이들 부서는 '內部'와 '宮部'인 것이다. 그리고 內官에 속한 穀部・馬部・刀部・木部・肉部・藥部 등의 부서는 왕실에 소용되는 관련 물품을 조달하는 기관인데 반해, 內椋部・外椋部・功德部・宮部는 管理 부서였다. 法部가 內官에 포함된 것을 볼 때 왕족 관련 犯法에 대한 刑罰을 집행하는 부서로 보인다.

外官 10부사 가운데 外舍部와 관련해 내관 宮部가 시사하는 바 있다. 宮部가 王宮 전반에 관한 관리, 가령 수리・건축・보수 등을 맡아 보았다면, 外舍部는 외관 10부의 廳舍 관리를 맡아 본 부서로 추측된다.

지금까지 연구로는 22부와 좌평직에 관해서는 역할이 겹치는 부분이 많다고 보았다. 즉 좌평이 22부를 관장했던 것으로 간주하였다. 그러나 위사좌평이 예하에 둘 수 있는 부서는 존재하지 않았다. 이렇듯 6좌평의 직무가 22부를 모두 포괄하지는 못하였다. 게다가 좌평직과 22部 간에는 호칭상 연결도 되지 않는다. 이와 관련해 국왕의 친위 兵職인 좌장은 外官 10部의 하나인 司軍部의 長으로 추정된다. 병관좌평은 內外兵馬를 장악한 공식적인 전국 兵權의 최고위직이었다. 22部와 좌평직 간의 관계와 역할이 드러나게 되는 것이다. 요컨대 백제왕은 직속 行政 部署로서 내관과 외관을 두고 있었다. 내관은 왕궁 안에, 외관은 왕궁 바깥 도성 안에 소재하였다. 반면 좌평직은 직무 범위가 전국적이었다. 그럼에도 좌평의 廳舍가 궁중에 있었다는 자체가 왕권에 예속된 臣僚로서의 면모를 보여준다.

지방 통치와 관련해 한성 도읍기 후반부터 등장하는 王・侯의 分封은 담로제와 무관하다고 볼 수는 없다. 그런데 分封 王·侯의 轉封은 領地를 가진 諸侯가 되어 권력을 갖는 것을 차단하기 위한 백제왕의 조치로 파악된다. 이는 진법자 4대의 경우를 보더라도 중앙과 지방을 오가고 있는 데서도 이러한 경향을 읽을 수 있다. 이같은 王·侯制는 西河 太守 馮野夫의 존재를 놓고 볼 때 적어도 450년까지 소급된다. 요컨대 5세기 중엽에 백제왕은 왕권을 강화시킬 수 있는 제도적 조치를 구축했음을 알려준다.

백제는 538년 사비성 천도 이후 전면적인 지방 지배 방식인 方-郡-城制로 전환했다. 이와 더불어 小國이나 지역 세력의 비중에 따라서 大郡과 小郡 등으로 차별 편제된 것으로 밝혀졌다. 이는 제4관등인 덕솔이 임명되는 郡將과는 달리 진법자의 祖가 麻連大郡 將을 역임했을 때 관등이 達率인데서 짐작할 수 있었다. 『한원』에서 "郡縣置道使 亦名城 主"라고 한 구절에서 "郡縣置道使"를, "郡의 縣" 즉, 郡 밑의 縣 단위를 가리키는 등등의 해석이 있어 왔지만, 허심하게 '군과 현에는 도사를 둔다'로 해석해 보았다. 그렇다면 1개 方에는 3명의 군장이 파견되므로, 군장이 파견된 郡은 백제 5方 영역내에서 15개 지역이 된다. 이러한 15개 지역은 각별히 의미가 있고 비중이 큰 지역임을 생각할 수 있다. 그렇기에 子弟宗族을 파견하였던 옛 담로 구역으로 지목해 보았다. 요컨대 15명의 군장이 파견된 곳과, 그 상급행정 구역인 5 方城 지역을 합해 볼 때 모두 20개가 된다. 이러한 20개의 구역은, 비록 고정된 숫자는 아니겠지만 기록에 나타나는 22개의 담로 숫자와 대략 맞아 떨어진다는 데서 어느 정도 뒷받침되지 않을까 한다.

문제는 이와는 달리 3인의 郡將 선임 배경을 北魏나 淸朝의 사례와 결부 짓는 경우이다. 이 점은 차후에 명료한 검토가 필요할 정도로 시사적인 면이 있다. 그렇다면 백제의 군장 3인은 왕족 1명, 귀족 1명과 토착 호족 1명으로 구성되었을 가능성이다. 상호 견제 측면 보다는 토착 세력에 대한 일정한 배려라는 차원에서 郡將으로 기용했을 수 있다.

「百濟 官制 運營의 實際 - 旣存 資料와의 差異를 中心으로-」『2014년 한국고대사탐구학회학술회의』,

한국고대사탐구학회, 2014.12.27

『韓國古代史探究』19, 2015.

榮山江流域 馬韓諸國의 推移와 百濟

1. 머리말

『용비어천가』에 "三韓을 남을 주겠는가. 바다에 배 없거늘 얕게 하시고 또 깊게 하시니(제20장)"라는 구절이 보인다. 조선왕조 개창이 天命임을 나타내려는 목적에서 편찬된 『용비어천가』에 삼한이 등장한다. 삼한은 우리나라를 지칭하는 대명사격의 호칭이었다. 신라의 삼국통일을 일러 "삼한이 한 집안이 되었다"[1]고 했다. 고려 충선왕은 궁예가 "삼한 땅의 3분의 2를 차지했다"[2]고 하였다. 이렇듯 삼한은 우리나라를 가리키는 범칭으로 오랫동안 사용되어 왔다.

三韓은 주지하듯이 馬韓과 辰韓 및 弁韓이라는 3개의 韓으로 구성되었다. 이 가운데 마한은 예하 國의 숫자가 54個나 된다. 반면 진한과 변한은 각각 12개 國에 불과했다.[3] 진한과 변한 전체 國의 숫자를 합쳐도 馬韓諸國 전체 숫자의 절반에도 미치지 못한다. 인구면에서도 馬韓이 辰韓과 弁韓보다 압도적으로 優位였다. 이렇듯 삼한 가운데 마한이 가장 강대하였던 것이다. 본고에서는 우선 마한제국의 존재 형태와 역사 전개 과정을 살펴 본다. 이와 더불어 영산강유역 중에서 高大 封墳과 단봉문환두대도를 부장한 羅州 세력의 동향을 고찰하고자 한다. 4세기 중반 이후 백제 중앙권력의 南進과 그에 대한 영산강유역 마한제국의 대응 과정과 그 존립 내지는 세력 기반을 살피고자 했다. 그럼에 따라 영산강유역 마한 세력의 盛衰 뿐 아니라 실체 구명이 어느 정도 가능해 질 것으로 본다. 참고로 본고에서는 해남반도의 정치 세력도 '영산강유역'이라는 포괄적 개념에 넣었음을 밝혀둔다.

---

1 『三國史記』권43, 김유신전.
2 『益齋亂藁』권9, 下, 史贊;『東國通鑑』新羅 景明王 戊寅年 條.
3 『三國志』권30, 東夷傳 韓 條.

2. 마한 세력권의 변천

1) 三韓의 母胎로서 馬韓과 目支國 辰王

마한을 비롯한 삼한의 기원은 명확하지 않다. 분명한 것은 임진강 이남부터 한반도 남단까지에는 韓이라는 이름의 거대한 정치체가 존재했다는 사실이다. 韓 지역은 위만조선 멸망을 비롯한 급속한 유이민 파동과 같은 정치적 변동으로 인해 3개의 세력으로 나뉘어졌다. 3세기 후반에 집필된『삼국지』동이전에 따르면 "辰韓은 馬韓의 동쪽에 있다. 耆老들은 대대로 傳하여 스스로 말하기를 '옛날의 亡命人으로 秦役을 피하여 韓國으로 왔는데, 馬韓이 그들 동쪽 경계의 땅을 떼어서 그들에게 주었다'고 한다"고 했다. 韓에서 분리하여 진한이 생겨났음을 말하고 있다. 변한의 경우도 "그 12國은 辰王에 屬하였다. 辰王은 항상 馬韓人으로 王을 삼아 世世에 서로 이었다. 辰王을 스스로 세워 王으로 삼지는 못하였다[魏略에 이르기를 '그들은 흘러서 옮겨온 사람들이 되는 까닭에 馬韓의 제재를 받는다']"고 했다. 변한도 마한의 제재를 받는 이유가 적혀 있다. 뒤에서 언급하겠지만 변한은 마한 목지국 辰王의 영향력 하에 놓여 있었다. 이러한 맥락에서 볼 때 당초의 韓은 가장 광활한 영역과 많은 인구를 여전히 보유하였다. 그러면서 진한과 변한을 예하에 둔 盟主로서의 위상을 지녔기에 '맏'이나 '크다'는 의미의 '마한'으로 일컬어진 것 같다.

삼한은 각자의 공동체에 근거한 3개의 연맹체였다. 즉 祭儀와 軍事를 共有하는 戎祀共同體였던 것이다.[4] 그렇다고 삼한은 그 보다 앞선 시점에 존재했던 辰國이나 韓 단계의 정치적 연합체로서의 연동력에서 일탈된 상태는 아니었다. 馬韓 目支國 辰王의 존재가 그들 상호간을 정치적으로 연결시키고 있기 때문이다.『후한서』와『삼국지』韓 條에 따르면 辰王의 성격과 권력 범위를 다음과 같이 적고 있다.

a. 馬韓이 가장 크다. 함께 마한인[其種]을 세워 辰王을 삼아 目支國에 도읍하였는데, 전체 三韓의 땅에서 왕노릇하였다(『後漢書』韓 條).

b. …… 辰王은 目支國을 다스리는데, 臣智 혹은 優呼로서 臣雲遣支報安邪踧支濆臣離兒不例拘邪秦支廉의 號를 붙였다(『三國志』韓 條).

---

4   李道學,『백제고대국가연구』, 일지사, 1995, 208쪽.

c. 그 12國은 辰王에 屬하였다. 辰王은 항상 馬韓人으로 王을 삼아 世世에 서로 이었다. 辰王을 스스로 세워 王으로 삼지는 못하였다(『三國志』弁辰 條).

위의 기사 중 a에 의하면 마한 목지국의 진왕은 삼한 전체를 다스리는 總王처럼 적혀 있다. 그러나 b에서는 마한 54국의 國名과 대략적인 戶數를 든 후에 辰王을 언급하였다. 그러므로 진왕은 마한의 연맹장만을 가리키는 것 같다. 이러한 2가지 해석 가운데 진왕이 마한의 연맹장이었다는 견해에 찬동하면서, 그 영향력은 변한까지 미친 것으로 해석하고자 한다. 그 이유는 b와 c에 보이는 辰王의 성격에 대한 다음과 같은 검토가 전제되었기 때문이다.

첫째, b와 c에 보이는 辰王은 陳壽라는 일 개인에 의하여 작성된 문헌의, 그것도 '韓'이라는 동일 조목에 게재되었다. b와 c의 진왕은 『삼국지』 한 조에서 별다른 전제가 보이지 않으므로, 진왕은 相異한 존재로 생각하기는 어렵다. 따라서 한 조와 변진 조의 辰王은 동일한 대상으로 파악하는 게 사리에 맞다.

둘째, c에 의하면 변진 12국이 속하여 있는 진왕은 마한인이라고 했다. 변진 12국은 맹주를 지니지 못한 채 마한 맹주인 진왕의 영향권내에 있었다고 해석된다. "辰王은 항상 마한인으로 王을 삼아 世世에 서로 이었다"라고 하는 구절에서 보듯이 辰王은 보통명사였다.

이러한 점을 염두에 둘 때, c의 앞 부분은 변진 12국은 진왕에 속하여 있고, 진왕의 지위는 항상 마한인에 의하여 변함없이 계승되어 왔다라고 정리된다. 즉 마한인에 의한 진왕의 지위는 수대에 걸쳐 내려 왔던 것이다. 따라서 c의 끝 구절은 "그러므로 (변진인들은) 진왕을 스스로 세워 왕으로 삼지는 못하였다"로 해석된다. 弁辰 곧 弁韓諸國은 여러 대에 걸쳐 마한의 통제를 받고 있었으므로, 그 맹주를 뽑을 수 없었다는 것이다. 변진제국의 진왕은 마한에서 파견한 일종의 위탁관리자를 의미하는 것이 아니다. 마한 맹주인 目支國 辰王의 兼號에 弁辰의 安邪國(경상남도 함안)과 狗邪國(경상남도 김해)의 君號가 보이듯이 辰王이 변한의 대표권까지 장악하였음을 알려준다. 이렇듯 가야의 前身인 변한제국의 맹주권은 馬韓 목지국에 귀속된 상태였던 것이다.[5]

---

5 李道學, 「새로운 摸索을 위한 點檢, 目支國 研究의 現段階」 『馬韓史研究』, 충남대학교 출판부, 1998; 『백제 한성·웅진성시대 연구』, 일지사, 2010, 415쪽.

베일에 싸인 부분이 많아 신비감마저 자아내는 존재가 진왕이었다. 진왕은 마한연맹의 目支國을 거점으로 하면서 낙동강유역의 변한에도 영향력을 행사하였다. 진왕은 삼한과 중국군현과의 교섭을 비롯한 일종의 대외적 기능을 전담하기까지 했다. 그러한 진왕이 속한 목지국의 소재지로는 청동기 유물의 집결처이자 교통의 요충지인 天安圈을 지목할 수 있다. 목지국 소재지는 곧 木村部曲이 소재한 충청남도 牙山 일대로 비정된다.[6]

2) 目支國의 몰락과 마한 중심축의 南下

辰王이 주도하는 마한의 성장은 중국 군현과의 충돌이나 교류를 통해서 이루어졌다. 2세기 후반경에 접어들어(桓·靈之末; 146~189) 韓과 濊가 강성하여 中國郡縣이 제대로 통제하지 못할 정도였다. 마한의 강성한 면모를 읽을 수 있다. 그러자 낙랑군 지역에서 '韓國' 곧 마한으로 유입된 주민들이 많았다. 3세기 전반기(建安 年間; 196~220)에 公孫康이 屯有縣(황해도 黃州) 이남의 황무지를 분할하여 대방군을 만들었다. 낙랑군 남쪽에 삼한을 다룰 수 있는 새로운 前哨基地를 구축한 것이다. 아울러 公孫模·張敞 등을 파견하여 漢의 유민을 모아 군대를 일으켜 韓과 濊를 정벌하였다. 그러자 이곳에 있던 옛 주민들이 차츰 중국군현으로 돌아갔다. 그 후 韓과 倭는 드디어 대방군에 복속되었다고 한다. 그리고 중국군현은 諸韓國의 臣智에게는 邑君의 印綬를 더해 주고, 그 다음 서열에게는 邑長 관작을 주었다. 마한의 풍속은 "衣幘을 좋아하여 下戶들도 郡에 가서 朝謁할 때는 모두 의책을 빌려 입었으며, 자신의 인수를 차고 의책을 착용하는 사람이 천여 명이나 된다"고 했다. 이 사실은 익히 지적되고 있듯이 중국군현이 삼한에 대한 통제와 분열책동을 강화하고 있음을 뜻한다. 대방군을 매개로 접경하고 있는 마한에 대한 회유와 분열을 책동한 결과 천여 명에 이르는 주민들이 대방군과 정치적인 관계를 맺었음을 가리킨다. 물론 '下戶 천여 명'이라는 숫자는 과장이겠지만 마한 사회가 대방군의 통제권에 들어갔음을 뜻하는 문자이기도 하다. 한편 부종사 吳林은 낙랑이 본래 한국을 통치했다는 이유로 진한 8국을 분할하여 낙랑에 넣으려 하였다. 그 때 통역하는 관리가 말을 옮기면서 틀

---

6 李道學, 「새로운 摸索을 위한 點檢, 目支國 研究의 現段階」『馬韓史研究』, 충남대학교 출판부, 1998; 『백제 한성·웅진성시대 연구』, 일지사, 2010, 415쪽.

리게 설명하는 부분이 있어, 臣智가 격분하여 대방군 崎離營을 공격하였다. 이 때 대방
태수 弓遵과 낙랑태수 劉茂가 군사를 일으켜 이들을 정벌하다가 궁준은 전사했다. 그러
나 2郡은 "드디어 韓을 멸하였다"고 한다.

위의 전쟁은 진한 8국에 대한 관할권을 둘러싸고 촉발되었다. 부종사 오림이 대방군
관하의 '진한 8국'을 낙랑군 관할로 넘겨준 것이 발단이었다. 어쨌든 이 전쟁의 결과 "드
디어 韓을 멸하였다"고 했으므로, 전쟁을 주도했던 馬韓 臣智의 패배로 종결되었음을 뜻
한다. 馬韓 臣智의 정체는 정확하지는 않지만 목지국 진왕으로 추정된다.[7] 그렇다고 할
때 3세기 중엽의 패전으로 목지국 진왕 중심의 정치 구도는 해체되었다고 본다. 이와 맞
물려 마한의 중심축은 중부권에서 남부권으로 남하했을 가능성이 크다.

3. 영산강유역 세력의 성장과 新彌諸國의 등장

3세기 후반 마한 남부 지역의 동향을 암시해 주는 자료가 『晋書』張華傳이다. 이에 의
하면 과거에 교섭이 없었던 新彌 등 20여 諸國들이 집단으로 중국대륙의 西晋과 조공 관
계를 맺고 있다. 즉 "東夷 馬韓 新彌諸國은 山에 기대고 바다가 띠처럼 있는데, 幽州로부
터 4千餘 里 떨어져 있다. 歷世에 歸附하지 않았던 20餘 國이 다투어 사신을 보내 朝獻하
였다(東夷馬韓 新彌諸國依山帶海 去州四千餘里 歷世未附者二十餘國 並遣使朝獻)"[8]라는 기사이다. 여
기서 '新彌'의 '彌' 字는 '久'의 뜻이 있다.[9] 그러므로 '新彌'를 과거에 조공 왔거나 새로 조
공한 소국을 가리키는 '新舊諸國'의 뜻으로 해석할 가능성도 남겨둔다. 이렇게 볼 수 있
는 근거는 장화전의 이 구절 바로 앞에 "張華가 持節都督幽州諸軍事領護烏桓校尉安北
將軍이 되어 '新舊戎'을 撫納하니 夏 즉 중국이 이들을 품었다"는 기사의 용례 때문이다.
여기서 '新舊戎'은 張華가 撫納한 烏桓을 비롯한 북방 종족으로서, 중국에 예전부터 귀부
한 '舊戎'과 張華의 撫納으로 새로 귀부한 '新戎'을 함께 가리킨다. 그 연장선상에서 등장
한 '新彌諸國'도 '歷世未附者'라고 하였으므로 '新舊戎'과 마찬 가지로 기존에 왕래가 있었

---

7 李道學, 「새로운 摸索을 위한 點檢, 目支國 研究의 現段階」『馬韓史研究』, 충남대학교 출판부, 1998; 『백제
   한성 · 웅진성시대 연구』, 일지사, 2010, 421쪽.

8 『晋書』권36, 張華傳.

9 中華學術院, 『中文大辭典 3』1973, 1512쪽.

던 '舊諸國'과 새로 귀부한 '新諸國'의 합성어로서 新彌諸國 곧 '新舊諸國'의 뜻일 가능성이 있다. 실제 이 구절은『欽定 盛京通志』에서 "馬韓新彌東方諸國 去幽州四千餘里"[10]라고 전재한 것을 볼 때 新彌는 문구 그대로 '東方諸國'을 가리킨다고 하겠다. 그 시점을『晉書』帝紀에서 "九月東夷二十九國歸化"라고 하였던 282년을 지목한다. 그러나 이때의 東夷 29國 歸化는『晉書』馬韓 條에는 보이지 않는다. 더욱이 282년의 '二十九國歸化'는 문자 그대로 '歸化'였다. '歸化'는 '內附'·'來獻'·'朝獻'·'朝貢'과는 성격이 판이하게 다른 것이다. '歸化'는 "比縣流人歸化 徙居二萬餘戶"[11]라고 하였듯이 주민의 歸附를 전제하고 있다. 마한제국이 晉朝에 그러한 '歸化'를 한 사례는 없다. 더구나『진서』장화전에서는 '朝獻'이라고 했을 뿐이다. 그런데 반해 "是歲東夷絶遠三十餘國來獻"라고 하였던 289년이 주목된다. 289년에는 마한 외에는 조공한 동이 세력이 없었다. 그 뿐 아니라 "絶遠三十餘國"은 "歷世未附者二十餘國"과 대응된다. 즉 289년 5월에 "五月東夷十一國內附"라고 한 11國과 장화전의 20餘 國을 합치면 "絶遠三十餘國"이 되기 때문이다.『晉書』張華傳은 "이에 遠夷가 따르고 복종하여 四境이 걱정이 없고, 해마다 자주 풍년이 들어 곡식이 쌓이고 士馬가 强盛하였다"라고 하였다. 그렇듯이, 이 구절은 張華의 업적을 칭송하기 위한 의도에서 나왔다. 때문에 이러한 치적은 張華가 轉勤한 이후의 일일 수도 있다. 그럼에도 그의 '幽州諸軍事' 재임시 치적으로서 기록되었을 수 있는 것이다. 따라서 그 시점을 張華의 '幽州諸軍事' 재직시에만 국한시켜 지목할 수는 없다.

어쨌든 이들 소국은 "依山帶海"라고 하였던 만큼 海邊 세력임은 분명하다. 여기서 新彌國을 고유명사로 간주한다고 하자. 그러면 '新彌諸國'은 '新彌'라는 이름이 포괄하는 諸國을 가리킨다. 이러한 해석이 맞다면 20餘國의 필두에 보이는 新彌國은 역시 海邊에 소재한 전라남도 해남 지역으로 비정되어진다. 즉 신미국은『일본서기』神功 49년 조에 적혀 있는 忱彌多禮와 동일 지명으로 간주된다. 통일신라 때 해남의 행정지명인 浸溟縣은 '忱彌'의 雅化된 표기라고 하겠다.[12] 그러면 신미제국 등 20여 國의 집단적인 중국 교섭은

---

10 『欽定 盛京通志』권53, 晋 條.

11 『後漢書』권76, 童恢傳.

12 李道學,「百濟의 交易網과 그 體系의 變遷」『韓國學報』63; 1995,『백제고대국가연구』, 일지사, 350쪽. 혹자는 忱彌多禮를 '심미다례'로 읽고 있다. 音韻上으로 新彌諸國의 '新(xin)彌'와 연결시키려는 底意가 깔린 것이다. 그런데 '忱'은 中古音과 연결 지을 것도 없이 현재 中國音으로 'che'n'이므로 韓國音 '침'과 연결된다. 게다가『日本書紀』應神 8년 조에서도 '枕'(zhe'n)으로 표기하였기에 '침'으로 발음하는 것이 옳다고 본다.

무엇을 의미할까? 우선 목지국 중심의 마한이 해체됨에 따라 마한 정치 중심축의 남하를 상정할 수 있다. 혹은 목지국 세력의 붕괴를 틈타 마한 남부 세력이 독자적으로 중국대륙과 교류를 시도한 證左로도 해석된다. 이러한 현상은 『晋書』를 정리한 다음의 도표에서 보듯이 3세기 후반경부터 開始되고 있다.

표 1 | 마한의 對西晋 교섭 일람표

연대	帝紀	馬韓 條	辰韓 條
276년 咸寧二年	二月東夷八國歸化 七月東夷十七國內附		
277년 咸寧三年	是歲東夷三國內附	(馬韓)來	
278년 咸寧四年	三月東夷六國來獻 是歲東夷九國內附	(馬韓)請內附	
280년 太康元年	六月東夷十國歸化 七月東夷二十國朝獻	馬韓遣使入貢方物	辰韓王遣使獻方物
281년 太康二年	三月東夷五國朝獻 六月東夷五國內附	馬韓主遣使入貢方物	辰韓復來朝貢
282년 太康三年	九月東夷二十九國歸化		
286년 太康七年	八月東夷十一國內附 是歲馬韓等十一國遣使來獻	馬韓至	辰韓又來
287년 太康八年	八月東夷二國內附	馬韓至	
288년 太康九年	九月東夷七國詣校尉內附		
289년 太康十年	五月東夷十一國內附 是歲東夷絶遠三十餘國來獻	馬韓至	
290년 太熙元年	二月東夷七國朝貢	馬韓詣東夷校尉何龕上獻	
291년 元康元年	是歲東夷十七國詣校尉內附		

위와 같은 마한제국의 西晋과의 교섭은 적어도 3세기 후반까지는 마한제국이 미통합 상태에 머물렀음을 뜻한다. 동시에 馬韓諸國의 대외교섭권을 장악할 수 있는 맹주국의 존재도 상정할 수 없다. 의심할 나위 없이 목지국 중심 정치 질서의 붕괴를 뜻하는 현상이다. 그런데 4세기에 접어들면 마한제국과 중국대륙과의 교섭이 확인되지 않는다. 이는 주목되는 현상이기는 하지만 마한제국의 통합을 의미하기 보다는 東晋 建國에 따른 교역로의 변화와 관련된 것으로 간주된다. 왜냐하면 서진은 16년에 걸친 八王의 亂(290~306)으로 인한 혼미한 정국이었다. 결국 西晋은 前趙에 멸망당해 建康(南京市)을 중심으로 동진을 건국하였다. 때문에 상당 기간 동안 그로 인한 교섭로의 변화를 배제할

수 없다.[13]

3세기 중엽 이후 마한 세력이 중국과의 교류에 활기를 띠게 되었다. 그 이유는 목지국의 붕괴로 인한 '정치적 규제'로부터의 解放에 기인한 것으로 보인다. 더욱이 313년과 314년에는 한반도 서북부 지역에 군림했던 낙랑군과 대방군이 축출되었다. 그럼에 따라 선진 문물 수입 창구의 단절을 유발해 중국대륙과의 직교류를 추진한 것으로 보인다. 더불어 이 무렵에 영산강유역에서 발생하여 이 지역의 독특한 문화와 정치적 현상을 담고 있는 옹관묘의 존재를 주목하지 않을 수 없다. 지금까지의 고고학적 연구 성과에 따르면 영산강유역에는 3세기 말부터 옹관을 주묘제로 채택하였고, 결국 甕棺을 중심으로 하는 高塚墳墓가 조성되었다고 한다. 영암 시종이나 나주와 함평 일원을 중심으로 한 영산강 중·하류 지역에 옹관묘가 등장한 것이다. 4세기대의 전용 옹관이 영산강유역에 넓게 분포하는 양상이었다. 반면, 5세기대에는 그러한 묘제가 나주와 가까운 지역으로만 국한되어 나타난다. 이러한 사실은 옹관을 사용한 집단이 영산강유역의 지배계층으로 성장했으며, 삼국시대에 옹관이 주묘제로 채용된 유일한 곳이라는 분석을 가능하게 했다.[14]

그러면 巨大墳이 빽빽히 조성된 영산강유역에는 어떤 성격의 세력이 존재했을까? 이 자체는 문헌기록을 통하여 유추하기는 매우 어렵다. 다만 서해안을 끼고 있는 영산강유역의 지리적 특성을 고려해 볼 때 대외적인 교류는 매우 활발했을 것으로 보인다. 또 그러한 교류는 교역의 형태로 발전하게 마련이었다. 나아가 이는 경제 발전 뿐 아니라 정치적 기반을 강화시키는 요인으로 작용했을 것이다. 실제 해남의 군곡리 패총에서는 중국 新나라 때의 화폐인 貨泉이 출토된 바 있다. 서해안에서 남해안으로 꺾어지는 모서리에 소재한 해남 지역은 중간 교역지로서 번성하였다. 그 뿐 아니라 영산강유역은 두루 알려져 있듯이 기름지고 광활한 농경지대였다. 바로 이같은 지형적 조건이 영산강유역 세력의 성장에 큰 보탬이 되었음은 의심할 나위 없다. 더욱이 영산강유역은 북쪽으로는 노령산맥이 가로막혀 있지만 남동쪽으로는 해안을 통하여 가야제국과 교류할 수 있다. 이러한 지리적 조건도 영산강유역 세력 발전의 플러스 요인이 된 것은 분명하다. 그러니까 영산강유역 세력은 노령산맥이라는 천연적인 장애물을 이용해 백제와 대치하면서 그

13   李道學, 『백제고대국가연구』, 일지사, 1995, 41~42쪽.
14   최성락, 「영산강유역 옹관고분의 발생과 동인」『영산강유역의 고분 1 甕棺』, 국립나주문화재연구소, 2010, 352~357쪽.

남진을 저지하는데 어느 정도 효과를 얻었다고 본다. 그러한 반면에 영산강유역 세력은 해안선을 이용하여 지금의 경상남도 지역과의 교류 및 중국대륙이나 일본열도와의 접촉이 가능했다. 이로써 영산강유역 세력은 진취적이고도 폭넓은 세계관을 형성해 나갈 수 있었을 것이다.

289년에 등장한 바 있는 해남 중심의 新彌諸國 聯盟體는 4세기 중엽 이후에는 그 주도권이 점진적으로 나주와 영암 지역으로 옮겨가게 된다. 그것은 고분의 성장을 통해서 유추할 수 있다. 특히 이들 지역에는 고분 유적이 매우 많이 남아 있거니와 그 속에서 출토된 부장품의 질 역시 그같은 추정을 가능하게 해준다. 일례로 노동량의 소요와 관련 있는 土量이 가장 많은 고분은 나주 덕산리 3호분인데 6,133㎡이다. 그리고 대안리 9호분은 5,862㎡, 덕산리 5호분은 5,485㎡, 신촌리 9호분은 2,682㎡이다. 전문가들에 의하면 덕산리 3호분의 경우 봉토를 짓는데 적어도 연인원 5,110명, 그리고 대안리 9호분은 4,885명이 동원되었을 것으로 추정한다.[15]

이처럼 대형 墳墓의 축조에는 막대한 노동력이 소요되었다. 아울러 대규모 토목공사는 정치·경제적으로 강력한 권력을 갖추지 않고서는 가능하지 않다. 따라서 대형 분묘를 축조한 세력은 어렵지 않게 영산강유역에서 가장 높은 신분을 지닌 지배집단으로 추정된다. 그러한 중심 거점은 고분의 밀집도와 부장품의 우월성을 놓고 볼 때 나주 반남면 일대로 비정할 수 있다. 반남 세력은 馬韓 54國 가운데 不彌國으로 비정되어 왔다.[16] 그러나 不彌國은 音節上으로도 半奈夫里로 불렸던 이곳 지명과의 연결이 자연스럽지 않다. 이 경우는 發羅와 연결 짓더라도 마찬 가지이다. 특히『일본서기』신공 49년 조에 따르면 백제가 점령한 지역에 보이는 布彌는 不彌國과 연결이 가능하다. 더욱이 이때 점령한 布彌 등은 금강 이남 노령산맥 이북으로 비정된다. 즉 布彌를 井邑으로 비정한다.[17] 그렇다고 할 때 불미국은 영산강유역의 나주 지역과는 연결이 어렵다. 비록 편린에 불과

---

15 국립광주박물관,『羅州潘南古墳群 綜合調査報告書』1988, 166쪽.

16 不彌國은『일본서기』神功 49년 조의 백제에 병합된 마한 소국인 '不彌支國'의 잘못이라는 것이다. 나아가 不彌支는 唐의 백제 州縣 중의 帶方州 屬縣인 布賢縣 本 巴老彌, 百濟와 新羅 때의 發羅郡(今 羅州)에 비정된다고 했다(이병도,『韓國古代史研究』, 박영사, 1976, 265쪽). 이러한 견해는 기본적으로 內藤虎次郎이『삼국지』마한 항의 54개 국 가운데 不彌國·支半國·狗素國을 神功 49년 조의 布彌支·半古 2國의 誤擧라는데서 출발한 것이다. 그러나 이러한 주장은 신공 49년 조에 대한 새로운 떼어읽기를 적용함에 따라 立論 자체가 무너지고 말았다. 따라서 더 이상의 논의는 무의미하다고 판단된다.

17 천관우는 不彌國을 부안이나 泰仁으로 비정한다(천관우,『고조선사·삼한사연구』, 일조각, 1999, 422쪽).

하지만 반남면 청송리 출토 銅劍이 암시하듯이 나주 반남 세력은 馬韓 54國 가운데 1개 國이었음은 분명하다고 본다. 그렇기 때문에 54國에서 찾는다면 오히려 內卑離國으로 지목하는 게 타당할 것 같다.[18] 자미산성 내부 건물지에서 출토된 백제 銘文瓦에서 이곳을 '半乃夫(里)'라고 하였다. 여기서 接頭語格인 '半'을 떼어버린 '乃夫(里)'와 '奈夫里'는 內卑離와 쉽게 연결된다. 그리고 半奈夫里의 '半'은 백제가 이 지역을 접수한 후에 內卑離國을 '반쪽 냈다'는 의미로 붙인 정치적 지명으로 보인다. 백제가 369년에 강대한 海南의 忱彌多禮를[19] 공격할 때 '屠'라는 거친 표현을 구사하였다. 게다가 忱彌多禮에는 '南蠻'이라는 蔑稱까지 구사했다. 逆으로 이는 침미다례의 강성을 읽을 수 있다. 백제는 섬진강 유역의 水系 장악을 에워싸고 대립했던 大加羅를 伴跂 혹은 叛波라고 卑稱하였다고 한다.[20] 물론 이 견해는 전혀 수용할 수 없지만 다만, 백제는 강성한 반남 세력을 제압한 후 절단낸다는 의미로 '반쪽 낼' '半' 字를 붙인 것으로 해석된다.[21] 이 사실은 逆으로 반남 지역 內卑離國의 정치적 위상과 강대한 힘을 함께 반증해준다.

4. 백제 근초고왕의 南征과 忱彌多禮의 沒落

4세기 중·후반 백제는 가위 정지할 줄 모르는 정복력으로 급팽창하였다. 369년에 백제는 낙동강유역과 남해안 그리고 노령산맥 일원으로의 대대적인 원정을 단행했다. 이와 관련해『일본서기』신공 49년 조의 다음 기사를 유의해 본다.

··· 그리고 比自㶱·南加羅·喙國·安羅·多羅·卓淳·加羅의 7國을 평정하였다. 이에 군대를 옮겨

---

18 內卑離國의 '卑離'는 백제의 夫里, 신라의 伐 등에 해당한다고 보았다(이병도,『韓國古代史硏究』, 박영사, 1976, 264쪽). 그러나 內卑離國의 위치는 未詳이라고 했다(이병도,『韓國古代史硏究』, 박영사, 1976, 265쪽). 그런데 최남선의 견해대로 卑離를 伐=夫里=平野의 뜻으로 받아들이고, '內'를 川의 뜻으로 받아들인다면, 평야에 河川이 관류하는 곳에 소재한 國으로 볼 수 있다. 그렇다고 할 때 반남평야에 大川인 영산강이 흘러가는 소국의 입지 환경과 관련해 생성된 國名으로 간주된다.

19 忱彌多禮를 康津으로 지목한 견해는 李弘稙,「梁職貢圖論考」『高大60週年紀念論文集』1965;『韓國古代史의 硏究』, 신구문화사, 1971, 417쪽이 주목된다.

20 이용현,『가야제국과 동아시아』, 통천문화사, 2007, 3쪽.

21 '發羅' 지명은 半乃夫里의 音轉으로서 당초 지명 제정의 취지가 퇴화된 모습을 보여준다.

서쪽으로 돌아 古奚津에 이르러 南蠻의 忱彌多禮를 屠戮하여 백제에 내려주었다. 이에 그 왕인 肖古 및 왕자 貴須 역시 군대를 이끌고 와서 모였다. 그 때 比利·辟中·布彌·支牛·古四와 같은 읍락이 자연 항복하였다(比利辟中布彌支牛古四邑自然降服). 이에 백제왕 父子 및 荒田別·木羅斤資 등이 함께 意流村[지금의 州流須祇를 말한다]에서 만나 서로 기쁨을 나누었다. 禮를 두텁게 하여 보냈다. 오직 千熊長彥이 백제왕과 함께 백제국에 이르러 辟支山에 올라 맹세하였다. 다시 古沙山에 올랐다. …

위와 같은 백제의 마한경략 기사의 관련 지명에 대한 새로운 떼어 읽기가 시도되었다. 그런데 "比利辟中布彌支牛古四邑自然降服" 기사에서 선행되어야 할 문제는 백제에 복속되었다는 지명에 대한 비정이다. 종래 이 구절의 지명을 '比利·辟中·布彌支·牛古'의 4 邑으로 끊어 읽었다. 이는 뒤의 '四邑'이라는 문자를 의식한 끊어 읽기였다. 그 결과 이들 지명은 지금의 전라남도 지역을 포함하는 구간으로 비정되어 왔다.[22]

이 견해를 뒷받침하는 최근의 주장으로는 마한 잔여 세력이 369년 이후에도 존속했다면 「광개토왕릉비문」에 '任那加羅'처럼 그 존재가 보이지 않을 리 없다는 데 있다.[23] 그런데 「광개토왕릉비문」에 '任那加羅'가 등장한 이유는 고구려군이 추격하는 왜군의 퇴각로였기 때문이다. 백제 남부에 소재한 영산강유역의 마한은 고구려군과 부딪칠 소지가 없었다. 그렇기 때문에 영산강유역에 대한 기록이 남겨질 수 없었던 것이다. 따라서 「광개토왕릉비문」의 擧名 여부가 그 존재를 결정해 주는 잣대가 될 수는 없다. 이러한 주장에는 분명히 간과한 부분이 있다. 영산강유역 거대 고분의 성장이 백제의 南征이 있던 4세기 후반 이후에도 지속되어 6세기 전반까지 이어진다는 것이다. 백제 영향권 밖 강대한 이곳 독자 세력의 존재를 웅변해주는 물증이 아닐 수 없다. 그 밖에 다음과 같은 『通典』의 기사를 거론하고 있다.

* 晉 이후로부터 諸國을 呑幷하여 馬韓故地에 웅거하였다(『通典』 권185, 백제 조).
* 晉 武帝 咸寧 中(275~279)에 馬韓王이 來朝하였다. 이로부터는 들은 바가 없었다. 삼한이 대개 백제·신라에 呑幷되어서였다(『通典』 권185, 변진 조).

---

22   이병도, 『韓國古代史研究』, 박영사, 1976, 512~513쪽.
23   노중국, 「백제의 영토 확장에 대한 몇 가지 검토」『근초고왕 때 백제 영토는 어디까지였나』, 한성백제박물관, 2013, 15쪽.

그러나 위의 기사는 3세기대 후반 이후 마한제국의 對中國 교섭이 단절되었음을 뜻하는 징표일 뿐이다. 이것을 백제의 영산강유역 마한 복속과 等値시켜 해석하기는 어렵다. 백제는 369년에 침미다례를 궤멸시킨 직후에 강진(고해진)·고흥·곡성(谷那)을 비롯한 섬진강 하구에 대한 거점 지배를 완료하였다.[24] 이로 인해 나주 세력의 對中國 교류는 차단되었겠지만 고고물증을 놓고 볼 때 任那나 倭와는 꾸준히 교류했음을 알 수 있다. 전지 태자가 왜국에서 귀국하는 길에 國界에서 漢城人 解忠이 告하자 海島에 의존할 수 있었다.[25] 이 것도 백제가 일찍부터 강진이나 고흥반도와 같은 島嶼 지역을 장악했기에 가능한 일이라고 본다. 이로 인해 영산강유역의 마한 세력은 對中國 교섭이 차단당한 것으로 볼 수 있다. 다만 여러 경로를 통해 이곳과 임나와 倭와의 교류는 이루어졌던 것이다.

그런데 369년에 점령한 대상을 '國'이 아니라 '邑'으로 표기하였다는 점을 들어 소국의 존재를 부정하기도 한다. 그러나 『說文解字』 邑部에서 '邑, 國也'라고 하였다. 이와 같은 '邑'과 '國'의 互訓·互用例는 『尙書』·『左傳』 等 先秦時代 文獻의 도처에서 散見되고 있다. 한편 『爾雅』 『釋地』에는 '邑外謂之郊 郊外謂之野 野外謂之林 …'라고 하여 '邑'을 邦人이 聚居하는 地方의 의미로 설명하고 있다.[26] 따라서 國과 邑은 상호 통용됨을 알려준다. 이와 더불어 고구려 중심의 천하관이 응결된 「광개토왕릉비문」을 상기해 본다. 이에 의하면 고구려왕만 '太王' 즉 '王'이고 백제나 신라 등의 국왕은 '王'으로 일컫지도 않았다. 그리고 고구려 중심의 官的秩序에서는 백제나 신라 등은 국가로 간주되지도 않았다.[27] 고구려의 입장에서 볼 때 '屬民' 간주되었던 백제와 신라는 어디까지나 고구려의 지방세력에 불과했던 것이다. 이와 마찬 가지로 백제가 점령지를 '邑'이라고 일컫는 데는 이유가 있었을 것이다. 침미다례 공격에서 등장하는 '南蠻'이라는 卑稱에서 보듯이 백제 중심의 천하관이 성립되어 있었다.[28] 그러한 선상에서 이들 소국을 단순히 백제의 행정 체계 속에 편제 대상으로서의 의미를 지닌 '邑'으로 일컬을 수 있다는 것이다. 실제 539년 무렵에 제작된 「梁職貢圖」 百濟國使 條에 보면 백제에 부용한 9개 국을 '百濟傍小國'이라고 하였다. 즉 '國'으로 인정한 것이다. 그 9개 소국 가운데 일부가 전라남도 지역으로 비정

---

24 李道學, 「谷那鐵山과 百濟」 『東아시아古代學』 25, 2011, 90~92쪽.
25 『三國史記』 권25, 전지왕 즉위년 조.
26 국사편찬위원회, 『中國正史 朝鮮傳 譯註1』, 신서원, 2004, 33쪽.
27 李道學, 「廣開土王代 南方 政策과 韓半島 諸國 및 倭의 動向」 『한국고대사연구』 67, 2012, 168~169쪽.
28 李道學, 『백제고대국가연구』, 일지사, 1995, 244~245쪽.

되고 있다. 가령 '止迷'는 『신찬성씨록』河內國皇別 條에 보면 백제에 파견된 왜장이 '止美'의 吳女를 취한 기사가 있다. 止迷는 곧 이 '止美'로 보인다. 더욱이 '지미'는 '百濟傍小國'의 경우 폄훼된 국명을 사용한 사례와도 연결되기 때문이다. '지미'는 369년에 백제 근초고왕이 경략한 忱彌多禮의 '침미'와 음이 닮았다. 그렇다고 한다면 지미는 전라남도 해남으로 비정된다. '上己文'은 전라북도 남원(운봉) 일대로 비정되고 있다. 그 밖에 '下枕羅'는 전라남도 강진으로 지목하기도 한다.[29] 요컨대 6세기 전반에도 영산강유역 마한 세력의 운동력이 포착되는 것이다. 따라서 369년의 시점에 백제가 영산강유역을 영역화했다는 주장은 성립이 어려워진다.

물론 神功 49년 조 南征 기사와 관련해 '古四'의 '四'가 숫자를 가리킨다. 그러므로 바로 뒤에 바로 붙어 있는 '邑'과의 연관성을 쉽게 버리지 못하는 경향도 있다. 즉 '四邑'에 대한 미련이 보인다. 그러나 '古四'가 현재의 전라북도 古阜 지역을 가리키는 지명임은 부인할 수 없다. 왜냐하면 『삼국사기』都督府 13縣 條에 보면 "古四州는 본래 古沙夫里로서"[30]라고 하여 古阜 지역을 분명히 '古四'라고 표기하였기 때문이다. 즉 古四와 古沙夫里는 동일 지명임을 알 수 있다. 그리고 '四邑'을 의식한 지명 띄어 읽기가 많지만 동일한 사례로서 『일본서기』의 다음 기사가 주목된다.

그리고 신라에 가서 蹈鞴津에 머무르며 草羅城을 빼앗고 돌아 왔다. 이때 포로들이 지금의 桑原·佐糜·高宮·忍海 무릇 四邑 漢人 등의 시조이다(乃詣新羅 次于蹈鞴津 拔草羅城還之 是時俘人等 今桑原·佐糜·高宮·忍海 凡四邑漢人等之始祖也).[31]

위의 기사에 보이는 지명이나 신공 49년 조의 지명은 모두 점령한 지역과 관련해 등장한다는 일치점이 있다. 그런데 신공 49년 조 地名 말미의 '四邑'이 4개 邑을 가리킨다고 하자. 그러려면 이와 마찬 가지로 '凡四邑'으로 표기했어야 마땅하지만, 그러하지 않았다. 더구나 古四는 古沙와 동일하게 독립된 지명으로 등장하고 있다. 따라서 신공 49년

---

29 李道學, 「'梁職貢圖'의 百濟 使臣圖와 題記」 『백제 한성·웅진성시대 연구』, 일지사, 2010, 464~465쪽. 이용현도 「양직공도」에 보이는 止迷와 麻連을 영산강유역과 관련 깊다고 보았다(이용현, 『가야제국과 동아시아』, 통천문화사, 2007, 184쪽).
30 『三國史記』권37, 地理4, 古阜郡 條.
31 『日本書紀』권9, 神功 5년 조.

조의 지명들을 '四邑'에 한정시킨 해석은 적합하지 않다.

이에 대한 代案으로 比利와 辟中에 이은 '布彌支半古四邑'을 '布彌・支半・古四'로 끊어 읽는 새로운 讀法이 제기되었다. 그렇게 한다면 이들 지명은『삼국지』한 조에 보이는 마한제국인 '不彌國・支半國・狗素國'과도 잘 연결된다.[32] 따라서 후자 끊어 읽기의 타당성이 드러난다. 동시에 比利는 保安, 辟中은 金堤, 布彌는 井邑, 支半은 扶安, 古四는 古阜로 새롭게 비정할 수 있다. 게다가 근초고왕 부자가 倭將과 회동하여 기쁨을 나누었다는 의류촌은 일명 '州流須祇'라고 하므로 周留城을 가리킨다. 주류성은 전라북도 부안으로 비정한 견해와도 무리가 없다. 이러한 비정은 근초고왕 부자와 倭將이 맹약했다고 하는 벽지산과 고사산이 辟中(전라북도 김제)과 古四(전라북도 고부)로 각각 비정되는 데서도 뒷받침된다. 따라서『일본서기』신공 49년 조에 보이는 백제의 마한경략은 古奚津만 전라남도 강진에 비정될 뿐 나머지는 모두 금강 이남부터 노령산맥 이북 지역에 해당되고 있다.[33] 즉 369년 '마한경략' 이전 백제의 남쪽 경계는 금강이었다. 금강을 남계로 하는 백제의 영역은『삼국사기』시조왕 13년 조에서 웅천(금강)을 南界로 하는 영역 기사와 연결이 된다.[34]

과거에는 369년이라는 시점을 백제에 의한 마한 통합으로 간주하였다. 그러나 고고학적으로 볼 때 이 지역에 石室墳이 조성되는 5세기 말경 이전에는 백제가 영산강유역을 직접 지배한 흔적은 확인되지 않는다. 그 이전까지는 옹관묘 문화로 표지되는 토착세력이 영산강유역에 강인하게 존재한 것으로 보아야만 한다. 이와 관련해 對外交易港인 고해진(강진)을 직접 장악한 백제는 이후 영산강유역 재래의 읍락단위 질서를 維持시키는 線에서 멈췄다. 이 같은 추정은 백제가 전라남도 해변의 고해진을 장악했음에도 불구하

---

32 全榮來,『周留城・白江位置比定에 관한 新研究』, 扶安郡, 1976, 46~56쪽.
    全榮來의 견해는 千寬宇가 "… 全榮來씨의 견해와 같이(1976,『周留城・白江 位置比定에 관한 新研究』, 單行册子),『日本書紀』를 도리어,『三國志』를 따라 '比利辟中布彌支半古四'邑으로 읽는 것이 도리어 순리가 아닐까(千寬宇,「馬韓諸國의 位置試論」『東洋學』9, 1979;『고조선사・삼한사연구』, 일조각, 1999, 393쪽)" 한다고 했다. 그러므로 神功 49년 조의 점령지에 대한 새로운 讀法은 全榮來의 創案임을 알 수 있다.

33 이병도는 369년 南征 이전 백제 영역을 노령산맥 이북으로 간주했다(이병도,『韓國古代史研究』, 박영사, 1976, 513쪽).

34 李道學,『백제고대국가연구』, 일지사, 1995, 140~141쪽.
    백제가 노령산맥 이남 즉 영산강 유역을 영토적으로 직접 장악한 시기는 5세기 말로 간주한다(李道學,「百濟의 交易網과 그 體系의 變遷」『韓國學報』63, 1991, 77~78쪽).

고, 실제 영토로 편입시킨 지역은 부안·김제·정읍·고부 일원에 국한되고 있는 만큼, 정확히 노령산맥선까지의 영역 확대에 그친 데 근거한다.[35]

백제가 노령산맥을 영역의 분기점으로 설정하였음은 몇 가지 점에서 뒷받침되어진다. 첫째 "근초고왕의 마한 점령지 가운데 가장 뒤에 적혀 있거니와 그 南限界가 되는 古四 즉 古皐는, 후대의 영역개척이 투영되어 있는 『삼국사기』 시조왕기 가운데 영역개척의 하한선인 '古沙夫里城을 쌓았다'는 기사와 연결되고 있다. 게다가 『翰苑』 백제전에서 '國鎭馬韓 地苞狗素'라고 한 狗素는, 마한의 狗素國으로서 古四가 되는데[36] 백제 영역의 분기점이 되는 지역임을 암시해주고 있다." 둘째 백제 토기 가운데 9.6%를 점하는 중요 器種인 三足土器가 노령산맥 이남을 넘지 못한데서도 가늠된다. 물론 三足土器는 노령산맥 南麓인 長城과 靈光에서도 출토된 적이 있다. 그러나 경향성을 놓고 볼 때 무시해도 좋을 것 같다. 노령산맥 기슭인 고창군 아산면 운곡리의 백제 요지에서는 삼족토기 생산까지 밝혀졌다. 그럼에도 불구하고 그 이남 지역에서는 삼족토기가 확산되지 않았기 때문이다.[37]

위와 같은 369년 근초고왕 南征路를 놓고 볼 때 南征 목적은 마한 전역에 대한 制覇가 아니었다. 마한 지역 良質의 鐵鑛과 마한 지역 對外交易港의 확보와 그 봉쇄에 있었다. 지금의 전라남도 谷城에 소재한 谷那 鐵場의 확보와 고해진 및 고흥반도 일원에 대한 장악을 통해 일본열도로 이어지는 製鐵 輸送航路의 안정적 확보에 목적을 두었던 것이다.[38] 백제 意圖대로라면 해남반도에 군림하는 강대한 침미다례 장악이 선결되어야 했다.

---

35 이때 백제가 점령한 전라남도 해남이나 강진, 그리고 곡성 및 고흥과 같은 거점 지배는 이와는 성격이 다르다.

36 "사비시대 백제의 중앙의식과 관련있을 中方城이 고부였음은, 이 지역이 역사적으로 노령산맥 남북을 이어주는 즉 교량적 역할과 더불어 정치적으로도 분기점이 되는 지역임을 감안한 데서 비롯된 것이 아닐까 한다(李道學, 『백제고대국가연구』, 일지사, 1995, 143쪽 註 310)". 이러한 서술은 최근에도 "고사 지역은 『삼국지』 동이전 한조에 보이는 狗素國에 해당한다(註 74, 千寬宇, 「馬韓諸國의 位置試論」 『東洋學』 9, 1979, 215~216쪽). 그런데 『翰苑』에 의하면 "國鎭馬韓 地苞狗素"이라 하여 마한을 진압하는데, 구소국을 특별히 언급하고 있다. 그 註에서도 '馬韓有羊皮國 狗素(國)有也'라 하여 羊皮國과 함께 구소국을 지칭하고 있는 것이다. 이를 보면 고사 지역이 백제의 마한 정벌에 커다란 분기점이 되었음을 짐작할 수 있다. 이는 고사 지역이 백제의 方-郡-城 체제에 中方이 되어 중심 역할을 하였던 점에서도 확인된다(정재윤, 「문헌 자료로 본 比利辟中布彌支半古四邑」 『百濟學報』 9, 2013, 128~129쪽)"라고 하여 동일하게 보인다.

37 李道學, 『백제고대국가연구』, 일지사, 1995, 143~146쪽.

38 李道學, 「谷那鐵山과 百濟」 『東아시아 古代學』 25, 2011, 90~96쪽.

백제 군대가 加羅7國을 평정한 후 西進하여 일대 會戰을 준비했던 곳이 지금의 전라남도 강진을 가리키는 古奚津이었다. 고해진에서 전열을 정비한 백제군이 침미다례를 공격하였다. 이때의 전쟁 수행을 '屠'라고 했다. 이는 백제가 침미다례에 대한 무자비한 공격을 단행했음을 뜻한다. 영산강유역의 領導勢力이었던 해남의 침미다례를 거의 해체시킬 정도로 짓밟게 되자 比利·辟中을 비롯한 노령산맥 이북의 諸國들이 일제히 항복했다. 즉 금강 이남 노령산맥 이북의 지역연맹체가 마한 남단을 휩쓴 백제군의 위세에 눌려 항복한 것이다. 이 사실은 고해진을 거점으로 한 백제의 침미다례 공격이 지닌 정치적 의미와 파장이 지대했음을 뜻한다. 백제군이 침미다례를 공격하기 위한 전초기지로 고해진을 잡은 것은 왜군의 합류 지점으로서 상륙 문제와도 관련 있었을 것이다. 그러나 백제의 고해진 장악은 마한의 잔여 세력에 대한 대대적인 經略을 단행한 그 본질적인 문제와 관련 있다. 앞서 언급했듯이 이 때 백제 군대는 낙동강유역에 출병해 가야제국을 제압하여 그 영향권내에 묶어 두었다. 여세를 몰아 백제 군대는 마한 잔여세력과 현재의 제주도를 연결하는 要津인 고해진에 집결하여, '南蠻'의 범주에 들어가는 침미다례를[39] 도륙하여 전라남도 해변 지역까지의 진출을 완료하였다.

백제는 잔여 마한 세력 가운데 가장 강성했던 해남의 침미다례를 본보기로 무자비하게 짓밟았던 것이다. 그러자 백제와 접경하고 있던 금강 이남 노령산맥 이북의 지역연맹체가 일제히 항복한 것으로 보인다. 이 사건은 노령산맥 이남 잔여 마한의 중심지가 영산강유역으로 옮겨 갈 것임을 예고한 것이다.

---

39 백제의 천하관에 대해서는 李道學, 『백제 한성·웅진성시대 연구』, 일지사, 2010, 188~202쪽을 참조하기 바란다. 이와 관련해 노중국은 "근초고왕은 이 침미다례 세력을 '南蠻'으로 불렀다. 남만이란 표현은 중국의 사이관을 차용한 것으로서 백제가 주변 세력들을 이적시하는 천하관을 가지고 있었음을 보여주는 것이다(노중국, 『백제의 대외교섭과 교류』, 지식산업사, 2012, 455쪽)"고 했다.

그러나 이러한 견해는 李道學의 다음 서술에서 이미 보인다. "그런데 백제가 영역적 지배가 아니라 貢納的 지배의 대상으로 설정한 영산강 유역의 忱彌多禮를 '南蠻'으로 일컫고 있음은 주목되는 사실이다. '南蠻'이라는 표현은 史書 編纂時의 인식이 일차적으로 반영된 것이지만, 그와 같이 불려진 세력이 백제에 복속되지 않은 채 馬韓經略 이후에도 존속한 것을 생각할 때, 四夷의 중심에 자리잡았다는 천하관과 관련짓는 게 가능하다. 즉, 백제는 중화적인 천하관을 빌어 노령산맥 이남의 마한 잔여 세력을 南蠻이라는 멸칭으로 일컬은 것이다. 이러한 사실은 백제가 南蠻뿐 아니라 여타의 四方的 夷名도 설정하여 그 중심에 군림한다는 인식을 지녔음을 알려주는 동시에 自國 중심의 사방관념에서 주변 국가를 저급하게 취급함으로써 우월성을 내세우는 천하관의 발로라고 하겠다(李道學, 『백제고대국가연구』, 일지사, 1995, 244~245쪽)."

5. 內卑離國의 盛衰

1) 內卑離國의 興盛

475년 고구려 군대의 강습으로 백제는 지금의 서울 지역에 소재한 수도 漢城을 상실했다. 백제는 지금의 공주 땅인 熊津城에 새로운 국가의 터전을 급히 마련하였다. 그러나 한성 함락으로 인한 백제 개로왕의 피살은 모처럼 구축한 왕족 중심 지배체제의 전면적인 붕괴를 가져왔다. 국왕의 친위 세력인 왕족 중심 지배체제의 붕괴는 웅진성 초기 백제 왕권의 급속한 약화를 초래한 요인이었다. 지배구조 내에서의 갑작스런 힘의 空洞 상태는 결과적으로 귀족의 발호에 따른 웅진성 초기 정정의 거듭된 혼미상을 초래하였다. 476년 봄에 문주왕은 劉宋에 사신을 파견하여 외교적 고립에서 벗어나고자 했지만, 고구려 수군의 해상통제로 인해 좌절되었다.

백제는 대외적으로 고립되는 상황에 직면한 것이다. 아울러 지배세력 사이의 동요와 거듭된 자체 분열은 권위가 실추된 부여씨 왕실에 대한 도전으로 나타나 국왕의 피살과 귀족의 반란이 계속 이어졌다. 웅진성 초기 왕권의 약화에서 비롯된 정정의 혼미상은 대외 관계에까지 여파가 미쳤다. 백제 중앙권력의 약화에 편승하여 479년에는 加羅王 荷知가 南齊로부터 輔國將軍 本國王을 제수받았다. 이는 荷知가 가라제국에 대한 통치권을 남제로부터 인정받았음을 뜻한다. 즉 웅진성 초기 백제 중앙 정정의 잇단 내분으로 인해 근초고왕 이래 확보한 가라제국에 대한 백제의 영향력이 약화된 틈을 타서 그 독자성을 국제적으로 인정받으려 한 조치였다. 백제 세력권에서 가라제국의 이탈인 것이다. 백제는 그 영향권내 주변세력의 이탈을 막을 수 없었다. 그 이유는 백제가 중앙 정정의 혼미로 인하여 이들 세력에 시야를 돌려 견제할 능력을 상실했기 때문이었다.[40]

영산강유역 세력도 이때를 기해 백제의 영향권에서 독립하고자 했다. 영산강유역 토착 세력 집단은 백제 왕실 남천 이전부터 꾸준히 성장해 왔었다. 선사시대 이래로 정치·문화적으로 강인한 기반을 유지하고 있던 영산강유역 세력이 백제 중앙의 통치력이 미치지 못하는 갑작스런 힘의 진공상태를 틈타 독자적인 위상을 확보하였다. 5세기 후반으로 추정되는 나주 반남면 신촌리 9호분에서 金銅冠(국보 제295호)과 單鳳文 環頭大刀를

---

40 李道學, 『백제 한성·웅진성시대 연구』, 일지사, 2010, 307~308쪽.

착용할 정도의 강대한 勢力者가 등장한 것이다. 바로 이 시기의 분위기를 잘 반영해주고 있다. 금동관이 출토된 신촌리 9호분 乙棺에서는 무려 4자루의 환두대도가 부장되어 있었다.[41] 그 가운데 2자루는 단봉문 환두대도였다. 이러한 양상은 多羅國 왕릉으로 추정되는 합천 옥전 M3호분에 부장된 大刀 4자루와 동일하다. 반면 무령왕릉에서는 單鳳文 環頭大刀 1자루에 金銀裝刀子 1자루 등 모두 2자루의 도검이 출토되었을 뿐이다.

이와 관련해 신촌리 9호분 乙棺에서 출토된 환두대도와 금동관을 백제 중앙에서 하사한 물품으로 추정하기도 했다. 그러나 최근의 연구에 따르면 銀裝 單龍大刀의 경우 기본형은 백제 대도와 비슷하지만 환내 도상을 별도로 만들어 끼워 넣는 기법 등은 대가야의 대도와 유사한 것으로 밝혀졌다. 즉 이는 대가야 요소라는 것이다. 그리고 신촌리 을관에서 출토된 金銅冠・金銅飾履・單鳳文 環頭大刀는 백제 중앙의 양식을 수용하여 지방에서 제작한 물품일 가능성에 무게를 두고 있다.[42] 실제 신촌리 9호분에서 출토된 금동관모는 천안 용원리・서산 부장리・공주 수촌리・익산 입점리・고흥 길두리에서 출토된 것과는 계통이 다르다. 게다가 신촌리 9호분에서는 大刀 4자루에 鐵刀子 1자루가 부장되었다. 이는 大刀 1자루에 刀子 1자루만 부장된 무령왕릉 보다 훨씬 많은 숫자이다. 신촌리 9호분에서는 賜與의 지표가 되는 金銀製 耳飾이나[43] 중국제 陶瓷가 출토된 바 없다. 용원리만 제외하고는, 금동관모가 출토된 여타 지역에서는 龍鳳文 환두대도가 부장되지도 않았다. 이러한 사실들은 신촌리 세력이 백제로부터 위신재를 공급받지 않았음을 뜻한다. 신촌리 세력의 독자성을 웅변하는 지표가 된다. 곧 內卑離國의 독자적 운동력을 암시해 준다. 신촌리 9호분에서는 왜계 원통형 토기와 周溝까지 확인되었다. 內卑離國이 일본열도와의 활발한 교류를 통해 백제에 대응하고자 한 노력의 副産物로 보인다. 이와 연관지어 최소한 6세기 전엽을 넘지 못하는 길이 30m의 영암 옥야리 방대형고분(제1호분)이 상기된다. 이 고분을 발굴한 결과 영산강유역이 백제 주변 지역에 위치하였지만,

---

41 국립나주문화재연구소, 『영산강유역의 고분 1 甕棺』, 2010, 206쪽.

42 이한상, 『장신구 사여체제로 본 백제의 지방 지배』, 서경문화사, 2009, 190쪽.

43 신촌리 9호분 을관에서 출토된 修飾을 갖춘 金銅製 耳飾은 백제 지역에서는 유일하다고 한다(이한상, 『장신구 사여체제로 본 백제의 지방 지배』, 서경문화사, 2009, 170쪽). 즉 5세기대의 제품으로서는 유일한 것이다. 본 耳飾은 2개였다(국립광주박물관, 『羅州潘南古墳群 綜合調査報告書』, 1988, 309쪽). 백제가 漢城期에 賜與한 耳飾은 대부분 金製였다(이한상, 『장신구 사여체제로 본 백제의 지방 지배』, 서경문화사, 2009, 142쪽). 따라서 신촌리 9호분 耳飾은 賜與品이 아니라 영산강유역의 독자적 존재를 나타내는 징표로 해석된다.

오히려 백제·가야·왜와의 문화교류에서는 중심에 있었던 사실이 드러났다.[44] 이러한 사실은 곧 반남 지역 內卑離國의 정치적 위상과 교류 반경을 헤아려주고도 남는다.

內卑離國은 영산포 뿐 아니라 對外交易港인 會津을 장악하고 있었다. 그리고 內卑離國은 고대국가의 잠재적 국력의 척도가 되는 鐵鑛을 확보하였다. 나주 복암리 유적에서는 백제 때 官營 製鐵遺蹟 및 製鐵勞動과 관련한 목간까지 확인된 바 있다.[45] 이 사실은 백제 이전에 이미 內卑離國이 이곳 제철 산지를 장악했음을 시사해 준다. 이와 관련해 『삼국사기』에 따르면 "鐵冶縣은 본래 백제의 實於山縣으로 경덕왕이 改名하여 지금 그대로 하고 있다"는 기사에 등장하는 鐵冶縣이 주목된다. 鐵冶縣의 소재지는 반남면과 인접한 나주군 茶道面이다. 그런데 鐵冶縣의 鐵冶는 백제의 實於山縣의 '實於'에서 연유하였다. '實於'는 '金[쇠]'의 訓으로서, 實於山은 '쇠산' 즉 鐵山을 뜻한다. 경상남도 합천군 관내의 冶爐縣은 지명 그대로 유수한 철산지로서 대가야 성장의 토대가 되었다.[46] 이와 마찬 가지로 나주시 다도면의 鐵山 역시 內卑離國의 흥성 배경이 되었을 것이다.

금동관과 단봉문 환두대도라는 위세품을 착용한 內卑離國 首長이 묻힌 신촌리 9호분은, 한 변이 30m가 넘고 높이가 6m에 달하는 巨大墳이었다. 이 분묘의 봉토 축조에만 2,400명 이상의 연인원이 필요했던 것만 보더라도 피장자의 지배력을 짐작할 수 있다. 신촌리 9호분의 봉토 축조 연인원수는 신라 왕릉으로 추정되는 超大形墳인 경주 天馬塚의 절반에 해당된다.[47] 이렇듯 영산강유역에 강대한 지배력을 갖춘 수장의 출현은, 꾸준히 성장해 온 나주 지역의 오랜 정치·경제적 기반 위에 백제 중앙 정정의 혼미가 가세한 결과였다.

2) 백제의 진출과 內卑離國의 沒落

5세기 후반 중앙 정정의 혼란이 수습되고 왕권이 어느 정도 안정된 동성왕대 중엽에 접어들자 백제는 지방 세력에 시야를 돌릴 수 있는 여유가 마련되었다. 이에 따라 왕권 신장의 일환으로 재지 이탈 세력에 대한 직접 지배를 서둘렀다. 그로 인해 왕족과 고관

---

44 국립나주문화재연구소, 『영암 옥야리 방대형고분 - 제1호분 발굴조사보고서』 2012, 327쪽.
45 국립나주문화재연구소, 『羅州 伏岩里遺蹟 Ⅰ』 2010, 510~511쪽.
46 李道學, 『백제고대국가연구』, 일지사, 1995, 354~355쪽.
47 成洛俊, 「영산강 유역의 옹관묘연구」 『백제문화』 15, 1983, 48쪽.

들을 지방의 거점에 분봉하는 담로제가 다시금 시행되었다. 그러나 이 같은 중앙 권력의 직접적인 지방지배라는 것은 토착 재지 세력의 이해와 상충된 관계로 마찰을 야기시켰다. 동성왕이 南齊에 보낸 국서에서 귀족들에 대한 제수 명분을 "國難을 제거하고"라고 했다. 바로 이 기록은 중앙 권력이 武力으로써 토착 세력을 재흡수하는 일련의 과정을 가리킨다. 이와 관련해서 姐瑾이 面中王(光州)에서 都漢王(高興)으로, 餘古가 八中侯(羅州)로부터 阿錯王(羅州群島)으로 차제에 남하하고 있다. 백제가 수행하는 지방 지배의 확대 과정이 보인다. 이 같은 백제의 지방 세력 흡수는 급기야 498년(동성왕 20)에 領外 세력인 耽羅가 貢賦를 바치지 않았다는 이유로 武珍州까지 친정하여 마지막으로 세력권에 편제 시킴에 따라 일단의 완결을 보았다. 武珍州는 통일신라 때 지금의 전라남도 일원을 가리키는 행정단위였지만, 그 중심 거점은 광주 광역시 일원이었다. 이러한 지방 세력의 재 흡수는 495년(동성왕 17)에 백제가 南齊에 제수를 요청하기에 앞서 저간의 국내 사정을 간략하게 언급한데서도 살펴진다. 즉 그 내용은 대략 "송구스럽게도 符節과 斧鉞을 지니게 되어 列辟을 물리칠 수 있었다"는 사실과 함께, "지난 번(동성왕 12년)에 姐瑾 등이 영광스럽게 제수를 받아 臣과 백성 모두가 安泰하다"는 것이다. 중국적인 권위를 빌어 재지세력을 흡수하는데 있어서의 국내적인 효과를 언급하고 있다. 적어도 495~498년쯤에 이르러서는 영산강유역에 대한 지배가 거의 매듭지어졌음을 뜻한다. 여기서 '列辟'은 '列侯'를 의미하기 때문에 영산강유역의 馬韓 勢力을 가리키는 게 확실하다.

영산강유역에 대한 백제 중앙의 직접 지배의 종결은 고고학적으로도 살펴진다. 영산강유역의 옹관묘는 5세기 경에 가장 성행하다가 6세기 경에 쇠퇴한다. 이를 대신하여 석실분이 조성되고 있다. 이러한 묘제 상의 변화는 백제 왕실의 지방통치체제 강화와 더불어 문화의 파급 효과에 기인한 현상이었다. 동신대학교 박물관측의 발굴에 따라 6세기 초에 조성된 함평 마산리 1호 석실분에서 중국계 錢文 瓷器片이 출토되었다. 이는 중앙 권력과 연계된 세력의 등장을 가리키는 증좌인 것이다. 6세기대에 접어들어서야 영산강 유역이 백제의 영향권에 들었음을 뜻한다.

5세기 말, 나주 반남 지역의 內卑離國은 백제로부터 내려오는 거센 정치적 波高를 뚫지 못했다. 내비리국은 6세기 초를 고비로 激浪치는 역사의 물결 속으로 휩쓸려 갔다. 불행히도 그들은 자신들의 기록을 후세에 남겨 놓지 못하였다. 다만, 사람들을 압도하는 巨大 封土墳에서 출토된 화려한 금동관과 王의 존재를 암시해주는 두 자루의 單鳳文 環頭大刀는 그 옛날의 위세와 영화를 알려주고도 남는다. 백제는 "5세기대 영산강 유역 마한제국의 중심지로서 郡格에 해당하는 나주 반남면 지역의 비중과는 달리 半奈夫里 '縣'을 설치하였다".[48] 그렇듯이 백제에 점령당한 나주 반남 세력은 쇠퇴의 길을 강요당하게 되었던 것이다.

이와 관련해 6세기 전반에 노령산맥 주변에 5基, 영산강유역에 6基, 해남반도에 2基 등 모두 13基의 前方後圓墳이 조성된 사실이 주목된다. 이들 전방후원분은 369년에 근초고왕이 왜군과 함께 점령한 구간에 소재하였다. 왜계 전방후원분의 존재는 백제와 倭, 그리고 殘餘 馬韓故地를 연결 짓는 상징적 意味마저 지녔다. 동시에 백제가 영산강유역을 장악하는 방식의 일단을 시사해 준다.[49]

6. 맺음말

지금까지의 서술을 통해 다음과 같은 사실이 확인되었다. 우리나라를 가리키는 범칭이 되었을 정도로 상징성이 지대한 '三韓'은 馬韓을 母胎로 하여 생성되었다. 삼한 가운데 가장 강력하였던 마한의 盟主였던 目支國 辰王의 영향력은 낙동강유역 弁韓까지 미쳤다. 그러한 목지국은 3세기 중엽경 대방군과의 격돌 과정에서 패하여 몰락하고 말았다. 그럼에 따라 마한의 중심축은 남부권으로 남하하였다. 아울러 변한의 구야국과 안야국이 성장하는 일대 轉機가 되었다. 이러한 정치 환경 속에서 289년에 新彌國 등 20여 國이 西晉과 교섭하였다. 해남반도에 소재한 침미다례와 동일한 정치체인 新彌國은, 목지국의 몰락을 기화로 지역연맹체의 맹주로서의 위상을 확보했다. 이 무렵 영산강유역에는 甕棺을 主墓制로 채택하였고, 급기야 高塚墳墓로까지 발전시켰다. 고유한 색깔을 지닌 강대한 세력 결집을 웅변해주는 현상인 것이다.

그런데 新彌國 곧 침미다례는 369년 백제 근초고왕의 南征으로 인해 초토화되고 말았다. 반면 戰禍를 입지 않은 영산강유역의 羅州 반남 세력이 새로운 覇者로 등장하였다. 이곳은 마한 54개 國 가운데 內卑離國으로 지목할 수 있었다. 內卑離國의 수장묘인 신촌리 9호분은 日帝가 1917~1918년에 걸쳐 발굴한 바 있다. 거대한 봉분을 지닌 9호분 내의

---

48 李道學, 『백제고대국가연구』, 일지사, 1995, 357쪽.

49 李道學, 「馬韓 殘餘故地 前方後圓墳의 造成 背景」『東아시아 古代學』28, 2012, 169~203쪽.

乙棺 1곳에서만 신분의 지표가 되는 金銅冠과 單鳳文 環頭大刀 2자루를 포함한 모두 4자루의 大刀와 1개의 鐵製刀子가 출토되었다. 이곳 출토 금동관은 비슷한 시기 백제 지방세력의 冠帽와는 차이가 나고 있다. 4자루의 大刀는 합천 多羅國 왕릉에서 출토된 숫자와 동일하다. 그리고 이는 무령왕릉에서 單鳳文 環頭大刀 1자루와 金銀裝刀子 1자루 등모두 2자루의 도검이 출토된 사례와는 비교가 되지 않는다. 백제와 구분되는 內卑離國王의 독자성과 권세를 가늠해 볼 수 있는 지표인 것이다. 內卑離國은 良質의 鐵鑛과 海産 자원은 물론이고, 비옥하고도 광활한 농경지에서 축적한 剩餘農産物을 통해 마한의맹주로서 번성을 謳歌하였다.

5세기 후반 백제는 한성 함락으로 인해 웅진성 천도를 단행했다. 이후 백제가 추진한이탈한 지방 세력에 대한 흡수라는 일련의 정복 과정이 펼쳐졌다. 5세기 말경 內卑離國은 백제의 外壓을 견디지 못하고 결국 역사의 격랑 속으로 떠밀려 가고 말았다. 백제는內卑離國의 이름 앞에 절단냈다는 의미로서 '반쪽 낼' '半' 字를 붙였다. '半'內夫里라는 백제 행정 지명은 이렇게 하여 생겨난 것이었다.

5세기 말~6세기 초까지 영산강유역의 마한 세력은 장기간에 걸쳐 백제와 협력과 갈등을 반복하였다. 또 마한은 백제와 대치하면서 독자적인 문화와 정치적 위상을 누리고 있었다. 그러한 마한 세력은 494년에 만주 지역에 소재하였던 東아시아의 老大國인 夫餘가 고구려에 병합될 쯤 백제에 흡수되고 말았다. 그러나 영산강유역에서 마지막으로 發花하였던 馬韓의 역사와 문화는 결코 잊어진 대상이 될 수는 없다. 加耶의 前身인 弁韓까지 호령했던 마한의 역사가 묻힐 수는 없지 않은가? 오히려 잊어진 마한의 역사는 이제 가야사와 대등하게 그 역사적 위상을 확보할 때가 된 것 같다. 馬韓史의 復權이 긴요한 과제요 현안인 이유가 여기에 있다.

「榮山江流域 馬韓諸國의 推移와 百濟」『百濟文化』49, 2013.

나주 반남면 신촌리 9호분 금동관의 제작 주체

1. 머리말

백제 세력권 밖의 마지막 馬韓 세력으로 영산강유역을 지목한다. 그러나 한 마디로 뭉뚱거려 지목하기 어려운 점이 있다. 일례로 한반도 서남부 지역에서 확인된, 고고학적 용어로써 前方後圓墳의 경우 영산강유역에만 소재하지 않았다. 현재까지 확인된 14基의 전방후원분 소재지는 크게 3圈域으로 나누어진다. 즉 노령산맥 주변 5基, 영산강유역 6基, 두륜산맥을 끼고 있는 해남반도와 康津灣 3基가 된다. 노령산맥과 영산강유역 그리고 해남반도와 강진만이라는 3곳의 지형구 안에 전방후원분이 각각 소재하였다.[1]

김제 벽골제의 남쪽을 가리킨다는 현재의 湖南 지역을 백제가 경략한 시기 또한 일률적이지 않았다. 그러나 분명한 사실은 上記한 3권역의 지배 시기는 369년 근초고왕대의 南征 動線과 깊이 관련되어 있다. 본고에서는 이 점을 염두에 두고 구명하는 한편, 영산강유역 나주 반남면 신촌리 세력의 존재 양상을 살피고자 했다. 주지하듯이 신촌리 9호분 乙棺의 피장자는 금동관과 환두대도까지 착장하였다. 금동관과 환두대도는 신분의 지표인 威信財였다. 이러한 위신재의 성격에 따라 백제 중앙과 연결된 세력인지 아니면 독자 세력인지 여부가 판가름나게 된다.

본고에서는 신촌리 9호분 금동관의 제작 주체를 구명하여 피장자의 성격을 밝히고자 했다. 아울러 369년 근초고왕의 남정 動線과 그 이후 영산강유역 세력의 존재 양태를 살피고자 하였다. 그럼으로써 영산강유역의 정치적 성격과 문화적 특질이 온당하게 평가될 것으로 본다.

---

1 李道學, 「馬韓 殘餘故地 前方後圓墳의 造成 背景」『東아시아古代學』28, 2012, 171~172쪽.

2. 백제사의 劃期 369년

1) 『三國史記』 始祖王紀의 性格

『삼국사기』 시조왕기에는 백제 영토 개척의 역사가 수록되었다. 백제의 영역 확장은 시조왕대에만 집중되어 있다. 시조왕은 일찌감치 마한을 멸망시킴으로써 남부 영역이 고사부리성(고부)까지 미쳤음을 선포했다. 시조왕대 築城 기사의 맨 마지막 기사로서 "古沙夫里城을 쌓았다(시조왕 36년 조)"라는 구절은 노령산맥선까지 미치는 백제 기본 영역의 확정을 뜻한다. 이와 관련해 다소 길기는 하지만 과거 필자의 논고를 다음과 같이 인용했다.

백제의 마한경략은 『일본서기』 신공 49년 조에서처럼 369년이 분명하지만, 『삼국사기』 백제본기에도 그 사실이 누락되지 만은 않았다. 비록 紀年은 수긍할 수 없지만 이미 『삼국사기』 백제본기 온조왕 27년(9) 조에 "馬韓遂滅"이라고 하여 기록되었기 때문이다. 그런데 흥미로운 사실은 『삼국사기』 백제본기의 마한경략 연대는, 『일본서기』의 그것과 정확히 360년 차이가 나는 만큼(Gari K. Ledyard 1975: 242) 근초고왕과 온조왕 양자 간에는 불가분의 관련이 있음을 생각하게 한다. 또 이는 온조왕의 개국(B.C. 18)이 근초고왕의 즉위(346)로부터 363년 이전으로 설정된 사실에 주목하여, 가공의 인물로 추정되는 契王 3년의 재위기간을 제외시키면, 이는 360년마다 국가의 홍운을 맞이한다는 揚雄 등 讖緯說 주창자들의 영향을 받아 開國年代를 정하였다는 견해와도 상관성을 지니고 있다. 게다가 『삼국사기』 온조왕 13년(B.C. 6) 조에는 백제의 北界가 浿河(예성강)인 것으로 되어 있지만, 근초고왕 26년(371)에 浿河上에서 埋伏하여 고구려 군대를 격파하는 등 戰場이 예성강유역에서 형성되고 있다. 후자의 기록을 놓고 볼 때 백제의 北界는 4세기 중반에야 예성강유역에 이르른 것으로 짐작되므로, 온조왕 13년 조의 영역 기록 역시 360년의 紀年上向 가능성을 제기해준다. 요컨대 시조인 온조왕과 근초고왕의 즉위년 및 마한경략 연대가 360년씩 상관성을 지니고 있다는 것은, 근초고왕대의 사실을 시조인 온조왕대로 遡及·架上시켰음을 뜻할 수 있다. 그렇다면 이는 근초고왕과 그 前代 王系上에 단층이 지고 있다는 지적과 더불어 결과적으로 근초고왕의 업적을 박탈한 듯한 느낌마저 주는데, 필시 정치적인 변화와 연관되어 까닭이 있었으리라고 짐작된다.

건국기년을 참위설에 따라 上向 조작하여 국가의 유구성을 과시하는 한편, 시조에 대한 권위 부여를 목적으로 한 일련의 계기적인 사실조작은, 역사편찬에 백제의 영향을 지대하게 받은 倭의 경우를 통해서도 이제는 逆으로 시사받을 수 있다. 倭의 경우 推古天皇(593~627) 때 『天皇記』와 『國記』가 편찬되어 후일 편찬되는『일본서기』의 紀年과 내용의 틀이 짜여졌다. 여기서 주목되는 것은 大和政權에 의한 일본열도의 정치적 통합은 일러야 5세기 중반 이후임에도 불구하고『일본서기』에는 그 시조라는 神武天皇 당대인 기원전 667년에 南九州의 日向으로부터 東方으로 이동을 시작하여 기원전 660년에 畿內의 大和에 들어와 이른바 大和朝廷을 열었던 것으로 서술하고 있다. 그럼에 따라 일본열도는 당초부터 단일한 정치단위였다고 하는『일본서기』의 주장이 나온 것이다. 즉,『일본서기』편찬 당시 왕실의 직계 祖先이 유구한 태고로부터 일본열도 全域을 지배한 유일의 정통 왕가였다는 주장을 선전하기 위하여 그렇게 서술한 것이다.

이러한 서술 태도는『삼국사기』고구려 · 신라본기와는 달리 시조왕대에 그 정복사업이 완료된 양 서술된 백제본기의 온조왕기와 일맥 상통하는 면을 보여주고 있다.『삼국사기』에 의하면 온조왕 36년 조의 古沙夫里城(고부) 축조 기사를 끝으로하여, 이러한 판도내에서 별다른 영역확대가 확인되지 않고 있다. 고사부리성은,『翰苑』백제 조에서 "國鎭馬韓 地苞狗素"라고 한 狗素로서, 백제 영역의 한 界線으로 인식되어지고 있다. 백제의 이러한 고부 지역 진출은 369년의 점령지에 포함된 것으로 새롭게 밝혀지고 있는 만큼, 이 또한 온조왕대의 정복지와 근초고왕대의 그것이 상관성을 띠고 있음을 알려준다. 따라서 백제의 고사부리성 축조는 기실 근초고왕대나 그 이후의 일이 분명하므로, 온조왕대의 영역관계 기록은 다른 기사와 마찬가지로 후대 사실의 소급임을 알 수 있다. 요컨대 단일한 정치체로서의 의미를 지닌 온조왕대의 영역관계 기록은, 한성시대 이후의 정치적 변화에서 시조왕의 위엄과 왕실의 정통성을 과시할 목적에서 생겨난 것으로 해석된다.[2]

위의 인용에서 제기한 문제를 구체적으로 살펴 보려면, 근초고왕이 마한에 대한 정복전을 개시하기 전의 영역 범위에 대한 이해가 선결되어야 한다. 이는 다음과 같은『삼국사기』시조왕 13년 조 기사에 대한 검증과 관련 있다.

a. 8월에는 마한에 사신을 보내어 遷都를 알리고 疆場을 畫定하였는데, 북쪽은 浿河에 이르고, 남쪽은 熊川에 限하고, 서쪽은 大海에 이르고, 동쪽은 走壤으로 끝났다.

위 a의 패하는 예성강, 대해는 서해, 주양은 춘천이다. 문제는 웅천의 위치가 된다.『삼국사기』동성왕 13년 조의 "6월에 웅천의 물이 불어 왕도의 200餘 家가 떠내려 가고 잠겼

---

2 李道學,「百濟 初期史에 관한 文獻資料의 檢討」『韓國學論集』23, 1993, 36~38쪽.

다"라고 한 기사의 '웅천'은 시조왕 13년 조와 동일한 江이 분명하다. 따라서 웅천은 지금의 금강을 가리킨다. 즉 웅천을 안성천으로 비정한 견해는 타당성을 잃었다. 요컨대 백제는 북쪽은 예성강, 남쪽은 금강을 境界로 했다. 이러한 영역 범위를 명시하고 있는 시조왕대의 기사는 앞서 인용문에서 언급했듯이 후대 사실의 遡及・架上이었다. 따라서 그 시기를 재검토할 필요가 있다.

2)『日本書紀』神功 49년 조의 馬韓經略 記事 分析

(1) 마한 경략 기사와 谷那 및 忱彌多禮

『일본서기』 신공 49년 조의 다음과 같은 백제의 마한 경략 기사가 주목된다.

> b. 그리고 比自㶱・南加羅・喙國・安羅・多羅・卓淳・加羅의 7國을 평정하였다. 이에 군대를 옮겨 서쪽으로 돌아 古奚津에 이르러 南蠻의 忱彌多禮를 屠戮하여 백제에 내려주었다. 이에 그 왕 肖古 및 왕자 貴須 역시 군대를 이끌고 와서 모였다. 그 때 [比利辟中布彌支半古四邑]이 자연 항복하였다. 이에 백제왕 부자 및 荒田別・木羅斤資 등이 함께 意流村[지금 州流須祇를 말한다]에서 만나 서로 기쁨을 나누었다. 禮를 두텁게 하여 보냈다. 오직 千熊長彥이 백제 왕과 함께 백제국에 이르러 辟支山에 올라 맹세하였다. 다시 古沙山에 올랐다. …

그런데 왜가 가라 등 7국을 평정했다는 b 기사의 신뢰성에 의문이 제기되었다. 게다가 b 기사는 왜가 아니라 백제를 주체로 하여 읽기도 한다.[3] 여기서 분명한 점은 고해진부터의 군사 작전 기본 골격은 사실에 근거했다고 본다. 그리고 그 주체는 백제로 지목할 수 있다. 그렇다면 당시 백제군과 왜군의 動線은 고해진→침미다례 격파였다. 그러자 '比利辟中布彌支半古四邑'이 항복했다. 이어 백제 왕과 왜장은 벽지산과 고사산에 각각 올라 맹세하였다. 양자의 맹세는 '比利辟中布彌支半古四邑' 항복에 따른 일종의 마무리 의례이기도 했다. 백제의 經略은 文面대로라면 금강 이남~남해안 이북 馬韓 세력에 대한 南北 협공이었다. 마한 南端의 강대한 침미다례가 붕괴되자, 백제군이 내려오는 北端의 馬韓諸國들은 압기되어 항복했다. 그렇다고 마한 全域이 백제에 넘어간 것은 아니었다. 앞

---

3 千寬宇,『加耶史硏究』, 일조각, 1991, 23~25쪽.

으로 검토하겠지만, 이 점 분명히 염두에 두어야 한다.

그러면 369년에 백제와 왜 간의 합동군사작전의 목표는 무엇이었을까? 이는 그 3년 前에 근초고왕이 卓淳國에 사신을 보내 倭 사신을 백제로 招致한데서 실마리를 찾을 수 있다. 이때 근초고왕은 보물창고를 열어 보이면서 倭 사신에게 "우리나라에는 진귀한 보물이 많다"[4]고 하였다. 선진국이란 여타 주변국들이 갖지 못한 풍부한 물산을 향유하고 있는 상태를 말한다. 이 같은 맥락에서 볼 때 백제는 선물 외교를 통해 당장의 정치적 목적 외에 부강한 선진국 이미지와 자부심을 전달했다. 그런 연후에 백제와 왜는 전격적인 군사작전을 단행하였다. 이러한 정황에 비추어 볼 때 이때의 합동작전은 1차적으로는 양국의 이해가 맞아떨어진 素材에서 연유했다고 본다. 곧 새로운 교역로의 확보와 관련 있을 것이다. 백제의 선진 물품을 접한 倭로서는 탁순국과 같은 경상남도 남해안 諸國이나 加羅國을 매개로 한 기존의 교역체계에서 벗어나고자 했다.[5] 그 결과 倭로서는 백제와 직교역할 수 있는 루트를 확보하였다. 백제는 새로 수교한 倭와의 교역로 개척을 위해 남해안 要港을 거점 지배했음을 알 수 있다.

백제 근초고왕은 倭에 谷那鐵山의 우수함을 선전하였다.[6] 백제 왕이 倭王에게 하사한 七支刀는 谷那鐵山의 山鐵로 제작했다. 그러한 谷那鐵山의 위치에 대해서는 황해도 谷山을 비롯하여 그 인근으로 비정하는 견해가 많았다. 백제가 이 무렵 고구려에 대한 군사적 우세를 취하는 상황에서 새롭게 점령한 鑛山으로 간주하였다. 그러나 이러한 비정은 전혀 타당성 없는 것으로 밝혀졌다. 반면 谷那(욕나)는 백제 때 欲乃였던 전라남도 谷城으로 究明되었다. 동시에 이 곳은 백제가 서·남해안 일대를 장악하는 상황에서 확보한 鐵鑛으로 밝혔다. 곡성에서는 철광의 존재를 암시하는 정황 증거들이 많았다. 게다가 백제 아화왕의 무례를 빌미로 倭가 빼앗아갔다는 지역에 '東韓之地'와 더불어 침미다례 (해남) 및 谷那가 함께 등장하기 때문이다. 여기서 침미다례가 해남임은 필자가 처음 비정하였다.[7] 谷那의 소재 圈域은 황해도 방면이 아니라 전라남도 지역이 분명해졌다.[8]

---

4 『日本書紀』권9, 神功 46년 조.
5 李賢惠, 「4세기 가야사회의 교역체계의 변천」 『한국고대사연구』 1, 1988, 172~173쪽.
6 『日本書紀』권9, 神功 52년 조.
7 李道學, 「百濟 集權國家形成過程研究」, 한양대학교 사학과 박사학위청구논문, 1991, 193쪽; 『백제고대국가연구』, 일지사, 1995, 350쪽.
8 李道學, 「谷那鐵山과 百濟」 『東아시아古代學』 25, 2011, 76~90쪽.

良質의 鐵鑛인 谷那鐵山의 개발과 관련해 運送路의 용이한 개척이 선결되어야만 했다. 곡성의 谷那鐵山 철제품은 보성강과 섬진강을 매개로 한 후 남해안과 서해안을 거슬러 올라가 백제 중앙으로의 공급이 가능했다. 이와 맞물려 백제는 369년에 확보한 노령산맥을 넘어 임실→남원→곡성을 지나 섬진강 하구까지 진출할 수 있었다. 370년 多沙城과 路驛의 개척이 그것을 가리킨다. 이때 谷那 鐵製品은 倭로도 수출되었을 것이다. 요컨대 백제의 섬진강유역 진출과 장악은 4세기 후반까지 소급될 수 있었다.[9]

이와 관련한 물증을 소개해 본다. 즉 서울 석촌동 제4호분 근처와 익산 입점리 제1호분 및 곡성 석곡리와 방송리에서 각각 출토된 4개의 金製 耳飾은 모두 한성 도읍기 제작이었다. 이는 길쭉한 금사슬을 만들고 그 맨 밑에는 조그마한 心葉形板을 매단 양식에 속한다. 이처럼 동일한 양식에 비슷한 무렵에 사용한 金製 耳飾이 서울과 익산 그리고 곡성 지역에서 각각 발견되었다. 백제의 國都였던 서울을 軸으로 할 때 익산은 그렇다손 치더라도 곡성은 산간 지대인 동시에 交通路의 부담이 큰 遠距離였다. 그런 관계로 곡성 출토 耳飾의 편년을 백제 중심축이 남하한 웅진성 도읍기로 상정하기도 했다. 그러나 이 문제는 b 기사에 대한 이해가 전제될 때 풀리게 된다. 神功 49년인 369년에 백제군은 고해진인 康津에서 집결하여 忱彌多禮를 屠戮하였다. 여기서 중요한 사실은 백제가 要港인 강진 장악과 동시에 침미다례인 해남을 철저하게 제압했다는 것이다. 백제는 이때 중국 新나라 화폐인 貨泉이 출토될 정도로 교역의 거점이기도 했던 군곡리 패총을 끼고 있는 해남을 장악했다. 백제 아화왕의 무례를 빌미로 倭가 빼앗아갔다는 '東韓之地'와 더불어 침미다례 및 谷那가 함께 보인다. 이로 미루어 볼 때 谷那 역시 침미다례와 더불어 369년 무렵에 백제에 장악되었던 것 같다. 고흥반도의 안동 길두리 고분의 피장자가 백제 중앙과 긴밀한 관계를 맺은 게 드러났었다.[10] 그렇다고 할 때 한성 도읍기의 백제는 지금의 전라남도 해안인 강진과 해남 및 고흥반도 일원을 장악했음을 알 수 있다. 요컨대 4세기 후반 이후 백제는 남해안을 장악했다.

---

9   李道學, 「谷那鐵山과 百濟」 『東아시아古代學』 25, 2011, 96쪽.
10   李道學 「금동관이 출토된 고흥 안동 고분의 피장자는 누구인가?」 『한국전통문화학보』 37, 2006. 4. 2; 『역사가 기억해 주는 이름』, 서경문화사, 2007, 75~79쪽

(2) 369년 마한 경략의 범위, 영산강유역 비정설의 문제

신공 49년 조에 따르면 忱彌多禮가 屠戮되자 '比利辟中布彌支半古四邑'이 항복하였다. 문제는 백제에 복속되었다는 b [ ] 안의 지명 비정이다. 종래 [ ] 안의 지명을 '比利·辟中·布彌支·半古'의 4邑으로 끊어 읽었다. 이는 뒤의 '四邑'이라는 문자를 의식한 끊어 읽기였다. 물론 b에서 '古四'의 '四'는 숫자로도 쓰인다. 그러므로 바로 뒤에 붙어 있는 '邑'과 연관 지으려는 경향이 제기될 수 있다. 그러나 '古四'가 현재의 전라북도 古阜 지역을 가리키는 지명임은 부인할 수 없다. 왜냐하면『삼국사기』都督府 13縣 條에 보면 "古四州는 본래 古沙夫里로서"라고 하여 古阜 지역을 분명히 '古四'로 표기했기 때문이다. 따라서 古四와 古沙夫里는 동일 지명임을 알 수 있다. 그리고 '四邑'을 의식한 지명 띄어 읽기가 많지만, 동일한 사례로서『일본서기』의 다음 기사를 살펴 보자.

> c. 그리고 신라에 가서 蹈鞴津에 머무르며 草羅城을 빼앗고 돌아 왔다. 이때 포로들이 지금의 桑原·佐糜·高宮·忍海 무릇 四邑 漢人 등의 시조이다.[11]

위의 c에 보이는 지명이나 신공 49년 조(b)의 지명은 모두 점령한 지역과 관련해 등장한다는 공통점이 있다. 그런데 b 기사 地名 말미의 '四邑'이 4개 邑을 가리킨다고 하자. 그러려면 c와 마찬 가지로 '凡四邑'으로 표기했어야 마땅하다. 그러나 그러하지 않았다. 더구나 古四는 古沙와 동일하게 독립된 지명이었다. 따라서 신공 49년 조의 지명들을 '四邑'에 한정시킨 해석은 적합하지 않다.[12]

그럼에도 b의 지명들은 전라남도 지역을 포함하는 구간으로 비정되었다.[13] 강진과 해남이 장악되자 인접 지역에서 연달아 항복한 것이 된다면, 전라남도 지역으로의 비정이 자연스러울 수 있다. 따라서 "필자는 일단 이병도의 견해를 좇아 근초고왕대에 마한의 잔여소국들이 백제에 의해 평정된 것으로 보는 바이며"[14]라는 단언도 나왔다.

이러한 선상에서 본다면 마한 잔여 세력은 369년 이후에는 존속하지 않았어야 한다.

11 『日本書紀』권9, 神功 5년 조. "乃詣新羅 次于蹈鞴津 拔草羅城還之 是時俘人等 今桑原·佐糜·高宮·忍海 凡四邑漢人等之始祖也"

12 李道學,「榮山江流域 馬韓諸國의 推移와 百濟」『百濟文化』49, 2013, 119쪽.

13 李丙燾,『韓國古代史研究』, 박영사, 1976, 512~513쪽.

14 노중국,『백제정치사연구』, 일조각, 1988, 120쪽.

마한 잔여 세력이 369년 이후에도 존속했다면 「광개토왕릉비문」에 '任那加羅'처럼 그 존재가 보이지 않을 리 없다고 했다.[15] 그런데 「광개토왕릉비문」에 '任那加羅'가 등장한 이유는 고구려군이 추격하는 왜군의 퇴각로였기 때문이다. 백제 남부에 소재한 영산강유역의 마한은 고구려군과 부딪칠 소지가 없었다. 때문에 영산강유역에 대한 기록이 남겨질 수 없었던 것이다. 따라서 「광개토왕릉비문」의 擧名 여부가 마한의 존재를 결정해 주는 잣대가 될 수는 없다. 그리고 이러한 주장에는 분명히 간과한 부분이 있다. 영산강유역 거대 고분의 성장이 백제의 南征이 있던 4세기 후반 이후에도 지속되어 6세기 전반까지 이어졌다는 사실이다. 말할 나위 없이 백제 영향권 밖 강대한 이곳 독자 세력의 존재를 반증해준다.

노중국의 주장과는 달리 「광개토왕릉비문」 수묘인 연호 조를 통해 영산강유역 세력의 존재가 드러난다. 즉 '豆比鴨岑韓 · 求底韓 · 舍蔦城韓穢 · 客賢韓 · 巴奴城韓 · 百殘南居韓'라는 구절이다. 이 구절을 통해 '韓'과 '韓穢'라는 종족의 존재를 상정할 수 있다. 이렇듯 地名 末尾에 種族名이 부여된 경우는 고구려가 領土로 지배하지 못한 掠取해 온 특정 지역 주민 자체를 가리킨다.[16] 이러한 地名은 수묘인 연호의 출신지를 가리킬 뿐이다. 여기서 '百殘南居韓'이 文面대로 백제 영역 남쪽의 '韓'을 가리킨다고 하자. 그렇다면 수묘인 연호 조의 '韓'과 '穢'는 당시 백제 영역 밖의 영향권내 수묘인 연호들의 출신지를 가리킨다. 즉 충청북도 지역에 소재한 '穢'를 비롯하여 백제 주변부에 거주하는 '韓'의 존재를 상정하는 게 가능하다. 이 같은 수묘인 연호를 보면 외형상 고구려의 영향력이 백제 영역 바깥까지 미친 게 된다. 여기서 분명한 사실은 '百殘南居韓'을 통해 백제와 구분되는 또 다른 '韓'의 존재를 상정할 수 있다. 물론 백제 주민들도 기본적으로 韓人이었다. 그런데 「광개토왕릉비문」의 '韓'은 백제 城 · 村體制 바깥의 세력을 가리킨다. 특히 백제 남쪽의 韓을 가리키는 '百殘南居韓'은 당시 백제 南界와 관련 지어 살필 수밖에 없다. 369년에 근초고왕이 남정을 단행하여 확정한 南界는 노령산맥이었다.[17] 이후 永樂 6년인 396년까지 백제 南方 境域이 확대되었다는 明證은 없다. 그런 만큼 '百殘南居韓'의 '百殘南' 즉 '백제 南쪽'은, 명백히 노령산맥 이남인 영산강유역을 지칭한다. 그렇지 않다면 백제 영역

---

15 노중국, 「백제의 영토 확장에 대한 몇 가지 검토」 『근초고왕 때 백제 영토는 어디까지였나』, 한성백제박물관, 2013, 15쪽.

16 李道學, 『고구려 광개토왕릉비문 연구』, 서경문화사, 2006, 279쪽.

17 李道學, 『백제고대국가연구』, 일지사, 1995, 143~146쪽.

남쪽에 공간적으로 달리 비정할 만한 세력은 없다.[18] 이로써도 영산강유역 세력은 396년에도 백제에 복속되지 않았음이 반증된다.

369년에 백제가 호남 지역을 석권한 근거로서 다음의 『通典』 기사를 거론하고 있다.

> d-1. 晉 이후로부터 諸國을 呑幷하여 馬韓故地에 웅거하였다.[19]
>
> d-2. 晉 武帝 咸寧 中(275~279)에 馬韓 王이 來朝하였다. 이로부터는 들은 바가 없었다. 삼한이 대개 백제·신라에 呑幷되어서였다.[20]

3세기 후반에 마한이 백제에 병탄되었다는 d의 『通典』과는 달리, 앞의 b에서 보듯이 369년에도 湖南 지역 마한 세력은 건재했다. 따라서 d는 3세기대 후반 이후 馬韓諸國의 對中國 교섭의 단절을 뜻하는 징표일 뿐이다. 이를 백제의 영산강유역 마한 복속과 等値시켜 해석하기는 어렵다. 백제는 369년에 침미다례를 궤멸시킨 직후에 강진(고해진)·고흥·곡성(谷那)을 비롯한 섬진강 하구에 대한 거점 지배를 완료하였다.[21] 이로 인해 나주 반남 세력의 對中國 교류는 차단되었다. 그러나 고고물증을 놓고 볼 때 반남 세력은 加羅나 倭와는 꾸준히 교류했음을 알 수 있다. 405년에 腆支 太子가 왜국에서 귀국하는 길에 國界에서 漢城人 解忠이 告하자 海島에 의존할 수 있었다.[22] 이는 백제가 일찍부터 강진이나 고흥반도와 같은 要津이나 島嶼 지역을 장악했기에 가능했다.

그런데 백제가 369년에 점령한 대상을 '國'이 아니라 '邑'으로 표기했다는 점을 들어 마한 소국의 존재를 부정하기도 한다. 이와 관련해 고구려 중심의 천하관이 응결된 「광개토왕릉비문」을 상기해 본다. 이에 의하면 고구려 왕만 '太王' 즉 '王'이었다. 백제나 신라 등의 국왕은 '王'으로 일컫지도 않았다. 이와 맞물려 고구려 중심의 官的秩序에서는 백제나 신라 등은 국가로 간주되지도 않았다.[23] 고구려의 입장에서 볼 때 '屬民'으로 간주되었던 백제와 신라는 어디까지나 고구려의 지방세력에 불과했다. 이와 마찬 가지로 백제가

---

18 李道學, 「『廣開土王陵碑文』에 보이는 '南方'」 『영남학』 24, 영남문화연구원, 2013, 7~39쪽.

19 『通典』 권185, 백제 조.

20 『通典』 권185, 변진 조

21 李道學, 「谷那鐵山과 百濟」 『東아시아古代學』 25, 2011, 90~92쪽.

22 『三國史記』 권25, 전지왕 즉위년 조.

23 李道學, 「廣開土王代 南方 政策과 韓半島 諸國 및 倭의 動向」 『한국고대사연구』 67, 2012, 168~169쪽.

점령지를 '邑'이라고 일컫는 데는 이유가 있었을 법하다. 백제의 침미다례 공격에서 보이는 '南蠻'이라는 卑稱에서 알 수 있듯이, 백제 중심의 천하관이 성립되어 있었다.[24] 이러한 맥락에서 금강 이남 노령산맥 이북 b의 소국을 백제의 행정 체계 속에 편제된 대상으로서의 의미를 지닌 '邑'으로 일컬을 수 있다. 실제 6세기 전반에도 독립 정치세력을 가리키는 '國'의 존재가 보인다. 사실 관계를 떠나 539년 무렵에 제작된 『梁職貢圖』百濟國使條에 보면 백제에 부용한 9개 國을 '百濟旁小國'이라고 했다. 즉 '國'으로 인정한 것이다. 그 9개 소국 가운데 일부가 호남 지역으로 비정되고 있다. 가령 '止迷'는 『신찬성씨록』河內國皇別 條에 보면 백제에 파견된 왜장이 '止美'의 吳女를 취한 기사가 있다. 止迷는 곧 이 '止美'로 보인다. 더욱이 '止美'는 '百濟旁小國'의 경우 폄훼된 국명을 사용한 사례와도 연결되기 때문이다. '지미'는 369년에 백제 근초고왕이 경략한 忱彌多禮의 '침미'와 음이 닮았다. 그렇다고 한다면 지미는 전라남도 해남으로 비정된다. '上己文'은 전라북도 남원(운봉)이나 임실 일대로 비정되고 있다. '下枕羅'는 전라남도 강진으로 지목하기도 한다.[25] 이렇듯 6세기 전반에도 영산강유역 마한 세력의 운동력이 포착된다. 결국 369년에 보이는 '邑'을 백제 행정단위로 간주하기는 어렵다. 더욱이 b 기사는 백제에 정복되기도 전에 '邑'으로 일컫은 게 된다. 누가 보더라도 이는 백제의 지방 행정단위가 될 수는 없다. 따라서 369년의 시점에 백제가 영산강유역을 영역화했다는 주장은 성립이 어렵다.

369년에 백제가 점령한 대상을 '國'이 아니라 '邑'으로 표기했다는 점을 들어 소국의 존재를 부정하기도 한다. 이에 대해서는 앞의 논지와는 다른 각도에서 반박을 할 수 있다. 즉 "그런 까닭에 위만이 兵威와 財物을 얻어 그 곁의 小邑들을 침략하여 항복받았다. 진번과 임둔도 모두 와서 內屬하니 사방이 수천 리가 되었다"[26]는 기사에 '小邑'이 보인다. 그런데 『說文解宇』'邑部'에서 "邑, 國也"라고 하였다. 이처럼 '邑'과 '國'의 互訓・互用 例는 『尙書』・『左傳』 等 先秦時代 文獻의 도처에서 散見되고 있다. 한편 『爾雅』'釋地'에는 "邑外謂之郊 郊外謂之野 野外謂之林 …"라고 하여 '邑'을 邦人이 聚居하는 地方의 의미로 설명하고 있다. … 따라서 본문 중의 '小邑'도 단순히 大邑・小邑의 大・小 취락지라기 보다는, 정복국가적 성격을 갖는 위만조선에게 복속당하는 국가단계 이전의 사회로 파악

---

24 李道學, 『백제고대국가연구』, 일지사, 1995, 244~245쪽.
25 이용현, 『가야제국과 동아시아』, 통천문화사, 2007, 184쪽; 李道學, 「梁職貢圖」의 百濟 使臣圖와 題記」 『백제 한성・웅진성시대 연구』, 일지사, 2010, 464~465쪽.
26 『史記』 권115, 조선전.

하는 것도 가능할 것이다.[27] 이렇듯 國과 邑은 상호 통용됨을 알려준다. 따라서 신공 49
년 조의 '邑' 역시 소국의 존재를 부정하는 근거로 삼기는 어렵다.

　백제가 노령산맥 이남의 圈域을 '南蠻'으로 일컬었다. 이 자체가 영산강유역은 백제 영
역이 아님을 반증해준다. 중국적인 천하관 속에 등장하는 '東夷' 등이 중국 영역이 아닌
사실과 동일한 사례가 아닌가? 물론 369년에 백제의 '南蠻' 복속을 생각할 수도 있다. 그
런데 '南蠻'은 침미다례같은 특정 지역 한 곳이 아니라 일정한 範域을 가리킨다. 때문에
四夷觀 속의 '南蠻'은 369년 이후에도 일정 기간 존속했기에 그러한 蔑稱에 담아 기록했
을 것이다.

　결국 369년의 경략을 통해 백제가 영역화한 곳은 영산강유역이 아니었다. 冒頭에서
밝혔듯이 3곳의 영역권 가운데 금강 이남~노령산맥 이북과 전략적으로 비중이 지대한
해남반도와 고흥반도 및 섬진강 水路, 그리고 서·남해안 海路였다. 이로써 백제와 왜와
의 안정적인 교류가 가능해졌다.

　(3) 369년 마한 경략의 범위, 금강 이남~노령산맥 이북설의 확인

　369년 마한 경략의 범위로 지목했던 영산강유역은 타당하지 않았다. 이에 대한 대안
으로 b의 比利와 辟中에 이은 '布彌支半古四邑'을 '布彌·支半·古四'로 끊어 읽는 새로운
讀法이 제기되었다.[28] 그렇다면 이들 지명은 『삼국지』 한 조에 보이는 마한제국인 '不彌
國·支半國·狗素國'과도 잘 연결된다. 그러므로 이것에 입각한 후자의 끊어 읽기가 타
당하다. 동시에 비리는 부안의 보안, 벽중은 김제, 포미는 정읍, 지반은 부안, 고사는 고
부로 새롭게 비정되어진다. 게다가 근초고왕 부자가 왜군과 회동하여 기쁨을 나누었다
는 의류촌은 일명 '州流須祇'라고 하므로 周留城을 가리킨다. 나아가 이는 주류성의 위치
를 전라북도 부안으로 비정한 견해와도 무리 없이 연결된다. 이러한 비정은 근초고왕 부
자와 倭將이 맹약했다는 벽지산과 고사산이 벽중(김제)과 고사(고부)로 각각 비정되는 데
서도 뒷받침된다. 따라서 b에 보이는 백제의 마한 경략은 고해진과 침미다례만 전라남
도 강진과 해남에 각각 비정될 뿐이다. 그 나머지는 금강 이남부터 노령산맥 이북 지역
이었다. 따라서 369년 '마한경략' 이전 백제의 南界는 금강이었다. 금강을 南界로 하는

27　국사편찬위원회, 『中國正史 朝鮮傳 譯註1』, 신서원, 2004, 33~34쪽.
28　全榮來, 『周留城·白江位置比定에 관한 新研究』, 扶安郡, 1976, 46~56쪽.

백제의 영역은 『삼국사기』 시조왕 13년 조에서 웅천을 남계로 하는 영역 기사와도 연결된다.[29]

그러면 백제사에서 노령산맥은 어떤 의미를 지닌 곳일까? 369년에 백제는 남하·정복한 노령산맥을 영역의 분기점으로 설정하였다.[30] 필자는 "근초고왕의 마한 점령지 가운데 가장 뒤에 적혀 있거니와 그 南限界가 되는 古四 즉 古阜는, 후대의 영역개척이 투영되어 있는 『삼국사기』 온조왕기 가운데 영역개척의 하한선인 '古沙夫里城을 쌓았다'는 기사와 연결되고 있다. 게다가 『翰苑』 백제전에서 "國鎭馬韓 地苞狗素"라고 한 狗素는, 마한의 狗素國으로서 古四가 되는데[脚註 310: 사비시대 백제의 중앙의식과 관련 있을 中方城이 고부였음은, 이 지역이 역사적으로 노령산맥 남북을 이어주는 즉 교량적 역할과 더불어 정치적으로도 분기점이 되는 지역임을 감안한 데서 비롯된 것이 아닐까 한다] 백제 영역의 분기점이 되는 지역임을 암시해주고 있다"[31]고 한 바 있다. 이와 동일한 내용이 "그런데 『翰苑』에 의하면 "國鎭馬韓 地苞狗素"이라 하여 마한을 진압하는데, 구소국을 특별히 언급하고 있다. 그 註에서도 '馬韓有羊皮國 狗素(國)有也'라 하여 羊皮國과 함께 구소국을 지칭하고 있는 것이다. 이를 보면 고사 지역이 백제의 마한 정벌에 커다란 분기점이 되었음을 짐작할 수 있다. 이는 고사 지역이 백제의 方 - 郡 - 城 체제에 中方이 되어 중심 역할을 하였던 점에서도 확인된다"[32]고 하여 보인다.

노령산맥이 지닌 의미는 다음의 사실에서 확인된다. 첫째 『일본서기』 신공 49년 조에 보이는 근초고왕의 마한 점령지 가운데 가장 뒤에 적혀 있던 그 南限界가 古四 즉 古阜였다. 그런데 이곳은 후대의 영역 개척이 투영되어 있는 『삼국사기』 시조왕기와 연관 있다. 즉 시조왕기에 보이는 근초고왕대 영역 개척의 하한선인 "古沙夫里城을 쌓았다"는 기사와 연결된다. 게다가 『翰苑』 백제 조에서 "國鎭馬韓 地苞狗素"라고 한 곳이 狗素였다. 狗素는 마한의 狗素國이자 古四가 된다. 따라서 古阜가 백제 영역의 분기점이 되는 지역임을 암시해준다. 둘째 백제 토기 가운데 9.6%를 점하는 중요 器種인 三足土器가 노

29 李道學, 「百濟 集權國家形成過程研究」, 한양대학교 사학과 박사학위청구논문, 1991, 63쪽; 『백제고대국가연구』, 일지사, 1995, 318~320쪽; 「榮山江流域 馬韓諸國의 推移와 百濟」 『百濟文化』 49, 2013, 117~122쪽.

30 李道學, 「百濟 集權國家形成過程研究」, 한양대학교 사학과 박사학위청구논문, 1991, 63쪽; 『백제고대국가연구』, 일지사, 1995, 370쪽.

31 李道學, 「百濟 集權國家形成過程研究」, 한양대학교 사학과 박사학위청구논문, 1991, 64~65쪽; 『백제고대국가연구』, 일지사, 1995, 143쪽.

32 정재윤, 「문헌 자료로 본 比利辟中布彌支半古四邑」 『百濟學報』 9, 2013, 128~129쪽.

령산맥 이남을 넘지 못하였다. 물론 三足土器는 노령산맥 南麓인 長城과 靈光 등에서도 출토된 바 있다. 그러나 경향성을 놓고 볼 때 무시해도 좋을 것 같다. 노령산맥 기슭인 고창군 아산면 운곡리의 백제 요지에서는 삼족토기 생산까지 밝혀졌다. 그럼에도 불구하고 그 이남 지역에서는 삼족토기가 확산되지 않았기 때문이다.[33] 이와 관련해 b의 점령지를 "錦江 以南~蘆嶺 以北의 충남 및 전북지역에 해당될 가능성이 높다고 본다"[34]고 단정한 견해는 차후 논거 제시가 필요하다.

요컨대『삼국사기』시조왕기(13년 조)에 보이는 영역은 4세기 전반경의 사실이었다. 그리고 시조왕대의 확장된 백제 영역은 4세기 후반 근초고왕대의 사실이 시조왕기에 투영되었다. 이렇듯 시조왕기는 單一한 정치체의 탄생과 정치 권력의 확립 과정을 서술하였다. 그리고 중요한 사실은 369년 백제 근초고왕의 南征은 강진이나 곡성, 해남과 고흥반도 및 섬진강 하구 河東(多沙津)에 대한 거점 지배의 계기가 되었다. 즉 蟾津江 水路와 서·남해안의 要津을 비롯한 沿岸海路를 장악하는 성과를 기록했다. 백제는 노령산맥과 영산강유역 그리고 해남반도라는 3곳의 호남 지역 지형구 가운데 2곳을 장악한 것이다. 이때 백제에 장악되지 않은 지형구가 영산강유역이었다. 영산강유역은 백제의 공납적 지배의 대상으로 남았다.[35]

369년 이후 백제는 한성이 함락되는 475년까지 고구려와의 전쟁에 死活을 걸었다. 1세기 100년 간에 걸친 북방에서의 전쟁은 백제가 남방을 소홀히하는 요인이 되었다. 게다가 왕위계승 내분까지 겹쳤다. 백제가 內憂外患에 처한 상황을 이용하여 영산강유역 세력은 독자적인 입지를 강화시켜 나갔다. 즉 옹관묘 문화로 대표되는 동질적인 기반에 근거한 강인한 결속력, 비옥한 농경지와 풍부한 해산 자원, 그리고 良港을 기반으로 대외교류를 활발하게 전개했다고 본다.

해남반도에 소재한 침미다례와 동일한 정치체인 新彌國은, 목지국의 몰락을 기화로 지역연맹체의 맹주로서의 위상을 확보했다.[36] 新彌國 곧 침미다례는 369년 백제 근초고

33 李道學,「百濟 集權國家形成過程研究」, 한양대학교 사학과 박사학위청구논문, 1991, 64~65쪽;『백제고대국가연구』, 일지사, 1995, 143쪽.

34 박순발,「백제의 남천과 영산강유역 정치체의 再編」『韓國의 前方後圓墳』, 충남대학교 출판사, 2000, 132쪽.

35 李道學,「百濟 集權國家形成過程研究」, 한양대학교 사학과 박사학위청구논문, 1991, 99쪽;『백제고대국가연구』, 일지사, 1995, 146쪽.

36 朴仲煥,「馬韓勢力의 變遷過程에 對한 一考察」, 전남대학교 사학과 석사학위청구논문, 1992.

왕의 南征으로 인해 초토화되고 말았다. 반면 戰禍를 입지 않은 영산강유역의 羅州 반남 세력이 새로운 覇者로 등장하였다. 신촌리 9호분은 이곳 수장묘로 간주된다. 신촌리 세력은 良質의 鐵鑛과 海産 자원은 물론이고, 비옥하고도 광활한 농경지에서 축적한 剩餘 農産物을 통해 마한의 맹주로서 浮上했다.[37]

3. 冠帽의 상징성과 신촌리 9호분 피장자

1) 冠帽의 상징성

영산강유역 토착 세력 집단은 선사시대 이래로 정치·문화적으로 강인한 기반을 유지하고 있었다. 백제 중앙의 통치력이 직접적으로 미치지 못하는 공간에서 영산강유역 세력은 독자적인 위상을 확보하였다.[38] 그 결과 5세기 후반으로 추정되는 나주 반남면 신촌리 9호분에서 金銅冠(국보 제295호)과 單鳳文 環頭大刀를 착용할 정도의 강대한 勢力者가 등장한 것이다. 그러한 반남 일대는 백제 때 發羅郡이었다. 이러한 發羅와 마한 不彌國의 '不彌'를 연결 짓고 있다.[39] 그러나 兩者는 音韻上의 연결점이 없다. 게다가 不彌와 布彌支를 연결 짓기도 했다. 그러나 이는 兩者間의 연관성을 더욱 희박하게 만든다. 이와는 달리 새로운 讀法에 따라 '布彌'로 읽을 때 不彌國은 井邑으로 비정된다. 따라서 不彌國과 나주 반남 지역과의 연결점은 어떻게 하든 찾아지지 않는다.

금동관이 출토된 신촌리 9호분 乙棺에서는 무려 4자루의 환두대도가 부장되어 있었다.[40] 이 가운데 2자루는 단봉문 환두대도였다. 이러한 양상은 多羅國 왕릉으로 추정되는 합천 옥전 M3호분에 부장된 大刀 4자루와 동일하다. 그러면 이와 관련해 冠帽와 刀劍이 지닌 상징성을 타진해 본다.

冠帽는 머리를 보호하거나 장식하기 위한 用途를 지녔다. 전통시대의 관모는 신분의 지표 역할을 했다. 관모와 의복은 격식을 갖추어 착용해야 한다고 여겼다. 그랬기에 '衣

---

37 李道學, 「榮山江流域 馬韓諸國의 推移와 百濟」 『百濟文化』 49, 2013, 126쪽.
38 林永珍, 「전남의 석실분」 『全南의 古代墓制(本文)』, 전라남도·목포대학교 박물관, 1996, 760쪽.
39 李丙燾, 『韓國古代史研究』, 박영사, 1976, 265쪽.
40 국립나주문화재연구소, 『영산강유역의 고분 1 甕棺』, 2010, 206쪽.

冠整齊'라는 말을 낳았다. 衣冠整齊에 있어 관모는 머리에 착용하였다. 머리는 사람의 신체상 눈에 가장 잘 띄는 부분이기도 했다. 이로 인해 신분의 지표로서 관모가 기능할 수 있었다. 이는 다음 기사를 통해서도 입증된다.

e. 2월에 6품 이상은 자주빛 옷을 입고 銀花로 冠을 장식하고, 11품 이상은 붉은 옷을 입으며, 16품 이상은 푸른 옷을 입게 하라는 令을 내렸다.[41]

위 e에 따르면 백제 16 관등제에서 6품 이상은 冠에 銀花를 장식했음을 알 수 있다. 중 건 이상의 官人들이 冠帽를 착용했음을 알려준다. 관인들이 착용한 관모는 귀족을 상징 했다. 이는 다음 기사를 통해 짐작할 수 있다.

f. 薛[薩로도 적힘]罽頭는 역시 新羅 衣冠 子孫이다.[42]

위에서 '衣冠 子孫'의 '衣冠'은 귀족을 가리킨다. 설계두를 6두품으로 추정하는 것도 이 러한 文字에 근거하였다. '衣冠' 용례로는 "(김)양은 이에 좌우 장군에게 명령하여 기병을 거느리고 돌면서, "본래 원수를 갚으려 한 것이다. 지금 우두머리가 죽었으니, 衣冠 士女 와 百姓들은 마땅히 각각 편안히 거처하여 망령되이 행동하지 말라!"고 말하게 하였다. 마침내 王城을 수복하니, 백성들이 안심하였다"[43]는 기사에서도 보인다. 즉 '衣冠士女百 姓'은 '귀족 남녀와 백성'으로 해석되고 있다. 역시 '衣冠'이 귀족을 가리킴을 알려준다. 요 컨대 '衣冠'은 귀족을 가리키는 신분의 상징이었다. 冠帽가 지닌 상징성을 웅변해 준다. 이와 관련해 冠帽가 지닌 위계성을 다음 기사를 통해 반추해 본다.

g. 春秋가 돌아오는 길에 바다 위에서 고구려의 순라병을 만났다. 춘추를 따라간 溫君解가 高冠을 쓰고 大衣를 입고 배 위에 앉아 있었는데, 순라병이 보고 그를 춘추로 여기고 잡아 죽였다. 춘추 는 작 은 배를 타고 본국에 이르렀다. 왕이 이를 듣고 슬퍼하여 군해를 대아찬으로 추증하고, 그 자손에게

---

41 『三國史記』권24, 고이왕 27년 조.
42 『三國史記』권47, 설계두전.
43 『三國史記』권44, 김양전.

후하게 상을 주었다.[44]

위 g에서 '高冠大衣' 즉 '높은 관과 큰 옷'은 신분이 높은 사람을 가리키는 지표였다. 온 군해가 입은 김춘추의 衣冠이 존귀한 신분을 나타냈음을 알려준다. 衣冠이 곧 신분을 나타냄을 일깨워주는 사례이다. 衣冠이 지닌 정치적 의미는 중국 군현에서 韓의 주민들에게 내려주는 상황에서 터득하게 되었다.[45] 「충주고구려비문」에서 고구려 왕이 신라 寐錦에게 衣服을 하사한 데서도 알 수 있다. 그러면 다음 기사를 통해 衣冠이 지닌 정치적 의미를 찾아 보도록 한다.

h-1. 春秋가 또 그 章服의 제도를 고쳐 중국의 제도를 따를 것을 청하자, 이에 內殿에서 珍服을 내어 춘추와 그 從子들에게 내려주었다.[46]

h-2. 봄 정월에 비로소 중국의 의관을 사용했다.[47]

h-3. 文武王 재위 4년에 또 婦人의 복식제도를 고쳐서 이로부터 이후에는 衣冠이 중국과 동일하게 되었다.[48]

h-4. 臣은 上國 사신으로 세 번 봉행했는데, 일행의 衣冠이 송나라 사람과 더불어 차이가 없었다.[49]

신라는 진덕여왕 3년에 중국 즉 唐의 衣冠을 수용하였다. 이는 백제의 침략으로 인해 唐의 지원을 얻기 위한 방책으로 신라는 자국 연호를 폐지하고 당 연호를 수용했다. 나아가 신라는 唐服까지 수용하였다. 이 사실은 신라가 唐 世界의 일원으로 편제되었음을 뜻한다. 신라는 衣冠이 지닌 정체성을 스스로 바꾸었다. 게다가 婦人의 의관까지도 唐과 동일하게 했다. 이러한 질서는 宋代의 고려까지 이어졌다. 동일한 의관의 채용은 동질성의 상징이었다. 그리고 衣冠은 賜與品이라는 정치적 성격을 지녔다. 다음 기사에서 알 수 있다.

---

44 『三國史記』권5, 진덕왕 2년 조.
45 『三國志』권30, 東夷傳 韓 條.
46 『三國史記』권5, 진덕왕 2년 조.
47 『三國史記』권5, 진덕왕 3년 조.
48 『三國史記』권33, 色服 조.
49 『三國史記』권33, 色服 조.

i-1. 원년 봄 3월에 魏 孝文帝가 사신을 보내 왕에게 벼슬을 주어 使持節도독요해제군사 정동장군 영호동이중랑장 요동군개국공 고구려왕을 삼고, 衣冠·服物·수레 깃발의 장식을 주었다.[50]

i-2. 2년 봄 3월에 魏 황제가 조서를 내려 사지절 산기상시 영호동이교위 요동군개국공 고구려왕을 삼고, 衣冠·수레·깃발의 장식을 내렸다.[51]

i-3. 2월에 梁 高祖가 왕을 책봉하여 寧東將軍 都督營平二州諸軍事 고구려 왕을 삼고, 사신 江注盛을 보내 왕에게 의관·칼·패물을 주었으나 魏의 병사가 바다 가운데서 그를 붙잡아 洛陽으로 보 냈다.[52]

i-4. 5월 신유 契丹이 耶律革과 陳顗를 보내어 왕을 책봉하였다. 조서를 내려 이르기를 "卿은 世勳 을 이어 세워 文教를 융성하게 닦고 珍奇한 職貢을 바쳐서 황실을 높이 받들었으며, … 아울러 車輅·冠服·圭劍 등과 특별히 여러 물품을 별도의 목록과 같이 보내니, 도착하거든 받도록 하라" 고 하였다.[53]

지금까지 살펴 볼 때 삼국시대부터 고려 전기만 보더라도 衣冠의 賜與는 신표였다. 衣冠은 귀족 즉 신분의 표지와 동질성의 표상이었다. 賜與가 지닌 성격이 각별했음을 알 수 있다. 이러한 사례를 신촌리 9호분 피장자의 金銅冠帽와 결부 지어 살펴 본다.

2) 신촌리 9호분 금동관의 제작 주체

신촌리 9호분 乙棺에서 출토된 환두대도와 금동관을 백제 중앙에서 하사한 물품으로 추정하였다.[54] 이에 맞춰 "천안 용원리 고분군에서 4세기 후반경에 이미 금동단봉환두대도가 출토됨으로써 신촌리 9호분 출토 환두대도의 계통이 백제일 가능성은 극히 높아졌다"[55]고 호응했다. 그러나 최근의 연구에 따르면 신촌리 9호분 銀裝 單龍大刀의 경우 기본형은 백제 대도와 비슷하지만, 環內 도상을 별도로 만들어 끼워 넣는 기법 등은 대가야의 대도와 유사한 것으로 밝혀졌다. 즉 신촌리 9호분 을관 환두대도는 대가야 요소라

50 『三國史記』권19, 문자왕 원년 조.
51 『三國史記』권19, 안원왕 2년 조.
52 『三國史記』권19, 안장왕 2년 조.
53 『高麗史』권7, 문종 9년 5월 조.
54 李賢惠,「4~5세기 영산강유역 토착세력의 성격」『歷史學報』166, 2000, 22~23쪽.
55 박순발,『漢城百濟의 誕生』서경문화사, 2001, 234쪽 註55.

고 한다. 신촌리 9호분 을관에서 출토된 金銅冠·金銅飾履·單鳳文 環頭大刀는 백제 중앙의 양식을 수용하여 지방에서 제작한 물품일 가능성에 무게를 두고 있다.[56] 이러한 지견은 신촌리 9호분 피장자를 어떻게든 백제 중앙과 결부 지으려는 의도이다.

그러면 신분의 지표이자 정체성을 웅변하는 관모의 양식을 통해 그 정치적 계통을 살펴 보고자 한다. 먼저 금동관모가 부장된 신촌리 9호분 乙棺의 조성 시기이다. 부장품을 놓고 정치하게 탐색한 연구에 따르면 본 고분의 편년은 5세기 말경이라고 한다.[57] 그런데 동일한 을관에 부장된 金銅飾履는 익산 입점리 1호분 예와 유사하므로 한성 도읍기 말까지 소급시켜 볼 수도 있다고 한다.[58] 물론 신촌리 9호분 金銅飾履의 제작 기법이 입점리 1호분보다 떨어질 뿐 아니라 금동관모는 시기 차가 존재한다고 보았다. 따라서 9호분의 편년은 역시 5세기 말로 지목할 수밖에 없다는 것이다.[59] 이 경우 金銅飾履의 제작 기법의 질적인 차이는 시기상의 문제가 아닐 수 있다. 신분과 圈域의 차이에서 비롯했을 가능성을 배제할 수 없다. 금동관모의 경우도 위계의 차이에 따라 제작 儀裝의 차이가 보인다고 한다.[60] 따라서 제작 기법을 편년 측정의 지표로 삼는 일은 신중할 필요가 있다.

신촌리 9호분의 편년을 설정하는 데는 다음의 요소도 고려해야 한다. 즉 9호분 금동관모에는 帶冠과 冠帽에 모두 수리흔이 남아 있다.[61] 이는 여타 지역에서 관모에서는 발견되지 않는 현상이다. 이 사실은 본 금동관모가 매납된 시점 이전 보다 훨씬 이전에 착장했을 가능성을 짚어준다. 바꿔 말한다면 금동관모가 신분의 지표였기에 지역 수장들에게 이어지는 전세품 가능성이다. 그렇다면 9호분 금동관모는 475년 한성 함락 이후 백제 중앙 권력의 지방 지배의 한계 표출로 나타나는 단발 현상으로만 지목하기는 어렵다. 오히려 신촌리 9호분 을관의 조성 시점이 5세기 말경이라면, 백제 중앙의 통제력이 영산강 유역에 미친 관계로, 신분 지표로서의 금동관모는 용도를 다하고 매납되었다고 보는 게 자연스럽다. 따라서 신촌리 9호분 금동관모의 문화와 정치적 계통은 백제 이외의 요소에서 찾는 게 좋을 것 같다.

---

56   이한상,『장신구 사여체제로 본 백제의 지방 지배』, 서경문화사, 2009, 190쪽.
57   이한상,『장신구 사여체제로 본 백제의 지방 지배』, 서경문화사, 2009, 89쪽.
58   이한상,『장신구 사여체제로 본 백제의 지방 지배』, 서경문화사, 2009, 188쪽.
59   이한상,『장신구 사여체제로 본 백제의 지방 지배』, 서경문화사, 2009, 188~189쪽.
60   이한상,『장신구 사여체제로 본 백제의 지방 지배』, 서경문화사, 2009, 160쪽.
61   이한상,『장신구 사여체제로 본 백제의 지방 지배』, 서경문화사, 2009, 189쪽.

이는 관모의 양식상의 차이를 통해서도 확인된다. 화성 요리 1호분·천안 용원리 9호 석곽·서산 부장리 5호분·공주 수촌리 1호분과 4호분·익산 입점리 1호분·고흥 길두리 부장 금동관모는 기본 형태가 고깔 모양이다. 그리고 요리 1호분·수촌리 4호분·길두리 고분·입점리 1호분은 대롱에 半球狀 장식이 덧붙여 있다. 이러한 백제계의 금동관모 7개는 신촌리 9호분 乙棺의 금동관모와는 전혀 계통적으로 연결되지 않는다. 이와 관련해 일본 船山古墳의 금동관모는 입점리 1호분과 연결되는 고깔 형태이며 대롱에 半球狀 장식이 덧붙여 있다. 게다가 船山古墳에서는 입점리 1호분이나 무령왕릉에서처럼 스파이크 모양의 金銅飾履가 부장되어 있었다. 그렇다고 백제의 영향력이 九州의 江田 일원까지 미쳤다고 볼 수는 없다. 왜냐하면 동일한 船山古墳에 부장된 명문 철검의 경우 "治天下獲△△△鹵大王世"라는 구절이 있기 때문이다. 여기서 '獲△△△鹵大王'은 稻荷山古墳에서 출토된 명문 철검에 상감된 문자를 통해 '獲加多支鹵大王'으로 밝혀졌다. 주지하듯이 獲加多支鹵大王은 雄略天皇으로 지목하는 견해가 정설이다.[62] 그렇다고 할 때 船山古墳 피장자는 위신재에 있어서는 백제의 영향을 받았지만, 정치적으로는 천하를 다스린다는 웅략천황에 종속되었음을 알 수 있다. 이러한 양상을 兩屬體制로 운위하기도 하지만, 정치적 신표로서는 관모보다 大刀의 비중이 직접적이었음을 알려준다.

그 밖에 옥전 23호분 금동관모와 의성 금성산고분 출토 금동관모는 백제 양식이다. 그렇지만 백제 영향력의 지표로 단언할 지는 좀더 고려해 보아야 한다. 이와 마찬 가지로 신촌리 9호분 부장품에 일부 엿보이는 백제 중앙적인 요소도 정치적 영향력과 직접 결부 짓기는 어렵다. 실제 신촌리 9호분 금동관모는 백제보다는 대가야 요소가 포착되고 있다. 즉 草花形 立飾을 갖춘 帶冠은 대가야적인 요소이다.[63] 게다가 신촌리 금동관은 백제의 2화입식과는 달리 신라·가라의 3지입식 내외관으로 구성되었다.[64] 신촌리 9호분 금동관모는 여타 백제 지역 그것과 구분되고 있다. 이 사실은 영산강유역이 백제와의 정치적 동질성을 지니지 않았음을 뜻한다.

그러면 백제와 영산강유역에서 금동관모를 착장한 시기에 관한 문제이다. 이와 관련해『北史』백제전의 관련 기사를 다음과 같이 인용해 보았다.

---

62 東京國立博物館,『江田船山古墳出土 國寶銀象嵌銘大刀』, 吉川弘文館, 1993, 30쪽.
63 이한상,『장신구 사여체제로 본 백제의 지방 지배』, 서경문화사, 2009, 190쪽.
64 林永珍,「羅州伏岩里3號墳의 연구사적 의의」『羅州伏岩里3號墳』, 국립나주문화재연구소, 2006, 354쪽.

j. 관직은 16품이 있다. 左平은 5명으로 1品, 達率은 30명으로 2品, 恩率은 3品, 德率은 4品, 杆率은 5品, 奈率은 6品인데, (6品) 以上은 冠을 銀華로 장식하였다. 將德은 7品으로 紫帶를, 施德은 8品으로 皀帶를, 固德은 9品으로 赤帶를, 季德은 10品으로 靑帶를 둘렀다. 11品인 對德과 12品인 文督은 모두 黃帶를 둘렀다. 13品인 武督과 14品인 佐軍·15品인 振武와 16品인 剋虞는 모두 白帶를 둘렀다. 恩率 이하의 관직에는 일정한 定員이 없고, 각각 部司가 있어 여러 가지 사무를 나누어 관장한다.

위 j를 놓고 볼 때 "(6品) 以上은 冠을 銀華로 장식하였다"고 했다. '銀華'는 판본에 따라 '銀花'로도 적혀 있다. 華든 花든 모두 '꽃'을 가리킨다. 백제에서는 중견 이상 관모에 銀花를 착장했음을 알려준다. 여기서 한성 도읍기 백제 고분에 부장된 금동관모를 암시하는 구절은 없다. 帶冠이나 內冠과 같은 금속 관테에 대한 언급이 보이지 않는다. 그러면 이러한 관모는 어떠한 형태일까? 이것을 시사해주는 물증이 무령왕릉에 부장된 金花 관식이다. 왕의 관모에는 金花를, 그 밑의 좌평부터 6품 나솔까지는 銀花 관식을 착장했음을 알려준다.

백제 왕의 관모는 가죽 재질이었다. 이를 입증해 주는 기사가 다음의 『구당서』이다.

k. 그 나라의 王은 소매가 큰 자주색 도포에 푸른 비단 바지를 입고, 烏羅冠에 金花로 장식하며, 흰 가죽띠에 검은 가죽신을 신는다. 官人들은 다 緋色 옷을 입고 銀花로 冠을 장식한다. 庶人들은 緋色 이나 자주색 계통의 옷을 입을 수 없다.

백제 왕은 烏羅冠을 썼음을 알려준다. 烏羅冠은 말할 나위 없이 검은색 비단으로 만든 관모이다. 여기서 분명한 점은 백제 왕이 금속제 관모를 착장하지 않았다. 따라서 웅진 성 도읍기에는 백제 왕이나 그 누구도 금속제 관테를 가진 帶冠이나 관모를 착장하지 않 았다고 정리된다. 이는 무령왕릉 부장품을 통해서도 알 수 있다. 그리고 나주 복암리 3호 분 7호 석실분 서편 출토 철제 관테에서 文羅와 錦과 같은 織物痕이 확인되었다.[65] 이러 한 맥락에서 볼 때 신촌리 9호분 피장자의 금동관모는 적어도 웅진성 도읍기 백제의 세 력권 속에서는 나올 수 없다. 백제와 구분되는 독립된 세력의 수장으로 지목하는 게 자 연스럽다. 그런데 여기서 짚고 넘어갈 부분이 있다. 백제 왕이 검은 가죽신을 신었다고

---

65   국립공주박물관, 『百濟와 冠』, 통천문화사, 2011, 162쪽.

했다. 그런데 무령왕릉에서는 스파이크靴 모양의 金銅飾履가 부장되었다. 더구나 무령왕과 왕비의 신발은 크기가 각각 38㎝와 35㎝였다.[66] 이는 金銅飾履가 실제 사용하지 않았음을 뜻한다. 게다가 史書에 적혀 있듯이 백제 왕은 가죽신을 신었다. 그렇다고 한다면 부장품 중에는 실제 사용하지 않았던 부장용이 상당히 존재했을 것이다. 일례로 多利作 명문 은제 팔찌의 경우도 측정해 보니 口徑이 5.2㎝에 불과했다. 손목에 착장할 수 없다. 이 역시 부장용품임을 알 수 있다. 게다가 이 은팔찌의 "庚子年二月多利作大夫人口二百主耳"라는 명문대로라면 庚子年인 520년에 제작한 것이다. 무령왕비가 세상을 뜨기 6년 전이었다. 순전히 부장용으로 제작하여 분묘에 매납하였다. 金銅飾履도 이와 성격이 동일하였다고 본다.

금동관모의 경우도 실제 착장했는지 여부를 떠나 적어도 웅진성 도읍기에는 부장용으로는 확인되지 않았다. 이러한 정황에서 볼 때 신촌리 9호분 금동관모 역시 한성 도읍기에 착장했다고 판단된다. 문제는 신촌리 9호분 금동관모가 여타 백제 지역 금동관모와는 유사점이나 동질성보다는 이질적 요소가 두드러진다는 것이다. 사실 나주 반남 세력이 백제 중앙과 관련을 맺었다면 사여품인 중국 도자가 매납되었어야 한다. 한성 도읍기 금동관모가 부장된 고분군 중에서 수촌리 1호분 · 4호분, 용원리 9호석곽, 부장리와 입점리 1호분에서도 중국제 陶瓷가 공반된 바 있다. 이러한 중국제 도자의 南限은 고창 봉덕리였다. 물론 해남 용두리 고분과 함평 표산 고분에서도 중국제 도자가 출토된 바 있다. 그러나 이들 고분은 전방후원분인데다가 6세기대 고분이었다. 백제에 병합된 이후에 조성된 분묘였다.[67] 그 이전에 조성된 영산강유역 분묘와는 성격이 동일할 수 없다. 따라서 이러한 제반 요소는 신촌리 세력이 여전히 백제 중앙과 연계되지 않았음을 반증한다.

관모와 더불어 신분의 지표 구실을 하는 부장품이 大刀였다. 그런데 신촌리 9호분 을관 환두대도에는 백제보다 대가야 요소가 두드러진다고 한다. 이러한 요소는 신촌리 9호분을 천안 용원리 · 서산 부장리 · 공주 수촌리 · 익산 입점리 · 고흥 길두리 피장자와는 연결 짓기 어렵게 한다. 실제 신촌리 9호분에서는 賜與의 지표가 되는 金銀製 耳飾이나 중국제 陶瓷가 출토된 바 없다. 즉 신촌리 9호분 을관에서 출토된 修飾을 갖춘 金銅製 耳

---

66   이한상, 『장신구 사여체제로 본 백제의 지방 지배』, 서경문화사, 2009, 175쪽.
67   林永珍, 「전남지역 마한제국의 사회적 성격과 백제」 『百濟學報』 11, 2014, 12쪽.

飾은 백제 지역에서는 유일하다고 한다.[68] 이는 5세기대의 제품으로서는 유일한 것이다. 본 耳飾은 2개였다.[69] 그런데 백제가 漢城 都邑期에 賜與한 耳飾은 대부분 金製였다.[70] 따라서 신촌리 9호분 金銅製 耳飾은 賜與品으로 단정하기 어렵다. 게다가 신촌리 9호분 을관처럼 금동관모와 龍鳳文 環頭大刀類가 함께 부장된 경우는 없다. 금동관과 중국제 陶瓷는 용원리 9호분에만 부장되었다. 용봉문 환두대도는 용원리1호・12호 석곽묘에서 각각 출토되었다.[71] 그런데 신촌리 9호분에서는 백제 중앙과의 연결고리인 중국제 陶瓷나 金銀製 耳飾이 부장되지 않았다. 오히려 백제와는 계통과 형식이 구분되는 금동관과 환두대도가 부장되어 있었다. 이러한 요소들은 신촌리 세력이 백제로부터 위신재를 공급받지 않았음을 뜻한다. 신촌리 세력의 독자성을 다시금 웅변하는 지표가 된다.

웅진성과 사비성 도읍기에는 성격이 다른 前方後圓墳만 빼고, 중국제 陶瓷의 출토지는 王都에 국한되었다. 이는 위세품의 정치적 의미가 終焉을 고했음을 뜻한다. 중앙 세력의 지방에 대한 직접 지배와 더불어 지방 세력의 중앙 官人化로 인해 더 이상 그들을 회유하거나 포용할 필요가 없어졌기 때문이었다.

4. 맺음말

金銅冠・金銅飾履・單鳳文 環頭大刀가 부장된 나주 반남면 신촌리 9호분의 피장자 성격에 대해서는 논의가 많았다. 이와 관련해 369년 백제 근초고왕의 마한 경략 기사를 분석해 보았다. 그 결과 해남반도・고흥반도・섬진강 水系에 대한 거점 지배와 더불어, 금강 이남~노령산맥 이북의 영역 지배에만 국한된 사실을 밝혔다. 영산강유역은 백제의 영역이 아니었다.

백제 영역 밖 영산강유역 세력의 성장은 독보적인 옹관묘 문화를 통해서 읽을 수 있었다. 그 정점이 신촌리 9호분이었다. 신촌리 고분에서 출토된 加羅나 왜계 유물의 존재는 이들 세력과 연계된 독자적인 行步를 시사해주었다. 이와 더불어 신분의 지표인 동시

---

68   이한상, 『장신구 사여체제로 본 백제의 지방 지배』, 서경문화사, 2009, 170쪽.
69   국립광주박물관, 『羅州潘南古墳群 綜合調査報告書』 1988, 309쪽.
70   이한상, 『장신구 사여체제로 본 백제의 지방 지배』, 서경문화사, 2009, 142쪽.
71   이한상, 『삼국시대 장식대도 문화연구』, 서경문화사, 2016, 62~65쪽.

에 정치적 계통을 암시해주는 위신재인 금동관과 환두대도가 중요한 準據였다. 이들 신촌리 9호분 부장 위신재는 백제 보다는 대가야적인 요소가 많은 것으로 밝혀졌다. 게다가 신촌리 9호분에서는 賜與品의 지표인 중국제 陶瓷나 金銀製 귀고리도 부장되지 않았다. 더불어 신촌리 9호분 금동관 편년을 웅진성 도읍기로 지목한 견해도 취신하기 어려웠다. 웅진성 도읍기나 그 이후에는 王都 뿐 아니라 지방 그 어디에도 금동관모는 더 이상 착장하지 않았기 때문이다. 따라서 나주 반남면 신촌리 9호분 금동관의 제작 주체는 백제가 될 수 없었다. 영산강유역 세력의 운동력이 가장 활발했을 때의 산물이었다. 신촌리 9호분 금동관은 백제와 구분되는 또 다른 세계, 馬韓의 존재를 확인시켜주는 징표였다.

「나주 반남면 신촌리 9호분 금동관의 제작 주체」『나주 신촌리 금동관의 재조명 국제학술대회』,
국립나주박물관, 2017.11.17;
「나주 반남면 신촌리 9호분 금동관의 제작 주체」『나주 신촌리 금동관의 재조명』,
국립나주박물관, 2019.

馬韓 殘餘故地 前方後圓墳의 造成 배경

1. 머리말

소위 榮山江流域 前方後圓墳 被葬者의 性格에 대해서는 많은 논의가 진행되어 왔다. 익히 알려져 있듯이 전방후원분의 피장자에 대해서는 크게 在地首長說과 倭人說로 나누어져 있다. 전자는 독립적인 재지수장설과 백제와 관련된 재지수장설로, 후자는 倭로부터의 이주설과 왜계 백제관료설로 양분된다.

이러한 학설과 관련해 첫째는 '전방후원분'의 성격에 대한 검토가 필요하다. 논자에 따라서는 '전방후원형 고분'으로 일컫기 때문이다. '전방후원형 고분'에는 고분 성격이 일본열도의 그것과 차이가 있어야한다는 의식이 깔려 있다. 그랬기에 그 피장자의 성격을 한반도와만 결부 지으려고 했을 수 있다. 자칫 임나일본부설과 엮어질 수 있다는 피해의식적 강박관념 속에서 '거리 두기'라는 인상을 준다. 그렇지만 이 고분의 구조는 九州 地域과의 연관성이 구체적으로 지적되었다. 그 뿐 아니라 부장품의 경우도 표지적 유물인 倭系 圓筒形土器를 비롯한 관련 물품이 다량으로 확인된다.[1] 이러한 경우라면 외양과 내부가 일본열도에서 형성된 독특한 묘제인 전방후원분과 연계시킬 수밖에 없다. 요컨대 이러한 묘제는 '전방후원형'이기 보다는 '전방후원분'으로 일컫는 게 정직한 認識일 것이다.

둘째는 지금까지 13基가 확인된 한반도내 전방후원분의 소재지에 대한 공통된 호칭을 부여하는 문제이다. 지금까지는 '영산강유역의 전방후원분'으로 일컬어 왔다. 그러나 이와 같이 호칭하기에는 難點이 있다. 왜냐하면 이들 전방후원분의 소재지가 영산강유역에만 국한되지 않았기 때문이다. 즉 이러한 전방후원분 가운데 고창 칠암리고분과 영광 월산리 월계고분은 노령산맥 이북에 소재하였다. 그리고 해남 용두리고분과 해남 장고산고분은 한반도 서남 모서리에 소재한 해남반도의 두륜산맥을 끼고 있다. 이곳은 영산강유역과는 지리적으로 격절된 공간이다. 그 나머지 9기가 영산강유역에 소재한 것처럼 보인다. 그러나 이 중 함평 장년리 장고산 고분과 함평 신덕고분 및 함평 마산리 표산

---

1 박천수, 『새로 쓰는 고대한일교섭사』, 사회평론, 2007, 249~297쪽.

고분은 노령산맥 南麓에 소재하였다. 또 그렇게 본다면 전형적인 영산강유역 소재 전방후원분은 광주 쌍암동 고분, 담양 고성리고분, 광주 월계동 1·2호분, 광주 명화동고분, 영암 자라봉고분 등 6기에 불과하다. 13기의 전방후원분 중 단 6기에 불과한 영산강유역 소재 고분으로써 '영산강유역 전방후원분'이라는 호칭은 대표성이 없다.[2] 따라서 '영산강유역'은 이들 전방후원분의 소재지를 포괄하는 공통 분모적 地域名으로서는 부적합하다. 결국 이들 지역에 소재한 전방후원분 전체를 관류할 수 있는 공통된 호칭을 찾아 보자. 이 곳은 근초고왕이 南征한 369년에는 '馬韓 殘餘 地域'이었다. 그런데 전방후원분이 조성되는 6세기 전반에는 백제 영역에 속한다. 따라서 이곳 전방후원분은 '馬韓 殘餘 故地' 소재라고 일컫는 게 가장 무난할 듯싶다.

본고는 이러한 기본적인 전제를 깔고서 전방후원분의 편재성과 그 소재지가 지닌 역사적 배경을 구명하여 그 피장자의 성격을 밝히고자 하였다. 그럼으로써 백제의 지방 지배 양식은 물론이고, 백제와 倭를 잇는 정치체제가 새롭게 구명될 수 있다고 본다. 나아가 기존에 云謂되어 왔던 왜계 백제관료의 성격인 兩屬體制 이상의 정치적 구조가 드러날 것으로 예상한다. 사실 1個人이 兩國에 소속된 兩屬體制의 지속성은 유례가 극히 드문 일에 속한다. 그럼에도 불구하고 지금까지의 연구에서는 兩屬體制의 기원에 대한 분석이 없었다. 다만 본고를 통해 그 기원과 본질에 일정한 접근이 가능할 것으로 본다.

2. 전방후원분 소재지의 意味

馬韓 殘餘 故地의 전방후원분은 지역적 偏在性과 散在性, 그리고 非繼承性과 短期性 및 왜계 묘제 채용의 習合性이라는 특성을 지녔다.[3] 그러면 이들 전방후원분의 소재지가 지닌 의미를 먼저 살펴 보도록 한다. 전방후원분의 편재성에는 필시 어떤 의도가 작용했

---

2 박천수는 '영산강유역 전방후원분'을 '노령산맥 이북', '함평 일대', '영산강유역', '해남반도'의 4圈域으로 구분했지만 '영산강유역'에 모두 포함시켜 언급했다(박천수, 『새로 쓰는 고대한일교섭사』, 사회평론, 2007, 259~269쪽).
그런데 鈴木靖民은 전방후원분 분포지를 '해남, 영산강, 북쪽의 호남'으로 나누어 인식했다(鈴木靖民, 『倭와 百濟의 府官制』『古代東亞細亞와 百濟』, 충남대학교 백제연구소, 2003, 359쪽).
3 山尾幸久, 「五·六世紀の日朝關係-韓國の前方後圓墳の解釋」『朝鮮學報』179, 2001, 2~7쪽.

을 것이기 때문이다. 지금까지 확인된 13基의 전방후원분 소재지는 크게 3 圈域으로 나누어진다. 노령산맥 이북의 2基와 그 이남의 山麓에 3基가 소재하였다. 즉 노령산맥 주변에 모두 5基의 전방후원분이 소재한 것이다. 그리고 영산강유역에는 6基의 전방후원분이 소재하였다. 그 밖에 두류산맥을 끼고 있는 해남반도에 2基의 전방후원분이 소재했다. 요컨대 노령산맥과 영산강유역 그리고 해남반도라는 모두 3곳의 독립 지형구 안에 전방후원분이 소재하였다. 게다가 그 편재성에도 불구하고 조성 기간은 1회에 불과했다. 이러한 점은 특수한 목적을 지닌 한시적 성격을 띤 전방후원분의 기획 조성 배경을 암시해 준다. 전방후원분 피장자가 정치적으로 기획된 구역에 분봉되었을 가능성이다.

전방후원분 피장자의 성격에 대해서는 다음과 같은 논의가 있었다. 즉 재지수장설에서는 백제로부터의 독립된 세력과 영향권 세력으로 나누어진다. 그리고 왜인설에서는 왜에서 귀국한 부류로 간주하는 설과 백제 조정에서 관직을 지닌 왜계 백제관료설로 분류된다.[4] 요컨대 전방후원분 피장자를 왜인과 재지층으로 간주하는 두 가지 견해로 집약되고 있다. 여기서 전방후원분 피장자의 성격을 재지수장층으로 간주하는 견해를 검증해 본다. 이 견해는 일단 광범한 구간에 비해 극히 일부 지역에만 전방후원분이 편재된 이유를 설득력 있게 구명해야만 한다. 그래야만 이들 지역 세력의 공동연대를 운위할 수 있을 것이다. 전방후원분이 백제에 대한 자립용이라면 차라리 왜계 전방후원분 보다는 옹관묘와 같은 전통 묘제를 확대하는 게 당초의 취지에 부합하지 않을까 한다. 더구나 다음의 기사에서 보듯이 498년에 동성왕은 무진주에 진출하여 바다 건너에 있는 탐라까지 압박해서 귀속시키는데 성공하였다.

> a. 8월에 왕은 탐라가 貢賦를 바치지 않으므로 친정하여 무진주까지 이르렀다. 탐라가 이를 듣고 사신을 보내어 죄를 청하므로 그만두었다[耽羅는 즉 耽牟羅이다].[5]

위의 기사는 5세기 말 백제의 영향력이 지금의 제주도까지 미쳤음을 뜻한다. 동시에 백제가 지금의 전라남도 지역을 장악했음을 반증하는 실례가 된다. 이러한 정황에 비추

---

4 박천수, 「영산강유역 전방후원분에 대한 연구사 검토와 새로운 조명」『한반도의 전방후원분』, 학연문화사, 2011, 176~192쪽.

5 『三國史記』권20, 동성왕 20년 조.

어 볼 때 노령산맥 이북과 지금의 광주 광역시를 비롯한 영산강유역의 전방후원분 조성 세력은 재지 세력이 될 수 없다. 이 점은 다음과 같은 『남제서』 백제 조의 王·侯 분봉 기사를 통해서도 뒷받침된다.

> b. 功에 대하여 보답하고 부지런히 힘쓴 것을 위로하는 일은 실로 그 명성과 공업을 보존시키는 것입니다. 임시로 부여한 寧朔將軍 臣 姐瑾 등 4인은 충성과 힘을 다하여 나라의 환란을 쓸어 없앴으니 그 뜻의 굳셈과 과감함이 名將의 등급에 들 만하며 나라의 干城이요 사직의 튼튼한 울타리라 할 만 합니다. 그들의 노고를 헤아리고 공을 논하면 환히 드러나는 지위에 있어야 마땅하므로 지금 전례에 따라 외람되이 임시 관직을 주었습니다. 엎드려 바라옵건대 은혜를 베푸시어 임시로 내린 관직을 정식으로 인정하여 주십시오. 영삭장군 面中王 저근은 정치를 두루 잘 보좌하였고 무공 또한 뛰어났으니 이제 임시로 冠軍將軍·都將軍·都漢王이라 하였고, 建 威將軍·八中侯 餘古는 젊었을 때부터 임금을 도와 충성과 공로가 진작 드러났으므로 이제 임시 로 寧朔將軍·阿錯王이라 하였고, 建威將軍 餘歷은 천성이 충성되고 정성스러워 문무가 함께 두 드러졌으므로 이제 임시로 龍陽將軍·邁盧王이라 하였으며, 廣武將軍 餘固는 정치에 공로가 있 고 국정을 빛내고 드날렸으므로 이제 임시로 建威將軍·弗斯侯라 하였습니다. …
>
> 지금 천하가 조용해진 것은 실상 沙法名 등의 꾀이오니 그 공훈을 찾아 마땅히 표창해 주어야 할 것입니다. 이제 사법명을 임시로 征虜將軍·邁羅王으로, 贊首流를 임시로 安國將軍·辟中王으로, 解禮昆을 임시로 武威將軍·弗中侯로 삼고, 木干那는 과거에 軍功이 있는데다가 또 臺와 큰 선박[舫]을 때려 부수었으므로 임시로 廣威將軍·面中侯로 삼았습니다. 엎드려 바라옵건대 天恩 을 베푸시어 특별히 관작을 제수하여 주십시오"라고 하였다.[6]

위의 기사는 488년과 490년 北魏와의 戰功에 대한 포상 기록이다. 여기서 王·侯에 冠稱된 面中·都漢·八中·阿錯·邁盧·弗斯·邁羅·辟中·弗中 등은 地名임을 알 수 있다. 이러한 지명 가운데 面中은 光州 광역시로, 都漢은 전라남도 高興이나 羅州 지방으로, 八中은 전라남도 羅州 일원으로, 阿錯은 靈光이나 羅州群島로, 邁盧는 전라북도 沃溝나 전라남도 長興 일원으로, 弗斯는 전라북도 全州로, 辟中은 전라북도 金堤로 비정되어

---

6 『南齊書』권58, 東夷傳 百濟國 條.

진다.[7] 참고로 이들의 이름과 將軍號 및 轉封 사실을 추려보면 다음과 같다.

    姐瑾：寧朔將軍·面中王→冠軍將軍·都將軍·都漢王

    餘古：建威將軍·八中侯→寧朔將軍·阿錯王

    餘歷：建威將軍→龍驤將軍·邁盧王

    餘固：廣武將軍→建威將軍·弗斯侯

    沙法名：征虜將軍·邁羅王

    贊首流：安國將軍·辟中王

    解禮昆：武威將軍·弗中侯

    木干那：廣威將軍·面中侯

    왕권이 어느 정도 안정된 동성왕대에 접어들자 지방 세력에 시야를 돌리게 되었다. 그럼에 따라 백제는 재지 이탈 세력에 대한 직접 지배를 서둘렀다. 그 결과 왕족이나 귀족들을 지방의 거점에 분봉하였다. 그러나 이 같은 중앙 권력의 직접적인 지방지배는 재지 세력의 이해와 상충된 관계로 마찰이 惹起되었을 것이다. 이와 관련하여 동성왕이 南齊에 보낸 국서에서 이들에 대한 제수 명분을 "攘除國難"과 "固藩社稷"에서 찾은 점이 주목된다. 바로 이 기록은 중앙 권력의 재지 세력에 대한 武力을 수반한 일련의 재흡수 과정을 가리키는 것으로 보인다. 그리고 姐瑾이 面中王(光州)에서 都漢王(高興)으로, 餘古가 八中侯(羅州)로부터 阿錯王(羅州群島)으로 차제에 남하하고 있다.[8] 이로써도 지방 지배의 확대 과정을 읽게 된다. 이 같은 백제의 재지 세력 흡수는 급기야 동성왕 20년에 領外 세력인 耽羅에 대한 不貢賦를 이유로 '무진주'까지 친정하여 마지막으로 세력권에 편제시켰다.[9] 백제의 지방 세력 흡수 과정은 남제에 제수를 요청하기에 앞서 저간의 국내 사정을 略述한데서도 살펴진다.[10] 즉 "송구스럽게도 符節과 斧鉞을 지니게 되어 列辟을 물리칠 수 있었다"는 사실과 함께, "지난 번(동성왕 12년)에 姐瑾 등이 영광스럽게 제수를 받아

---

7   末松保和, 『任那興亡史』, 吉川弘文館, 1956, 110~113쪽.

8   坂元義種, 『古代東アジアの日本と朝鮮』, 吉川弘文館, 1978, 100쪽.

9   『三國史記』 권26, 동성왕 20년 조.

10 『南齊書』 권58, 東夷傳 百濟國 條.

臣과 백성 모두가 安泰하다"고 했다. 여기서 '列辟'은 '列侯'를 의미하므로[11] 토착호족을 가리킨다. 이렇듯 남조로부터 영토의 인정을 바라는 동시에 이를 기화로 미회복 지역에 대한 원활한 정복을 위한 고위 귀족들의 지방 분봉이 이루어졌다.[12] 그럼에 따라 지방에 대한 백제 중앙의 직접 지배는 일단락되었다.[13]

동성왕이 친정하는 498년에는 전방후원분이 조성된 지금의 전라남도 일원을 백제가 석권했다고 보아야 마땅하다. 따라서 그 이후인 6세기 전반에 조성된 노령산맥 이북과 지금의 광주 광역시를 포함한 영산강유역 및 해남반도 전방후원분의 피장자는 재지 세력이 될 수 없다. 그렇다면 13基의 전방후원분은 하나의 軸 속에서 기획되었을 가능성을 상정해야한다. 곧 백제 중앙권력과 관련된 산물로 간주할 수밖에 없다. 이와 관련해 다음과 같은 중요한 견해를 검증해 본다.

> … 즉, 동성왕은 중앙 귀족들을 억누르기 위해 자신의 정치적 기반인 무진주까지 내려왔고 탐 라가 사죄함으로 자신의 정치적 목적을 일시적으로 달성하였지만 종국적으로는 실패함으로써 살해되었다고 볼 수도 있을 것이다. 이렇게 본다면 당시 동성왕과 무진주의 관계는 상당히 친 연적일 가능성을 생각해 볼 수 있다. 이러한 친연성은 대왜 교섭의 중심인물인 곤지계의 동성 왕과 왜적인 색채를 강하게 띠고 있는 광주 월계동 장고분의 피장자와의 관계 속에서 상정해 볼 수 있을 것이다.[14]

위의 견해에 따르면 영산강유역 전방후원분은 곤지와 동성왕을 따라 귀국했던 近畿 지역 백제계인들이 조성한 것이라고 했다. 그러나 귀향 사유가 불분명하고 전방후원분이 九州系 석실인데다가 동성왕을 수행한 집단이 九州 지역이라는 기록에 비추어 볼 때 그 피장자를 近畿 지역으로 단정하기 어렵다는 지적도 있다.[15] 더욱이 무진주라는 지명은 백제 때가 아니라 통일신라 때 지명으로서, 지금의 광주 광역시만 가리키지 않는다고

11 諸橋轍次, 『大漢和辭典 2』, 大修館書店, 1985, 1076~1077쪽.
12 坂元義種, 『古代東アジアの日本と朝鮮』, 吉川弘文館, 1978, 99~102쪽.
13 이상의 서술은 李道學, 「漢城末·熊津時代 百濟王位繼承과 王權의 性格」 『韓國史研究』 50·51合集, 1985; 『백제 한성·웅진성시대 연구』, 일지사, 2010, 313~314쪽에 의하였다.
14 서현주, 「영산강유역 장고분의 특징과 출현 배경」 『한국고대사연구』 47, 2007, 111쪽.
15 박천수, 「영산강유역 전방후원분에 대한 연구사 검토와 새로운 조명」 『한반도의 전방후원분』, 학연문화사, 2011, 185쪽.

한다.[16] 어쨌든 동성왕은 탐라를 다시금 복속시키기 위해 '무진주'까지 직접 내려왔다. 이는 이탈한 지방 세력을 흡수하기 위한 목적이었다. 그러므로 동성왕의 중앙 귀족 제압과는 직접 관련은 없다. 게다가 통일신라 지명인 무진주는 지금의 전라남도 지역 전체를 가리키고 있다. 그런 관계로 광주 광역시의 전방후원분 피장자와만 결부 지어 그 성격을 논하지 않아도 될 듯 싶다.

그러면 백제 영역내 전방후원분의 소재지가 지닌 의미를 살펴 보도록하자. 먼저 노령산맥 일대는 언제부터 백제의 영토가 된 것일까? 이와 관련한 중요한 단서가 『일본서기』 신공 49년 조의 다음과 같은 馬韓經略 기사이다.

> c. 그리고 比自体·南加羅·喙國·安羅·多羅·卓淳·加羅의 7國을 평정하였다. 이에 군대를 옮겨 서쪽으로 돌아 古奚津에 이르러 南蠻의 忱彌多禮를 屠戮하여 백제에 내려주었다. 이에 그 왕 肖古 및 왕자 貴須 역시 군대를 이끌고 와서 모였다. 그 때 比利·辟中·布彌·支半·古四 邑이 자연 항복하였다. 이에 백제왕 부자 및 荒田別·木羅斤資 등이 함께 意流村[지금 州流須祇를 말한다]에서 만나 서로 기쁨을 나누었다. 禮를 두텁게 하여 보냈다. 오직 千熊長彦이 백제왕과 함께 백제국 에 이르러 辟支山에 올라 맹세하였다. 다시 古沙山에 올랐다. …[17]

위의 기사에 따르면 古奚津만 전라남도 康津에 비정될 뿐이다. 백제가 이때 점령한 나머지 지역은 금강 이남부터 노령산맥 이북 지역에 국한되었다. 즉 369년 근초고왕의 '마한경략' 이전 백제의 南界는 금강이었다. 이러한 백제의 영역은 『삼국사기』 시조왕 13년 조에서 熊川을 南界로 하는 영역 기사와도 연결되고 있다. 그러면 백제사에서 노령산맥은 어떤 의미를 지닌 곳일까? 369년에 백제는 남하·정복한 노령산맥을 영역의 분기점으로 설정하였다.[18] 이는 다음의 사실에서 확인된다. 첫째 『일본서기』 신공 49년 조에 보

---

16 주보돈, 「百濟의 榮山江流域 支配方式과 前方後圓墳 被葬者의 性格」 『韓國의 前方後圓墳』, 충남대학교 출판부, 2000, 95쪽.

17 『日本書紀』 권9, 神功 49년 조.

18 박순발은 특별한 근거 제시 없이 "근초고왕의 南征으로 대략 '比利', '辟中' 등으로 나타나는 금강이남의 전북지역까지 진출하였다(박순발, 「百濟의 南遷과 榮山江流域 政治體의 再編」 『韓國의 前方後圓墳』, 충남대학교 출판부, 2000, 148쪽)"고 했다. 그러나 구체적인 문헌 근거를 낱낱이 제시한 후에 『일본서기』 신공 49년 조에 기록된 근초고왕의 마한 정복지역은 금강 이남에서 노령산맥 이북으로 그 범위가 제한된다. 이는 백제의 표지적 토기인 三足土器의 분포가 노령산맥을 한계로 하고 있는 점이라든지 영산강유역의

이는 근초고왕의 마한 점령지 가운데 가장 뒤에 적혀 있던 그 南限界가 古四 즉 古阜였다. 그런데 이곳은 후대의 영역 개척이 투영되어 있는 『삼국사기』 시조왕기와 연관 있다. 즉 온조왕기에 보이는 근초고왕대 영역 개척의 하한선인 "古沙夫里城을 쌓았다"는 기사와 연결된다. 게다가 『翰苑』 백제 조에서 "國鎭馬韓 地苞狗素"라고 한 곳이 狗素였다. 狗素는 마한의 狗素國이자 古四가 된다. 따라서 古阜가 백제 영역의 분기점이 되는 지역임을 암시해준다. 둘째 백제 토기 가운데 9.6%를 점하는 중요 器種인 三足土器가 노령산맥 이남을 넘지 못하였다. 물론 三足土器는 노령산맥 南麓인 長城과 靈光에서도 출토된 적이 있다. 그러나 경향성을 놓고 볼 때 무시해도 좋을 것 같다. 노령산맥 기슭인 고창군 아산면 운곡리의 백제 요지에서는 삼족토기 생산까지 밝혀졌다. 그럼에도 불구하고 그 이남 지역에서는 삼족토기가 확산되지 않았기 때문이다.[19]

369년에 백제와 왜가 합동으로 군사작전을 전개하였다. 그러한 합동군사작전의 목표는 그 3년 前에 근초고왕이 卓淳國에 사신을 보내 倭 使臣을 백제로 招致한데서 실마리를 찾을 수 있다. 이때 근초고왕은 보물창고를 열어 보이면서 倭 사신에게 "우리나라에는 진귀한 보물이 많다"[20]고 하였다. 선진국이란 여타 주변국들이 갖지 못한 풍부한 물산을 향유하고 있는 상태를 말한다. 이같은 맥락에서 볼 때 백제는 선물 외교를 통해 당장의 정치적 목적 외에 부강한 선진국 이미지와 자부심을 전달했던 것이다. 그런 연후에 백제와 왜는 전격적인 군사작전을 단행했다. 이러한 정황에 비추어 볼 때 이때의 합동작전은 1차적으로는 양국의 이해가 맞아떨어진 素材에서 연유했다고 본다. 곧 새로운 교역로의 확보와 관련 있을 것이다. 백제의 선진 물품을 접한 倭로서는 탁순국과 같은 경상남도 남해안 諸國이나 加羅國을 매개로 한 기존의 교역체계에서 벗어나고자 했다. 요컨대 倭로서는 백제와 직교역할 수 있는 루트 확보가 목표였다. 그런데 당시 왜군은 백제군과 '意流村[지금 州流須祗를 말한다]'에서 會同했다. 여기서 州流須祗는 부안의 주류성을 가리키는 것 같다. 兩軍은 이어서 辟支山(김제)과 古沙山(고부)에서 서맹하였다. 이러한 動線을 놓고 볼 때 왜군은 해양 신앙유적으로 유명한 지금의 부안 죽막동 격포를 이용해서 상륙한 것으로 추정된다. 그리고 兩軍이 소위 '加羅七國'을 제압한 후에 개척한 곳이

대형고분의 성장이 4세기 후반까지 계속되고 있는 고고학적 성과와도 부합되고 있다(李道學, 『백제고대국가연구』, 일지사, 1995, 370쪽)"고 한 견해가 이미 제기된 바 있다.

19 이상의 서술은 李道學, 『백제고대국가연구』, 일지사, 1995, 143쪽에 의하였다.

20 『日本書紀』 권9, 神功 46년 조.

고해진(강진)과 침미다례(해남반도)와 같은 要港이었다. 게다가 백제는 섬진강 하구의 多沙津까지 개척했다.[21] 따라서 당시 백제는 새로 수교한 倭와의 교역로 개척을 위해 남해안 要港을 거점 지배했음을 알 수 있다.

노령산맥 이북과 그 南麓의 전방후원분은 근초고왕 南征 때 확보한 영역에 조성된 것이다. 이와 더불어 전방후원분이 함께 조성된 영산강유역은 백제에 어떤 의미를 지닌 곳이었을까? 백제는 그 중앙의 묘제인 석실분이 영산강유역에 조성되는 5세기 말까지 노령산맥 이남에 대한 통치권을 행사하지 못하였다. 4세기 중반 이후 백제의 세력권은 영산강유역으로 확대되었지만 기존 공동체적 질서의 인정이라는 차원에서 지배권을 확립하는 선에서 그쳤다. 백제는 영산강유역의 馬韓殘餘勢力을 군사적으로는 제압했다. 그럼에도 불구하고 영토적 복속을 단행하지는 않았다. 이는 영산강유역의 馬韓殘餘勢力을 加羅와 동격으로 취급할 수밖에 없는 일종의 圈域의 차이가 필시 존재했음을 의미한다. 그렇기 때문에 백제는 영산강유역 세력에 대한 외교권을 차단하는 동시에 공납적 지배를 단행하는 선에서 머물렀던 것이다.[22] 영산강유역은 백제가 369년의 南征 때 간접 지배하에 편제한 곳이었다. 바로 이곳에 노령산맥 주변과 비등한 6基의 전방후원분이 소재하였다.

마지막으로 전방후원분 2基가 소재한 해남반도는 백제에 어떤 의미를 부여한 곳이었을까? 앞의 c를 보면 369년에 백제군은 이른바 加羅七國을 평정한 후 "병력을 옮겨 서쪽을 돌아 古奚津에 이르러 南蠻 忱彌多禮를 屠戮하여 백제에게 주었다"고 했다. 백제가 加羅七國에 대한 지배권 장악 후 西進하여 지금의 강진인 古奚津[23]에 집결하여 공격한 대상이 침미다례였다. 침미다례의 소재지는 낙동강유역에서부터 西進해 온 백제군의 공격방향을 놓고 볼 때, 강진의 서쪽이 분명하다. 그러므로 그와 인접한 해남 일원을 지목할 수 있다. 이러한 추정은 통일신라 때 해남 지역에 설치된 3개 縣 가운데[24] 浸溟縣의 '浸溟'이 忱彌多禮의 '忱彌'와도 音相似로 연결되거니와 그 雅化된 표기인데서 뒷받침된다. 『일본서기』 應神 8년 조에는 '忱彌'를 '枕彌'로 표기하고 있어 그 音이 '침'인 것이 분명하기

21 李道學, 「谷那鐵山과 百濟」『東아시아古代學』 25, 2011, 90~92쪽.
22 李道學, 『백제고대국가연구』, 일지사, 1995, 146쪽.
23 李丙燾, 『韓國古代史硏究』, 박영사, 1976, 512쪽.
24 『三國史記』 권36, 地理3, 陽武郡 條.

때문이다.[25]

369년에 두륜산맥 좌편의 침미다례는 강진에 집결한 백제군의 공격을 받아 '屠'라고 할 정도의 극심한 타격을 받았다. 이 사실은 한반도 서남 모서리의 해남반도에 소재한데다가 그 동쪽으로는 교역 창구인 고해진을 끼고 있는 전략적 비중이 큰 침미다례가 공격의 표적이 되었음을 뜻한다. 바로 이러한 요지에 전방후원분 2基가 해남반도 좌우편에 각각 1基씩 소재한 것이다.

지금까지 살펴 본 바에 따르면 전방후원분이 조성된 3개 권역은 백제 근초고왕이 369년에 南征하는 과정에서 확보한 의미 있는 지역이었다. 노령산맥 이북은 직접 영역으로 편제하였다. 영산강유역은 간접 지배 단계로 편제했다. 그리고 백제가 '屠'라는 표현을 구사하며 거칠게 제압한 곳이 침미다례가 소재한 해남반도였다. 즉 '屠'는 침미다례가 지닌 정치적 상징성이 지대했음을 반증해준다. 그런데 금강 이남에서부터 전라남도 남해안 일원까지는 백제 뿐 아니라 倭의 입장에서도 의미 있는 지역이었다. 369년에 백제와 왜가 최초의 군사 작전을 통해서 지배하거나 영향력을 행사하게 된 새로운 권역이었기 때문이다. 바로 이 점은 전방후원분 조성 배경과 관련해 중요한 실마리가 된다.[26]

3. 전방후원분 조성 배경

전방후원분의 피장자들은 갑자기 해당 분묘 구역에 매장된 것은 아닐 것이다. 그 피장자들과 해당 지역이 연관 있다고 보아야 한다. 그랬기에 이곳에 매장되었다고 보는 게 자연스러울 것이다. 그런데 전방후원분의 조성 시점은 6세기 전반으로 견해가 모아지고 있다.[27] 그렇다면 해당 지역과의 연결고리는 그 이전으로 소급하는 게 합리적이다.

---

25 李道學, 『백제고대국가연구』, 일지사, 350쪽.

26 한편 백제가 369년에 점령한 지역을 금강 이남에서부터 전라북도 고부 일대로 국한시키면서 고해진인 강진 지역에 진출한 시점을 5세기 후반으로 간주하는 견해가 있다(이근우, 「웅진시대 백제의 남방경역에 대하여」 『백제연구』 27, 1997, 48쪽. 53쪽). 이 견해는 498년 동성왕의 친정에 보이는 탐라를 제주도가 아니라 강진으로 지목한 것이다. 이에 대한 상세한 검토를 통해 합당하지 않은 주장임을 구명하였다(李道學, 『백제 한성 · 웅진성시대 연구』, 일지사, 2010, 109~113쪽).

27 임영진, 「영산강유역권 장고분 조사연구」 『영산강유역권 장고분조사연구보고서』, 백제문화개발연구원, 2009, 9쪽. 72쪽.

일단 전방후원분이 조성된 구간은 백제와 왜가 공동군사작전을 전개하여 확보한 지역이라는 것이다. 왜계 분묘인 전방후원분이 백제와 왜가 공동으로 작전하여 확보한 지역에 조성되었다고 하자. 여기에는 필시 어떤 의미가 개입했을 가능성을 심어준다. 그러면 전방후원분 피장자들이 이곳과 연고를 맺게 된 것은 언제부터일까? 우선 그 어느 때보다도 倭의 영향력이 분출되었던 시점을 떠 올려야 한다. 전방후원분이 조성되는 6세기 전반에서 한 세대 이전이 그 피장자들의 活動 盛期였다. 그렇다면 대략 5세기 末이라는 시점의 상정이 가능하다. 이러한 전방후원분 피장자들의 활약 시점은 475년의 한성 함락 이후의 상황과 불가분의 관련을 맺고 있다. 이때 국왕인 개로왕과 大后 및 왕자들은 고구려군에게 몰살당하였다. 그리고 백제는 웅진성으로 천도하여 문주왕이 繼位한 비상시국이었다. 그런데 문주왕은 재위 3년만에 피살되었다. 그 아들인 삼근왕도 3년만에 사망하였다. 그 직후에 동성왕이 왜에서 귀국하여 즉위했다. 이때 동성왕은 5백 명의 왜군을 대동하고 귀국하였다.[28] 왜가 즉위차 귀국하는 백제 태자에게 衛送兵力을 지원한 사례는 한성 도읍기에도 있었다.[29] 그러나 한성 도읍기와 웅진성 도읍기는 현상은 동일하더라도 즉위 속사정은 동일할 수 없다. 어쨌든 한성 함락과 웅진성 천도라는 급변사태로 인한 백제 왕권의 추락은 두 말할 나위 없다. 게다가 정변이라는 내분에 의한 국왕의 피살도 왕권의 추락을 가속시켰다.

비상 상황에서 백제 왕실은 정서적으로 倭와 공유한 바가 많은데다가 對外的 목표가 동일하였다. 우선 백제와 倭는 고구려에 대한 적개감이 극에 달해 있었다. 다음의 한성 함락 기사를 보자.

d. 『百濟記』에서 이르기를 개로왕 을묘년 겨울 狛의 大軍이 내려와 大城을 이레 낮과 밤을 공 격하여 왕성이 함락되고 드디어 慰禮를 잃었다. 국왕 및 大后와 왕자 등이 모두 敵의 손에 몰살되었다.[30]

위의 기사에서 백제는 고구려를 '狛'이라는 적개심이 개입된 멸칭으로 일컫고 있다. 사실 고구려군의 강습으로 한성이 함락된 백제는 한번 망했던 것이나 진배 없다. 『일본서

---

28 『日本書紀』권14, 雄略 20년 조.
29 『三國史記』권25, 腆支王 즉위년 조.
30 『日本書紀』권14, 雄略 20년 조.

기』는 "그 때 조금 남은 무리들이 倉下에 모여 있었다. 군량은 이미 다하여 근심하며 울기를 많이 하였다(雄略 21년 조)"라고 참담하게 묘사했다. 478년에 왜왕 武가 劉宋에 올린 表에 보면 "句驪가 無道하여 (우리를) 집어 삼키려하고, 邊隸를 노략질하여 살륙을 그치지 않으니 … 돌아 가신 臣의 아버지 濟가 실로 원수가 天路를 막는 것에 분노하니"[31]라고 하였다. 즉 武의 상표에는 왜국은 대대로 중국 왕조의 충실한 신속국으로 宋朝에 조공을 빠트린 적이 없는데, 고구려가 무도하게도 송조로 가는 조공로에 해당하는 백제를 침략하여 왜의 조공을 방해했다. 그래서 武의 아버지 濟가 고구려의 조공 방해에 분개하여 고구려 정벌을 계획했지만 사망으로 인하여 계획은 중단되었고, 형인 興 또한 이것을 완수하지 못하였다. 자신이 고구려 정벌에 군대를 일으켜 무사히 고구려를 격파하게 된다면 송조에 대한 변함없는 충성을 다할 생각을 밝혔다. 그러면서 聖戰의 성격으로 고구려 정벌을 운위하고 있다.[32] 이처럼 倭王 武가 고구려에 대한 적개심에 불탔을 때가 478년 이었다. 이때는 한성 함락으로부터 3년이 채 되지 않은 시점이었다. 한성 함락으로 인해 백제와 倭 조정의 위기감이 최고조에 달했을 때였다. 그럴수록 백제와 왜는 공동의 敵인 고구려에 대한 적개심과 대결 의식을 한층 견고하게 견지하였을 것이다. 이러한 비상 시국에서 공유하는 바가 컸던 백제와 왜는 공동 대응을 위한 효과적 조치를 취했을 법하다. 양국은 연합적 군사체제를 운용했을 가능성이다. 이와 관련해 왜인들이 백제에 입국하는 일이 빈번했을 것으로 보인다.

그러면 b의 분봉 기사를 다시금 음미해 보도록하자. 이에 의하면 사신을 제외한 4명의 제수 귀족 중 3명이 왕족인 점이 주목된다. 그리고 陞爵과 轉封을 요청한 7명의 관작에 面中王 · 都漢王 · 阿錯王 · 邁盧王 · 八中侯 · 弗斯侯 등 외에 동성왕 17년에는 北魏와의 전쟁에 軍功을 세운 4명의 제수 요청 관작에도 邁羅王 · 辟中王 · 弗中侯 · 面中侯 등 地名에 王 혹은 侯를 붙인 인물이 보인다. 요컨대 王 · 侯制가 동성왕대에 접어들어서 갑자기 활기를 띠게 된 것이다. 이때는 고구려에 의한 對中交通路의 차단과 그로 말미암은 制海權의 동요, 영토 상실로 인한 인적 · 물적 자원의 손실, 국민의 사기 저하 등이 상승 작용하여 왕권의 약화를 초래하고 지배 세력의 동요와 반란을 惹起시키는 결과를 낳았음은 익히 지적되어 온 대로이다. 그런데 바로 이 같은 中央 政情의 거듭된 혼미에 따른

---

31 『宋書』 권97, 夷蠻傳 倭國 條.
32 坂元義種, 「고대에 있어서의 고구려와 왜」 『동아시아 속에서의 高句麗와 倭』 2007, 21쪽.

힘의 공백을 틈타 지방 세력에도 변화가 초래될 수 있었다. 중앙 권력의 지방 통제력 이완에 편승한 지방 세력의 이탈과 동요가 잇따랐음은 상상할 수 있다. 이는 일찍이 任那諸國이나 탐라와 같은 백제 領外 세력의 이탈 정도에 국한되지 않았다. 국내 재지 세력의 이탈이 속출했다는 데 문제의 심각성이 도사리고 있었다. 이러한 지방세력의 분립화 경향의 차단이 백제 왕권이 직면한 현안이기도 했다.[33]

웅진성 천도 후 王都 근방의 금강유역 토착 세력은 지리적 여건상 중앙관계 진출이 보다 용이했을 것이다. 반면 왕도인 웅진성과 지리적으로 격절한 관계로 중앙 정치권력의 파장이 미치지 못한 지역에서는 토착세력의 동요와 이탈이 급증했던 것 같다. 남제로부터 제수받은 고위 귀족들이 노령산맥 이북부터 南端인 전라남도 지역에 대거 분봉되고 있는 것도 이와 관련 있지 않을까 한다.

결국 5세기 후반 백제 왕권의 당면 과제는 이탈했거나 한수유역 상실에 따른 경제적 기반의 회복 차원에서라도 마한 잔여 故地에 대한 적극적인 경영이 필요하였다. 이 같은 外憂內患을 타개하기 위한 노력으로 백제는 倭의 영향력을 빌어왔을 가능성이다. 자신의 아버지인 곤지가 개척한 경제적 기반을 일본열도에 확보한 동성왕은[34] 倭 朝廷과 더불어 고구려의 남진을 저지하는데 사활을 걸고 있었다. 앞에서 살펴 보았듯이 동성왕대에는 지방에 대한 활발한 分封이 이루어지고 있었다. 분봉 지역은 노령산맥 이북인 현재 전라북도 지역에서부터 전라남도 남해안까지 미치고 있다. 이러한 분봉 구간은 크게 볼 때 전방후원분의 공간적 분포와 일치한다. 게다가 이 곳 전방후원분의 조성 시점인 6세기 전반과도 연결된다. 그렇다면 전방후원분의 피장자들 역시 이때 함께 분봉되었을 수 있다. 南齊로부터 책봉된 王·侯들 외에도 상당수 인원이 이때 함께 분봉된 셈이다. 그런데 이들 王·侯들의 분봉은 轉封 형식을 띠었다. 반면 전방후원분의 피장자들로 추정되는 이들의 冊封 기록은 보이지 않는다. 그러므로 이들은 王·侯 등급은 아닐뿐더러 현지에 묻힌 점에 비추어 볼 때 轉封 형식도 아니었다. 결국 이들은 王·侯와는 별개의 세력으로서 世住를 전제로 한 분봉이었던 것 같다.[35] 世住는 분봉 지역에 대한 지배권의 인

---

33 李道學, 『백제 한성·웅진성시대 연구』, 일지사, 2010, 311~312쪽.

34 李道學, 「李道學, 「漢城末·熊津時代 百濟 王系의 檢討」 『韓國史研究』 45, 1984; 『백제 한성·웅진성시대 연구』, 일지사, 296~298쪽.

35 혹자는 동성왕대 분봉된 王·侯 가운데 그가 倭에서 귀국할 때 따라온 왜계 인물이 포함되었다고 단정했다. 그리고 이들이 전방후원분 피장자일 것으로 지목하였다(정재윤, 「영산강유역 前方後圓形墳의 축조

정을 전제로 한 것이다. 이때 백제 왕권은 轉封 형식으로 분봉된 王·侯들의 토착화를 근원적으로 차단하고자 했다. 동시에 여전히 왕권을 지탱하는 관료적 세력으로써 이들을 운용하고자 했음을 알 수 있다. 그 반면 世住를 인정해 준 전방후원분 피장자들과는 특수한 관계 설정을 고려하게 한다.

금강 이남에서부터 전라남도 남해안에 이르는 전방후원분 피장자들의 분봉 공간은 369년에 백제와 왜가 공동의 군사 작전으로 확보한 영역이었다. 게다가 이곳 전방후원분의 내부 구조와 부장품이 왜계인 점에 비추어 볼 때 그 피장자는 倭人일 가능성에 무게를 실어줄 수밖에 없다.[36] 또 그렇다면 이러한 공간적 분포는 백제와 왜 간의 約定 가능성을 높여준다. 당연히 왜로서는 영역 개척과 관련해 자국의 지분을 요구했을 수 있다. 고구려의 군사적 압박을 타개하고 지방 세력을 제압해야하는 상황의 백제였다. 백제로서는 왜인들의 분봉을 통한 馬韓 殘餘 故地 통치를 단행했을 가능성이다. 그렇다면 백제 조정이 왜인들을 전면에 내세운게 된다. 이는 고립된 당시 백제가 右軍으로서 倭의 존재를 상기시키는데 있었다. 즉 지방 세력의 이탈과 저항을 누구러뜨리는 효과를 계산했을 수 있다. 백제 조정은 왜인들의 분봉을 통해 취약한 왕권을 만회한 것처럼 보이는 宣傳 효과도 겨냥한 것이다. 결국 領地 분봉 형식으로 왜인들을 분봉하였다. 이는 중앙 귀족들을 이곳에 王·侯로 분봉한 것과는 성격상 차이가 있었다. 이곳에 파견된 王·侯들은 신분 등급이 자신들 보다 下位인 왜인들을 견제하는 역할까지 맡았던 것으로 판단된다. 이 점은 전방후원분 피장자들이 중앙관료로 轉化되었다고 할 때[37] 그들의 관등이

와 그 주체」, 『역사와 담론』 56, 2010, 262~264쪽). 여기서 木干那의 木氏는 왜와 관련 있다고 하자. 그렇더라도 木干那 자신이 동성왕을 따라 倭에서 귀국했다는 근거는 어디에도 없다. 그가 왜계 인물이라는 明證이 없는 것이다. 실제 『일본서기』 欽明 2년 조에 보이는 宣文의 경우 眞慕氏로 밝혀졌다. 그렇다고 眞氏 자체가 왜계는 아닌 것이다. 더구나 동성왕대에 분봉된 王·侯들은 轉封되고 있다. 그렇기 때문에 이들을 토착화의 산물인 전방후원분 피장자로 지목하기는 더욱 어렵다.

36　369년 이래로 귀국하지 않고 잔류한 왜인들을 전방후원분 조성 집단으로 간주하기도 한다(주보돈, 「百濟의 榮山江流域 支配方式과 前方後圓墳 被葬者의 性格」, 『韓國의 前方後圓墳』, 충남대학교 출판부, 2000, 98쪽). 이러한 견해가 타당성을 얻으려면 왜계 고분이나 전방후원분이 4세기대 이래로 이곳에 조성된 게 확인되어야 하지 않을까? 그런데 이들 전방후원분은 주지하듯이 '비연속성'이 특징이다. 따라서 氏의 견해는 취하기 어렵다.

37　박천수, 「영산강유역 전방후원분에 대한 연구사 검토와 새로운 조명」, 『한반도의 전방후원분』, 학연문화사, 2011, 252쪽에서 "영산강유역의 전방후원분 피장자 가운데 일부는 왜계 백제 관료로 轉化한 것으로 파악된다"고 했다.

단서가 된다. 즉 이들 중앙관료들의 관등이 16관등 가운데 德率(4급)~施德(8급)에 속한 중간급에 불과하였다.[38] 결국 전방후원분 피장자들의 신분 등급이 王·侯 보다 低級이었음을 유추할 수 있다. 이와 더불어 양자의 분봉 구간이 어느 정도 겹치는 것처럼 보이는 점이다. 이 점도 兩者를 비교 가능한 대상으로 보게 한다.

4. 方·郡·城制의 시행과 倭人 官僚化

聖王은 사비성으로 천도한 538년 이후에 전국에 대한 전면 지배인 方·郡·城制를 시행하였다. 그럼에 따라 分封의 산물인 王·侯制는 終焉을 고하고 地方官制로 전면 개편되었다. 이와 맞물려 馬韓 殘餘 故地에 분봉된 왜인들 역시 철수할 수밖에 없었을 것이다. 그럼에도 왜인 관료의 존재가 다음과 같이 포착된다.

516년: 斯奈奴阿比多(繼體 10년 조)

541년: 紀臣 奈率 彌麻沙(欽明 2년 조)

542년: 紀臣 奈率 彌麻沙/ 中部 奈率 己連(欽明 3년 조)

543년: 物部 施德 麻奇牟(欽明 4년 조)

544년: 施德 斯那奴次酒, 紀臣 奈率 彌麻沙, 奈率 己連, 物部 奈率 用奇多 /物部 奈率 奇非/ 許勢 奈率 己麻(欽明 5년 조; 同年 重複 등장 제외)

545년: (物部) 奈率 用奇多, 施德 (斯那奴)次酒(欽明 6년 조)

553년: 上部 德率 科野次酒/ 河內部 阿斯比多/ 上部 德率 科野新羅(欽明 14년 조)

554년: 上部 奈率 物部 烏(欽明 15년 조)

東方領 物部 莫奇武連(欽明 15년 조)

위에서 인용한 科野(斯奈奴·斯那奴)氏·紀氏·物部氏·許勢氏 등은 왜계 유력 씨족들이었다.[39] 이렇듯 백제 조정에는 왜인들이 활약하였다. 이러한 상황의 연원은 백제와 왜

38 　笠井倭人,「欽明朝百濟の對倭外交」『日本書紀研究 1』, 塙書房, 1964, 146쪽, 第1表.

39 　鈴木靖民,『倭와 百濟의 府官制』『古代東亞細亞와 百濟』, 충남대학교 백제연구소, 2003, 358쪽; 白承忠,

가 수교한 후 백제에서 문물을 전파했던 사례에서 찾을 수 있다. 백제는 왜와 수교한 이래로 縫衣貢女를 보낸데[40] 이어 博士들을 倭 朝廷에 파견하였다. 阿直岐와 王仁이 대표적인 사례이다. 513년(무녕왕 13)에는 五經博士였던 段楊爾를 왜에 파견했다. 516년에는 오경박사 高安茂를 보내어 단양이와 교대시켰다. 이들은 3년만에 交代하였다.[41] 이러한 형식의 박사 파견은 정례적인 성격을 띠었다.

다음과 같은 技術博士의 파견 기사도 보인다. 이를 통해 백제에서 왜 조정으로의 파견은 지속적으로 이어졌음을 알 수 있다.

　　e. 五經博士 王柳貴를 固德 馬丁安과 교대하였다. 僧 曇慧 등 9인을 僧 道深 등 7인과 교대했다. 따로 勅을 받들어 易博士 施德 王道良, 曆博士 固德 王葆孫, 醫博士 奈率 王有㥄陀와 採藥師 施德 潘量豊, 固德 丁有陀, 樂人 三斤 · 己麻次 · 進奴 · 進陀를 보내왔다. 모두 請에 의하여 이들을 교대시켰다.[42]

위의 기사를 통해 백제에서는 승려나 여러 博士 및 伎樂人 등을 파견하였다. 그리고 정해진 임기를 마치면 교대했다. 그런데 554년에 백제에서는 덕솔 東城子莫古를 파견하여 전임자인 나솔 東城子言과 교대하였다. 東城子言은 덕솔 汶休麻那의 후임자로서 547년에 교대했던 터이다. 이는 『일본서기』 다음의 기사에서 확인된다.

　　f. 그리고 東城子言을 바쳐서 덕솔 汶休麻那와 교대하였다.[43]
　　g. 그리고 덕솔 東城子莫古를 바쳐서 前番 나솔 東城子言과 교대하였다.[44]

위의 기사에 따르면 汶休麻那→東城子言→東城子莫古 順으로 교대하였다. 汶休麻那 이전에도 백제에서 파견된 관인이 존재했을 수 있다. 주목되는 바는 이들은 經典博士나

　　「任那日本府와 百濟倭系官僚」『강좌한국고대사』 4, 2004, 133쪽.
40　『日本書紀』권10, 應神 14년 조.
41　李丙燾, 『韓國古代史硏究』, 박영사, 1976, 583쪽.
42　『日本書紀』권19, 欽明 15년 2월 조.
43　『日本書紀』권19, 欽明 8년 조.
44　『日本書紀』권19, 欽明 15년 조.

技術博士가 아니었다. 백제는 전문 박사나 藝人 외에 官人들도 파견하였다는 점을 지금까지는 看過해 온 것이다. 아울러 兩屬性은 倭 官人 뿐만 아니라 백제 官人들에게도 해당된다는 사실이 포착된다. 요컨대 백제 조정에는 倭 官人이, 倭 朝廷에는 백제 官人이 참여한 것이다. 왜계 氏와 姓을 가진 왜인들이 백제의 관등과 관직을 지니고 백제에 臣屬해 있었다. 비록 왜 조정의 관등이나 관직을 지닌 사실은 보이지 않는다. 그렇지만 f와 g를 통해 백제 관인 역시 왜 조정에 臣屬된 것은 사실이다. 이러한 兩屬性은 공동정권 내지는 연합정권을 연상시킨다. 어쨌든 이와 비슷한 형태로 백제와 왜가 서로를 엮어놓고 있음을 발견하게 된다. 성왕의 요청으로 왜군 1천 명이 투입된[45] 것도 이와 무관하지 않아 보인다. 이처럼 왜인들이 백제 조정에서 활약하던 때는 전방후원분이 한반도에서 더 이상 조성되지 않았다. 왜인들도 지방에 분봉되지 않았던 것이다. 반면 이 무렵에는 백제 관등을 지닌 왜인들이 등장하고 있다. 이 사실은 분봉되었던 왜인들이 백제 조정의 관료로서 활약했음을 뜻한다. 토착화의 길을 지향했던 왜인들이 급기야 중앙의 관료로 轉化되었다.

538년에 성왕이 사비성으로 천도하면서 전국적인 方・郡・城制를 시행하게 된다. 동시에 지방관이 해당 지역에 대거 파견되어 직접 통치하는 길을 걸었다. 백제의 마한 잔여 고지에 파견한 왜인들은 이제는 중앙 관료로 변신하였다. 그들에게 部名의 冠稱이 보인다는 사실은 王都에 在籍地가 부여되었음을 뜻한다. 즉 백제 귀족층의 일원으로서의 자격이 부여된 것이다.[46] 이와 관련해 5方의 하나인 東方의 方領으로서 왜인이 활약하였다.[47] 방령은 2관등인 달솔 직급인 만큼 왜계 관인은 分封에 버금가는 위세를 여전히 누렸음을 알려준다.

그러면 왜계 백제 관인은 어떤 者들을 임용한 것일까? 다음의 기사가 이에 대한 실마리가 될 수 있다.

h. 가을 7월, 백제는 安羅의 일본부가 신라와 더불어 通謀한다는 말을 듣고 前部 奈率 鼻利莫古・奈率 宣文・中部 奈率 木刕眛淳・紀臣 奈率 彌麻沙 등을 보내어[紀臣 奈率은 아마 紀臣이 韓의 여자를

---

45 『日本書紀』권19, 欽明 15년 조.

46 笠井倭人,「欽明朝百濟の對倭外交」『日本書紀研究 1』, 塙書房, 1964, 160쪽.

47 『日本書紀』권19, 欽明 15년 조.

얻어 낳은 바 백제에 머물러 나솔이 된 사람이다. 父는 미상이다. 다른 사람들도 모두 이에 따른다) 安
羅에 가서 신라에 온 임나의 執事를 소환하여 임나를 세울 것을 도모하게 하 였다.[48]

위의 기사에 의하면 백제 나솔 관등의 彌麻沙는 왜인과 韓人 사이에 출생한 혼혈임을
말하고 있다. 동시에 "다른 사람들도 모두 이에 따른다"라고 하여 彌麻沙 외에 鼻利莫古
· 宣文 · 木刕眯淳 등도 동일한 태생이라고 했다. 설령 이 기록을 불신한다고 하자. 그렇
더라도 다음의 i에 보이는 목만치의 경우에서도 실제 그러한 사례가 목격된다. 따라서 위
의 기사는 불신 보다는 신빙성이 높아 보인다. 木刕氏에 대해서는 앞에서 인용한 c에 보
인다. 여기서 木羅斤資의 木羅氏가 木刕氏인 것은 분명한 것이다. 그런데 목라근자의 子
에 관한 기사가 다음에 보인다.

> i. 백제 전지왕이 薨하자 아들 구이신을 세워 왕을 삼았다. 왕이 나이가 어리므로 木滿致가 국정 을
> 쥐었다. 왕모와 서로 간음하여 무례를 많이 범하였다. 천황이 듣고 소환했다(『백제기』에 이르기를 木
> 滿致는 木羅斤資가 신라를 칠 때 그 나라의 부인을 얻어서 낳은 바이다. 그 父의 功이 있으므로 임나
> 일을 도맡아 보았다. 우리나라에 오고 貴國에 왕래하였다. 제도를 天朝에 서 배우고 우리나라의 정사
> 를 집행하였다. 권세가 성하였다. 그런데 천조가 그 포악한 것을 듣 고 불렀다).[49]

위에 의하면 목만치는 그 父인 목라근자가 신라를 공격할 때 신라 여자를 娶하여 낳은
아들이라고 한다. 그가 父의 공으로 任那를 오로지 했다고 한다. 이로 보아 목라근자와
목만치 父子는 백제의 任那 經營을 기반으로 성장했음을 알 수 있다. 그리고 목만치가 "
우리나라(백제; 필자)에 오고 貴國(倭; 필자)에 왕래하였다"고 했다. 따라서 그는 백제와 왜
양국에 기반을 지녔음을 알 수 있다. 그러한 목만치의 父인 목라근자에 대해서는 i에서
인용한 신공 49년 조의 기사 바로 앞 구절에 "百濟將也"라고 했다.

그러면 지금까지의 기사를 조합해 보자. 우선 목라근자는 '百濟將'으로서 倭將들과 함
께 倭兵들을 거느리고 왔음을 알 수 있다. 이때 이미 목라근자의 기반은 倭에 구축되었
음을 뜻한다. 목라근자는 369년의 원정에서 신라 여인을 娶하여 목만치를 낳았던 것이

48　『日本書紀』권19, 欽明 2년 7월 조.
49　『日本書紀』권10, 應神 25년 조.

다. 목만치는 백제와 왜를 왕래하였다. 또 그는 父의 戰功에 힘 입어 임나 관련 일을 맡아 보았다고 했다. 요컨대 그는 백제와 임나가 연고지였다. 이와 비슷한 인물로 h에서 언급된 宣文의 경우 眞慕氏로 밝혀졌다.[50] 그렇다고 眞氏 가문 자체가 왜계는 아닌 것이다. 日羅의 경우도 그 父가 渡海한 후 韓地에서 만난 韓婦와의 소생이라고 한다.[51] 이때 출생한 日羅가 그대로 체류하여 백제 관료가 되었다고 한다.[52]

결국 木刕眜淳과 彌麻沙 등을 비롯하여 鼻利莫古와 宣文도 倭系와 韓系 사이의 혼혈인 것이다. 이와 비슷한 출신 달솔 日羅가 백제와 왜에 兩屬된 전형적 사례였다. 그런 만큼 왜계 백제 관인 역시 兩屬된 상황이라고 보아야 한다.[53] 일본 九州 船山古墳의 피장자가 大和朝廷에 臣屬되어 있다. 그렇지만 그 신분의 지표인 冠帽와 금동신발 등은 백제계로 드러났다. 이 사실은 船山古墳의 피장자 역시 양속을 암시해준다.[54] 北九州에서 有名海沿岸 지역에 걸쳐 존재한 복수의 유력 호족이 왜 왕권과 백제 왕권에 양속되었다고 한다.[55] 이러한 양속체제의 연원은 근초고왕과 倭將間의 벽지산과 고사산 誓盟에서 단초를 찾을 수 있다. 서맹 직후 兩國은 共助體制를 갖추었다. 그 첫 번째가 마한 잔읍 평정 군사작전이었다. 그 두번째는 백제에서 倭로의 博士 파견이다. 前者는 倭에서 백제로 派兵된 것이요, 후자는 백제에서 倭로 학자가 파견된 것이다. 여기서부터 양속체제의 단초를 잡을 수 있다. 이후 백제는 五經博士나 瓦博士와 같은 技術職 博士를 3년 교대로 왜에 파견하였다.

이러한 왜계 백제 관인들은 369년에 백제의 마한 평정에 관여했던 倭將들의 후손이라고 한다.[56] 그렇다면 그 왜장들의 후손에게 연고권을 인정해 주는 형식으로 분봉했던 게

50　『日本書紀』권19, 欽明 8년 조.

51　日羅에 대한 최근의 연구 성과로는 台明寺岩人,『日羅伝』南方新社, 2011이 참고된다.

52　山尾幸久,『古代の日朝關係』塙書房, 1989, 140쪽; 鈴木靖民,『倭와 百濟의 府官制』『古代東亞細亞와 百濟』충남대학교 백제연구소, 2003, 357~358쪽.

53　李在碩,「소위 倭系百濟官僚와 야마토 王權」『韓國古代史研究』20, 2000, 533~535쪽.

54　이러한 견해는 船山古墳 현장에서 필자가 항시 언급한 바였다. 그러나 박천수,「영산강유역 전방후원분에 대한 연구사 검토와 새로운 조명」『한반도의 전방후원분』, 학연문화사, 2011, 188쪽에 이미 언급되었음을 알았다.

55　朴天秀,「5世紀 後葉 高句麗의 南進과 百濟, 倭」『동아시아 속에서의 고구려와 왜』, 경인문화사, 2007, 112~113쪽.

56　비록 임나일본부설을 전제로 한다는 문제는 있지만 大和政權의 外征에 참여한 이들의 후손으로서 백제에 귀화한 세력가들로 지목하는 견해가 있다(岸俊男,「紀氏に關する一試考」『日本古代政治史研究』, 塙書

전방후원분 피장자들일 가능성이 높다. 당시 백제는 고구려의 南進에 대처하면서 지방세력을 제압하고 왕권을 강화시켜야하는 현안을 지녔다. 그러한 백제는 왜 세력을 끌어들이기 위한 방편으로써 연고설을 내세웠을 수 있다.

백제는 중국어에 능통한 중국계 관인들을 對中國 외교 일선에 투입시킨 바 있다.[57] 이와 마찬 가지로 일본어에 능통한 데다가 백제와 친연관계에 있는 왜계 백제인들을 對倭 외교에 투입시켰다.[58] 당시는 백제의 對倭 외교가 가장 긴박했을 때였다. 이들은 백제의 기대를 짊어지고 기용되어 정치와 군사 兩面에서 양국의 橋梁 같은 존재였다.[59] 그러한 백제와 왜 간 양속체제의 단초이자 橋梁役이 되는 상징적 구간에 조성된 분묘가 전방후원분이었다. 그런데 성왕대에 物部 출신의 왜인들이 백제의 관등을 지니거나 5方의 하나인 東方의 長인 東方領에 기용되고 있다. 동방령의 존재는 왜인이 백제 조정의 補助役이 아니라 직접 참여했음을 뜻한다. 이는 백제와 왜 간의 양속체제 이상의 의미를 상정하지 않고서는 생각하기 어려운 측면이 있다.

문제는 백제와 倭間의 외교나 협력 관계만으로 양속체제의 배경을 설명할 수 없는 부분이 있다. 『일본서기』를 보면 5세기 후반부터 '百濟'라는 국호가 倭의 핵심 지역인 王都에서 나타난다. 그것도 왕궁과 관련해 다음과 같이 지속적으로 확인되고 있다.

* 이 달, 百濟 大井에 宮을 지었다(敏達 1; 572년)
* 詔하여 "금년에 大宮 및 大寺를 만들겠다"고 하였다. 百濟川 곁을 궁이 들어 설 장소로 정했다. 서쪽의 백성은 궁을 짓고, 동쪽의 백성은 절을 지었다(舒明 11; 639년).
* 이 달에 百濟川 곁에 구층 탑을 세웠다(舒明 11; 639년).
* 이 달에 百濟宮으로 옮겼다(舒明 12; 640년).
* 천황이 百濟宮에서 돌아가셨다. 丙午에 宮 북쪽에 殯을 설치하였다. 이것을 百濟大殯이라고 하였다(舒明 13; 641년).

房, 1966, 102쪽).

57 李道學, 「漢城末·熊津時代 百濟王位繼承과 王權의 性格」『韓國史研究』 50·51合集, 1985; 『백제 한성·웅진성시대 연구』, 일지사, 2010, 292쪽.

58 笠井倭人, 「欽明朝百濟の對倭外交」『日本書紀研究 1』, 塙書房, 1964, 144쪽.

59 笠井倭人, 「欽明朝百濟の對倭外交」『日本書紀研究 1』, 塙書房, 1964, 161쪽.

위의 기사를 놓고 볼 때 572년에 왕궁 지을 장소가 '百濟大井'임을 알 수 있다. 이 곳은 지금의 奈良縣 廣陵町 百濟로 지목하는 게 통설이다. 백제라는 국호가 '大井' 앞에 붙은 것을 볼 때 백제의 연고지로 짐작된다. 왜 조정의 권력 핵심부에 '백제'라는 국호를 접두어로 하는 지명이 이미 등장한 것이다. 이는 643년에 화재가 난 難波의 百濟客館堂과는 성격이 사뭇 다르다. 그리고 왜왕은 '百濟川'이 소재한 곳에 大宮과 大寺를 지었다. 왜왕은 백제궁에서 거처하다가 사망하였다. 그것도, '大' 字를 붙인 百濟大宮과 百濟大寺에서였다. 백제대사는 1996년 이래 발굴이 이루어졌던 櫻井市 소재 吉備池廢寺로 추정하는 게 통설이다. 또 百濟大宮에 거처했던 倭王이 死後 모셔진 殯殿 역시 百濟大殯이라고 했다. 倭 王家의 기원과 관련해 퍽이나 시사적인 기록이 된다.

이와 더불어 일본 왕실과 중앙 귀족의 족보집인 『新撰姓氏錄』 左京皇別 條에서 "大原 眞人은 敏達天皇의 孫인 백제왕에서 나왔다. 『속일본기』의 내용과 부합한다"라는 문구를 간과할 수 없다. 百濟大井에 宮을 지었던 敏達天皇의 계보가 백제와 연결됨을 말하기 때문이다. 이는 결코 우연한 기록으로 간주하기는 어렵게 한다. 『신찬성씨록』 未定雜姓 左京 條의 池上椋人도 "敏達天皇의 손자 百濟王의 후손이다"고 하였다. 물론 『고사기』・『일본서기』에는 민달천황의 손자 이름 중에 百濟王이 보이지 않는다. 그렇지만 『古事記』 敏達天皇段에 보이는 多良王[쿠다라노오우]의 '多' 字 앞에 '久' 字가 있었던 것이 轉寫 과정에서 탈락하였을 가능성이 제기되었다.[60] 敏達天皇의 아들이라면 百濟王은 舒明天皇의 동생이 된다. 서명천황은 百濟川邊에 百濟宮을 짓고 살았으므로 百濟大王으로 불리웠을 가능성과 그의 동생도 백제왕으로 불리웠을 가능성이 있다.[61] 欽明이나 天智의 용례에 따른다면 舒明은 '百濟宮御宇天皇'으로 일컬어졌다고 한다. 그리고 『萬葉集』의 표기법을 취한다면 舒明은 '百濟天皇'이라고 했을 것이다.[62]

왜왕들이 '백제왕'으로 일컬어졌을 가능성이 타진되었다. 매우 의미심장한 평가가 아닐 수 없다. 京都大 사학과 명예교수인 上田正昭도 "敏達天皇이 백제 왕족 출신임을 말해주고 있다"[63]고 갈파한 바 있다. 사실 왜왕이 거처했던 최고의 공간인 궁궐 이름이 인근 국가의 이름인 '百濟'였다. 이러한 경우는 단순한 관심이나 영향이라기 보다는 양자

---

60   佐伯有淸, 『新撰姓氏錄の研究(考證篇 第1)』, 吉川弘文館, 1981, 204쪽.
61   충청남도역사문화연구원, 『百濟史資料譯註集(日本篇)』 2008, 441쪽.
62   佐伯有淸, 『新撰姓氏錄の研究(考證篇 第1)』, 吉川弘文館, 1981, 204~205쪽.
63   홍윤기, 『일본 속의 백제 구다라(百濟)』, 한누리 미디어, 2008, 412쪽.

간에 연결고리가 없이는 생각하기 어려운 측면이 많다. 사실 이 같이 간주하는 게 정직한 판단일 것이다.[64]

왜계 관인이 백제 조정의 관료로 활약하고 있지만, 倭 朝廷 핵심 지역에는 百濟 국호가 大宮을 비롯한 상징성이 큰 지역에 자리잡았다. 이러한 맥락에서 본다면 백제와 倭間의 官人 교환은 현상적으로는 양속체제였다. 그러나 그 본질은 연합정권적 성격을 가리키는 증좌일 수도 있다. 이 점에 대해서는 차후 심도 있는 연구가 요망된다.

5. 맺음말

한반도 서남부 지역에서 확인된 일본의 표지적 묘제인 전방후원분 피장자에 대해서는 많은 논의가 있었다. 그럼에도 그 성격 구명에는 공감대를 이끌어내지 못한 감이 없지 않았다. 더불어 전방후원분이 소재한 공간 이해가 부족했다는 인상을 받았다. 이곳은 노령산맥 이북과 영산강유역, 그리고 해남반도에 이르는 3개 圈域으로 나누어진다. 그런데 전방후원분이 소재한 구간은 369년에 백제 근초고왕이 금강을 건너 평정한 마한 잔여지역이 된다. 이때 백제군은 왜군과 합동작전으로 이 지역을 석권한 것으로 알려져 있다. 바로 그러한 유서 깊은 공간에 왜계 전방후원분이 조성되었다. 이 점은 그 피장자의 성격을 암시해주는 단서가 될 수 있다. 이와 더불어 전방후원분의 조성 시점이 백제사에서 艱難期인 6세기 전반이라는 사실이 주목을 요한다.

475년에 한성이 함락되고 웅진성 천도를 단행한 후에 백제는 고구려의 군사적 위협에서 벗어나는 일이 현안이었다. 동성왕이 倭에서 귀국하여 즉위할 때 왜병 5백 명이 衛送했다. 이 숫자는 전지왕이 왜에서 귀국할 때 따라온 왜병 1백 명 보다 무려 5배나 많은 숫자였다. 여기서 전방후원분 피장자들이 활약했던 5세기 말~6세기 초엽에 비상시국을 맞은 백제에 큰 버팀목이 되었던 세력이 倭였음을 알 수 있다. 당시 동성왕은 이탈해간 지방 세력을 흡수하는 작업을 병행하였다. 그 작업의 일환으로서 과거 백제와 왜간의 공동작전의 성과이기도 했던 마한 잔여 故地에 왜인들을 분봉하였다. 이때 분봉된 왜인들은 369년에 백제가 이곳을 점령할 때 활약했던 倭將과 韓婦 사이에 출생한 후예이거나 백제

---

64 李道學, 「백제(구다라) 관련 지명과 명칭」『백제의 발자취를 찾아서』, 부여군, 2011, 184~186쪽.

와 관련을 맺은 가문으로 확인되었다. 곧 전방후원분 피장자들은 백제와 연고를 맺고 있는 왜인들이었다.

6세기 중엽경에 백제 조정에 왜계 관인들이 등장한다. 그러한 양속체제의 연원은 근초고왕과 倭將間의 벽지산과 고사산 誓盟에서 淵源을 찾을 수 있다. 그 즉시 兩國은 共助體制를 갖추었다. 그 첫 번째가 마한 평정 군사작전이었고, 그 두 번째는 백제에서 倭로의 博士 파견이 된다. 前者는 倭에서 백제로 派兵된 것이요, 후자는 백제에서 倭로의 학자 파견이었다. 이 사실에서부터 양속체제의 실마리를 잡을 수 있다. 이후 백제는 五經博士나 瓦博士와 같은 技術職 博士를 3년 교대로 왜에 파견하였다. 요컨대 근초고왕대 이래 백제와 왜는 우호를 다졌다. 동시에 공동의 이익을 위해 지속적으로 운명을 함께 하는 관계를 구축하였다.

백제도 6세기 중엽에 官人을 왜에 파견한 사실이 확인되었다. 이는 왜계 관인이 백제에서 활약한 사실과 연관 짓게 된다. 6세기 중엽까지 백제는 한수유역을 점유하고 있던 고구려를 몰아내고 고토를 회복하는 일이 宿願이었다. 한성 함락이라는 비상시국과 고토회복이라는 숙원 사업 속에서 백제와 왜는 이해가 일치하였다. 이때 백제와 왜는 고구려의 군사적 위협에 공동 대응하는 상황에서 일종의 양속정권적 비상체제를 강화하였다. 그랬기에 백제와 왜간의 관인들이 상호 왕래하여 상대국 朝廷에 배치될 수 있었다. 나아가 백제는 지방 지배를 완료하는 소기의 성과를 거두고 方·郡·城制라는 전면적인 지배 방식으로 전환하였다. 이와 맞물려 백제는 분봉했던 왜인들을 조정의 관인으로 전환시켰다. 즉 왜인들을 중앙관료화시켰던 것이다. 그런데 회복한 한수유역을 신라에 침탈당하고 양속정권의 한 軸이었던 성왕의 전사와 맞물려 그 성격은 쇠퇴하고 말았다.

문제는 백제와 倭間의 양속체제의 배경이다. 여기에는 종래 云謂되었던 외교나 협력관계만으로 설명할 수 없는 부분이 있었다. 왜계 관인이 백제 조정의 관료로 활약한 것과 마찬 가지로 백제에서도 왜 조정에 관인을 파견했기 때문이다. 이와 더불어 倭 朝廷 핵심 지역에 '百濟' 국호가 大宮을 비롯한 상징성이 큰 지역에 자리잡았다. 게다가 왜왕의 혈통에도 백제 왕실과의 관련성이 엿보이고 있다. 그렇다면 백제와 倭間의 官人 교환은 현상만 놓고 양속체제라고 한 느낌이 든다. 유례가 극히 드문 이러한 사례의 본질은 연합정권적 성격을 가리키는 증좌일 수도 있다. 이 사안은 차후 심도 있는 분석이 요망된다.

「馬韓 殘餘故地 前方後圓墳의 造成 背景」『東아시아古代學』28, 동아시아고대학회, 2012.

백제사에서 전라북도의 位相

1. 머리말

전라북도는 백제사에서 어떤 위치에 있었을까? 한 국가의 정치와 문화는 王都 중심으로 짜여지게 마련이다. 얼핏 보면 전라북도는 백제사의 변방으로 간주될 수 있다. 백제의 왕도라면 서울 지역과 공주 및 부여를 연상하기 때문이다. 그러나 우리가 조금 만 관심을 가지고 접근해 보면 전라북도의 位相은 판이하게 달라진다. 일단 益山은 백제 때 王都였던 사실이 밝혀졌다. 익산의 왕궁리 유적은 왕궁으로 공인받았고, 세계유산에 등재되었다. 그런데 익산은 백제 이전부터 유서 깊은 지역으로 자리매김 받았다. 멀리는 청동기 문명을 기반으로 한 고조선과 연결 지을 수 있었다. 고조선 準王의 南來地로 알려져 있기 때문이다. 益山은 三韓의 盟主 馬韓 目支國 소재지이기도 했다. 그리고 후백제 진훤왕은 백제의 금마산 개국을 선언하였다. 이렇듯 백제 이전이나 이후 모두 그 중심에 익산이 자리잡았다. 게다가 신라와 당군을 축출하는 과정에서 회복된 백제의 王城이 周留城이었다. 주류성의 소재지는 전라북도 부안으로 지목되고 있다.

백제사의 전개와 관련해 국가의 심장부인 王都나 王城이 전라북도에 소재했었다. 전라북도가 결코 백제사의 변경이 아니라 중심이었음을 알려준다. 이러한 사실을 구체적으로 확인하는 작업을 먼저 시도했다. 그런 후 전라북도의 百濟史像에 대한 정립 방안을 모색해 보려고 한다. 본고는 그간 제기했던 필자의 연구 성과에 크게 의존했음을 밝혀둔다.

2. 益山은 三韓의 盟主 目支國 소재지

한국 역사상 전라북도의 위상은 고조선과도 닿아 있다. 그에 앞서 살펴야 할 대상이 馬韓의 目支國 소재지가 된다. 『삼국사기』 백제본기 시조왕기에 따르면 시조왕의 영역 확장 사업에 대한 기록이 다음과 같이 보인다.

* 8월에 馬韓에 사신을 보내 도읍을 옮긴다는 것을 알렸다. 마침내 국토의 영역을 확정하였으니 북으로는 浿河에 이르고, 남으로는 熊川이 경계이며, 서로는 큰 바다에 닿고, 동으로는 走壤에 이르렀다 (시조왕 13년 조).

* 24년 가을 7월에 왕이 웅천책을 세웠다. 마한왕이 사신을 보내 책망하였다. "왕이 애초에 강을 건너와 발 붙일 곳이 없을 때, 나는 동북방의 1백 리 땅을 주어 살도록 하였다. 그러므로 내가 왕을 후하게 대우하지 않았다고 할 수 없다. 따라서 마땅히 이에 보답할 생각을 해야 할 것인 데, 지금 나라가 안정되고 백성들이 모여 들어 대적할 자가 없다고 생각하여, 성과 연못을 크게 만들고 우리의 강토를 침범하니, 이것이 어찌 의리라고 할 수 있는가?" 왕이 부끄러워하며 목책을 허물었다(시조왕 24년 조).

* 25년 봄 2월에 왕궁의 우물이 엄청나게 넘쳤다. 漢城의 민가에서 말이 소를 낳았는데, 머리는 하나였으며, 몸은 둘이었다. 日者가 말하였다. "우물이 엄청나게 넘친 것은 대왕께서 융성할 징조이며, 하나의 머리에 몸이 둘인 소가 태어난 것은 대왕께서 이웃 나라를 합병할 징조입니다." 왕이 이 말을 듣고 기뻐하여, 마침내 진한과 마한을 합병할 생각을 하게 되었다(시조왕 25년 조).

* 26년 가을 7월에 왕이 말했다. "마한이 점점 약해지고 임금과 신하가 각각 다른 마음을 품고 있으니, 그 국세가 오래 유지될 수 없다. 만일 다른 나라가 이들을 합병해 버린다면 脣亡齒寒이 되어, 그때는 후회해도 소용없을 것이다. 차라리 남보다 먼저 빼앗아 후환을 없애는 것이 낫겠다."
겨울 10월에 왕이 사냥을 간다고 하면서, 군사를 출동시켜 마한을 기습하였다. 마침내 마한의 國邑을 아울렀는데, 오직 圓山과 錦峴 두 성만은 군게 수비하고 항복하지 않았다(시조왕 26년 조).

* 27년 여름 4월에 원산과 금현 두 성이 항복하였다. 그곳의 백성들을 한산 북쪽으로 이주시켰다. 마한이 마침내 멸망하였다.
가을 7월에 대두산성을 쌓았다(시조왕 27년 조).

* 겨울 10월에 마한의 옛 장수 周勤이 牛谷城을 거점으로 반란을 일으켰다. 왕이 직접 5천 명의 군사를 거느리고 공격하였다. 주근은 목매어 자결하였다. 그 시체의 허리를 자르고 처자들도 죽였다(시조왕 34년 조).

* 36년 가을 7월에 湯井城을 쌓고, 大豆城 民戸를 나누어 그곳에 거주하게 했다.

8월에 圓山·錦峴 2城을 修葺하고, 古沙夫里城을 쌓았다(시조왕 36년 조).

위의 『삼국사기』 시조왕 본기를 놓고서 목지국의 소재지를 검증하고자 한다. 마한의 맹주인 목지국의 소재지에 대해서는 숱한 논의가 있었다. 필자는 과거에 " … 청동기 문화의 기반을 지닌 유서 깊은 지역이어야만 할 것이다. 이러한 기준에서 볼 때 목지국은 교통의 요충지인 천안에서 가까운 木村部曲이 소재한 충청남도 牙山 일대가 적합하지 않을까 생각된다"라고 하였다. 목지국 아산 소재설을 최초로 제기했던 것이다. 그럼에도 천안·아산설이라고 하여 뭉뚱거리며 누구의 創案인지는 알 수 없게 끔 넘어가는 경향이 있었다. 마치 KTX 천안·아산 驛名을 연상시키는 것이다. 이럴 바에야 차라리 다시금 검토하는 게 낫겠다는 생각이 들었다. 그 과정에서 목지국 아산설은 재고되어야 한다고 보았다. 이는 『삼국사기』 시조왕기의 "王出獵獲神鹿 以送馬韓(10년 조), 遣使馬韓告遷都(13년 조), 王作熊川柵 馬韓王遣使責讓曰 … (24년 조), 王曰 馬韓漸弱 上下離心 … (26년 조), 馬韓遂滅(27년 조), 馬韓舊將周勤據牛谷城叛(34년 조)"라는 '마한' 즉 목지국의 쇠퇴와 멸망 과정을 통해서 명백해졌다. 즉 시조왕 24년 조에 보이는 熊川柵은 백제 영토가 웅천인 금강까지 영토가 확장되었음을 뜻한다. 그러한 웅천은 시조왕 13년 조에 南界로 나타나고 있다. 李丙燾는 13년 조의 熊川을 안성천으로 비정하였다. 그러나 熊川은 안성천이 아니라 지금의 금강을 가리킨다. 『삼국사기』 동성왕 13년 조의 "6월에 웅천의 물이 불어 왕도의 200餘 家가 떠내려 가고 잠겼다"라고 한 기사의 熊川은 錦江이 분명하기 때문이다. 그럼에도 동일한 『삼국사기』에 보이는 熊川의 비정을 달리한 이유는 무엇일까? 이병도가 '진한 백제'와 마한과의 界線으로 지목한 熊川柵의 熊川을 안성천으로 설정한 것은 목지국 진왕의 소재지를 稷山으로 비정한데서 말미암았다. 熊川이 금강이라면 마한의 맹주인 목지국은 금강 이남에 소재했어야 한다. 그렇게 된다면 이병도 자신이 득의에 차서 비정한 직산=목지국설이 자동으로 무너지게 된다.

이러한 난점을 해소하기 위해 두계는 안성 孔道面의 '공도'라는 지명이 '고무(곰)'에서 유래했다는 착상을 하였다. 그리고 '熊橋里'라는 지명과 더불어 軍門里津(군문이 나루)도

---

1   李道學, 「새로운 모색을 위한 점검, 목지국 연구의 현단계」 『마한사의 새로운 인식』, 충남대학교 백제연구소, 1997; 『마한사연구』, 충남대학교 출판부, 1998, 121쪽.

'곰'과 관련 있다고 판단한 것이다. 그러나 이러한 자료는 직접적인 근거가 될 수는 없다. 어디까지나 耳懸鈴鼻懸鈴일 수도 있는 방증에 불과할 따름이다. 熊[곰] 관련 지명은 이병도 말마따나 "拜熊族인 우리 古代人들은 熊을 神聖視하여 種族의 記號는 물론, 그들이 가서 사는 곳의 名山과 大川에도 흔히 그러한 이름을 붙이었던 것이다. 그래서 古來로 우리나라 地名中에 '고마'·'고무'·'고미'·'곰'·'개마'·'감'·'검' 혹은 이를 意譯한 熊字가 들어 있는 것이 얼마나 많은가는 周知의 사실이다"[2]고 하였다. 두계가 自認했을 정도로 '熊[곰]' 관련 지명은 전국적으로 많이 깔려 있기 때문이다. 그럼에도 정작 중요한 안성천을 웅천으로 일컬은 적이 없었다. 그리고 두계는 웅천=금강 기록을 뛰어넘을 만한 자료 제시를 하지 못했다.[3]

그렇다고 할 때 목지국은 웅천인 금강 이남에 소재해야 한다. 이러한 점에서 볼 때 목지국 아산설은 결정적인 취약점을 지닌 것이다. 목지국의 소재지는 공주 이남 어느 곳으로 다시금 비정해야 한다. 이와 관련해 고조선 준왕의 南來地이자 馬韓=金馬郡說에 대한 다음의 기사를 본다.

a. 〈後朝鮮紀〉…41代孫으로 이름은 準인데 다른 사람에게 나라를 빼앗기고 백성도 떠나니 928년 동안 다스린 것인데, 기자의 유풍이 찬연히 전하였다. 準은 곧 金馬郡으로 옮겨 거주해서 도읍을 세워서 또 다시 임금이 되었다(『제왕운기』).

b. 金馬郡: 본래 마한국이다[後朝鮮의 箕準이 衛滿의 亂을 피해 바다를 건너 남쪽으로 韓地에 이르러 開國하고 마한이라고 하였다](『高麗史』地理志, 금마군 조).

c. 본래 馬韓國이었는데, [後朝鮮王 箕準이 衛滿의 난리를 피하여 바다로 해서 서쪽으로 내려와 韓의 땅에 이르러 나라를 세우고 馬韓이라 하였다](『세종실록』 지리지, 益山郡 條).

고려시대 이래로 익산 금마는 준왕의 南來地이자 마한의 거점이었음을 가리키고 있

---

2   李丙燾, 「目支國의 位置와 그 地理」『韓國古代史研究』, 博英社, 1976, 248쪽.
3   李道學, 「李丙燾 韓國古代史 研究의 '實證性' 檢證」『白山學報』98, 2014, 134~135쪽.

다. 게다가 청동기 문화의 중심지로서 익산은 주목을 받아 왔다.[4] 이러한 익산 지역의 위상에 대해서 茶山 정약용은 "마한은 지금의 익산이다. 그 總王이 도읍한 곳이 바로 이곳이다. … 漢史에서 목지국이라고 한 것은 바로 익산을 가리킨다. … 당시에 마한 땅이 가장 넓어 북쪽으로는 웅진으로부터 남쪽으로 바닷가에 닿았다"[5]고 갈파한 바 있다. 茶山은 『삼국사기』 기사를 토대로 웅진 이남을 마한의 영역으로 설정했던 것이다. 결국 지금까지의 연구성과를 놓고 볼 때 목지국의 소재지는 익산으로 밝혀진다. 그러한 목지국 辰王이 지닌 兼呼 가운데는 다음의 e에서 보듯이 구야국과 안야국이 등장한다.

    d. 馬韓最大 共立其種爲辰王 都目支國 盡王三韓之地(『後漢書』 韓 條)

    e. 辰王治目支國 臣智或加優呼臣雲遣支報安邪跛支濆臣離兒不例狗邪秦支廉之號 其官有魏率善邑君・歸 義侯・中郎將・都尉・伯・長・侯(『三國志』 韓 條)

    f. 其十二國屬辰王 辰王常用馬韓人作之 世世相繼 辰王不得自立爲王(『三國志』 弁辰 條)

위의 기사에 대한 해석은 구구하기 이를 데 없다. 그러한 주장을 일일이 검증할 여유는 없으므로 골자만 뽑아서 논지를 전개해 본다. 우선 목지국 辰王은 삼한의 總王的인 위상을 지녔음을 알려준다. 진왕은 삼한 가운데 '馬韓最大(d)'라고 했던 그 마한의 유일 王이었다. 그런데다가 辰王의 兼呼에 보이는 安邪와 狗邪는 훗날 加羅의 빅3에 속하는 安羅와 金官加耶를 가리킨다. 즉 마한 목지국 진왕의 영향력이 변한이 소재한 낙동강과 남강유역까지 미치고 있었음을 뜻한다. 이러한 구체적인 사실을 통해 목지국 진왕은 삼한의 총왕으로 기록한 茶山의 서술과 적어도 모순되지 않는다. 그리고 변진 12국이 속한 진왕은 마한인이며, "辰王不得自立爲王(f)"라고 했다. 이 기사는 『後漢書』 韓 條의 "共立其種爲辰王(d)" 기사와 어긋나지 않는다. 따라서 목지국 辰王의 거점이었던 익산이 지닌 위상은 재언을 요하지 않는다.

고조선 준왕의 南來地인데다가 청동기 문명이 꽃을 피웠던 곳이 익산이었다. 그러한 익산이 목지국의 거점이었다는 것은 지극히 자연스러운 일에 속한다. 우리나라 삼국시

---

4   金三龍, 「總括--익산의 선사와 고대 문화」 『益山의 先史와 古代文化』, 마한백제문화연구소・익산시, 2003, 594~598쪽.

5   『我邦疆域考』 三韓總考, 馬韓考.

대의 母胎인 동시에 그 前 段階가 三韓임은 주지의 사실이다. 그 삼한의 총왕이 거점으로 삼았던 익산은 백제 때도 중시될 수밖에 없었다. 고구려가 고조선의 왕도였던 평양성으로 천도하였다. 사비성 도읍 후반기에 백제가 정치·문화적으로 높은 위상을 지닌 익산을 王都로 삼은 것은 갑작스런 일이 아니었다. 어찌 보면 지극히 자연스러운 推移였다.

3. 백제사 속의 전라북도, 中方城의 意味

백제 때 전라북도 지역의 위상과 관련해『삼국사기』시조왕기를 음미해 본다. 그에 의하면 시조왕대의 축성 기사의 맨 마지막 기사로서 "古沙夫里城을 쌓았다(시조왕 36년 조)"라는 구절이 보인다.『삼국사기』시조왕기의 영역이 후대 사실의 투영이듯이, 축성 기사 역시 후대 사실이 한꺼번에 기재된 것으로 간주되어진다. 아울러 시조왕기에는 영토 개척의 역사가 거듭되고 있다. 시조 이후 한성도읍기 백제왕들의 역사에서 영역 확장과 결부된 기사가 전무한 사실과 크게 구별된다.『삼국사기』를 보면 백제의 영역 확장은 시조왕대에만 집중되어 있다. 시조왕은 일찌감치 마한을 멸망시킴으로써 남부 영역이 고사부리성(고부)까지 미쳤음을 선포하였다. 노령산맥선까지 미치는 백제 기본 영역의 확정을 뜻한다. 이와 관련해 다소 길기는 하지만 과거 필자의 논고를 다음과 같이 인용해 보았다.

백제의 마한경략은『일본서기』신공 49년 조에서처럼 369년이 분명하지만,『삼국사기』백제본기에도 그 사실이 누락되지 만은 않았다. 비록 紀年은 수긍할 수 없지만 이미『삼국사기』백제본기 온조왕 27년(9) 조에 "馬韓遂滅"이라고 하여 기록되었기 때문이다. 그런데 흥미로운 사실은『삼국사기』백제본기의 마한경략 연대는,『일본서기』의 그것과 정확히 360년 차이 나는 만큼[6] 근초고왕과 온조왕 양자 간에는 불가분의 관련이 있음을 생각하게 한다. 또 이는 온조왕의 개국(B.C. 18)이 근초고왕의 즉위(346)로부터 363년 이전으로 설정된 사실에 주목하여, 가공의 인물로 추정되는 契王 3년의 재위기간을 제외시키면, 이는 360년마다 국가의 홍운을 맞이한다는 揚雄 등 讖緯說 주창자들의 영향을 받아

---

6   Gari K. Ledyard, "Galloping Along With the Horseriders" Journal of Japanese Studies, Vol. 1, No. 2, 1975, p. 242.

開國年代를 정하였다는[7] 견해와도 상관성을 지니고 있다. 게다가『삼국사기』온조왕 13년(B.C.6) 조에는 백제의 北界가 浿河(예성강)인 것으로 되어 있지만, 근초고왕 26년(371)에 浿河上에서 埋伏하여 고구려 군대를 격파하는[8] 등 戰場이 예성강유역에서 형성되고 있다. 후자의 기록을 놓고 볼 때 백제의 北界는 4세기 중반에야 예성강유역에 이르른 것으로 짐작되므로, 온조왕 13년 조의 영역 기록 역시 360년의 紀年上向 가능성을 제기해준다. 요컨대 시조인 온조왕과 근초고왕의 즉위년 및 마한경략 연대가 360년씩 상관성을 지니고 있다는 것은, 근초고왕대의 사실을 시조인 온조왕대로 溯及·架上시켰음을 뜻할 수 있다. 그렇다면 이는 근초고왕과 그 前代 王系上에 단층이 지고 있다는 지적과 더불어 결과적으로 근초고왕의 업적을 박탈한 듯한 느낌마저 주는데, 필시 정치적인 변화와 연관되어 까닭이 있었으리라고 짐작된다.

건국기년을 참위설에 따라 上向 조작하여 국가의 유구성을 과시하는 한편, 시조에 대한 권위 부여를 목적으로 한 일련의 계기적인 사실조작은, 역사편찬에 백제의 영향을 지대하게 받은 倭의 경우를 통해서도 이제는 逆으로 시사받을 수 있다. 倭의 경우 推古天皇(593-627) 때『天皇記』와『國記』가 편찬되어[9] 후일 편찬되는『일본서기』의 紀年과 내용의 틀이 짜여졌다. 여기서 주목되는 것은 大和政權에 의한 일본열도의 정치적 통합은 일러야 5세기 중반 이후임에도[10] 불구하고『일본서기』에는 그 시조라는 神武天皇 당대인 기원전 667년에 南九州의 日向으로부터 東方으로 이동을 시작하여 기원전 660년에 畿內의 大和에 들어와 이른바 大和朝廷을 열었던 것으로 서술하고 있다.[11] 그럼에 따라 일본열도는 당초부터 단일한 정치단위였다고 하는『일본서기』의 주장이 나온 것이다. 즉,『일본서기』편찬 당시 왕실의 직계 祖先이 유구한 태고로부터 일본열도 全域을 지배한 유일의 정통 왕가였다는 주장을 선전하기 위하여 그렇게 서술한 것이다.[12]

이러한 서술 태도는『삼국사기』고구려·신라본기와는 달리 시조왕대에 그 정복사업이 완료된 양 서술된 백제본기의 온조왕기와 일맥 상통하는 면을 보여주고 있다.『삼국사기』에 의하면 온조왕 36년 조의 古沙夫里城(고부) 축조 기사를 끝으로하여, 이러한 판도내에서 별다른 영역확대가 확인되지 않고 있다. 고사부리성은,『翰苑』백제 조에서 "國饒馬韓 地苞狗素"라고 한 狗素로서, 백제 영역의 한 界

7 金哲埈,「百濟 社會와 그 文化」『韓國古代社會研究』, 知識産業社, 1975, 49~50쪽.
8 『三國史記』권24, 近肖古王 26년 조. "高句麗擧兵來 王聞之伏兵於浿河上 俟其至急激之 高句麗兵敗北"
9 『日本書紀』권22, 推古 28년 조.
10 井上光貞,「最初の統一王朝」『日本の歷史-神話はら歷史へ 1』, 中央公論社, 1973, 366~447쪽.
11 『日本書紀』권3, 神武 즉위 전기·원년 조.
12 岡田英弘,『倭國』, 中央公論社, 1977, 155~156쪽.

線으로 인식되어지고 있다. 백제의 이러한 고부 지역 진출은 369년의 점령지에 포함된 것으로 새롭게 밝혀지고 있는 만큼,[13] 이 또한 온조왕대의 정복지와 근초고왕대의 그것이 상관성을 띠고 있음을 알려준다. 따라서 백제의 고사부리성 축조는 기실 근초고왕대나 그 이후의 일이 분명하므로, 온조왕대의 영역관계 기록은 다른 기사와 마찬가지로 후대 사실의 소급임을 알 수 있다. 요컨대 단일한 정치체로서의 의미를 지닌 온조왕대의 영역관계 기록은, 한성시대 이후의 정치적 변화에서 시조왕의 위엄과 왕실의 정통성을 과시할 목적에서 생겨난 것으로 해석된다.[14]

위에서 제기한 문제는 구체적으로 살펴 볼 필요가 있다. 이와 관련해 근초고왕이 마한에 대한 정복전을 개시하기 전의 영역 범위에 대한 이해가 선결되어야 한다. 이는 다음과 같은『삼국사기』시조왕 13년 조 기사에 대한 검증과 관련 있다.

8월에는 마한에 사신을 보내어 遷都를 알리고 疆場을 畫定하였는데, 북쪽은 浿河에 이르고, 남쪽은 熊川에 限하고, 서쪽은 大海에 이르고, 동쪽은 走壤으로 끝났다.[15]

위에서 패하는 예성강, 대해는 서해를, 주양은 춘천으로 비정되고 있다. 문제는 웅천의 위치이다.『삼국사기』동성왕 13년 조의 "6월에 웅천의 물이 불어 왕도의 200餘 家가 떠내려 가고 잠겼다"라고 한 기사의 '웅천'은 시조왕 13년 조와 동일한 江을 가리키고 있다. 따라서 웅천은 지금의 금강이 분명하다. 웅천을 안성천으로 비정한 견해는 타당성을 잃었다. 요컨대 백제는 북쪽 국경을 예성강으로 남쪽 국경을 금강으로 하는 영역을 확보한 것이 된다. 이러한 영역 범위를 명시하고 있는 시조왕대의 기사는 후대 사실의 遡及·架上이므로 그 시기를 재검토할 필요가 있다. 이와 관련해 주목되는 것은『일본서기』신공 49년 조의 다음과 같은 백제의 마한 경략 기사이다.

그리고 비자발·남가라·탁국·안라·다라·탁순·가라의 7국을 평정하였다. 이에 군대를 옮겨 서쪽으로 돌아 고해진에 이르러 남만의 침미다례를 도륙하여 백제에 내려주었다. 이에 그 왕 肖古 및 왕

---

13 李道學,「百濟의 起源과 國家發展過程에 관한 檢討」『韓國學論集』19, 1991, 183~184쪽.
14 이상의 서술은 李道學,「百濟 初期史에 관한 文獻資料의 檢討」『韓國學論集』23, 1993, 36~38쪽에 의하였다.
15 『三國史記』권23, 시조왕 13년 조.

자 貴須 역시 군대를 이끌고 와서 모였다. 그 때 [比利辟中布彌支半古四邑]이 자연 항복하였다. 이에 백제왕 부자 및 荒田別·木羅斤資 등이 함께 意流村[지금 州流須祇를 말한다]에서 만나 서로 기쁨을 나누었다. 禮를 두텁게 하여 보냈다. 오직 千熊長彦이 백제왕과 함께 백제국에 이르러 辟支山에 올라 맹세하였다. 다시 古沙山에 올랐다. …[16]

위의 기사 해석에서 선행되어야 할 문제는 백제에 복속되었다는 [ ] 안의 지명 비정이다. 종래 [ ] 안의 지명을 '比利·辟中·布彌支·半古'의 4邑으로 끊어 읽었다. 이는 뒤의 '四邑'이라는 문자를 의식한 끊어 읽기인 셈이다. 그 결과 이들 지명은 전라남도 지역을 포함하는 구간으로 비정되고는 했다. 그러나 比利와 辟中에 이은 '布彌支半古四邑'을 '布彌·支半·古四'로 끊어 읽는 새로운 讀法에 따른다면, 이들 지명은 『삼국지』한 조에 보이는 마한제국인 '不彌國·支半國·狗素國'과도 잘 연결된다. 그러므로 이것에 입각한 후자의 끊어 읽기가 타당함을 알 수 있다. 동시에 비리는 부안의 보안, 벽중은 김제, 포미는 정읍, 지반은 부안, 고사는 고부로 새롭게 비정되어진다. 게다가 근초고왕 부자가 왜군과 회동하여 기쁨을 나누었다는 의류촌은 일명 '주류수기'라고 하므로 周留城을 가리킨다. 나아가 이는 주류성의 위치를 전라북도 부안으로 비정한 견해와도 무리없이 연결되어진다. 이러한 비정은 근초고왕 부자와 倭將이 맹약했다는 벽지산과 고사산이 벽중(김제)과 고사(고부)로 각각 비정되는 데서도 뒷받침된다. 따라서 『일본서기』신공 49년 조에 보이는 백제의 마한경략은 고해진만 전라남도 강진에 비정될 뿐이다. 그 나머지는 모두 금강 이남부터 노령산맥 이북 지역에 해당되고 있다. 따라서 369년 '마한경략' 이전 백제의 남쪽 경계는 금강이라고 보겠다. 금강을 남쪽 경계로 하는 백제의 영역은 『삼국사기』시조왕 13년 조에서 웅천을 남계로 하는 영역 기사와도 연결이 되고 있다.[17]

『삼국사기』시조왕기에 보이는 현상은 4세기 전반경의 사실이며, 영역은 4세기 후반 근초고왕대의 사실이 시조왕기에 투영되어 있음이 확인되었다. 이렇듯 시조왕기는 單一한 정치체의 탄생과 정치 권력의 확립 과정을 서술하고 있는 것이다. 여기서 유의할 사안이 보인다. 즉 백제 시조왕대에 영역의 확정을 뜻하는 축성 기사 속에 보이는 고사부

---

16 『日本書紀』권9, 神功 49년 조.
17 李道學, 『백제고대국가연구』, 일지사, 1995, 318~320쪽; 李道學, 「榮山江流域 馬韓諸國의 推移와 百濟」 『百濟文化』49, 2013, 117~122쪽.

리성은 전라북도 정읍의 古阜를 가리킨다. 그러한 고부 지역은 백제가 마한 전역을 석권하여 직접 지배할 때인 사비성 도읍기에 中方城이 설치된 곳이다. 中方은 5方 가운데 백제 영역의 중심이라는 의미가 담겨 있다. 고사부리성은 原百濟 지역과 영산강유역의 舊馬韓 지역을 잇는 거점으로 삼고자 한 의도로 볼 수 있다. 사비성 도읍기의 5방체제 속에서 백제는 고부를 국토의 중심으로 인식했던 것이다. 적어도 노령산맥 이북의 전라북도 지역은 백제의 변방이 아니라 중심으로 인식되었다는 반증이다. 근초고왕대에 전라북도의 많은 지역이 백제의 기본영역으로 편제된 결과였다.

4. 백제 왕도로서 益山

백제사 속의 익산에 대해서는 別都·行宮·神都 등등의 설이 제기되었다. 오랜 논쟁의 중심에 섰던 익산의 왕궁리 유적은 王宮으로 결론이 났다. 왕궁평성은 2015년 7월에 세계유산으로 등재되기까지 했다. 이와 관련해 오랜 기간 동안 迷惑시켰던 천도계획설 즉 '미완의 王都說'은 역시 허구가 들통이 나고 말았다. 이 견해대로라면 왕궁평성은 왕궁이 될 뻔하다가 못 되었으므로 일종의 空洞 상태로 남겨져야한다. 그러나 이곳에서는 일상에서 사용했던 가장 격이 높은 유물들이 남아 있다. 왕궁평성이 실제 왕성으로 기능했음을 웅변해주는 근거들이다. 미완의 왕도라면 '짓다만 王都'라는 게 된다. 그렇다면 왕궁평성 안에서 출토된 중국제 백자와 청자를 비롯한 수입 진귀품은 누가 사용했다는 것인가? 유리제품과 金絲와 같은 최고급품을 사용하는 이들이 거처했던 공간은 왕과 왕족을 제외하고는 생각하기 어렵다.

문헌과 고고물증을 통해 검증해 본 결과 王都가 분명하며 사비도성의 西都와 왕궁평성의 東都라는 2개의 도성 체제임을 필자가 최초로 밝혔다.[18] 그리고 무왕이 미륵신앙과 관련한 장대한 이상을 구현하기 위해 천도한 왕궁리 일대를 枳慕蜜地로 기록하였다. '枳慕'의 地名語尾格인 '蜜地'는 字意上 樂土나 福地 개념을 연상시킨다. 즉 고유지명을 新天

---

18 李道學, 「백제 무왕대 익산 천도설의 검토」『익산 문화권 연구의 성과와 과제』, 마한백제문화연구소 설립 30주년기념 제16회 국제학술회의, 2003; 「백제 무왕대 익산 천도설의 재해석」『馬韓百濟文化』16, 2004; 李道學, 「古都 益山의 眞正性에 관한 多角的 分析」『馬韓百濟文化』19, 2010, 95~123쪽; 「史料와 考古學 자료로 본 백제 王都 益山'에 대한 檢證」『한국전통문화연구』9, 2011.

地 개념의 '枳慕樂土'의 뜻을 담아 표기한 것이다. 여기에다가 '慕' 字가 지닌 의미를 덧붙인다면 '그리워한 樂土'의 뜻이 된다. 아울러 '枳' 字에는 중국이 원산지인 남방의 따뜻한 지역에 서식하는 탱자나무를 연상시킴으로써 남방 천도에 대한 기대감을 자아내고 있다. 그런 만큼 枳慕蜜地 지명 표기에는 익산 新王都에 대한 이상향으로서의 염원이 담겨 있었다.[19]

익산이 백제의 王都였음을 엿 보여주는 근거는 적지 않다. 이에 대해서는 재론하지 않겠다. 다만 『삼국사기』에서도 이 사실을 포착할 수 있었다. 다음의 기사가 바로 그것이다.

 f. 2월에 사비의 宮을 重修하였고, 왕이 웅진성에 행차하였다. 여름에 한발이 들어 사비의 役을 정지하고 7월에 왕은 웅진으로부터 돌아왔다(무왕 31년).

위의 기사는 2월에 사비의 궁을 중수하였기에 무왕은 사비도성의 왕궁을 떠나 있었다고 보아야 한다. 여기서 웅진성도 보이지만 중요한 것은 무왕은 사비궁을 중수하는 役事를 중단했을 때 行路이다. 무왕은 사비도성도 아니요, 웅진성도 아닌 제3의 장소로 돌아갔다고 보아야 한다. 국왕이 돌아간 제3의 장소는 또 하나의 왕도라고 할 수 있다. 役이 중지된 사비로 무왕이 돌아갔을 리 없다. 무왕이 돌아간 곳은 바로 익산 王都가 분명한 것이다.[20] 이와 관련해 『삼국사기』 백제본기의 백제 왕도 관련 기사를 轉載해 보았다.

 * 春二月 王都老嫗化爲男 五虎入城(시조왕 13년 조)

 * 夏五月 王都井及漢水皆竭(초고왕 22년 조)

 * 夏六月 王都雨魚(구수왕 9년 조)

 * 夏四月 王都井水溢, 黑龍見其中(비류왕 13년 조)

 * 秋九月 麗王巨璉帥兵三萬 來圍王都漢城 王閉城門 不能出戰(개로왕 21년 조)

 * 夏六月 熊川水漲 漂沒王都二百餘家(동성왕 13년 조)

 * 春正月 王都老嫗化狐而去 二虎鬪於南山 捕之不得(동성왕 23년 조)

---

19   李道學, 「古都 益山의 眞正性에 관한 多角的 分析」 『馬韓百濟文化』 19, 2010, 99~100쪽.

20   李道學, 「백제 무왕대 익산 천도설의 검토」 『익산 문화권 연구의 성과와 과제』, 마한백제문화연구소 설립 30주년기념 제16회국제학술회의, 2003, 90쪽; 「백제 무왕대 익산 천도설의 재해석」 『마한백제문화』 16, 2004, 95쪽.

* 春三月 王都雨土 晝暗(무왕 7년 조)
* 十一月 王都地震(무왕 17년 조)
* 春二月 王都地震(무왕 38년 조)
* 八月 遣將軍允忠 領兵一萬 攻新羅大耶城 城主品釋與妻子出降 允忠盡殺之 斬其首 傳之王都…(의 자왕 2년 조)
* 五月 王都西南泗沘河 大魚出死 長三丈(의자왕 19년 조)
* 春二月 王都井水血色 西海濱小魚出死 百姓食之不能盡 泗沘河水赤如血色(의자왕 20년 조)
* 夏四月 蝦蟇數萬 集於樹上 王都市人無故驚走 如有捕提者 僵仆而死 百餘人 立失財物不可數(의자 왕 20년 조)
* 六月 … 有一犬狀如野鹿 自西至泗沘河岸 向王宮吠之 俄而不知所去 王都羣犬集於路上(의자왕 20년 조)

위의 기사를 놓고 볼 때 왕도의 경우는 城名이 아니라 '王都'로만 표기하였다. 城名이 표기된 경우는 특별히 '王都漢城'라고 明記했다. 이러한 사례에 비추어 볼 때 '사비의 宮' 은 당시 백제의 왕도가 아니었음을 반증한다. 다음의 기사에서 알 수 있듯이 '泗沘'로만 기재된 경우는 왕도가 아니었을 때였다.

* 冬十月 王獵於泗沘東原(동성왕 23년 조)
* 春 移都於泗沘 [一名所夫里] 國號南扶餘(성왕 16년 조)

따라서 다음의 기사에 보이는 '泗沘'에는 백제 왕이 거처하지 않았음을 알 수 있다.

* 春二月 重修泗沘之宮 王幸熊津城
* 夏旱 停泗沘之役 秋七月 王至自熊津

그런데 위의 기사에서 보듯이 '泗沘之宮'의 '宮'이라고 했다. 泗沘에도 여전히 宮이 소 재했음을 알 수 있다. 실제 사비성 도읍기에는 "其王所居有東西兩城(『舊唐書』 百濟 條)"라 고 하여 2곳의 王城이 등장한다. 필자는 사비도성과 익산도성은 2개의 王都로서 대등하 게 기능하였음을 구명한 바 있다. 그러한 사실을 뒷받침해주는 또 하나의 결정적인 근거가 宮南池의 소재지이다. 현재 부여읍에 소재한 假稱 '宮南池'는 백제 때 궁남지가 아닌 것으로 밝혀졌다. 『삼국사기』에 따르면 무왕은 20餘 里 바깥에서 물을 끌어 당겨 인공 못을 조성하였다. 그런데 사비도성에서는 백마강을 끌어당긴다고 할 때 4㎞ 남짓 밖에 되지 않는다. 오히려 익산 왕궁평성의 남쪽에 못을 조성한다고 한다면 '20餘 里' 引水가 가능해진다. 『삼국사기』를 보면 前後 사비도성 구역 기사 속에서 궁남지 조성 기록이 등장하고 있다. 이 사실은 익산도성이 사비도성과 더불어 일체를 이루었음을 뜻하는 반증이기도 한다. 필자가 새롭게 밝힌 내용이 된다. 이렇게 하여 익산 왕도설은 이제 不動의 位相을 확보한 것이다.[21]

익산 천도론의 핵심 물적 증거가 부여와 익산의 왕궁 유적에서만 출토된 '首府' 銘瓦이다. 여기서 '首府'는 首都의 뜻으로 해석해 왔다. 그런데 최근 '首府' 銘瓦의 '首府'는 1697년에 간행된 『貴陽通志』에서 처음 사용되었다고 했다. 그 의미는 '속국 및 식민지 최고 정부기구 소재지'이므로 首都와는 무관한 것으로 간주하였다. 반면 '首府'는 사비성에 설치된 唐나라의 軍政機構인 熊津都督府와 관련 지을 수 있는 것으로 보았다.[22] 이러한 논리에 따른다면 백제 익산 천도설의 유력한 물증의 하나인 '首府' 銘瓦는 의미를 잃게 된다.

그러나 이러한 주장은 따르기 어렵다. 첫째, 당시로부터 무려 1천년 후의 용례를 소급해서 적용할 수 있는가 이다. 둘째, 『貴陽通志』에는 '貴陽首府'라고만 적혀 있을 뿐이다. 그러므로 후대에 생겨난 "속국 및 식민지 최고 정부기구 소재지"라는 '首府'의 뜻 풀이와는 직접 관련이 없다. 20세기에야 생겨난 '植民地' 개념과 접속시켜서 '首府'의 뜻으로 삼은 것이다. 그러므로 이를 '首府' 銘瓦의 해석에 적용할 수는 없다. 셋째, '首府'는 한국측 문헌에서는 그 용례가 1469년(연산군 2)에 이미 보이고 있다. 그것도 무려 228년 전에 이미 중국보다 조선에서 먼저 사용한 것이다. 그러므로 중국의 용례를 한국 관련 자료에 일방적으로 적용하기는 어렵다. 넷째, '首府'는 당시 조선에서 가장 그 이른 용례로서는 '한 道의 首府' 즉 監營 정도의 의미로 사용되었다. 이렇듯 중국보다 일찍 확인된 한국에서의 '首府'는 중국에서의 용례와도 일치하지 않는다. 따라서 혹자 주장은 동력을 상실한 것이다.

그럼에도 '속국 및 식민지 최고 정부기구 소재지'라는 전제에서 출발한 혹자는 부소산성에서 출토된 '首府' 銘瓦를 '大唐' 銘瓦와 엮어서 唐製로 간주했다. 그러나 '首府' 銘瓦는

---

21 李道學, 「백제사 속의 익산에 대한 재조명」『마한백제문화』25, 2015, 105~106쪽.
22 박순발, 「동아시아적 관점에서 본 사비도성」『부여학』3, 2013, 32~33쪽.

'大唐' 銘瓦와는 달리 백제 유물과 共伴 출토되었다. 더욱이 익산 왕궁평성에서 출토된 '首府' 銘瓦 역시 백제 전형의 圓形 印刻瓦와 함께 출토되고 있다. 따라서 '首府' 銘瓦는 唐製가 아니라 백제 제작임을 알려준다. 결국 17세기의 그것도, 중국 지방지 기록에 근거해서 1천여 년 전의 사실을 遡及·解釋하는 것은 蠻勇에 가깝다.[23]

참고로 박순발의 이러한 주장은 노중국의 발언과 연결되고 있어 흥미롭다. 즉 노중국은 당시 세미나 사회를 보면서 "발표자들에게 숙제를 준다면서 익산에서 출토된 首府 銘기와와 5部銘 인각와가 과연 백제 때 유물인지, 아니면 백제 이후의 유물인지를 검증해달라('백제 말기 익산 천도의 제문제' 익산 역사유적지구 세계유산등재추진 국제학술회의, 2011.11.10)"고 당부한 바 있기 때문이다.[24] 이제는 왕궁평성 출토 5部銘 인각와도 백제 유물이 아니라는 논문이 나올 때가 된 듯 싶다.

5. 국가회복운동기의 왕도 주류성

백제 국가회복운동의 중심지요 국왕이 거처했던 주류성은 그 역사적 비중은 크지만 위치에 관해서는 오랫 동안 미궁에 빠져 있었다. 역사지리에 밝은 조선 후기 학자들도 주류성의 위치를 비정하지 못했다. 그러한 데는 『일본서기』 관련 기사를 참조하지 못한데도 한 요인이 있었다고 본다. 주류성의 위치에 대해서는 충청남도 서천의 乾芝山城, 충청남도 홍성의 홍주성과 연기 및 전라북도 부안의 位金岩山城 등지로 각각 비정되고 있다.

건지산성설은 津田左右吉 등이 제기한 이래 李丙燾가 지지하여 학계 통설이 된 바 있다. 그러나 발굴 결과 건지산성은 고려시대 축조로 밝혀졌다. 주류성을 홍성으로 비정하는 견해는 고산자 金正浩가 『대동지지』에서 제기하였다. 즉 주류성을 홍주읍성으로 지목했던 것이다. 최근에는 홍성읍에서 그다지 멀지 않은 학성과 그 주변의 석성산성·태봉산성을 묶어서 주류성으로 비정하고 있다. 학성은 자연 암반을 이용하기도 한 천험의 요충지인 것은 사실이다. 그러나 그 주변에는 비록 규모는 크지 않지만 척박하지 않은 농

---

23   李道學, 「益山 遷都 物證 '首府' 銘瓦에 대한 反論 檢證」『東아시아 古代學』 35, 2014, 3~26쪽.
24   李道學, 「노중국, '백제유산의 가치와 세계유산 등재 의의'에 대한 토론문」『백제문화유산 유네스코 등재 의의와 향후 과제』, 충남연구원, 2015.7.9.

지가 있고 남쪽으로는 천수답이 있다. 그러므로 이곳을 주류성으로 비정하기는 곤란하다고 한다. 물론 석성산성 밖에서 복신의 거처일 수도 있는 동굴이 확인되었다. 그렇지만 이곳은 探炭 유적에 불과하다. 게다가 산성 내에서 출토된 명문와당을 통하여 백제 沙尸良縣의 縣城으로 밝혀졌다. 따라서 석성산성은 주류성의 한 단위로 지목하기는 어렵게 되었다.

그리고 주류성을 연기로 비정한 이는 단재 신채호였다. 연기는 백제 때 豆仍只縣이었다. '두잉지'는 주류성의 다른 표기로 간주하는 두량윤성 혹은 두릉윤성과 음이 닮았으므로 연결지었다. 그 결과 이곳을 연기군 남면의 唐山城으로 비정하기도 한다. 그러나 『삼국사기』 문무왕 3년 조에 의하면 신라의 공격을 받은 성으로 두릉윤성과 주류성이 나란히 기재되어 있다. 그러므로 양자는 별개의 성이 분명하다. 연기 지역과 주류성은 관련이 없는 것이다.

마지막으로 주류성 부안설이 되겠다. 小田省吾가 주류성의 위치를 부안으로 지목한 이래 今西龍이 위금암산성(혹은 遇金岩山城)으로 비정하였다. 이후 安在鴻·盧道陽 등과 같은 이들에 의해 검토·보완되어 확고한 학설로 자리잡았다. 위금암산성은 산세가 험준한 요새이므로, 주류성의 지형 조건과 부합이 된다. 이와 관련해 주류성과 엮어진 백강을 동진강으로 비정했던 이로서는 孫晉泰를 지목할 수 있다.[25]

『일본서기』에 적혀 있는 기록을 토대로 할 때 주류성은 농토에서 멀리 떨어진 척박한 토양으로서, 산이 험준하고 계곡이 좁을 뿐 아니라 지키기는 쉽고 공격하기는 어려운 천험의 요해지로서, 避城이 소재한 전라북도 김제와는 비교적 근거리여야만 한다. 그러면 이와 관련해 기존의 연구 성과를 중심으로 주류성 위치 구명의 관건이 되는 몇 가지 점을 검토해 본다. 먼저 『삼국사기』에 수록된 백강전투 기사에서 "손인사와 유인원 및 신라왕 김법민이 육군을 거느리고 나아가 유인궤 및 別帥인 두상·부여융은 수군과 군량선을 이끌고 웅진강으로부터 백강으로 가서 육군을 만나 함께 주류성으로 가다가 왜인들을 白江口에서 만났다"라고 하였다. 이 기사를 통해 주류성은 백강 근방에 소재했음을 알 수 있다. 백강의 위치 구명이 주류성 소재 파악의 관건이 되는 것이다.

그런데 주류성을 건지산성으로 비정하는 설은 『구당서』에서 유인궤가 이끈 당군의 주류성 공격 行路에 보이는 웅진강과 백강을 별개의 강이 아니라 같은 강줄기로 간주하고

25　孫晉泰, 『朝鮮民族史槪論(上)』, 乙酉文化社, 1948, 169쪽.

있다. 웅진강과 백강을 공주와 부여 근방을 통과하는 금강 이름으로 각각 간주하면서 금강 주변에 주류성이 소재해야 된다고 보았다. 그럼에도 白江口와 熊津江口 그리고 기벌포를 동일한 곳으로 간주하고 있는데 그 자체 모순이 된다. 우선 백강의 위치 비정을 검토해 본다. 『삼국사기』에 몇 차례 등장하는 백강은 금강을 가리키는 경우가 있다. 그렇지만 백제인들이 기록을 남기지 못한 그 멸망과 회복운동기간 중의 백강 역시 금강인지는 단언하기 어렵다. 일례로 사비도성에 주둔한 唐將 유인원을 구원하기 위해 중국대륙에서 출동한 유인궤 군대의 백제 땅 진입을 막기 위해 백제 회복운동군이 '웅진강구'에 柵을 세워두고 막았다는 것이다. 웅진강구는 당의 병선이 백제 땅으로 진입하는 초입을 가리키므로 금강 초입을 가리킨다고 보아야 한다. 웅진강구는 금강 하구로 지목하는 게 순리인데, 실제 '江口'는 '강어귀'를 가리키고 있다. 그러므로 "수군 및 군량선을 이끌고 웅진강으로부터 백강으로 가서 육군과 만났다"는 앞 기사의 웅진강은 금강이 분명하다. 반면 웅진강에서 주류성을 향해 다시금 진입한 백강은 웅진강과 동일한 금강이 될 수 없다. 唐代에 제작된 『한원』에도 "熊津河의 근원은 나라 동쪽 경계에서 나오는데, 서남쪽으로 흘러 서울[國] 북쪽으로 100리를 지나며 또 서쪽으로 흘러 바다에 들어간다"고 하였듯이 '웅진하'는 금강의 통칭이다. 백제 멸망기의 기록에서 웅진강 혹은 웅진하로 일컬었던 금강을 백강으로 호칭한 예가 없었다. 두 강은 서로 다른 별개의 강으로 보는 게 순리일 것 같다. 그 밖에 『삼국사기』 신라본기에는 黃山勝戰 직후 당군이 기벌포에 이르렀다고 했다. 동일한 사건을 백제본기에는 당과 신라 군대가 백강과 탄현을 지났다는 소식을 듣고는 계백이 황산에 나갔으나 패전한 직후에 웅진구에서 당군과 싸웠다는 것이다. 이러한 두 기록에 대한 비교로써 기벌포와 웅진구는 동일한 장소이지만 백강과는 무관함을 다시금 환기시켜준다. 그러므로 백강구와 웅진강구 그리고 기벌포가 동일한 곳이라는 주장은 성립되기 어렵다.[26]

그리고 『일본서기』에 보이는 주류성에서 피성으로의 천도 기사에 따르면 "피성은 적이 있는 곳에서 하룻밤에 갈 수 있습니다"라고 하여 피성은 당군의 주둔지에 가깝다는 것을 알려주고 있다. 여기서 피성을 전라북도 김제로 비정하는데는 이론이 없다. 그렇다고 할 때 주류성에서 피성으로의 천도는 당군이 주둔하고 있는 부여 방면에 가까이 감을 뜻한다. 그러나 서천이 주류성이라면 피성은 서천보다 사비도성에서 더 멀리 떨어져 있게 된

---

26 李道學, 『새로 쓰는 백제사』, 푸른역사, 1997, 244~248쪽.

다. 그러므로 피성이 적의 주둔지에 근접한다는 기록과는 부합되지 않아 서천설은 타당성을 잃는다. 그 밖에 주류성 함락 후 신라군이 論功行賞한 장소가 지금의 서천인 舌利停이므로 주류성도 자연 그 근방으로 지목할 수 있다고 한다. 그러나 주류성이 9월에 함락된 후 임존성을 공격했으나 함락시키지 못하고 11월에 설리정에 이르렀다. 그러므로 주류성 위치의 관건이 될 수는 없다.[27]

주류성을 부안의 위금암산성으로 비정한다면 그와 근거리에 소재한 古阜를 '平倭縣' 이라고 불렀던 역사적 사실과도 부합한다. 이 지명은 문자 그대로 왜군을 평정한 전승을 기념하여 생겨났다고 볼 수 있는 바 백강전투와 관련지어 연원을 살필 수 있다. 그렇다면 주류성은 평왜현 인근 지역이어야 마땅하다. 이러한 점에서도 주류성을 위금암산성으로 비정하는 견해는 타당성이 높다. 백제의 마지막 왕성, 주류성으로 비정되는 위금암산성은 어떤 곳인가?

『영조실록』에 의하면 1727년(영조 3)에 扶安과 邊山 지역에 도적떼가 할거하면서 대낮에 장막을 치고 노략질을 하였는데, 삼동에 변산에 있는 큰 절을 습격하여 승려들을 내쫓고 점거하기도 하였다. 변산에 소재한 '큰 절'은 개암사 아니면 來蘇寺인데, 여하간 이들 도적떼의 영채는 개암사 뒷산에 자리잡은 위금암산성이 분명하다. 호남 지역에 流民으로 된 도적떼의 영채는 월출산과 변산에 각각 소재하였다. 그런데 원체 세력이 드세어 관군이 접근하기 어려운 상황이었다고 하는데, 위금암산성이 그러한 영채로 이용된 것으로 짐작된다.

6. 통일신라의 京, 南原

통일신라는 백제와 고구려 영역을 아울렀기에 국토에 대한 재편이 필요했다. 大京인 慶州의 지리적편제성을 만회하기 위해 小京을 설치한 것이다. 이렇게 하여 5小京이 탄생했다. 5小京은 중원경(충주)·서원경(청주)·북원경(원주)·금관경(김해), 그리고 남원경(남원)인 것이다. 남원경은 백제 故地에 설치된 유일한 소경이었다. 그러면 신라가 전라북도에 소경을 설치한 목적은 무엇일까? 이곳은 신라가 6세기대에 백제 지역으로 진출

---

27 李道學, 「백제의 마지막 왕성, 주류성은 어디」『한국고대사, 그 의문과 진실』, 김영사, 2001, 206~212쪽.

하는 데 필요한 요충지였다. 이곳에서 벌어진 阿莫城 전투는 아주 유명하지 않은가? 신라가 함양을 경유하여 남원 방면으로 진출하려고 한 요인은 여러 측면에서 찾고는 한다. 그러나 본질적인 요인은 군산대학교 곽장근 교수가 여러 해에 걸친 조사와 발굴을 통해 밝혔지만 팔량치에서 전라북도 운봉과 長水로 이어지는 지리산 주변의 막대한 鐵鑛의 확보에 있었다고 보아야 한다. 고대국가의 잠재적 국력의 척도가 철광 산업임은 주지의 사실이다. 내륙 육상교통로는 말할 것도 없고 내륙수로인 섬진강과도 연결되는 이러한 지리적 이점은 경제적으로 유효한 자산이었다. 백제 한성 도읍기에 장악한 谷那 鐵山이 전라남도 谷城이었다.[28] 섬진강 수계와 연결된 지리적 이점이 한몫 한 것이었다. 남원을 중심한 지리산 일대는 철광의 장악과 안정적 공급 체계 확보라는 兩大 조건을 모두 구비하였다. 이러한 남원의 경제·군사적 비중을 헤아린 신라가 소경을 설치한 것은 결코 우연이 아니었다. 그러면 남원에 대해 구체적으로 살펴 본다.

지리산 기슭에 소재한 南原은 비옥한 곳일 뿐 아니라 지정학적으로도 중요하게 인식되었다. 『택리지』 生利篇에 보면 "우리나라에서 가장 비옥한 땅은 오직 전라도의 남원과 구례, 경상도의 성주와 진주 등이다. 벼 한 말을 심어서 가장 많이 나는 곳은…전라도는 左道 지리산 곁에 자리잡고 있는 지방은 모두 기름지다"라고 했다. 李奎報의 頌에 보면 "帶方은 오래된 郡이니 南方의 오른 팔이네"[29]라고 했을 정도로 경제적으로 지리적으로 중요한 都會였음을 뜻한다. 그랬기에 백제가 이곳을 지배한 후에는 전국을 5개로 구획한 5방성 가운데 南方城으로 지목될 수 있었다. 남원 이백면의 尺門里山城을 남방성으로 비정하는 견해도 있다.[30] 더구나 척문리산성은 둘레가 567m에 불과하여 『翰苑』에 기재된 남방성의 규모와는 별반 차이가 없다. 요컨대 백제 이래로 남원 지역은 남방성이 소재했을 정도로 비중이 큰 지역이었다. 남원 운봉의 아막성 전투의 치열한 양상은 『삼국사기』 추항전에 약여하게 그려져 있다. 소백산맥 동서를 연결하는 통로였던 남원을 에워싸고 백제와 신라간에 치열한 전투가 오랜 기간에 펼쳐졌음을 알 수 있다. 의자왕 즉위 초 백제는 지금의 88고속도로 주변을 포함한 서부 경남 지역의 40여 개 성을 점령하였다. 백제는 신라의 대야주가 설치된 합천 일원을 점령하는 등 신라를 몰아붙였다. 이

28   李道學, 「谷那鐵山과 百濟」 『東아시아 古代學』 25, 2011. 65~102쪽.

29   『東國李相國集』 권19, 雜著.

30   全榮來, 「百濟地方制度와 城郭」 『百濟研究』 19, 忠南大學校 百濟研究所, 1988, 33쪽.

무렵 남원 지역은 백제의 신라 지역 진출 통로로서 중요한 기능을 수행하였다고 보겠다.

신라가 삼국을 통일한 시기인 685년(신문왕 5)에는 南原小京을 설치하고 여러 주와 군의 백성들을 옮겨 그곳에 나누어 살게 하였다. 그리고 691년(신문왕 11)에는 南原城을 쌓았다. 남원성의 위치는 명확하지 않다. 그런데 남원성 축조는 소경성의 축조를 가리킨다고 보여진다. 현재 남아 있는 조선시대 남원읍성의 옛 터가 남원성이 아니었을까 추측된다. 남원소경성의 구조는 알 수 없다. 『신증동국여지승람』에 의하면 "唐 유인궤가 刺史 兼都督으로 읍내 마을에 井田法을 써서 9개 구역으로 구획하였는데 지금도 그 터가 남아 있다(고적 조)"라고 하여 남원에는 井田의 遺址가 남아 있다고 했는데, 평양이나 경주와 마찬 가지로 條坊制의 흔적으로 보여진다. 실제 1917년도 地籍圖에 따르면 현재의 남원 시가지를 중심으로 한 주위의 평야에는 동서남북으로 大小의 도로망과 水路의 흔적이 확인되었다. 남원소경성은 바둑판 모양으로 반듯반듯하게 시가지가 구획된 都會로서 계획도시의 면모를 보여주었던 것 같다.

지금까지의 연구 결과에 의하면 남원소경성은 왕도의 시가지 방어체제를 모델로하여 축조된 것이라고 한다. 특히 남원소경의 시가지 계획은 경주 왕경 및 隋·唐의 도성제와 관계가 있다는 것이다. 즉 시가지 계획이 실시되어 있으면서 포곡식 산성이 부수되어 있는 도시 구조였다. 시가지는 동서남북으로 정연한 坊里制를 채택하였다. 1坊의 크기가 160m×160m이다. 坊里數는 90방으로 밝혀졌다. 또한 시가지의 중앙에는 80m 幅의 남북대로가 있으며, 이 남북대로를 중심으로 하여 시가지는 좌우대칭을 이룬다. 남북대로의 폭 80m는 신라 왕도의 그것이 120m, 일본 平城京이 85m, 발해의 東京城이 87m였던 것과 비교할 때 결코 작은 수치는 아니라고 하겠다. 전체 시가지의 크기는 1,680m×1,600m로서 경주의 약 4분의 1에 달하고 羅城의 축조는 이루어지지 않았다. 다만 방의 평면형이 정방형으로서 왕도의 그것과는 차이가 있다. 이는 시가지 계획이 국가적인 규제하에 이루어졌음을 볼 때 의도한 바가 있었다고 하겠다. 그리고 관아는 北邊 중앙에 위치하였다.[31] 이러한 남원소경성의 도시계획은 소경의 설치와 남원성의 축조 어간에 완성된 것으로 보여진다.

소경이 설치된 남원은 문화의 거점으로서의 편린이 확인되고 있다. 755년에 쓰여진 『화엄경사경발문』에 보면 寫經 작업의 발원자와 작업 과정·참여 인물 등이 기록되어 있

---

31   朴泰祐, 「統一新羅時代의 地方都市에 對한 研究」 『百濟研究』 18, 1987.

다. 이두로 쓰여진 문장에는 이 사경의 발원자가 지리산 구례 화엄사의 개창자로 알려진 緣起法師로 나타나고 있다. 經文을 쓴 筆師로는 武珍伊州(武珍州)와 南原京 그리고 高沙夫里郡 출신들이다. 무니이주는 지금의 광주 광역시를, 남원경은 남원을, 고사부리군은 전라북도 정읍시 고부면이다. 화엄사가 소재한 지리산 기슭의 남원경에서는 文莫 沙彌라는 승려와 卽曉 大舍가 필사로서 관여했던 것이다.[32] 755년의 시점에서 남원은 소경이 아니라 남원경으로 불리어졌음이 확인되었다. 남원경 사람들은 '서울'로서의 격과 자부심을 충분히 지녔던 것으로 짐작이 간다.[33]

남원은 통일신라 하대의 왕위계승 전쟁 속에서 격전이 벌어진 장소이기도 했다. 오늘날도 남원은 교통의 중심지이다. 전라선이 남원을 통과하고 또 무주로 통하는 도로가 연결되어 있으며 팔랑치를 넘어 경상도로 연결되는 도로가 있다. 남원은 구례·하동으로 연결되는 도로, 정읍으로 연결되는 도로, 전주로 연결되는 도로 등과 연결되는 교통의 요충지였다.

남원은 역사시대 이래 가야와 백제 그리고 신라와 고구려 문화가 스며 있는 국제적인 문화 공간이기도 하다. 남원 지역에는 보덕국 건립과 그 해체를 전후해서 고구려 유민들이 대거 이주해 왔었다. 고구려 문화가 남원에 移入된 것이다. 남원 지역의 고구려 문화적인 요소는 돌출적인 것은 아니었다. 고구려 말기에 이미 지금의 전라북도 전주를 중심으로 한 그 주변에 고구려 문화가 스며들었기 때문이다. 왕산악이 만들었다는 고구려 상류층의 음악이 남원에서 유행했다는 것은 고구려 지배층의 이민이 있었기에 가능했을 것이다. 남원은 고려 말 이성계의 황산 전투에서 알 수 있듯이 왜구의 侵入路로 이용되었다. 이는 지리산 기슭의 오지로 간주하기 쉬운 남원 지역이 섬진강을 이용해서 일찍부터 왜와의 교섭이 있었음을 시사해 주고 있다. 남원 문화의 정체성은 삼국의 문화가 고르게 스며 있는 국제화된 문화였다. 또 그것을 잘 소화해 내는 문화의 기본 역량을 생각하면서 다른 지역과 차별화된 남원 지역 고유 문화의 양상을 복원하는 작업이 남아 있다.

32 노명호 외,『韓國古代中世古文書硏究(上)』, 서울대학교 출판부, 2000, 468쪽. 472쪽.

33 李道學,「古代史 속의 南原」『남원문화유산의 탐구』, 전북전통문화연구소·남원사회봉사단체협의회·원광대학교 평생교육원, 2002, 220~242쪽.

7. 후백제 왕도 全州

후백제를 세운 甄萱의 이름은 현재 '견훤'으로 읽혀지고 있다. 손에 잡히는 옥편을 찾아 보면 '질그릇 甄'에는 '견' 혹은 '진'으로 발음이 나와 있다. 『전운옥편』을 비롯한 앞선 시기의 옥편에는 한결같이 '진' 음이 '견' 음보다 앞에 표기되어 있다. 어쨌든 2개의 발음 가운데 하나가 후백제 시조왕의 音價가 될 것이다. 甄萱은 '견훤'이나 '진훤'으로 모두 읽을 수 있는 것처럼 비친다. 그렇지만 '진훤'으로 읽는 게 타당하다. 『자치통감』의 호삼성 註에서 魏 明帝의 생모인 '甄夫人'에 대해 "甄, 之人의 번자[翻](黃初 7년 조)"라고 주석했다. 즉 甄은 '진'으로 읽는다는 것이다. 조선 후기의 대표적 역사학자인 홍여하(1621~1678)와 순암 안정복(1712~1791)은 자신이 저술한 『동사제강』과 『동사강목』에서 '甄'에 대한 음을 모두 '眞'으로 적었다. 조선왕조에서 편찬한 일종의 백과사전인 『증보문헌비고』에서도 이와 동일한 기록을 남겼다. 『完山甄氏世譜』 서문에도 "우리 姓 글자인 '甄'의 음은 본래 '진'에서 시작했었다"라고 하였다. 다음과 같은 서술이다.

> 우리 姓 글자인 '甄'의 音은 본래 '진'에서 시작되었다. 그러나 후백제의 진훤왕이 나라를 잃은 이후, 고려 왕조에서 우리 진씨가 再起復興할 것을 두려워하고 염려하여 힘으로 항시 侮蔑의 害를 가하고자 했다. 그런 까닭에 우리 선조들은 다시는 세력을 규합하지 못하고 끝내는 나라를 일으켜 재건하지 못하였다. 이로부터 우리 가문은 점점 이름을 내는 것 없이 세상을 피하여 숨어서 삶을 도모했기에 '진' 음을 '견' 음으로 바꾸어 읽었다. 그 '甄' 음은 시종 한 글자였으나 변화되었으니 모두 견씨 가문의 성쇠의 運에 기인한 것이었다. 무릇 우리 후손들은 이에 의심 없이 깨달아야 한다.

즉 견씨 가문의 성씨는 본래 '진'으로 읽었다고 한다. 그런데 탄압을 피해 '견'으로 읽게 되었다는 내력이 적혀 있다. 그러므로 견훤이 아니라 진훤으로 읽는 게 백번 타당함을 알 수 있게 된다. 『전운옥편』에서도 '甄'을 성으로 사용할 때는 '진·眞'으로 읽었다. 玄采가 지은 구한 말(광무 11년: 1907년)의 국사 교과서인 『幼年必讀』에도 그 음을 '진헌'으로 표기하였다. 김동인의 소설인 「帝星臺」에서도 '진헌'으로 이름했다. 안동 병산 전투의 현장에서 진훤과 관련된 모래 이름을 '진모래'라고 하였다. 그리고 논산 연무의 주민들은 자기 고장에 소재한 진훤의 묘소를 가리켜 '진헌이 무덤'이라고 불렀다. 그 밖에 역사학자인 李丙燾와 金庠基 그리고 文暻鉉의 저작을 비롯하여 민족문화추진회 국역본에 이르기까지 모두 '진훤'으로 표기했다. 이와 관련한 이병도의 견해를 다음과 같이 인용해 본다.

甄萱을 흔히 '견훤'이라고 하나 '진훤'으로 발음함이 옳을 것 같다. 甄의 本音은 '견'이나, 중국 삼국시에 남방에서는 孫堅의 諱를 避하여 甄을 '진'으로 읽기 시작하여 堅과 同音인 甄도 진으로 읽게 되었다 한다(辭源 甄字條 참조). 신라에서도 이 음의 영향을 받았던 것 같으니, 삼국유사 권2(後百濟條)에 甄萱의 母가 일찍이 어느 紫衣 입은 남자에게 매양 동침을 당하게 되어 하루는 바늘에 긴 실을 꿰어 그 남자 옷에 찔러두고 그 이튿날 살펴보았더니 북벽 밑에 한 큰 蚯蚓(지렁이)의 허리에 그 바늘이 꽂혀 있었다. 이내 태기가 있어 사내 아이를 낳았는데 나이 십 오세가 되어 甄萱이라 자칭하였다는 古記의 설화를 인용한 것이 있다. 이는 甄을 진으로 발음 한 데서 생긴 설화인만큼 우리에게 참고가 된다(이병도,『국역 삼국사기』, 을유문화사, 1976, 197쪽).

그럼에도 언제부터인지 교과서를 위시하여 모두 '견훤'으로 표기하고 있다. 그렇지만 이는 터무니 없는 잘못이다.[34]

신라 군관이었던 진훤의 복무지는 통일신라의 국제항이었던 순천만이었다. 순천만의 해룡산성에서 근무하던 진훤은 동일한 지형구에 소재한 광양만 마로산성의 박영규 가문과도 제휴하였다. 이때 진훤이 구축한 정치·경제적 기반을 근거로 국가 창건이 가능했던 것이다. 이러한 사실은 필자가 최초로 구명한 바 있다.

진훤은 무진주를 점령한 후 '新羅 西面都統指揮兵馬制置 持節 都督全武公等州軍事 行全州刺史 兼 御史中丞 上柱國 漢南郡開國公 食邑二千戶'라고 自署하였다. 여기서 제일 끝에 적혀 있는 '漢南郡開國公'은 한수 이남의 백제 고지 전체를 망라하는 관념적 지명이었다. 즉 한강 남쪽 백제 영역을 모두 제패하려는 진훤의 의도가 깔려 있었다. 그러한 진훤이 擧兵한 후 최초의 근거지인 光州는 都邑으로 지목할 수 있다. 비록 진훤이 공공연히 稱王하지는 못했다고 한다. 그렇더라도 稱王이 사실이라면 그에 걸맞는 國號의 제정을 분리할 수 없다. 게다가『삼국유사』에서는 진훤의 근거였던 光州를 "始都光州"라고 하였다. 그리고 全州 入城 前 진훤의 행차를 '巡'이라고 했다. 弓裔의 사례에 비추어 볼 때 892년 당시 光州는 후백제의 첫 수도였다. 그러므로 900년 후백제의 全州 立都는 遷

---

34 李道學,『후백제 진훤대왕』, 주류성, 2015, 25~28쪽.

都인 것이다.[35]

진훤이 光州에서 전주로 천도하게 된 배경은 영산강유역 주민들의 백제로의 귀속 의식이 취약한데서 찾을 수 있었다. 이곳은 5세기 후반에서야 백제의 직할지로 편제되었다. 그로 인한 변방 의식으로 인해 백제에 대한 귀속 의식은 덜했다. 그러한 관계로 백제의 재건에 대한 응집력이 상대적으로 약하였다. 결국 진훤은 백제를 재건한 자신을 열렬히 환대하는 전주로의 천도를 결행하게 되었다. 전주 지역은 369년에 백제가 복속시켜 기본영역이 되었던 곳이었다. 이러한 요인으로 인한 전주 천도의 배경 역시 필자가 처음으로 밝힌 것이다. 다음은 『삼국사기』 진훤전에 보이는 진훤이 전주에 입성했을 때의 기록이다. 그리고 해석은 일단 일반적인 해석을 붙여 놓았다.

> 내가 삼국의 시초를 살펴보니, 마한이 먼저 일어나고 후에 혁세가 발흥하였으므로 진한과 변한이 따라서 일어났다. 이에 백제가 금마산에서 개국하여 600여 년이 되었다…(吾原三國之始 馬韓先起 後赫世勃興 故辰卞從之而興 於是 百濟開國金馬山六白餘年).

위에서 "吾原三國之始 馬韓先起 後赫世勃興 故辰卞從之而興"라고 한 구절의 '赫世'를 朴赫居世를 가리키는 '赫居世'의 略記 정도로 간주해 왔다. 그랬기에 "마한이 먼저 일어나고 그 후에 혁거세가 일어났다. 그런 까닭으로 진한과 변한이 뒤따라 일어났던 것이다"[36]라는 식의 해석이 이어져 왔다. 그러나 '赫世'는 '累代' 즉 '代代로'를 가리킨다.[37] 가령 대대로 顯貴한 高官을 가리키는 '赫世公卿'이라는 용어가 말해주고 있다.[38] 게다가 문리상 "마한이 먼저 일어나고"에 이어서는 신라를 가리키는 진한과 함께 변한이 마한(백제)을 좇아서 흥기했다는 내용이 되어야만 한다. 이렇듯 新羅(辰韓)에 대한 분명한 언급이 있다. 그럼에도 불구하고 그에 앞서 미리 혁거세가 발흥한 까닭에 진한과 변한이 따라서 흥기했다는 서술과 해석은 어색한 것이다. 여기서 "後赫世勃興"라는 구절의 '後'는 衍字이므로 삭제하는 게 낫다. 그렇게 한다면 "마한이 먼저 일어나 累代로 勃興한 까닭에, 진한과 변한이 (마한을) 좇아 흥기했다"는 해석이 된다. 그러면 문장이 자연스러워진다.

---

35 李道學, 『후삼국시대 전쟁연구』, 주류성, 2015, 39~52쪽.

36 이재호 譯, 『삼국사기』, 솔, 1997, 506쪽.

37 신기철·신용철, 『새 우리말 큰사전(하)』, 三省出版社, 1980, 3706쪽.

38 이숭녕 監修, 『현대국어대사전』, 한서출판사, 1974, 925쪽.

실제 『신증동국여지승람』益山郡 古跡 金馬山 項에 따르면 "昔馬韓先起 赫世勃興 辰卞從之而興"라고 하였다. 분명히 여기서는 "赫世勃興" 앞의 '後' 字를 삭제했다. 게다가 다음과 같이 해석하였다. 즉 "옛날에 마한이 먼저 일어나 대대로 勃興하였고, 진한과 변한이 뒤이어 일어났다"[39]라고 했다. 이와 관련해 漢文에 능한 爲堂 鄭寅普도 "말한 以後 赫世勃興하던 王朝의 末葉의 委遇를 바든 것은 갑핫으니 … [前回 二段 '赫居世'라 한 것은 모다 '赫世'의 誤]"[40]라고 하였듯이 당초에는 '赫居世'로 해석했다가 '赫世'로 訂正하였다. 그럼에도 불구하고 이 글을 게재한 鄭寅普의 『朝鮮史研究(上)』, 서울신문사(1946) 뿐 아니라 文成哉 譯註本(2012)에서도 訂正되지 않은채 여전히 '赫居世'로 적혀 있다.

전주 천도와 맞물려 진훤은 백제의 금마산 개국설을 주장하였다. 물론 이는 사실은 아니었다. 그러나 어떤 배경이 있었을 것으로 보인다. 물론 진훤 자신이 잘못 알고 있었을 가능성도 배제할 수야 없다. 가령 고려 말 李穀(1298~1351)의 七言古詩 「扶餘懷古」에 보면 "온조왕이 東明家에서 태어나 부소산 밑으로 옮겨와 나라를 세웠다"[41]라고 했다. 이곡은 백제의 건국지를 扶蘇山下로 잘못 알고 있었기 때문이다.

그러나 진훤이 自署한 관작에 보이는 '漢南郡'이 漢水 이남을 가리킨다고 할 때 백제의 영역을 정확히 간파했다고 본다. 특히 '漢南郡'은 고구려 영역으로 인식한 한강 이북 서울 북부 지역을 가리키는 漢陽郡에 대응하는 지역이다. 그렇다면 한남군은 한강 이남의 서울 남부 지역을 가리킬 수 있다. 진훤은 백제의 개국지를 南漢山 일대로 정확히 인지하였을 가능성이다. 그럼에도 불구하고 그가 금마산 개국설을 선언한 데는 복잡한 사정이 놓여 있었을 것으로 보인다. 가령 900년을 전후하여 百濟故地에서는 백제 재건을 선언한 여러 세력이 할거했을 가능성이다. 한강유역을 비롯하여 廣州 지역 호족 王規나 竹州의 箕萱, 公州將軍 弘奇처럼 백제 古都에서 일어난 세력도 존재하였다. 백제 개국지나 古都의 선점은 정통성의 後光을 입을 수 있는 요체이기도 했다. 이때 진훤의 현실적 기반은 한강유역과는 거리가 멀었다. 더구나 公州 지역에도 홍기라는 호족이 웅거하고 있었다. 이러한 상황에서 진훤은 사비성 도읍기 백제의 兩都 가운데 하나인 금마저를[42] 주목했던 것 같다. 진훤은 그것을 연줄로 하여 백제의 개국지를 익산으로 남하시켰다. 그

---

39   민족문화추진회, 『국역 신증동국여지승람 IV』 1978, 424쪽.

40   鄭寅普, 「五千年間 朝鮮의 '얼' (95)」『東亞日報』 1935. 7. 9.

41   『稼亭集』권14, 「扶餘懷古」; 『東文選』권6, 七言古詩, 「扶餘懷古」 "溫王生自東明家 扶蘇山下徙立國"

42   李道學, 「百濟 武王代 益山 遷都說의 再解釋」『馬韓・百濟文化』16, 2004, 96~97쪽.

럼으로써 자신이 그 本流임을 선언하고자 한 것이다.

　백제 왕권의 상징이요, 미륵신앙의 本處가 익산 미륵사였다. 진훤이 익산을 중시한 데는 미륵사가 지닌 지대한 비중 때문으로 보인다. 이와 관련해 다음과 같은「惠居國師碑文」을 주목하지 않을 수 없다.

　　3년이 지나 金山寺 義靜律師의 戒壇에 나아가 具足戒를 받았다. … 龍德 2년(922) 여름 특별히 彌勒
　寺 開塔의 은혜를 입어 이에 禪雲山의 選佛場에 나아가 壇에 올라 說法하였다.[43]

　위에서 진훤의 미륵사 開塔이 언급되었다. 開塔의 의미에 대해 "塔을 복구하고" 혹은 "전에 무너졌던 미륵사탑의 복구" 등으로 해석하고 있다. 그러나 이는 통일신라에 영향을 끼친 唐의 사례를 놓고 볼 때 그 배경을 살필 수 있게 된다. 중국 陝西省 寶鷄市의 法門寺에서 30년마다의 開塔을 통한 迎佛骨 의식을 통해 豐年과 太平聖代를 기원하였다. 이는 佛法의 힘을 빌어 주민들에 대한 통치를 이루고자 하는 목적이었다.

　3院 1伽藍인 미륵사에는 3處에 탑파가 소재하였다. 이 중 중심에 소재한 목탑이 가장 규모가 컸을 뿐 아니라 위상도 높았을 것으로 보인다.[44] 실제 미륵사 3탑 가운데 中塔이 제일 먼저 조성되기까지 했다. 그렇다고 할 때 진훤은 미륵사의 3塔 가운데 中塔을 열었을 가능성이 제일 높다.[45]

43　"越三年 就金山寺義靜律師戒壇受具於是 龍德二年夏 特被彌勒寺開塔之恩 仍赴禪雲山選佛之場"
　　李能和 主幹,『朝鮮佛敎叢報』, 三十本山聯合事務所, 1917, 23~26쪽; 許興植,「惠居國師의 生涯와 行績」
　　『韓國史硏究』52, 1986;「葛陽寺 惠居國師碑」『高麗佛敎史硏究』, 一潮閣, 1986, 582쪽; 한국역사연구회,
　　「葛陽寺惠居國師碑」『譯註 羅末麗初金石文(上)』, 혜안, 1996, 342~343쪽; 한국역사연구회,『譯註 羅末麗
　　初金石文(下)』, 혜안, 1996, 459~460쪽).

44　하층 기단면이 중탑은 한변 18.56m의 정방형, 석탑인 서탑과 동탑은 한변 12.6m로 밝혀졌다(김선기,「익
　　산지역 백제 寺址硏究」,동아대학교 박사학위논문, 2009, 42쪽; 金善基,『益山 金馬渚의 百濟文化』, 서경문
　　화사, 2012, 78쪽).

45　그런데 "가을 9월에 금마군 彌勒寺에 벼락이 쳤다"라는 기사(『삼국사기』성덕왕 18년 조; 719)에 근거하
　　여 彌勒寺 塔이 파괴되었을 것으로 추측할 수 있다. 이와 관련해 신라 황룡사 구층목탑은 諸 記錄을 통해
　　볼 때 다음과 같이 벼락을 맞았다. 1차 698년(효소왕 7), 2차 718년(성덕왕 17), 3차 868년(경문왕 8), 4차
　　1036년(靖宗 2), 5차 1095년(獻宗 1). 심지어 황룡사 구층목탑은 949년(광종 즉위년)과 1095년(獻宗 1)에
　　는 불타기까지 했다. 그렇지만 다음에서 보듯이 황룡사 구층목탑은 645년(선덕여왕 14)에 建立된 이래
　　꾸준히 수리되었다.
　　720년(성덕왕 19) : 重成 / 868년(경문왕 8) : 重修 / 871년(경문왕 11) : 改造 / 1012년(현종 3) : 修 / 1095

진훤은 미륵사에서 개탑 의식을 성대하게 하였다. 직접 미륵사에서 佛骨을 맞이하는 동시에 공양도 하였을 것이다. 이렇듯 진훤이 미륵사탑을 열었던 '開塔'은 후백제의 연호인 正開와도 관련 있어 보인다. 나아가 백제의 금마산 '開國'과 엮어진 全州 천도를 軸으로 한 일련의 작업이었다. 우선 이때의 佛骨 迎禮는 화평한 미륵의 세상 구현을 선언하는 의식이었다고 본다. 즉 미륵사탑 안에서 때를 기다리던 미륵불이 세상에 출현함으로써 戰亂을 종식시키고 태평한 세상을 만들겠다는 의지의 표출로써 兵亂에 지친 민심을 안무하기 위한 차원이었다.

이러한 진훤의 의지를 미륵사 개탑이 이루어진 922년이라는 시점과 관련 지어 살펴볼 필요가 있다. 918년에 상전인 궁예를 축출하고 집권한 왕건은 진훤에게 分割鼎立案을 제시하였다. 진훤은 고려 건국과 왕건 정권을 인정해 주는 한편, 왕건이 제시한 과거의 삼국을 복원하는 分割鼎立案을 수용했다. 이러한 結好에 따라 후백제와 고려 간에는 和平·共存이 7·8년 간 지속되었다. 그러한 태평한 시점에서 진훤은 미륵사 개탑 의식을 성대하게 집전한 것이다. 진훤은 백제 이래의 권위 있는 大彌勒道場인 彌勒寺의 開塔을 통해 천하의 평정과 樂土의 具顯이라는 이상을 펼치고자 했다. 즉 백제의 재건에 성공한 진훤은 자신이 이룩해 놓은 성과를 天命佛法과 연계시킬 수 있는 好期로 여겼을 수 있다. 진훤은 開塔을 통해 정권의 공고함이나 항구적 안정 뿐 아니라 三韓統合의 당위성을 확산시키려고 했을 법하다. 그리고 唐의 사례에 비추어 볼 때 진훤은 '開塔' 기념으로 대사면을 단행했다고 본다. 결국 진훤은 민심을 규합하여 安定的 권력 체계를 구축하는

년(헌종 1) : 修 / 1096년(숙종 1) : 重成 / 1106년(예종 1) : 修 / 1238년(고종 25) : 燒失
이러한 사례에 비추어 볼 때 미륵사탑도 벼락을 맞았다고 하더라도 重修되었을 것이다. 그랬기에 미륵사가 조선 전기까지 寺勢를 유지했던 것으로 보인다.
한편 사리 장치를 쉽게 열어볼 수 없으므로 開塔은 대대적인 改修 때나 가능하다고 추측할 수 있다. 그러나 동일한 황룡사 구층목탑의 경우 「황룡사찰주본기」에 따르면 "11월 6일에 여러 신하들을 거느리고 가서 기둥을 들게 해서 이것을 보았더니 柱礎의 구멍 안에 金銀으로 된 高座가 있었고, 그 위에 사리가 든 유리병이 안치되어 있었다. …25일에 원래 두었던대로 해 놓고 또 사리 100매와 법사리 2種을 보태어 안치하였다"고 한데서 알 수 있듯이 開塔이 결코 어려운 일이 아님을 알 수 있다. 여기서 '기둥[柱]'은 心柱를 가리킨다. 심주를 들어 올려 사리를 확인한 것이다. 이러한 경우는 塔의 구조체에 무리를 주지 않고 심주를 들어 올리는 것이 가능한 방식으로 심주가 세워졌음을 뜻한다. 즉 心柱가 목조 구조체를 지지하지 않는 한편 그 형식상 여러 개의 短柱가 연결된 형태로 추정하고 있다(權鍾湳, 『皇龍寺九層塔』, 미술문화, 2006, 194쪽). 그렇다면 황룡사 구층목탑 조성에 직접 영향을 끼친 백제 미륵사 목탑의 경우도 이와 같은 心柱 형식을 상정하는 게 가능해진다. 아울러 미륵사 목탑의 開塔은 改修와 무관한 迎佛骨 儀式임을 알 수 있다.

데 일정한 성과를 올렸을 것이다.[46]

8. 맺음말

우리나라 역사상 전라북도는 의미심장한 유산을 물려받았다. 이 중 익산은 우리나라 최초의 국가인 고조선의 마지막 왕인 準王의 남래지로 알려져 있다. 그 사실 여부를 떠나 익산은 우리나라 청동기 문명의 중심지였음은 분명하다. 그러한 문명 기반 속에서 익산은 마한 目支國의 거점이기도 했다. 목지국 辰王은 변한 지역 소국 首長 號를 兼呼할 정도로 영향력을 낙동강과 남강유역까지 미쳤다. 진왕을 일컬어 三韓의 總王이라고 한 평가는 결코 우연이 아니다.

마한의 맹주가 소재한 전라북도의 많은 지역이 4세기 후반 근초고왕대 백제의 역사 속에 편제되었다. 즉 금강 이남 노령산맥 이북이 백제 영역으로 새로 들어왔다. 그럼으로써 전라북도 지역은 백제의 기본 영역 속에 자리잡게 되었다. 백제가 남하하여 웅진성에서 사비성으로 천도한 이후 전라북도 정읍의 古阜 지역에는 中方城이 설치되었다. 백제 국토의 중심에 전라북도가 소재했다는 인식의 반영이었다. 고구려와의 전쟁에서 連勝하던 백제 근초고왕이 한강 남쪽에서 査閱할 때 黃色旗幟를 사용하였다. 이는 中原意識의 태동을 가리킨다. 이와 마찬 가지로 백제가 고부 즉 古沙夫里城에 중방성을 설치한 것은 전라북도 지역 중심으로 政治地形을 새롭게 재편하겠다는 의지의 발로였다.

그러한 선상에서 益山은 7세기대에 접어들어 백제의 王都로서 위상을 확보했다. 중국의 唐과 마찬 가지로 2개의 都城體制 속에서 사비성이 西城이라면 익산 왕궁평성은 東城이었다. 백제 최대의 가람인 彌勒寺는 미래로 가는 樂土 개념 속에서 창건되었다. 백제 新都를 가리키는 '枳慕蜜地'에는 그러한 바람이 담겨 있었다.

백제가 무너진 후 즉각 국가회복운동이 들불처럼 번졌다. 그리고 백제인들은 국가를 곧 재건했다. 재건된 백제의 왕성이 周留城이었다. 주류성의 위치는 부안의 위금암산성으로 밝혀졌다.

통일신라는 大京인 慶州 외에 5京 즉 5小京을 설치했다. 5京 가운데 백제 故地에 설치

---

46 李道學, 「後百濟의 全州 遷都와 彌勒寺 開塔」『한국사연구』165, 2014, 14~26쪽.

된 유일한 小京이 南原京이었다. 남원에는 백제와 가야 문화 외에 신라와 고구려 문화까지 녹아 있었다. 남원은 교통의 要地였을 뿐 아니라 고대국가의 잠재적 국력의 척도가 되는 막대한 鐵鑛山地를 끼고 있었다. 운봉고원을 비롯한 지리산 주변의 冶鐵地의 존재가 그것을 입증해준다. 이러한 여러 가지 요인이 복합적으로 작용하여 남원에 小京이 설치된 것이다. 南原京의 基盤은 후백제가 全州로 천도한 요인 가운데 하나였다.

국가의 성장 발전에 막대한 수요가 예상되는 거대한 철광 산지를 끼고 있다는 것은 강력한 힘의 밑천이 될 수 있었다. 지금도 남아 있는 남원 실상사 鐵佛의 존재와 편운화상 부도의 후백제 '正開' 연호는 후백제의 경제적 사상적 배경을 암시해 준다.

『삼국유사』의 표현을 빌린다면 전라북도는 前百濟의 왕도가 소재했었다. 또 재건된 백제 왕성의 소재지이기도 했다. 그리고 거의 통일을 이룰 뻔했던 後百濟의 왕도가 자리잡았다. 그리고 전라북도는 통일신라 때도 '京'이 소재하였다. 우리나라 역사상 2곳의 王都와 1개의 王城과 京이 각각 소재했던 道가 있던가? 예나 지금이나 역사와 행정의 중심지는 최고통수권자가 거처하는 공간이었다. 백제 역사상 전라북도에는 그러한 都會가 무려 4곳이나 소재하였다. 백제사 속에서 전라북도는 백제의 변방이 아니었다. 오히려 백제의 중심이라는 사실이 밝혀졌다. 이제는 전라북도가 백제 문화권 중심지로서의 위상을 확보하는 일이 남았다. 소중한 역사적 자산의 활용에 叡智와 衆智를 모아야할 때가 되었다.

마지막으로 본 세미나의 주제인 전라북도에서의 백제사 연구의 문제점을 짚어 본다. 전라북도하면 백제사의 중심지에서 멀리 떨어져 있다는 공간적 격절감에서 비롯된 변방 심리가 작동하고 있다. 그러나 이러한 인식이 잘못되었음을 입증해 주었다. 일례만 든다면 정읍시 高阜에 설치된 中方城의 존재는 전라북도가 백제사의 중심지임을 反證하기 때문이다.

益山 王都論은 오랫 동안 부정되어 왔다. 그러한 부정론의 基底에는 백제는 허약하고 왕권 역시 미약하다는 심리가 깔려 있었다. 그러나 益山에는 충청남도 扶餘를 제외하고는 王都였던 公州나 백제 어느 지역에서도 찾아 볼 수 없는 국가 최대의 미륵사와 왕실 사찰 帝釋寺가 소재하였다. 이로 볼 때 익산은 범상하지 않은 지역임을 간파했어야 마땅하다. 더욱이 미래불과 연관된 거대한 彌勒寺와 園林까지 갖춘 宮城의 존재는 사비도성 다음 시대의 都城임을 감지하게 한다. 그럼에도 어떻게 離宮이니 別宮이니 行宮이니 하

는 개념 이해도 제대로 되지 못한 용어들이 구사되었는지? 의아하기 이를 데 없다. 그 본질은 백제에 대한 편견에서 惹起된 위장된 신중론에 다름 아니라고 본다.

후백제 진훤 왕이 光州에서 全州로 천도하게 된 직접적인 요인은 이곳이 백제의 본류인데서 기인하였다. 百濟故地에 유일하게 설치된 南原京의 존재도 이 사실을 어느 정도 뒷받침해준다. 따라서 이제 전라북도는 백제의 中原이라는 意識의 확립이 긴요해졌다.

「백제사에서 전라북도의 位相」『전라북도 백제를 다시 본다』, 전라일보, 2016.8.10.

百濟의 地方 統治와 中方城

1. 머리말

백제의 지방 통치체제에 대해서는 많은 연구 성과가 축적이 되었다. 그럼에도 불구하고 합일되지 않은 부분이 적지 않다. 게다가 백제의 지방에 대한 통치는 시기별로 차이가 있다는 것이다. 그리고 지역에 따라 통치 방식이 달랐을 것으로 보인다. 이에 대해 필자의 지금까지 축적된 소견을 피력하고자 한다.

그런데 본고의 핵심은 中方城의 구체적인 소재지와 역할 구명이 되겠다. 이와 관련해 통치 거점인 城과 古墳과의 관계를 통해 4세기 후반 근초고왕대의 古沙夫里城과 6세기 전반 중방성의 소재지를 구명하고자 한다. 이와 관련해 古沙夫里城은 1개 성에 대한 호칭에 국한된 것이 아니라 행정단위로서의 이름이라는 점을 환기시키고 싶다. 그러므로 지금의 정읍시 고부면 뿐 아니라 이와 접한 영원면도 포함시켜야 마땅할 것 같다. 백제 때 고분군의 존재가 영원면에 집중 散在하고 있기 때문이다. 이러한 맥락에서 볼 때 중방성의 후보로는 우선 은선리토성·금사동산성·고부구읍성·두승산성을 지목할 수 있다.

5方 가운데 中方城의 규모와 입지 조건 등은 중국 문헌에서 확인할 수 있다. 이와 더불어 발굴 성과를 토대로 중방성을 지목할 수 있는 근거를 찾고자 한다. 그리고 4세기 후반 근초고왕대에 축조한 고사부리성과 6세기 전반 중방성의 동일 여부도 살펴 보고자 하였다.

2. 백제의 지방 통치체제

1) 5部 體制

4세기 이후 백제는 도성이 있는 중앙을 중심으로 전국을 동·서·남·북·중으로 구획한 5部體制였다. 『삼국사기』에서 "국내의 민호를 나누어서 남·북부로 삼았다(시조왕

31년 조)"와 "동·서 2부를 더 두었다(시조왕 33년 조)"라는 기사에 보이는 4부와 국왕의 직할령인 중부를 합하면 부여나 고구려에서와 같은 5부가 된다. 5부는 전국을 단위로 한 백제의 지방편제 방식이었다.

전국을 구획한 5부의 범위는 『삼국사기』 시조왕 13년 조의 영역 기사와 연관된다. 즉 북쪽은 예성강, 동쪽은 춘천, 남쪽은 금강, 서쪽은 서해를 경계로 하였다. 이들 지역은 동·서·남·북·중의 5부로 편제되어 있었다. 『삼국사기』에는 이와 같은 방위명 부로 나타나지만 애초 백제의 5部名이 이렇지는 않았을 것이다. 고구려와 마찬가지로 고유한 부족명이 존재하다가 행정적 성격이 강한 방위명 부로 확대·개편된 것으로 생각된다. 근초고왕이 5부의 병권을 장악한 사실과 관련지어 볼 때 중앙집권적 체제의 강화를 뜻하는 部名의 개편은 근초고왕대의 일로 간주된다. 그러나 이는 단순한 부명의 개칭에서 비롯된 것이라기 보다는 중앙권력의 대행자로서의 지방관을 파견하여 지방에 대한 직접적인 지배를 단행하였기 때문에 가능한 조치였다. 이와 더불어 통치의 거점으로서 군사·경제적으로 중요한 위치를 점하는 지역에 축성이 단행된 결과 部 관하에는 통치의 거점으로서 城이 자리잡게 되었다. 성을 중심으로 다수의 촌락이 散在한 형태가 되겠다. 「광개토왕릉비문」영락 6년 조에 보이는 58城 700村의 존재가 그것을 말해 준다. 이 같은 성·촌체제의 구축은, 중앙정부 차원의 촌락민 징발을 통해 부단한 축성을 진행한 결과였다.

근초고왕의 마한경략에서 불과 27년 뒤의 기록이 「광개토왕릉비문」영락 6년(396) 조에 보이는 58성 700촌의 존재이다. 58성 중 대다수는 촌과 관련을 맺고 있는 단위 통치구역이라고 한다. 그런데 58성은 적어도 금강 이북에 소재한 것이 분명한 만큼 통치단위로서의 5부 내에는 수백 개 정도의 성이, 그것도 산성이 지방통치의 중심으로서 기능하였던 것이다. 이 산성은 중앙정부의 일사불란한 주민 동원체계에 의해 구릉지 토성 중심의 기존 국읍 단위의 사회를 해체함에 따라 출현하였다. 이처럼 중앙정부의 지방지배를 위한 매개격인 성의 수가 수백 개에 달하였다. 이는 그만큼 지방에 대한 지배가 적극적으로 단행되었음을 뜻한다.

문제는 이들 성에 지방관이 모두 파견되었는지 여부이다. 기본적으로 지방에 대한 통치 거점으로서의 성은 국가 주관하에 축조되었다. 그런 만큼 성에는 중앙에서 파견된 지방관이 파견되어 장악하고 있게 마련이다. 설령 지방관이 파견되지 않은 성의 수가 파견된 성의 수보다 많았다고 한다면 지방민만으로 구성된 성이 많았다는 것이 된다. 그러나 이로써는 치열한 대외전쟁을 효과적으로 수행하기는 어렵다. 가령 적의 회유나 침공을 받았을 때 중앙정부의 의지와는 관계없이 촌락 공동체의 이해 여부에 따라 성의 운명이 결정될 수 있기 때문이다. 비록 고구려의 경우이고 그 말기의 상황이기는 하지만 당나라 군대의 공격을 받은 백암성의 성주가 몰래 항복을 청하거나 遼東城 長史가 부하에게 살해되고 있다. 백암성주는 "저는 항복하기를 원하지만 성 중에는 따르지 않는 자가 있다"라고 하였다. 결국 城中에서 항복을 철회하였듯이 통제 장치가 있었음을 짐작하게 한다. 그렇듯이 국가 주관하의 통치 거점과 그에 부수된 전략적 용도로서의 성에는 지방관의 파견을 염두에 두지 않고서는 생각하기 어렵다. 따라서 예상할 수 있는 지방민의 이탈을 방지·감독하기 위해서는 대부분의 성에 지방관이 파견되었다고 보는 것이 타당하리라고 본다. 당시의 성이 지방통치의 역할 뿐 아니라 전략적 거점으로서의 기능까지 지녔던 사실을 감안할 때 성마다 지방관이 파견되지 않고서는 사활을 건 고구려와의 전쟁을 백제가 수행할 수는 없기 때문이었다. 그러나 이 때 파견된 지방관의 역할은, 군사권의 장악 및 경제적 收取나 力役動員의 감독 등을 통한 재지세력 통제에 한정되었을 것이다. 반면 읍락공동체의 안녕을 기원하는 제의를 비롯하여 중앙세력과 촌락민을 이어주는 역할은 여전히 재지 세력의 손에 맡겨졌으리라고 생각된다.

참고로 백제의 지방 통치조직의 체계화를 보여주는 기사가 『일본서기』 仁德 41년 3월 조의 "비로소 國郡의 疆場을 나누었다"는 구절이다. 이 기사를 근초고왕 8년(353)으로 간주하는 견해가 제기된 바 있다. 이에 대한 반론이 다음과 같이 제기되었다. 즉 "더욱이 인덕 41년(353)은 紀年上 조작된 120년을 각아내려야 하는데, 개로왕 19년(473)에 해당되므로 연대 설정도 부합되지 않고 있다. 또한 인덕 41년 조는 『일본서기』의 應神 39년 直支王(腆支王)代 기사 이후에 등장하기 때문에 근초고왕대와는 하등 관련 지을 수 없다"[1]고 한 바 있다. 인덕 41년 조의 해당 기사를 473년에 해당되는 사안으로 최초로 밝힌 것이다.

지금까지 살펴 본 바 4세기 중반 이후 백제의 지방통치 방식을 제한된 지역에만 지방관이 파견된 담로제로만 이해하려는 견해는 잘못임을 알 수 있었다. 시대에 따라 증감이 있기는 했겠지만 지방관이 파견된 소수의 大城(檐魯)만 가지고는 도저히 전쟁과 방어를 효과적으로 수행할 수는 없기 때문이었다. 따라서 部·城·村體制에 입각한 군관구적인 성격의 정연한 지방지배는 4세기 중반 이후 집권국가 형성기에 확립된 것으로 보아 무난

---

1   李道學, 「百濟의 起源과 國家形成에 관한 재검토」 『한국 고대국가의 형성』, 민음사, 1990, 126쪽.

하지 않을까 한다.

2) 담로체제

백제에서 중앙의 귀족이 지방에 파견된 시점은 담로의 설치와 결부 지어 살피기도 한다. 주지하듯이 담로는 전면적 지배 이전인 點의 지배인 거점 지배 단계를 가리킨다. 다음의 기사가 담로 관련 내용이다.

> 治所城을 이름하여 固麻라고 한다. 邑을 檐魯라고 하는데, 중국에서 말하는 郡縣과 같은 것이다. 그 나라에는 22 담로가 있는데 모두 子弟宗族을 이곳에 나누어 거주시킨다.[2]

위의 기사는 고마라고 일컬었던 왕성 예하의 지방 통치 거점이자 중국 郡縣에 해당하는 22곳의 담로에는 자제종족을 파견하였음을 알려준다. 담로 기사가 처음으로 남겨진 웅진성 도읍기는 물론이고 그 이전에도 지방의 거점에는 자제종족 파견을 생각하게 한다. 그렇지만 담로 설치에 대해서는 始點을 알려주는 기록은 남아 있지 않다.

그러면 369년에 백제가 금강 이남 지역을 복속한 이후의 지방지배 방식은 어떠했을까? 금강 이북 지역은 기존의 5부제가 그대로 존속되었으리라고 생각된다. 문제는 신정복인인 금강 이남의 현재 전라북도 지역에 대한 지배방식에는 관심이 모아지는 것이다. 백제가 전라북도 지역을 기존의 5부제로 흡수·편제시킨다면 5부제의 전면적인 확대 내지는 개편이 따르기 마련이다. 5부제의 개편은 정치적인 단층과 문화적인 이질성을 어느 정도 극복할 수 있는 방안이기도 하였다. 그런데 금강을 경계로 백제와 잔여 마한세력의 대치 기간이 길면 길수록 그 차이는 심화되었을 것이다. 4세기 단계 이래 백제의 영역인 금강 이북 지역은 북방적 통치 형태인 5부제와 더불어, 부여·고구려 계통의 문화권에 들어갔다고 볼 수 있기 때문이다. 반면 금강유역과 그 이남 지역은 한강유역과 구분되는 전형적인 세형동검문화권이었다. 그러므로 그 이북 지역과의 정치체제 및 문화적 차이는 영역적 통합이 달성된 후에도 온존하였을 가능성이 크다. 그 때문에 5부제 내의 舊民과 피정복민인 전라북도 지역의 新民과의 지배의 차이가 자연 대두될 수밖에 없

---

2 『梁書』권54, 東夷傳 百濟 條.

었을 것이다. 일례로 「광개토왕릉비문」의 守墓人 烟戶 규정 문구에 의하면 고구려의 광개토왕은 구민과 신민을 서로 융합시키려는 의지를 표명하고 있다. 이 사실은 바꿔 말해 5族을 근간으로 하여 확대된 구민과 피정복민인 신민 사이의 '대우'에 일정한 차등이 있었음을 암시한다. 즉 城·村(谷)體制와 공납적 지배의 차이를 꼽을 수 있다. 마찬가지로 백제의 경우도 궁극적으로 융합되어야 할 대상인 구민과 신민의 차이가 엄존했을 것이다. 그 차이는 곧 지배방식의 차이로 현실화되었을 가능성이 크다.

4세기 중반 이후에 백제는 노령산맥 이북의 전라북도 지역을 영역화시켰다. 그리고 영산강유역의 전라남도 지역에 대한 지배권까지 확립하였다. 그럼에도 불구하고 백제의 중앙권력이 적어도 영산강유역에 침투한 흔적은 고고학적으로 뚜렷하게 확인되지 않고 있다. 5세기 말에 접어 들어서야 백제 중앙의 묘제인 석실분이 영산강유역의 옹관묘를 대신하여 출현하고 있다. 이러한 사실은 5세기 말 이전까지 영산강유역은 백제의 세력권이었음에도 불구하고 전면적인 직접지배를 받지 않았음을 뜻하는 근거가 된다. 또 이같은 현상은 영산강유역에만 국한되기 보다는 금강 이북과 이남에서의 지방통치 방식의 차이에 기인한 것으로 믿어진다. 만약 백제가 금강 이북 지역에서 시행하고 있던 부·성·촌체제를 전라남도 지역까지 확대시켰다면 영산강유역의 옹관묘 문화는 5세기 후반까지 존속할 수 없었을 것이다. 따라서 정치적으로 예속시키기는 하였지만 전라남도 지역의 강인한 문화적 기반과 정치적 전통을 일순 해체할 수 없었던 백제 중앙정부로서는 이 지역의 극히 제한된 범위 내의 거점 지배에 머물렀다. 백제 중앙의 묘제인 즙석봉토분이 강진권인 해남군 북일면 지역에 조영된 것은 그것을 의미할 수 있다. 369년 이후 백제는 영산강유역에 대한 공납적 지배를 단행한 바 그것과 관계된 몇 개의 창구만 장악하였던 것이다. 반면 백제는 5부 밖의 금강 이남 노령산맥 이북 지역에 대해서는 정치·군사적으로 비중있는 지역에 축성을 단행하여 지방관을 파견하는 거점지배 형태로서 통치하였다. 지방관이 파견되지 않은 기존 토착세력의 성과 촌에는 재지 수장층이 자치권을 인정받고 있었을 것이다. 그러므로 지방관이 파견된 통치구역을 중심으로 경제적 수취나 역역 동원이 이루어졌으리라고 본다. 어쨌든 전라도 지역은 경기·충청도 지역보다 삼국시대에 축조된 성의 수가 적은 편이다. 그 요인을 6세기 이전 백제의 중앙권력이 전라도 지역에 고루 미치지 못한 데서 찾을 수 있지 않을까 한다.

한편 백제는 5세기 중반 이래 고구려와의 국지전으로 극심하게 국력을 소모하고 있었다. 더욱이 왕권강화를 위해 개로왕이 단행한 대규모 토목공사는 백제의 국력을 더욱 소모시키는 요인이 되었다. 전쟁과 토목공사에 요구되는 인적·물적 자원의 확보가 백제 왕권의 존립 기반을 지탱해주는 당면 과제였기 때문이다. 그런 만큼 개로왕은 그 타개책을 찾기에 부심하였으리라고 믿어진다. 일단 물산과 인적자원이 풍부한 영산강유역의 경영에 적극적으로 매달리게 하였다. 그 결과 백제는 공납적 지배보다 강화된 지방관을 파견하는 영역적 지배를 단행하기에 이르렀다. 이와 관련해 주목되는 것이 472년에 개로왕이 北魏에 파견한 사신인 '私署冠軍將軍駙馬都尉弗斯侯長' 餘禮이다. 왕족인 여례가 관칭한 불사후의 '불사'는 지금의 전라북도 전주로 지목되고 있다. 그런데 여례의 관작을 통해 동성왕대에 앞서 개로왕대에 왕·후·태수 등의 지방 分封이 이루어졌음을 알게 된다. 동성왕대의 왕·후·태수 등의 지방 분봉이 지방지배의 강화와 밀접히 관계있는 만큼 개로왕대의 그것 또한 지방지배책의 일환이었음은 분명하다. 개로왕의 전라도 지역에 대한 적극적인 경영으로 왕족 출신의 지방관이 파견되는 성의 숫자는 증가했을 것이다. 또 그로 인해 지방민에 대한 수취와 노동력 동원이 한층 강화되었을 것으로 그려진다. 그렇긴 하지만 개로왕대의 전라도 경영은 그 후반에 해당되는 짧은 기간에 불과하였다. 그렇기 때문에 백제 중앙의 문화가 침투한 고고학적 물증이 영산강유역에서 확인되지 않는 것 같다. 그러나 고구려와의 전쟁과 토목공사에 요구되는 인적·물적 자원의 확보를 위한 전라도 지역에 대한 가혹한 백제왕권의 수탈은 웅진성 천도 후 중앙 정정의 혼미를 틈타 영산강유역 세력의 이탈을 가져오게 한 직접적인 요인이 되었다.

475년에 고구려가 한성을 함락시키고 남진함에 따라 백제는 임진강에서 아산만 이북의 영토를 상실하였다. 이는 금강 이북 지역의 통치방식인 5부제의 붕괴를 의미하는 것이었다. 5부제의 붕괴로 인해 아산만 이남과 금강 이북 지역에는 부 관하의 기존 성들이 지방통치의 기능을 개별적으로 담당하게 되었을 것이다. 그리고 애초 5부제로 편제되지 못했던 전라도 지역에는 개로왕대에 증가된 거점성들만이 여전히 존재하였으리라고 짐작된다. 이와 관련해 웅진기 백제의 지방통치 형태에 관한 『梁書』의 기사를 주목할 필요가 있다. 이 기사는 「梁職貢圖」에 이미 적혀 있는데 여기의 담로는 '大城'을 의미하는 것으로 보고 있다. 그런데 담로제의 시행 시기와 존속 기간에 관해서는 여러 설이 있다. 그런데 사서로서 『양서』에 처음 보이는 담로체제는 웅진성천도로 인하여 5부제가 붕괴되고 정연한 지방지배 방식인 방·군·성체제가 성립되기 이전의 상황을 전해 준다고 보겠다. 왜냐하면 거점성 중심의 지방지배 방식인 담로체제는 이미 4세기 중반 이후에 시행된 바 있기 때문이다. 근초고왕은 신복속지인 금강 이남의 전라도 지역에 거점성 중심의 통치를 하였다. 이것이 다름아닌 담로체제인 것이다. 개로왕대의 왕족인 여례가 금강 이남인 전주 지역의 장관인 불사후로 분봉된 것도 왕의 자제와 종족을 파견하는 담로체제의 성격과 일치되고 있다.[3] 「흑치상지묘지명」에 의하면 "그 祖先은 부여씨에서 나와 흑치에 봉해졌으므로 자손이 인하여 씨를 삼았다"라고 하였듯이, 왕족(扶餘氏)인 흑치상지의 조선이 '흑치' 지역에 분봉되고 있는 것이야말로 담로체제의 증좌이다. 따라서 누차 언급했듯이 4세기 중반 이후 백제의 지방지배 방식은 5부제와 거점성 중심의 이원적인 형태였음을 알게 된다. 이렇듯 담로체제의 기원은 근초고왕대까지 소급되지만 금강 이남에서 전라북도 지역에 걸친 신정복지에 국한된 제한된 지방지배 방식이었다. 그런데 웅진성천도로 인해 5부제가 붕괴됨에 따라 백제 중앙정부로서는 부 관하의 잔여 성들과 전라도 지역의 거점 성들을 중심으로 지방통치를 할 수밖에 없게 되었다. 더욱이 웅진성 초기 政情의 혼미상은 중앙권력의 약화와 지방세력의 이탈을 가져왔기 때문에 지방관이 파견되는 성의 숫자는 비교적 제한되었을 것이다. 바로 이같은 특정한 시점의 상황을 기록한 것이 『양서』에 처음 보이는 22개 담로의 실체라고 하겠다. 따라서 『양서』의 기사를 확대 해석하여 한성기의 지방지배를 담로체제 일변도로만 간주하는 견해는 재고되어야 할 것 같다.[4]

3) 王・侯制의 검토

史書에서 가장 일찍 확인된 王・侯의 존재는 개로왕대인 472년에 북위에 사신으로 파견된 불사후 장사 여례이다. 왕족인 여례는 불사 지역의 侯였다. 458년 유송에 봉작을 요청한 기록에 따르면 정로장군 좌현왕 등이 보이므로 '王'의 존재가 확인된다. 주지하듯이 이러한 '王'・'侯'의 존재는 황제체제를 전제로 한 것이다. 그런 만큼 '王'의 존재는 말할 것도 없고 그 정점에 大王의 존재를 시사해준다. 이러한 王・侯制는 大王・王・侯・太守制로 짜여진 체제였다. 그런데 450년(비유왕 24)에 對劉宋 사신인 西河太守 馮野夫의 존재

---

3 李道學, 「漢城後期의 百濟王權과 支配體制의 整備」『百濟論叢』2, 백제문화개발연구원, 1990; 李道學, 『백제고대국가연구』, 일지사, 1995, 328쪽.
4 이상의 서술은 李道學, 「漢城後期의 百濟王權과 支配體制의 整備」『百濟論叢』2, 백제문화개발연구원, 1990, 302~310쪽에 의하였다.

가[5] 주목된다. 여기서 西河太守의 太守는 백제의 王·侯制 시행을 뜻한다. 이러한 맥락에서 볼 때 백제의 王·侯制는 최소한 450년까지 소급된다.

그리고 다음에 보이는 백제와 북위 간의 전쟁 기사는 488년과 490년의 사실이라고 한다. 그렇다면 458년을 경유해 472년에서부터 16년 후에도 王·侯의 존재가 이어졌음을 알 수 있다. 결국 다음의 기사를 통해 大王體制에서 왕·후의 존재는 웅진성 도읍기에도 확인되는 것이다.

功에 대하여 보답하고 부지런히 힘쓴 것을 위로하는 일은 실로 그 명성과 공업을 보존시키는 것입니다. 임시로 부여한 영삭장군 臣 姐瑾 등 4인은 충성과 힘을 다하여 나라의 환란을 쓸어 없앴으니 그 뜻의 군셈과 과감함이 名將의 등급에 들 만하며 나라의 干城이요 사직의 튼튼한 울타리라 할 만 합니다. 그들의 노고를 헤아리고 공을 논하면 환히 드러나는 지위에 있어야 마땅하므로 지금 전례에 따라 외람되이 임시 관직을 주었습니다. 엎드려 바라옵건대 은혜를 베푸시어 임시로 내린 관직을 정식으로 인정하여 주십시오. 영삭장군·면중왕 저근은 정치를 두루 잘 보좌하였고 무공 또한 뛰어났으니 이제 임시로 冠軍將軍·都將軍·都漢王이라 하였고, 建威將軍·八中侯 餘古는 젊었을 때부터 임금을 도와 충성과 공로가 진작 드러났으므로 이제 임시로 영삭장군·阿錯王이라 하였고, 건위장군 餘歷은 천성이 충성되고 정성스러워 문무가 함께 두드러졌으므로 이제 임시로 용양장군·邁盧王이라 하였으며, 廣武將軍 餘固는 정치에 공로가 있고 국정을 빛내고 드날렸으므로 이제 임시로 건위장군·弗斯侯라 하였습니다. …

이 해에 위나라 오랑캐가 또다시 騎兵 수십만을 동원하여 백제를 공격하여 그 地境에 들어가니 牟大가 장군 沙法名·贊首流·解禮昆·木干那를 파견하여 무리를 거느리고 오랑캐 군대를 기습 공격하여 그들을 크게 무찔렀다.

建武 2년(495년; 동성왕 17)에 모대가 사신을 보내어 표문을 올려 말하기를 "지난 庚午年(490년)에 獫狁이 잘못을 뉘우치지 않고 군사를 일으켜 깊숙이 쳐들어 왔습니다. 臣이 沙法名 등을 파견하여 군사를 거느리고 역습케 하여 밤에 번개처럼 기습 공격하니, 匈梨가 당황하여 마치 바닷물이 들끓듯 붕괴되었습니다. 이 기회를 타서 쫓아가 베니 시체가 들을 붉게 했습니다. 이로 말미암아 그 예리한 기세가 꺾이어 고래처럼 사납던 것이 그 흉포함을 감추었습니다.

지금 천하가 조용해진 것은 실상 사법명 등의 꾀이오니 그 공훈을 찾아 마땅히 표창해 주어야 할 것

---

5 『宋書』권97, 夷蠻傳 百濟國 條.

입니다. 이제 사법명을 임시로 征虜將軍·邁羅王으로, 贊首流를 임시로 安國將軍·辟中王으로, 解禮昆을 임시로 武威將軍·弗中侯로 삼고, 木干那는 과거에 軍功이 있는데다가 또 臺와 舫을 때려 부수었으므로 임시로 廣威將軍·面中侯로 삼았습니다. 엎드려 바라옵건대 天恩을 베푸시어 특별히 관작을 제수하여 주십시오"라고 하였다.[6]

위의 기사를 보면 "지금 전례에 따라 외람되이 임시 관직을 주었습니다"고 했다. 488년 이전의 王·侯職 부여를 짐작할 수 있다. 王·侯制는 472년의 '불사후'의 존재와도 만나는 것이다. 그러한 王과 侯에 冠稱한 면중·도한·팔중·아착·매로·불사·매라·벽중·불중 등이 지명임을 알 수 있다. 이러한 지명은 중국 지명이라기보다는 대부분 백제지역으로 비정되고 있다. 면중은 전라남도 광주로, 도한은 전라남도 고흥이나 나주 지방으로, 팔중은 전라남도 나주 일원으로, 아착은 전라남도 여수로, 매로는 전라북도 옥구나전라남도 보성 혹은 장흥 일원으로, 불사는 전라북도 전주로, 벽중은 전라북도 김제로 비정되어진다.[7] 이러한 비정이 정곡을 찔렀다고 보기에는 석연치 않은 구석이 많다. 그러나 『삼국사기』 지리지에 의하면 "阿錯縣은 본래 源村이다"고 하였다. '원촌'은 지금의 여수 일대이다. 그러므로 아착은 여수 해안가로 볼 수 있다. 게다가 이들 지명은 대략 전라북도 일부와 전라남도 일원에 몰려 있다는 분포상의 경향성을 보여준다. 그러므로 지명을 관칭한 왕과 후들은 북위와의 전공이나 국왕을 잘 보좌한 공로로 중국의 장군호를 받는 동시에, 익히 언급되었듯이 백제가 새로 개척한 영산강유역의 각 지역에 봉해졌다고 하겠다. 백제는 근초고왕대 마한경략을 통해 지금의 노령산맥 이북선까지만 영역화하고 있었기 때문이다.[8]

그러면 위의 기록에 보이는 분봉 인물들에 대한 분석을 시도해 본다. 첫째, 姐瑾·餘古·餘歷·餘固는 왕정 보좌에 공을 세웠다고 한다. 이 가운데 저근만 빼고 나머지 3명은 왕족인 것이다. 姐瑾의 경우는 문주왕을 도와 목려만치와 함께 웅진성 천도에 공을 세운 祖彌桀取의 조미씨와의 관련을 연상시킨다. 扶餘氏를 餘氏로만 표기한 것처럼, 複姓인 祖彌氏를 單姓인 姐氏로만 표기한 게 아닐까 하는 생각이 든다.[9] 이와 더불어 담로에 파견

---

6   『南齊書』 권58, 東夷傳 百濟國 條.
7   末松保和, 『任那興亡史』, 吉川弘文館, 1956, 110~113쪽.
8   李道學, 『백제 고대국가 연구』, 일지사, 1995, 139~141쪽.
9   李道學, 『새로 쓰는 백제사』, 푸른역사, 1997, 177쪽.

된 이들의 성격을 '子弟宗族'이라고 한 점을 유의한다면 저근의 경우는 왕실의 姻族일 가능성을 제기해 준다. 둘째, 軍功으로 분봉된 沙法名·贊首流·解禮昆·木干那에 대한 성격이다. 이들은 모두 이성 귀족들이지만 역시 왕실의 姻族이라면 宗族의 범주에 포함되는 게 가능하다. 물론 이들은 軍功이라는 특수한 상황에서 分封되고 있으므로, 일상적인 지방 통치 일환으로서의 분봉과는 차이가 날 수도 있다. 그러나 姐瑾 등 4명에 대한 488년의 책봉 요청 명분을 보면 의례적인 것이다. 그리고 분봉되는 귀족들에게 관작을 모두 중국에 요청한 것은 아니라고 본다. 특별히 의미 있는 지역에 분봉되는 귀족들의 위상을 높여주는 한편, 분봉 주체인 백제왕의 권위를 올리기 위한 의도에서 선별된 지역에만 국한된 일로 파악되어진다. 그렇다고 할 때 웅진성 도읍기 백제 왕정은 신복속 지역인 영산강유역에 각별히 신경을 썼기에 비중 있는 자제종족들을 분봉했음을 알 수 있다.

그리고 위의 기록을 통해서 저근은 면중왕에서 도한왕으로, 여고는 팔중후에서 아착왕으로 轉封된 사실을 발견하게 된다. 고흥 안동 고분의 피장자는 도한왕으로 분봉된 대왕권체제하의 王으로 비정된 바 있다.[10] 그리고 495년에는 목간나가 면중후에 봉해졌다. 이러한 사실은 동성왕대의 귀족들은 임지를 바꾸어 계속 이동하면서 지방을 통치했음을 알려준다. 이는 지방을 통치하는 주체가 토착 호족이 아니라 중앙에서 파견한 귀족이었음과 더불어 이들의 轉封은 領地를 가진 諸侯가 되어 권력을 갖는 것을 차단하기 위한 조치였다. 이와 관련해 「진법자묘지명」에 따르면 이들 가문은 중앙과 지방을 오간 사실이 보인다. 이 역시 토착화를 원천적으로 차단하기 위한 조치였다.

王·侯들 가운데서 사법명·찬수류·해례곤·목간나를 제외한 그 앞의 4명은 저근만 제외하고는 부여씨 왕족이다. 저근은 "節符와 斧鉞을 받아 모든 변방을 평정하였습니다"고 한 기사에 이어 다시금 언급되고 있다. 그런 만큼 이들은 지방세력에 대한 통제와 흡수 그리고 영산강유역으로의 진출에 공을 세운 인물이었음을 생각하게 한다. 그리고 저근은 면중에 왕으로 파견된데 반해, 木干那는 侯로서 이곳에 부임하였다. 이로써 볼 때 왕과 후들이 특정 지역에 파견되면, 그 지역 이름을 취해서 왕이니 후를 칭한 것이다.

그런데 이러한 王·侯 분봉 체제가 언제까지 이어졌는지는 명확하지 않다. 다만 지방 통치와 관련해 「진법자묘지명」은 관인 파견을 증언하고 있다. 진법자의 祖가 역임한 麻

---

10   李道學, 「금동관이 출토된 고흥 안동 고분의 피장자는 누구인가?」 『한국전통문화학보』 37, 2006. 4. 2 : 『역사가 기억해 주는 이름』, 서경문화사, 2007, 75~79쪽.

連大郡將의 郡將은 방·군·성 체제하에서 郡의 장관을 가리킨다. 方·郡·城制의 시행은 538년 성왕의 사비성 천도 이후로 지목하는 견해가 일반적이다. 진법자 祖의 경우도 사비성 천도 이후 출생한 인물인 만큼 그러한 선상에서 살필 수 있다.

지금까지 살펴 본 바에 따른다면 백제는 王·侯制를 시행하였다. 그리고 왕·후들을 지방에 분봉하였으며 轉封되었음을 알려준다. 여기서 分封은 任地에 任期를 지닌 형식이었다. 그러면 임기가 있는 백제 중앙의 귀족들을 파견하는 시점은 언제부터일까? 이와 관련해 근초고왕대에 아직기와 왕인을 倭에 파견한 일이 단서가 된다. 이에 따르면 백제에서는 당시 3년마다 해외 파견자 교대가 있었음을 알 수 있다. 관인을 3년마다 교체한 기록은 『周書』에서 "三年一代"라고 하여 보인다. 그러한 교대의 시행은 4세기 후반 경에 이미 시행되었음을 알려준다. 그렇다면 3년 교대제는 응당 율령에 포함된 내용으로 다시금 상정해 볼 수 있다. 백제에서는 율령 반포와 더불어 관인의 3년 교대제가 시행된다.

4) 方·郡·城制

백제가 일종의 거점 지배인 담로제에서 벗어나 전국적으로 정연하게 지배하는 方·郡·城制를 시행하게 된다. 전국적으로 5개의 方이 있고, 그 하위 단위로 郡과 城이 각각 소재한 것이다. 이는 다음의 기사를 통해 읽을 수 있다. 사비성 도읍기에 백제는 전국적인 정연한 지방통치인 方-郡-城制를 시행하였다. 『주서』백제 조에 의하면 다음과 같은 기록이 보인다.

도읍은 固麻城이다. 도읍 밖에는 다시 五方이 있다. 中方은 古沙城이고, 동방은 得安城, 남방은 久知下城, 서방은 刀先城, 북방은 熊津城…五方에는 각각 方領 한 사람이 있는데 달솔로서 임명한다. 郡將은 3인이 있는데 덕솔로서 임명한다. 방에서 거느리는 병사는 1,200명 이하 700명 이상이었다. 성의 안팎의 주민들 및 나머지 작은 성들은 모두 여기에 예속되었다.

여기서 고마성은 사비도성을 가리킨다. 고사성은 전라북도 고부이고, 득안성은 충청남도 은진을, 웅진성은 공주이지만, 나머지 구지하성과 도선성의 위치는 분명하지 않다. 그리고 백제 멸망시에 5부-37군-200성이라고 하였다. 여기서 '부'는 '방'을 가리키는 것이다. 군 예하에 縣格에 해당되는 城이 존재했음을 알 수 있다. 요컨대 백제는 전국을 5개의 구역으로 나누어 5방이라고 불렀다. 이는『禮記』에 나타난 천하관인 '五方之民'의 영향을 받은 것으로 보인다.[11]

이러한 方·郡·城制는 538년 사비성 천도 이후에 실시된 것으로 간주되고 있다. 문헌과「진법자묘지명」을 통해 볼 때 풍달군(품달군)에는 달솔과 덕솔 관등의 군장이 부임한 게 된다. 이러한 경우는 3명의 군장 중에는 순위가 정해졌음을 말해 줄 수 있다. 그렇다면 관등이 상이한 3명의 인물이 동일한 군장을 칭하게 된 배경을 구명해야 한다. 일단 지금까지 확인된 기록을 놓고 보면 郡의 군장은 달솔과 은솔, 그리고 덕솔로 구성되었을 가능성을 제기해 준다. 만약 그렇다면『周書』에서는 왜 郡將은 모두 덕솔이 임명되었다고 한 것일까? 이에 대한 해명이 필요할 것 같다. 여기서 달솔 관등인 흑치상지의 경우는 특별한 사례에 속하므로 일반화시켜 백제 지방 통치나 관제 운영과 관련 짓기 어려운 측면도 고려해야 한다. 이렇게 본다면 진법자가 품달군장을 역임할 때 관등은 역시 덕솔에 해당하는 게 타당할 것 같다. 이러한 맥락에서 본다면 진법자의 祖가 달솔로서 역임한 마련대군장은 마련군의 '대군장'이 아니라 마련대군의 군장으로 해석하는 게 온당할 듯싶다.[12] 백제에서는 복속된 지역 가운데 비중이 큰 지역을 大郡으로 편제했음을 뜻한다.

『한원』에 의하면 방이 관장하는 군은 많은 경우에는 10개요 적은 경우에는 6~7개라고 하였다. 이와 관련해『한원』에서 "郡縣置道使 亦名城主"라고 한 구절을 다른 시각에서 한 번 검토해 본다. 즉 "郡縣置道使"를, "郡의 縣" 즉, 郡 밑의 縣 단위를 가리키는 등등의 해석이 있어 왔다. 그러나 허심하게 이 구절을 접한다면, '郡과 縣에는 道使를 둔다'로 해석이 가능하다.[13] 나아가 이 구절은『주서』백제 조의 관련 기사와 연관지어 살펴 보아야만 합리적인 해석이 가능해진다. 즉 方 밑의 10곳 가량의 군 가운데 군장이 존재한 지역은 3곳이다. 그 나머지 여타 군과 현에는 그 하위 관직인 도사가 파견되었다고 해석한다면 아무런 문제가 없다. 5방에는 '각각' 방령이 한 사람씩 있다고 한다. 그러므로 5방 전체에는 5명의 방령이 존재한 것이다. 반면『주서』의 이 구절은 방 관하 10개의 郡에는 군

---

11 李道學,『백제고대국가연구』, 일지사, 1995, 243쪽.

12 논거는 다르지만 이러한 해석은 김영관,「백제 유민 진법자 묘지명 연구」『백제문화』50, 2014, 119~121쪽에 보인다.

13 郡과 縣의 우두머리를 모두 道使로 일컬을 수 있었을까에 대해 의문을 제기할 수도 있다. 그러나「진법자 묘지명」에 따르면 大郡의 존재가 확인되고 있다. 이는 大郡과는 비중이 적은 일반 郡의 존재를 상정하게 한다. 그렇다면 이들 일반 郡과 縣의 우두머리를 모두 道使로 호칭하는 것은 결코 이상하지 않다고 본다.

마다 '각각' 3인의 군장이 존재했다는 내용은 아니다. 방 밑의 군에는 군의 숫자와는 큰 상관 없이 3명의 군장이 있었고, 군장이 파견되지 않은 나머지 군과 현 단위에는 도사가 파견되었다고 하자. 그러면 이는 『한원』의 기록과는 모순이 없다.

이러한 해석에 의한다면, 1개 방에는 3명의 군장이 파견되었다. 그러므로 군장이 파견된 郡은 백제 5方 영역내에서 15개 지역이 된다. 그렇다고 할 때 이 15개 지역은 각별히 의미가 있고 비중이 큰 지역임을 생각할 수 있다. 곧 자제종족을 파견하였던 옛 담로 구역으로서, 方 · 郡 · 城 體制에서도 그러한 성격이 남아 있던 곳이 아니었을까. 요컨대 15명의 군장이 파견된 곳과, 그 상급행정 구역인 5方城 지역을 합해 볼 때 모두 20개이다. 이러한 20개의 구역은, 비록 고정된 숫자는 아니겠지만 기록에 나타나는 22개의 담로 숫자와 대략 맞아 떨어진다는 데서 어느 정도 뒷받침되어진다.[14]

이러한 맥락에서 볼 때 진법자의 祖가 달솔로서 역임한 마련대군장은 마련대군의 군장으로 해석하는 게 온당할 것 같다. 백제 말기에는 전역에 37개 군의 존재가 확인되었다. 그런데 군장이 파견된 군을 15개 지역으로 국한된다면, 郡 마다 규모나 級이 동일하지 않았음을 뜻하는 것이다. 결국 郡은 大郡과 小郡으로 구분되고, 군장이 파견된 곳은 대군이었음을 가리킨다. 진법자의 祖가 달솔로서 역임한 마련군은 대군에 속함을 알 수 있다. 나아가 군장이 파견된 바 있는 품달군과 풍달군을 동일한 군으로 간주할 수 있게 된다. 물론 풍달군장 재직시 흑치상지는 제2관등인 달솔로 기록에 보인다. 그러나 이 경우는 백제 멸망과 국가회복운동기에 부풀려진 것으로 간주된다. 이러한 사례는 「유인원 기공비문」을 비롯하여 적지 않게 확인되기 때문이다. 즉 "反逆卽有僞僧道琛 僞扞率鬼室 福信 出自閭巷爲其魁首 招集狂狡 堡據任存 蜂屯蝟起 彌山滿谷 假名盜位"라고하여 도침과 복신이 閭巷 출신으로서 남의 이름을 빌리고 지위를 훔쳐서 행세했다는 서술을 하였다.[15] 여기서 복신은 한솔(제5관등)로 기록에 보이지만 문헌에는 恩率(제3관등)로 적혀 있다가 國人이 존경하여 좌평으로 일컬었다고 한다. 백제 멸망 당시 達率(제2관등)이었던 餘自進도 국가회복운동에서 공을 세우자 좌평으로 일컬어졌다.[16] 그런데 군장 3인과 유사한 사례가 다음에서처럼 北魏에서도 보인다.

---

14 李道學, 『새로 쓰는 백제사』, 푸른역사, 1997, 441~442쪽.
15 이에 대한 해석은 韓國古代社會硏究所, 『譯註 韓國古代金石文 I 』1992, 485쪽에 의한다.
16 『日本書紀』 권26, 齊明 6년 9월 조.

모든 州에는 3명의 刺史를 두었다. 자사는 품계가 6품인 이를 임명하였으며, 종실의 인물이 1명, 異姓의 인물 2명으로 구성되었다. 이것은 옛날의 上·中·下 三大夫를 닮았다. 郡에는 3명의 태수를 두었으며, 7품인 者를 임용하였다. 縣에는 3명의 縣令·長을 두었으며, 8품인 者를 임용했다.···비록 설치는 하였으나 백성들을 담당하는 데는 미치지 못하였다.[17]

위의 기사에 따른다면 北魏에서도 複數의 지방관이 소재했음을 알 수 있다.[18] 즉 刺史 3인은 宗室 1명과 異姓 2명으로 구분되었다. 이러한 경우는 淸朝에서도 하나의 要職에 漢人과 滿人을 함께 임명하여 각기 책임을 지게하는 滿漢竝用制를 연상시킨다. 여기에는 감시 기능이 따랐던 것이다.[19] 풍달군장이었던 흑치상지가 부여씨 왕족 출신이었던 점에 비추어 보자. 그렇다면 북위의 郡太守도 3명이었던 것과[20] 마찬 가지로 백제의 군장 3명 중 1명은 왕족이고 나머지 2명은 異姓 귀족과 현지의 토착 호족 출신일 수도 있다. 나아가 백제가 3명의 군장을 배치한 이유는 北魏나 淸에서와 마찬 가지로 상호 견제라는 측면도 고려했겠지만, 토착 세력에 대한 배려라는 측면도 간과할 수 없다. 백제가 신복속지에 대한 적극적인 경영을 흡수나 점령 개념이 아니라 郡將 발탁을 통한 토착 세력의 기득권을 일정 부분 수용해 주려는 표지로도 해석된다. 그러나 사비성 도읍기 백제의 지방 관제의 연원이 북위에 와 닿았는지는 양국 간의 교류의 활성화에 대한 자료가 없기 때문에 현재로서는 장담할 수 없다. 그렇지만 백제와 북위 간의 전쟁을 비롯한 교류를 통해 얼마든지 영향을 받았을 가능성은 상존한다.[21] 현재로서는 郡將 3人의 성격에 대한 2가지 가능성을 모두 열어두고자 한다.[22]

---

17   『魏書』권113, 官氏志, 職官 延興 2년 5월 조.
18   이에 대해서는 채민석,「百濟 王·侯制의 도입과 운영에 대한 試論」『韓國史研究』166, 2014, 30~31쪽의 서술이 돋보인다.
19   존 킹 페어뱅크·멀골드만 著·김행종·신성곤 譯,『신중국사』, 까치글방, 2005, 186쪽.
20   채민석,「百濟 王·侯制의 도입과 운영에 대한 試論」『韓國史研究』166, 2014, 30~31쪽.
21   이에 대해서는 문헌과 물적 자료를 제시하여 백제와 鮮卑 및 北魏의 교류를 언급한 바 있다(李道學,「百濟의 海外活動 記錄에 관한 檢證」『충청학과 충청문화』11, 2010, 299~301쪽).
22   李道學,「百濟 官制 運營의 實際 - 旣存 資料와의 差異를 中心으로-」『한국고대사탐구』19, 2015, 61~72쪽.

3. 中方城과 그 주변

1) 碧骨堤의 築造 주체

국가가 통제하는 자원의 성격에 따라 권력 범위와 질이 달라지게 마련이다. 특히 기본적 생존자원에 대한 통제는 여타의 것보다 더 큰 힘을 제공하고 있다. 그러므로 인류학자들은 "국가는 지배실체가 기본적 자원의 생산과 획득에 통제를 가함으로써 나머지 주민들에게 필연적으로 강압적인 힘을 행사하는 계층화된 사회이다"고 정의한다.

국가사회 발전의 요체로써 기본적 생존자원의 생산과 획득에 대한 통제가 요구된다고 한다. 그렇다고 할 때 백제 또한 이와 무관하지는 않았다. 백제는 소금산지의 확보와 독점적인 분급으로써 남·북한강 수계 지역의 세력들을 통제하거나 영향권 내에 묶어 둘수 있었기 때문이다. 이와 더불어 백제는 여타의 것에 대한 통제보다 더 큰 힘을 제공하는 기본적 생존자원의 '생산수단'을 확보·장악하고자 하였다. 이는 막대한 농업생산력을 수중에 집중시켜 국가유지의 물질적 토대를 마련할 수 있는 灌漑施設의 축조로 나타나게 되었다. 관개시설의 축조는 토목공사에 따른 대규모 노동력의 징발을 가져오게 하였다. 그러므로 이는 집권화의 수단으로 알려지고 있다. 그렇기 때문에 남부 메소포타미아 지역에서 대규모 관개는 초기 국가단계를 넘어선 초기 왕조시대 이후에야 비로소 나타난다고 한다. 이러한 맥락에서 볼 때 백제가 관개와 관련된 대규모 토목공사를 단행할정도라면 집권국가로 진입하였음을 의미해 준다. 다음의 『삼국사기』 기사에서 알 수 있듯이 백제는 농업생산력의 증대에 국가적인 관심을 기울였다.

* 2월에 왕이 부락을 巡撫하고 농사에 힘쓰도록 권장하였다(시조왕 14년 조).
* 3월에 사자를 보내어 農桑을 권장하게 하고 급하지 않은 일로써 백성을 괴롭히는 役事를 모두 그만 두게 하였다(시조왕 38년 조).
* 2월에 國南의 州郡에 令을 내려 처음으로 稻田을 짓게 하였다(다루왕 6년 조).
* 6월에 큰 비가 10일 동안이나 내려서 漢江 물이 불어 민가가 떠내려 가거나 훼손되었다. 7월에 유사에게 명하여 수해를 입은 田地를 복구하게 하였다(기루왕 40년 조).
* 2월에 有司에게 명하여 제방을 수리하게 하였다. 3월에는 영을 내려 농사를 권장하였다(구수왕 9년 조).
* 2월에 國人에게 명하여 南澤에다 稻田을 개간하게 하였다(고이왕 9년 조).

위와 같이 백제의 농경시책과 관련한 기사가 상당히 확인되었다는 사실은 대규모 관개시설의 축조를 생각하게 한다. 다음과 같은 벽골제의 축조 기사가 대표적이다.

* 비로소 碧骨池를 개착하니 둑의 길이가 1,800보였다(『삼국사기』 흘해니사금 21년 조).
* 己丑에 비로소 碧骨堤를 쌓았는데, 둘레가 △만 7천 26보△△백66 보 水田 1만 4천70△(『삼국유사』 왕력, 흘해니사금 조)

물론 벽골제는 신라 흘해니사금 21년(330년)에 축조된 것으로 기록되었다. 그러나 다음의 기사를 통하여 검토해 보자.

* 碧骨堤를 增築하는데, 全州 등 7州의 주민을 징발하여 공사를 일으켰다.[23]
* 신라와 백제로부터 백성에게 이익을 주었다. 고려 顯宗 때에 이르러 옛날 모습으로 보수하였고, 仁宗 21년(계해년)에 와서 또 增修하여 복구하였지만, 끝내 廢棄되니 識者들이 이것을 한탄하였다.[24]
* 庚申에 무당의 말에 의하여 內侍 奉設을 보내어 金堤郡이 新築한 碧骨池의 제방을 끊게 했다.[25]
* 古大堤는 碧骨堤이다[신라 흘해왕 21년에 처음 만들었는데 岸長이 1,800步이다. 本朝 太宗 15년에 다시 쌓았는데 이익은 적고 폐단은 많았으므로 곧 허물어 뜨렸다].[26]

위의 인용에서 보듯이 벽골제는 분명히 백제 영내인 지금의 전라북도 김제에 소재하였다. 이는 널리 의견이 모아진 사안이다. 게다가 삼국시대 신라 지역에 벽골제가 소재했다는 근거마저도 제시되지 못하고 있다. 따라서 앞서 인용된 신라 흘해왕 21년 조의 벽골제 기사를 백제의 그것으로 換置시킬 수밖에 없다.[27] 그렇다면 벽골제는 4세기 중엽에 축조된 것이 된다. 그러나 백제의 김제 지역 진출은 369년 경이 확실하므로[28] 벽골제는 그 이후에 축조되었거나 확장된 것으로 보인다. 이러한 추정은 벽골제의 인공축토층

23 『三國史記』 권10, 元聖王 6년 조.
24 『新增東國輿地勝覽』 권33, 金堤郡, 古蹟 條 碧骨堤 項.
25 『高麗史』 권17, 仁宗 24년 조.
26 『世宗實錄』 地理志, 金堤郡 條.
27 벽골제에 대한 최근의 연구 성과로는 金周成, 「벽골제의 축조와 변화」 『한국고대사탐구』 21, 2015, 267~292쪽을 참고하기 바란다.
28 李道學, 「百濟의 起源과 國家發展過程에 관한 檢討」 『韓國學論集』 19, 1991, 183~184쪽.

下面의 炭化層에서 채취한 試料를 방사선 탄소 연대로 측정한 결과, 모두 1600±100 B. P. 전후한 수치가 나온[29] 데서도 어느 정도 뒷받침된다. 설령 그렇지 않다고 하자. 그렇더라도 백제가 4세기 후반 경에 벽골제 외에도 대대적인 관개시설의 축조에 매진했음은 분명하다. 이러한 맥락에서라도 벽골제로 상징되는 수리 관개시설의 축조가 지닌 의미를 상정해 볼 수 있다.[30]

벽골제의 규모는 그것의 축조를 가능하게 한 백제 국가권력의 질적인 수준과 공간적 범위를 가늠하여 준다. 벽골제의 둘레에 관하여『삼국사기』와『삼국유사』의 기록은 적어도 10배 가량의 차이를 보인다. 그 이유로서 아마 전자는 初築 당시의 것을, 후자는 그것이 개축된 통일신라나 고려 때의 둘레를 기록한 것이든지, 아니면 誤記일지도 모른다. 그렇다고 할 때 벽골제의 둘레에 관한 가장 적은 수치인 1800步는 일단 4세기 중반 무렵에 해당되는 것으로 볼 수 있다. 여기서 그 둘레의 측정 단위인 1步는 6尺이며, 백제와 고신라에서의 1尺은 약 35㎝였다.[31] 그러므로 1步는 2.1m가 되거니와, 1,800步는 3.78㎞임

29 尹武炳,「金堤 碧骨堤 發掘報告」『百濟研究』7, 1976, 76~77쪽.

30 벽골제의 축조 시기를 근초고왕대 이전인 비류왕대가 아닌 그 이후일 가능성이 제기되었다. 물론 충분히 가능한 주장이라고 보지만 몇 가지 선결되어야 할 문제점이 있다. 우선 논자가 벽골제의 축조 시기를 구체적으로 통일신라 신문왕대(681~692)나 경덕왕대(742~765)로 지목하는 것은 아무런 근거가 없다. 그럼에도 "… 단순히 고려시대의 기록에 의거하여 4세기 무렵의 제방으로만 판단하는 것은 매우 위험한 해석이다"고 했다. 그러면 '단순히 고려시대의 기록에 의거한'『삼국사기』에 근거한 한국 古代史像의 복원은 전제 자체가 잘못되었다는 모순에 봉착하게 된다. 풍납동토성의 방사선탄소 연대 측정의 오류를 벽골제에도 적용하여 그 연대 숫치의 신빙성을 전면 부정하고자 했다. 그러나 이는 단 한 곳의 오류를 30년 전의, 그것도 대상이 다른 유구 측정에까지 소급시켜 일반화시키는 것은 섣부른 발상이라는 지적을 받을 수 있다. 좀 더 광범위한 데이터를 치밀하게 제시했으면 설득력을 얻지 않았을까 싶다. 게다가 생활 유적인 城과 농경유적인 저수 시설을 단순 비교하여 유물 출토 유무를 대조하고 있다. 그러나 이 역시 대상이 서로 맞지 않기 때문에 검토 대상으로서의 형평성이 맞지 않다. 더구나 백제 때 원상을 유지하고 있는 풍납동토성과 백제를 넘어 후대 몇 차례나 증축된 벽골제를 단순 비교해서는 안 될 것이다. 그리고 벽골제는 조사 대상도 수문의 돌기둥이 있는 2곳의 경사면에 대한 시굴 조사에 한정되었다. 그렇기 때문에 조사 면적을 놓고서도 2 유구는 당초부터 서로 비교가 되지 않는다. 또 벽골제 石材의 가공 기술이 4세기 무렵의 것으로 보기에는 수준이 높다고 했다. 그러나 벽골제는 후대에 여러 차례 증축되었으므로, 현재의 유구를 4세기대로 단정하고서 부정한다는 자체가 어불성설이 아닌가 싶다. 따라서 이러한 문제점을 보완할 때 벽골제의 始築 시기에 대한 재검토가 가능할 것으로 본다.
그러나 백제의 농경 기술과 제방 축조에 관한 빈번한『삼국사기』기사를 놓고 보자. 그럴 수록 근초고왕대에 비옥한 농경지인 김제 · 만경평야 일대에 벽골제와 같은 수리시설이 구축되었을 가능성은 몹시 높다.

31 李宇泰,「韓國古代의 尺度」『泰東古典研究』1, 1984, 29쪽.

을 알 수 있다. 현재 제방의 둘레는 약 3㎞ 정도가 잔존하고 있는데, 후대의 증축된 부분까지 고려한다면 상당한 면적이 매립된 것으로 보아야 한다.

그리고 전체 벽골제 土量은 161,253㎥에 달하는 것으로 추산되어진다.[32] 이러한 벽골제를 조사한 보고자는 1㎥의 흙을 파고 운반하여 다지는 작업에는 1일 0.5~0.4인의 인력이 소요되므로 築堤 공사에는 연인원 322,500명이 동원된 것으로 추산하였다. 이 수치는 기준이 다를 수도 있겠지만 영산강유역의 대형 고분인 나주 반남면 신촌리 9호분과 같은 분묘의 토목공사에 동원된 연인원 수인 2,400명과는[33] 비교가 되지 않는 대규모 役事이다. 그런데 저수지 축조에 동원된 노동력이, 농한기인 12 · 1 · 2월의[34] 3개월간에 벽골제를 축조한다고 하자. 그러면 1일 3,600명 정도가 투입되어진다. 그러나 이때는 冬節期이므로 언땅을 파야하는 등 작업능률이 매우 떨어진다. 그리고 巨石으로 구축된 水門工事와 하천 유출처를 막는 난공사에도 많은 노동력이 투입되어야만 한다. 그러므로 벽골제 축조에 동원된 연인원 수는 상기한 수치를 훨씬 상회하였으리라고 생각된다.

이 같은 저수시설의 축조에는 대규모 노동력을 조직적으로 동원할 수 있는 전문화된 관리 · 위계조직의 발달을 시사해 준다. 동시에 다른 형태의 토목공사 가령 4세기대에 가장 활발하였을 축성과 고분조영 등과 같은 役事를 관장하는 국가 중앙조직과 전국적인 주민 동원망의 존재를 상정할 수 있다. 요컨대 백제 중앙권력에 의한 생존자원의 생산수단인 수리권의 장악은, 지방세력을 중앙으로 흡입하고 통제할 수 있는 계기가 되었다. 동시에 중앙권력을 지방에 깊숙이 침투시키는 일종의 교두보 역할을 하였을 것이다. 이와 관련해 1415년에 작성된「벽골제중수비문」을 다음과 같이 옮겨 보았다.

　… 제방의 길이는 60,843尺이고 제방 안의 둘레는 77,406步이다. 다섯 개의 도랑을 파서 논에 물을 대는데 논은 무릇 9,840結, 95卜이라고 하니 고적에 적혀 있는 바이다. 그 첫째 水門을 水餘渠라고 하는데 한 줄기 물이 萬頃縣의 남쪽에 이른다. 둘째 수문을 長生渠라고 하는데 두 줄기 물이 만경 현의 서쪽 潤富의 근원에 이른다. 셋째 수문을 中心渠라고 하는데 한 줄기의 물이 古阜의 북쪽 扶 寧의 동쪽에 이른다. 넷째 수문을 經藏渠라고 한다. 다섯째 수문을 流通渠라고 하는데 둘다 한 줄 기의 물이

32　尹武炳,「金堤 碧骨堤 發掘報告」『百濟研究』7, 1976, 11쪽.

33　成洛俊,「榮山江流域의 甕棺墓研究」『百濟文化』15, 1983, 48쪽.

34　신라의 力役 동원은 2월을 중심으로 한 春月에 가장 잦았다고 한다(李基白,「永川 菁堤碑의 丙辰築堤記」『新羅 政治社會史 研究』, 일조각, 1974, 307쪽).

仁義縣의 서쪽으로 흘러 들어간다. 다섯 수문이 물을 대는 땅은 모두 비옥하였는데, 이 제방은 신라와 백제 때부터 백성에게 이익을 주었다. …[35]

위의 기사에서 보듯이 벽골제는 만경평야의 광범한 지역에 농업용수를 제공하였다. 동시에 벽골제에 관하여 "水源은 셋이 있는데 하나는 금구현 모악산의 남쪽에서 나오고, 하나는 모악산의 북쪽에서 나오며, 하나는 태인현의 상두산에서 나와 벽골제에서 만나 古阜郡의 訥堤水와 東津에서 합쳐 萬頃縣 남쪽을 지나 바다로 들어간다"[36]라는 기록을 통해 볼 때 더욱 그러한 것이다.

그러면 백제가 벽골제와 같은 저수지를 축조하여 광활한 평야에 농업용수를 제공하였던 이유는 어디에 있었을까? 백제는 369년에 복속시킨 금강 이남으로부터 노령산맥 이북의 신개척지가 비옥한 농경지임을 주목하였다. 그 결과 이 지역에 대한 개척을 통하여 물적기반을 확대하고자 한 것이었다. 이보다 늦은 시기인 5세기대에 접어들어 신라는 관개사업에 대대적으로 힘을 기울인 바 있다. 백제는 역시 주민지배의 수단으로써 수리권을 이용한 것으로 판단된다. 그럼에 따라 백제는 4세기 중반 무렵부터 수전농업의 필수적 시설인 저수시설을 벽골제뿐 아니라 지방 각지에 대대적으로 축조·정비하였을 것이다. 아울러 이는 백제가 마한 영역의 비옥한 농경사회로 본격 진입하게 된 데 따른 조치라고 본다.

『磻溪隨錄』에 의하면 벽골제와 더불어 이른바 '湖南三大堤'라고 일컬었던 고부의 눌제와 익산의 황등제에 관해서도 조선 초기에 그 수축에 관한 건의가 잇따라 제기되었음을 알 수 있다.[37] 이러한 사실에 비추어 볼 때 앞서의 제방 또한 벽골제와 거의 비슷한 무렵에 축조되었으리라고 생각된다. 나아가 백제는 수리안전답과 홍수의 피해로부터 만경평야의 전답을 안전하게 확보할 수 있게 되었을 것이다. 『삼국유사』에서 벽골제의 수전 1만 4,070[結]이라는 기록은 벽골제의 축조를 통한 수전의 확대에 따른 토지 이용율의 증대를 짐작하게 한다. 요컨대 농경 지대는 수리권을 통해 공동사회를 형성한 배타적 사회였다고 한다.[38] 읍락 중심의 배타적 기존 질서를 파괴시키기 위해 백제는 대규모 노동력

---

35 『新增東國輿地勝覽』권33, 金堤郡, 古蹟 條.
36 『新增東國輿地勝覽』권33, 金堤郡, 古蹟 條.
37 全榮來, 『古沙夫里-古阜地方 古代文化圈 調査報告書』, 井邑郡, 1980, 23쪽.
38 사와다 이사오·김숙경 譯, 『지금은 사라진 고대 유목국가 이야기, 흉노』, 아이필드, 2007, 39쪽.

을 동원한 국가적 수리시설의 축조를 단행한 것이다. 저수지라는 수리시설의 축조는, 대규모 노동력에 대한 조직화를 수반하기 때문에 국가권력 주관하에 추진된 사업이었다. 백제가 저수지를 축조하는데 동원한 노동력 가운데는 고구려와의 전쟁이나 마한경략 등에서 확보한 전쟁 포로들이 대거 투입되었을 가능성도 생각해 볼만하지만, 지방민의 동원이 중핵을 이루었을 것이다.

그리고 저수지와 같은 수리시설 자체는 주민통제 특히 지방세력에 대한 통제수단으로서의 효과가 컸기 때문에 국가는 그것의 관리에 각별한 관심을 쏟지 않을 리 없었다. 이러한 선상에서 백제는 인구조밀 지역이기도 한 비옥한 농경지에 축조된 이를테면 국영 저수지의 관리와 收取 등에 필요한 통치 거점을 모색하였을 것이다. 곧 저수지 인근에 성을 축조하였으리라고 생각된다. 벽골제의 남단인 김제 부량면과 정읍 신태인읍의 경계선상에 있었던 해발 약 54m의 야산에 축조된 테뫼식 토성이 주목된다. 이 성은 벽골제를 방비하고 동진강 하구를 따라 내륙으로 진입하는 적을 차단하는 목적의 방어시설인 동시에 통치의 거점이기도 하였다. 이곳에 파견된 지방관의 힘은 일차적으로 관개 농법에 필수적인 수리권의 장악에 연유하였음은 두말할 나위 없다.

이와 관련해 백제 밖의 자료이기는 하지만 신라의 朴堤上을 毛麻利叱智라고 일컬었다는 사실이 주목된다. 여기서 존칭어미인 '叱智'를 뺀 '毛麻利'는 '못뚝의 우두머리'라는 해석이 가능하므로 수리권을 관장한 데서 비롯된 지방 '官'에 대한 別稱이나 汎稱일 가능성을 함축하고 있다. 이러한 호칭은 지방관의 역할 가운데 기본적 생존자원에 대한 생산수단인 수리권에 대한 지배 비중이 컸던 데서 유래한 것이라고 하겠다. 수리권과 관련한 지방관의 역할은 삼국의 주민들이 일본열도에서 韓人池를 만들었다고 할 정도로 뛰어난 築堤術을 가지고 있었다. 그러므로 이 문제는 신라에만 국한된 현상은 아닐 터이므로 백제까지 확대시키는 게 가능해진다. 6세기 전반기의 자료이지만 백제에는

정월에 슈을 내려 제방을 튼튼하게 하고 안팎의 游食者를 몰아다가 歸農시켰다.[39]

라고 하여 전국적으로 제방이 완비되었음을 시사해준다. 이러한 상황을 놓고 볼 때 벽골제가 축조되는 4세기 중반 이후 상당수의 저수지와 제방을 축조·정비하였을 것으로

---

39 『三國史記』 권26, 무녕왕 10년 조.

짐작된다. 그 결과 농업생산력의 발달을 촉진시켜 왕정의 물적 토대를 확고하게 다질 수 있었을 것이다. 왕정의 이같은 물적자산은 백제가 군사·경제적으로 중요하다고 판단한 지방의 거점에 축성한 檐魯를 통하여 중앙으로 조달되었을 것이다. 여기에는 자연 물량이 늘어나는 공납·수취물의 원활한 운송을 위한 도로망의 확장을 가져오게 마련이었다. 백제 영역 내의 간선 도로망은 이미 소금공급을 통하여 개척되어 나갔겠지만, 담로 체제의 시행에 따라 도로망은 정비되었을 것이며 나아가 郵驛의 설치도 생각하게 한다. 결국 담로는 '官道'라고 하는 전국적인 도로망의 확장·정비와 짝을 이루면서 거점 지역에 축조된 '官城'이라고 하겠다. 그러므로 백제의 수리권 장악은 담로를 거점으로 하여 중앙 권력의 범위를 확대시키는 요체였다. 동시에 이는 지방세력을 통제하는 관건으로도 유효하게 기능하였다.

벽골제의 축조 시기를 『삼국사기』에 적힌 330년으로 확정하여 백제 이전 마한의 初築으로 지목하기도 한다. 여기서 『삼국사기』의 연대를 존중한 것은 충분히 고려할 수 있다고 본다. 그런데 주지하듯이 『삼국사기』 백제본기의 기사는 초기로 소급될수록 기사의 신빙성이 떨어진다는 것이다. 일례로 시조왕본기에 이미 마한을 점령한 것으로 적혀 있다. 그러나 이것은 사실이 아니었다. 그랬기에 『일본서기』 신공 49년 조의 기사를 원용해서 백제의 마한 경략 연대를 369년으로 재조정했다. 그러나 이러한 이유만으로 벽골제의 초축 시기를 부정할 수는 없다. 문제는 330년 당시 마한에서 벽골제를 初築했다고 하자. 그러면 어떻게 그러한 사실이 『삼국사기』에 수록될 수 있었는지에 대한 해명이 필요해진다. 마한의 운동력은 『삼국사기』 시조왕본기 외에는 그 어디에도 수록된 바 없기 때문이다. 설령 330년이라는 연대를 존중한다고 하자. 그렇더라도 엄청난 노동력이 투입될 뿐 아니라 확장 개축이 가능한 벽골제의 속성을 열어두어야 할 것 같다. 백제가 이 지역을 장악한 후에 국가 규모로 벽골제를 증축했을 가능성이다.[40] 그러나 본질적으로 벽골제 축조 행위의 주체는 백제 중앙권력이 될 수밖에 없다. 그렇지 않은 경우는 『삼국사기』 그 어디에서도 확인되지 않는다. 즉 築城이나 築堤의 주체는 어디까지나 국가 권력이었기 때문이다.

『삼국사기』 신라본기에 수록된 벽골제 축조 기사를 백제 때 사실로 재해석하여 지금 논의하고 있다. 그런데다가 벽골제 제방 축조 이전에 자생하던 식물유체를 통한 방사선

---

40   이상의 서술은 李道學, 『백제 한성·웅진성시대 연구』, 일지사, 2010, 56~63쪽에 의하였다.

탄소연대 측정 결과 330~374년이라는 연대를 얻었다. [41] 여기서 330년은『삼국사기』흘해왕기의 벽골제 축조 기사를 의식한 연대로 보인다. 어쨌든 탄소연대 측정 결과 벽골제의 축조 시기는 백제가 이곳을 점령한 369년 이후로도 해석이 가능하다는 것이다. 이 점을 유의하고자하였다.

2) 中方城의 설치와 그 비정

『삼국사기』시조왕기에 의하면 축성 기사의 맨 마지막 기사로서 "古沙夫里城을 쌓았다(시조왕 36년 조)"라는 구절이 보인다.『삼국사기』시조왕기의 영역이 후대 사실의 투영이 듯이, 축성 기사 역시 후대 사실이 한꺼번에 기재된 것으로 간주되어진다. 아울러 시조왕기에는 영토 개척의 역사가 거듭되고 있다. 시조 이후 한성도읍기 백제왕들의 역사에서 영역 확장과 결부된 기사가 전무한 사실과 크게 구별된다.『삼국사기』를 보면 백제의 영역 확장은 시조왕대에만 집중되어 있다. 시조왕은 일찌감치 마한을 멸망시킴으로써 남부 영역이 고사부리성(고부)까지 미쳤음을 선포하였다. 노령산맥선까지 미치는 백제 기본 영역의 확정을 뜻한다. 이와 관련해『일본서기』편찬 당시 왕실의 직계 祖先이 유구한 태고로부터 일본열도 全域을 지배한 유일의 정통 왕가였다는 주장을 선전하기 위하여 그렇게 서술한 것이다. [42] 이러한 서술 태도는『삼국사기』고구려·신라본기와는 달리 시조왕대에 그 정복사업이 완료된 양 서술된 백제본기의 시조왕기와 일맥 상통하는 면을 보여주고 있다.『삼국사기』에 의하면 시조왕 36년 조의 古沙夫里城(고부) 축조 기사를 끝으로하여, 이러한 판도내에서 별다른 영역 확대가 확인되지 않고 있다. 고사부리성은,『翰苑』백제 조에서 "國鎭馬韓 地苞狗素"라고 한 狗素로서, 백제 영역의 한 界線으로 인식되어지고 있다. 백제의 이러한 고부 지역 진출은 369년의 점령지에 포함된 것으로 새롭게 밝혀지고 있는 만큼, [43] 이 또한 시조왕대의 정복지와 근초고왕대의 그것이 상관성을 띠고 있음을 알려준다. 따라서 백제의 고사부리성 축조는 기실 근초고왕대나 그 이후의 일이 분명하므로, 시조왕대의 영역관계 기록은 다른 기사와 마찬가지로 후대 사실의

---

41   최완규,「김제 벽골제와 백제 중방성」『호남고고학보』44, 2013, 175쪽.

42   岡田英弘,『倭國』, 中央公論社, 1977, 155~156쪽.

43   李道學,「百濟의 起源과 國家發展過程에 관한 檢討」『韓國學論集』19, 1991, 183~184쪽.

소급임을 알 수 있다. 요컨대 단일한 정치체로서의 의미를 지닌 시조왕대의 영역관계 기록은, 한성시대 이후의 정치적 변화에서 시조 왕의 위엄과 왕실의 정통성을 과시할 목적에서 생겨난 것으로 해석된다.[44]

그러면 여기서 제기한 문제는 구체적으로 살펴 볼 필요가 있다. 이와 관련해 근초고왕이 마한에 대한 정복전을 개시하기 전의 영역 범위에 대한 이해가 선결되어야 한다. 이는 다음과 같은 『삼국사기』 시조왕 13년 조 기사에 대한 검증과 관련 있다.

8월에는 마한에 사신을 보내어 遷都를 알리고 疆場을 畫定하였는데, 북쪽은 浿河에 이르고, 남쪽은 熊川에 限하고, 서쪽은 大海에 이르고, 동쪽은 走壤으로 끝났다.[45]

위에서 패하는 예성강, 대해는 서해를, 주양은 춘천으로 비정되고 있다. 문제는 웅천의 위치이다. 『삼국사기』 동성왕 13년 조의 "6월에 웅천의 물이 불어 왕도의 200餘 家가 떠내려 가고 잠겼다"라고 한 기사의 '웅천'은 시조왕 13년 조와 동일한 江을 가리키고 있다. 따라서 웅천은 지금의 금강이 분명하다. 웅천을 안성천으로 비정한 견해는 타당성을 잃었다. 요컨대 백제는 북쪽 국경을 예성강으로 남쪽 국경을 금강으로 하는 영역을 확보한 것이 된다. 이러한 영역 범위를 명시하고 있는 시조왕대의 기사는 후대 사실의 遡及 · 架上이므로 그 시기를 재검토할 필요가 있다. 이와 관련해 주목되는 것은 『일본서기』 신공 49년 조의 "그 때 [比利辟中布彌支半古四邑]이 자연 항복하였다"[46]는 [ ] 안의 지명 비정이다. 종래 [ ] 안의 지명을 '比利 · 辟中 · 布彌支 · 半古'의 4읍으로 끊어 읽었다. 그러나 比利와 辟中에 이은 '布彌支半古四邑'을 '布彌 · 支半 · 古四'로 끊어 읽는 새로운 讀法이 제기되었다.[47] 그렇다면 이들 지명은 『삼국지』 한 조에 보이는 마한제국인 '不彌國 · 支半國 · 狗素國'과도 잘 연결된다. 동시에 비리는 부안의 보안, 벽중은 김제, 포미는 정읍, 지반은 부안, 고사는 고부로 새롭게 비정되어진다. 『일본서기』 신공 49년 조에 보이는 백제의 마한경략은 고해진만 전라남도 강진에 비정될 뿐이다. 그 나머지는 모두 금강

---

44 이상의 서술은 李道學, 「百濟 初期史에 관한 文獻資料의 檢討」 『韓國學論集』 23, 1993, 36~38쪽에 의하였다.

45 『三國史記』 권23, 시조왕 13년 조.

46 『日本書紀』 권9, 神功 49년 조.

47 全榮來, 『周留城 · 白江位置比定에 관한 新研究』, 扶安郡, 1976; 『古沙夫里-古阜地方 古代文化圈 調査報告書』, 井邑郡, 1980, 3~4쪽.

이남부터 노령산맥 이북 지역에 해당되고 있다. 따라서 369년 '마한경략' 이전 백제의 남쪽 경계는 금강이라고 보겠다. 금강을 남쪽 경계로 하는 백제의 영역은 『삼국사기』 시조왕 13년 조에서 웅천을 남계로 하는 영역 기사와도 연결이 되고 있다.[48]

　『삼국사기』 시조왕기에 보이는 현상은 4세기 전반경의 사실이며, 영역은 4세기 후반 근초고왕대의 사실이 시조왕기에 투영되어 있음이 확인되었다. 이렇듯 시조왕기는 單一한 정치체의 탄생과 정치 권력의 확립 과정을 서술하고 있는 것이다. 여기서 유의할 사안이 보인다. 즉 백제 시조왕대에 영역의 확정을 뜻하는 축성 기사 속에 보이는 고사부리성은 전라북도 정읍의 古阜를 가리킨다. 그러한 고부 지역은 백제가 마한 전역을 석권하여 직접 지배할 때인 사비성 도읍기에 中方城이 설치된 곳이다. 中方은 5方 가운데 백제 영역의 중심이라는 의미가 담겨 있다. 고사부리성은 原百濟 지역과 영산강유역의 舊馬韓 지역을 잇는 거점으로 삼고자 한 의도로 볼 수 있다. 사비성 도읍기의 5방체제 속에서 백제는 고부를 국토의 중심으로 인식했던 것이다. 적어도 노령산맥 이북의 전라북도 지역은 백제의 변방이 아니라 중심으로 인식되었다는 반증이다. 근초고왕대에 전라북도의 많은 지역이 백제의 기본영역으로 편제된 결과였다.

　근초고왕 부자와 倭將이 맹약했다는 벽지산과 고사산의 소재지가 김제와 정읍의 고부였다. 새로 개척한 지역에 대한 확인 의례가 행해진 것으로 보인다. 이때 백제는 새로 복속한 지역을 국토의 중심으로 설정하면서 잔여 마한 세력을 편제하려는 목표를 설정한 것으로 판단된다. 그랬기에 사비성 도읍기에 이곳에 중방성을 설치한 것일 게다. 그러면 중방성의 소재지는 어느 곳일까? 이에 대한 기본 전제는 『한원』의 다음 기사이다.

　　* 括地志曰 百濟王城 方一里半 北面累石爲之 城水[內?] 可方[万]餘家 卽五部之所也 一部有兵五百人 又國南二百六十里 有古沙城 城方百五十(里?)步 此其中方也 方繞[擁]兵千二百人 國東南百里有得安城 城方一里 此其東方也 國南三百六十里 有卞城 城方一百卅步 此其南方也 國西三百五十里 有力光城 城方二百步 此其西〈方〉也 國東北六十里 有熊津城 一名固麻城 城方一里半 此其北方也 其諸方之城 皆憑山險爲之 亦有累石者 其兵多者千人 少者七八百人 城中戶多者千人 少者七八百人 城中戶 多者至五百

48　李道學, 『백제고대국가연구』, 일지사, 1995, 318~320쪽; 「榮山江流域 馬韓諸國의 推移와 百濟」 『百濟文化』 49, 2013, 117~122쪽.

48　李道學, 『백제고대국가연구』, 일지사, 1995, 318~320쪽; 「榮山江流域 馬韓諸國의 推移와 百濟」 『百濟文化』 49, 2013, 117~122쪽.

家 諸城左右亦各小城 皆統諸方 又國南海中 有大島十五所 皆置城邑 有人居之[49]

    * 또 서울 남쪽 260里에는 古沙城이 있다. 성은 사방이 150步이다. 이것이 그 中方이다. … 그 여러 方의 성들은 모두 山險한 곳에 의지하여 성을 쌓았다. 역시 돌을 쌓은 것이다(又國南二百六十里 有古沙城 城方百五十(里?)步 此其中方也 … 其諸方之城 皆憑山險爲之 亦有累石者).

    5방성 모두 山險한 곳에 축조되었다고 했다. 중방성의 입지 조건은 산성인 것이다. 중방성 역시 북방 웅진성처럼 석성임을 알 수 있다. 주지하듯이 웅진성인 공산성은 석성과 토성으로 나뉘어졌다. 그랬기에 백제 때는 토성이었는데, 후대에 석성으로 개축된 것으로 추측해 왔다. 그러나 근래에 공산성 공북루 쪽의 북쪽 성벽을 절개하는 과정에서 이들 석축 유구 역시 백제 때 축조한 것으로 밝혀졌다. 따라서 5방성의 한 곳인 중방성의 경우도 석축 산성이라는 결론에 이르게 된다.

표 1 | 백제 5方城의 둘레 길이[50]

	1步=5尺	1步=6尺
동방성=得安城(方 1里)	1656m	1656m
서방성=刀先城=力光城(方 200步)	920m	1104m
중방성=古沙城(方 150步)	690m	828m
남방성=久知下城=卞城(方 130步)	598m	720m
북방성=熊津城(方 1里半)	2480m	2480m

    위의 表에 보이는 백제 5方城의 이름은 『周書』와 『한원』의 기록을 倂記했음을 밝혀둔다. 여기서 5方城 가운데 동방성은 충청남도 논산, 중방성은 정읍의 고부, 북방성은 공주로 지목하는 데 이견이 없다. 그런데 남방성은 『翰苑』에 '卞城'으로만 적혀 있다. 그러나 『翰苑』 자체에 誤寫와 漏落이 심한 것을 감안해야 한다. 그렇다고 할 때 '卞城'은 『北史』에 적힌 '久知下城'에 대한 表記 漏落과 誤記로 판단된다. 문제는 남방성의 소재지가 되

---

49   『翰苑』 권30, 蕃夷部 百濟 條.

50   徐程錫, 『百濟의 城郭』, 학연문화사, 2002, 255쪽.

겠다. 이에 대해서는 전북 南原·金溝·전남 長城·光州·求禮를 지목하고 있다.[51] 그런데 웅진도독부 관하 東明州 4縣 가운데 "久遲縣 本仇知"라는 구절이다.[52] 여기서 '仇知'는 '久知下城'의 바로 그 '久知'와 연결된다. 그리고 東明州 4縣 가운데 熊津縣은 지금의 公州를 가리키는데 이견이 없다. 그렇다면 남방성인 구지하성은 북방성인 지금의 공주와 동방성인 논산 사이에 소재한 게 된다. 이 점에 대해서는 차후 면밀한 검토가 필요할 것 같다. 만약 이러한 추정이 타당하다면 당시 백제 도성인 사비도성 인근에 북방성과 동방성 그리고 남방성이 포진한 게 된다. 반면 중방성은 文字 그대로 국토의 중심지라기 보다는 國都의 남쪽으로 쑥 내려온 것이다. 중방성은 실제 국토의 중심이라기 보다는 관념상의 중심지로 인식되었다는 게 된다. 이렇게 본다면 종래 인식했던 5방성의 성격과 기능도 재검토가 불가피해진다.

서방성의 경우 예산군 대흥면의 임존성으로 지목하는 견해가 있다. 그러나 이 비정은 맞지 않다. 백제 때 임존성은 "道琛은 이에 府城의 포위를 풀고는 任存城으로 물러나 지켰다[임존성은 백제 西部 任存山에 소재하였다]"[53]고 하였듯이 그 이름을 사용하고 있다. 「劉仁願紀功碑文」에도 동일한 이름을 사용했다. 그러므로 刀先城=力光城과는 이름 자체가 임존성과는 전혀 연결이 되지 않는다. 따라서 서방성은 적어도 임존성이 될 수는 없다. 게다가 임존성의 길이는 2.8km로서 1km 안팎에 불과한 서방성의 규모와는 차이가 너무 난다. 주지하듯이 方은 둘레를 가리키기 때문이다.

『한원』에서 북방성인 공산성은 현재 둘레가 2,660m에 이르고 있다. 이는 1里半 즉 2480m로 추산되는 북방성 기록과 크게 어긋나지 않는다. 이로 볼 때 중방성에 대한 『한원』 기록은 존중되어도 좋을 것 같다. 그러면 둘레가 대략 700~800m 사이의 성들을 井邑의 古阜面 반경에서 찾아 볼 필요가 있다. 이와 관련해 이 부근에서 가장 높은 두승산 (해발 443.5m)을 주목해 본다. 두승산이 근초고왕 父子와 倭將이 서맹을 한 고사산일 가능성을 생각하게 한다. 이곳에 무려 5km에 이르는 초대형 斗升山城이 소재하였다. 두승산성 안에서 백제 때 유물이 출토된다고 하지만, 그 성격은 분명하지 않다. 斗升山城은 백제 때 고분군과 연결되지 않았다. 그런데 斗升山城이 소재한 고부면은 그 북쪽으로 영원

51   徐程錫, 『百濟의 城郭』, 학연문화사, 2002, 254쪽.
52   『三國史記』권37, 地理 4, 百濟.
53   『資治通鑑』권200, 高宗 上之下.

면과 접하였다. 영원면에는 백제 당시의 고분군이 밀집해 있다. 이로 볼 때 영원면 일대가 백제 때 행정지명으로서 고사부리성의 중심지였을 가능성이다. 정읍시 고부면과 영원면이 백제 때 고사부리성의 단위였다고 본다. 실제 "본래 백제의 고사부리군이었다"[54]고 한 고부군의 북쪽 경계는 『신증동국여지승람』에서 "扶安縣까지 17里"라고 했다. 그러므로 영원면도 백제 때 고사부리성의 범위 안에 속한 것은 분명하다.

영원면에서 성황산(해발 132m) 정상부 두 곳을 연결하여 축조된 古阜舊邑城(古阜面 古阜里) 북문지에서는 장방형 廊에 적혀 있는 '上部上巷' 인각와가 출토되었다. 북문지의 성토층 상면에서 백제 기와를 비롯한 백제 유물 등과 함께 출토되었다. 그러므로 이곳은 백제 때 初築된 성일 가능성이 높아졌다.[55] 그러한 古阜舊邑城은 동서 방향으로 길쭉한 楕圓形이며 둘레는 1,050m이다. 고부읍성은 고려와 조선시대 때 읍성으로 기능하였기에 증축 가능성도 고려해야 한다. 백제 때의 성 둘레는 이보다 작았을 것이다.

은선리토성의 경우는 둘레 875m인데다가 백제 때 성으로 밝혀졌다. 은선리토성의 외적 규모는 중방성의 규모에서 크게 벗어나지 않았다. 문제는 은선리토성이 석성이 아니라는 것이다. 그리고 은선리토성은 해발 20m의 낮은 구릉에 소재하였다. 이 사실은 方城의 특징인 '山險'과 부합하지 않는다. 金寺洞山城 현장 안내판에 따르면 金寺洞山城(전라북도 기념물 제55호)은 "장문리와 은선리를 가르는 응봉산 북쪽 계곡을 돌로 에워싼 산성이다. 성의 이름은 골짜기의 이름 금사동을 따서 지었다. 성의 둘레는 2,365m인데"라고 했다. 그런데 2012년 11월에 현장을 답사했던 필자는 금사동산성에서 석축의 흔적을 찾지는 못했다. 물론 외형이 흙으로 덮였을 가능성도 배제할 수는 없었다. 어쨌든 금사동산성은 外城만 해도 둘레가 800m를 훨씬 초과한 2,365m이다. 그런데 兩城은 고분군과 긴밀하게 연결되어 있음은 주지의 사실이다.[56] 은선리토성은 반경 2㎞ 내에 은선리 고분군, 운학리 고분군·신매리 고분군이 소재하였다. 이들 고분군의 조성 연대는 5세기 전반부터~6세기대에 이르고 있다. 금사동산성은 은선리토성과 동일하게 은선리 고분군(3)·후지리 고분군·장모리 고분군·탑립리 고분군·지사리 고분군과 인접해 있다.[57] 지사

---

54 『新增東國輿地勝覽』권33, 古阜郡, 건치 연혁 조.

55 최완규, 「김제 벽골제와 백제 중방성」『호남고고학보』44, 2013, 189쪽.

56 이에 대해서는 全榮來, 「古阜隱仙里古墳群」『全北遺蹟調査報告 2』, 全羅北道博物館, 1973, 3~24쪽과 全榮來, 「井邑 雲鶴里古墳群」『全北遺蹟調査報告 3』, 全羅北道博物館, 1974, 1~16쪽을 참조 바란다.

57 정읍시영원면·영원면지추진위원회, 『永元—영원 사람들의 삶과 역사』2005, 316~354쪽.

리 고분군 가운데는 조성 시기가 4세기 말~5세기 전반으로 편년되고 있다. 그런데 반해 고부구읍성과 직접 연계된 고분군은 포착되지 않는다.

은선리토성은 5방성의 입지 조건인 '山險'과는 일단 거리가 멀다. 4세기 중후반 백제 남방 영역의 지표가 되었던 상징성이 지대한 성이 고사부리성이었다. 백제가 근초고왕 대에 진출하여 축조한 고사부리성은 고분군과 연계된 은선리토성일 가능성이다. 반면 6세기대 중방성이기도 한 고사부리성은 금사동산성일 가능성이 보인다. 일단 '고사'와 금사동의 '금사'는 音이 닮았다.[58] 금사동산성은 石築인데다가[59] 5방성의 입지 조건인 '山險'과도 부합한다. 그러나 금사동산성은 중방성의 규모보다 너무 크다. 이와 관련해 주목되는 성이 古阜舊邑城이다. 사비성도읍기 후반기에는 고부구읍성을 축조한 것으로 보인다. 석성인 고부구읍성은 백제 중방성의 입지 조건이나 축성 재료와 대략 부합한다. 현재 고부구읍성의 규모는 고려나 그 이후 增築의 산물일 가능성을 열어놓아야 한다.

古阜舊邑城에서 출토된 '上部上巷' 인각와는 주목을 요한다.[60] 물론 '上部' 銘 인각와는 백령산성에서도 출토된 바 있다. 그러나 强首의 '中原京 沙梁部人' 기록과 청주 상당산성에서 출토된 '沙梁部屬長池馹' 명문와는 모두 통일신라의 소경이었다. 이들 소경에는 경주와 동일한 部가 구획되었음을 가리킨다. 이러한 '部' 銘 인각와는 왕궁평성에서도 출토되고 있다. 따라서 '部' 銘 인각와가 출토된 고부구읍성은 이미 지적되고 있듯이 중방성의 도시 기획과 관련한 중요한 단서를 제공해 준다. 그렇다면 중방성이었던 금사동산성 서남쪽에 새로운 통치 거점으로 축조된 게 고부구읍성이 아니었을까? 중방성의 비중이 중대됨에 따른 기능 확대로 해석되어진다. 두승산성의 경우도 이때 축조된 성으로 보인다.

4. 맺음말

한성 도읍기 백제의 지방 통치체제는 部·城·村體制였다. 전국을 5개의 部로 구획하고 그 안에 城과 그 하위 단위인 村이 존재하게 했다. 근초고왕이 남정을 단행하기 이전

---

58   全榮來,「古阜隱仙里古墳群」『全北遺蹟調査報告 2』, 全羅北道博物館, 1973, 22쪽.
59   정읍시영원면·영원면지추진위원회,『永元--영원 사람들의 삶과 역사』2005, 322쪽.
60   전북문화재연구원,『전북 고부 구읍성 I 』2007, 80~83쪽.

백제의 북계는 예성강(패수)이었고, 남계는 금강(웅천)이었다. 369년 백제는 금강 이남 노령산맥 이북 지역을 새로운 영역으로 편제했다. 일종의 거점 지배인 담로제가 시행되었다. 담로가 설치된 곳은 경제와 군사적으로 비중이 있는 지역이었다. 백제는 노령산맥 이남 지역 가운데서도 谷那鐵山이 소재한 谷城이나 고흥반도와 같은 남해항로의 要地, 강진(고해진)과 같은 항구는 직접 장악했다. 즉 담로가 설치된 곳이었다. 백제는 사비성 천도 이후에 전면적인 지방 지배 방식인 방·군·성제를 시행했다. 이때 5방의 한 곳인 중방성이 정읍의 古阜에 설치되었다. 고부는『삼국사기』에서 "古沙夫里城을 쌓았다(시조 왕 36년 조)"고 했을 정도로 비중이 지대한 곳이었다.

백제는 소금 산지의 확보와 독점적인 분급으로써 남·북한강 수계 지역의 세력들을 통제하거나 영향권 내에 묶어 둘 수 있었기 때문이다. 이와 더불어 백제는 여타의 것에 대한 통제보다 더 큰 힘을 제공하는 기본적 생존자원의 '생산수단'을 확보·장악하고자 하였다. 이는 막대한 농업생산력을 수중에 집중시켜 국가유지의 물질적 토대를 마련할 수 있는 灌漑施設의 축조로 나타나게 되었다. 관개시설의 축조는 토목공사에 따른 대규모 노동력의 징발을 가져오게 하였다. 그러므로 이는 집권화의 수단으로 알려지고 있다. 그러한 맥락에서 백제는 김제 벽골제를 장악한 것으로 보인다.

문제는 벽골제의 축조 주체가 되겠다. 기록에 적힌대로 330년 당시 마한에서 벽골제를 初築했다고 하자. 그러면 어떻게 그러한 사실이『삼국사기』에 수록될 수 있었는지에 대한 해명이 필요해진다. 마한의 운동력은『삼국사기』시조왕본기 외에는 그 어디에도 수록된 바 없다. 설령 330년이라는 연대를 존중한다고 하더라도, 엄청난 노동력이 투입될 뿐 아니라 확장 개축이 가능한 벽골제의 속성을 열어두어야 할 것 같다. 백제가 이 지역을 장악한 후에 국가 규모로 벽골제를 증축했을 가능성이다.

백제는 사비성 도읍기에 5方制를 시행했다. 여기서 北方城과 東方城은 이견 없이 공주와 논산으로 각각 지목되고 있다. 西方城의 경우는 임존성이 될 수 없다는 사실을 적시했다. 문제는 남방성의 소재지가 되겠다. 웅진도독부 관하 東明州 4縣 가운데 久遲縣 즉 백제 당시의 仇知縣이 포착된다. 여기서 '仇知'는 남방성인 '久知下城'의 바로 그 '久知'와 연결된다. 그리고 東明州 4縣 가운데 熊津縣은 지금의 公州를 가리키는데 이견이 없다. 그렇다면 남방성인 구지하성은 북방성인 지금의 공주와 동방성인 논산 사이에 소재한 게 된다. 백제 도성인 사비도성 인근에 북방성과 동방성 그리고 남방성이 포진한 게 된다. 이렇게 본다면 종래 인식했던 5방성의 성격과 기능도 재검토가 불가피해진다.

5방성의 한 곳일 뿐 아니라 국토의 중앙을 상징하는 중방성의 경우 정읍의 고부로 비정하는데는 이견이 없다. 문제는 구체적으로 어느 성이냐는 문제이다. 정확하게 확정할 수 있는 근거가 붙는 것은 아니었다. 이 사안을 생활 근거지인 산성과 유택인 고분군의 관계 속에서 접근해 보았다. 그 결과 백제가 근초고왕대에 진출하여 축조한 고사부리성은 은선리토성으로 지목되었다. 백제의 남방 진출의 거점으로서 고사부리성이 지닌 상징성이 담긴 것이었다. 반면 중방성은 금사동산성으로 지목된다. 금사동산성은 5방성의 입지 조건인 '山險'과 부합할 뿐 아니라 石築이라는 점에서도 부합한다. 그런데 금사동산성은 중방성의 규모보다 훨씬 크다. 백제는 중방성의 비중 증대에 따른 기능 확대로 인해 고부구읍성을 사비성 도읍기 후반에 축조한 것으로 보인다. 석성인 고부구읍성의 입지 조건과 축성 재료는 增築만 한다면 이후 고려와 조선의 읍성으로 기능이 가능했다. 『翰苑』에 보이는 중방성은 고부구읍성을 가리키는 것으로 보인다.

「百濟의 地方 統治와 中方城」 『김제 벽골제와 백제 중방문화권』, 전라북도, 2016. 9. 2.

백제・신라의 境界와 아막성과 가잠성

1. 머리말

7세기에 접어들어 신라와 백제가 격돌한 阿莫城 전투는『삼국사기』에 최소 두 차례 이상 보인다. 한 장소에서의 전투가 이처럼 2회 이상 등장한 경우는 지극히 이례적이다. 600~651년 사이에 2회 이상 전투가 발생한 곳은 아막성과 椵岑城에 불과했다. 이 점을 고려하면 아막성과 가잠성의 비중을 읽을 수 있다.[1]

지금까지 아막성 전투에 관한 초기 연구에서는, 백제의 가야 지역 진출 통로 확보 시각에서 전쟁 양상을 운위하였다. 그러나 이는 지극히 현상적인 평가에 불과했다. 아막성 전투는 기록상 무왕이 처음으로 주도한 전쟁이었고, 무려 4萬에 이른 대병이 동원되었다. 때문에 이 전쟁에 대해 비상한 관심을 가질만 하였다. 게다가 아막성 전투에서 백제 군은 참패를 했다. 응당 그로 인한 정치적 파장이 지대했을 것이다. 그러니 아막성 전투의 승패는 양국 왕들의 정치적 위상에 영향을 끼쳤다고 충분히 예상할 수 있다. 양국 가운데 특히 개전을 했지만 패전한 나라가 백제였다. 이에 따른 백제 지배 세력의 권력 관계 변화 수반은 충분히 예측이 가능하였다.

아막성(전라북도 남원 운봉)을 중심으로 한 주변 공방전은 지속적으로 이어졌다. 이는 소백산맥 동서를 관통하는 要路에서의 공방전이기도 했다.[2] 그러나 그간 논의되었던 진출 통로의 확보라는 차원을 넘어 아막성 장악을 통해 얻을 수 있는 경제적 요인을 상기해야 할 것 같다. 지금은 널리 알려졌지만 운봉고원과 장계분지의 거대한 제철산지의 확보라는 차원에서의 공방전을 생각해 볼 수 있다.[3] 그리고 東進을 거듭한 백제의 진출 범위 또한 대체로 드러났다.[4] 그런데 반해 신라의 西進 범위는 연구 성과가 불충분했다. 이와 더

---

1 허중권・정덕기, 「602년 阿莫城 戰鬪의 전개과정에 대한 고찰」『軍史』85, 2012, 34쪽.
2 이에 대한 대표적인 연구로는 김재홍, 「전북 동부지역 백제, 가야, 신라의 지역지배」『한국상고사학보』78, 2012, 113~134쪽이 주목된다.
3 이도학, 「백제사에서 전라북도의 位相」『전라북도 백제를 다시 본다』, 전라일보, 2016.8.10, 28쪽; 곽장근, 「호남 동부지역 가야문화유산 현황」『경남발전』138, 경남발전연구원, 2017, 50쪽.
4 장창은, 「7세기 전반~중반 백제・신라의 각축과 국경 변천」『한국고대사탐구』33, 2019, 281~325쪽.

불어 논의가 분분했던 椵岑城의 위치를 고증하고자 하였다. 그럼으로써 백제와 접한 신라의 西界에 대한 윤곽이 드러날 것이다. 아울러 7세기대 신라와 백제 간 국경의 흐름을 포착할 수 있게 된다. 이 작업은 勒努縣을 비롯한 지명 비정에도 일조할 것으로 보인다.

2. 신라의 서부 진출 범위와 아막성

1)『삼국사기』에 보이는 아막성 전투

『삼국사기』에서는 소백산맥 동서 진출 통로를 놓고 신라와 백제 간의 치열한 전투를 기재하였다. 이와 관련해 신라와 백제가 소백산맥 동서 통로에서 충돌한 아막성 전투 기록을 모두 적출하여 게시한 후 논의를 전개하고자 한다. 아막성을 현재 남원시 아영면 성리 산성으로 비정하는 데는 이견이 많지 않다.[5] 따라서 이에 대해서는 재론하지 않는다. 그러면 아막성 전투 관련 기록을 다음과 같이『삼국사기』에서 적출해 살펴보도록 한다.

　　a. (602년) 가을 8월에 백제가 와서 阿莫城을 공격했다. 王이 將士들로 하여금 逆戰하게 하여 이들을 대패시켰다. 貴山·箒項이 이곳에서 죽었다.[6]

　　b. (616년) 겨울 10월에 백제가 와서 母山城을 공격했다.[7]

　　c-1. (602년) 가을 8월에 왕이 出兵하여 신라 阿莫山城을 포위하였다[혹은 母山城이라고 한다]. 신라 왕 眞平이 精騎 數千을 보내 이에 拒戰하였다. 우리 군대가 패하여 돌아왔다.
　　c-2. 신라가 小陁·畏石·泉山·甕岑 4城을 쌓았다.
　　c-3. 우리 疆境을 침략하여 핍박하자 왕이 노하여 좌평 解讎에게 명하여 步騎 4만을 거느리고 그 4城으로 진격하여 공격했다. 신라 장군 乾品·武殷이 무리를 거느리고 拒戰하니, 解讎가 패하 여 군대

5　곽장근,『湖南 東部地域 石槨墓硏究』, 서경문화사, 1999, 61쪽.
6　『三國史記』권4, 진평왕 24년 조.
7　『三國史記』권4, 진평왕 38년 조.

를 이끌고 泉山 서쪽 大澤 中으로 물러나, 伏兵으로 이들을 기다렸다. 武殷이 이긴 것을 타고 甲卒 1千을 거느리고, 추격하여 大澤에 이르러, 복병을 發하여 이들을 急擊하였다. 무은이 말에서 떨어지니, 사졸들이 놀라서 어찌할 바를 몰랐다. 무은의 아들 貴山이 크게 말하기를 "내가 일찍이 스승에게 가르침을 받은 바를 말한다면 "士는 전쟁에서 물러나지 말라고 하였으니, 어찌 감히 달아나서 스승의 가르침을 떨어뜨리겠는가?" 馬를 아비에게 주고는 곧 小將 箒項과 더불어 戈를 휘두르며 力鬪하다가 죽었다. 나머지 병사들도 이 장면을 보고는 더욱 분투하여 아군은 패하였고, 解讎는 간신히 모면하여, 單馬로 돌아왔다.[8]

d. 가을 8월에 신라가 동쪽 변경을 침략했다.[9]

e. 겨울 10월에 達率 苩奇에게 명하여 군사 8천을 거느리고 신라 母山城을 공격하게 하였다.[10]

f. 겨울 10월에 신라의 速含·櫻岑·歧岑·烽岑·旗懸·冗柵 등 6城을 공격하여 이곳을 취했다.[11]

g-1. 眞平王 建福 19년(602) 壬戌 가을 8월에 백제가 크게 군대를 일으켜 와서 阿莫[莫이라고도 한다]城을 포위하였다.

g-2. 왕이 장군 波珍干 乾品·武屈·伊梨伐·級干 武殷·比梨耶 등이 군대를 거느리고 이들을 막게 했다. 貴山·箒項은 함께 少監으로 나갔다. 백제가 패하여 泉山의 澤으로 물러나 伏兵으로 이들을 기다렸다. 아군이 진격하다가 힘이 다하여 이끌고 돌아왔다. 그때 武殷이 군대의 후군이 되어 군대의 꼬리에 섰는데 복병이 갑자기 나와 갈고리로 그를 떨어뜨렸다. 貴山이 큰 소리로 말하기를 "내가 일찍이 듣기로 스승께서 말하시기를 '士는 전쟁에서는 물러서지 않는다'고 했으니 어찌 감히 달아나겠는가?" 賊 數十人을 격살하고, 자신의 馬로 애비를 보내고 箒項과 함께 戈를 휘두르며 力鬪하였다. 諸軍이 이를 보고는 奮擊하니 넘어진 시체가 들에 가득 찼다. 한 필의 馬와 한 쌍의 수레도 돌아가지 못했다. 貴山 등도 온몸에 베인 상처로 도중에 죽었다. 王이 羣臣과 더불어 阿那의 들판에서 맞아 시신

---

8 『三國史記』권27, 무왕 3년 조.
9 『三國史記』권27, 무왕 6년 조.
10 『三國史記』권27, 무왕 17년 조.
11 『三國史記』권27, 무왕 25년 조.

앞에서 통곡하고, 禮로써 殯葬하고 貴山에게 奈麻를, 箒項에게 大솔 벼슬을 추중해 내려주었다.[12]

위의 전쟁 기사를 순서대로 정리하면, a · c-1 · g-1은 동일한 602년 시점의 아막성 전투 기사이다. 그리고 c에서(1 · 2 · 3) 전쟁을 일으킨 주체가 백제인 관계로 백제본기에 상세히 기록하였다. 특히 c에서는 602년 8월의 전쟁 뿐 아니라 그 이후의 전쟁까지 함께 수록한 것으로 보인다. 즉 "신라가 小陁 · 畏石 · 泉山 · 甕岑 4城을 쌓았다(c-2)"는 사건이 발단이 되어, 백제 장군 해수가 4만 병력을 이끌고 신라가 쌓은 4성을 공격하였다(c-3). 귀산과 추항은 아막성 전투가 아니라 백제가 4성을 공격할 때 전사한 것이다(c-3). 그러나 a에 의하면 귀산과 추항은 아막성 전투에서 전사했다. 그리고 c-1 · 3은, g-1 · 2와 각각 동일한 시점과 상황이다. g에서는 백제의 침공 동기인 신라의 4성 축조(c-2)가 빠져 있다.

물론 602년 동일한 시점의 전쟁이라면, 4성 축조 기간과 4만 명의 대군 동원 시간을 모두 합친다면 단기전이 될 수 없다. 오히려 전쟁의 흐름을 놓고 볼 때 ① 신라가 4성을 축조하여 백제 영역을 먼저 침범했기에 ② 602년 8월에 무왕이 4만의 병력을 동원해 4성을 공격하였고 ③ 신라 진평왕이 精騎를 동원해 방어에 성공했다는 것이다.[13] 이와 같이 설정하면 인과 관계가 아주 잘 풀리는 전쟁 흐름도가 된다. 또 이렇게 보면 c-1은 아막성 전투의 총괄이고, c-2는 백제의 공격 명분이고, c-3은 전쟁 과정이라는 해석이 가능해 질수 있다.

동일한 지역에서 일련의 연속된 전쟁이었기에 冒頭에 기재한 開戰 시점 '8월'에 일괄 기재하였을 가능성이다. 初戰인 a · c-1 · g-1은, 동일한 8월 시점에 모두 아막성을 공격하였다. 전쟁 주체는 '백제'나 '왕', '무왕'이고, 모두 동일한 사건을 가리킨다. 그런데 c-3은 전쟁 주체가 무왕의 지시를 받은 좌평 해수였고, 공격 대상도 4성이었다. 이는 앞의 초전과는 서로 다른 전쟁 주체와 전장인 것이다. 이렇듯 전자와 후자의 전쟁은 주체와 대상이 모두 상이하였다. 신라의 4성 축조(c-2)는 백제의 침공 명분이다. 그렇기에 백제로서는 축조 기간이나 성의 성격 자체는 중요하지 않다. 신라는 백제 국왕의 친정을 물리친 후 방어력을 높이기 위해 4성을 축조하였던 것이다. 이와 마찬 가지로 마한 왕은 백

---

12 『三國史記』권45, 貴山傳.

13 박종욱, 「百濟 泗沘期 新羅와의 전쟁과 영역 변천」, 고려대학교 대학원 한국사학과 박사학위청구논문, 2021, 78쪽.

제 시조 왕의 목책 설치에 대해 시비를 걸었던 사례가 있다.[14]

무왕이 자국을 겨냥한 신라의 4城 축조에 민감한 것은 당연하다. 게다가 4성이 처음 축조되었을 때는 목책일 수도 있을 뿐 아니라, 아막성 자체도 633m 정도의 크지 않은 규모였다. 그러므로 4성도 이보다 규모가 작은 소규모 산성이 분명하다.[15] 많은 인력을 일시에 투입한다면 단기간 내에 축조가 불가하지도 않다. 그리고 '立柵'은 백제 개국기의 熊川柵은 물론이고 526년(성왕 4) 沙井柵 축조를 비롯해 조국회복운동기까지 등장한다.

게다가 a와 c-1 그리고 g-1에서 백제가 신라 아막성을 공격했다고 하지만, c-3에서는 이와는 달리 신라 4개 성 공격으로 적혀 있다. 그럼에도 4성과 아막성은 동일한 대상으로 지목하는 게 가능할까? 만약 그렇다면 4성은 아막성이라는 廣義의 행정지명을 공유한 지역일 수 있다.[16] 아막성은 母城인 성리산성과 그 주변 4개 성에 대한 廣義의 호칭일 가능성이다. 지금까지의 연구에서 小陁·畏石·泉山·甕岑 4城은 대체로 운봉 지역으로 비정되고 있다.[17] 따라서 앞에서 인용한 기록들은 아막성과 4성을 일치시킬 때 시점이나 지역에서 모순이 없어진다는 인상을 준다. 그러면 아막성은 아영면의 성리산성과 주변 운봉면의 4개 성을 포함한 행정지명으로 단정된다. 아막성으로 비정되는 성리산성은 장성 형태를 이루고 있는 이 일대 산성 가운데 고도나 규모면에서 중심지로 파악되었다.[18]

그리고 "(616년) 겨울 10월에 백제가 와서 母山城을 공격했다(b)"는 기사에 따르면, 母山城은 "雲峯縣 본래 母山縣이다[혹은 阿英城이라고 하고, 혹은 阿莫城이라고도 한다]"[19]고 했듯이 아막성과 동일한 성이다. 그렇다면 백제는 602년에 이어 14년만인 616년에 아막성을 공격하였다. 그리고 g-2는 두 명의 신라 순국 영웅을 기리기 위해 인물 중심으로 전쟁 상황을 상세하게 기록한 것이다.

---

14 『三國史記』권23, 시조왕 24년 조.

15 4성의 정확한 비정은 확인할 수 없다. 그러나 지목된 4성 중 확인된 3개 성의 둘레는 대략 150m, 340m, 400m로 각각 밝혀졌다(박종욱, 「百濟 泗沘期 新羅와의 전쟁과 영역 변천」, 고려대학교 대학원 한국사학과 박사학위청구논문, 2021, 79~80쪽).

16 아막성을 운봉 일대를 가리키는 지역 명칭으로 이미 간주한 바 있다(박종욱, 「百濟 泗沘期 新羅와의 전쟁과 영역 변천」, 고려대학교 대학원 한국사학과 박사학위청구논문, 2021, 78쪽).

17 이에 대한 자세한 소개는 장창은, 「7세기 전반~중반 백제·신라의 각축과 국경 변천」 『한국고대사탐구』 33, 2019, 293~294쪽을 참조하기 바란다.

18 金昌錫, 「6세기 후반~7세기 전반 百濟·新羅의 전쟁과 大耶城」 『新羅文化』 34, 2009, 98쪽.

19 『三國史記』권34, 地理1, 新羅 雲峰縣 條.

정리해 보면 602년 8월에 무왕은 몸소 대병을 이끌고 신라 아막성을 포위·공격하였다. 그러자 신라 진평왕이 精騎 數千을 보내 막게 했다. 백제 무왕은 패하여 물러났다. 그 직후 신라는 小陁·畏石·泉山·甕岑 4城을 쌓았다(c-3). 아막성 구간의 방어 기제를 높이려는 목적에서 그 인근에 4성을 축조한 것으로 보인다. 그러자 무왕이 격노해 좌평 해수에게 4만 명을 붙여 4성을 공격했지만 참패하였다.

아막성 공격은 무왕이 단행한 첫 번째 전투였다. 그리고 동원한 병력은 기록에 적혀 있지 않았지만 '百濟大發兵(g-1)'라고 했다. 왕의 친정인데다가 '大發兵'이라고 했으니 규모가 클 뿐 아니라 비중이 지대한 전투였다. 물론 친정을 부정하는 견해도 있지만, "가을 8월에 왕이 出兵하여 신라 阿莫山城을 포위하였다(c-1)"고 분명히 적혀 있다. 이는 "왕이 노하여 좌평 解讎에게 명하여 步騎 4만을 거느리고 그 4城으로 진격하여 공격했다(c-3)"는 기사와는 별개의 전투가 된다. 좌평 해수를 보냈을 때 '步騎 4萬'이 동원되었다. 무왕의 친정 역시 4만 명 안팎의 대병이 동원되었을 것으로 보인다. 이처럼 대병력을 2회 연속 동원한 것은, 속전속결 단기간에 끝낼 요량이었던 것이다. 빠른 성과를 얻고자 한 게 분명했다. 그만큼 무왕의 국내 정치 상황이 긴박했다는 반증이 될 수 있다.

백제는 처음에는 아막성을 공격했고, 그 직후에는 신라가 아막성을 보위하기 위해 축조한 4개의 支城을 선제 공격하다가 거듭 참패를 당한 것이다. 신라의 대응 역시 '精騎數千(c-1)'으로 나왔다. 이로 볼 때 양국은 아막성에서 국운을 건 전투를 벌였던 것이다.

2) 6세기 중반~7세기 전반 신라의 서부 진출 범위와 아막성

아막성 전투가 지닌 성격과 의미에 대해서는 정연한 연구 성과가 제기되었다. 즉 602년에 발발한 아막성 전투는, 백제와 신라가 소강 상태 이후 처음인 양국 간의 대규모 군사 충돌로, 이후 전개되는 치열한 전쟁의 서막이라고 할 수 있다. 또한 이 전투는 지금까지 양국 간의 戰場이었던 현재의 경기도와 충청북도 일대를 벗어나 호남 동부지역에서 벌어진 최초의 군사적 충돌이었다. 특히 백제로서는 武王 즉위 후 처음으로 발생한 정치적 사건이라는 점과 4만 병력 동원에도 불구하고 대패했다. 따라서 이 전투의 결과는 7세기 전반 백제의 국정 운영 주도 세력과 무왕의 왕권 강화에 큰 영향을 주었다고 볼 수

있다.[20]

물론 이러한 평가는 아막성 전투에 대한 결과론적인 해석이었다. 그러면 비중이 지대한 아막성 공격에 무왕이 명운을 걸다시피한 이유는 무엇일까? 관련해 백제가 남강이나 가야 지역으로 진출하려면 반드시 거쳐야 하는 곳이 남원이었기 때문이라고 한다.[21] 물론 이 같은 교통의 요지 주장은 틀린 관점은 아니었다. 그렇지만 너무나 당연할 뿐 아니라 현상적인 이해에 불과하였다. 특히 아막성 전투의 배경과 전제로서 신라 아막성의 전략적 성격이 먼저 고려되어야 함에도 불구하고, 일방적으로 신라의 아막성이 백제의 소백산맥 以東 지역 진출을 위해 타파되어야 할 대상으로만 설정되었다. 따라서 아막성 전투를 보다 입체적으로 파악하기 위해서는 백제의 일방적인 공세라는 이해에 앞서, 먼저 신라 아막성의 전략적 성격 및 위상에 대한 검토가 전제되어야 한다.[22]

백제가 대규모 병력을 징발하여 아막성을 공격한 배경에 대해서는 신라의 소백산맥 방어체계를 와해시킬 수 있는 군사적 비중 때문에 양국의 爭地가 될 수밖에 없었다고 한다.[23] 더욱이 아막성과 주변의 지세는 東高西低인 관계로 서편에서 쳐들어오는 백제의 공격을 막는 데 유리한 입지였다.[24] 백제로서는 아막성으로 인한 지리적 불리함을 극복해야만 했다. 그 타개책을 아막성 점령에서 찾았던 것 같다. 백제가 국력을 기울여 아막성을 공격한 데는 이러한 요인이 자리잡았을 것이다. 그러나 근본적인 요인은 백제 무왕이 직면한 국내 정치 환경이라는 점을 홀시할 수는 없다. 이에 대해서는 기존 연구에서 언급한 바 있다.[25] 그러면 원점으로 돌아와 아막성의 初築國은 어느 나라였을까? 다음 기사를 주목해 본다.

h. 承聖 3년 9월에 百濟兵이 와서 珎城을 침략하여 남녀 3만 9천과 馬 8천 匹을 약취하여 갔다.[26]

---

20 박종욱, 「602년 阿莫城 戰鬪의 배경과 성격」『한국고대사연구』69, 2013, 173쪽.
21 김병남, 「百濟 武王代의 영역 확대와 그 의의」『韓國上古史學報』38, 2002, 102쪽.
22 박종욱, 「602년 阿莫城 戰鬪의 배경과 성격」『한국고대사연구』69, 2013, 176쪽.
23 허중권·정덕기, 「602년 阿莫城 戰鬪의 전개과정에 대한 고찰」『軍史』85, 2012, 43쪽.
24 박종욱, 「百濟 泗沘期 新羅와의 전쟁과 영역 변천」, 고려대학교 대학원 한국사학과 박사학위청구논문, 2021, 71쪽.
25 김주성, 「百濟 武王의 大耶城 進出 企圖」『백제연구』49, 2009, 41~60쪽.
26 『三國遺事』권1, 紀異, 眞興王.

승성 3년은 554년이므로, 그해 9월에 백제가 신라를 침략했다는 것이다. 백제군이 침공한 珎城은 백제 때 珍同縣이었던 전라북도 무주로 지목하고 있다.[27] 그러나 진동현은 남으로 錦山郡 경계까지 16리에 소재한 珍山郡의 建置沿革 조에서 "본래 백제 珍同縣[同은 洞으로도 쓴다]이다"[28]고 하였다. 따라서 진성은 지금의 충청남도 錦山郡 珍山面 일대였다.[29] 이러한 비정이 맞다면 신라는 우리의 관념보다 훨씬 서쪽으로 진출한 것이다. 실제 금산 북쪽 추부면 場岱里 고분군을 통해 6세기 중후반 관산성 전투 이후 이곳은 신라 영역이라고 한다.[30] 게다가 h 기사를 음미해 보면 신라는 금산 일대를 554년 이전에 이미 차지하고 있었다.[31] 이러한 점을 염두에 두고 다음『삼국사기』기사를 통해 신라의 서부, 백제의 동부 전선 전장 변화에 대해 살펴 보도록 한다.

  i-1. 557년(진흥왕 18) : 沙伐州를 폐지하고 甘文州를 두고, 沙湌 起宗을 軍主로 삼았다.[32]

  i-2. 562년(진흥왕 23) : 가을 7월에 백제가 변경의 민호를 침략하자 王이 군대를 내어 이를 막 았다. 1천여 명을 殺獲했다.[33]

  i-3. (위덕왕 8) : 가을 7월에 군대를 보내 신라 邊境을 침략했다. 신라 군대가 나와서 이들을 격파하여 패배시켰다. 죽은 이가 1천여 명이었다[34]

  i-4. 565년(진흥왕 26) : 9월에 完山州를 폐지하고 大耶州를 두었다.[35]

  i-5. 577년(진지왕 2) : 겨울 10월에 백제가 서쪽 변경 州郡을 침략하자 伊湌 世宗에게 군대를 내도록 명하여 一善 북쪽에서 이들을 격파하여 3,700級을 斬獲했다.[36]

  i-6. (위덕왕 24) : 겨울 10월에 신라 西邊의 州郡을 침략하자 신라 伊湌 世宗이 군대를 거 느리고 이

---

27 강인구·김두진·김상현·장충식·황패강,『역주 삼국유사 1』, 이회문화사, 2002, 299쪽.

28 『新增東國輿地勝覽』권33, 全羅道 珍山郡, 建置沿革. "本百濟珍同縣[同 一作洞]"

29 이에 대해서는 장창은,「6세기 중 후반 신라 백제의 각축과 국경선 변천」『韓國史學報』67, 2017, 124쪽에서 언급되었음을 알았다.

30 김재홍,「전북 동부지역 백제, 가야, 신라의 지역지배」『한국상고사학보』78, 2012, 128~129쪽.

31 신라의 금산 지역 지배에 대한 여러 논의는 장창은,「6세기 중 후반 신라 백제의 각축과 국경선 변천」『韓國史學報』67, 2017, 123~130쪽을 참조하기 바란다.

32 『三國史記』권4, 진흥왕 18년 조.

33 『三國史記』권4, 진흥왕 23년 조.

34 『三國史記』권27, 위덕왕 8년 조.

35 『三國史記』권4, 진흥왕 26년 조.

36 『三國史記』권4, 진지왕 2년 조.

들을 격파했다.[37]

  i-7. 578년(진지왕 3) : 백제 閼也山城을 주었다.[38]

  위의 기사를 놓고 볼 때 신라는 557년에 지금의 상주(사벌주)에서 김천으로 이동하여 감문주를 설치했다(i-1). 추풍령과 덕산재를 이용하여 소백산맥 서편으로 진출할 수 있는 거점이 김천의 감문주였다고 본다. 565년에 신라가 대야주를 합천에 설치한 것은(i-4), 주지하듯이 함양을 지나 남원 방면으로 진출하려는 의도였다. 577년에 신라는 백제가 西邊 州郡을 침공해 오자 一善 즉 구미의 북쪽에서 격파했다고 한다(i-5). 이때 백제군의 진출로를 살피기는 어렵지만 추풍령로를 돌파하여 진입했을 수 있다.

  그 이듬 해인 578년에 신라가 "與百濟閼也山城(i-7)"한 기사가 보인다. 이 구절에 보이는 '與'는 '주었다'의 뜻이지만 전쟁 기사에서는 좀체 보이지 않는 문자이다. 그랬기에 '擧'의 誤刻으로 판독하기도 한다.[39] 이 경우 '擧'에는 '쳐서 멸망시키다'·'얻다'·'꾀하다'의 뜻이 있으므로, 신라가 백제 알야산성을 빼앗았다는 의미로 받아들일 수 있다. 신라의 알야산성 확보 여부를 떠나 이곳은 지금의 익산시 낭산면 소재 낭산산성을 가리킨다.[40] 그러면 이곳까지 신라의 진출은 분명한 사실이었다.

  577년 백제군의 구미 일원 진출과 그 직후인 578년 신라군의 익산 낭산면 진출은, 전선의 가변성과 유동성을 뜻하는 증좌이다. 더욱이 554년 이전에 신라는 서쪽으로 멀리 지금의 충청남도 금산 방면까지 진출해 있었다(h). 따라서 이러한 점을 염두에 두고 백제와 신라 간의 공방전 현장을 살펴야할 것 같다. 사실 백제와 신라의 接敵地는 우리가 상상하는 범위보다 훨씬 서쪽이거나 동쪽일 수 있다. 가령 636년 백제 장군 우소의 獨山城 점령은 경상북도 星州 일원이고 玉門谷도 그 부근에서 찾고 있다.[41] 물론 독산성은 성주

---

37 『三國史記』권27, 위덕왕 24년 조.

38 『三國史記』권4, 진지왕 3년 조. "與百濟閼也山城"

39 사회과학원 고전연구실,『삼국사기 (상)』, 아름출판공사, 1958, 95쪽.

40 『三國史記』권36, 地理3, 新羅 金馬郡.

41 전영래,「百濟 南方 境域의 變遷」『千寬宇先生還曆紀念韓國史學論叢』, 正音文化社, 1985, 155~156쪽.
    선덕여왕의 知機三事와 관련한 玉門池(女根谷) 이야기를 믿고 이에 근거해 비정하는 경우도 있다. 그러나 선덕여왕의 무녀적 豫言 이야기는 비담의 난 이후 여왕을 옹호하였고, 이후 권력을 장악한 김춘추와 그 후손들이 여왕 지지의 정당성을 내세울 필요에서 지어낸 것이다(李道學,「모란 같은 향훈(香薰)의 선덕여왕, 그 설화의 허와 실」『꿈이 담긴 한국고대사노트(상)』, 一志社, 1996, 240~247쪽).

독용산성으로 비정하지만[42] 옥문곡은 합천 가야면으로 비정하기도 한다. [43]

3. 아막성 전투의 국제적 성격론 검증

백제와 신라의 전장인 가잠성의 비중에 비해 그 위치에 대해서는 衆智가 모아지지 않았다. 반면 위치에 대한 합의가 모아진 아막성의 전투에 대해서는, 백제 국내 정치와 엮어서 의미와 성과를 살핀 견해와는 달리, 국제적인 성격의 전쟁으로 간주하기도 한다. [44] 즉 602년 4월~603년 7월 倭의 筑紫 주둔 · 602년 8월 아막성 전투 · 603년 8월 北漢山城 전투는 왜의 任那 구원 촉구에 백제 · 고구려의 가담으로 발생한 사건으로 간주하는 것이다. 하지만 왜의 주도로 성립되었다는 '백제-고구려-왜 연합설'은 『일본서기』 推古 8~11년 기사의 사료적 신뢰성 및 濟麗관계로 볼 때 설득력이 떨어진다고 생각된다. 이미 欽明 23년(562)에 멸망했던 임나가 推古 8년(600)에 신라와 전투를 벌이자, 왜가 신라를 공격하고 이듬해에 고구려와 백제에 임나 구원을 촉구하는 등 『일본서기』 내에서 내용상 모순이 보이기 때문이다. 또한 598년 고구려의 백제 침공에서 보듯이 당시 濟麗 관계는 隋의 고구려 침공 계획과 관련하여 상당한 갈등을 겪고 있었다. 게다가 고구려가 가야지역에 직접적인 이해가 없다는 점을 고려하면, 고구려의 연계 및 가담은 이루어지지 않았을 것으로 여겨진다. 이렇게 볼 때, 왜의 축자 출병과 아막성 전투는 고구려의 개입 없이 백제 주도로 이루어진 사건으로 보는 것이 타당하다. [45]

그럼에도 "602년 왜의 신라 침공 약속 불이행으로 백제군 4만이 운봉 아막성 등에서 신라군에게 전멸당했다. 반면 623년 왜의 신라 침공 실행으로 백제는 지리산을 돌파하고 624년에 남강유역에 진입했다"[46]는 주장을 보자. 백제가 지리산을 돌파했다는 근거는, 늑노현 습격밖에 없다. 문제는 늑노현의 위치가 불명확하다는 것이다. 그리고 왜의

---

42 전영래, 「百濟 南方 境域의 變遷」 『千寬宇先生還曆紀念韓國史學論叢』, 正音文化社, 1985, 155~156쪽.

43 김태식, 「百濟의 加耶地域 關係史: 交涉과 征服」 『백제의 중앙과 지방』, 충남대학교 백제연구소, 1997, 80쪽; 장창은, 「7세기 전반~중반 백제 · 신라의 각축과 국경 변천」 『한국고대사탐구』 33, 2019, 324쪽.

44 서영교, 「阿莫城 전투와 倭」 『역사학보』 216, 2012, 252~253쪽.

45 박종욱, 「602년 阿莫城 戰鬪의 배경과 성격」 『한국고대사연구』 69, 2013, 174~175쪽.

46 서영교, 「百濟의 남강유역 再進出과 倭」 『서강인문논총』 46, 2016, 192쪽.

신라 침공은, "장군들은 처음에 任那에 도착해 의논하여 신라를 습격하고자 하였다. 그러나 신라 국왕은 많은 군대가 이르렀다는 말을 듣고 미리 두려워하여 항복을 청하였다. 이에 장군들이 함께 의논하여 表를 올리니, 천황이 허락하였다"[47]는 기사에 근거한다. 그런데 이 기사는 거론할 가치도 없는 신공황후 신라 정벌 류의 날조인 것이다.

혹자는 602년에 진평왕이 여러 신하들과 함께 귀산 등의 시신을 맞이한 '阿那之野'를 함안으로 비정하였다. 즉 "『삼국사기』권34, 잡지3 지리1, 良州 조를 보면 '咸安郡, 法興王이 大兵으로 阿尸良國[一云 阿那加耶]을 멸했다'고 한다. 阿尸良國은 阿良이며, 阿那加耶이며, 지금의 함안지역이다(末松保和 1956, 22, 47; 김태식 1994, 32-42)"[48]고 했다. 그러면 이와 관련한 다음 기사를 본다.

j. 咸安郡 法興王以大兵 滅阿尸良國[一云阿那加耶] 以其地爲郡[49]

k. 十五年 春正月 置小京於阿尸村[50]

위의 인용에 따르면 법흥왕(514~540)은 재위 중에 아시량국을 멸망시켜 郡을 설치했다고 한다(j). 그러나 신라본기 어디에도 법흥왕은 고사하고 그 어느 왕대에도 아시량국을 멸망시킨 기록 자체가 없다. 그리고 아시량국을 할주에서처럼 '아나가야'라고 한다면 멸망 시점이 맞지 않다. 아나가야로 비정된 安羅는 562년에 멸망했기 때문이다. 즉 "임나가 멸망했다. 통털어서 임나라고 말한다. 개별적으로는 加羅國·安羅國·斯二岐國·多羅國·卒麻國·古嵯國·子他國·散半下國·乞湌國·稔禮國이라고 말한다. 합해서 10 國이다"[51]라고 했듯이 안라는 562년까지 존속했었다. 阿尸良國과 阿那加耶는 서로 관련이 없는데 주석이 잘못 들어간 것이다.[52] 오히려 514년(지증마립간 15)에 소경을 설치한 阿

47　『日本書紀』권22, 推古 31년 조. "唯將軍等 始到任那而議之 欲襲新羅 於是 新羅國主 聞軍多至 而豫憎之請服 時將軍等 共議以上表之 天皇聽矣"

48　서영교, 「阿莫城 전투와 倭」『역사학보』216, 2012. 255쪽.

49　『三國史記』권34, 지리1, 良州 조.

50　『三國史記』권4, 지증마립간 15년 조.

51　『日本書紀』권19, 欽明 23년 정월 조. "廿三年 春正月 新羅打滅任那官家[一本云 廿一年 任那滅焉 總言任那別言加羅國·安羅國·斯二岐國·多羅國·卒麻國·古嵯國·子他國·散半下國·乞湌國·稔禮國 合十國]"

52　김태식은 阿尸良國과 安羅를 동일한 국명으로 간주하였다(김태식, 『가야연맹사』, 일조각, 1993, 293쪽).

尸村(k)과 阿尸良國을 동일시하는 게 좋을 것 같다. 아시촌에 설치된 소경은, 阿尸兮縣이 소재했던[53] 지금의 의성 안평으로 비정할 수 있다.[54] 이곳에 소재했던 소국이 아시량국이었을 것이다. 이렇듯 아시량국과 아나가야는 아무런 관련이 없었다. 따라서 『삼국사기』 지리지 함안군 조의 오류를 확인할 수 있다.

문제는 '阿那加耶'는 용례가 없다는 것이다. '阿羅[一作耶] 伽耶[今咸安]'라고 했듯이 阿羅 伽耶는 阿耶伽耶로도 표기했다.[55] 그리고 安邪=安羅=阿羅=阿耶 표기는 확인되지만 '阿那'는 위의 사례(j)가 유일하다. 물론 那는 羅=耶와 통용되는 글자이다. 그렇더라도 割註 오류에 등장하는 '阿那加耶'의 '阿那'가 함안의 安羅를 가리킨다는 직접적인 근거는 어디에도 없다. 일본측 문헌에도 '阿那'는 단 한 곳도 등장하지 않았다. 그리고 함안 성산산성 출토 목간에 보이는 阿那·末那·前那 묵서 역시, 職名으로 간주해 '어떤 물품의 발송책임자'로 지목하거나[56] 방향이나 위치를 표현하는 용법으로 사용되었지만, 阿那의 경우 함안 지역과는 연관이 없었다.[57] 그리고 목간의 '阿那休智·阿那舌只'는 인명으로 파악되고 있다. 阿那에 대해서는 인명에 관칭된 것일 뿐 지명과 관련된 本波와는 성격이 다르다고 한다.[58] 더불어 '仇伐阿那舌只稗石×(가야50)'이나 '仇伐阿那內△買子(가야2018)'은 '지명+인명+稗+양(1석)'과 '지명+인명+子(추정)+인명++稗+양(1석)'으로 각각 분류된다.[59] 이렇듯 당시의 자료인 목간에서도 阿那는 함안 지역과는 아무런 관련이 없었다.

반면 조선 후기의 기록이지만, 淸人들이 자주 왕래하는 조선 변방의 특정 지역을 '阿那

그러나 천관우는 "함안은 백제군의 사령부가 있던 가야 최후의 거점의 하나이었음이 거의 분명한 만큼, 『삼국사기』 지리지의 기록이 착오인 것으로 보인다(千寬宇, 『加耶史研究』, 일조각, 1991, 52쪽)"고 했다.

53 『三國史記』권34, 地理1, 聞韶郡 安賢縣 條. "安賢縣 本阿尸兮縣一云阿乙兮 景德王改名 今安定縣"

54 千寬宇, 「三韓의 國家形成(下)」 『韓國學報』 3, 1976, 146쪽; 『加耶史研究』, 일조각, 1991, 44쪽.

55 『三國遺事』권2, 紀異, 五伽耶 條. "五伽耶 按駕洛記 贊云 垂一紫纓下六圓卵五歸各邑一在玆城 則一爲首露 王餘 五各爲五伽耶之主 金官不入五數當矣 而本朝史畧並數金官 而濫記昌寧誤 阿羅[一作耶] 伽耶[今咸安] ·古寧伽耶[今咸寧]·大伽耶[今高靈]·星山伽耶[今京山 一云 碧珍]·小伽耶[今固城] 又本朝史畧云 太祖天福五年庚子 改五伽耶名 一金官[爲金海府]·二古寧[爲加利縣]·三非火[今昌寧 恐高靈之訛]. 餘二 阿羅·星山[同前 星山 或作碧珍]伽耶"

56 이수훈, 「城山山城 木簡의 本波와 阿那·末那」 『역사와 세계』 38, 2010, 141쪽.

57 이경섭, 「함안 城山山城 출토 新羅木簡 연구의 흐름과 전망」 『木簡과 文字』 10, 2013, 84쪽.

58 이용현, 「함안성산산성 출토 목간의 負, 本波, 奴人 시론」, 신라사학회 제67차 학술발표회 발표문, 2007, 5~7쪽.

59 홍승우, 「함안 성산산성 출토 부찰목간의 지명 및 인명 기재방식과 서식」 『木簡과 文字』 22, 2019, 82쪽.

之地'라고 하였다.[60] 詩句에 등장하는 "阿那如婦女"는 "아리따운 것은 부녀같고"[61]로 해석한다. 이러한 전자의 '阿那之地'나 후자의 '阿那'가 함안을 가리킬 리 없다. 따라서 진평왕이 순국 용사들을 맞이한 '阿那之野'가 함안이라는 근거는 어디에서도 찾기 어렵다.

그리고 혹자는 "「광개토왕비문」에 3회나 등장하는 安羅(阿那)는 백제·왜와 연합하여 고구려·신라에 대항한 바 있다. 『일본서기』欽明天皇 2년 7월 조에 '安羅日本府'가 보이는 것처럼 왜는 안라에 대하여 중요성을 인식하고 있었다"[62]고 했다. 여기서 안라일본부는 본 논지의 직접적인 요소는 아니다. '安羅'의 경우 「광개토왕릉비문」 영락 10년 조에서 고구려군의 왜군 격퇴와 관련해 '安羅人戍兵'이라는 문구가 3번이나 나온다. 그렇지만 '安羅人戍兵'의 '安羅'는 국호가 아니었다.[63] 따라서 "「광개토왕비문」에 3회나 등장하는 安羅(阿那)는 백제·왜와 연합하여 고구려·신라에 대항한 바 있다"는 혹자의 주장은 원천 무효인 것이다.

지금까지 아막성 전투의 성격에 대한 주장을 검토해 보았다. 분명한 것은 신라가 6세기대에 백제 지역으로 진출하는 데 필요한 요충지가 운봉이었다. 신라가 함양을 경유하여 남원 방면으로 진출하려고 한 본질적인 요인은, 팔량치에서 전라북도 운봉과 長水로 이어지는 지리산 주변의 막대한 鐵鑛의 확보에 있었다. 고대국가의 잠재적 국력의 척도가 철광 산업임은 주지의 사실이다. 내륙 육상교통로는 말할 것도 없고 내륙수로인 섬진강과도 연결되는 이러한 지리적 이점은 경제적으로 유효한 자산이었다. 백제가 한성 도읍기에 장악한 谷那 鐵山은 멀리 떨어진 전라남도 谷城이었다.[64] 지리적으로 隔絶되었지만 섬진강 수계와 연결된 곡성이 지닌 지리적 이점이 불리한 요소를 상쇄한 것이다. 남원을 중심한 지리산 일대는 철광산지인 동시에, 안정적으로 공급할 수 있는 교통로의 확보라는 兩大 조건을 모두 구비하였다.[65] 바로 장계분지의 철광산은 백제는 물론이고 신라도 탐냈던 바였다. 이로 인해 양국 간에 간단없는 충돌이 지속적으로 이어졌던 것이다.

---

60 『日省錄』正祖 18년 甲寅 8월 4일 조.
61 『於于集』권2, 詩, 朝天錄, 東嶽廟.
62 서영교, 「阿莫城 전투와 倭」『역사학보』216, 2012, 257쪽.
63 李道學, 「加羅聯盟과 高句麗」『광개토대왕, 제9회 가야사 국제학술회의』, 김해시, 2003, 1~15쪽.
64 李道學, 「谷那鐵山과 百濟」『東아시아 古代學』25, 2011. 65-102쪽; 『가야는 철의 왕국인가』, 학연문화사, 2019, 172-179쪽.
65 이도학, 「백제사에서 전라북도의 位相」『전라북도 백제를 다시 본다』, 전라일보, 2016. 8. 10, 28쪽; 곽장근, 「호남 동부지역 가야문화유산 현황」『경남발전』138, 경남발전연구원, 2017, 50쪽.

4) 신라의 아막성 전투 승리가 지닌 의미

신라의 아막성 전투 승리는 크게 세 가지 측면에서 그 의의를 찾을 수 있다. 첫째, 신라는 이 전투를 통해 백제의 소백산맥 以東 지역 진출을 저지하는 한편, 기존에 확보한 옛 가야 지역 지배를 공고히 할 수 있게 되었다. 둘째, 아막성 전투를 통해 백제에게 심대한 타격을 입힘으로써, 당분간 신라에 대한 군사적 공세 의지를 약화시켰다. 백제가 아막성 전투에서 4만 명에 가까운 병력을 잃었다는 것은 상비 병력의 큰 손실이었으며, 이 전투의 패배로 인해 백제에서는 상당한 정치·사회적 혼란이 야기되었을 것으로 보인다. 이러한 점은 아막성 전투 이후 약 10여 년 간 신라에 대한 백제의 선제 공격이 없었던 사실을 통해서도 알 수 있다. 셋째, 아막성 전투의 승리로 신라는 지금의 전북 동부 지역에서 우위를 점할 수 있었으며, 운봉 지역을 중심으로 한 소백산맥 以西지역으로의 진출을 본격적으로 시도할 수 있는 상황을 마련할 수 있었다.[66] 즉 "무왕 6년(605) 봄 2월에 角山城을 쌓았다. 가을 8월에 신라가 동쪽 변경을 쳤다"[67]는 기사에 보이는 각산성은, 661의 角山 전투를[68] 통해 대체로 전북 임실 지역으로 추정하고 있다.[69] 즉 백제는 고룡군 후방 지역에 각산성을 축조하여 전주·익산 등의 백제 內地로 침투할 수 있는 신라군의 공격에 대비했던 것으로 이해된다. 따라서 아막성 전투 이후 백제는 신라의 소백산맥 以西 지역 진출 시도에 대한 강력한 군사적 대응 대신, 방어체계를 공고히 하는데 집중했다고 볼 수 있다.[70] 당시 백제는 각산성 등을 축조하여 백제 內地로 침투하는 신라의 공격에 대비했던 반면, 신라는 아막성 전투의 승리를 바탕으로 남원 혹은 임실 등의 전북 동부지역을 공략했던 것이다.[71]

신라의 西進과 관련해 "[佛宇] 雲岾寺: 聖迹山에 있다. 신라 眞平王이 중수하였으니 僧 元曉의 도량이었다. 남북쪽에 萬香岾이 있는데 원효와 義湘이 이곳에서 講法하였다. 이상한 향기가 풍겨 붙인 이름이다"[72]는 기사를 주목해 본다. 雲岾寺는 지금의 전라북도 장

66 　박종욱, 「602년 阿莫城 戰鬪의 배경과 성격」『한국고대사연구』 69, 2013, 202-203쪽.

67 　『三國史記』 권27, 무왕 6년 조.

68 　『三國史記』 권5, 太宗 武烈王 8년 조.

69 　전영래, 「周留城·白江 위치 비정에 관한 신연구」『百濟最後 抗爭史研究』, 전주문화원, 1990, 129쪽.

70 　박종욱, 「602년 阿莫城 戰鬪의 배경과 성격」『한국고대사연구』 69, 2013, 203쪽.

71 　박종욱, 「602년 阿莫城 戰鬪의 배경과 성격」『한국고대사연구』 69, 2013, 204쪽.

72 　『新增東國輿地勝覽』 권39, 全羅道 長水縣 佛宇. "在聖迹山 新羅眞平王重修 僧元曉道場也 南北有滿香岾

수군에 소재하였다. 이 기록에 따른다면 신라는 진평왕대에 장수까지 진출하였고, 기왕에 있던 백제 사찰 雲岾寺를 중수한 것이다.

무왕과 진평왕대 백제와 신라 간의 전쟁은 규모가 컸었다. 『삼국사기』貴山傳에는 602년 아막성 전투를 "백제가 크게 군대를 일으켜 와서 阿莫城을 포위했다(g-1)"고 하였다. 백제가 '大發兵'했다는 것이다. 이 싸움에서 좌평 해수는 무려 步騎 4만 명을 동원하여 신라 4개 성을 공격했다(c-3). 이러한 전쟁 규모는 아막성 일대가 지닌 비중을 웅변해 준다. 전후 정황을 놓고 볼 때 백제의 공격을 받은 602년 이전에 신라는 운봉의 백제 아막성 구간을 점령한 것이다. 실제 신라는 6세기 중·후반에 이미 금산 지역과 남원 운봉고원으로 진출하여 백제와 국경을 접하였다고 한다.[73]

신라는 백제군의 공격을 물리친 602년~616년 사이거나 602년 이전에 이미 장수를 점령한 정황이다. 백제도 이에 대응하여 임실에 각산성을 축조한 것이다. 그렇다면 진평왕이 雲岾寺를, 창건이 아닌 '중수'한 기록은 사실일 수 있다. 장수의 장계분지 철장을 장악한 신라가 민심을 다독이는 차원에서 추진한 雲岾寺 중수는 가능하다고 본다. 雲岾寺는 전사한 영령을 위한 호국사찰 역을 했을 수 있다.

3. 가잠성 전투와 그 위치

아막성과 더불어 가잠성은 7세기 전반 백제와 신라 간 최대 분쟁 지역이었다. 양국은 가잠성을 놓고 약 20여년 사이에 총 3회의 대규모 전투를 벌였고, 공취와 탈환을 반복하면서 격렬하게 싸웠다. 당시 전투의 중요성과 긴박성은 찬덕과 해론 부자의 장렬한 전사를 통해 충분히 그려볼 수 있다.[74] 이러한 선상에서 623년 백제가 勒努縣을 습격했다.[75]

이와 관련한 가잠성과 늑노현의 위치를 경기도 안성과 충청북도 괴산으로 각각 비정

元曉義相講法於此 異香馥郁 因名之"

73 김재홍, 「전북 동부지역 백제, 가야, 신라의 지역지배」『한국상고사학보』78, 2012, 131쪽.

74 박종욱, 「百濟 泗沘期 新羅와의 전쟁과 영역 변천」, 고려대학교 대학원 한국사학과 박사학위청구논문, 2021, 88쪽.

75 『三國史記』권4, 진평왕 45년 10월 조. "百濟襲勒努縣"

하고 한강을 되찾기 위한 전투라고 했다.[76] 그러나 가잠성의 위치를 안성으로 비정한 주장은 재고되어야 마땅하다. 즉 "이후 628년에도 백제가 신라의 가잠성을 공격하였다가 실패하였다. 가잠성의 위치에 대해서는 이전까지 안성 일대로 보았으나, 최근 전북 무주 나제통문 근처[77], 또는 충북 영동군 양산면 가곡리 비봉산성으로 보는 견해가[78] 설득력을 얻고 있다. 무주 나제통문 근처 설을 따른다면 가잠성도 아막성과 함께 옛 가야 지역에 대한 패권을 다투던 곳으로 볼 수 있다"[79]고 했다. 그런데 가잠성의 위치와 관련한 지표로서 '나제통문'을 굳이 언급할 가치는 없다. 통문 자체는 금광 채굴 목적으로 일제 때 뚫은 인공 터널이기 때문이다. 대신 덕산재로 일컫는 게 좋겠다.[80]

지금까지 가잠성의 위치에 대해서는 다양한 견해가 제기되었다.[81] 다음은 가잠성 위치에 대해 주목을 요하는 최근의 견해이므로 특별히 인용해 보았다.

먼저 7세기 전반 가잠성 전투 관련 사료에서 주목되는 점은 611년 가잠성 전투 당시 신라 3州의 구원병이 투입되었다는 것이다. 따라서 가잠성의 대략적인 위치는 신라 上州·下州·新州에서 모두 지원할 수 있는 중간 지점, 즉 上州의 최전방 지역으로 이해된다. 다음으로 684년 보덕성 반란의 전개 과정을 검토해보면, 당시 신라 진압군은 경주에서 익산으로 진격하던 도중 가잠성 남쪽 7리 지점에서 진을 치고 기다리던 반란군을 만났던 것으로 파악된다. 이를 통해 가잠성의 대략적인 위 치는 경주에서 익산 사이의 교통로, 좀 더 구체적으로는 추풍령로 방면에서 익산 방향의 교통로 상 에 위치했음을 알 수 있었다.

한편 가잠성의 구체적인 위치 비정과 관련해서는 삼국사기 김영윤 열전에 보이는 가잠성 및 반란군 設陣 장소의 지리적 환경 등이 주목된다. 당시 반란군의 設陣 장소는 교통로 상 가잠성과 남북 방향으로 배치되며, 지형적으로 방어 상의 이점을 가진 곳으로 파악된다. 이에 익산 인근의 교통로 및 지리적 환경을 검토하고, 금산 장대리 고분군 등 고고학적 자료를 종합하여 가잠성을 충남 금산 군 추

76 김병남, 「百濟 武王代의 영역 확대와 그 의의」 『韓國上古史學報』 38, 2002,
77 윤선태, 「武王과 彌勒寺-익산의 역사지리적 환경과 관련하여」 『백제 불교문화의 寶庫 미륵사(학술심포지엄 논문집)』, 국립문화재연구소, 2010, 63~65쪽.
78 전덕재, 「椵岑城의 位置와 그 戰鬪의 역사적 성격」 『역사와 경계』 87, 2013.
79 이장웅, 「신라 眞平王 시기 백제 관계와 薯童 說話」 『신라사학보』 44, 2018, 235쪽.
80 곽장근, 『전북고대문화 역동성』, 서경문화사, 2021, 137쪽.
81 가잠성의 위치에 대한 최근의 연구 성과로는 박종욱, 「椵岑城의 지리적 환경과 7세기 전반 百濟·新羅의 攻防」 『韓國史學報』 84, 2021, 217~244쪽을 참조하기 바란다.

부면 일대로 비정하였다.[82]

그런데 추부면이 가잠성 지역이라면, 박종욱이 설정한 動線(圖)에 따르면 북상했던 신라 정부군은 옥천에서 서남으로 꺾어져 추부에 이른 게 된다.[83] 이러한 동선이라면 보덕성민들은 '가잠성 남쪽 7리'가 아니라 '가잠성 북쪽 7리'에서 設陣한 것이다. 박종욱 자신이 설정한 신라 정부군 동선과는 방향이 전혀 맞지 않고 있다. 공격자인 신라 정부군이 남쪽에서 북쪽으로 올라가는 동선이어야 기록과 부합한다. 이에 대한 검토와 관련해 가잠성 관련『삼국사기』기사를 다음과 같이 적출했다. 중복 기사는 모두 생략하였다.

l. (611년) 겨울 10월에 백제 군대가 와서 椵岑城을 백일이나 포위했다. 縣令 讚德이 굳게 지켰으나 힘이 다하여 이곳에서 죽었고 성도 함락되었다.[84]

m. (618년) 北漢山州 軍主 邊品이 椵岑城 회복을 도모하여 군대를 일으켜 백제와 싸웠다. 奚論이 從軍하여 敵에게 나아가 힘을 다해 싸워 이곳에서 죽었다. 해론은 讚德의 아들이다.[85]

n. (628년) 봄 2월에 백제가 椵岑城을 포위하자, 왕이 군대를 내어 이들을 격파했다.[86]

o. (618년) 建福 35년 戊寅에 이르러 王이 奚論을 金山 幢主에 임명하여 漢山州 都督 邊品과 함께 군대를 일으켜 椵岑城을 습격해 이곳을 빼앗았다.[87]

p. 神文大王 때 고구려 殘賊 悉伏이 報德城에서 반란을 일으키자 王이 이들을 토벌하도록 命했다. 悉伏이 椵岑城 남쪽 7리에 나와서 기다렸다.[88]

---

82 박종욱,「椵岑城의 지리적 환경과 7세기 전반 百濟·新羅의 攻防」『韓國史學報』84, 2021, 243쪽.
83 박종욱,「椵岑城의 지리적 환경과 7세기 전반 百濟·新羅의 攻防」『韓國史學報』84, 2021, 230쪽.
84 『三國史記』권4, 진평왕 33년 조. "冬十月 百濟兵來圍椵岑城百日 縣令讚德固守 力竭死之 城沒"
85 『三國史記』권4, 진평왕 40년 조. "四十年 北漢山州軍主 邊品謀復椵岑城 發兵與百濟戰 奚論從軍 赴敵力戰死之 論讚德之子也"
86 『三國史記』권4, 진평왕 50년 조. "春二月 百濟圍椵岑城 王出師擊破之"
87 『三國史記』권47, 奚論傳. "至建福三十五年戊寅 王命奚論爲金山幢主 與漢山州都督邊品 興師襲椵岑城 取之"
88 『三國史記』권47, 金令胤傳. "神文大王時 高句麗殘賊悉伏 以報德城叛 王命討之 … 及見悉伏出椵岑城南七里"

위의 기사는 가잠성의 위치를 가늠하는 데 실마리를 제공해준다. 가잠성은 7세기 전반 백제와 신라의 접경지에 소재했다(l·m·n). 618년에 신라 金山 幢主가 가잠성을 습격해 빼앗았다(o). 그리고 익산 보덕성에서 반란을 일으킨 실복이 가잠성 남쪽에서 경주를 출발한 신라 정부군을 기다리고 있었다(p). 여기서 금산 당주의 금산은 지명을 가리킨다. 즉 "본래 신라 金山縣으로 開寧郡 領縣이 되었다"[89]고 했으니, 지금의 김천시 서부 지역이다. 647년에 백제 장군 의직은 茂山城 밑에 주둔하여 군사를 나누어 甘勿과 桐岑 2성을 공격했지만 패했다.[90] 여기서 감물성과 동잠성은 서로 인접했음을 알 수 있다.

감물성이 김천 서부인 만큼 동잠성도 그 반경으로의 지목이 가능하다. 고산자 김정호는 동잠성을 김천의 서쪽인 금산현으로 지목하였다.[91] 다음은 동일한 전투에 대한 『삼국사기』 신라본기의 기사이다.

> q. 겨울 10월에 백제 군대가 茂山·甘勿·桐岑 3城을 포위하자, 王이 김유신을 보내 步騎 1萬을 거느리고 이들을 막았다. 苦戰하여 기운이 다하자, 김유신이 麾下인 조寧子 및 그 아들 擧真이 敵陣에 들어가 급히 공격하다가 이곳에서 죽었다. 무리들이 모두 奮擊하여 3천여 級을 斬首했다.[92]

정리해 보면 무산성은 전라북도 무주군 무풍면, 감물성은 김천시 개령면, 동잠성은 그 주변으로 비정할 수 있다. 즉 소백산맥 동서를 연결하는 교통로상에 소재한 성들임을 알려준다. 그런데 가잠성 전투에 北漢山州 軍主(m)와 金山 幢主(o)가 참전한 사실을 주목하여, 가잠성이 북한산주(서울)와 금산(김천시)의 중간 지점에 해당하는 보은 방면으로 추정한 견해가 제기되었다.[93] 일단 방향을 잘 잡은 비정으로 볼 수 있다. 여기서 나아가 가잠성 위치에 대한 관건으로 익산에서 출발한 실복이 가잠성 남쪽에 진을 쳤다는 기사를 주목했다. 즉 "이 위치를 시사해주는 자료는 본권에 실린 김영윤전에 보덕국(익산)에서 반

---

89 『新增東國輿地勝覽』 권29, 경상도 금산군 조. "本新羅金山縣 爲開寧郡領縣"

90 『三國史記』 권28, 의자왕 7년 조. "冬十月, 將軍義直帥步騎三千 進屯新羅茂山城下 分兵攻甘勿·桐岑二城 新羅將軍庚信 親勵士卒 決死而戰 大破之 義直匹馬而還"

91 『大東地志』 권9, 慶尙道 23邑 金山 沿革. "本新羅桐岑 景德王十六年改金山 爲開寧郡領"

92 『三國史記』 권5, 진덕왕 원년 조. "冬十月 百濟兵圍茂山·甘勿·桐岑三城 王遣庚信 率步騎一萬以拒之 苦戰氣竭 庚信麾下丕寧子及其子擧真入敵陣 急格死之 衆皆奮擊 斬首三千餘級"

93 津田左右吉, 「羅濟境界考」 『滿鮮歷史地理研究 1(朝鮮歷史地理)』 1913; 『津田左右吉全集 11』, 岩波書店, 1964, 155쪽.

란을 일으킨 고구려 殘賊 悉伏을 칠 때에 가잠성 남쪽 7리에 진을 쳤다는 기사이다"[94]고 하였다. 그리고 한 걸음 더 나아가 가잠성을 전북 무주군 설천면 소천리에 소재한 羅濟通門과 연결되는 교통로인 덕산재 부근에 위치했다는 주장이 제기되었다.[95] 혹은 영동군 양산의 비봉산성을 지목했다.[96] 그러나 이들 지역은 모두 동-서 방향으로 진행되기 때문에 '반란군이 가잠성 남쪽 7리 지점에 진을 쳤다'는 사료 내용과 부합하지도 않고, 또 근방에 設陣하기에 적합한 장소도 없다. 따라서 이들 견해는 취하기 어렵다.[97]

여기서 분명한 것은 실복이 가잠성 남쪽에 진을 쳤다는 사실이다. 이는 경주를 출발한 신라군의 동선을 실복이 정확히 파악했음을 알려준다. 최종 목적지가 익산토성(보덕성)인 신라군은, 소백산맥 서편으로 진입할 수밖에 없다. 그리고 o에서 한산주 도독 변품의 군대가 지원 병력이라면, 금산 당주 해론의 군대는 가잠성 관할 지역일 가능성이 높다. 554년 관산성(옥천) 전투에서 성왕의 3만 백제군을 몰살한 병력은, 한강유역 新州 소속 김무력의 병력이었다. 그렇다고 관산성의 위치를 한강유역으로 비정하지 않는다. 이와 마찬 가지로 가잠성 전투에 한산주 도독 병력이 동원된 것은, 지원 병력 차원일 뿐 그 위치를 시사해주는 관건은 아니었다. 따라서 앞에서 살폈듯이 금산 당주의 금산이 지금의 김천 서편이라면 소백산맥 동서를 잇는 교통로를 고려해 볼 수 있다. 익산을 목적지로 한 신라군이 넘을 수 있는 금산 당주 관하 교통로는 덕산재와 추풍령이 소재한다.

그런데 실복이 신라군의 동선을 덕산재나 추풍령으로 지목했다면, 그 전면에서 기다렸다고 생각된다. 양대 교통로로 가는 길목에서 지키고 있었던 것으로 추측해 볼 수 있다. 가잠성의 위치는 이와 같이 소백산맥 동편으로 지목해 보는 것이다. 그러나 가장 중요한 사안은 보덕성민들이 가잠성 남쪽 7리, 다시 말해 북쪽 7리에 가잠성을 배후에 두고 대기했다. 보덕성민들이 가잠성을 거점으로 삼았음을 알려준다. 따라서 가잠성이 본영인 익산의 보덕성에서 지나치게 떨어져 위치할 수는 없다. 더구나 소백산맥 좌우 부근은 익산에서는 동선이 너무나 긴 것이다. 그리고 신라가 익산 낭산면에 소재한 알야산성까지 진출한 점을 헤아린다면, 가잠성 소재지를 굳이 소백산맥 주변에만 국한하여 찾을

---

94 정구복 외, 『역주 삼국사기4 주석편(하)』, 한국정신문화연구원, 1997, 781쪽.

95 윤선태, 「무왕과 미륵사-익산의 역사지리적 환경과 관련하여-」 『백제문화의 寶庫, 미륵사』, 국립문화재연구소 국제학술심포지엄, 2010, 63~65쪽.

96 전덕재, 「椵岑城의 位置와 그 戰鬪의 역사적 성격」 『역사와 경계』 87, 2013, 29~31쪽.

97 박종욱, 「椵岑城의 지리적 환경과 7세기 전반 百濟·新羅의 攻防」 『韓國史學報』 84, 2021, 233~234쪽.

수는 없다.

익산토성이 신라 정부군의 최종 목적지인 보덕성인 상황에서, 비록 앞선 사례지만 지금의 김천 서쪽인 금산을 관할에 둔 금산 당주의 출정 동기(o)를 헤아려야 한다. 신라 정부군은 추풍령이나 덕산재를 넘어 소백산맥 서편으로의 진출을 상정해 본다. 이와 연동된 가잠성은 익산토성에서 遠隔하지 않은 그 동쪽이나 남쪽에 소재한 것이다. 반면 가잠성이 익산토성의 북쪽이나 북동쪽에 소재할 수는 없다. 이 경우는 신라 정부군의 옥천 방면에서 서남쪽으로 내려가는 동선을 설정해야 한다. 그렇다면 실복이 이끈 보덕성민들은 가잠성의 북쪽이나 북동쪽에 設陣한 것이다. 이 방향이라면 이들이 설진한 장소를 기준할 때 그 배후에 소재한 가잠성은 남쪽이나 서남쪽이 된다. 그러나 이 방향은 보덕성민들이 설진한 '가잠성 남쪽 7리'가 될 수는 없다. 이들은 가잠성의 남쪽에 설진한 게 아니었다. 가잠성 북쪽이나 북동쪽에 설진했기 때문이다.

가잠성은 본영인 익산토성에서 30㎞를 벗어나지는 않았다고 본다. 가잠성은 진안→완주→익산으로 이어지는 북상 통로상에 소재한 것으로 판단된다. 신라 정부군이 익산토성을 향해 북상하는 통로의 要地에 가잠성이 소재한 것이다. 가잠성의 소재지로는 서로

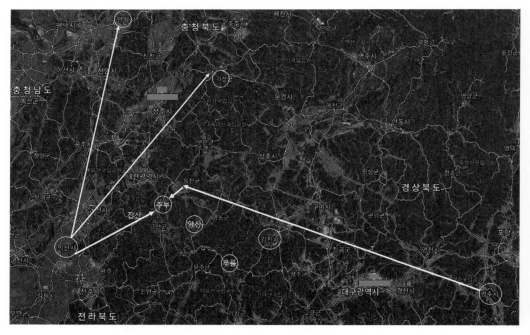

도 1 | 보덕성 반란군 및 신라 진압군의 이동 경로 관련 참고 지도(박종욱, 2021 논문, 230쪽.)

나란히 위치한 완주군 上三里山城(용진읍. 986.5m)과 구억리산성(용진읍. 983.5m)을 지목하는 게 가능하다. 차후 이들 산성과 주변 고분군에 대한 조사가 긴요하다. 이와 관련해 다음 기사가 주목된다.

  r. 봄 정월, 比斯伐에 完山州를 두었다.[98]

  위의 기사에 따르면 555년(진흥왕 16)에 신라는 비사벌에 완산주를 설치한 것이다. 그런데 일반적으로 완산주(전주)는 백제 영토였기에 믿을 수 없는 기사로 단정했다. 전주와 창녕의 古名이 모두 비사벌인데서 빚어진 착각으로 판단해 왔다. 그러나 전주의 古名이 비사벌이 맞다면 간단히 착각으로만 돌릴 수는 없다. 이로부터 10년 후인 565년에 신라는 "完山州를 폐하고 大耶州를 두었다"[99]고 했다. 즉 완산주→대야주로 州治가 이동하였다. 비사벌 지명 혼동 여부를 떠나, 대야주의 以前 州治는 완산주가 분명했다. 그리고 비사벌이 전주임을 가리킨다. 따라서 신라가 555년에 완산주인 지금의 전주 지역에 거점을 설치한 것은 명백하다. 더욱이 신라의 가잠성이 완주에 소재했다면 완산주 州治는 가능한 상황이다. 이와 관련해 전라북도 임실과 전주 지역 주거지에서는 4세기 전엽~중엽 이른 단계의 신라 토기가 移入되는 현상이 포착되었다.[100] 이러한 현상을 교류와 교역으로 해석하고 있지만, 6세기대에는 신라의 진출 통로였을 가능성도 충분히 고려된다.

---

98 『三國史記』권4, 진흥왕 16년 조. "春正月 置完山州於比斯伐"
99 『三國史記』권4, 진흥왕 26년 조. "九月 廢完山州 置大耶州"
100 최병현, 「고고학으로 본 신라의 전북지방 진출과정」 『조사성과와 미래전략』, 전라북도, 2021.12.20, 66쪽. 78쪽.

4. 맺음말

신라가 확보한 아막성은 지금의 남원시 아영면에 소재한 성리산성으로 비정되고 있다. 아막성과 주변의 지세는 東高西低인 관계로 서편에서 쳐들어오는 백제의 공격에 유리한 입지였다. 신라는 백제의 공격을 받은 직후 주변에 4개 성을 축조하였다. 백제의 공격으로부터 아막성의 방어력을 높이기 위한 방책이었다. 이러한 아막성의 초축 국가를 밝히는 일이 과제로 남았다.

602년에 백제가 아막성을 공격한 것을 볼 때 신라의 아막성 구간 확보는 그 이전으로 소급된다. 신라는 562년에 대가야를 멸망시킨 이후 어느 때 남원 동부인 아막성 구간에 진출한 것이다. 그런데 신라는 557년에 지금의 김천 서부에 감문주를 설치한다. 추풍령로와 덕산재로 진출할 수 있는 전진 기지를 구축한 것이다. 565년에 신라는 대야주를 지금의 합천에 설치해 함양을 지나 운봉고원으로 진출할 수 있는 거점을 마련했다. 577년에 신라는 자국의 西邊 州縣을 침공한 백제군을 一善 즉 구미 북쪽에서 격파하였다. 이때 백제군은 추풍령로를 이용한 것으로 보인다. 그 직후인 578년에 신라는 지금의 익산 낭산면에 소재한 闕也山城을 점령했다. 이로 볼 때 백제와 신라의 군사 활동 반경이 생각보다는 훨씬 광활했고, 戰線은 상당히 유동적이었음을 알 수 있다.

신라는 대야주를 설치하는 565년~578년 사이에 익산 알야산성까지 진출하는 기간에, 아막성 구간에 진입한 것으로 보인다. 신라의 소백산맥 서편 진출은 영역 확장이라는 외적인 성과도 전제되었을 것이다. 그러나 이와 더불어 운봉고원과 장계분지의 제철산지 확보라는 경제적 측면이 크게 고려되었을 것 같다. 여기에는 곡성의 谷那鐵鑛 확보와 섬진강 하구 장악이라는 종국적 목표가 있었을 것이다. 이와 관련해 신라는 아막성을 축조했거나 재활용한 것으로 보인다. 그러나 이러한 경제적 이득을 좌시할 수 없는 백제의 격렬한 공격을 받았다. 국력을 기울인 신라의 방어도 읽을 수 있었다.

백제의 동부 전선과 관련한 가잠성은, 익산에서 김천에 이르는 동선상에 소재했다는 것이다. 그리고 보덕성 군대가 진을 친 곳은 본영인 익산토성(보덕성)의 보위와 병참선을 고려해 볼 때 익산이나 완주 반경에서 벗어나기는 어렵다. 보덕성 군대가 진을 친 북쪽 7리에 소재한 가잠성 위치는 이러한 점을 고려해 비정해야 할 것 같다. 그리고 공격자가 남쪽에서 북쪽으로 올라가는 동선이어야 기록과 부합한다. 신라가 578년에 익산 동북 낭산면까지 진출한 전력이 있는 만큼, 백제 동부 전선 내지 깊숙한 곳에 거점이 구축되었을 수 있다. 바로 이곳에 소재한 가잠성 쟁탈에 양국이 사력을 다한 데는 이유가 있었던 것이다.

가잠성은 진안을 지나 완주→익산으로 이어지는 북상 통로상에 소재한 것으로 판단된다. 보덕성민 반란 진압차 신라 정부군이 익산토성을 향해 북상하는 要路인 완주군 용진읍에 가잠성이 소재한 것이다. 그렇다면 555년(진흥왕 16)에 신라가 비사벌에 설치한 완산주 州治를 지금의 전주로 지목해도 부자연스럽지 않다.

「신라·백제의 境界와 아막성과 가잠성」『고조선단군학』46, 2021.

정치와 불교

古代 東아시아 佛敎와 王權

1. 머리말

佛敎는 중국 문명과 한쌍이 되어 그 세계성을 매개로 東아시아世界 문화권의 형성을 촉진하였다.[1] 그러한 불교가 印度에서 기원하여 東아시아에 전래된 것은 중국 後漢代였지만, 오랜 잠복기를 거쳐 北朝와 南朝時代에 이르러 興隆하였다.[2] 그런데 삼국시대의 吳를 필두로 하는 육조시대와 북조시대는 유례 없는 戰亂期였다. 5胡16國의 혼란, 분열과 갈등, 이민족의 침입과 주민 대이동으로 상징되는 昏亂期였었다. 이러한 혼돈된 정국에서 불교가 흥륭하게 된 것은 필시 시대적 상황과 밀접하게 연결되었을 것이다. 또 그러한 중원대륙의 시대적 상황에서 前秦의 苻堅王이 고구려에 불교를, 남조의 東晋에서 胡僧인 마라난타가 백제에 불교를 전래해 주었다. 이후 고구려를 통해 불교가 신라에 잠입했지만 지표상에서 쉽게 發火하지는 못하였다. 긴 잠복기를 거친 후인 6세기 전반에야 신라에서 불교가 국가적인 공인을 받았다. 6세기 전반에는 백제를 통해 倭國에도 불교가 전해졌다. 384년 백제에 불교가 수용된 지 무려 150여 년이 經過해 왜국에 전래된 것이다. 그럼으로써 동아시아 세계는 모두 불교에 접하게 되었다. 또 어떤 형태로든 불교는 이곳 정치 권력과 주민들의 생활 및 思考에 영향을 미쳤다.

이러한 맥락에서 본고는 東아시아 불교와 왕권과의 관계를 구명한 후 국가불교로서의 성격과 역할을 살펴 보고자 한다. 中原大陸 諸國과 한국의 三國 및 倭國의 불교 수용 과정과 治國의 방편으로서 그 활용 상황을 고찰하고자 했다. 본고의 기본적 시각은 중원대륙 諸國의 불교 수용과 흥륭 과정은 환경론적인 차이는 존재하지만, 본질적으로는 삼국과 왜국에도 동일하였으리라는 판단에서였다. 이와 더불어 백제를 비롯한 주변 諸國들이 왕권 강화를 위한 모색 가운데 불교 이념을 어떻게 활용했는지를 고찰하고자 했다. 그럼으로써 자료가 부족한 백제 불교의 空白을 메우고, 各國의 불교 수용과 운용 실태를

---

1 川勝義雄 著·임대희 譯, 『중국의 역사—위진남북조』, 혜안, 2004, 67쪽.

2 이에 대한 史料를 집대성한 선구적인 업적으로는 湯錫予, 『漢魏兩晋南北朝佛敎史』, 漢聲出版社, 1973을 꼽을 수 있다.

통해 시사점을 얻을 수 있다고 보았다.

2. 불교 수용 배경과 그 과정

중국에 불교가 전래된 시기에 대한 일반적인 통설은 後漢 明帝 때이다. 67년에 명제가 現夢을 통해 서방에 불교가 있다는 사실을 자각한 후 18人을 西域에 파견하였다. 그들은 白馬에 불상과 불경, 그리고 승려 2人을 대동하고 수도인 洛陽으로 귀환했다고 한다. 현재 낙양에 남아 있는 白馬寺 전설인 것이다. 그런데 당시 부처를 종종 黃老佛陀로 일컬었거나 불교를 道教의 한 宗派로 간주했다.[3] 또 유사한 中國思想에 맞추어 이해한 格義佛教 형식을 띠었을 정도로 초기 중국 불교의 기반은 취약하였다.[4] 이렇게 하여 중국에 스며든 불교가 크게 융창한 시기는 삼국의 吳와 南北朝時代를 거치면서였다.[5] 그에 앞서 西晉 末의 화북 지역은 북방 유목민족들에게 유린당하였다. 약탈과 살육이라는 비참한 현실에서 북중국의 漢族들은 영험한 기적과 윤회전생 사상에 기대어 심리적으로 보상받고자 하는 경향이 두드러졌다. 이때 高僧의 영험을 빌어 정복전의 승리와 같은 현실 욕망을 구현하려는 정치적 의도와 佛法의 효과적인 弘布를 위해서는 군사나 정치적 실권자와 결탁해야 된다는 양자 간의 이해가 맞아 떨어져서 결합된 경우가 많았다. 이는 道安이 "지금 凶年을 만나 國主에 의지하지 않고서는 法事를 세우기 어렵다"[6]고 한 말에 잘 집약되어 있다. 요컨대 승려와 國主의 이해가 결합된 사례로서는 서역의 승려 佛圖澄과 後趙의 石勒과의 결합이 대표적이다. 북중국을 점유한 胡族君主들은 불교의 심오한 진리보다는 적군의 來襲, 전쟁의 승패, 군주의 안위, 길흉을 점치는 沙門의 영험한 능력을 필요로 하였다.[7]

5胡16國時代의 각국 군주들은 沙門을 자신의 참모나 정치적 고문으로 삼았다. 이는 後趙의 佛圖澄 · 前秦의 道安 · 後秦의 鳩摩羅什 · 沮渠蒙遜과 曇無讖의 경우가 대표적

---

3 木村淸孝 著 · 朴太源 · 譯, 『中國佛教思想史』, 경서원, 1988, 15~17쪽.

4 아서 라이트 著 · 양필승 譯, 『중국사와 불교』, 신서원, 1994, 59~60쪽.

5 중국 불교사에 대해서는 任繼愈, 『中國佛教史』, 中國社會科學出版社, 1981을 참조바란다.

6 『高僧傳』 권5, 道安傳.

7 이영석, 『南北朝佛教史』, 혜안, 2010, 17~33쪽.

이다. 호족군주들은 사문을 통해 불교의 영험한 힘을 빌어 영역 확장에 이용하고자 하였다.[8] 신라 진흥왕의 황초령이나 마운령 巡狩에 보면 碑文의 隨駕行列 가운데 道人 2명이 제일 앞에 적혀 있다. 道人으로 적혀 있는 승려의 비중이 高官들 보다 우위에 위치했다. 곧 "이들이 국정의 자문역 뿐 아니라 영토의 개척과 관련 있는 巡境에 隨駕하고 있는 만큼 전략가로서의 임무도 수행하였으리라고 지적된다"[9]고 했다. 진흥왕이 승려들을 軍國의 顧問으로 삼았음을[10] 암시해 준다. 신라 자장율사가 선덕여왕에게 황룡사 구층탑의 건립을 제의한 것도 동일한 범주에 속한다. 戰士團인 화랑도에 승려가 배속된 것도 같은 맥락에서 살필 수 있다. 승려를 軍事的 顧問으로 하는 전통은 고려 太祖代까지 이어져 왔다.[11]

그러면 동란기에 帝王들이 긴 잠복기를 거친 불교 수용에 적극적이었던 배경은 무엇이었을까? 북위 태조의 경우 화북 통일을 위해서는 胡와 漢이 雜居하는 지역을 점령해야만 했다. 또 이들을 북위의 臣民으로 예속시키기 위해서는 초민족적 종교인 불교가 교화와 세력 융합에 긴요하다고 느꼈다. 더구나 전란으로 인한 미래와 생명에 대한 불안을 최고 통치자가 숭배하는 불교를 통해 질병과 고통 및 전란을 피하고 福을 구하려는 열망이 증대하였다. 나아가 胡漢의 잡다한 세력을 北魏에 心腹하게 하고 상호간의 대립과 갈등을 완화시켜 정권의 안정을 기하고자 한 것이다.[12] 불교의 유용성은 보편적인 진리와 함께 종족과 시대, 그리고 문화의 차이를 뛰어넘는 호소력을 지녔다. 불교는 胡族君主의 현안인 사회적 분열을 막고, 통일되고 안정된 사회를 이루는데 기여하였기에 끊임없는 후원과 보호를 받을 수 있었다.[13] 사실 앞날을 장담할 수 없는 動亂의 시기에 주민들은 죽음의 공포에 직면해 있었다. 그런데 불교의 죽음을 넘어선 영혼 구원과 같은 내세관은 그러한 공포를 누그러뜨리는데 一助했다. 그러나 호족군주들이 불교를 선호한 근본적 이유는 불교가 황제권 강화에 이바지하는 思想임을 발견하면서 일 것이다. 다른 집단 보다 優位에서 勢力 통합을 하려면 群小 勢力의 신앙과는 차원을 달리하는 다른 권위의 배

---

8 이영석, 『南北朝佛教史』, 혜안, 2010, 72쪽.

9 李道學, 「磨雲嶺 眞興王巡狩碑의 近侍 隨駕人의 檢討」『新羅文化』9, 1992, 122쪽.

10 李基白, 『新羅思想史研究』, 일조각, 1986, 119쪽.

11 李道學, 「磨雲嶺 眞興王巡狩碑의 近侍 隨駕人의 檢討」『新羅文化』9, 1992, 122쪽;「弓裔의 北原京 占領과 그 意義」『東國史學』43, 2007, 209쪽.

12 이영석, 『南北朝佛教史』, 혜안, 2010, 54쪽. 77쪽.

13 아서 라이트 著·양필승 譯, 『중국사와 불교』, 신서원, 1994, 83쪽.

경을 갖지 않으면 안 되었다. 이민족의 종교임에도 불구하고 불교가 세계성을 띄고 수용·보급된 데에는 戰亂期의 불안정한 지배자들의 배경을 보장해 주는 이념적 장치였던데서 요인을 찾을 수 있을 것 같다.

372년에 전진왕 부견의 불상과 승려인 順道 파견은 고구려 불교 수용의 계기였다. 물론 그 이전부터 고구려에는 불교가 전래되었지만 국가적 차원의 수용은 이때가 처음이었다. 부견이 고구려에 불교를 전파한 것은 북중국을 통일한 시점에서 불교의 영험을 직접 체험한 결과이기도 했다. 그와 동시에 초민족적 종교인 불교를 통해 兩國間의 관계를 안정시켜 중원 통일과 관련한 後顧를 덜려는 정치적 계산이 깔려 있었다. 唐 高祖가 叔達과 같은 道士와『도덕경』을 비롯한 자국 황실의 종교인 道敎를 고구려에 전래해 준 것과[14] 유사한 정황을 연상시킨다. 전진의 불교 전래는 종교를 매개로 한 국가간의 우호 관계 추진 의도였다. 아울러 佛僧을 매개로 한 고구려와 東晉間의 교류를 차단하려는 意圖도 작용했다.[15] 고구려는 전진으로부터의 불교를 흔쾌히 수용한 것으로 보인다. 전진왕 부견이 불교를 崇信했기에 영역 확장의 성과인 화북 통일을 확인하였기 때문일 것이다. 고구려 왕실에서는 국가의 세력 확장에 크게 도움이 되는 종교가 불교라는 확신이 들었던 것 같다. 그러나 무엇보다 고구려 왕실은 불교가 주변의 잡다한 세력들의 신앙을 통합할 정도의 보편성과 세계성, 그리고 교리 체계의 우월성을 깨달았기 때문으로 보인다. 그랬기에 고구려는 전진에서 불교가 전래된 지 3년이 되는 375년에 省(尙)門寺를 창건하여 順道를 주석하게 했다. 또 그 1년 전에 고구려에 온 阿道를 새로 창건한 伊佛蘭寺에 주석시켰다. 이것을 가리켜『삼국사기』는 "해동 불법의 시초이다"[16]라고 評했다.

고구려는 불교를 매개로 하여 전진과 교류의 물꼬를 텄다. 그랬기에 사신과 불승을 보내온 372년에 고구려는 즉각 答使를 파견하여 방물을 바쳤다. 377년에도 고구려는 부견의 전진에 사신을 보내 조공하였다. 그런데 전진왕 부견이 383년의 비수 전투에서 敗死한 직후인 385년에 고구려는 요동으로의 진출을 시도했다.[17] 고구려는 요동 지역의 지배권을 놓고 재건된 모용씨 일족의 後燕과 격돌하였다. 동시에 고구려는 백제와도 공방전을 전개했다. 이러한 국제 관계 속에서 고구려는 신라를 祐軍으로 껴안았다. 이 무렵 고

---

14 『三國史記』권21, 보장왕 2년조.
15 李道學,「제3장 백제의 불교 수용 배경과 위덕왕대의 불교」『백제 사비성시대 연구』, 일지사, 2010, 69쪽.
16 『三國史記』권6, 소수림왕 5년조.
17 『三國史記』권6, 고국양왕 2년조.

구려 고국양왕은 教를 내려 "佛法을 崇信하여 福을 구하라"[18]고 했다. 이 같은 고국양왕의 教는 인과응보론에 입각해서 현재 불행의 원인을 짚어주면서 거듭된 전란으로 피폐해진 민심을 다독이기 위한 조치였다. 요컨대 饑饉과 거듭된 戰亂으로 인한 질곡에서 연유한 왕권에 대한 불만의 분출 통로가 시급한 문제였다. 그러자 고국양왕은 來世의 安樂을 보장하는 불교의 인과응보론으로써 현실의 고통을 희석시켜 정치적 통솔을 강화하고자 한 의도로 풀이된다. 특히 부처의 救濟 利得은 生者는 물론이고 死者에게도 미친다는 意識이었다. 이는 戰歿者들은 往生思想으로, 일반 주민들에게는 勝戰을 통한 太平世上의 到來에 대한 믿음을 고취하였을 것이다.[19]

백제는 384년 7월에 사신을 동진에 파견했다. 그해 9월에 동진에서 온 胡僧 마라난타를 대궐에 맞아들였다. 이것을 일러 "佛法이 이로부터 시작되었다"[20]고 했다. 전후 정황으로 볼 때 백제가 동진에 파견한 사신과 함께 마라난타가 귀국한 것으로 추정된다.[21] 사신이 귀국할 때 佛僧을 同伴하는 경우는 백제에서 있었다.[22] 신라 高僧인 圓光(600년)·智明(602년)·曇育(605년)도 自國 사신과 함께 귀국했기 때문이다. 그리고 백제가 선뜻 불교를 수용하게 된 배경은 383년 동진이 前秦軍을 淝水에서 大破한 勝因을 전적으로 佛德에서 찾았기 때문이었을 것이다. 戰力의 절대 열세임에도 불구하고 前秦을 大破한 東晋이었다. 그러한 東晋에서 불교를 수용하는 일을 백제는 國運上昇의 요체로 파악했을 법하다. 당시 백제는 國運을 건 공방전 相對인 고구려를 겪는 일이 懸案이었다. 전쟁과 관련해 北魏의 무위장군 費穆이 爾朱榮에게 "戰勝의 위엄이 없으면 대중들은 본래 복종하지 않습니다"[23]라고 한 바 있다. 이 구절은 모든 통치자들에게는 긴요한 사안이었다. 침류왕도 東晋이 前秦을 大破한 戰勝 요인을 당시 풍미하고 있던 佛德으로 이해했을 수 있다.

백제가 거부감 없이 불교를 적극 수용한 것은 고구려와의 대결에서 승리할 수 있는 방편으로 여긴 측면도 배제할 수 없다. 이후 백제는 남조 불교와 긴밀한 관련을 맺었다. 그 一例가 梁武帝 때의 연호를 취한 大通寺 창건이다. 宋 孝武帝의 大明 年號(457~464)에

---

18 『三國史記』권6, 고국양왕 9년 조.
19 李道學, 「제3장 백제의 불교 수용 배경과 위덕왕대의 불교」 『백제 사비성시대 연구』, 일지사, 2010, 72~73쪽.
20 『三國史記』권24, 침류왕 원년 조.
21 李基白은 마라난타가 "답례로 온 晉의 使節과 동행했던 것으로 보인다"(李基白, 『新羅思想史研究』, 일조각, 1986, 114쪽)고 했다.
22 李道學, 「제3장 백제의 불교 수용 배경과 위덕왕대의 불교」 『백제 사비성시대 연구』, 일지사, 2010, 68쪽.
23 『魏書』권44, 費于附費穆傳.

서 大明寺가 기원했다.[24] 景明寺도 景明 연간(500~503)에 건립했기에 이름을 그 같이 지었다.[25] 그랬기에 "또 大通 元年 丁未에 武帝를 위하여 熊川州에 절을 지었는데, 이름을 大通寺라 하였다"[26]라고 한 백제 大通寺의 寺名 유래도 액면대로 수용할 수 있게 된다. 大通門에서 기원했다는 '大通'名 年號[27] 자체도 불교에서 유래했다고 보여진다.

그렇다고 동아시아 세계가 불교를 모두 선선히 수용한 것만은 아니었다. 신라의 경우이차돈의 순교에서 보듯이 큰 갈등을 겪은 후 수용되었다. 倭의 경우는 백제 성왕이 538년에 太子像과 灌佛器 및 『說佛起書卷』을 보낸 일을 불교의 첫 전래로 이해하고 있다.[28]그랬기에 "倭國이 비로소 백제에서 佛經을 求得했다"[29]고 기록한 것 같다. 이처럼 백제를매개로 倭에 전래된 불교는 곧바로 수용된 것은 아니었다. 5세기 말부터 6세기에 걸쳐서倭의 국정을 총괄하는 大臣家와 大連家의 政爭은 한층 격화된 상황이었기 때문이다. 大伴金村이 加羅 문제의 실패로 실각하자, 군사권을 맡은 보수적인 大連의 物部氏와 財政을 맡은 진취적 大臣인 蘇我氏가 대립하였다. 이 때 佛敎가 전래되자, 불교 수용 여부를둘러싸고 政爭이 발생했다. 蘇我氏의 氏上이었던 蘇我稻目은 찬성하고 物部氏의 氏上이었던 物部尾輿는 반대하였다. 이 같은 대립은 결국 전투로까지 발전하여, 蘇我稻目의 아들인 蘇我馬子가 실력으로써 587년에 物部尾輿의 아들인 物部守屋을 타도하기에 이르렀다. 이때 物部氏가 추대한 皇位 繼承者인 穴穗部皇子도 함께 살해되었다.[30] 이렇듯 백제에서 倭로 전파된 불교는 권력 핵심 세력간의 정치적 목적과 이해에 따라 그 수용 여부를 둘러싸고 갈등이 증폭되었던 것이다.

백제는 자국 중심의 불국토 사상에 따라 왜에 불교 전파를 시도한 것이다. 만약 倭에서 불교가 수용되지 못한다고 하자. 그러면 성왕이 불교를 전래할 때 최상의 수식어를

24　馬家鼎 外, 『大明寺』, 南京出版社, 2005, 1쪽.

25　『洛陽伽藍記』권3, 城南, 景明寺.

26　『三國遺事』권3, 原宗興法.

27　鎌田茂雄 著・章輝玉 譯, 『중국 불교사 3』, 장승, 1996, 220쪽.

28　田村圓澄, 『百濟文化と飛鳥文化』, 吉川弘文館, 1978, 325쪽.

29　『佛祖統記』권32, 東土震旦地理圖.

30　山本西郎・上田正昭・井上滿郎, 『解明 新日本史』, 文英堂, 1983, 33쪽; 井上光貞, 『日本の歷史 3』, 小學館, 1974, 166~193쪽; 井上光貞 外, 『詳說 日本史』, 山川出版社, 1982, 30쪽; 安田元久 外, 『高等 日本史』, 帝國書院, 1981, 25쪽.

총동원하여 적극 권유한 바 있었기에[31] 백제의 국가적 위상은 손상될 수 있었다. 불교는 종교에만 국한된 영역은 아니었기 때문이다. 불교의 전파는 당장 승려와 사찰의 건립, 그에 부수되는 사원 기술자의 파견이 전제되어야 가능한 일종의 종합예술 전파였다. 백제 승려들이 倭에 전파한 불교 이념은 당연히 백제 중심의 思考體系로 한번 걸렸을 것이다. 그런 관계로 백제는 倭에서의 불교 수용 과정을 홀시할 수 없는 일이었다. 어떤 형태로든 백제가 倭의 불교 수용에 개입했다고 보아야 할 것이다. 당장 백제가 친백제계 호족으로서 불교 수용에 적극적인 蘇我氏를 지원하는 경우를 상정할 수 있다. 蘇我氏의 기원을 백제 木氏에서 찾고 있을[32] 뿐 아니라 蘇我氏 3代 집권의 길을 연 蘇我稻目의 "집권에는 백제 세력을 업고 강력하게 나간 흔적이 많이 보이며, … 특히 백제에서의 세력 축적을 가지고 일본 중앙 정계에 등장한 듯하다"[33]고 하며 백제와 결부지었다. 다음은 倭에서의 불교 수용과 관련해 주목할 만한 전승이다.

多多良氏가 일본국에 들어 갔습니다. 그 까닭은 일본에서 일찍이 大連 등이 군사를 일으켜 佛法을 滅하고자 하였고, 우리나라 왕자 聖德太子는 佛法을 높이고 공경하였기 때문에 交戰하였습니다. 이때 백제 국왕이 太子 琳聖에게 명하여 大連 등을 치게 하였으니, 琳聖은 大內公입니다. 이러한 까닭으로 성덕태자께서 그 공을 가상히 여겨 州郡을 하사한 이래로 그 거주하는 땅은 '大內公朝鮮'이라고 부릅니다. 지금 대내 후손의 존정이 있지만 耆老 가운데 박식하고 통달한 군자가 있어서 그 계보가 상세합니다. 大連 등이 군사를 일으킨 때가 일본국 鏡當 4년인데, 隋 開皇 원년(581)에 해당하니, 경당 4년에서 景泰 4년까지가 모두 873년입니다. 귀국에는 반드시 임성태자가 일본에 들어간 기록이 있을 것입니다. 대내공의 식읍의 땅은 대대로 병화로 인하여 本記를 잃어버렸고, 지금 기록한 것은 우리나라의 남은 늙은이들이 口述로써 서로 전하여 왔을 뿐입니다. 하니 즉시 춘추관과 집현전에 명하여 옛 史籍을 상고하여 이에게 주었는데…[34]

위의 기록은 일본의 大內氏 일족이 자신의 선조인 琳聖太子에 관한 기록을 얻기 위해 朝鮮 朝廷에 요청한 書契의 일부이다. 이 문구에 보이는 임성태자는 시점으로 볼 때 위

---

31 『日本書紀』권19, 欽明 13년 10월 조.
32 門脇禎二, 『新版 飛鳥』日本放送出版協會, 1977, 44~62쪽.
33 李弘稙, 『韓國古代史의 研究』, 新丘文化社, 1971, 345쪽.
34 『端宗實錄』단종 원년 6월 24일 조.

덕왕의 아들로 보인다. 그리고 鏡當 연호는 세종대에 일본을 방문했던 신숙주의 『해동제
국기』에서는 그 원년이 581년이다. 상호 연대 차이는 미세하게 있지만 鏡當이 580년대
를 가리킴은 분명하다. 이러한 맥락에서 볼 때 일본측 傳承의 鏡當 연호와 관련한 내용
은 각별히 주목된다. 물론 위의 기록은 액면대로 모두 취신할 수는 없더라도 상당히 시
사적인 내용이기 때문이다. 실제 숭불파와 배불파의 격돌은 587년에 무력으로써 蘇我氏
가 物部氏를 타멸함으로써 종결되었기에 시점상으로도 모순이 없다. 요컨대 불교 수용
과 관련한 종교전쟁의 요체는 백제가 倭 朝廷의 排佛派를 제압하는 데 직접 관여했음을
뜻한다. 이때 백제에서는 勝戰을 위한 국가적 大法會는 물론이고 傳承처럼 軍需 및 兵力
支援 가능성을 상정할 수 있다.

주목할 점은 이때가 위덕왕 재위 기간이라는 것이다. 위덕왕은 불교 전래와 관련해 상
당한 공력을 倭에 쏟고 있었다. 蘇我氏가 승리한 직후인 593년에 일본열도 최초의 사찰
인 法興寺(飛鳥寺)의 목탑이 조성되었다. 이때 위덕왕은 독점한 진귀한 불사리를 倭에 分
與했다. 598년에도 위덕왕은 倭에 승려를 보내어 불사리를 分與하였다. 사리 분여에 대
한 독점적인 지위를 확보한 후 위덕왕은 자신의 위상을 부처와 동격으로 일치시켜 나가
고자 한 것이다. 동시에 그는 사원 기술자들을 왜에 파견함으로써 백제와 동일한 성격
의 佛敎 道場을 조성하려고 했다. 595년에 위덕왕은 慧聰을 법흥사에 파견하였다. 이러
한 일련의 동향을 놓고 볼 때 위덕왕은 동아시아에서 자국을 불교의 本領으로 삼으려 한
것 같다. 위덕왕은 王卽佛 사상으로써 왜에까지 자신의 영향력을 확대하고자 한 것으로
보인다. 위덕왕은 왕실과 연계된 불교 이데올로기의 수출을 통해 백제 중심의 신질서를
모색하고자 한 것이다.[35] 이러한 선상에서 逆으로 추정한다면 위덕왕이 숭불파의 승리를
위한 무력 지원은 충분히 가능한 상황이라고 본다.

신라의 불교 수용은 521년에 최초로 梁에 사신을 보내자 그 직후 好佛君主인 梁 武帝
가 승려 元表와 더불어 沈檀과 經像을 보내온데서 단초를 삼고 있다.[36] 반면 동아시아에
서 가장 늦은 倭로의 불교 전래는 실권자인 소아씨가 신봉했던 백제 불교가 먼저 유입된
후 고구려 불교와 신라 불교, 그리고 마지막으로 隋에 유학 갔던 승려들이 돌아옴으로써

---

35 李道學,「제3장 백제의 불교 수용 배경과 위덕왕대의 불교」『백제 사비성시대 연구』, 일지사, 2010, 89~90쪽.
36 李基白,『新羅思想史研究』, 일조각, 1986, 11쪽. 114쪽.

중국 불교가 유입된 것이다.[37] 삼국이 다투어 왜에 불교를 전래해 준 것은, 자국 중심의 국가불교를 전래함으로써 사상적 의존도를 높이는 동시에, 그에 부수되어 유입된 건축이나 미술과 음악을 비롯한 문화 전반에서 영향력을 높이려는 의도로 보인다. 이는 단순히 문화 현상에만 국한된 차원이 아니라 銅錢의 앞뒷면처럼 정치와 긴밀히 연계된 사안이었기 때문이다. 倭의 大王家가 친백제계 호족인 蘇我氏로부터 佛教教權을 빼앗기 위한 목적에서 건립한 사찰 이름이 다름 아닌 百濟大寺였다고 한다.[38] 그렇다면 이는 倭에서 政派를 초월한 백제 불교의 영향력을 읽을 수 있는 사례가 아닐까?

3. 불교와 왕권의 결합 방식, 그리고 국가불교

1) 불교와 왕권의 결합 양태

불법의 興隆을 위해서는 최고 권력자의 비호를 받아야만 그 효과가 지대해 진다. 그러기 위해 군주의 정치적 야심을 충족시켜주거나 질병 치유와 같은 지극히 현실적인데서 연결고리를 찾았다. 이는 중국에 불교가 수용된 초기의 신앙 본질이 現世利益을 救하는 祈福이었다는 점에서도 뒷받침된다.[39] 고구려 고국양왕이 教를 내려 "佛法을 崇信하여 福을 구하라"고 한 것이나 백제 아화왕이 "教를 내려 佛法을 믿어 福을 구하라 하였다"[40]는 데서도 祈福的 성격을 읽을 수 있다. 이는 고구려에서 初傳된 불교가 신라 왕실에 접근하는 기제로써 질병 치유가 한몫한데서도 확인된다. 다음의 기사가 그것을 말한다.

[미추왕] 3년에 成國公主가 병이 났는데, 무당과 의사가 효험이 없자 勅使가 사방으로 의사를 구했다. 師가 솔연히 대궐로 들어가자 곧 그 병이 나았다. 왕이 크게 기뻐하여 그에게 소원을 물었다. 대답하기를 "소승에게 바라는 것은 없고, 다만 천경림에 절을 짓고 크게 불교를 흥하게 하여 나라의 복을

37　鎌田茂雄 著・章輝玉 譯, 『중국 불교사 1』, 장승, 1992, 73쪽.
38　直木孝次郎, 『飛鳥寺の法隆寺』, 吉川弘文館, 2009, 147쪽.
39　鎌田茂雄 著・章輝玉 譯, 『중국 불교사 1』, 장승, 1992, 43쪽.
40　三國遺事』권3, 興法, 難陀闢濟 條.

빌고자 합니다"[41]

 그 밖에 신라에서는 南朝의 梁으로부터 香을 헌상받았지만 사용 방법을 몰랐다. 그런데 고구려에서 온 墨胡子라는 승려가 이 香을 피워 왕녀의 병을 낫게 하였다고 한다.[42] 이 같은 승려들의 주술성은 396년에 고구려에 들어 와 실질적으로 고구려 불교를 열었다는 평을 받고 있는 曇始의 경우에서도 확인된다.[43]

 문제는 戰亂의 시대에 불교의 근본 원리인 慈悲와 刑殺의 처리였다. 현실 문제와의 乖離이자 治者로서는 일종의 심각한 딜레마에 빠지는 사안이었다. 이에 대한 後趙 石虎의 물음에 대한 불도징의 답변이 그 관계를 명확히 정리해 주었다. 帝王이 불법을 신봉함에는 반드시 體恭心順해서 佛의 三寶를 顧暢해야 하지만, 治者의 입장에서는 罪가 있은 즉 죽이지 않을 수 없고, 惡이 있은 즉 刑罰하지 않을 수 없기 때문에 죄악은 마땅히 刑殺해야 한다. 그러나 만약에 暴惡恣意로서 죄가 아닌데도 살생을 하면 재물을 바쳐 불법을 받들어도 災殃을 면할 수 없으니 마땅히 자비를 일으켜서 널리 불법의 홍륭에 공헌해야 할 것이라고 했다.[44] 이렇듯 불도징은 王者를 불법의 구현자로 인정하고 왕권을 배경으로 弘佛 의지를 실현했던 것이다. 요컨대 화북 불교가 국가적 성격을 지니게 된 원인은 五胡 쟁란기를 통한 왕권과 불교의 결합 때문이었다. 신라 원광법사가 세속오계에서 "臨戰無退"라고 하였고, 「乞師表」까지 쓴 것을 볼 때 승려들도 국가를 위한 전쟁을 부정하지 않았다.[45] 그리고 "殺生有擇"은 人命이 아니라 어디까지나 동물에만 국한되었다. 이 모든 것은 원광이 유학했던 중국 불교의 가치체계의 영향으로 보인다. 고구려와 백제 및 신라의 승려들이 간첩으로서 상대국에 잠입한 사례가 적지 않다. 이 역시 국가불교적인 성격을 띄었기 때문이었다.[46]

 특히 승려 法果가 북위 태조에게 "(佛)道를 넓히는 자가 人主이다"[47]라고 했다. 이는 불교의 弘布를 위해서라면 정복전쟁도 정당화될 수 있다는 논리였다. 신라에서도 護國을

---

41 『三國遺事』권3, 興法, 阿道基羅 阿道基羅 條.

42 『三國遺事』권3, 興法, 阿道基羅 阿道基羅 條.

43 鎌田茂雄 著・章輝玉 譯, 『중국 불교사 1』, 장승, 1992, 70~73쪽.

44 이상의 서술은 이영석, 『南北朝佛教史』, 혜안, 2010, 17~42쪽에 의하였다.

45 李基白, 『新羅思想史硏究』, 일조각, 1986, 107~111쪽.

46 直木孝次郎, 『飛鳥寺の法隆寺』, 吉川弘文館, 2009, 54쪽.

47 『魏書』권114, 釋老志.

정치와 불교 353

위한 전쟁은 護法을 위한 싸움이라고하여 정복전쟁을 정당화·합리화시켰다.[48] 백제 불교의 전성기를 구가한 威德王의 諡號는 佛敎의 五大 明王의 한 분이요 勝戰 기원과 관련한 신앙의 대상인 大威德明王을 의미한다.[49] 특히 552년에 梁에서 번역한 護國佛經인 『金光明經』은 이 무렵 백제에 전래되었다고 한다.[50] 백제와 연관된 倭 최초의 관립 사찰인 四天王寺의 건립도 당시 倭 朝廷의 실권 가문인 蘇我氏와 物部氏가 불교 수용 여부를 둘러싸고 대립하는 과정에서 비롯되었다. 즉 蘇我氏와 제휴한 聖德太子가 승리를 기원하는 마음으로 사찰 창건을 誓願한 데서 기인한다. 飛鳥寺 곧 法興寺 건립도 이때의 戰勝 報恩에서 비롯되었다.[51] 요컨대 外國 船舶이 도착하는 難波의 津에 臨한 언덕 위에 四天王을 제사하는 寺院이 건립된 것은 倭에 전래된 불교가 호국불교·국가불교의 성격을 지녔던 데서 원인을 찾을 수 있다.[52] 아울러 『金光明經』 四天王品의 護國思想이 사천왕사 건립의 基底에 깔려 있었다.[53] 통일기에 조성된 신라 사천왕사도 이와 동일한 성격을 지녔음은 재언할 필요도 없다.

불교는 세속적인 정치권력, 그것도 頂點에 군림한 군주와 결합하여 그 비호를 받으면서 성장해 갔다. 결국 불교 권위의 중심이자 본질인 부처와 帝王을 동일시하는 경향마저 나타났다. 가령 僧肇(374~414)가 苻堅과 姚興을 부처에 비유하였다. 중국 불교 최초의 僧官인 法果가 북위 太祖(道武帝)를 如來에 견주면서 "(佛)道를 넓힐 수 있는 者가 人主이기에 나는 天子에게 절하는 것이 아니라 부처에게 禮하는 것일 뿐이다"[54]라고 하였다. 그는 當今의 如來인 太祖에게 沙門들은 예배하지 않으면 안된다고 주장했다. 北周의 廢佛 때 衛元嵩도 北周 武帝를 如來라고 일컬었다. 이러한 기록들은 제왕을 현세의 부처로 간주하는 체제로 넘어 갔음을 뜻한다. 곧 帝王과 如來가 동일시되어 불교와 권력간의 결속이 이루어졌던 것이다.[55] 이는 군주권의 강화라고 하는 정치적 의미를 뜻한다.[56] 백제의 경

---

48 李基白, 『한국사 강좌─고대편』, 일조각, 1982, 253쪽.

49 문경현, 『百濟 武王과 善化公主攷』, 경주시·경주대학교 경주학연구소, 2009.

50 平野邦雄, 『歸化人と古代國家』, 吉川弘文館, 1993, 213쪽.

51 直木孝次郎, 『日本の歷史 2』, 中公文庫, 1973, 37~38쪽.

52 直木孝次郎, 『飛鳥寺の法隆寺』, 吉川弘文館, 2009, 55쪽.

53 平野邦雄, 『歸化人と古代國家』, 吉川弘文館, 1993, 212쪽.

54 『魏書』권114, 釋老志.

55 鎌田茂雄 著·章輝玉 譯, 『중국 불교사 1』, 장승, 1992, 22~23쪽.

56 이영석, 『南北朝佛敎史』, 혜안, 2010, 269쪽.

우도 중국 북방불교의 영향을 받아 王卽佛思想이 나타나고 있다.[57] 이러한 현상은 불사리에 대한 점유와 분배권을 지닌 위덕왕대에 현저했던 것으로 보인다. 그리고 武王代의 轉輪聖王思想은[58] 贅言을 要하지 않는다. 신라 왕실은 釋迦와 마찬가지로 刹帝利種이라고 하여 佛法과 王法을 일치시켰다. 그럼으로써 석가의 권위를 빌어 왕권 강화를 뒷받침하려고 한 것이다. 이는 '왕이 곧 부처이다'라고 하는 북방불교의 영향이었다.[59] 그에 앞서 신라 왕은 轉輪聖王으로 상징되었다. 전륜성왕은 須彌四洲의 세계를 통솔하는 왕이며, 寶輪을 굴리면서 사방을 위엄으로 굴복시키기 때문에 전륜성왕으로 일컬어졌다. 그가 굴리는 寶輪인 金輪·銀輪·銅輪·鐵輪은 진흥왕의 아들 이름인 銅輪과 金輪으로 등장한다. 이와 같은 사실에다가 진흥왕이 위대한 정복군주로서 신라의 국토를 크게 확장시켰다는 점을 고려해서 진흥왕이 전륜성왕에 견주어졌을 것이다.[60]

東아시아 불교의 큰 軸을 이루는 중국에서 帝王과 불교의 관계는 비록 극단적인 면이 없는 바는 아니지만 梁武帝가 좋은 사례이다. 法名을 받은 '皇帝菩薩' 양 무제가 스스로 佛寺에 몸을 판 사건에서 절정에 달했다고 본다.[61] 이와 유사한 사례는 이로부터 멀지 않아 등장한 신라 진흥왕의 다음 기록에서 찾을 수 있다.

> 왕은 어린 나이에 왕위에 올라 한결같은 마음으로 불교를 신봉했다. 말년에 이르러서는 머리를 깎고 僧衣를 입었으며, 스스로 號를 法雲이라하여, 그 한평생을 마쳤다.[62]

그리고 북위 효문제의 廢皇后 馮氏와 宣武帝의 황후 高氏가 瑤光尼寺에서 비구니가 되었다.[63] 승려 국왕이었던 진흥왕의 왕비도 진흥왕 死後 比丘尼가 되어 都城의 永興寺에 주석했다. 이렇듯 帝王과 王后가 승려가 된데서 왕권과 불교와의 관계가 그 절정에 이르렀음을 알 수 있다. 이러한 사례는 그 밖에 北周 宣帝가 사망한 후 皇后들이 세속을

---

57 李道學, 「부여 능산리 고분군 출토 사리감 銘文의 의의」『서울신문』 1995.11.6; 『살아 있는 백제사』, 푸른역사, 1997, 469쪽.

58 洪潤植, 「益山 彌勒寺創建 背景을 통해 본 百濟文化의 性格」『馬韓百濟文化』 6, 1983, 26~29쪽.

59 李基白, 『新羅思想史硏究』, 일조각, 1986, 82쪽.

60 金煐泰, 「彌勒仙花攷」『佛敎學報』 3·4합집, 1966, 145쪽.

61 아서 라이트 著·양필승 譯, 『중국사와 불교』, 신서원, 1994, 78쪽.

62 『三國史記』 권4, 진흥왕 37년 조.

63 『魏書』 권13, 宣武皇后 高氏傳.

떠나 비구니가 된 데서도 확인된다.[64] 王卽佛思想은 백제 法王의 다음과 같은 엄격한 계율주의를 통해서도 확인된다.

겨울 12월에 명령을 내려 살생을 금지하고 민가에서 기르는 매와 새매를 거두어 놓아주게 하였으며, 고기잡고 사냥하는 도구들을 태워버리게 하였다.[65]

『梵網經』에서 기원한 엄격한 계율주의와 짝한 '法王' 시호 역시 『梵網經』에서 유래한 '佛' 자체를 가리키고 있다. 미륵사지 서탑 「사리봉안기」 冒頭에서도 "竊以法王出世 隨機赴感 應物現身"라고 하여 法王의 존재가 보인다. 法王 諡號야말로 王卽佛의 명백한 證左이다. 法王의 이름 孝順도 주지하듯이 『梵網經』에서 유래하였다.[66] 한편 倭의 경우는 645년 大化改新 이전까지만 해도 백제로부터 불사리를 독점적으로 分與받으며, 불교 전파의 매개자 역할을 했던 蘇我氏가 敎權을 장악하였다. 672년 壬申의 亂 이후에야 倭王의 敎權 확보가 가능해졌다.[67]

2) 僧官制 실시

佛法과 王法의 일치는[68] 그것을 制度化한 조치가 뒤따라야만 항속성을 기할 수 있다. 곧 불교를 황제권에 예속시키려는 방편으로서 僧官制가 실시되었다. 교단의 통제에 필요한 승관제는 불교를 국가 권력 밑에 장악하는 방법이었다. 그럼으로써 주민들 사이에 무시 못할 정도로 확장되는 불교의 세력화에 따른 逆作用을 미연에 차단하고자 한 조치였다. 결국 승려의 임명과 그 행동 규범·사찰 재산의 관리 등 관련 모든 사안을 황제권에 귀속시킨 것이다.[69] 그리고 승관제는 전국의 僧徒를 감독하게 되었고, 중앙 뿐 아니라 지방에 설치된 官寺는 국가불교의 弘布 기능을 하였다. 요컨대 이는 황제권 예하의 불교

---

64 『周書』권8, 大象 2년 5월 조; 『周書』권9, 宣帝朱皇后傳.
65 『三國史記』권27, 法王 원년 조.
66 金周成, 「百濟 法王과 武王의 佛敎政策」 『馬韓百濟文化』15, 2001, 48쪽; 李道學, 「사비시대의 백제 왕실과 불교」 『불교의 나라 백제, 사비성』, 부여군, 2006, 66쪽.
67 直木孝次郎, 『飛鳥寺の法隆寺』, 吉川弘文館, 2009, 48쪽. 145쪽.
68 이에 대해서는 賴永海, 『中國佛敎文化論』, 中國人民大學出版社, 2009, 233~257쪽을 참고바란다.
69 아서 라이트 著·양필승 譯, 『중국사와 불교』, 신서원, 1994, 86쪽.

를 정치적 목적으로 일사불란하게 이용할 수 있는 조직의 완성을 뜻한다. 승관제는 남조에서 그 長을 僧正·僧都라고 하였고, 북조에서는 大統·統·都維那라고 하여, 諸州와郡縣에도 각각 설치하였다.[70]

北魏의 사문 法果가 道人統에 임명된 것을 시발로 한 승관제는 북위 전역의 불교도를 황제권에 예속시킬 수 있었다.[71] 그랬기에 北朝佛教는 南朝佛教 보다 황제 首長主義에 더 가깝다는 평을 받았다.[72] 신라는 國統·州統·郡統 등 僧官과 大道署·政法典 등을 두어 전국의 佛寺와 승려를 통제하였다. 진흥왕대에 北朝의 승관제를 수용한 결과였다.[73] 신라 진평왕대에 설치된 寺典은 北齊 典寺曹의 영향으로 보여진다. 반면 백제는 남조의 승관제를 수용하였다. 倭에서 推古朝의 僧正이나 僧統은 백제에서 도입된 게 분명하다. 그런 만큼, 이러한 승관제는 백제가 남조로부터 수용했음을 웅변한다.[74] 침류왕은 동진으로부터 불교를 수용한 이듬해인 385년에 한산에 佛寺를 창건하고 승려 10인을 度했다고 한다. 이는 백제에서도 도승제의 시행을 뜻하는 것이다. 동시에 국가적 차원의 승관제 시행을 암시해 준다.[75] 사비성 도읍기 관련 문헌에 보면 백제의 22部 관사 가운데 功德部의 존재가 확인된다. 唐 代宗 때에 功德使가 설치되어 僧尼의 통제가 이루어진 바 있다.[76] 백제의 功德部도 단순한 사찰 업무가 아니라 僧尼와 사찰에 대한 통제를 관장했던 것으로 보인다.

고구려 왕실의 불교 운용과 관련해 광개토왕대의 평양 9寺 창건이[77] 주목된다. 무려 9寺나 되는 사찰을 일거에 창건한 배경을 평양성 천도 작업과 결부짓기도 했다. 이와 더불어 그 배경을 두 가지로 나누어 생각해 볼 수 있다. 첫째는 불교의 힘을 빌어 백제의 거듭된 北侵을 막겠다는 鎭護的인 측면이다. 둘째는 自治區로 남아 있었지만[78] 피정복민인 옛 낙랑 지역 漢族 주민의 이탈을 막고 인심을 안정시켜 왕권에 心服하기 위한 차원이

---

70 井上光貞,『日本の歷史 3』, 小學館, 1974, 216쪽.
71 이영석,『南北朝佛教史』, 혜안, 2010, 86~88쪽. 272~274쪽.
72 아서 라이트 著·양필승 譯,『중국사와 불교』, 신서원, 1994, 87쪽.
73 李弘稙,「新羅 僧官制와 佛教 政策의 諸問題」『韓國古代史의 研究』, 신구문화사, 1971, 472~496쪽.
74 井上光貞,『日本の歷史 3』, 小學館, 1974, 216쪽.
75 李道學,「제3장 백제의 불교 수용 배경과 위덕왕대의 불교」『백제 사비성시대 연구』, 일지사, 2010, 79쪽.
76 鎌田茂雄 著·章輝玉 譯,『중국 불교사 1』, 장승, 1992, 23쪽.
77 『三國史記』권6, 광개토왕 2년 조.
78 孔錫龜,『高句麗領域擴張史研究』, 서경문화사, 1998, 89쪽.

된다. 특히 고구려의 정복지인 樂浪故地에 대한 본격적인 통치책의 일환으로써 9寺 창건을 생각해 본다. 평양에 창건된 9寺는 官寺라는 속성을 지녔기 때문이다. 그렇다면 度僧과 연계된 僧官制下에서 官寺를 軸으로 한 僧徒 조직을 통해 국가의 교화 사업을 펼칠 수 있다. 그럼으로써 중국계 민심의 離反을 방지하고 고구려에 융화가 가능하다고 판단했을 법하다. 이러한 목적으로써 광개토왕은 평양에 9寺를 창건한 것으로 판단된다. 사실 광개토왕은 新來韓穢 守墓人 배속에서 보듯이 德化主義를 기반으로 여러 種族을 융화하여 보편적인 통일국가를 건설하고자 했었다.[79]

승관제는 사상적인 기능 외에 군사적으로도 국가를 지탱하는 강력한 조직이었을 것이다. 고려 말 최영이 "唐 太宗이 本國을 쳤을 때 本國이 僧軍 3萬을 내어 쳐서 깨뜨렸으니"[80]라고 한 僧軍組織이 상기된다. 여기서 '本國' 즉 고구려에는 3萬의 僧軍이 존재했음을 말한다. 그 운용 체계는 알려진 바 없지만 고구려 말에 "男建은 軍事를 僧 信誠에게 맡기니"[81]라는 구절을 통해 승려가 軍事에 관여했음을 알 수 있다. 백제가 新羅軍과 唐軍에 무너졌을 때 倭에 군사 지원을 위해 急派된 覺從은 승려였다. 백제인들이 국가 회복을 위해 항쟁할 때 道琛이라는 僧將의 존재도 확인된다. 백제에서도 군사적 소임에 승려들이 등장한 것이다. 신라에서는 578년에 건립된 戊戌塢作碑에서[82] 보듯이 僧官職인 都唯那 2명이 軍事 시설인 塢 축조에[83] 참여하였다. 국가를 위한 力役으로써 승려들의 군사적 소임이 확인된다. 요컨대 고구려와 백제·신라 삼국은 승관제하의 교단을 축으로 한 거대한 僧徒 조직을, 軍事 관련 力役이나 유사시 군사 활동에도 투입했음을 알려준다. 신라 말 해인사 僧軍의 존재나 764년 일본 藤原仲麻呂의 亂 때 東大寺 正倉院에 소장된 다수의 武器가 官軍에 제공된 것도[84] 국가불교로서의 소임을 나타낸다.

승관제는 국가불교의 核心軸을 이루고 있었다. 南北朝時代와 한국의 三國時代에 發火한 불교는 국가불교로서의 역할을 우선시하였다. 승관제를 根幹으로 한 신라의 百座講

---

79 광개토왕의 德化主義는 李道學, 「高句麗 廣開土王陵碑文의 思想的 背景」『고구려 광개토왕릉비문 연구』, 서경문화사, 2006, 211~232쪽을 참고하기 바란다.

80 『高麗史』권113, 崔瑩傳.

81 『三國史記』권22, 보장왕 27년 조.

82 한국고대사회연구소, 『譯註 韓國古代金石文 II』1992, 97~101쪽.

83 이 塢를 저수지로 간주하는 견해도 있지만, 어디까지나 정황에 의존한 추측에 불과하다. 저수지를 '塢'로 표기한 예가 있는 지 반문하고 싶다.

84 直木孝次郎, 『飛鳥寺の法隆寺』, 吉川弘文館, 2009, 55쪽.

會나 八關會 같은 佛教儀式이 호국불교의 산물이었다. 백좌강회는 국가의 평안을 비는 의식이었다. 즉 국토가 어지러워지려하여 여러 災難과 외적의 침입이 있게 된다면 道場을 장엄하게하여 백개의 불상과 백개의 보살상, 백개의 나한상을 모시고 100명의 승려를 청하여『仁王經』을 들으면 각종의 재난이 사라진다는 의식이다. 또 이는 대외적인 전쟁의 승리라든지 반란의 진압, 국왕의 병환 치료와 같은 호국적인 의미로 설치된 의식이었다. 八關會는 본시 八戒를 받는 法會로서 종교적·금욕적·修行的 의미를 갖는 것이었으나 護國的 성격의 것으로 바뀌었다. 572년(진흥왕 33)에는 전사한 士卒을 위해 7일 동안 팔관회를 베푼적이 있었다. 그리고 慈藏의 건의에 따라 신라에서는 80m 높이의 황룡사 9층탑이 건립되었다.[85]

일본의 경우도 7세기 전반 飛鳥時代에는 僧正이 조정의 命을 받고 諸寺를 돌아 다니며 수집한 各 寺院의 유래, 사원에 거주하는 僧尼의 出家 유래, 出家한 年月까지 보고하였다. 그 결과 사원의 전체 숫자는 46所, 僧은 816명, 尼는 569명, 總 1385명으로 집계되었다.[86] 이 기록은『해동제국기』에서도 "처음으로 僧正·僧都를 두었는데, 이때 전국에 깔린 사찰이 46이요, 僧은 816명인데, 尼는 569명이었다"라고 하여 앞서 기록과 부합된다. 白鳳時代(645~710)에도 불교는 국가의 보호를 받아 발전하였다. 大官大寺·藥師寺 등의 官立 大寺院이 조영되어 지방에도 보급되었다. 불교는 국가의 보호를 받아 발전했지만 동시에 사원과 승려는 국가의 강한 감독 내지는 통제하에 있었다.[87] 여기서 국가가 불교에 기대한 것은 國家鎭護를 위한 주술적인 힘 때문이었다. 그랬기에『金光明經』과 같은 護國經이 중시되었다. 聖武天皇은 불교의 호국사상을 통해 정치·사회적 동요을 막기 위해 國分寺를 조성했다. 東大寺 大佛 조성도 이와 동일한 배경에서 비롯되었다.[88]

4. 사찰의 分化와 願塔 조성

불교가 흥륭함에 따라 敎團의 정비와 더불어 사찰도 分化되는 추세였다. 일례로 尼寺

85 李基白,『新羅思想史研究』, 일조각, 1986, 253~254쪽.
86 井上光貞,『日本の歷史 3』, 小學館, 1974, 216~217쪽.
87 安田元久 外,『高等 日本史』, 帝國書院, 1981, 36~37쪽.
88 井上光貞,『日本の歷史 3』, 小學館, 1974, 48~49쪽.

의 조성을 꼽을 수 있다. 북위 영태후의 從姑母가 건립한 胡統尼寺를 비롯하여 昭儀尼寺 · 魏昌尼寺 · 景興尼寺가 대표적이다. 이러한 尼寺의 增加는 불교의 盛時를 맞아 귀족 여성들의 출가가 많았음을 뜻한다.[89] 남조 東晋에서도 康獻褚皇后가 344년에 세운 延興寺, 穆章何皇后가 354년에 세운 永安寺가 대표적 尼寺였다.[90] 일본 大阪의 難波宮에서 동남쪽으로 불과 2km 떨어진 朱雀大路에 소재한 細工谷 유적에서 출토된 토기 2개의 겉면에서 '百済尼'와 '尼寺' 墨書 명문이 각각 확인되었다. 곧 '百濟尼寺'라는 사찰의 존재가 드러났다. 이는 '백제사'에 대응하는 백제 여승 사찰의 존재를 확인시켰다.[91] 이와 관련해 『일본서기』에 따르면 백제 사신 은솔 首信을 통해 백제 위덕왕의 윤허를 받고, 588년 善信尼와 禪藏尼 및 惠善尼라는 세 여승이 백제에 유학하여 불교 공부를 하고 3년 후인 590년 3월에 귀국했다. 이들은 飛鳥의 櫻井寺에 주석하였다.[92] 이러한 백제 여승의 존재는 "승려와 비구니, 절과 탑이 매우 많다"[93]라고 하여 비구니를 언급한데서도 확인된다. 593년(위덕왕 40)에는 백제로부터 불상과 함께 律論과 法服 및 여승[尼]이 왜로 건너오고 있다. 그에 앞선 577년에도 위덕왕은 비구니를 倭에 보낸 바 있었다.[94] 이로써 백제에서는 여승만의 사찰이 존재했을 정도로 불교의 홍성을 엿볼 수 있다. 이와 관련해 王女나 貴族女의 尼僧化도 많았을 것으로 보인다. 신라에서는 진흥왕비가 비구니가 되어 576년~614년까지 38년 간이나 주석한 尼寺인 永興寺의 존재가 확인된다. 그러니 신라에도 다수의 尼寺가 존재했을 것으로 짐작된다.

불교가 언제까지나 국가 권력의 전유물이 될 수는 없었다. 왕족을 필두로 하는 일반 귀족들의 願刹 건립은 必至의 방향이었다. 또 薄葬 풍속의 유행과 더불어 巨大古墳 조성에 쏟았던 열정은 사찰 조성으로 옮겨가는 게 시대적 추세였다. 官寺와 더불어 私寺가 유행하는 배경이 되었을 것이다. 사택지적의 堂塔이나 김유신의 願刹이 그 대표적인 사례에 속한다. 이와 더불어 願塔의 조성도 활발했던 것 같다. 중국에서는 吳主 孫權이 그 어머니를 위해 지은 보은탑을 비롯해서 석호의 尙書 張良을 비롯한 조정의 重臣들이 家

89   이영석, 『南北朝佛敎史』, 혜안, 2010, 223~224쪽.

90   이영석, 『南北朝佛敎史』, 혜안, 2010, 381~383쪽.

91   大阪市文化財協會, 『大阪遺跡』, 創元社, 2008, 168~169쪽.

92   平野邦雄, 『歸化人と古代國家』, 吉川弘文館, 1993,, 226~227쪽.

93   『周書』 권49, 異域上 百濟 條.

94   李道學, 「사비시대의 백제 왕실과 불교」 『불교의 나라 백제, 사비성』, 부여군, 2006, 63~64쪽.

富로 佛을 섬기고, 각각 大塔을 일으켰다.[95] 북위에서도 문명태후를 위한 靈塔의 건립을 비롯해서 營塔 사례가 많았다고 한다.[96] 중국 강소성 진강시의 금산사 자은탑도 이 경우에 속한다. 그 밖에 "太后 胡氏를 위하여 永寧寺 丈六金像과 浮圖 9層을 세웠는데, 높이가 90丈이었다. 諸郡에 五級 浮圖를 세우도록 詔하였다"[97]는 기사에 보이는 浮圖 건립이 願塔 조성을 가리킨다. 景明 연간(500~503)에 세워진 景明寺에 소재한 正光 연간(520~525) 건립의 7층탑도 태후의 발원에 의한 것이었다.[98] 사찰과는 별개로 塔이 조성된 것이다. 신라의 사례로서는 중원 중앙탑과 더불어 "탑을 세운 뒤에 천지가 형통하고 三韓이 하나가 되었으니, 이것이 어찌 탑의 靈蔭이 아니겠는가?"[99]라고 한 황룡사 9층탑이 대표적이다. 倭의 친백제계 호족인 蘇我馬子宿禰가 불사리를 얻자 塔을 大野丘의 북쪽에 세우고 대법회를 연 바 있다.[100] 백제에서도 "절과 탑이 매우 많다(寺塔甚多)"고 하였다. 사찰의 한 부속으로서 뿐 아니라 탑 자체에 대한 언급까지 한 것이다. 이러한 맥락에서 볼 때 왕흥사지 목탑터에서 나온 사리기의 명문은 왕흥사 창건이 시작된 600년 이전인 577년에 목탑이 조성되었음을 알려준다. 伽藍 規約과는 별개로 탑만이 당초부터 조성된 사례가 된다.[101] 요컨대 이는 發願塔의 조성인 것이다.

5. 맺음말

동아시아 세계에 전래된 불교는 역동적인 시대적 배경 속에서 커다란 변화를 수반했다. 세계성을 지닌 이민족의 종교인 불교는, 중국에서 오랜 잠복기를 거친 후 南北朝時代에 發火했다. 즉 불교는 잡다한 세력을 포용해야 될 뿐 아니라 자신의 기반이 취약했던 북중국 胡族君主들의 관심을 끌었다. 특히 佛僧들의 예지력은 일차적으로 전쟁의 勝

---

95 『高僧傳』佛圖澄傳(『大正藏』제50권).

96 이영석,『南北朝佛敎史』, 혜안, 2010, 188쪽. 225쪽.

97 『佛祖統記』권53, 歷代會要志, 十九之三, 北魏獻文條.

98 『洛陽伽藍記』권3, 城南, 景明寺.

99 『三國遺事』권3, 塔像, 皇龍寺九層塔.

100 『日本書紀』권20, 敏達 13년 9월 조; 14년 2월 조.

101 李道學,「제2장 '王興寺址 舍利器 銘文' 분석을 통해 본 위덕왕대의 정치와 불교」『백제 사비성시대 연구』, 일지사, 2010, 50쪽. 59쪽.

因이기도 했다. 그리고 군소 세력의 신앙과는 차원을 달리하는 불교가 지닌 권위는, 불안정한 이민족 출신의 황제권 강화에 도움이 된다는 믿음이었다. 결국 불교는 정복전의 승리라는 호족군주들의 현실적인 욕망과 佛僧들의 효과적인 불교 弘布를 위한 방편으로서 실권자와의 결탁이라는 방식으로 發火했다. 북중국과 남중국을 통해 고구려와 백제에 각각 전래된 불교는 왕실의 관심과 환대 속에서 자리를 잡았다. 그 요체는 불교가 국가의 세력 확장에 크게 도움이 되는 종교라는 사실이었다. 그리고 여타 잡다한 세력들의 종교와는 달리 교리상의 잘 짜여진 체계와 이론적 우월성은 불안정한 동란기의 왕권 강화에 도움이 되었기에 적극 후원을 받을 수 있었다.

그런데 동아시아 세계의 불교는 모두 선선히 수용된 것만은 아니었다. 신라와 倭에서는 커다란 진통을 겪었다. 특히 倭에서의 불교 수용 여부는 권력 핵심 세력간의 갈등을 증폭시키는 기제가 되기도 했다. 이때 백제는 倭 朝廷의 排佛派를 제압하는데 무력을 지원한 사실이 확인되고 있다. 위덕왕은 排佛派와 崇佛派가 팽팽히 맞서는 과정에서 倭의 聖德太子를 지원할 목적으로 琳聖太子를 파견하여 交戰하였다. 宗敎戰爭의 결과 백제의 지원을 받은 숭불파는 倭 조정의 실력자인 大連의 物部氏를 討滅했다. 이렇게 해서 倭 朝廷에서 佛敎의 정착이 가능했던 것이다. 백제가 전래해 주고, 가닥을 잡아 준 倭에서의 불교는 위덕왕의 구상과 맞물려 크게 흥륭하였다.

불법의 흥륭은 최고 권력자의 비호를 받아야만 효과가 지대해진다. 그러기 위해서 군주의 야심을 충족시켜주는 방향으로 나가는 경향이 있었다. 즉 왕권과 불교의 결합은 결국 '王이 곧 부처이다'라는 王卽佛思想을 가져 왔다. 이러한 북방불교의 영향은 백제와 신라에도 지대한 영향을 미쳤다. 南朝 梁 武帝처럼 국왕이 승려가 된 사례는 신라 진흥왕에게서 찾을 수 있었다. 백제의 '法王' 諡號는 王卽佛思想의 정점을 말하는 不動의 證左였다.

佛法과 王法의 일치를 위한 제도적 장치로서 僧官制가 나타났다. 이는 황제권 밑에 불교를 두고, 그 조직을 일사불란하게 움직일 수 있는 체제의 구축을 뜻한다. 백제와 신라 및 倭에서도 그러한 조직이 확인되고 있다. 이와 관련해 광개토왕이 창건한 樂浪故地인 평양 지역의 9寺는 말할 나위 없이 官寺였다. 그러한 관사의 존재는 승관제를 前提하는 동시에 계통이 다른 주민들을 융화시켜 보편적인 통일국가를 이루는 소임을 지녔던 것으로 판단된다. 삼국은 방대한 僧徒 조직을 꾸려, 전쟁이나 군사 시설인 塢의 축조 등에도 투입하였을 정도로 국가불교의 한 軸을 이루게 하였다. 이렇듯 승관제를 기반으로 한 불교는 국가불교이자 호국불교의 성격을 띄게 되었다. 이러한 속성은 백제 불교의 영향을 받은 倭에서도 예외가 되지 않았고, 어떤 측면에서는 두드러지기까지 했다.

불교가 일반 사회 저변에 확대되는 과정에서 여성 전용 사찰인 尼寺의 조성이 나타났다. 이 경우는 중원대륙 뿐 아니라 삼국과 倭에서도 확인되고 있다. 아울러 官寺 뿐 아니라 개인의 사찰인 私寺가 가문의 願刹로서 조성되기도 했다. 무수한 寺塔의 건립 속에서 發願塔의 조성도 확인된다. 백제 왕흥사 목탑의 경우도 사찰의 伽藍規約과는 별개의 용도로 당초에는 조성되었다. 백제 도성의 모습을 일컬어 "절과 탑이 매우 많았다"고 한 기록은 국가적 에너지가 불교로 쏠리는 경향을 단적으로 보여준다.

「고대 동아시아의 불교와 왕권」『동아시아 불교문화와 백제』,

제57회 백제문화제 국제학술대회, 2011.10.4;

『충청학과 충청문화』13, 충청남도역사문화연구원, 2011.

한성백제 불교사 연구의 문제점

1. 머리말

백제가 한성에 도읍하던 시기에 불교가 전래된 것으로 알려졌다. 백제 침류왕 원년 인 383년에 동진의 마라난타를 통해 백제에 불교가 전래된 것으로 기록에 전한다. 그럼 에도 불구하고 한성 도읍기의 백제 사찰 관련 유적이 확인되지 않았다. 그랬기에 이때 의 불교 전래를 부정하는 견해가 제기된 바 있다. 더욱이 『일본서기』推古 32년(624) 조에 서 백제 승려 관륵이 "불법이 백제에 이른지 겨우 백년이 되었다"는 기록에 따른다면 성 왕대에 전래된 것이 된다. 본고에서는 이 문제를 검증해 보도록 한다. 그리고 백제 왕실 이 불교를 수용할 수밖에 없었던 배경과 백제 史上 최초의 佛刹이 건립된 漢山의 범위를 고찰해 보고자 한다. 아울러 하남시 객산폭포 마애불의 명문에 대한 검증을 시도하였다. 요컨대 이 작업을 통해 漢城百濟史上 경기도 하남시가 지닌 역사적 위상을 재조명할 수 있을 것으로 본다.

2. 백제 불교 전래 기사

백제에 불교가 전래된 시점에 대해서는 『삼국사기』에 따르면 침류왕 원년인 384년으 로 간주되고 있다. 그러나 이에 대해서는 『일본서기』에 근거하여 그 보다 훨씬 후대로 지 목하는 견해도 있다. 이 점에 대해 검토해 보기로 한다. 백제에 불교가 전래되는 기사는 『삼국사기』를 비롯한 여타 문헌에서 다음과 같이 보인다.

    a. 가을 7월에 사신을 晉에 보내어 조공하였다. 9월에 胡僧 摩羅難陀가 晉으로부터 이르자 왕이 그 를 맞이하여 궁 안으로 모시고 공경하는 禮를 다하였다. 불법이 이로부터 시작되었다.[1]

---

1 『三國史記』권24, 침류왕 즉위년 조.

b. 2년 봄 2월에 漢山에 佛寺를 창건하고는 10명을 출가시켜 승려를 삼았다[度僧].[2]

c. 백제본기에 이르기를 "제15대 침류왕이 즉위한 갑신년(동진 효문제 大元 9년)에 호승 마라난타가 晉으로부터 이르자 맞이하여 궁중에 모시고 공경하기를 예로써 하였다. 다음 해 을유년에 새 수도[新都]인 漢山州에 불사를 창건하고는 10명을 출가시켜 승려를 삼았다. 이것이 백제 불법의 시작이다. 또 아화왕이 즉위한 大元 17년 2월에는 敎를 내려 불법을 믿어 복을 구하라고 했다. 마라난타는 번역하면 童學이다[그의 신이한 행적은 僧傳에 자세히 보인다]."[3]

d. 중 摩羅難陀는 胡僧이다. 神異와 感通은 정도를 짐작할 수 없으며, 여기저기 돌아다니기로 뜻을 굳혀 한 곳에 머무르지 않았다. 古記를 살펴 보면 竺乾(인도)으로부터 중국에 들어 왔다. 말뚝을 박아 身을 전하고 香의 연기를 증거로하여 벗을 불러들였다. 그는 위험에 부딪치고 험난한 일을 겪었지만 어려움과 괴로움을 무릅쓰고 인연이 있으면 따라 나서니 아무리 먼 곳이라도 밟지 않은 곳이 없었다. 당시 백제 제14대(제15대: 필자) 침류왕이 즉위한 9년(원년의 誤記: 필자) 9월에 진으로부터 왔다. 왕이 교외로 나가서 그를 맞이했으며 궁중으로 맞아들여 공경하며 공양을 받들자 그 가르침을 받아서 윗사람들이 좋아하니 아랫사람들도 교화되어 불사를 크게 펼치고 모두 함께 불법을 찬양하고 봉행하게 되었다. 불법의 전파는 마치 파발을 두어 명을 전하는 것같이 빨랐다. 2년 봄에 한산에 절을 지어 10명을 출가시켜 승려를 삼았는데, 法師를 존숭했기 때문이다. 이로 말미암아 백제는 고구려 다음으로 불교가 흥성하게 되었다. 거슬러 계산하면 摩騰이 後漢에 들어온지 280여 년이 되는 셈이다.[4]

위에 적혀 있듯이 백제 불교는 동진에서 건너온 마라난타가 전했다고 한다. 그리고 384년 7월에 백제 사신이 東晉에 조공한 기사에 이어 마라난타가 東晉에서 온 것으로 적혀 있다. 이러한 기사의 문맥을 놓고 볼 때 일반적으로 추측되듯이 백제 사신이 귀환할 때 마라난타와 함께 귀국했음을 알 수 있다. 그리고 시점상으로 볼 때 마라난타가 백제에 건너 온 배경은 백제 사신의 요청에 기인했을 가능성이다. 사신이 귀환할 때 佛僧을 비롯한 불교 관련 기술자들을 同伴하는 경우는 위덕왕대에도 있었다.[5] 倭에서도 自國人

---

2 『三國史記』권24, 침류왕 2년 조.
3 『三國遺事』권3, 興法, 難陀闢濟 條.
4 『海東高僧傳』권1, 釋摩羅難陀 條.
5 『日本書紀』권20, 敏達 6년 11월 조.

司馬達登의 딸인 善信尼 등을 귀국하는 백제 사신편에 딸려서 유학시킨 바 있다.[6]

그런데 384년의 불교 전래 기록에 대한 회의적인 견해가 제기되었다. 그 논거는 첫째 『일본서기』推古 32년(624) 조에서 백제 승려 관륵이 "불법이 백제에 이른지 겨우 백년이 되었다"라고 말했다는 다음의 기록이다.

e. 推古 32년 4월 병오가 초하루인 무신일에 한 승려가 도끼로 조부를 때려 죽였다. 이 때 천황이 이 사실을 듣고는 대신을 불러 조서를 내려 말하였다. "대저 출가자는 3보에 귀의하여 戒法을 준수해야 하거늘 어찌 참회하고 삼가함이 없이 쉽게 惡逆을 저지르는가? 짐은 한 승려가 조부를 때려 죽였다는 일을 들었으니 모든 절의 승니들을 모아서 심문하겠다. 만약 사실이라면 중죄를 내리겠다." 이에 여러 승니들을 모아서 심문하였는데, 악역승과 여러 승니들을 모두 벌주려 하였다. 이에 백제승 觀勒이 글을 올려 말하기를 "대저 불법은 <u>西國으로부터 漢에 이르기까지 300년을 지나 이를 백제국에 전했다. 그리고서 겨우 1백년이 되었다.</u> 그러나 우리 왕이 일본 천황의 현철함을 듣고 불상 및 경전을 바쳤는데, 아직 100년이 차지 않았다. 그러므로 지금 승니들이 아직 법률을 익히지 않아 문득 악역을 저지르게 되었습니다. 바라건대 악역을 저지르지 않은 승니들을 모두 용서하고 죄를 주지 마소서. 그리하면 큰 공덕이 될 것입니다." 천황이 곧 그 말을 받아 들였다. 무오일에 조서를 내려 말하기를 "대저 道人이 법을 어기면 어떻게 속인을 가르칠 수 있겠는가? 고로 지금 이후에는 僧正과 僧都를 임명하여 승니들을 감찰하라"고 했다. 임술일에 관륵을 승정으로 삼고 鞍部德實을 승도로 삼았다. 같은 날 阿曇連을 法頭로 삼았다.[7]

둘째 384년에서 541(성왕 19)에 이르기까지 『삼국사기』에서 불교관계 기사가 일체 공백으로 남아 있다는 점이다. 셋째 불교가 전래된 후 약 1세기 가까이 수도로서 역할을 했던 지금의 서울과 그 인근 지역에서 불교 관련 유적이 전혀 확인되지 않고 있다는 데 있다. 이러한 시각에서 볼 때는 백제의 불교 수용 시기는 6세기 전반경이 되어진다.

그런데 추고 32년(624) 조의 문구와 관련해 상기한 밑줄에 근거해서 백제에 불교가 452년 혹은 524년에 전래되었다는 견해가 제기된 바 있다. 우선 452년설은 서국(인도)으로부터 漢에 불교가 전래된 것은 152년이고, 이 때로부터 300년이 지나서 백제에 전래되었다

---

6 『日本書紀』권21, 崇峻 즉위전기.
7 『日本書紀』권22, 推古 32년 4월 조.

면 452년이 된다는 것이다. 백제에 불교가 전래된 452년부터 겨우 1백년이 지난 552년에 왜에 불교를 전파했다. 이 때는 관륵이 말하는 642년으로부터 아직 100년이 되지 못했다는 것이다. 반면 524년설은 인도에서 중국의 漢에 불교가 전래된 시점을 224년으로 설정한데서 출발하였다. 그로부터 300년이 지난 524년에 백제에 불교가 전래되었다. 이 때는 관륵이 말하는 624년부터는 아직 100년이 채 되지 않았다. 그런데 이러한 2가지 설은 중국에 불교가 전래된 통설인 67년을 취하지 않고, 152년 경의 安世高나 224년경 支謙의 그것을 기준으로 한 것이다.

여기서 중국에 불교가 전래된 통설인 67년을 취해서 해석해 보자. 그렇다면 67년에서 300년이 지나 백제에 불교가 전래된 것이라고 할 때 367년경으로서, 384년의 불교 수용과 대략 맞아 떨어지고 있다. 그리고 왜에 불교를 전래해 준 사실을 가리켜서 관륵이 왜에 온 624년에서 1백년이 채 안되었다고 했다. 백제에서 왜에 불교를 전래해준 시점으로는 538년설이 통설이 되고 있다. 그렇다면 역시 1백년이 되지 않기 때문에 틀린 말은 아니라고 하겠다. 문제는 "겨우 1백년이 되었다"는 구절에 대한 해석이 서로 걸리고 있다. 이 구절은 "(a) 대저 불법은 西國으로부터 漢에 이르기까지 300년을 지나 이를 백제국에 전했다. 그리고서 겨우 1백년이 되었다. (b) 그러나 우리 왕이 일본 천황의 현철함을 듣고 불상 및 경전을 바쳤는데, 아직 100년이 차지 않았다"라고 하듯이 (a)와 (b) 문구의 중간에 게재되어 있다. 중국에 불교가 전래된 지 300년만에 백제에 불교가 전래되었다고 해 놓고서는 "그리고서는 겨우 1백년이 되었다"는 것인데, 무엇이 1백년이 되었는지 명확하지가 않다. 그렇지만 a와 b의 구절이 모두 타당한 언사로 밝혀지고 있다고 할 때 밑줄친 문구는 관륵의 당초 문장이 생략된 가운데 나온 구절이었다. 즉 a가 아닌 b 문구에 대한 당초 冒頭였던 것으로 보인다. 그러니까 b는 밑줄친 구절에 대한 부연 설명이라고 할 때 상호 모순없이 내용이 자연스러워진다. 『일본서기』편찬자를 주체로 할 때 "그리고서 (우리 왜에 불교가 전래된지) 겨우 1백년이 되었다"라는 문장으로 복원이 된다. 倭라고 하는 대상이 생략된 것이다. 따라서 관륵의 상표는 백제 불교의 전래 시점과 왜에 다시금 그것을 전래해 준 사실을 정확하게 말한다고 하겠다.

물론 관륵의 상표에 근거하여 452년설과 524년설이 제기된 배경으로는 『삼국사기』의 불교 관련 기사는 지극히 소략한 데서도 이유를 찾고 있다. 그러나 이 기간 동안에 불교가 전래되지 않은 것은 아니었다. 『삼국유사』에 의하면 백제에 불교가 수용된 지 8년 후인 392년에 아화왕이 교서를 내리고 있다. 이는 중요한 의미를 지니고 있는데 다음과 같은 내용이다.

　　f. 아화왕이 즉위하여 불법을 믿어 福을 구하라는 교서를 내렸다.[8]

　불교를 수용한 침류왕의 아들인 아화왕은 즉위하자마자 불법을 믿어 복을 구하라는 교서를 내려 불교에 대한 포교 의지를 다시금 천명하고 있다. 그리고 내부가 연화문으로 장식된 무령왕릉은 蓮華藏의 세계를 재현해 놓은 것이다. 만약『삼국사기』기사만 가지고 이야기한다면 384년에서 무려 200여년이 지난 600년(법왕 2)에 와서야 왕흥사라는 사찰이 창건되는 기록을 접하게 된다. 그렇다면 왕흥사는 백제의 2번째 사찰이라는 말인가? 이것은 절대 그렇지 않다. 때문에 零星한 기사로서 구성된『삼국사기』는 백제 불교를 살피는 데 절대적인 지표가 될 수 없다는 사실이 밝혀진다. 유명한 최대 巨刹인 미륵사의 창건이나 왜에 불교를 전래해 준 사실 등이,『삼국사기』에 일체 보이지 않는 사실이 그것을 웅변하고 있다.[9]

　그러면 백제에 불교가 수용된 과정을 살펴 보자. 백제는 384년 7월에 사신을 동진에 파견했다. 그해 9월에 동진에서 온 胡僧 마라난타를 대궐에 맞아들였다. 이것을 일러 "佛法이 이로부터 시작되었다"[10]고 했다. 전후 정황으로 볼 때 동진에 파견한 백제 사신과 함께 마라난타가 귀국한 것으로 추정된다.[11] 사신이 귀국할 때 佛僧을 同伴하는 경우는 백제에서 있었다.[12] 신라 高僧인 圓光(600년)·智明(602년)·曇育(605년)도 自國 사신과 함께 귀국했기 때문이다. 그리고 백제가 선뜻 불교를 수용하게 된 배경은 383년 동진이 前秦軍을 淝水에서 大破한 勝因을 전적으로 佛德에서 찾았기 때문이었을 것이다.

　戰力의 절대 열세임에도 불구하고 前秦을 大破한 東晉이었다. 그러한 東晉에서 불교를 수용하는 일을 백제는 國運上昇의 요체로 파악했을 법하다. 당시 백제는 國運을 건 공방전 相對인 고구려를 꺾는 일이 懸案이었다. 전쟁과 관련해 北魏의 무위장군 費穆이

8　『三國遺事』권3, 興法, 難陀闢濟 條.
9　이상의 서술은 李道學, 「불교의 도입과 발전」『불교의 나라 백제, 사비성』, 부여군, 2006, 19~22쪽에 의하였다.
10　『三國史記』권24, 침류왕 원년 조.
11　李基白은 마라난타가 "답례로 온 晉의 使節과 동행했던 것으로 보인다"(李基白, 『新羅思想史研究』, 일조각, 1986, 114쪽)고 했다.
12　李道學, 「제3장 백제의 불교 수용 배경과 위덕왕대의 불교」『백제 사비성시대 연구』, 일지사, 2010, 68쪽.

爾朱榮에게 "戰勝의 위엄이 없으면 대중들은 본래 복종하지 않습니다"[13]라고 한 바 있다. 이 구절은 모든 통치자들에게는 긴요한 사안이었다. 침류왕도 東晉이 前秦을 大破한 戰勝 요인을 당시 풍미하고 있던 佛德으로 이해했을 수 있다. 백제가 거부감 없이 불교를 적극 수용한 것은 고구려와의 대결에서 승리할 수 있는 방편으로 여긴 측면도 배제할 수 없다.

전쟁 상황과 관련한 불교의 비중이 증대된 배경으로는 백제가 수입한 동진을 비롯한 남조 불교의 주술적 성격과 무관하지 않을 것 같다.[14] 군사력에서 절대 열세였던 東晉이 前秦의 大軍을 격파한 이유를 불법 崇信에서 찾을 수 있는 일이었다. 東晉 이전에 佛圖澄(232~348)은 石勒을 위해 敵의 존재를 사전에 가르쳐주기도 하고, 크고 작은 길흉을 통찰해 주기도 했다. 석륵이 前趙의 劉曜를 洛陽에서 붙잡고, 後趙王이라 칭할 수 있었던 것도 佛圖澄의 신통력 때문이었다.[15] 曇無讖의 주술력도 뛰어났기에 大呪師라고 불렸다고 한다.[16] 동진에서 백제에 온 마라난타의 경우도 "神異와 感通은 헤아릴 수 없다"[17]라고 하였다. 앞 일을 예측할 수 없고 국가의 존망이 걸린 동란 상황에서 전래된 불승들이 지닌 주술성을 토대로 군사와 정치의 자문역을 부여하는 일은 지대한 매력으로 작용했을 법하다. 백제나 고구려 왕들이 누구 보다도 이 점을 체득하였기에 앞장 서서 불법을 믿을 것을 권유했다. 그러한 궁극적인 귀결은 전쟁의 승리에 있었던 것이다. 이 점은 五胡十六國時代의 首長들의 사례에서 확인된다. 이들은 공통적으로 예언 능력이나 神異力을 가지고 있거나 軍事에 정통한 승려들을 찾고 있었으며, 그것을 이용해서 패권을 장악하려 했다.[18] 요컨대 백제나 고구려 모두 불법을 통해 전쟁이라는 難局을 헤쳐나가고자 한 것으로 보인다. 즉 이들은 민심 수습 수단으로서 불교를 설정하였다. 이렇듯 공인 초기부터 백제의 불교는 난국 타개의 수단으로 이용되었다.[19]

13 『魏書』권44, 費于附費穆傳.
14 鎌田茂雄 著·章輝玉 譯, 『중국 불교사 3』, 장승, 1996, 129~130쪽.
15 鎌田茂雄 著·章輝玉 譯, 『중국 불교사 3』, 장승, 1996, 271쪽.
16 鎌田茂雄 著·章輝玉 譯, 『중국 불교사 3』, 장승, 1996, 36쪽.
17 『海東高僧傳』권1, 釋摩羅難陀 條.
18 鎌田茂雄 著·章輝玉 譯, 『중국 불교사 3』, 장승, 1996, 276쪽.
19 이상의 서술은 李道學, 『백제 한성·웅진성시대 연구』, 일지사, 2010, 73~74쪽에 의하였다.

3. 漢山의 위치 구명

백제에 불교가 전래된 기사가 『삼국사기』에 다음과 같이 보인다. 먼저 "2년 봄 2월에 漢山에 佛寺를 창건하고는 10명을 출가시켜 승려를 삼았다[度僧]"고 한 '度僧'에 대해서는 다음과 같은 개념 규정이 보인다. 즉 "度, 化也, 化民爲僧也"라고 하였는데, "度는 교화하는 것이니 백성을 교화하여 중으로 만드는 것이다"[20]고 했다. 그러면 백제에 불교가 전래된 후로 90년 남짓 한성에 도읍하던 시기의 유물과 유적은 남아 있는가? 이 문제를 검토하기에 앞서 백제 최초의 佛刹이 조성된 漢山의 소재지 파악이 선결되어야할 것 같다. 漢山에 관한 기사는 『삼국사기』 백제본기에 다음과 같이 보인다.

> g. 百姓從之者多 遂至漢山 登負兒嶽 望可居之地(시조왕 즉위년 조)
>
> h. 秋七月 就漢山下立柵 移慰禮城民戶(시조왕 13년 조)
>
> i. 夏四月 二城降 移其民於漢山之北 馬韓遂滅(시조왕 27년 조)
>
> j. 冬十月 … 王納之 安置漢山之西(시조왕 43년 조)
>
> k. 王獵漢山獲神鹿(기루왕 27년 조)
>
> l. 夏四月 王獵漢山(개루왕 4년 조)
>
> m. 王引軍退 移都漢山(근초고왕 26년 조)
>
> n. 春二月 創佛寺於漢山 度僧十人(침류왕 2년 조)
>
> o. 秋八月 王將伐高句麗 出師至漢山北柵(아화왕 7년 조)
>
> p. 春三月 王獵於漢山(비유왕 29년 조)
>
> q. 漢山人亡入高句麗者二千(동성왕 21년 조)

위의 기사에 의하면 사료가치에 의문이 제기되는 q만 제외하고[21] 모두 都城 구역 인근에 漢山이 소재하였음을 암시받을 수 있다. 한산의 소재지는 m에 의하면 근초고왕대의 천도지가 되므로 백제 왕성 문제와 관련하여 매우 중요한 의미를 지니고 있다. 그런데

---

20 『經國大典 後集』度僧 條.

21 李道學, 「漢城末·熊津時代 百濟王系의 檢討」 『韓國史研究』 45, 1984, 22~25쪽에서 이에 대한 지적을 한 바 있다.

이러한 한산 관련 기사는 地名과 山名으로 나뉘어짐을 발견하게 된다. 즉 a는 한산에 와서 부아악이라는 산에 올랐다는 이야기이므로 지명임을 알 수 있다. 한산이 山名이라면 "山에 이르러(至) 또 산악(岳)에 오를" 수는 없기 때문이다. 비근한 예를 든다면 g의 한산은 釜山이나 梁山이 산명이 아니고 지명인 경우와 같다고 하겠다. 그리고 b는 한산 밑에서 柵을 세웠다고 하므로 山名이 확실하다. i와 j에 보이는 주민의 移置 사례는 문헌에서 제법 확인되는데, 그러한 사례를 원용한다면, 지명을 가리킴은 말할 나위 없다. k·l·p는 田獵場으로서의 한산에 관한 언급이므로 山名으로 단정하기 쉽다. 그러나 이와 성격이 같은 지명인 고구려의 質山은 "왕이 質山 남쪽에서 전렵하여 紫色 노루를 잡았다"[22]라고 하였듯이 전렵지이지만, "왕이 크게 기뻐하여 答夫에게 坐原과 質山을 주어 그의 食邑으로 하였다"[23]라고 하여 食邑地로도 나타나고 있다. 또 백제의 고이왕이 "왕이 釜山에서 전렵을 하다가 50일 만에야 돌아 왔다"라고 한 釜山은, "振威縣은 본래 고구려 釜山縣인데, 경덕왕이 改名하여 지금도 그대로 일컫는다"[24]라고 했듯이 행정 구역이다. 그러므로 앞서 거론된 전렵지로서의 漢山 기록은 지역 자체를 가리킬 수도 있다고 본다.

  m는 천도지로서의 한산에 관한 기록인데 "移都平壤"[25]이라는 문구에서 처럼 지명인 것이다. n의 한산은 백제에 불교가 수용되어 사찰이 건립된 지역이지만, 삼국시대의 왕실 사찰이 산중에 있을 리 없으므로 지명임을 알 수 있다. o의 '漢山北柵'은 h의 '漢山下立柵'과 연결되는데, 漢山은 문맥상 한강 북쪽의 山名을 가리킨다고 하겠다. 이것을 구체적으로 살펴본다면 아화왕이 고구려정벌을 위해 군대를 거느리고 북쪽으로 진격하여 이르른 지역이 '漢山北柵'이다. 한산북책은 청목령까지 나아갔던 백제 군대가 "廻軍하여 漢山城에 이르러 軍士를 위로하였다"[26]라고 한 데서 알 수 있듯이, 한산이라는 산악에 축조된 한산성의[27] 北柵을 뜻하는 것으로, h의 "就漢山下立柵"의 그 柵이라고 하겠다. q의 한산은 내용의 사실성 여부를 떠나 지명으로 사용되었음을 나타내 주는 결정적 근거가 된

---

22 『三國史記』권15, 太祖王 55년 조. "王獵質山陽 獲紫獐"
23 『三國史記』권16, 新大王 8년 조. "王大悅 賜答夫坐原及質山 爲食邑"
24 『三國史記』권35, 地理2. "振威縣 本高句麗釜山縣 景德王改名 今因之"
25 『三國史記』권18, 長壽王 15년 조.
26 『三國史記』권25, 阿莘王 4년 조. "廻軍至漢山城勞軍士"
27 田獵은 산을 끼고 하기 마련인데, 비록 사료적 신빙성은 떨어지지만 기사의 내용 자체에는 의미가 있다고 할 때, "王以獵出 至漢山城"(『三國史記』권26, 東城王 5년 조)이라고 하였다. 그러므로 漢山城은 한산이라는 산악에 축조된 城임을 짐작하게 한다.

다. 요컨대 한산에 관한 기록을 검토해 볼 때 山名과 地名으로 사용되었고, 신라가 이곳을 지배한 후에 설치된 漢山州라는 행정지명[28] 또한 산명이 아니라 지명에서 비롯되었음을 알려준다.

한산은 한강이북 지역을 가리키는 지명이기도 하였다. 이와 관련해 g의 "遂至漢山 登負兒嶽"이라는 구절을 다시금 주목한다면 온조가 한산에 이르러 부아악에 올랐다고 하는데, 부아악은 삼각산을 가리키고 있다.[29] 따라서 한산은 삼각산(북한산)이 소재한 한강이북 지역이 될 수밖에 없는데, 이러한 결론은 앞서 검토하였듯이 모든 기사에 적용하는 게 가능하다.

한산이 한강이북 지역을 가리킴은『삼국사기』의 "移都漢山" 기사를『삼국유사』에서 "移都北漢山"이라고 한 데서도 뒷받침된다. 신라측 所傳을 근거한『삼국사기』에서도 "北漢山州軍主邊品"(진평왕 40년 조)을 "漢山州都督邊品"(奚論傳)이라고 하였듯이 漢山은 北漢山을 가리키고 있다. 게다가『삼국사기』의 백제 관련 기록 가운데 북한산과 관련 있음직한 '北漢山城' 또는 '北漢城'의 존재는 보이지만(개루왕 5년 조. 개로왕 15년 조. 비류왕 24년 조), 남한산과 관련한 기록은 비치지 않는데서도 뒷받침된다. 물론 북한산성 혹은 북한성은 남한성에 대한 상대적인 城名이므로 남한산과 관련한 남한성의 존재를 상정하는 것은 가능하다.[30]

그럼에도 불구하고 남한성에 관한 기록이 보이지 않음은, 남한산의 비중이나 역할이 미약했음을 뜻한다고 보겠다. 요컨대 4세기 말의 상황에 등장하는 한산은 북한산을 포함한 한강이북 지역을 가리키는 것이 분명하다. 그러므로 적어도 그 이전 시기를 대상으로 하는 기사에 보이는 한산 또한 동일한 소재지로 보아 무방할 것 같다. 그렇다고 할 때

---

28 『三國史記』권9, 景德王 16년 조. "漢山州爲漢州"

29 『高麗史』및『高麗史節要』현종 7년 및 9년 조에 삼각산에 소재한 香林寺와 관련해 負兒山(岳)이 보이고 있다. 따라서 부아악은 북한산 곧 삼각산임을 알 수 있다(李道學,「書評-沸流百濟와 日本의 國家起源」『國學研究』2, 1988, 242~243쪽). 더욱이『高麗史』권56,지리지, 南京留守官 楊州 條. "本高句麗 北漢山 …有三角山[新羅稱負兒嶽]"이라고 하였거니와,『신증동국여지승람』권3, 漢城府 山川 條, 三角山 項에도 이 점을 명백히 지적하고 있다. 그 뿐 아니라「輿地圖」나「廣輿圖」와 같은 조선시대의 都城圖에도 삼각산 곁에 부아악을 명기하고 있다. 한편 부아악은 山形에서 비롯된 이름이라고 간주할 때, 北岳山이 그것에 가깝거니와 '北岳'은 부아악의 促音이 된다는 지적도 주목할 필요가 있는 듯 하다.

30 이성산성 출토 木簡에 "南漢城道使"라는 글귀가 보이고 있어, 남한성의 존재는 확인되고 있다. 남한성을 이성산성으로 비정한다면 그 축조시기는 6세기 중반을 넘기 어렵다(李道學,「二聖山城 出土 木簡의 檢討」『韓國上古史學報』12, 1993, 186쪽). 따라서 남한성을 백제와 연결짓기는 힘들다.

백제에 불교가 전래되어 불찰이 건립된 漢山의 위치도 한강 이북일 가능성이 높아진다. 이 점에 대한 깊은 사색이 필요할 것 같다. 백제는 그러나 371년에 遷都한 후 한성 말기까지 북한산성을 왕성으로 고수하지는 않았던 것 같다. 이와 관련해 아화왕이 고구려와의 전투를 위해 7천 명의 병력을 이끌고 "過漢水"하여 청목령 밑에 까지 나갔다가 漢山城으로 회군한 사실을 주목하고자 한다.[31] 이 기사에 의하면 아화왕이 이끈 군대가 한강을 건넌 것이 분명하므로, 왕성은 한강이남에 소재하였음을 알려주고 있다. 이러한 추정은 「광개토왕릉비문」 영락 6년(396) 조에서 고구려 수군이 "渡阿利水"라고 하여 한강을 건넌 후, 백제 왕성으로 육박하여 그 왕의 항복을 받아낸 데서도 뒷받침된다. 따라서 백제는 371년의 "移都漢山" 이후 적어도 396년(아화왕 5) 이전에 河南으로 다시금 옮겨 왔다고 보겠다.[32]

이렇듯 백제에 불교가 전래된 383년 당시 國都 소재지는 명확하지 않았다. 그럼에 따라 384년에 佛寺가 창건된 漢山의 소재지도 불분명했다. 그렇지만 앞서 인용한 c의 『삼국유사』에서는 이곳을 '새 수도[新都]'라고 하였다.[33] 이러한 기록에 비추어 볼 때 383년에 침류왕이 호승 마라난타를 영접한 '新都'는 河北에서 遷都한 河南이라고 하겠다. 백제는 근초고왕대인 371년에 하북 漢山으로 移都한 후 적어도 383년 이전에 하남으로 옮겨 왔음을 알 수 있다. 나아가 佛刹이 창건된 漢山도 한강 이남에 소재한 게 분명하다. 실제 한성백제 불교 관련 유적과 유물은 한강 이남쪽에서 주로 엿보이고 있다. 물론 예전에 뚝섬과 삼양동에서 금동불상이 출토되었지만, 국적이 명확하지 않았다. 그러나 지금은 훼실된 강남구 삼성동에 소재하였던 백제 토성에서 출토된 고식의 연화문 와당은 한성 도읍기의 불교 수용을 암시해 준다. 참고로 하남시 춘궁동 寺址에 대해 다음과 같이 언급해 본다.

춘궁저수지 곁으로 난 길을 따라 올라가면 공중으로 뻗어 있는 고속도로 밑으로 난 통로를 지나게

---

31 『三國史記』 권25, 阿莘王 4년 조. "冬十一月 王欲報浿水之役 親帥兵七千人 過漢水 次於靑木嶺下 會大雪 士卒多凍死 廻軍至漢山城 勞軍士"

32 이상의 서술은 李道學, 『백제 고대국가 연구』, 일지사, 1995, 263~273쪽에 의하였다.

33 물론 '新都'는 371년에 하북으로 移都한 漢山을 가리킬 수도 있다. 그렇지만 여러 정황에 비추어 볼 때 하남의 새로운 도성일 가능성이 높다고 본다. 왜냐하면 한강 이북에는 백제 절터와 연계될 수 있는 후대 사찰터가 불분명한 관계로 취하기 어렵기 때문이다.

되는데, 컴컴한 음달은 너무도 서늘하다. 승용차 겨우 한 대 다닐 수 있는 좁은 길을 따라 계속 올라 가면 절터 입구 왼편에 안내판이 보인다. 광주동사(廣州桐寺)터인데, 절터의 이름을 알지 못하였으나 언젠가 이곳에서 명문기와가 출토되어 절 이름을 찾게 되었다. 절 부지에는 당초 오동나무가 많았기에 '오동나무 절'이라는 절 이름을 얻었던가? 우리나라 특산의 이 나무는 가볍고 질이 좋아 악기나 고급 가구 따위를 만드는데 쓰이는데, 성미가 너무 급하여 미리부터 서두는 경우를 '오동나무 보고 춤춘다'고 하였다. 잘 상고해 보지도 않고 성큼 절의 내력을 오동나무와 연관짓는 것 또한 '춤추는' 경우에 해당되지나 않을런지 모르겠다.

그런데 숲 속에 둥지 틀고 있는 갓 지은 모양새의 대웅전 한 채를 가지고 있는 현재 사찰의 이름은 대원사(大圓寺)이다. 병풍처럼 야트막한 산이 에워싸고 있는 자그마한 절터에 들어 서면 왼편 숲 사이로 초석(礎石)들이 열을 지어 있고, 길 맞은편 정면에는 대웅전이 보인다. 대웅전과 초석 사이의 왼편에는 탑파(塔婆)의 상투격인 상륜부가 모두 떨어져 나간 삼층탑(보물 13호)과 오층탑(보물 12호)이 좌우로 서 있는데, 버선코마냥 하늘을 향해 반짝 들려진 옥개석 때문에 날렵할 정도로 경쾌한 느낌을 준다. 탑은 일반적으로 상륜부와 탑신부 그리고 기단부의 세 부분으로 나뉘어지는데, 탑신부 가운데 1층 옥신이 지나치게 광대한 데 비해 2층과 3층은 급격히 줄어 들었고, 옥개석도 이에 비례해서 감축되었다. 이같은 체감 비율은 다른 탑에서는 찾기 어려운 세련된 수법인데, 전체적으로는 매우 안정감을 주고 있다.

'일월'에서는 두 탑을 백제 때 것으로 이야기하고 있지만, 모두 신라 석탑의 면모를 잘 간직하고 있는 고려 초기의 탑이 되겠다. 신라말 고려 초 이 지역의 호족이었던 왕규(王規)와 연관지어 그 창건을 생각하게 하지만,[34] 넓은 부지에 대한 전면 발굴이 이루어진다면 백제 때까지 소급될 여지도 없지는 않다. "그런데 그날 지교수는 뜻밖에 귀한 물건을 하나 얻었다. 절 자리에 집을 짓고 사는 노인이 거기서 한 오리쯤 떨어진 분디나뭇골이란 마을에 자기 일가가 사는데 그 사람이 며칠 전 밭에 거름 구덩이를 파다가 토기를 하나 발견했다는 것이다. …겉으로 조잡스러우면서도 안으로 힘이 서린 손잡이가 달린 토기. 틀림없는 백제의 유물이었다"라고 한 일월의 한 구절이 소설가에게만 허용되는 꿈은 아닐터이니까. 절터를 나오는쪽 왼편에는 넓은 대지가 있는데, 야유회 장소로서 적격이라 필자도 대학 다닐 때 이곳에서 서클 회합을 가진 적이 있지 않았던가.[35]

---

34 춘궁동 절터의 창건 세력과 왕규를 연계시킨 견해는 李道學, 「옛터를 찾아서-광주 춘궁리 사지」『월간 金剛』, 월간금강사, 1986, 1월호, 26쪽에서 이미 언급하였다.

35 이상의 인용은 李道學, 「日月」의 무대 하남시 춘궁동을 찾아서」『꿈이 담긴 한국고대사 노트(하)』, 일지사, 1996, 242~243쪽.

4. 객산폭포 마애불 명문 검토

이성산성에서 내려와 동쪽으로 1㎞ 쯤 직진하면 사거리가 나오는데 오른편에 광주향교가 나타난다. 향교와 더불어 客山이라는 산이 있는 동네라 하여 校山洞이라고 한다. 700m쯤 올라가면 오른편 길가의 禪法寺라는 간판이 가리키는 길을 따라 올라가면 홀립한 산이 웅대하고 있는데, 객산이 되겠다. 길 오른편 밭에는 하얀 무궁화가 활짝 피어 있고, 봄철에는 더덕 향내가 그윽하게 감돈다. 새로 지은 법당 입구에서 하차하여 좁은 경내에 들어서 몇 발자국 걸으면 맞은편으로 폭포라 이름하기 어려울 정도의 물줄기가 바위를 타고 흘러내리는 게 눈에 들어 온다. 객산폭포인데 그 밑에는 샘물이 솟고 있어, 약수를 받기 위한 물통이 항시 서너개 씩은 줄서 있고는 한다. 이 약수의 권위는 폭포가 타고 내려오는 바위의 왼편에 선연히 새겨진 마애불에서 비롯된

도 1 | 객산폭포 약사여래불

것이다. 마애불은 臺坐에 앉아 왼손을 무릎 위에 올려 놓고 약항아리를 들고 있는 자비로운 모습의 약사여래상이다. 중생의 고통과 무지를 씻겨준다는 약항아리에 담긴 물은 이 객산폭포에서 나왔던가? 이곳을 약사골이라고 부르게 된 연유도 약사여래상에서 비롯된 것이리라.[36]

약사여래불 왼편에는 3행 28자가 이두문을 섞어 다음과 같이 고졸하게 새겨져 있다.

r. 大平二年丁丑七月二十九日右石佛在如賜乙重脩爲今上皇帝万歲願

---

36 李道學,「'日月'의 무대 하남시 춘궁동을 찾아서」『꿈이 담긴 한국고대사 노트(하)』, 일지사, 1996,, 246~247쪽.

도 2 | 약사여래불 왼편 명문

즉, "大平 2년 丁丑 7월 29일에 오른쪽[右] 石佛에 대하여[在如賜乙] 重修해서 今上皇帝 萬歲를 기원하노라"라고 해석된다.[37] 여기서 대평 2년은 宋의 太平興國 2년을 가리키므로 977년(경종 2)에 해당한다. 그럼에도 불구하고 고려인들이 자국의 국왕을 '황제'라고 일컬었음을 알 수 있다. 이는 光宗代에 光德과 峻豊이라는 독자적인 연호를 사용하였고, 開京을 황제가 거처하는 도읍이라는 의미로 皇都라고 하였던 餘風으로서 '고려인의 자긍심'을 느끼게 한다. 그런데 명문에 의하면 오른편 석불을 중수하였다고 하는데, 지금의 약사여래불은 손을 댄 흔적이 없다. 약사여래불의 오른편에는 정을 대어 암석이 떨어져 나간 흔적이 역력한데, 바로 그 자리가 977년에 중수한 마애불(의 원래) 자리가 아니었는가 짐작되면서 씁쓸해진다.[38]

하남시 객산폭포 마애불의 명문에 따르면 '右石佛'을 중수했다고 하였다.[39] 위의 명문은 현재 977년(경종 2)으로 간주하는 견해가 정설이 되었다. 그렇게 단정하는 근거는 大平을 太平으로 간주하는 한편, 太平은 太平興國의 略記일 것이라는 추측에 있다. 또 그렇게 볼 때 丁丑이라는 年干支를 대입하면 977년이 導出된다. 그러나 이러한 연대 導出은 몇 단계를 연이어 뛰어넘었다는 문제가 있다.

이 점을 검증해 보도록 한다. 먼저 大平이 太平를 가리키는 경우는 많다. 그렇더라도

---

37 "최근 필자는 이 명문의 '重脩'라는 글자를 검토해 보았더니 '重復'의 본자(本字)일 가능성이 높다는 결론을 얻었다. 그 결과 '오른쪽 석불에 대하여 거듭거듭 금상황제의 만수를 기원하노라'고 해석해 보았다(李道學, 『고대문화산책』, 서문문화사, 1999, 65쪽)"는 견해도 제기되었다.

38 李道學, 「日月'의 무대 하남시 춘궁동을 찾아서」『꿈이 담긴 한국고대사 노트(하)』, 일지사, 1996, 247~248쪽.

39 김창겸은 李弘稙이 '古石佛'로 판독했다고 했지만(김창겸, 「하남 교산동 마애여래좌상 重修의 의미」『하남불교문화재연구』, 경인문화사, 2010, 137쪽), 기실은 그렇지 않다. 李弘稙은 '右石佛'로 판독하였다(李弘稙, 「京畿道 廣州郡 東部面 校里 磨崖佛」『考古美術』 1-2(통권 2호), 1960, 13쪽;『한 史家의 流薰』, 통문관, 1972, 204쪽, 205쪽).

太平이 太平興國의 略記일 것이라는 추측은 금석문에서는
일관되게 적용되기 어렵다.[40] 太平興國과 太平 銘 금석문은
각각 다음과 같다.[41]

도 3 | '右石' 명문

太平興國六年辛巳二月十三日 …(이천시 마장면 장암리 마애불 명)

太平興國三年龍集攝提四月日立 …(보원사 법인국사보승탑비)

太平興國七年壬午三月日 …(안성 봉업사지 출토 기와)

太平興國五年庚辰(익산 미륵사지)

大平二年八月 …(용장사지 마애여래좌상)

大平二年四月日 …(사자빈신사지 석탑)

大平(청주 서문동 마야복합영상관 부지 유적 출토 기와)

△大平△南寺(치악산 석남사지 기와)

太平丁卯四月日 …(금대리사지 기와)

太平六年丙寅九日 …(河淸部曲北寺 鐘銘)

太平八年戊辰 …(정림사지 기와)

太平十年二月 …(태평 10년 종명)

도 4 | '太平' 명문

그런데, 본 약사여래불 명문의 '丁丑'이라는 年 干支가 太
平興國 2년과 부합된다. 그러므로 본 불상의 제작 연대를
977년으로 도출할 수 있었다. 문제는 重修의 의미가 된다.
불상이 낡았으므로 다시 다듬고 새겼다는 해석이 제기되었다.[42] 즉 " … 신라 말 고려 초

---

40   김창겸은 위의 논문에서 용장사지 마애여래좌상과 사자빈신사지 석탑, 청주 서문동 기와의 太平을 太平
興國의 略記로 간주하였다(김창겸, 「하남 교산동 마애여래좌상 重修의 의미」『하남불교문화재연구』, 경인
문화사, 2010, 129~133쪽). 그러나 이러한 주장에 대한 문제점은 장일규, 「하남 교산동 마애여래좌상 重
修의 의미' 토론문」·「종합토론」『하남불교문화재연구』, 경인문화사, 2010, 162~163쪽과 189쪽에서 지적
된 바 있다.

41   다음의 자료는 김창겸, 「하남 교산동 마애여래좌상 重修의 의미」『하남불교문화재연구』, 경인문화사,
2010, 128~133쪽을 인용하였다.

42   김창겸, 「하남 교산동 마애여래좌상 重修의 의미」『하남불교문화재연구』, 경인문화사, 2010, 152쪽. 158쪽.

도 5 | '平'의 이체자

에 왕규 집단이 기복을 위해 조성하여 있어온 불상을 다시 다듬고 새겨 977년에 重修했다는 것이다"[43] 이 논리대로라면 조성한지 1백년도 채 되지 않은 불상을 중수한 게 된다. 그러면 본 불상에는 '다시 다듬고 새긴' 흔적이 있던가? 이에 대해 최초로 본 불상 명문을 소개한 이홍직은 "그런데 銘文에 右石佛이 있었던 것을 重修하였다는 말은 좀 異常하다. 이 磨崖佛에는 뒤에 손을 댄 것같은 자취는 없어 보인다. 그 전에 보잘 것 없는 小佛像이 있었던 것을 此際에 다시 이만한 磨崖佛을 만들었다는 말인가 未審하다"[44]고 했다. 2010년 하남역사박물관 학술 세미나 때 김창겸의 토론자였던 장일규는 "하지만 현재 불상에는 그러한 작업을 수행하였던 미세한 흔적은 보이지 않기 때문에, 발표자의 견해를 쉽게 수긍하기는 다소 어렵다"[45]고 했다. 최성은과 김춘실도 불상을 고친 흔적이 없음을 전제하면서, 그 대안으로 보호각이나 주변 불감이나 법당의 중수를 가리키는 것으로 지목했다.[46] 이러한 건축물 중수 가능성 제기는 기왕의 중수 개념을 염두에 둔 것이었다. 重修에는 "낡은 건축물을 다시 고침"[47]이라는 풀이가 있기 때문이다. 즉 불상 자체에는 새로 손댄 흔적이 보이지 않으니까 주변 건물의 중수로 해석한 것이다. 이에 대해 김창겸은 "아마 향후에 X선, 적외선 검사를 하여 좀더 명확한 판단을 하면 어느 주장이 맞는지가

---

43 김창겸, 「하남 교산동 마애여래좌상 重修의 의미」『하남불교문화재연구』, 경인문화사, 2010, 158쪽.

44 李弘稙, 『한 史家의 流薰』, 통문관, 1972, 205쪽.

45 장일규, 「하남 교산동 마애여래좌상 重修의 의미' 토론문」·「종합토론」『하남불교문화재연구』, 경인문화사, 2010, 163쪽.

46 최성은, 「고려 초기 광주 철불좌상 연구」『佛敎美術硏究』2, 1996, 37쪽; 김춘실, 「하남시 교산동 태평 2년명 마애약사여래좌상의 조성시기 검토」『미술사연구』15, 2002, 45~54쪽.

47 단국대학교 동양학연구소, 『韓漢大辭典 14』2008, 121쪽.

드러날 것 같습니다"[48]고 하며 기존 주장을 굽히지 않았다.

지금까지의 명문에 보이는 重修 개념을 검토해 보았다. 기존의 重修 용례로서는 마애불상이 처한 상황과 부합되지는 않은 것 같았다. 이러한 경우는 유사한 자료에서 찾는 게 진실에 가까울 것 같다. 이 명문의 '重修' 개념은 仙巖寺 道詵國師 眞影(보물 제1506호)에 보이는 다음과 같은 畵記가 도움이 된다.

s. 嘉慶十年乙丑七月日重脩畵 道日比丘

도선국사 진영 왼편에는 "誕辰 三月十一日"라고 적혀 있다. 그리고 진영 하단에 上記한 畵記가 적혀 있는 것이다. 즉 1805년(嘉慶 10) 7월에 道日比丘가 重脩했다고 적혀 있다. 여기서 重脩는 전해오는 진영이 낡아서 새로 그렸다는 개념으로 사용한 것 같다. 그렇다면 '右石佛'이든 '古石佛'이든 퇴락한 과거에 있던 석불을 本으로 하여 새로 새겼다는 뜻일 수도 있다.[49] 977년 이전에 현재의 마애불 왼편에 磨崖佛像이 소재한 것은 분명해 보인다. 이와 관련해 8세기 말부터 9세기에 들면서 藥師佛의 조성이 급격히 늘고 있을 뿐 아니라 線彫佛 양식이 등장한다고 한다. 이 점에 비추어 볼 때 위의 마애불은 9세기대에 조성된 불상일 가능성이 지목되었다.[50] 그렇다고 한다면 170년 정도만에 원 불상이 퇴락하여 새로 새겼다는 것이 된다. 이는 시간상으로 볼 때 쉽게 수긍하기 어려운 면이 있다. 그렇지만 현재의 마애불이 原 마애불을 本으로 하여 새로 새겼다고 한다면, 통일신라시대 불상을 重修했을 가능성을 배제하기 어렵다.

이와 관련해 하남시 금암산 기슭의 머리 부분이 없어진 마애불이라든지, 『신증동국여지승람』에서 한산에 소재하였다고 한 藥井寺의 명문 기와가 출토된 절골 부근의 절터, 명문 기와의 출토를 통해 드러난 격조 있는 사찰인 天王寺의 위치 등등이 속속 밝혀지고 있다. 천왕사는 "광주 천왕사의 사리 10개를 대궐에 바쳤다"라고 하여 『세종실록』(28년 4월 23일 조)에 보이는 유서 깊은 사찰이었다. 절골에서는 엄지 손가락만한 금동불이 출토

---

48   김창겸, 「하남 교산동 마애여래좌상 重修의 의미」『하남불교문화재연구』, 경인문화사, 2010, 192쪽.

49   이와 유사한 '重修'의 용례로서 백마강변 정자에 揭板되었던 閔齊仁(1493~1549)의 白馬江賦 刻板을 제시할 수 있다. 이에 의하면 "紀元後六癸巳二月 十二世孫泳臣重修"라고 새겨져 있다. 이에 의하면 閔齊仁이 1533년에 쓴 현판을 360년 후 癸巳年인 1893년에 후손인 閔泳臣이 다시 썼다, 즉 새로 새겼다는 뜻이다.

50   황보경, 『신라문화연구』, 주류성, 2009, 291쪽.

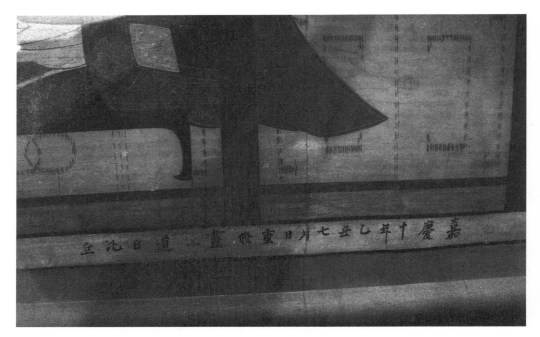

도 6 | 도선국사 진영 **畫記**

되기도 하였다. 이러한 점에 비추어 볼 때 남한산 일대는 경주 남산에 필적할만한 초기 백제의 불교 성지였을 가능성이 제기 된다. 남한산 일대의 불교 문화는 그 연원을 백제에 두고 있지 않았나 조심스럽게 생각하게 한다.[51]

한편 마라난타와 관련한 지명과 전설들이 백제 도성이었던 한성 주변에 전하고 있다. 『동국여지지』광주 조에 의하면 "검단산은 광주 동북 10리에 있는데 백제 승려 검단이 그 곳에 거처하였기 때문에 붙여진 이름이다"고 하였다. 경기도 파주군 교하면 법흥리의 검단산에도 검단선사가 수도했다는 동굴과 검단사라는 사찰이 남아 있다. 백제 때 왕실 시조 사당인 東明廟가 소재하였기에 崇山이라 불렸던 산악이 하남시의 검단산이다. 이처럼 검단선사와 관련된 산 이름이나 전설이 남아 있는 것은 그의 영향이 후대까지 전승되었기에 가능한 일이었다. 바꿔 말해 이는 공식적으로 백제에 처음 불교를 전한 검단선사의 위상을 잘 말해 준다.[52]

---

51   李道學, 「백제의 불교」『불교신문』1998. 7. 21.
52   李道學, 「불교의 도입과 발전」『불교의 나라 백제, 사비성』, 부여군, 2006, 22~23쪽.

5. 맺음말

　백제사상 불교의 도입 시기에 대해서는 『일본서기』 기록을 근거로 부정하는 견해가 있었다. 그러나 관련 기사에 대한 냉정한 분석을 통해 한성백제기에 불교가 수용되었음을 입증했다. 아울러 당시 백제의 수도에 대해서는 한강 이남의 河南이 타당하며, 백제 사상 최초로 佛刹이 건립된 漢山 역시 하남시 일대일 가능성이 높다고 보았다. 하남시 일대를 비롯한 한강 이남 지역의 불교 관련 유적이나 유물을 통해서도 입증할 수 있었다. 그리고 하남시 객산폭포 마애불의 명문에 보이는 '重修'는 본 불상을 수리한 게 아니었다. 977년 이전에 존재했던 원래의 불상이 퇴락한 관계로 977년에 그 옆 바위에 새롭게 새긴 것으로 해석할 수 있었다. 이는 순천 선암사 소장 도선국사 진영에 보이는 畵記의 '重修' 용례를 고찰한 결과였다.

　요컨대 한성백제 불교와 관련한 몇 가지 문제를 고찰함으로써 하남시 일원이 한국의 초기 불교사 연구에 있어서 중요한 위치에 있음을 확인하는 계기가 되었다. 이 점을 본 고 작성의 意義로 평가하고 싶다.

「漢城百濟 佛教史 研究의 問題點」 『한국의 고대신앙과 백제불교』,

하남문화원 제4회 학술대회, 2012. 12. 20;

『위례문화』 15, 하남문화원, 2012.

巖寺의 정체성과 한성 도읍기 創建 가능성 탐색

1. 머리말

백제가 한성에 도읍하던 시기의 불교 수용과 佛寺 문제를 구명하기 위해서는 먼저 漢山의 범위가 확정되어야 한다. 그리고 한산의 범주에서 백제 때 불찰의 존재가 확인되어야 하는 것이다. 본고에서는 이 점을 구명하는 차원에서 서울시 강동구 암사동 산 1-1번지에 소재한 암사의 존재를 구명하고자 하였다. 현재 龜巖亭이 건립된 부지에 설치된 안내판에는 "이곳은 백제 최초 불교효시(佛敎嚆矢)인 백중사(伯仲寺: 一名 바윗절)가 있었으며"라고 적혀 있다. 안내판의 글귀대로 한다면 한성 도읍기에 백중사라는 사찰이 이곳에 소재한 것이 된다. 어떤 근거로 백제 최초의 사찰을 운위하는 지는 알 수 없다.

이에 반해 이곳을 지표 조사한 연구 결과에 따르면 사찰의 조성 시기를 "신라 말~고려 초이므로 현재로서 백제절이라고 단정할 수 없다"[1]고 하였다. 비록 '현재로서'라는 단서를 걸기는 했지만, 이곳이 백제 때 사찰터일 가능성은 없다는 것이다. 물론 지표 조사만으로는 한계가 있다. 그 뿐 아니라 동일한 부지에 조선 후기까지 사찰이 이어져왔다면 삼국시대 유구의 인멸 가능성도 고려해야만 한다.

1987년에 시굴 조사를 통해 절터의 조성 시기를 신라 말~고려 초로 운위할 수는 있었다. 그렇지만 제한된 범위의 시굴에 불과하기 때문에 단정이 어렵다. 실제 발굴자는 "특히 바위절터는 일부만 시굴하였기 때문에 고려 이전의 전체 사원 규모를 밝힐 수 없으므로 제2차 발굴이 필수적으로 요망된다"[2]고 했다. 물론 제2차 발굴은 아직까지 진행되지는 않았다. 그러나 후술하겠지만 제1차 발굴에서 의미 있는 유물을 발굴했다. 이를 토대로 巖寺의 기원에 대한 타진을 유연하게 시도해 본다.

본고에서는 이 문제를 해결하기 위한 차원에서 일본 東京國立博物館에 소장된 '巖寺'銘 瓦의 존재를 활용하고자 했다. 물론 '巖寺'銘 瓦가 암사동의 암사와 관련 있다는 명증은 없다. 다만 寺名에 '바위 절(巖寺)'이 보이므로 각별히 '巖'字를 넣은 이유와 관련해서

---

1   서울특별시 시립박물관,『서울 강동구지역 문화적 지표조사 보고서』 2001, 11쪽.
2   文明大,「廣州地域 寺刹發掘의 성과와 의의」『佛敎美術』 10, 동국대학교 박물관, 1991, 184쪽.

살펴 보았다.

2. 한성 도읍기 사찰 創建

1) 불교 수용 시점과 배경

침류왕 원년인 384년에 동진의 胡僧 마라난타를 통해 백제에 불교가 전래되었다. 그리고 곧바로 佛寺 건립으로 이어져 불교가 뿌리를 내린 것으로 알려졌다. 그러나 이 사실은 녹록하지가 않았다. 왜냐하면 『일본서기』推古 32년(624) 조에서 백제 승려 관륵이 "불법이 백제에 이른 지 겨우 100년이 되었다"[3]고 한 문구 때문이다. 만약 이러한 해석에 따른다면 관륵이 表를 올린 624년에서 100년 전인 524년 경에 백제에 불교가 전래된 것이 된다. 혹은 백제에 불법이 전래된 지 백년을 경과해 다시 왜에 전해진 기간을 말하는 552년에서 100년을 소급하면, 백제에 불교가 전래된 시기는 452년이다. 백제로부터 왜에 불교가 전래되었다는 538년설을 취하더라도 모두 384년 이후가 된다. 게다가 漢山에 佛寺를 건립했다고 하지만 흔적이 확인된 바 없다. 이러한 이유로 인해 비록 소수이지만 한성 도읍기 佛寺 건립이나 심지어 불교 수용 자체를 회의적으로 지목하는 견해까지 제기되었다.[4] 물론 이에 대한 문헌과 물증을 통한 반박이 있었지만 궁색한 느낌이 든다. 가령 뚝섬 출토 금동여래좌상을 제시하고 있지만, 5세기 전반에 조성된 고구려 불상으로 지목하는 견해가 많다. 그리고 몽촌토성 등에서 출토된 연화문 와당은 佛寺와 연관 지을 수는 없다. 이와 관련해 제3자의 입장에서 "백제에서 불교의 초기 역사에 관한 증거는 매우 빈약하다"[5]고 논단한 후, "그러나 아직까지도 4세기나 5세기까지 거슬러 올라갈 수 있는 불교

---

3 『日本書紀』권22, 推古 32년 조. "於是百濟觀勒僧表上以言 夫佛法自西國至于漢經三百歲 乃傳之至於百濟國 而僅一百年矣 然我王聞日本天皇之賢哲 而貢上佛像及內典 未滿百歲 故當今時 以僧尼未習法律 輒犯惡逆"

4 末松保和, 『新羅史の諸問題』, 東洋文庫, 1954, 209~221쪽; 李弘稙, 「日本에 傳授된 百濟文化」 『韓國思想』 9, 한국사상편집위원회, 1968, 123쪽; 田村圓澄, 「百濟佛教史序說」 『百濟文化と飛鳥文化』, 吉川弘文館, 1978, 311쪽; 鎌田茂雄, 「朝鮮三國の佛教」 『日本古代史講座 4』, 學生社, 1980, 179쪽.

5 Jonathan W. Best, Jonathan W. Best, A History of the Early Korean Kingdom of Paekche, NewYork: Harvard University press, 2006, p.81.

나 불교에 의한 유물은 한성의 주변 지역 밖 어디에서도 발굴되지 않았다"[6]고 했다.

본 논의와 관련해 觀勒의 表는 근본적인 재해석이 가능하다. 즉 註3에 적시된 원문은 "대저 불법은 西國으로부터 漢에 이르렀고, 300년 지나 이것을 전하여 백제국에 이르렀습니다. 그리고는 겨우 100년입니다. 그런데 우리 왕이 일본 천황의 현철함을 듣고 불상 및 경전을 바쳤는데, 아직 (전래한지) 100년이 차지 않았으므로 지금 僧尼들이 법률을 익히지 않아 쉽사리 악역을 저지르게 되었습니다"고 해석할 수 있다. 인도에서 발원한 불교가 중국의 漢에 전파되었고, 그로부터 300년이 경과하여 백제에 전해졌다는 것이다. 불교가 한에 전래된 시기에 대해서는 67년설(後漢 明帝 永平 10년)과 기원전 2년설(前漢 哀帝 元壽 원년)로 나누어진다. 67년설을 백제에 불교가 수용된 384년 시점과 결부지으면 대략 300년이다. 그리고 "겨우 100년입니다"는 백제에서 불교가 왜에 전래된 지 100년이 되지 않았다는 뜻으로 해석된다. 이렇듯 100년이 차지 않았기에 미숙하여 사고가 났다는 취지였다. 주지하듯이 백제에서 왜에 불교가 전래된 시기에 대해서는 538년설과 552년설이 있다. 어느 설을 취하든 관륵이 表를 올린 시점인 624년에서 100년이 되지 않았다. 이렇게 해석하면 한성 도읍기의 불교 수용 여부는 당초부터 논쟁이 되지 않는다.

백제에 불교가 전래되는 과정과 한산의 사찰 창건 기사는 『삼국사기』를 비롯한 여타 문헌에서 다음과 같이 보인다.

* 가을 7월에 사신을 晋에 보내어 조공하였다. 9월에 胡僧 摩羅難陀가 晋으로부터 이르자 왕이 그를 맞이하여 궁 안으로 모시고 공경하는 禮를 다하였다. 불법이 이로부터 시작되었다.[7]

* 한산에 불사를 창건하고, 교화하여 10명을 중으로 만들었다.[8]

* 백제본기에 이르기를 "제 15대 침류왕이 즉위한 갑신년(동진 효문제 大元 9년)에 호승 마라난타가 晋으로부터 이르자 맞이하여 궁중에 모시고 공경하기를 예로써 하였다. 다음 해 을유년에 新都인 漢山州에 불사를 창건하고는 10명을 출가시켜 승려를 삼았다. 이것이 백제 불법의 시작이다. 또 아신왕

6   Jonathan W. Best, Jonathan W. Best, A History of the Early Korean Kingdom of Paekche, NewYork: Harvard University press, 2006, p.81.

7   『三國史記』권24, 침류왕 즉위년 조. "九月 胡僧摩羅難陁自晉至 王迎之 致宮內禮敬焉 佛法始於此"

8   『三國史記』권24, 침류왕 2년 조. "二年 春二月 創佛寺於漢山 度僧十人"

이 즉위한 大元 17년 2월에는 教를 내려 불법을 믿어 복을 구하라고 했다. 마라난타는 번역하면 童學이다[그의 신이한 행적은 僧傳에 자세히 보인다].”[9]

　＊ 중 摩羅難陀는 胡僧이다. 神異와 感通은 정도를 짐작할 수 없으며, 여기저기 돌아다니기로 뜻을 굳혀 한 곳에 머무르지 않았다. 古記를 살펴 보면 쓰乾(인도)으로부터 중국에 들어 왔다. 말뚝을 박아 身을 전하고 香의 연기를 증거로하여 벗을 불러들였다. 그는 위험에 부딪치고 험난한 일을 겪었지만 어려움과 괴로움을 무릅쓰고 인연이 있으면 따라 나서니 아무리 먼 곳이라도 밟지 않은 곳이 없었다. 당시 백제 제14대(제15대: 필자) 침류왕이 즉위한 9년(원년의 誤記: 필자) 9월에 진으로부터 왔다. 왕이 교외로 나가서 그를 맞이했으며 궁중으로 맞아들여 공경하며 공양을 받들자 그 가르침을 받아서 윗사람들이 좋아하니 아랫사람들도 교화되어 불사를 크게 펼치고 모두 함께 불법을 찬양하고 봉행하게 되었다. 불법의 전파는 마치 파발을 두어 명을 전하는 것같이 빨랐다. 2년 봄에 한산에 절을 지어 10명을 출가시켜 승려를 삼았는데, 法師를 존숭했기 때문이다. 이로 말미암아 백제는 고구려 다음으로 불교가 흥성하게 되었다. 거슬러 계산하면 摩騰이 後漢에 들어온 지 280여 년이 된다.[10]

　385년에 한산에 사찰 창건은 기록에 명료하다. 그러나 사찰을 창건한 기사는 더 이상 보이지 않는다. 그러면 한성 도읍기 백제는 475년까지 90년 동안 단 한 곳의 사찰만 유지하고 있었을까? 『삼국유사』에 의하면 백제에 불교가 수용된 지 8년 후인 392년에 아화왕이[11] 교서를 내리고 있다. 이는 중요한 의미를 지니고 있는데 다음과 같은 내용이다.

9　『三國遺事』권3, 興法, 難陁闢濟 條. "百濟本記云 第十五 僧傳云十四 誤枕流王卽位甲申 東晉孝武帝大元九年 胡僧摩羅難陁至自晉 迎置宮中禮敬 明年乙酉創佛寺於新都漢山州 度僧十人 此百濟佛法之始 又阿莘王卽位大元十七年二月 下敎崇信佛法求福 摩羅難陁譯云童學 其異迹詳見僧傳"

10　『海東高僧傳』권1, 釋摩羅難陀 條. "釋摩羅難陀 胡僧也 神異感通莫測 階位 約志遊方不滯一隅 按古記 本從竺乾入于 中國附材傳 身徵烟召侶 乘危駕險任歷艱 辛有緣則隨 無遠不履 當百濟第十四枕流王卽位九年九月 從晉乃來王出郊迎之 邀宮中敬奉供養禀受其說 上好下化 大弘佛事共贊奉行 如置郵而傳 二年春刱寺於漢山度僧十人 尊法師故也 由是百濟 次高麗而興佛敎焉 逆數至摩騰入後漢二百八十有年矣"

11　『三國史記』正德本에는 '阿莘王'으로 판각되었다. 그러나 『日本書紀』應神 3년 조의 "便立阿花爲王而歸", 應神 8년 조의 "百濟記云 阿花王立", 應神 16년 조의 "是歲 百濟阿花王薨"에서 보듯이 '阿花王'이었다. 阿莘王의 '莘'이 '華'의 誤刻이라면, '花'와도 音과 뜻이 연결된다. 그러므로 阿華王이 맞다고 본다. 이후 본고에서는 아신왕을 '아화왕'으로 표기한다.

또 아화왕이 즉위한 大元 17년 2월에는 敎를 내려 불법을 믿어 복을 구하라고 했다.[12]

불교를 수용한 침류왕의 아들인 아화왕은 즉위하자마자 불법을 믿어 복을 구하라는 교서를 내려 불교에 대한 포교 의지를 다시금 천명하였다. 이로 볼 때 사찰은 왕실의 후원을 받으며 지속적으로 창건되었을 것으로 판단된다. 따라서 한산의 범주에는 다수의 사찰이 소재한 것으로 볼 수 있다.

백제는 384년 7월에 사신을 동진에 파견했다. 그해 9월에 동진에서 온 胡僧 마라난타를 대궐에 맞아들였다. 이것을 일러 "佛法이 이로부터 시작되었다"[13]고 했다. 전후 정황으로 볼 때 백제가 동진에 파견한 사신과 함께 마라난타가 귀국한 것으로 추정된다.[14] 사신이 귀국할 때 佛僧을 同伴하는 경우는 신라에서도 있었다. 신라 高僧인 圓光(600년)·智明(602년)·曇育(605년)도 自國 사신과 함께 귀국했기 때문이다. 그리고 백제가 선뜻 불교를 수용하게 된 배경은 383년 동진이 前秦軍을 淝水에서 大破한 勝因을 전적으로 佛德에서 찾았기 때문이었을 것이다. 戰力의 절대 열세에도 불구하고 前秦을 大破한 東晉이었다. 그러한 東晉에서 불교를 수용하는 일을 백제는 國運上昇의 요체로 파악했을 법하다. 당시 백제는 國運을 건 공방전 相對인 고구려를 꺾는 일이 懸案이었다. 전쟁과 관련해 北魏의 무위장군 費穆이 爾朱榮에게 "戰勝의 위엄이 없으면 대중들은 본래 복종하지 않습니다"[15]라고 한 바 있다. 이 구절은 모든 통치자들에게는 긴요한 사안이었다. 침류왕도 東晉이 前秦을 大破한 戰勝 요인을 당시 풍미하고 있던 佛德으로 이해했을 수 있다. 백제가 거부감 없이 불교를 적극 수용한 것은 고구려와의 대결에서 승리할 수 있는 방편으로 여긴 측면도 배제할 수 없다. 이후 백제는 남조 불교와 긴밀한 관련을 맺었다.[16]

---

12 『三國遺事』권3, 興法, 難陁闢濟 條. "又阿莘王即位大元十七年二月 下敎崇信佛法求福命"
13 『三國史記』권24, 침류왕 원년 조.
14 李基白은 마라난타가 "답례로 온 晉의 使節과 동행했던 것으로 보인다(李基白, 『新羅思想史研究』, 일조각, 1986, 114쪽)"고 했다.
15 『魏書』권44, 費于附費穆傳.
16 李道學, 『백제 사비성시대연구』, 일지사, 2010, 68~71쪽.

2) 사찰이 창건된 漢山의 범위

백제 한성 도읍기 불교 수용 여부는 한산의 범위 확정, 그리고 그 범위 안에서 사찰의 존재가 확인되면 수긍이 가능해질 수 있다. 백제에 불교가 전래된 사건은 『삼국사기』에서 "二年 春二月 創佛寺於漢山 度僧十人"[17]라고 하여 보인다. 이 구절에 적혀 있는 '度僧'에 대해서는 "度, 化也, 化民爲僧也"라고 하였다. 여기서 "度는 교화하는 것이니 백성을 교화하여 중으로 만드는 것이다"[18]고 했다. 따라서 이 구절은 "한산에 불사를 창건하고, 교화하여 10명을 중으로 만들었다"는 내용이다. 그러면 백제에 불교가 전래된 384년부터 475년까지 90년 남짓 한성에 도읍하던 시기의 유물과 유적이 확인되어야 한다.

이 문제에 앞서 백제 최초의 佛刹이 조성된 漢山의 소재지 파악이 선결되어야 한다. 漢山에 관한 기사는 『삼국사기』 백제본기에 빈출한다. 한산은 백제 국초부터 한강 이북 지역을 가리키는 지명이었다. 가령 "드디어 한산에 이르러 부아악에 올랐다"[19]고 했는데, 부아악은 삼각산을 가리키고 있다.[20] 따라서 이 기사 속의 한산은 삼각산(북한산)이 소재한 한강 이북 지역이 될 수밖에 없다.

백제는 "漢山 밑에 柵을 세우고 慰禮城 民戶를 옮겼다"[21]는 기사에서 보듯이 한강 이남으로 천도했다. 이후 백제는 평양성까지 진격하여 고구려 고국원왕을 살해한 직후인 371년에 "도읍을 한산으로 옮겼다"[22]고 하였다. 『삼국유사』에서는 "북한산으로 도읍을 옮겼다"[23]고 했다. 그리고 "고구려 남평양을 취하여 도읍을 북한성으로 옮겼다[지금 양주이다]"[24]고 하였다. 『삼국유사』는 구체적으로 국도 소재지를 북한산(북한성)으로 명시했다. 『세종실록』 지리지에서는 "楊州都護府는 본래 고구려 남평양성인데 혹은 북한산이라고도 한다. 백제 근초고왕이 이곳을 취하여 25년 신미에 남한산에서 이곳으로 도읍을 옮겼다"고 했다. 따라서 근초고왕이 천도한 한산은 한강 이북의 북한산성이 분명하다.

---

17 『三國史記』 권24, 침류왕 2년 조.
18 『經國大典 後集』 度僧 條.
19 『三國史記』 권23, 시조왕 13년 조. "百姓從之者多 遂至漢山 登負兒嶽 望可居之地"
20 『高麗史』 권56, 지리지, 南京留守官 楊州 條. "本高句麗 北漢山 …有三角山[新羅稱負兒嶽]"
21 『三國史記』 권23, 시조왕 원년 조. "秋七月 就漢山下立柵 移慰禮城民戶"
22 『三國史記』 권24, 근초고왕 26년 조. "移都漢山"
23 『三國遺事』 권1, 王曆. "辛未移都北漢山
24 『三國遺事』 권2, 紀異, 南扶餘·前百濟·北扶餘 條. "取高句麗南平壤 移都北漢城[今楊州]"

백제가 도읍을 북한산성으로 옮긴 사실은 이처럼 명백했다. 그럼에도 천도 배경을 고구려의 보복을 두려워한 데서 찾거나 그 위치도 한강 이남에서 구하는 견해를 추종하는 이들이 많았다. 그러나 이러한 주장은 모두 설득력이 없다. 왜냐하면 천도 직전인 근초고왕 26년(371)에 백제군은, 평양성전투에서 고구려 고국원왕을 전사시킬 정도로 대승을 거둔 기세등등한 상황이었다. 그러한 백제가 고구려의 보복을 두려워하여 천도했다는 것은 정황상 맞지 않다. 게다가 당시 고구려는 前燕의 침탈로 인한 수도 복구 등 국가 재건에 총력을 기울이고 있었다. 백제와의 전쟁을 추진할 상황이 되지 못했다. 따라서 기존의 근초고왕대 천도 동기는 따르기 어렵다. 근초고왕대에 천도한 한산은 북한산성 일원이 분명하다.[25]

백제는 그러나 371년에 遷都한 후 한성 말기까지 북한산성을 왕성으로 고수하지는 않았던 것 같다. 이와 관련해 아화왕이 고구려와의 전투를 위해 7천명의 병력을 이끌고 "過漢水"하여 청목령 밑에 까지 나갔다가 漢山城으로 회군한 사실을 주목해 본다.[26] 이 기사에 의하면 아화왕이 이끈 군대가 한강을 건넌 것이 분명하므로, 왕성은 한강 이남에 소재했음을 알려준다. 이러한 추정은 「광개토왕릉비문」 영락 6년(396) 조에서 고구려 수군이 "渡阿利水"라고 하여 한강을 건넌 후, 백제 왕성으로 육박하여 그 왕의 항복을 받아낸 데서도 뒷받침된다. 따라서 백제는 371년의 "移都漢山" 이후 적어도 396년(아화왕 5) 이전에 河南으로 다시금 옮겨 왔다고 보겠다.[27]

문제는 백제에 불교가 전래된 384년 당시 國都 소재지는 명확하지 않았다. 그럼에 따라 385년에 佛寺가 창건된 漢山의 소재지도 불분명했다. 그렇지만 『삼국유사』에서는 이곳을 '新都'라고 하였다.[28] 이러한 기록에 비추어 볼 때 384년에 침류왕이 호승 마라난타를 영접한 '新都'는 河北에서 遷都한 河南이라고 하겠다. 백제는 근초고왕대인 371년에 하북 漢山으로 移都한 후 적어도 384년 이전에 하남으로 옮겨 왔음을 알 수 있다. 근초고왕대의 '移都漢山'은 10년 안팎의 짧은 기간이었다. 굳이 '新都'라는 용어를 굳이 사용

---

25 李道學, 『백제고대국가연구』, 일지사, 1995, 272~273쪽.
26 『三國史記』 권25, 阿莘王 4년 조. "冬十一月 王欲報浿水之役 親帥兵七千人 過漢水 次於青木嶺下 會大雪 士卒多凍死 廻軍至漢山城 勞軍士"
27 이상의 서술은 李道學, 『백제고대국가연구』, 일지사, 1995, 271~273에 의하였다.
28 물론 '新都'는 371년에 하북으로 移都한 漢山을 가리킬 수도 있다. 그렇지만 백제가 적어도 396년 이전에 한강 이남으로 다시 천도한 사실에 비추어 볼 때 하남의 새로운 도성일 가능성이 더 크다.

한 데는 한강 이북에서 이남으로 천도한 지 얼마 안된 시점이었기 때문일 것이다. 따라서 佛寺가 창건된 漢山의 범위는 한강 이남이 분명하다. 실제 한성 도읍기 백제 불교 관련 유적과 유물은 한강 이남쪽에서 주로 엿보이고 있다.[29] 물론 예전에 뚝섬과 삼양동에서 금동불상이 출토되었지만, 국적이 명확하지 않았다. 오히려 고구려 불상으로 지목하는 견해가 많다. 게다가 한강 이북에서는 371년 이전 백제 왕성으로 추정되는 유적은 확인되지 않았다.[30] 이렇듯 왕도 漢山과 연동하여 한강 이북에 창건된 佛寺의 존재는 확인이 어렵다. 따라서 백제 침류왕이 창건한 사찰은 한강 이남에 소재한 것으로 볼 수 있다.

3. 巖寺의 창건

1) 巖寺의 소재지와 伯仲寺

백제가 한성에 도읍한 시기의 寺址는 아직까지 확인된 바 없다. 이와 관련해 다만 서울시 강동구 암사동 산1-1번지에 소재한 암사의 존재는 다음의 인용에서 처음으로 등장한다.

> 伯仲寺: 일명 巖寺이며, 下津站 동쪽에 있다. 서거정의 시에 "절간이 푸른 벼랑에 걸쳐 있으니/ 어느 날 금을 펴고 지었는고/ 낙엽은 쓰는 사람이 없는데/ 빈 집에 오는 손이 있네/ 산 형세는 물에 다달아 끊겼는데/ 물 구비는 산에 부딪쳐 돌아 흐르네/ 앉아서 高僧과 같이 말을 주고 받으니/ 마음이 스스로 티끌이 없어지네"라고 하였다.[31]

암사의 소재지를 알려주는 구절이 '下津站 동쪽'이다. 지명총람에 따르면 "下津站 : 광나루에 있는 뱃참이다. 서울로 들어오는 모든 물화의 운반이 한강을 통하여 다녔는데 모

---

29 鎌田茂雄, 『新羅佛教史序說』, 東京大學校, 1988, 16~18쪽.

30 충청남도역사문화연구원에서 간행한 백제문화사대계 가운데 '한성백제의 불교' 편이 있지만, 지극히 평이할 뿐 아니라 두루 알려진 내용인 관계로 언급하지 않았다.

31 『新增東國輿地勝覽』권6, 京畿 光州牧, 佛宇 條. "伯仲寺: 一名巖寺 在下津站東 徐居正詩 招提架蒼巘 何日倒金開 落葉無人掃 空堂有客來 山形臨水斷 水勢觸山廻 坐共高僧話 胸襟自不埃"

든 배는 이곳 하진참을 경유하였다"고 했다. 암사는 광나루 동쪽에 소재한 사찰이었다. 그리고 위의 인용에서 "절간이 푸른 벼랑에 걸쳐 있으니/ 어느 날 금을 펴고 지었는고/ 낙엽은 쓰는 사람이 없는데/ 빈 집에 오는 손이 있네/ 산 형세는 물에 다달아 끊겼는데/ 물 구비는 산에 부딪쳐 돌아 흐르네"라고 한 것을 볼 때 한강변 낭떠러지에 소재했음을 알 수 있다. 이러한 암사의 지명 유래를 다음과 같이 인용해 보았다.

* 암사동(岩寺洞)[바위절][동]: 본래 경기도 광주군 구천면(九川面)의 일부로서 바위절이 있으므로, 바위절 또는 한자명으로 암사리(岩寺里)라 하는데, 1914년 3월 1일, 경기도 구역 획정에 따라 참앞, 우묵골, 점말, 새능말, 섬말, 갯말, 별우물을 병합하여 다시 암사리(岩寺里)라 하다가, 1963년 1월 1일, 서울특별시에 편입되어 암사동(岩寺洞)이 되고, 성동구 천호 출장소 관내가 됨.[32]

* 바위절터[암사, 백중사][터]: 하진참(광나루) 동쪽 바위에 있던 절이므로, 바위절, 또는 한자명으로 암사(岩寺)라 하는데, 원 이름은 백중사(伯仲寺)임.[33]

바위절은 20세기에는 지명으로 터만 전하고 있었다. 그러나 앞에서 인용한 徐居正(1420~1488) 詩에서 백중사(암사)는 15세기에 건재했음을 알려준다. 16세기 林悌(1549~1587)의 시에서 "未成巖寺宿 空望翠微間"[34]라고 하여 역시 동일한 암사의 존재가 확인된다. 金昌協(1651~1708)의 '巖寺의 吳家 정자에 묵으며'라는 詩에서도 다음과 같이 암사가 보인다.

암사에서 묵는 밤 사흘째인데 / 巖寺今三宿

안개 낀 강 물결이 더욱 아련해 / 煙波益渺然

겨울 차가운 모래 바람에 기러기 놀라 / 沙寒多警鴈

달이 밝아 떠가는 배도 있구나 / 月皎有行船

……[35]

---

32 한글학회, 『한국지명총람 1(서울편)』 1966, 114~115쪽.
33 한글학회, 『한국지명총람 1(서울편)』 1966, 115쪽.
34 『林白湖集』권1, 五言近體.
35 『農巖集』권4, 詩, 宿巖寺吳家亭子.

17세기 후반 인물인 김창협이 암사에 묵은 시기는 알 수 없다. 그러나 그가 묵은 지 오래지 않아 암사는 폐사된 것 같다. 이는 다음과 같은 한진호의 글을 통해서 알 수 있다.

중종 때 신포의 물 형세가 바로 선릉으로 내닿는다고 해서 役卒을 징발하여 돌을 운반해다가 江岸에 이빨처럼 된 곳을 막았으나 끝내 일을 마치지 못했고 지금에 보면 큰 돌들이 물 속에 첩첩이 쌓인 것이 있는데, 이는 金自點이 감독해서 이루어진 것이다. 광진을 지나 10리를 가기 전에 龜山 앞을 지나는데 이것은 속칭 巖寺라 하고 옛날에 伯仲寺가 있었으나 지금은 李先生 集을 제사지내는 곳이 되었다. 선생의 호는 둔촌이고 故相 東皐 漢陰 두 公은 모두 그 자손들이다.[36]

韓鎭戶가 1823년에 한강을 유람하면서 적은 위의 인용에서 '李先生 集을 제사지내는 곳'은 李集 등을 배향한 龜巖書院을 가리킨다. 구암서원은 1669년에 건립되었다. 그러므로 그 이전에 백중사는 없어진 것이다. 한진호는 龜巖書院이 소재한 야산을 龜山으로 일컬었다.

그러면 백중사와 一名 형식으로 등장하는 巖寺 가운데 처음 寺名은 어떤 것이었을까? 1530년에 완성된 『신증동국여지승람』에서는 백중사가 공식 호칭이고, 암사는 俗傳처럼 적혀 있다. 『四佳集』 보유편에 '伯仲寺' 詩가 수록되었다.[37] 서거정이 지은 伯仲寺 관련 시는 한 首 더 있다. 다음에 인용한 '再遊廣津伯仲寺次柳太初韻'이 바로 그 詩이다.

재차 廣津 伯仲寺에서 놀면서 柳太初의 운에 차하다[自註: 내가 젊어서 成重卿·柳太初·李之安·李升卿과 함께 伯仲寺에서 놀 적에 이 시를 지었는데, 지금 벌써 40년이 지났다. 금년 가을에 이 절을 重脩하였는데, 한 중이 門楣 사이에서 이 시를 얻어 나에게 보여주므로 예전 일이 느꺼워져서 마침내 家橐에 기록해 두는 바이다].[38]

지난해에 백중사에 와서 노닐었는데 / 昔年伯仲寺裏遊

36 韓鎭戶 著·李民樹 譯,『島潭行程記』, 일조각, 1993, 5쪽.
37 『四佳詩集補遺』권3, 詩類, 伯仲寺.
38 『四佳集』권30, 詩類, 再遊廣津伯仲寺次柳太初韻. "再遊廣津伯仲寺 次柳太初韻 [自註 少與成重卿 柳太初 李之安 李升卿 遊伯仲寺 有是作 計今四十年 今年秋 重脩是寺 有僧於楣間 得是詩見示 感念疇昔 遂錄家橐云]"

사진1 | '바위절터' 표석

오늘날에 거듭 오니 또 한가을이로다 / 今日重過又一秋

오동잎에 시를 쓰며 그대는 다시 흥겹고 / 桐葉題詩君復興

술잔에 국화 띄우니 나는 걱정이 풀리네 / 菊花泛酒我無愁

푸르고 푸른 산 빛은 무슨 뜻을 지녔을꼬 / 蒼蒼山色知何意

콸콸 흐르는 강물은 끝이 다하지 않누나 / 袞袞江流不盡頭

취한 가운데 오히려 적벽부를 읊조리며 / 醉裏猶唫赤壁賦

다시 밝은 달을 따라 외로운 배에 오르네 / 更隨明月上孤舟

　　서거정은 '伯仲寺'라고 하였다. 그렇지만 林悌와 金昌協의 시에서는 '巖寺'로 적혀 있다. 강동구의 현지 토박이 말에 따르면 어렸을 때 양지 마을쪽을 일러 '바위절'로 불렀다고 했다. '巖寺'라는 寺名이 더욱 많이 유포되고 사용되었음을 알 수 있다.

　　伯仲寺의 '伯仲'은 의미를 담고 있다고 본다. 巖寺 이후에 寺名이 伯仲寺로 바뀌었지만, 여전히 처음 寺名이 竝稱되었을 수 있다. 古名이 後名과 병칭되는 경우로서 "故國原

사진2 | 한강변에 소재한 바위절터와 龜巖亭. 강변도로가 개통됨에 따라 절터가 양분되었다.

王 一云国罡上王"[39]를 제시해 본다. 고구려 고국원왕을 '一云'의 형식을 빌어 '國罡上王'으로도 일컫는다는 사실을 알렸다. 여기서 고구려 제16대 왕에 대한 시호가 2종류였음을 알 수 있다. 그런데 割註로 소개한 '國罡上王'이 古形임은 주지의 사실이다.[40] 804년(애장왕 5)에 주조된 襄陽 禪林院址 鐘銘을 보면 신라에서 부여한 '管城郡' 대신 '古尸山郡'이라는 백제 지명을 여전히 사용하였다. 15세기 서거정의 詩에서 伯仲寺요, 16세기 문헌에서 伯仲寺의 '一云'으로 '巖寺'가 등장하지만, 巖寺가 創寺 당시의 寺名일 수 있다.

실제 '巖寺' 寺名의 유래는 적어도 삼국시대까지 소급될 수 있다. 이와 관련해 일본의 東京國立博物館 東洋館의 한국실에 전시된 유물 가운데 '巖寺' 銘 平瓦가 주목된다. 이 명문의 서체는 예서에 가깝다. 대략 예서와 해서의 중간 쯤으로 지목할 수 있다. 관련 유물 안내 명패에는 '朝鮮/ Korea/ 朝鮮半島/ 한국(조선): 三國時代(高句麗) 5-7世紀'로 적혀 있었다. 본 명문 기와(유물 번호 28765)는 동북아역사재단에서 간행한 『일본 소재 고구려

---

39 『三國史記』 권18, 고국원왕 즉위년 조.

40 高寬敏, 『三國史記の原典的研究』, 雄山閣出版, 1996, 117쪽.

사진3 | '嚴寺' 銘 고구려 平瓦

유물』목록에서도 확인되지 않았다.

여기서 중요한 사실을 정리할 수 있게 된다. 布目痕이 남아 있는 기와의 내측에 새겨진 '嚴寺' 銘 平瓦는 붉은색 나는 전형적인 고구려 평와였다. 한반도에서 출토되었기에 '朝鮮半島'로 출토지를 명시했다고 본다. 그리고 평와의 제작 시기를 5~7세기로 적어놓은 것은 평양성 천도 이후 한반도에서 제작되었음을 뜻한다. 그러면 '嚴寺' 사찰은 어느 곳에 소재했을까? 본 기와에는 붓으로 '不詳'으로 표기하였다. 출토지를 정확히 모른다는 의미가 된다. 그리고 '嚴寺' 명문 위에 한 글자가 더 적혀 있을 수 있다. 한반도에 소재한 고구려 영역에서 '△嚴寺'를 검색해 보면 시기적으로 부합하는 사찰은 확인되지 않는다. 그리고 '嚴寺'로만 찾는다면 강동구의 '嚴寺'를 제외하고는 확인된 바 없다. 만약 후자가 타당하다면 고구려가 한강유역, 그것도 서울 지역을 지배할 무렵에 '嚴寺'가 존재한 게 된다. 그렇다고 고구려가 '嚴寺'를 창건했다고 단정하기 어렵다. 고구려 이전 백제의 '嚴寺'를 줄곧 사용했을 가능성도 있기 때문이다. 더욱이 서울시 강동구에 소재한 嚴寺는 풍납동토성과 몽촌토성을 반경으로 한 한성 즉 한산의 반경에 속한다.

고구려 평와가 출토되었다면 고구려 관련 유물들도 공반되어야 마땅하다. 암사에서 출토된 유물과 관련해 "이 귀면 수막새기와는 고구려 청암리, 상오리 절터 출토 귀면문 수막새 기와와 가장 친연성이 짙어서 고구려식이 분명하지만 실제 연대는 단정할 수 없다"[41]는 평가가 붙었다. 그리고 "고구려 계통의 연꽃무늬기와인데"라고 하는 고구려계 능형 연화문 수막새기와도 출토되었다.[42] 그런데 본 고구려 명문와는 '嚴寺'일 수도 있지만 '△嚴寺'일 가능성도 상존한다. 그러므로 본 명문와의 출토지를 嚴寺와 연결 짓는 것은 무리한 해석으로 보인다. 그런데 주목할 점은 우리나라 古代의 寺名 가운데 '△嚴寺'

---

41   文明大, 「廣州地域 寺刹發掘의 성과와 의의」『佛敎美術』10, 동국대학교 박물관, 1991, 181쪽.

42   文明大, 「廣州地域 寺刹發掘의 성과와 의의」『佛敎美術』10, 동국대학교 박물관, 1991, 181쪽. 물론 마무리에서 그는 고려시대에 부활된 기와 양식으로 추정했다.

가 적지 않다는 것이다. 가령 虎巖寺(부여)·曇巖寺(경주)·淨岩寺(정선)·栢岩寺(삼국유사)·天巖寺(창녕 인양사 조성비)·碑巖寺(연기)·鳳巖寺(문경)·靈巖寺(홍각선사탑비)·靑巖寺(울진)·花巖寺(완주)·開巖寺(부안)·懸巖寺(청원)·仙巖寺(순천) 등 무수히 등장한다. 이로 볼때 강동구의 巖寺는 '△巖寺' 계통 사찰의 祖型임은 분명하다. 그렇다면 강동구의 巖寺는이곳을 처음 점유했던 백제의 寺名일 가능성을 고려해야 한다.

2) 巖寺 창건 배경

사찰 이름을 굳이 巖寺라고 한 이유는 무엇일까? 한강변 절벽 즉 낭떠러지에 소재하였기에 생겨났을 수 있다. 그러나 낭떠러지 즉 벼랑과 바위는 성격이 동일하지 않다. 물론 "바윗절 : 삼국시대 때 형제봉 작은 바위 위에 있던 절. 伯仲寺의 별칭이다"는 지명 전승도 있다. 이러한 해석은 巖寺라는 寺名에서 부회했을 가능성이 보인다. 그러나 초석이남아 있는 건물지를 발굴한 결과 "이 바닥은 건물의 반이 山에서 내려온 암반층이어서岩寺 즉 바위절이라는 말이 여기서 유래하지 않았나 생각된다"[43]는 해석이 제기되었다.지명 전승에 보이는 '바위 위에 있던 절'이라는 전승이 근거 없지 않음을 말해준다. 그러면 이와 관련해 역사상 바위의 속성을 살펴 보는 게 좋을 것 같다.

집단이나 국가 간의 서약의 장소로는 흔히들 높은 산의 바위가 이용되고는 하였다. 백제 근초고왕은 왜병을 거느리고 마한 전역을 제패한 다음 왜장과 함께 벽지산(전라북도 김제)에 올라가 맹세하고는 또 고사산(고부)에 올라 盤石에 앉아서 맹세하였다. 그 때 근초고왕은 장엄한 어조로 다음과 같이 말하였다.

만일 풀을 깔고 앉으면 불에 탈 위험이 있다. 또 나무를 잡고 앉으면 물에 떠내려갈 위험이 있다. 그러므로 반석 위에서 맹세하면 영원히 썩지 않음을 보이게 된다.[44]

『일본서기』에 수록된 위의 기사는 백제의 서약 풍습을 그대로 나타내 주고 있다. 이러

---

43 文明大,「廣州地域 寺刹發掘의 성과와 의의」『佛敎美術』10, 동국대학교 박물관, 1991, 180쪽.

44 『日本書紀』권9, 神功 49년 조. "唯千熊長彦與百濟王 至于百濟國 登辟支山盟之 復登古沙山 共居磐石上 時百濟王盟之日 若敷草爲坐 恐見火燒 且取木爲坐 恐爲水流 故居磐石而盟者 示長遠之不朽者也"

한 山上의 맹세는 백제 멸망 후 공주 就利山에서 맺어진 웅진도독인 부여융과 신라 문무왕 간의 서약에서도 보인다.[45] 즉 "취리산에 제단을 쌓고 勅使 유인원을 맞아 피를 마시고 서로 맹세하여 산과 강으로 서약하였고, 경계를 긋고 푯말을 세워 영원히 국경으로 삼아 백성을 머물러 살게 하고 각각 생업을 꾸려나가도록 하였습니다"[46]고 했다. 이렇듯 서약의 장소로 山頂을 택하였다. 이는 신이 깃드는 山頂에서 신의 입회하에 약속한다는 믿음에서 비롯되지 않았을까? 서약 의식으로서는 취리산 誓盟에서처럼 백마를 죽이고 그 피를 서로의 입술에 축이는 '歃血' 의식이 뒤따르는 경우도 적지 않다. 물론 熊嶺 서맹에서 보듯이[47] 서약 장소가 山頂이 아니고 고개인 경우도 보인다. 이 경우는 서맹처가 국경선이었기 때문이다.

그런데 보다 주목되는 사실은 서약의 장소가 '반석'이라는 점이다.[48] 서약의 장소로 반석을 택하였음은, 반석처럼 그 서약의 불변을 바라는 믿음에서 비롯된 것이 아닐까. 이러한 이유로 반석은 국가의 중대사를 결정하는 장소로서도 이용되었던 듯하다. 다음과 같은 경주 남산의 亐知巖 설화를 통해 짐작이 가능하다.

王의 代에 閼川公·林宗公·述宗公·虎林公[慈藏의 父]·廉長公·庾信公이 있었는데, 南山 亐知巖에 모여서 國事를 논의하였다. 그때 큰 호랑이가 달려들어오자 앉아 있던 여러 公들이 놀라서 일어났으나 閼川公만이 조금도 움직이지 않고 태연히 담소하면서 호랑이 꼬리를 잡아 땅에 메어쳐서 이를 죽였다. 알천공의 완력이 이와 같아서 윗자리에 있었다. 그러나 모든 公들은 庾信의 위엄에 모두 복종

---

45 『三國史記』권6, 문무왕 5년 조. "王與勅使劉仁願·熊津都叔 扶餘隆 盟于熊津就利山"

46 『三國史記』권7, 문무왕 11년 조. "又於就利山築壇 對勅使劉仁願 歃血相盟 山河爲誓 畫界立封 永爲疆界 百姓居住 各營產業"

47 『三國史記』권7, 문무왕 11년 조. "至麟德元年 復降嚴勅 責不盟誓 即遣人於熊嶺 築壇共相盟會 仍於盟處 遂爲兩界 盟會之事 雖非所願 不敢違勅"

48 『구약』에 의하면 시나이산에서 모세가 야훼 하느님을 만났듯이 산은 신을 만날 수 있는 장소였다. 반석이 지닌 의미와 성격은 종파를 떠나 보편성을 지녔다. 가령 반석하면 베드로 사도의 '반석 위의 교회'가 연상되듯이 견고함과 불변함의 표상이라고 하겠다. 실제 『신약성서』를 보면 "비가 내려 강물이 밀려오고 바람이 불어 그 집에 들이쳤지만 무너지지 않았다. 반석 위에 세워졌기 때문이다"(마태 복음 7:25~26)고 하였다. 즉 "나 또한 너에게 말한다. 너는 베드로이다. 내가 이 반석 위에 내 교회를 세울 터인즉, 저승의 세력도 그것을 이기지 못할 것이다(마태복음 16:18)"고 했다. 아람어와 그리스 음자를 딴 이름을 게파(바위의 뜻), 베드로라는 이름은 게파의 그리스 譯語이다(최형락, 『천주교 용어사전』, 도서출판 작은예수, 1995, 193쪽).

하였다.[49]

亏知巖은 신라에서 신성시했던 경주 남산에 있는 바위로, 이곳에서 신라의 大臣들이 모여 귀족회의를 하였다. 그 위치로 경주 남산 三陵溪의 속칭 碁岩으로 추정하는데, 이곳은 남산에서 서라벌 전체를 조망하기에 매우 좋은 곳으로, 上仙巖 마애불의 北峯에 해당된다고 한다.[50] 그런데 亏知巖은 단순한 바위가 아니었다. 이는 다음의 기사를 통해서 알 수 있다.

신라에는 四靈地가 있어 나라의 큰일을 의논할 때에 대신들이 그곳에 모여서 의논을 하면 일이 반드시 이루어졌다. (사영지의) 첫째는 동쪽의 青松山, 둘째는 남쪽의 亏知山. 셋째는 서쪽의 皮田, 넷째는 북쪽의 金剛山이다.[51]

亏知巖은 신라에서 국가의 중대사를 논의하는 사영지에 속한 王都 신성처의 바위였다. 백제의 왕도였던 충청남도 부여에도 이러한 성격의 바위가 등장한다. 백마강변에는 재상을 임명할 때, 후보자의 이름을 적고 函에 넣어 바위 위에 두고 얼마 후에 개봉하여 이름 위에 印이 찍혀 있는 자를 재상으로 삼은 까닭에 政事巖으로 불리는 바위가 있다. 巖寺가 소재한 한강변의 야산은 백마강변에 소재한 부여 政事巖과 입지 조건이 동일하다. 두 곳 모두 왕성으로 이어지는 물길 가에 입지했다는 것이다. 神託을 받는 현장은 다음에 인용한 정사암이었다.

* 또 호암사에 정사암이 있었다. 나라에서 장차 재상을 선임하려고 논의할 때면 뽑을 만한 후보자 3~4명의 이름을 써서 상자로 봉하여 바위 위에 둔다. 얼마 지나지 않아서 그것을 취하여 보아 이름 위에 도장 흔적이 있는 자를 재상으로 삼았다. 그래서 정사암이라고 한 것이다.[52]

49　『三國遺事』권1, 紀異, 眞德王 條. "王之代有閼川公・林宗公・述宗公・虎林公 慈藏之父・廉長公・庾信公 會于南山亏知巖議國事 時有大虎走入座間諸公驚起 而閼川公略不移動談笑自若 捉虎尾撲於地而殺之 閼川公膂力如此處於席首, 然諸公皆服庾信之威"

50　강인구・김두진・김상현・장충식・황패강, 『역주 삼국유사1』, 이회문화사, 2002, 325쪽.

51　『三國遺事』권1, 紀異, 眞德王. "新羅有四靈地 將議大事則大臣必會其地謀之則其事必成 一東曰青松山 二 曰南亏知山 三曰西皮田 四曰北金剛山"

52　『三國遺事』권2, 紀異, 南扶餘 前百濟 條. "又虎嵒寺有政事嵒 國家將議宰相 則書當選者名或三四 函封置嵒

* 天政臺[현의 북쪽 절벽 봉우리 위에 있다. 봉우리 위에는 臺가 있고, 아래에는 긴 강이 있으며, 강가에는 흰 모래톱이 있는데, 민간에 전하기를, "백제 때 매양 사람을 씀에 있어서, 임금과 신하가 함께 재계하고, (쓸) 사람의 이름을 기록하여 대 위에 두고 모래톱에 둘러서서, 天帝가 金字로 落點하기를 기다려, 임금이 벼슬을 주었으므로, '천정대'라 하였다"고 한다. 밑에 虎巖寺가 있는데, 돌 위에 지었다. 돌에 범의 흔적이 있으므로, 이름을 삼았다 한다 …].[53]

『삼국유사』에는 "호암사에 정사암이 있었다"고 했다. 호암사 사찰과 정사암이라는 신성처 바위가 엮어져 있다. 『세종실록』 지리지에서도 정사암 곧 천정대 밑에 호암사가 있다고 했다. 그리고 "돌 위에 사찰을 지었다(營于石上)"는 것이다. 巖寺의 경우도 이와 유사했을 것으로 본다. 즉 신성처에 소재한 한강변의 이곳 바위는 국가적 중대사를 결정하는 현장이었던 것 같다. 이후 불교를 수용하여 사찰을 창건할 때 특별히 신성처 바위가 소재한 곳을 택하였을 수 있다.

정사암과 호암사의 사례를 연상하는 게 가능하다. 곧 神託을 받는 전통적인 신성처와 불교의 습합 형태였다. 巖寺址를 발굴한 결과 암반층 위에 건물이 세워졌음이 드러났다. 호암사와 동일하게 암사도 '바위 위에 있던 절'이었다. 이로 인해 巖寺라는 寺名이 생겨났다는 전승을 뒷받침해 주었다.

유럽에서도 영험한 수도원이나 성당은 바위산이나 바위 절벽에 자리 잡았다. 708년에 프랑스 노르망디의 바위산 위에 세워진 몽생미셸 수도원이 대표적이다. 그리고 우뚝 솟은 바위산 위에 아슬아슬하게 자리한 그리스 메테오라의 트리니티 수도원, 대메테오라 수도원, 루사누 누네리 수도원, 성 스테파노 수녀원 등 숱한 수도원이 바위 절벽에 소재했다. 암사나 호암사와 관련해 참고된다.

3) 寺名 변경과 성격 변화

巖寺는 伯仲寺로 寺名을 바꾸었던 것 같다. 정확한 시점을 알 수는 없다. 그렇지만 최

　　上 湏臾取看 名上有印跡者爲相故名之"
53　『世宗實錄』地理志, 忠淸道 扶餘縣. "天政臺[縣北有絶巘 巘上有臺 下有長江 江渚有白沙汀 諺傳昔百濟時
　　每用人 君臣齊戒 錄人名 置臺上 環拱白沙汀 以俟天帝 金字落點 然後王乃爵人 故謂之天政臺 下有虎巖寺
　　營于石上 石有虎跡 故以爲名 …]"

초의 巖寺 寺名이 지닌 시간성과 장소성으로 인해 속칭의 형태로 백중사와 더불어 병칭되었던 것 같다. 그런데 寺名의 개칭은 사찰 성격의 전환을 의미한다고 본다. 가령 충청남도 보령의 백제 烏合寺는 신라 말에 선종사찰로 성격이 바뀌면서 寺名도 "사찰의 이름을 성주로 바꿔 주었다(易寺牓爲聖住)"[54]고 하였듯이 聖住寺로 바뀌었다. 이와 동일하게 巖寺에서 백중사로 바뀌면서 신성처 성격의 바위나 '바위 위의 절'도 기능이 바뀌었던 것 같다. 신라 지배 이후 어느 때 왕실과 관련한 사찰에서 일반 사찰로 기능이 바뀜에 따라 寺名도 바뀐 것 같다. 그러면 伯仲寺에는 어떤 의미가 담겼을까? 기록이 없는 관계로 寺名을 통해 유추해 보고자 한다. 伯仲은 "실력이나 기술 따위가 서로 엇비슷하여 더 낫고 더 못함이 없음" 혹은 "맏이와 둘째를 아울러 이르는 말"로 정의된다. 그러나 백중사 寺名의 정확한 유래는 알길이 없다. 다만 이곳이 한강변에 소재한 관계로 경승이 뛰어났기에 詩人과 墨客들이 드나들었던 곳이었다. 이와 관련해 목은 이색의 다음 글이 도움이 될 것 같다.

금상 19년 가을 7월에, 開城尹 林公을 安州의 장관으로 삼으니, 얼마 안 가서 군사와 정사가 다 잘 이루어졌으며, 그 해 겨울 11월에 西京尹으로 옮겨 그 道를 순찰하여 군사를 통어하고 백성을 위로하니, 위엄과 은혜가 더욱 나타나서 이듬해 2월에 밀직부사로 올랐으니 그 공을 표창한 것이다. 이미 그 감화가 크게 행해져 사람들이 복종하기를 좋아하였다. 이에 5월 첫 길일에, 迎仙店 옛터에 자리를 잡아서, 기둥 다섯 개의 樓를 짓고 도벽과 단청을 하였는데 다섯 달을 지나서 이룩되었다. 누를 바라보니 나는 듯하고 동남쪽 여러 산이 자리 아래에 있는 것 같으며, 강물이 그 앞을 지나간다. 좌우에 못을 파고 연꽃을 심으니, 올라서 바라보는 좋은 경치는 부벽루와 서로 甲乙이 되겠고 화려함은 그보다 더 낫다.[55]

목은 이색은 풍광에서 서경의 풍월루를 대동강의 부벽루와 '甲乙'로 비겼다. 첫째와 둘째의 뜻을 담고 있는 백중사도 한강가의 어떤 경승지에 견주어 이름이 유래한 게 아닐까

---

54 李道學, 『백제 사비성시대연구』, 일지사, 2010, 235~236쪽.
55 『東文選』 권72, 記, 西京風月樓記. "上之十九年秋七月 以開城尹林公 長萬夫于安州 未踰時 軍政具擧 其冬 十又一月移尹西京 巡問其道 御兵撫民 威惠益著 明年二月 進拜密直副使 蓋褒之也 化旣大行 人樂爲用 迺 以五月初吉 卜地于迎仙店之舊基 作樓五楹 塗塈丹騰 五閱月而告成 望之翼如也 東南衆山 如在席下 而江 水更其前 鑑池左右 種之芙蕖 臨覽之勝 與浮碧相爲甲乙 而華麗則過之"

생각된다. 그리고 "이 산은 무릉도원과 백중의 형세로다(山與桃源伯仲間)"[56]고 하여 경승의 우열과 관련해 보인다. 혹은 형제와 관련한 故事에서 유래했는지도 모르겠다. 백중사는 조선 후기에 동일한 장소에 구암서원이 들어서면서 건물지의 성격도 전변했던 것 같다. 영주 순흥의 신라 사찰 宿水寺 터에 紹修書院이 들어선 사례를 연상할 수 있다.[57]

4. 맺음말

백제는 한성에 도읍하던 시기에 한강 이남에 佛寺를 창건했다. 그 위치는 현재 확인되지 않았지만 왕성인 풍납동토성 인근으로 보인다.

서울시 강동구 한강변의 암사동 산1-1에는 백중사로도 불리었던 巖寺라는 사찰이 소재하였다. 그런데 암사동 지명의 유래가 된 巖寺의 기원에 대해서는 불분명했다. 다만 巖寺址에 대한 제한된 발굴과 지표조사 결과 신라 말~고려 초의 사찰로 지목하는 견해가 있었지만, 지표조사의 한계가 전제될 수밖에 없었다. 그러니 巖寺의 기원을 정확하게 포착하기는 어려웠다.

東京國立博物館에 소장한 고구려 平瓦 명문에 '巖寺'가 확인되었다. 巖寺라는 寺名은 강동구에 소재한 사찰을 넘어선 지역에서는 발견된 바 없었다. 그러나 '△巖寺'일 경우에는 문제는 달라진다. 다만 강동구 암사에서 출토된 평와 가운데 고구려 절터에서 출토된 것과 유사한 게 확인되었다고 한다. 그러므로 '△巖寺'가 아닌 '巖寺'일 가능성도 여전히 열어 두어야 할 것 같다.

우리나라 寺名에 '巖' 字는 견고함과 불변함 즉 진리의 표상으로 즐겨 사용한 듯하다. 가령 虎巖寺(부여)·曇巖寺(경주) 등을 꼽을 수 있다. 巖寺는 이렇듯 '巖' 字가 담긴 寺名의 연원이 되었다. 이러한 점에서도 의미 부여는 가능하다.

암사는 백제 왕성으로 통하는 水路邊에 소재하였다. 巖寺를 이루는 磐石과 같은 바위 자체는 적어도 백제에서 誓約이나 중대 결정을 하는 신성처였다. 이러한 외적 요인은 巖寺의 기원이 된 것 같다. 그런데 이와 동일한 맥락에서 살필 수 있는 사찰이 존재한다.

---

56 『四佳集』권2, 詩類, 山居四時 用諸賢韻 書貴公子精舍.
57 秦弘燮, 「宿水寺址 出土 銅佛」 『考古美術』 2-12, 1961, 10~13쪽.

백마강변의 백제 왕성 입구에 소재한 政事巖이다. 정사암이 소재한 곳에는 虎巖寺가 건립되었다. 이러한 점에서 巖寺와 虎巖寺는 부합하고 있다. 巖寺의 기원을 백제 때로 소급하여 기능과 성격을 논할 수 있는 요인이다.

「巖寺의 정체성과 한성 도읍기 創建 가능성 탐색」『한국불교학』94, 한국불교학회, 2020.

倭의 佛敎 受容과 백제계 사찰의 건립배경 및 성격

1. 머리말

백제는 주변 지역들과 활발하게 교류를 가졌다. 그랬기에 '교류왕국'이라는 이름을 부여받기도 하였다. 그런데 알고 보면 백제가 교류한 대상은 중국와 일본열도에 국한된다는 것이다. 이 정도를 가지고 '교류왕국'이라는 권위 있는 호칭을 부여받을 수는 없을 것이다. 더구나 '글로벌 백제'는 상상할 수도 없게 된다. 그러나 백제는 동남아시아 지역과 활발한 교류를 가졌고, 또 그러한 사실이 문헌이나 물증을 통해서 확인되고 있다.[1] 최근에 밝혀진 일례만 든다면 黑齒國이 소재한 필리핀에서는 우리나라 삼국시대의 토기들이 출토되었다. 익산 미륵사지 서탑 사리공과 청동합에서 발견된 진주구슬의 존재는 동남아시아와의 직접 교류 가능성을 보여주고 있다. 이러한 물증들은 결코 우연한 일이 아니라 당연한 결과라고 하겠다. 다만 각자의 마음 속에 萬里長城의 벽을 높게 축조하여 감히 넘을 수 없게 한 관계로 있는 자료마저도 死藏시켰을 뿐이었다. 단재 신채호 선생의

---

1 백제와 동남 아시아와의 교류에 대해 지금까지 발표한 필자의 논고는 다음과 같다.
　①「百濟의 交易網과 그 體系의 變遷」『韓國學報』63, 一志社, 1991.
　②「백제와 동남 아시아諸國과의 교류」『대백제국의 국제교류사』, 충청남도역사문화연구원, 2008.10.7;『충청학과 충청문화』7호, 충청남도역사문화연구원, 2008.
　③「백제와 동남아 세계의 만남에 대한 逆比判」『대백제/ 백제의 숨결을 찾아서』, 동아시아국제학술포럼, 한국전통문화학교·부여군문화재보존센터, 2009.
　④「백제의 동남아시아 交流論은 妄想인가?」『경주사학』30, 2009.
　⑤「百濟의 海外活動 記錄에 관한 檢證」『2010세계대백제전 국제학술회의』, 2010세계대백제전조직위원회, 2010.10.1;『충청학과 충청문화』11, 충청남도역사문화연구원, 2010.
　⑥「中國 廣西壯族自治區의 百濟墟 探索」『위례문화』13, 하남문화원, 2010.
　⑦「百濟 泗沘都城의 編制와 海外 交流」『동아시아의 고대 도시와 문화』, 동아시아고대학회, 2012;『東아시아 古代學』30, 2013.
　⑧「百濟의 海上실크로드 探究」『東亞海洋文化國際學術會議 論文集』, 浙江大學, 2013.

표현대로 한다면 싸워 보지도 않고 붓끝으로 우리의 활동 영역을 한반도 안으로 축소시킨 격이 된다.

본고에서는 교류왕국이자 문화의 전파자로서 백제가 일본열도에 건립한 사찰들을 소재로 하여 그 건립 배경과 성격을 구명하고자 하였다. 주지하듯이 백제에서 倭에 불교가 전래된 시점에 대해서는 538년과 552년이라는 2가지 소견이 있었다. 현재는 538년에 백제로부터 왜에 불교가 전래되었다는 소견이 힘을 얻고 있는 실정이다. 이후 일본열도에는 많은 백제계 사찰이 조성되었다. 이와 더불어 관련 연구가 적지 않게 蘊蓄된 것도 사실이다. 그러나 현상적인 이해에서 벗어나지 못한 관계로 체계적인 이해와 분석이 필요하다고 본다.

그렇기에 본고에서는 이와 관련해 몇 가지 사안을 검토해 보려고 한다. 첫째 백제가 왜에 불교를 전래해 준 목적 즉 동기를 살핀다. 둘째 왜에서 불교의 수용 과정을 둘러싸고 내전이 발생하였다. 이때 불교를 전래해 준 백제에서는 어떤 입장을 취하였는지 여부에 대한 고찰이다. 어떤 형태로든간에 백제가 왜 조정이 불교를 수용하도록 힘을 실어주었음은 자명하다고 본다. 결국 왜의 불교 수용에 백제가 개입했는지 여부를 구명해 보는 것이다. 여기서 '개입'의 성격에 따라서는 일본열도내 불교의 정치적 의미도 달라질 수 있다고 본다. 셋째 왜의 불교 수용에 백제가 단순 전파자 역할을 넘어서 지대한 영향을 미친 사실이 확인된다고 하자. 만약 그렇다면 倭 안에서 불교의 성격은 백제의 영향을 떠나 백제 불교의 '왜 진출'이라는 의미를 지닐 수 있게 된다. 또 그렇다면 일본열도 안에 소재한 백제계 사찰의 건립 배경이 드러날 수 있다. 이 문제는 고구려나 신라계 사찰과의 관계 내지는 승려들과의 관계를 분석함으로써 倭 불교의 정치적 성격이 드러날 것으로 보인다. 가령 飛鳥寺에 백제와 고구려 승려가 함께 주석한 이유가 구명될 수 있는 것이다. 넷째 불교의 전래는 단순한 사상과 철학을 떠나 예술과 건축술의 입체적인 이식이 된다. 이와 관련해 사원 예술가의 국적을 바로잡는 계기로 삼고자 했다. 가령 法隆寺 金堂 壁畵를 그린 繪師에 대한 검증을 시도하였다.

2. 倭에서의 佛教 受容 과정

1) 불교의 전래 과정

　　백제에서 倭로의 불교 전래 시점에 대해『元興寺伽藍緣起幷流記資財帳』에서는 '戊午年' 즉 538년이라고 했다. 백제 성왕이 538년에 왜에 太子像과 灌佛器 및『說佛起書卷』1篋을 보낸 일을 불교의 첫 전래로 이해하고 있다.[2] 그랬기에 "倭國이 비로소 백제에서 佛經을 求得했다"[3]고 기록한 것 같다. 538년은 백제가 웅진성에서 사비성으로 천도한 해였다. 백제로서는 불교를 매개로 倭와의 교류를 강화시키려는 의도가 깔려 있었던 것이다.

　　552년에 백제 성왕은 달솔 노리사치계를 파견하여 왜왕에게 釋迦佛 金銅像 1具와 幡蓋 약간, 經論 약간 권을 보냈다.[4] 554년(성왕 31)에는 曇惠 등 9인이 道深 등 7인과 교대하였다.[5] 이 사실은 담혜 이전에 이미 승려들을 倭로 파견했음을 뜻한다. 아울러 승려들의 滯倭 기간이 정해져 있었을 정도로 체계적인 교류가 이루어졌음을 가리킨다. 백제에서는 관인을 3년마다 교대한 바 있었다.[6] 국가에서 倭에 파견한 학자들이 그러했듯이 승려의 경우도 이와 동일했을 것이다. 그렇다면 554년의 시점에서 552년은 3년이 되지 않았다. 이로 미루어 보더라도 백제에서 왜로의 불교 전래는 552년 이전으로 상정할 수 있다.

　　552년에 倭에 보낸 성왕의 글 속에는 불법을 찬미하기를 "이 법은 모든 법 중에서 가장 훌륭한 것이다. 이해하기 어렵고, 입문하기 어려우며, 周公과 孔子도 알지 못하였다. 이 법은 무량무변한 복덕과보를 낳고 무상의 菩提에 도달할 수가 있다. 비유하여 말하자면 사람들이 여의주를 품고 필요에 따라 모두 마음 먹은대로 되는 것과 같이 이 묘법의 보물도 그러하다…"[7]라고 하였다. 불법을 포교하겠다는 의지가 매우 강렬함을 느끼게 된다. 동아시아의 불교는 종교의 영역에만 국한되지 않고, 세속적인 정치권력, 그것도 頂點에 군림한 군주와 결합하여 그 비호를 받으면서 성장해 갔다. 결국 불교 권위의 중심

2　田村圓澄,『百濟文化と飛鳥文化』, 吉川弘文館, 1978, 325쪽;『半跏像の道』, 學生社, 1983, 12쪽.
3　『佛祖統記』권32, 東土震但地理圖.
4　『日本書紀』권19, 欽明 13년 10월 조.
5　『日本書紀』권19, 欽明 15년 2월 조.
6　『北史』권94, 百濟傳. "長吏三年一交代"
7　『日本書紀』권19, 欽明 13년 10월 조.

이자 본질인 부처와 帝王을 동일시하는 경향마저 나타났다. 백제의 경우도 중국 북방불교의 영향을 받아 王卽佛思想이 나타나고 있다.[8] 백제 성왕은 倭로의 불교 전파를 통해 승려와 사원 기술자 등의 파견을 비롯한 일련의 형식을 통해 백제 중심의 사유체계로 왜를 묶어두고자 했던 것으로 보인다. 특히 倭로 파견된 승려들의 경우는 倭 권력 실세들에 대한 접근 가능성이 높았다. 그랬기에 정보를 얻거나 여론에도 일정하게 영향을 미칠 수 있었다. 백제가 그로부터 2년 후인 554년에 왜병 1천 명을 차출하여 戰場에 투입시킨 성과도 그러한 효과일 수 있다.

문제는 왜에서의 불교 수용 여부였다. 이와 관련해 다음과 같은 疫疾 유행에 관한 기사를 비교해 보고자 한다.

a-1. 겨울 10월, 백제 성명왕[고친 이름 聖王]이 西部 姬氏 달솔 노리사치계 등을 보내어 釋迦佛 金銅像 1具와 幡蓋 약간, 經論 약간 권을 바쳤다.…物部大連尾輿와 中臣連鎌子가 함께 奏上하여 "우리나라가 천하에 왕노릇하게 된 것은 항상 天地社稷 百八十神을 春夏秋冬에 祭拜하는 것을 일로 하기 때문입니다. 바야흐로 지금 고쳐서 蕃神을 祭拜한다면 國神의 노여움을 살까 두렵습니다"고 말하였다. 천황이 "자원한 稻目宿禰에게 줘서 시험삼아 禮拜하도록 하자"고 했다. 大臣이 무릎을 꿇고 받으며 기뻐했다. 小墾田의 집에 (釋迦佛 金銅像 1具를) 안치하여 삼가 佛道를 닦는 인연으로 삼고, 정결하게 向原의 집을 희사하여 절을 만들었다.

a-2. 이후 나라에 疾氣가 유행하여 백성들이 요절하는 일이 오래되면서 더욱 많아지자 治療할 수도 없었다. 物部大連尾輿와 中臣連鎌子가 함께 奏上하여 이르기를 "옛날에 臣 등의 계책을 쓰지 않았기에 이 病과 죽음을 가져왔습니다. 지금 빨리 (원래대로) 돌아가면 반드시 마땅히 경사가 있을 터이니 의당 빨리 (불상을) 버리시고는 뒤에 복을 구하십시오." 천황이 "奏한대로 하라"고 말했다. 有司가 곧 불상을 難波의 堀江에 떠내려가게 버렸다. 또 伽藍에 불을 놓아 태워서 조금도 남김이 없었다. 이에 하늘에 風雲이 없는데도 홀연히 大殿에 불이 났다(欽明 13년 10월 조).

b. 14년 春 2월 戊子朔 壬寅, 蘇我大臣馬子宿禰는 塔을 大野丘의 북쪽에 세우고 대법회를 열었다. 먼저 達等이 얻은 사리를 탑의 柱頭에 올려놓았다.

8 李道學, 「부여 능산리 고분군 출토 사리감 銘文의 의의」 『서울신문』 1995. 11. 6; 『살아 있는 백제사』, 푸른역사, 1997, 469쪽.

辛亥, 蘇我大臣이 病이 중하였다. 卜者에게 물었더니 卜者가 "아버지 때에 佛神에게 제사 지냈던 마음을 받들어라"고 대신 말했다. 대신은 즉각 子弟를 보내어 그 점괘를 아뢰었다. 詔하여 "의당 卜者가 말한 대로 따라 사당에서 아버지가 받들던 神을 제사지내라"고 하였다. 大臣은 詔를 받들어 石像에 禮拜하고, 수명을 늘려달라고 애걸했다. 이때 나라에서 疫疾이 유행하여 백성들 가운데 죽은 자가 많았다.

3월 丁巳朔, 物部弓削守屋大連과 中臣勝海大夫가 奏하여 "무슨 까닭에 臣의 말을 받아들이지 않았습니까? 아버지 천황에서부터 陛下에 이르기까지 疫疾이 유행하여 국민이 끊어질 것 같습니다. 어찌 蘇我臣이 佛法을 홍성시켰기에 오로지 말미암지 않았겠습니까?"라고 말하였다. 詔하여 이르기를 "극히 명백하므로 마땅히 佛法을 중단하여라"고 했다.

丙戌, 物部弓削守屋大連이 스스로 절에 가서 胡床에 걸터 앉았다. 그 탑을 쳐서 넘어뜨리고 불을 붙여 그것을 태웠다. 아울러 불상과 佛殿을 태웠다. 그리고는 타다 남은 불상을 취해서 難波의 堀江에 버리게 했다. 이날 구름이 없는데도 바람이 불고 비가 왔다. 大連은 雨衣를 입었다(敏達 14년 조).

위의 기사는 비교 분석이 필요하다. 먼저 a-1 기사를 보면 552년 10월에 백제 성왕이 왜왕에게 釋迦佛 金銅像 등을 보내왔다. 당시 왜왕은 백제로부터의 불교 수용을 결정하지 못했다. 이때 蘇我稲目은 불교 수용을 찬성하였다. 반면 物部尾輿 등은 불법 수용은 國神의 노여움을 산다며 반대했다. 이때 왜왕은 그 불상을 蘇我稲目에게 내려줬다는 것이다. 그러자 蘇我稲目은 私邸에 불상을 봉안했다고 한다.

552년에 성왕이 불상을 비롯하여 적극적으로 불교를 전파하였다. 그 이래 554년의 佛僧 交代 등 불교 전파가 순조롭게 이어지고 있다. 이로 보아 b의 585년에서 가까운 어느 때부터 역질이 유행하였고, 불상과 불전 파괴는 a-2의 552년 보다는 585년 사건 하나를 가리킬 수 있다. 즉 a-2의 "이후 나라에 疾氣가 유행하여"는 b에 보이는 疫疾일 수 있다. 그러한 사례는 h에서 "난을 평정한 후…"는 587년의 사건이 아니라 그로부터 6년 후인 593년인 것이다. 이와 마찬 가지로 a-2의 "이후 나라에 疾氣…"라고 한 시점은 b에 해당할 수 있다.

문제는 554년의 관산성 전투에서 성왕이 敗死한 이후가 되겠다. 다음의 기사에 따르면 성왕의 패사 원인에 대한 이해를 살필 수 있다.

c. … 혹 어떤 죄가 있어 이 禍를 불렀는가? 지금 다시 어떤 방법을 사용하여 국가를 지키려는가? … 蘇我卿이 "옛적에 雄略[泊瀨]天皇의 世에 너희 나라가 高麗에게 핍박받아 위험하기가 심히 累卵과 같

았다. 이에 천황이 神祇伯에게 명하여 神祇에게 계책을 받은 바 있었다. 祝者가 神語를 받아서 보고하기를 '원래 나라를 세운 神(建邦神)에게 屈請하여, 가서 장차 망하려는 왕을 구하면 반드시 국가가 안정되고 사람들 또한 안녕하게 될 것이다'고 하였다. 이로 인하여 神에게 가서 救함을 청하여 社稷이 안녕하였다. 대저 建邦神이란 天地가 갈라져서 나누어지는 시대에, 草木이 말하는 때에 하늘에서 내려와 國家를 만든 神이다. 요즈음에 듣자하니 너희 나라는 (建邦神에 대한 제사를) 중단하고 제사를 지내지 않는다하니 바야흐로 지금이라도 前過를 뉘우치고 神宮을 수리하고 神靈를 받들어 제사하면 나라가 昌盛할 수 있다는 것을 너희는 마땅히 잊지 말거라"고 했다.[9]

성왕의 패사는 백제로서는 일대 국가적 위기였다. 그러한 위기의 원인을 찾아 위기를 타개하기 위한 논의가 昌王子와 蘇我卿 즉 蘇我稻目間의 대화에서 보인다. 위의 기사에 따르면 백제는 그 이전에도 일대 위기를 맞이한 적이 있었음을 환기시켰다. c에 나와 있듯이 475년에 백제는 고구려의 급습으로 한성 함락과 국왕의 捕殺로 인해 결국 천도까지 하는 위기를 맞았다. 이때 백제는 建邦神에게 屈請하여 망하려던 국가를 보전했다는 취지이다. 그럼에도 불구하고 성왕대까지 백제에서는 建邦神에 대한 제사를 소홀히 하였기에 敗死라는 災厄을 입게 되었다고 했다. 그러니 이제라도 제사를 받들면 국가가 昌盛하게 될 것이라는 대안을 제시하고 있다. 여기서 읽을 수 있는 내용은 성왕대에 建邦神 즉 國祖神에 대한 제사가 소홀히 되었다는 것이다. 실제 성왕대에 國祖神에 대한 제사가 소홀히 되었다고는 생각되지 않는다. 다만 佛神과 國神間의 선택을 놓고 갈등이 惹起된 倭에서는 성왕 패사 직후 崇佛派인 蘇我氏도 의구심을 가졌을 수 있다. c 기사는 바로 그러한 정황을 반영한다고 본다.

불법의 화신이요 수호자였던 성왕의 패사는 백제는 물론이겠지만, 불교를 전래받는데 호의적이었던 소아씨로서는 정치적으로 곤경에 처하게 되었을 것임은 분명하다. 더욱이 성왕 스스로 불교를 칭송하면서 '복덕과보'를 운위했지만 정작 본인은 불교로 인한 복덕과는 정반대로 비참한 최후를 맞았다. 이로 인해 倭에서의 불교 수용에 대한 의구심이 제기되었을 것임은 자명하다. 이는 554년의 曇惠 파견 이후 더 이상의 佛僧의 교대가 없었다는 점에서도 읽을 수 있다. 국가 차원에서 양국 간 불교 관련 내왕이 단절되었음을 뜻하는 것이다. 반면 개인적인 차원에서 불교의 수용과 佛事가 조성되는 상황이었던 것

---

9 『日本書紀』 권19, 欽明 16년 2월 조.

같다. 이는『일본서기』에 보이는 다음의 기사를 통해서 짐작할 수 있다.

d. 여름 5월 癸酉朔 丁丑, 大別王과 小黑吉士를 보내 백제국의 宰로 하였다[王使가 명을 받아 三韓
에 가는 사신이 되면 스스로 宰라고 칭한다. 韓의 宰가 된다함은 생각건대 古制일 것이다. 현재는 使
라고 한다. 나머지도 이와 같다. 大別王의 출자는 未詳이다](敏達 6년: 577. 5).

겨울 11월 庚午朔 백제국왕은 돌아가는 사신 大別王들에게 딸려서 經論 若干卷, 아울러 律師 · 禪師
· 比丘尼 · 呪禁師 · 造佛工 · 造寺工 6인을 헌상하였다. 드디어 難波에 있는 大別王의 절에 안치시켰다
(敏達 6년: 577. 11).

e. 가을 9월 백제에서 온 鹿深臣[이름이 빠졌다]이 彌勒石像 1具를, 佐伯連[이름이 빠졌다]이 불상 1
具를 가지고 왔다. 이해 蘇我馬子宿禰는 그 불상 2구를 얻어…佛殿을 집 동방에 지어 彌勒石像을 안
치하였다. 3명의 비구니를 초청하여 대법회를 열었다. 이때 達等은 齋 밥을 올리는 데서 불사리를 얻
었다.…이로 말미암아 馬子宿禰 · 池邊永田 · 司馬達等은 佛法을 깊이 믿고 修行을 게을리 하지않았
다. 馬子宿禰 또한 石川에 있는 宅에다가 佛殿을 지었다. 佛法의 시작은 여기서부터 만들어졌다(敏達
13년: 584. 9).

그런데 d와 e 기사를 통해 몇 가지 중요한 사실을 포착할 수 있게 되었다. 554년에 曇
惠가 파견되고 성왕이 패사한 이후 23년만인 577년에 백제왕은 倭로 귀국하는 還使를
통해 승려와 사원 기술자들을 딸려 보냈다. 이들을 보낸 주체는 백제왕이지만 倭 사신의
私寺에 안치되고 있다. 국가 차원의 불교 관련 교류는 없었던 것이다. 584년에도 백제에
서 불상이 왔지만 蘇我馬子라는 호족의 私宅에 佛殿을 지었다. 그런데 이때의 정황을 일
러 '佛法의 시작은 여기서부터 만들어졌다'고 했듯이 구체적인 힘을 얻고 불법이 시행됨
을 가리키고 있다.

2) 종교전쟁

백제에서 倭에 불교가 初傳된 538년부터 46년의 세월이 흐른 후에야 본격적으로 일본
열도에 着根이 시작되었다. 그 사이에 성왕의 敗死로 인한 불교 수용에 대한 실망과 의
구심이 가세하여 佛法의 전파력이 주춤해졌을 뿐 아니라 수용 반대파가 힘을 얻는 기제

가 되기도 하였다. 성왕이 패사한 554년에서 23년이 지난 577년에 백제는 經典을 비롯하여 승려와 사원 기술자 등을 보내주고 있다. 백제 위덕왕은 성왕 패사 이후 중단되었던 불교 관련 인력을 대거 파견하는 결단을 내린 것이다. 여기에는 倭 朝廷의 權臣인 蘇我馬子라는 강대한 호족이 호응하였기에 가능할 수 있었다. 불교를 매개로 한 백제와 蘇我氏의 연결 내지는 정치적 동맹을 읽을 수 있게 된다. 백제 조정에서는 倭 사신들을 통해 개별적으로 불교를 전파시키는 조심스러운 모습을 읽게 된다. 이는 倭 朝廷에서 불교 수용에 대한 반대가 완강한데서 기인한 현상으로 보인다. 앞에서 이미 인용했듯이 성왕의 패사로 인해 왜 조정은 불교에 대한 기대가 퇴색되었던 것 같다. 그랬기에 성왕 패사 후 백제가 위기에 처하자 倭에서는 佛神 보다는 國祖神에 대한 존중을 권유하는 실정에까지 이르렀다.

585년에 蘇我馬子는 불사리를 얻자 塔을 大野丘의 북쪽에 세우고 대법회를 연 바 있다.[10] 대법회는 불교가 일본열도에서 크게 유행할 수 있는 일대 전기였던 셈이다. 그러한 대법회를 주재하는 소아씨의 정치적 배후에는 선진문물의 창구인 백제가 자리잡고 있었다. 불법의 흥성은 소아씨의 정치적 입지를 확대시켜주는 계기가 되는 것이다. 이로 인해 위기감을 느끼고 있었던 物部氏는 欽明 13년(552)부터 발생하였다가 수그러들지 않고 敏達代인 585년까지 창궐하였다는 疫疾의 원인을 蘇我氏의 佛法 興行에 갖다붙였다. 그와 동시에 物部守屋은 佛法의 거점인 불전과 불상을 파괴하였다. 이에 대해 소아씨가 수수방관할 수만은 없었다.

불교 수용 여부를 둘러싼 이 같은 대립은 결국 전투로까지 발전하였다. 蘇我稻目의 아들인 蘇我馬子가 실력으로써 587년에 物部尾興의 아들인 物部守屋을 타도하기에 이르렀다. 이때 物部氏가 추대한 皇位 繼承者인 穴穗部皇子도 함께 살해되었다.[11] 그런데 다음은 倭에서의 불교 수용과 관련해 주목할 만한 전승이다.

f. …多多良氏가 일본국에 들어 갔습니다. 그 까닭은 일본에서 일찍이 大連 등이 군사를 일으켜 佛法을 滅하고자 하였고, 우리나라 왕자 聖德太子는 佛法을 높이고 공경하였기 때문에 交戰하였습니다.

10 『日本書紀』권20, 敏達 13년 9월 조. 14년 2월 조.
11 山本西郎·上田正昭·井上滿郎,『解明 新日本史』, 文英堂, 1983, 33쪽; 井上光貞,『日本の歷史 3』, 小學館, 1974, 166~193쪽.

이때 백제 국왕이 太子 琳聖에게 명하여 大連 등을 치게 하였으니, 琳聖은 大內公입니다. 이러한 까닭으로 성덕태자께서 그 공을 가상히 여겨 州郡을 하사한 이래로 그 거주하는 땅은 '大內公朝鮮'이라고 부릅니다. 지금 대내 후손의 종정이 있지만 耆老 가운데 박식하고 통달한 군자가 있어서 그 계보가 상세합니다. 大連 등이 군사를 일으킨 때가 일본국 鏡當 4년인데, 隋나라 開皇 원년(581)에 해당하니…[12]

위의 기록에 따르면 위덕왕이 아들인 琳聖太子에게 命하여 聖德太子를 도와 大連 즉 物部大連尾輿를 공격하게 했다고 한다. 大連이 鏡當 4년인 581년에 군사를 일으켰다가 이후 어느 때 임성태자에게 패했다는 이야기가 된다. 이러한 사실은 소아씨가 587년에 物部氏를 타도한 사실과 시점상으로는 부합하지 않는다. 그러나 倭의 私年號인 鏡當의 연대 착오에 기인한 것일 뿐이다. 그러므로 그 본질은 신뢰할 수 있다고 본다. 즉 倭의 불교 수용에 깊이 관여했던 백제가 숭불파를 직접 지원한 사실을 알려준다.[13] 이는 백제 威德王의 諡號가 佛敎의 五大 明王의 한 분이요 勝戰 기원과 관련한 신앙의 대상인 大威德明王을 의미한다는[14] 점에서도 방증된다.

불교 수용 여부를 둘러싸고 격돌하다가 蘇我氏와 聖德太子가 승리하였다. 숭불파의 승리는 대외적으로는 東아시아의 국제질서를 공유하는 보편적 사상의 수용과 倭 조정의 '文明開化'를 의미한다. 대내적으로 倭는 불교의 祭儀權을 장악한 소아씨 중심의 專橫的인 권력체계의 확립을 의미해준다.[15] 숭불파의 승전 직후인 588년에는 불교 문물 전래와 관련한 새로운 양상이 다음과 같이 확인된다.

> g. 이해 백제국에서 사신과 승려 惠總·令斤·惠寔 등을 보내어 불사리를 바쳤다. 백제국이 恩率 首信·德率 蓋文·奈率 福富味身 등을 보내어 調를 진상하고 아울러 불사리·승려 聆照·律師 令威·惠衆·惠宿·道嚴·令開 등과 寺工 太良未太·文賈古子, 鑪盤博士 將德 白昧淳, 瓦博士 麻奈文奴·陽貴文·悛貴文·昔麻帝彌, 畵工 白加를 바쳤다.[16]

---

12 『端宗實錄』단종 원년 6월 24일 조.
13 위의 기사는 위덕왕과 임성태자의 역할이 主가 된다. 그러므로 助役에 불과한 聖德太子의 이때 연령 등은 의미가 없다고 보아야 한다.
14 문경현, 『百濟 武王과 善化公主攷』, 경주시·경주대학교 경주학연구소, 2009.
15 岡本東三, 『古代寺院の成立と展開』, 山川出版社, 2002, 8쪽.
16 『日本書紀』권21, 崇峻 원년 조.

숭불파가 승리한 직후에 백제는 처음으로 불사리를 비롯하여 승려와 사원 기술자들을 대거 倭에 보내왔다. 이는 이전까지와는 달리 국가에서 국가로, 조정에서 조정으로 보내는 공식적인 외교 행위였다. 588년 이전에 백제는 왜의 귀족들에게 私的으로 불교 문물을 전파해 주었다. 그러나 그 이후에는 공식적인 국가 사절로서 승려와 사원 기술자들이 파견된 것이다.

위덕왕은 불교 전래와 관련해 상당한 공력을 倭에 쏟고 있었다. 蘇我氏가 승리한 직후인 593년에 일본열도 최초의 사찰인 法興寺(飛鳥寺)의 목탑이 조성되었다. 그 이전인 588년에 위덕왕은 倭에 승려를 보내어 불사리를 分與한 바 있다. 사리 분여에 대한 독점적인 지위를 확보한 후 위덕왕은 자신의 위상을 부처와 동격으로 일치시켜 나가고자 한 것이다. 동시에 그는 사원 기술자들을 왜에 파견함으로써 백제와 동일한 성격의 佛教 道場을 조성하려고 했다. 이러한 일련의 동향을 놓고 볼 때 위덕왕은 동아시아에서 자국을 불교의 本領으로 삼으려 한 것 같다. 위덕왕은 王卽佛 사상으로써 왜에까지 자신의 영향력을 확대하고자 한 것으로 보인다. 위덕왕은 왕실과 연계된 불교 이데올로기의 수출을 통해 백제 중심의 신질서를 모색하고자 한 것이다.[17] 이러한 선상에서 逆으로 추정한다면 위덕왕이 숭불파의 승리를 위한 무력 지원은 충분히 가능한 상황이라고 본다.

3. 백제계 사찰의 건립

1) 四天王寺

왜 조정은 숭불파가 승리함에 따라 일본열도에서 사찰이 속속 건립되어졌다. 이와 관련해 가장 연원이 올라가는 사찰은 587년의 종교전쟁 때 성덕태자와 소아마자가 다음과 같이 서원했던 사천왕사가 된다.

h. …스스로 생각하여 "만일 잘못하면 패하지 않을까. 기원하지 않으면 이기기 어려울 것이다"라고 말하였다. 그래서 白膠木을 잘라서 급히 사천왕의 상을 만들어 頂髮의 위에 놓고 誓願하여[白膠木. 이

---

17 李道學, 「제3장 백제의 불교 수용 배경과 위덕왕대의 불교」 『백제사비성시대연구』, 일지사, 2010, 89~90쪽.

것을 農利泥라고도 한다] "만약 지금 내게 적을 이기게 하여주시면 반드시 護世四王을 위하여 寺塔을 건립할 것입니다"라고 말하였다. 蘇我馬子大臣도 서원하여 "무릇 諸天王과 大神王 등이 나를 도와 지켜 이기게 하여 주시면 반드시 諸天王과 大神王을 위하여 사탑을 건립하여 불법을 크게 펴겠습니다" 라고 말하였다. 맹세를 마치고 각종의 병기를 가지런히 하여 진격하였다. … 亂을 평정한 후에 攝津國에 四天王寺를 지었다. 大連의 노비의 半과 집을 나누어 大寺의 노비와 田莊으로 삼았다[18]

大阪에 소재한 四天王寺는 587년에 성덕태자와 소아마자가 誓願한 후 건립이 시작되었다. 위의 인용에서 '亂을 평정한 후'는 "이해 비로소 難波 荒陵에다가 사천왕사를 지었다. 太歲 癸丑이다"[19]라고 하였듯이 593년이다. 四天王寺의 창건은 비록 동일하지는 않지만, 로마의 콘스탄티누스 대제가 313년에 그리스도교의 박해를 중단하고 밀라노에서 그리스도교를 공인하는 칙서를 발표하고, 324년에 라테라노 궁전을 교회에 봉헌한 사례를 연상시킨다.

사천왕사의 완성된 가람 구조는 남대문·중문·오층탑·금당·강당이 남북 일직선상에 늘어서 있는 배치로서 '四天王寺' 양식이라고 하는 일본에서 가장 오래된 사원 양식이다.[20] 이는 567년에 창건된 부여 능산리사지나 軍守里寺址·'정림사지'와 동일한 가람 배치 구조가 된다. 불사리가 봉안된 塔과 불상이 모셔진 금당, 부처의 말씀을 講說하는 강당이 남북 일직선상에 배치된 구조는 王卽佛을 표방한 당시 백제 왕권의 존재 양태와 무관하지 않아 보인다.[21] 국왕을 축으로 한 강력한 일원적인 왕권을 상징하는 가람 구조인 것이다. 일본에서 '四天王寺' 양식이라고 일컫고 있는 가람으로는 豊浦寺·橘寺·奧山廢寺·若草伽藍·中宮寺가 있다.[22] 게다가 四天王寺는 군수리사지와 탑과 금당 간의 거리를 비롯하여 각 건물의 비례까지 일치한다고 한다. 그러므로 백제의 영향임이 한층 분명해진다. 이는 다음의 기록을 통해서도 확인된다.

백제의 軍守里에서 廢寺를 발굴할 때 가람의 배치가 일본 大阪에 있는 四天王寺의 배치와 동일하였

18 『日本書紀』권21, 崇峻 卽位前紀 조.
19 『日本書紀』권22, 推古 원년 9월 조.
20 直木孝次郎, 『飛鳥寺と法隆寺』, 吉川弘文館, 2009, 33쪽.
21 李道學, 「百濟 泗沘都城과 '定林寺'」『白山學報』94, 2012, 122~123쪽.
22 岡本東三, 『古代寺院の成立と展開』, 山川出版社, 2002, 37쪽.

으므로 발굴하기에 용이하였다고 한다. 즉 사찰의 위치가 북에서 남으로 향해 지어졌다. 가장 북쪽에 講堂이 한 채 있고 그 앞에 金堂이 있어 절의 중앙을 표시하였으며 다시 그 앞에 조금 떨어져 南方基 壇이라 하는 탑이 있었고 그 주위에 석등 자리가 있었다. 다시 더 남으로 내려가 中門이 있었고 그 앞 으로 더 떨어진 곳에 남문인 정문이 있었다.[23]

종교전쟁 때 백제는 숭불파를 지원했다. 승전 직후인 588년에 백제에서는 대규모 불 교 사절단이 왜로 파견되었다. 이러한 맥락에서 볼 때 당시 왜 조정의 실권자인 성덕태 자와 소아마자가 서원한 '護世四王'을 위한 寺塔은 백제 위덕왕의 전폭적인 지원을 받았 을 것임은 贅言이 필요하지 않다. 사천왕사가 軍守里寺址式 가람배치인 것은 너무나 당 연한 현상이었다.

外國 船舶이 도착하는 難波의 津에 臨한 언덕 위에 四天王을 제사하는 寺院이 건립된 것은 倭에 전래된 불교가 호국불교·국가불교의 성격을 지녔던 데서 원인을 찾을 수 있 다. 552년에 梁에서 번역한 護國佛經인『金光明經』은 이 무렵 백제에 전래되었다고 한 다. 그러니『金光明經』四天王品의 護國思想이 사천왕사 건립의 基底에 깔려 있었던 것 이다.[24] 통일기에 조성된 신라 사천왕사도 이와 동일한 성격을 지녔음은 재언할 필요도 없다.[25]

2) 飛鳥寺(法興寺)

飛鳥寺 곧 法興寺 건립도 종교전쟁 때의 戰勝 報恩에서 비롯되었다고 한다.[26] 성덕태 자가 사천왕사를 창건했다면, 소아마자는 飛鳥寺를 건립했다. 특히 소아마자의 사원 건 립은 전승기념을 통한 정치적 誇示였다.[27] 飛鳥寺는 불법의 위대함을 현양할 수 있는 廣 告宣傳塔의 기능까지 겸하게 된 것이다. 그러한 飛鳥寺의 조성 과정은『일본서기』에 다 음과 같이 보인다.

23　李相玉,『韓國의 歷史』, 敎文社, 1963, 126쪽.

24　平野邦雄,『歸化人と古代國家』, 吉川弘文館, 1993, 212쪽.

25　李道學,「古代 東아시아의 佛敎와 王權」『충청학과 충청문화』13, 2011, 56쪽.

26　直木孝次郎,『日本의 歷史 2』, 中央公論社, 1973, 37~38쪽.

27　岡本東三,『古代寺院の成立と展開』, 山川出版社, 2002, 8쪽.

첫째 (588년): 백제에서 佛舍利와 僧侶·寺工·鑪盤博士·瓦博士·畵工을 파견함으로써 창건 시작.[28]

둘째 (588년): 飛鳥衣縫造의 祖인 樹葉의 집을 헐고 法興寺를 짓기 시작.[29]

셋째 (590년): 山에 들어가 寺材를 취함.[30]

넷째 (592년): 佛堂과 步廊을 만듬.[31]

다섯째 (593년): 불사리를 刹柱 초석 중에 안치한 후 刹柱를 세움.[32]

여섯째 (596년): (1탑 3금당의) 사찰이 완공됨.[33]

일곱째 (596년): 고구려 僧 慧慈와 백제 僧 慧聰의 거주 시작.[34]

여덟째 (605년): 鞍作鳥가 銅과 繡로 丈六佛 제작 시작[35]

아홉째 (606년): 완공된 銅과 繡로 된 丈六佛 金堂 안치[36]

위의 飛鳥寺 창건 과정에 관한 기록을 보면 588년에 着工하여 596년의 주요 堂宇의 완성까지는 겨우 9년 간, 606년에 완성된 불상을 금당에 안치하기까지 18년의 세월이 소요되었다. 7세기 후반에 건립된 山田寺의 조영 기간을 비롯하여, 여타 사찰들의 경우에는 보통은 25년~30년 간의 기간이 소요되었다. 이에 비하면 飛鳥寺는 단기간에 조영된 것이다. 이는 소아마자가 권세와 재력의 강성을 과시한데서 나온 국가적 사업이었기에 가능했던 일로 판명되었다.[37]

위에서 보듯이 백제 사원기술자들이 조성한 飛鳥寺의 창건 과정에서 塔은 맨 나중에 조성되었음을 알 수 있다. 창건 당시 飛鳥寺址의 가람 배치는 1탑 3금당 양식으로 밝혀졌다. 이는 평양의 청암리사지와 동일한 고구려 가람 양식에 속한다. 그러한 배경에 대해서는 여러 논의가 있지만 飛鳥寺의 최초 승려가 백제에서 파견된 慧聰 뿐 아니라 고구

---

28 『日本書紀』권21, 崇峻 원년 조.

29 『日本書紀』권21, 崇峻 원년 조.

30 『日本書紀』권21, 崇峻 3년 조.

31 『日本書紀』권21, 崇峻 5년 조.

32 『日本書紀』권22, 推古 원년 조.

33 『日本書紀』권22, 推古 4년 조.

34 『日本書紀』권22, 推古 4년 조.

35 『日本書紀』권22, 推古 13년 조.

36 『日本書紀』권22, 推古 14년 조.

37 岡本東三,『古代寺院の成立と展開』, 山川出版社, 2002, 26쪽.

려의 慧慈였고, 또한 불상 제작에 필요한 황금 300兩을 고구려에서 보내왔다는 사실에서도 짐작되어진다.[38] 즉 백제와 고구려가 경쟁적으로 倭의 佛事를 지원하고 있는 것이다. 그것은 새로운 이데올로기인 불교의 전래와 사찰 건립 등을 통해 영향력을 강화하려는 企圖로 보인다. 고구려에서는 飛鳥寺가 완공되는 시점에 혜자를 파견하여 주석하게 하고, 금당에 안치할 불상 제작에 필요한 황금을 보냈다. 그러한 飛鳥寺의 가람 양식이 고구려 양식으로 나타난데는 고구려의 깊숙한 개입을 뜻한다고 본다. 倭의 입장에서 본다면 불교 전파를 매개로 한 백제와 고구려의 경쟁 구도를 逆利用한 측면도 포착된다. 飛鳥寺 한 곳에 국적이 다른 2명의 승려를 함께 주석시켰기 때문이다.

동아시아에서는 가장 늦은 倭로의 불교 전래는 실권자인 소아씨가 신봉했던 백제 불교가 먼저 유입된 후 고구려 불교와 신라 불교, 그리고 마지막으로 隋에 유학 갔던 승려들이 돌아옴으로써 중국 불교가 유입된 것이다.[39] 삼국이 다투어 왜에 불교를 전래해 준 것은, 자국 중심의 국가불교를 전래함으로써 사상적 의존도를 높이는 동시에, 그에 부수되어 유입된 건축이나 미술과 음악을 비롯한 문화 전반에서 영향력을 높이려는 의도로 보인다. 이는 단순히 문화 현상에만 국한된 차원이 아니라 銅錢의 앞뒷면처럼 정치와 긴밀히 연계된 사안이었기 때문이다.[40] 부차적으로는 파견된 사원 기술자들에 의한 종합예술로서 정교하고도 우람한 사찰의 건립은, 자국의 위상을 높이는 동시에 선망의 대상으로 삼을 수 있는 기제이기도 했다. 이러한 정치적 효과 뿐 아니었다. 倭에 파견된 佛僧의 경우는 자국에 대한 호감도를 높이고 권력 실세들에 접근하여 정책에 관여하거나 정보 획득이 가능하였다. 가령 고구려 승 혜자가 倭 조정의 실권자인 聖德太子의 師가 된 사실이[41] 저명한 사례가 된다.

일본 최초의 본격적인 사원인 飛鳥寺는 다음과 같은 문헌 기록에서처럼 백제인들에 의한 창건으로 다시금 확인되었다. 그러나 무엇 보다도 飛鳥寺 조영에 백제인들이 관련되었음은 다음의 기사가 웅변하고 있다.

(法興寺의) 刹柱를 세우는 날 (蘇我馬子宿禰) 大臣과 百餘人이 모두 百濟服을 입으니 보는 사람들

---

38 『日本書紀』권22, 推古 13년 4월 조.
39 鎌田茂雄 著・章輝玉 譯, 『중국 불교사 1』, 장승, 1992, 73쪽.
40 李道學, 「古代 東아시아의 佛敎와 王權」『충청학과 충청문화』13, 2011, 53쪽.
41 『日本書紀』권22, 推古 5년 5월 조.

이 모두 기뻐하였다. 불사리함을 刹柱 礎石 중에 두었다.[42]

그리고 완공되기 불과 1년 전인 595년에 위덕왕은 慧聰을 飛鳥寺에 파견하였다.[43] 이러한 일련의 사실은 飛鳥寺와 백제와의 연관성을 보여준다. 참고로 710년에 平城京 천도 때 飛鳥寺의 일부를 移築해서 지은 사찰이 奈良市의 元興寺이다. 일본 국보로 지정된 奈良時代에 제작된 높이 5.5m의 元興寺 5層小塔은 황룡사 목조 구층탑을 복원하는 데 중요한 기제가 된다.

그 밖에 飛鳥 남부의 檜隈에 건립된 檜隈寺, 鞍作氏의 氏寺로서 尼寺로 추정되는 坂田寺(明日香村 祝戶), 蘇我馬子가 豊浦宮을 양도받아 사찰로 삼은 豊浦寺(明日香村 豊浦)도[44] 백제와 관련된 사찰들이다.

3) 百濟大寺

『일본서기』를 보면 '百濟'라는 국호가 일본열도에서의 핵심 지역인 王都, 그것도 왕궁과 관련해 다음과 같이 지속적으로 확인되고 있다.

* 이 달, 百濟大井에 宮을 지었다(敏達 1; 572년)
* 詔하여 "금년에 大宮 및 大寺를 만들겠다"고 하였다. 百濟川 곁을 궁이 들어 설 장소로 정했다. 서쪽의 백성은 궁을 짓고, 동쪽의 백성은 절을 지었다(舒明 11; 639년).
* 이 달에 百濟川 곁에 구층 탑을 세웠다(舒明 11; 639년).
* 이 달에 百濟宮으로 옮겼다(舒明 12; 640년).
* 천황이 百濟宮에서 돌아가셨다. 丙午에 宮 북쪽에 殯을 설치하였다. 이것을 百濟大殯이라고 하였다(舒明 13; 641년).

위의 기사를 놓고 볼 때 572년에 왕궁 지을 장소가 '百濟大井'임을 알 수 있다. 이 곳

---

42 『扶桑略記』제3, 推古 원년 정월 조.
43 『日本書紀』권22, 推古 3년 조.
44 奈良國立文化財硏究所 飛鳥資料館, 『飛鳥資料館案內』1994, 72~74쪽.

은 지금의 奈良縣 廣陵町 百濟로 지목하는 게 통설이다. 백제라는 국호가 '大井' 앞에 붙은 것을 볼 때 백제인들의 연고지로 짐작된다. 왜 조정의 권력 핵심부에 '백제'라는 국호를 접두어로 하는 지명이 이미 등장한 것이다. 이는 643년에 화재가 난 難波의 百濟客館堂과는 성격이 사뭇 다르다. 이와 관련해 『일본서기』 敏達 12년 조에 보이는 다음과 같은 村의 존재를 유의해 본다.

石川 大伴村
石川 百濟村
下百濟河田村

위에 보이는 大伴村은 石川을 끼고 있는 大伴氏 村의 존재를 알려준다. 倭 朝廷의 大豪族인 大伴氏는 6세기 초에는 武烈天皇을 옹립하여 권세를 떨쳤다. 그렇다면 大伴村과 함께 등장하는 百濟村 역시 百濟氏의 村을 가리킬 수 있다. 百濟氏는 훗날의 百濟王氏를 가리킨다. 그렇지 않더라도 최소한 백제인들이 거류하는 村임은 분명해진다. 일본열도 내 백제계 주민들이 國都에 죄다 중용될 수 없는 관계로 여러 지방으로 진출하여 따로 1郡을 이루어 百濟郡 등이 태동했다는 것이다.[45] 그렇다면 '百濟村' 역시 집성촌과 같은 백제인들의 거주 취락으로 간주해도 무방할 것 같다.

왜왕은 '百濟川'이 소재한 곳에 大宮과 大寺를 지었다. 왜왕은 백제궁에서 거처하다가 사망하였다. 그것도, '大' 字를 붙인 百濟大宮과 百濟大寺에서였다. 백제대사는 1996년 이래 발굴이 이루어졌던 櫻井市 소재 吉備池廢寺로 추정하는 게 통설이다. 또 百濟大宮에 거처했던 倭王이 死後 모셔진 殯殿 역시 百濟大殯이라고 했다. 倭 王家의 기원과 관련해 퍽이나 시사적인 기록이 된다.

이와 더불어 일본 왕실과 중앙 귀족의 족보집인 『新撰姓氏錄』 左京皇別 條에서 "大原眞人은 敏達天皇의 孫인 백제왕에서 나왔다. 『속일본기』의 내용과 부합한다"라는 문구를 간과할 수 없다. 百濟大井에 宮을 지었던 敏達天皇의 계보가 백제와 연결됨을 말하기 때문이다. 이는 결코 우연한 기록으로 간주하기는 어렵게 한다. 『신찬성씨록』 未定雜姓 左京 條의 池上椋人도 "敏達天皇의 손자 百濟王의 후손이다"고 하였다. 물론 『고사기』·『일

---

45 六堂全集編纂委員會, 「國民朝鮮歷史」 1945; 『六堂崔南善全集 1』, 현암사, 1973, 270쪽.

본서기』에는 민달천황의 손자 이름 중에 百濟王이 보이지 않는다. 그렇지만『古事記』敏達天皇段에 보이는 多良王[쿠다라노오우]의 '多' 字 앞에 '久' 字가 있었던 것이 轉寫 과정에서 탈락하였을 가능성이 제기되었다.[46] 그리고 敏達天皇의 손자인 百濟王은 舒明天皇의 동생이 된다. 서명천황은 百濟川邊에 百濟宮을 짓고 살았으므로 百濟大王으로 불리웠을 가능성과 그의 동생도 백제왕으로 불리웠을 가능성이 있다.[47] 欽明이나 天智의 용례에 따른다면 舒明은 '百濟宮御宇天皇'으로 일컬어졌다고 한다. 그리고『萬葉集』의 표기법을 취한다면 舒明은 '百濟天皇'이라고 했을 것이다.[48]

왜왕들이 '백제왕'으로 일컬어졌을 가능성이 타진되었다. 그랬기에 京都大 사학과 명예교수인 上田正昭도 "敏達天皇이 백제 왕족 출신임을 말해주고 있다"[49]고 갈파한 바 있다. 사실 왜왕이 거처했던 최고의 공간인 궁궐 이름이 인근 국가의 이름인 '百濟'였다. 이러한 경우는 단순한 관심이나 영향이라기 보다는 양자 간의 절실한 연결고리 없이는 생각하기 어려운 측면이 많다.[50]

국호에서 취한 백제대사의 조영이 639년부터 이루어졌다. 백제대사의 조영은 왕가의 불교 이전 국가불교의 초석이 되는 大寺의 탄생이었다. 백제대사 터에서 출토된 수키와가 孝德朝(645~654) 사천왕사의 정비에도 사용되었다. 그렇기 때문에 650년대에는 거의 완공되었을 것으로 본다. 이러한 백제대사의 건립은 소아씨가 점유하고 있는 불교의 제의권을 탈취하려는 舒明天皇의 은밀한 의도를 읽을 수 있다고 한다.[51] 이 문제는 倭에서 政派를 초월한 백제 불교의 영향력을 읽을 수 있는 사례 차원을 넘어 생각해 볼 여지가 있다. 일단 飛鳥寺 목탑에 불사리를 봉안하는 법회를 주재하는 소아마자 뿐 아니라 100여 명이 죄다 백제옷을 입었더니 보는 사람들이 모두 기뻐했다고 한다. 이와 마찬 가지로 倭王이 건립한 百濟大寺나 百濟宮 등은 누가 진짜 백제에 가까운가를 蘇我氏와 경쟁하는 모습을 연상시킨다.

어떻든 大宮과 大寺가 한 組를 이루고 있는 형식은 皇極朝(642~645)의 板蓋宮과 高市大

46　佐伯有淸,『新撰姓氏錄の硏究(考證篇 第1)』, 吉川弘文館, 1981, 204쪽.

47　충청남도역사문화연구원,『百濟史資料譯註集(日本篇)』2008, 441쪽.

48　佐伯有淸,『新撰姓氏錄の硏究(考證篇 第1)』, 吉川弘文館, 1981, 204~205쪽.

49　홍윤기,『일본 속의 백제 구다라(百濟)』, 한누리 미디어, 2008, 412쪽.

50　李道學,「백제(구다라) 관련 지명과 명칭」『백제의 발자취를 찾아서』, 부여군, 2011, 184~186쪽.

51　直木孝次郎,『飛鳥寺と法隆寺』, 吉川弘文館, 2009, 147쪽; 岡本東三,『古代寺院の成立と展開』, 山川出版社, 2002, 46~48쪽.

寺, 孝德朝(645~654)의 難波宮과 四天王寺, 天智朝(662~671)의 大津宮과 南滋賀廢寺, 天武朝(673~686)의 淨御原宮과 大官大寺로 이어져 왔다.[52] 백제의 경우는 무왕대 익산 왕궁과 제석사나 미륵사와의 관계를 상정해 볼 수 있다. 왜왕은 백제궁에서 거처하며, 일본열도 내 백제대사를 통해 불교의 중심처로 삼고자한 것으로 보인다.

이 점은 부연 설명이 필요한 것 같다. 왜왕의 거처 공간 백제궁, 빈전 이름인 백제대빈, 왕궁과 엮어진 사찰 백제대사 그리고 이 무렵 백제궁에 거처한 왜왕은 '百濟王'으로 일컬어졌다. 왜왕이 백제왕을 자처한 사실은 왜국 안의 백제 재현을 뜻한다. 이처럼 왜왕이 백제왕을 자처한 동기에 대한 표징은 '백제대사'인 것 같다. 백제 국호와 寺 中의 寺인 '大寺'의 결합이었다. 자국에 불교를 전래해준 백제 불교의 재현을 넘어 백제와의 일체성을 과시하려는 데서 기인한 것으로 보인다. 이 사실은 왜의 불교를 백제 불교와 일치시켜 일본열도 안의 분산적인 불교체계를 왜왕이 독점적으로 장악하고 또 그 구심 역할을 하려는 기도로 보인다. 왜왕은 백제의 권위를 빌어서 불교를 장악하는 한편 왕권을 강화하고자 했던 것 같다.

일본열도 내의 백제 재현은 신라 왕실이 釋迦의 부모 이름인 白淨과 摩耶夫人을 취하여 佛種을 취한[53] 사례와 비교된다. 왜왕은 자국에 불교를 전파해 주었을 뿐 아니라 釋迦를 가리키는 法王까지 자처한 佛國土 백제와 일치시키려고 한 것 같다. 倭王은 백제 불교를 왜에 재현하는 동시에 일본열도내 佛敎 儀式의 주재자로 자리매김하고자 했다.

4) 百濟尼寺

백제에는 "승려와 비구니, 절과 탑이 매우 많다"[54]라고 하여 비구니 즉 여승의 존재가 보인다. 577년에 위덕왕은 比丘尼를 왜에 보내었다.[55] 백제 사신 은솔 首信을 통해 백제 위덕왕의 윤허를 받고, 588년 善信尼와 禪藏尼 및 惠善尼라는 세 여승이 백제에 유학하여 불교 공부를 하고 3년 후인 590년 3월에 귀국했다. 이들은 飛鳥의 櫻井寺에 주석하였

---

52   岡本東三, 『古代寺院の成立と展開』, 山川出版社, 2002, 45~48쪽.
53   김철준, 「신라 상대의 Dual Ogganization (下)」 『역사학보』 2, 1952, 91~92쪽.
54   『周書』 권49, 異域上 百濟 條.
55   『日本書紀』 권20, 敏達 6년 11월 조.

다.[56] 이 곳은 飛鳥의 현재 豊浦寺址가 된다. 豊浦寺는 일본 최초의 사찰이지만 尼寺인 것이다.[57] 남중국에서 수학을 한 백제의 味摩之가 612년(무왕 13)에 왜로 건너가 소년들을 모아 伎樂儛를 전수시킨 곳이 바로 櫻井이었다.

尼寺의 존재는 大阪에서도 확인되었다. 고대의 大阪인 難波宮에서 동남쪽으로 불과 2 ㎞ 떨어진 天王寺区 朱雀大路에 소재한 細工谷 遺蹟을 1996년부터 1997년에 걸쳐 발굴하였다. 이 때 토기 2개의 겉면에서 '百済尼'와 '尼寺' 墨書 명문이 각각 확인되었다. 곧 '百済尼寺'라는 사찰 이름이 확인된 것이다. 나아가 '백제사'에 대응하는 백제 여승 사찰인 尼寺가 존재했다는 게 밝혀졌다.[58] 百済尼寺는 百済寺(大阪市 天王寺区 堂ヶ芝)에서 서북으로 약 800m 떨어진 곳에 소재하였다.

백제 왕도였던 부여에서 확인된 절터도 사찰 간격이 600~700m 정도였다고 한다. 게다가 飛鳥時代의 僧과 尼의 비율이 6:4 정도였으므로 백제의 경우도 대체로 이와 비슷했을 것으로 간주된다. 倭에서는 서로 근거리에 소재한 飛鳥寺와 豊浦寺를 대표적인 僧寺와 尼寺의 사례로 제시하고 있다.[59] 이러한 百済寺와 百済尼寺를 관리하고 운영하는 주체로서는 백제 왕족인 百済王[구다라노 고니키시] 일족이었을 것이다. 百済寺는 7세기 중엽에 창건되어 10세기까지 존속한 것으로 간주하고 있다. 百済尼寺는 7세기 중엽에 창건되어 9세기 전반까지 존속했던 것으로 보인다. 百済尼寺의 창건 연대는 四天王寺 창건 때 사용한 연화문 와당과 동일한 거푸집에서 찍어낸 와당이 출토되었기 때문에 7세기 중엽으로 비정하고 있다.[60] 그러나 그 창건 연대는 더 소급될 여지가 있다.

比丘尼寺가 발굴을 통해 大阪市 難波宮 부근에서 확인된 점은 의미가 큰 것이다. 특히 백제 여승의 친아버지 이름이 적힌 나무패 통행증명서가 발굴된 것은 이곳이 禁男의 구역이었음을 뜻한다고 한다.[61] 즉 "上和尼父南部△△王久支"라는 명문은 '상화라는 여승의 아버지인 남부에 거주하는 왕구지'로 해석되기 때문이다.[62] 그러나 △△을 '徙' 자와 그 중복 글자로 판독한다면 '상화라는 여승의 아버지는 남부에서 이사 온, 이사 온 왕구지'

---

56 平野邦雄, 『歸化人と古代國家』, 吉川弘文館, 1993, 226~227쪽.

57 田村圓澄, 『百濟文化と飛鳥文化』, 吉川弘文館, 1978, 78쪽.

58 大阪市文化財協會, 『大阪遺跡』, 創元社, 2008, 168~169쪽.

59 田村圓澄, 『百濟文化と飛鳥文化』, 吉川弘文館, 1978, 78~79쪽.

60 森浩一, 『檢證 古代日本と百濟』, 大巧社, 2003, 175쪽.

61 大阪市文化財協會, 『大阪遺跡』, 創元社, 2008, 205쪽.

62 森浩一, 『檢證 古代日本と百濟』, 大巧社, 2003, 175쪽.

라는 뜻이 된다. 그러면 의미가 달라진다. 여승의 호적이나 신원 보증서 성격의 목간이 되는 것이다.[63] 그런데 종전에 이 목간에서 '尼'로 판독했던 글자는 '㞑' 자로 고쳐야 마땅하다. 그러면 지금까지의 해석과 의미 부여는 모두 수정되어야 한다.

5) 百済寺

枚方市教育委員會에서 간행한 자료에 따르면 百濟王南典이 사망하자 聖武天皇(재위; 724~749년)이 애통해하며 祠廟와 百済寺(大阪府 枚方市 西之町 中宮 1-68) 창건을 지시했다고 한다. 百済寺 사적공원에는 70개 정도의 초석들이 남아 있다. 가람터는 남쪽으로부터 南門과 中門 및 동탑과 서탑, 그리고 금당과 강당 및 식당 터가 포함되었다. 금당의 전면에 동탑과 서탑이 배치되었고, 중문 좌우에는 길게 회랑이 두 개의 탑을 안은 채로 금당의 좌우에까지 이어지고 있다. 금당의 뒤에는 강당이, 그 뒤편에는 식당이 소재하였다. 이러한 가람 배치는 일본에서는 유일한 것이라고 한다.

2005년부터 枚方市教育委員會에서 재정비계획이 추진되어 10년 간에 걸쳐 재발굴 조사가 이루어졌다. 그 결과 다음과 같은 성과가 있었다. 西塔의 기단 주위에는 延石이 정연하게 이어졌다. 이는 창건 당시인 나라시대의 官營寺院과 동일하게 최상급의 工法이었던 切石을 조합한 壇上積基壇으로 판명되었다. 2007년의 조사에서는 대형 多尊塼佛의 출토가 알려졌다. 이러한 전불의 출토는 夏見廢寺와 二光寺廢寺 등 일본에서 몇 건의 예가 보인다. 百濟寺터에서 발굴된 전불 가운데는 금박이 남아 있는 경우도 있다. 이것은 일류 귀족이었던 百濟王氏의 모습을 방불케한다. 그리고 서쪽 담장 동측으로부터는 고급 經箱과 목제 調度品을 장식한 것으로 보이는 금동제의 장식 金具가 출토된 바 있다. 사찰에 부속되어 창건 당시부터 冶金工房의 기능을 맡아 보았던 터가 발견되었다. 즉 사찰 안에서 필요한 鑄造와 鍛冶에 의한 철제품을 생산해서 공급하여 본 사찰 안의 여러 시설에서 소비되도록 한 것이다. 아울러 공주 공산성을 비롯한 백제 유적에서 흔히 확인되는 掘立柱 건물터가 확인되었다. 이러한 건물이 百濟王氏 一族과 긴밀한 관계에 있음은 두 말할 나위 없다.[64]

---

63 李道學, 「百濟尼寺」『백제의 발자취를 찾아서』, 부여군, 2011, 162~163쪽.

64 百濟王氏와 百濟寺에 대해서는 森浩一, 『検證 古代日本と百濟』, 大巧社, 2003, 176~185쪽을 참조 바란다.

桓武天皇은 자신의 어머니와 妃의 출신지인 지금의 枚方市에 소재한 交野郡에 자주 행차하여 사냥을 했다. 그는 百濟王氏 일족의 여성을 4명이나 妃로 삼았을 정도로 백제와의 인연이 깊었다. 이 때가 百濟寺의 번영기이기도 했다. 그 후 百濟寺는 平安時代 후기에 소실되었다가 鎌倉時代에 한번 재건되었지만 또 소실된 이후에는 재건되지 않고 폐사가 되었다.[65]

百濟王氏와 관련된 사찰인 백제사는 天皇의 지원으로 창건되었을 정도로 천황가와 밀접한 관련을 맺고 있었음을 알려준다. 母系가 백제 왕족이었던 桓武天皇代가 백제사의 절정기였다고 한다. 일본열도내 백제 유민들의 위상을 반영하는 유적이라고 보겠다.

그 밖에 奈良縣 北葛城郡과 滋賀縣 東近江市에도 百濟寺가 각각 소재하였다. 그리고 東近江市에 소재한 石塔寺의 3층석탑은 양식상 부여군 장하리의 3층석탑(보물 제184호)과 견주어지고 있다. 실제 이곳은 백제인들이 거주했던 곳이기도 했다.[66]

4. 法隆寺 관련 몇 가지 論議

法隆寺 金堂은 세계 최고의 목조 건축물로 이중 기단 위에 서있는 모습이 전체적으로 간결하며 장중한 분위기를 감돌게 한다. 부여 금성산에서 출토된 청동 小塔片에 보면 하앙과 헛첨차의 모양이나 45도 방향으로 귀공포를 짜는 방식이 法隆寺의 금당과 공통되는 특징이라고 한다. 이는 모두 아스카시대에 유행한 수법으로 백제 건축 양식이 일본 고대 건축에 크게 영향을 미쳤던 것으로 생각된다. 1949년에 금당 내부를 해체 수리 중 아래층의 내부에서 화재가 발생하여 벽화를 훼손했다. 지금은 복사된 작품이 수장되어 있다. 금당 내부에는 약사여래좌상·석가삼존상·사천왕입상 등 10여 체의 불상이 안치되었다. 금동 석가삼존상 광배에는 止利佛師라는 작자를 나타내는 명문이 있다. 그는 『일본서기』에서 鞍作鳥로 기록된 백제계 인물로서 飛鳥寺 대불(석가여래상)을 만들었다.

그 밖에 금당의 서쪽에 우뚝 솟아 있는 높이 32.5m의 오층탑은 각 층마다 평면의 감소율이 크고 안정감이 있으며, 탑의 첫 층에 북쪽은 석가의 입적, 동쪽은 유마지사와 문수

---

65   李道學, 「百濟寺」『백제의 발자취를 찾아서』, 부여군, 2011, 143~145쪽.
66   이에 대해서는 김달수, 『日本の中の朝鮮文化 3』, 講談社, 1972, 72~82쪽을 참조하기 바란다.

보살의 문답, 서쪽은 分舍利, 남쪽은 미륵정토를 묘사해 놓았다. 그런데『일본서기』에 의하면 670년에 法隆寺 금당과 목조오층탑 등 모두가 소실되었다고 했다.[67] 이 문제로 인하여 논쟁이 제기되기도 하였지만, 발굴 결과 8세기 초에 재건된 것으로 밝혀졌다. 그렇지만 원형을 충실히 남기고 있는 것으로서 여전히 세계 최고의 목조건축물이 된다. 한편 法隆寺의 오층목탑은 부여에 소재한 '정림사지' 5층석탑과의 유사성이 文敎部 발행『國寶圖錄(5)』에 다음과 같이 소개된 바 있다.

('정림사지' 5층석탑은) 동시에 일본에 남아 있는 세계 최고의 목조건축인 法隆寺 五層탑의 각층 비율과도 서로 유사함은 비록 재료에 있어서 나무와 돌의 차별은 있을 지언정 그 당시 가장 긴밀했던 양국 간의 문물교류의 일단을 암시하고 있다.[68]

兩塔은 똑같이 35.6cm의 고려자[高麗尺]를 척도로 하여 건축되었고 매 층의 높이와 너비의 합이 모두 같은 것으로 알려졌다.

1) 百濟觀音像의 國籍

法隆寺에는 백제계 불상이 존재한다. 가령 百濟觀音像[구다라관음상]은 높이 2.09m의 여성적인 채색 불상으로 물병을 들고 있는 모습이 섬세하고 유연하며 부드러운 위용을 보인다. 소년같은 늘씬한 몸매에 여성적인 우아한 얼굴에 신비한 아름다움을 간직했다는 평을 받고 있다. 비스듬히 뒤에서 보는 것이 제일 아름답다고 한다. 그리고 竹竿으로 구다라관음상 뒷면에 잇대어진 광배를 지탱하고 있다. 프랑스의 저명한 소설가 앙드레 말로(Andre-Georges Malrux. 1901~1976)는 "만약 일본열도가 침몰할 때는 일본에서 단 하나만 갖고 나가게 허락한다면, 나는 구다라관음상을 갖고 나가겠다"고 극찬했다. 일본의 저명한 원로 고대사학자인 直木孝次郎(1919~2019) 교수가 "호류사의 구다라관음에 비상하게 매료되었기에 나의 일본사 지망을 결정하게 되었다"[69]고 한 그 불상인 것이다. 이와

---

67 『日本書紀』권27, 天智 9년 4월 조.
68 李相玉,『韓國의 歷史』, 敎文社, 1963, 127쪽.
69 直木孝次郎,『飛鳥寺と法隆寺』, 吉川弘文館, 2009, 62쪽.

관련해 고등학교 국정교과서에서는 廣隆寺와 法隆寺 소장 불상의 제작에 대해 다음과 같은 기술을 남겼다.

> 6세기에는 노리사치계가 불경과 불상을 전하였다. 이렇게 전래된 백제 문화를 바탕으로 일본의 세계적 자랑인 고류사 미륵 반가 사유상과 호류사 백제 관음상이 만들어졌다.[70]

위의 구절을 가만히 음미해 보면 廣隆寺 미륵반가사유상과 법륭사 구다라관음상은 일본에서 제작되었다는 論旨이다. 물론 이같이 간주하는 견해는 일본인 연구자를 중심으로 많이 제기되었다. 그렇지만 이 불상은 백제 제작 가능성이 더욱 높다. 가령 광륭사 미륵반가사유상은 국보 제83호인 금동미륵반가사유상과 쌍둥이처럼 닮았다는 평가를 받았다. 그럴 정도로 광륭사 불상은 한국적인 색채가 강하다. 이 불상의 재질인 赤松은 일본에서 자생하지 않는다는 견해까지 제기되었다. 게다가 반가사유상의 양식과 관련지어 이 불상이 한반도에서 제작된 것으로 추정하는 견해가 많다. 그런데 廣隆寺 미륵반가사유상의 국적을 신라로 지목하는 견해가 적지 않다. 『일본서기』推古 24년 즉 616년에 "신라가 奈末 竹世士를 보내어 불상을 바쳤다"는 기사와 더불어, 推古 31년 조에서 신라가 다시금 사신을 보내와 바친 "불상은 葛野의 秦寺에 모셨다"는 기사를 근거로 삼고 있다. 2차례에 걸쳐 신라가 왜에 불상을 바친 기사가 있을 뿐아니라 秦寺에 봉안했다고까지 했다. 따라서 일본 국보 제1호였던 불상이 신라제가 아니겠냐는 것이다.

그러나 聖德太子가 秦河勝에게 불상을 내려준 시점은 611년(推古 11)이다. 그러므로 이 불상은 推古 24년이나 그 31년의 신라 불상과는 아무런 관련이 없다. 그리고 불상을 몸소 내려준 聖德太子는 그와 연계된 호족인 蘇我馬子와 더불어 백제와 관련이 깊은 인물이었다. 게다가 『廣隆寺由來記』에도 廣隆寺의 특정 불상을 가리켜 "백제에서 聖德太子에게 전해준 불상으로 坐像 2척 8촌"이라고 했다. 그 밖에 미륵반가사유상과 쌍둥이 불상으로 말해지는 한국의 금동미륵보살반가사유상(국보 제83호)의 출토지는 충청남도로 새롭게 증언되었다. 따라서 광륭사 목조 미륵반가사유상은 백제 제작이 맞을 것이다.

문제는 백제관음상의 국적이다. 백제관음상은 1746년에 편찬한 법륭사 사료인 『古今一陽集』에서 "虛空藏菩薩(7척 남짓), 이 尊像의 기원은 古記에 빠져 있고, 古老들이 전하

---

70 교육인적자원부, 『고등학교 국사』2002, 260쪽.

기를 異朝에서 모셔온 불상이라고 말하는데, 그 까닭은 알 수 없다"라고 하였다. 구다라관음상의 아래쪽 대좌에 '虛空藏菩薩'이라는 불상 명칭이 쓰여 있다고 한다. 이처럼 구다라관음상을 가리키는 허공장보살의 의미는 허공과 같이 무한한 자비를 나타내는 보살로 풀이된다. 구다라관음상이 '異朝' 즉 외국에서 건너온 불상임을 암시하고 있다. 1888년에 近畿 지방의 신사와 사찰 미술자료를 조사한 『奈良縣寶物精細簿』에서는 "朝鮮風 관음목상 7尺"이라고 등록되어 있다. 1911년에 法隆寺에 소장된 化佛이 표시된 금동 투조의 寶冠이 발견되었기 때문에 현재와 같은 百濟觀音菩薩像으로 부르게 되었다고 한다.[71] 百濟觀音像 光背 軸部의 山岳文은 부여 출토 산수문전이나 백제금동대향로의 문양을 연상시킨다. 이로써도 百濟觀音像과 백제와의 연관성을 엿보여준다.

百濟觀音像이 백제에서 건너 왔음은 기록에서 확인된다. 法隆寺의 고문서인 「諸堂佛體數量記金堂之內」에 따르면 "허공장보살은 백제국으로부터 건너왔다"고 적혀 있다. 1900년에 간행된 『大日本地名辭書』에 따르면 "허공장보살을 가리켜서 百濟觀音像으로 부르게 된 것은 백제국에서 보내준 木像觀音像이기 때문이다"라고 했다.[72] 그런데 百濟觀音像의 재료인 녹나무는 한반도에서는 자생하지 않는 것처럼 알려졌다. 녹나무는 일본열도에 주로 자생하는 樹種인 관계로 녹나무로 제작된 百濟觀音像이 백제에서 전해졌다는 견해는 자료가 뒷받침되지 않는다는 지적이 따랐다. 이로 인해 百濟觀音像의 제작지를 일본열도로 간주하기도 한다.

그러나 결이 치밀하고 고와서 조각재로 사용되는 상록 교목인 樟木 즉 녹나무는 한반도에서는 주로 제주도에서 자생하고 있다. 百濟觀音像은 기록은 물론이고, 이름 그대로 백제에서 전해진 불상이다. 그러므로 그 목재 역시 백제 영향권 내에서 찾는 게 자연스럽다. 그렇다고 할 때 百濟觀音像은 백제가 탐라를 장악한 후 공납받은 목재로 제작했을 것으로 추측된다. 더구나 航路를 이용한 交易에 비상하게 熱을 올렸던 백제가 造船 재료로 적격이었던 녹나무 産地를 간과하지 않았을 것 같기 때문이다. 혹은 부여에서 출토된 백제 때 木簡 재료가 日本産 杉나무이고, 무령왕릉 棺木이 日本産 金松이듯이, 百濟觀音像도 일본산 녹나무일 수는 있다. 그렇지만 그 제작 주체는 엄연히 백제라는 것이다.[73]

---

71   上原和, 『法隆寺を歩く』, 岩波書店, 2009, 196쪽.

72   홍윤기, 『일본 속의 백제 구다라(百濟)』, 한누리 미디어, 2008, 164~166쪽.

73   李道學, 「한국사 교과서는 문화유산을 어떻게 다루고 있나?--역사 부분」 『한국사교육과 문화유산』, 한국전통문화대학교 전통문화연구소, 2013, 15~46쪽 참조 바란다.

그런데 百濟觀音像은 747년에 편찬된『法隆寺伽藍緣起並流記資財帳』을 비롯한 법륭사 고문헌에는 언급이 없다가 17세기 말의 사료에서 처음 언급되었다. 이로 볼 때 百濟觀音像은 후세에 다른 사찰에서 옮겨 온 것으로 간주하기도 한다.[74] 어쨌든 여러 기록들은 현재 法隆寺에 봉안된 百濟觀音像은 제작지가 백제였음을 알려주고 있다.

2) 누가 法隆寺 금당 벽화를 그렸는가?

초등학생부터 대학생과 일반인에 이르기까지 한국인이라면 고대 삼국의 문화가 일본 열도에 전파된 사실에 대해서는 일말의 긍지를 느끼게 된다. 이와 관련해 중학교 국사 교과서에서 " … 일본의 호오류우지의 유명한 금당 벽화도 고구려의 중 담징이 그린 것이라고 한다"[75]라는 서술이 나왔다. 그로부터 30년 후의 고등학교 국사 교과서에서도 "7세기 초에 담징은 종이와 먹의 제조 방법을 전하였고, 호류사의 벽화를 그렸다고 전해지고 있다. / 호류사 금당 벽화 복원도: 담징이 그렸다고 전해지는데, 1949년 불타 버린 것을 복원하였다"[76]라는 기술은 거의 상식처럼 되어 버렸다. 한국 고대사 개설서에서도 "高句麗의 僧侶 曇徵은 彩色과 紙墨을 만들고 또한 碾磑(맷돌)로 만들 줄 알았는데, 日本으로 가서는 法隆寺의 金堂 壁畵를 그렸다고 전한다"[77]고 단언하였다.

그러나 담징이 법륭사 벽화를 그렸다는 분명한 근거는 없다. 오히려「斑鳩古事便覽」에는 유명한 백제계 匠人 止利佛師의 존재가 보인다. 즉 "堂內 四方壁에 그려진 東方藥師淨土·西方彌陀淨土圖. (이러한) 오른쪽 (그림은) 止利佛子가 그렸다"[78]라고 했기 때문이다. 平安時代에 편찬된『七大寺日記』에서도 법륭사 금당 벽화를 그린 이로 止利(鳥)佛師라고 하였다. 鎌倉時代 저술인『太子傳私記』에서도 "(金堂壁畵의) 佛淨土를 그린 鳥라는 繪師가 이것을 그렸다고 한다"[79]고 했다.[80]

---

74   李道學,「법륭사」『백제의 발자취를 찾아서』, 부여군, 2011, 108~110쪽.

75   김성근·윤태림·이지호,『중학교 사회Ⅱ』, 교육출판사, 1971, 35쪽.

76   교육인적자원부,『고등학교 국사』 2002, 260쪽.

77   李基白·李基東,『韓國史講座Ⅰ(古代篇)』, 일조각, 1982, 256쪽.

78   佛書刊行會,「斑鳩古事便覽」『大日本佛教全書』, 第一書房, 1978, 95쪽.

79   李弘稙,『韓國古代史의 硏究』, 신구문화사, 1971, 230쪽.

80   이에 대한 詳論은 李道學,「李丙燾 韓國古代史 硏究의 '實證性' 檢證」『白山學報』98, 2014, 131~133쪽에 보인다.

止利(鳥)佛師는 飛鳥寺의 석가여래상과 法隆寺의 석가삼존상을 제작하였다.[81] 법륭사의 금당 벽화까지 그린 止利는 佛師이자 繪師였음을 알려준다. 그러한 止利는 백제계 인물로 밝혀졌다.[82] 그 유명한 법륭사 금당 벽화를 그린 이는 고구려 僧 담징이 아니었다. 백제계 止利로 새롭게 구명되었다.[83]

5. 맺음말

백제에서 538년에 倭로 불교가 전래되었다. 이와 맞물려 승려의 파견도 뒤따랐다. 552년에 백제 성왕은 불상과 불경 등 불교 관련 물자를 倭에 보냈다. 이때 성왕은 승려를 함께 보내지는 않았다. 그러나 554년에 滯倭 승려의 交代가 이루어졌다. 이 점에 비추어 볼 때 552년 이전부터 승려의 파견이 이루어졌음을 뜻한다. 그런데 552년에 성왕이 불상뿐 아니라 불교의 좋은 점에 대한 메시지까지 왜에 보낸 것은 538년 이래 처음 있는 일이었다. 이전까지와는 달리 불교 수용에 대한 公的인 壓迫이기도 하였다. 이는 불교 수용여부를 둘러싸고 倭 조정에서 贊否 논의가 즉각 이루어진 점에서도 알 수 있다. 물론 불교 수용을 둘러싸고 兩論이 팽팽하게 맞섰기에 왜왕의 중재로 성왕이 보낸 석가상 등을 蘇我稻目의 집에 안치하도록 했다. 蘇我氏는 私宅의 일부를 희사하여 佛刹을 삼은 것이다. 일본열도내 사찰은 당초 私家를 희사하여 寺刹化한데서 비롯하였다.

그런데 그로부터 불과 2년 후에 성왕은 관산성 전투에서 敗死하였다. 이로 인해 倭 조정에서는 불교 수용에 대한 회의가 제기되었을 것이다. 게다가 때마침 疾氣가 유행하자 불교와 엮어서 배불론자인 物部氏에게 힘을 실어 주게 되었다. 이후 倭 조정에서는 불교 수용 문제는 수면하로 가라앉다시피 했다.

577년경부터 백제에서는 자국에 온 倭 사신을 통해 불상이나 사원 기술자를 보내주었다. 倭에서는 豪族의 私家를 이용하여 私寺가 조성되고는 했다. 그리고 588년에 소아마자가 불사리를 얻어 塔을 세우고 크게 법회를 열었다. 이는 蘇我氏가 불사리에 대한 독

---

81 上原和,『法隆寺を歩く』, 岩波書店, 2009, 115쪽.
82 김달수,『일본 속의 한국문화 유적을 찾아서 2』, 대원사, 1997, 258~259쪽.
83 본고에서는 670년 법륭사 金堂의 再建과 관련해 파생된 문제에 대해서는 논의하지 않는다. 기록상 법륭사 금당벽화를 그린 이는 담징이 아니라 止利임을 밝히고자 한 데 두었기 때문이다.

점적 지배권을 확립했음을 뜻한다. 蘇我氏 중심으로 일본열도 안의 私寺들이 엮어지는 일대 전기가 마련된 것이다. 이에 위기감을 느낀 物部氏의 佛殿과 佛像 파괴로 양 세력은 격돌하게 되었다. 이러한 종교전쟁에 백제가 개입하였고, 결국 숭불파가 승리하였다. 숭불파는 그 즉시 보란듯이 사찰 창건을 시작했다. 그 대표적인 사찰이 物部氏의 토지와 노비를 이용한 사천왕사의 창건이었다. 그러한 사천왕사의 가람배치는 1탑·1금당·1강당의 백제식이었다. 백제가 숭불파를 지원했던 선상에서 창건된 사천왕사의 성격에 비추어 볼 때 당연한 일이었다. 이렇듯 불사리가 봉안된 塔과 불상이 모셔진 금당, 부처의 말씀을 講說하는 강당이 남북 일직선상에 배치된 구조는 王卽佛을 표방한 당시 백제 왕권의 존재 양태와 무관하지 않았다.

飛鳥寺의 창건을 蘇我馬子가 주재했음은 너무나 명확했다. 그런데 飛鳥寺 창건에 백제 뿐 아니라 고구려도 지원을 아끼지 않았다. 일본열도내 佛事의 지원을 통해 자국의 불교 이데올로기를 전파시키고 나아가 영향력을 확대하려는 의도로 해석된다. 그런데 639년에 왜왕의 발원으로 百濟大寺가 창건되었다. 이곳에는 왜왕의 거처인 百濟宮을 비롯하여 백제 지명이 널려 있었다. 바로 '百濟' 자체였다. 이때 창건된 大寺 이름도 百濟大寺였다. 이는 왜왕이 '百濟'의 재현을 통해 蘇我氏가 독점한 불사리에 대한 지배권을 탈취하여 왕권과 귀족권을 아우르려는 기도였다. 百濟大寺를 창건한 舒明을 '百濟王'이라고 한 데는 倭에 이전된 백제 불교의 합당한 所持者라는 관념의 산물로 판단되었다.

法隆寺에 소장된 百濟觀音像의 國籍은 제반 문서들을 통해 백제로 究明할 수 있었다. 그리고 法隆寺 금당 벽화는 고구려 僧 曇徵의 작품으로 알려졌었다. 그러나 이는 아무런 근거가 없었다. 반면 백제계 佛師이자 繪師인 止利의 작품으로 複數 이상의 기록에 남아 있다. 이 점 새롭게 구명된 사실인 것이다.

倭에는 백제에 유학 왔던 比丘尼들의 사찰이 존재하였다. 豊浦寺(櫻井寺)가 그 첫 번째 比丘尼寺였다. 그리고 발굴을 통해서 드러난 大阪 天王寺区의 百濟尼寺도 꼽을 수 있다. 百濟尼寺는 인접한 百濟寺와 짝을 이루고 있는 百濟 國號를 사용한 사찰이었다. 그리고 8세기 중엽에 聖武天皇의 지시로 창건된 百濟寺 역시 百濟王氏와 연관된 사찰로서 번성하였다. 奈良縣 北葛城郡과 滋賀縣 東近江市에도 百濟寺가 각각 소재하였다. 그리고 東近江市에 소재한 石塔寺의 3층석탑은 양식상 부여군 장하리의 3층석탑(보물 제184호)과 견주어지고 있다. 실제 이곳은 백제인들이 거주했던 곳이기도 했다.

百濟大寺니 百濟寺 등 백제 국호를 사용한 사찰들은 私寺가 아니었다. 왜왕이나 후대의 천황과 연관성을 지니고 있는 경우가 많았다. 더욱이 왜왕의 出身을 백제와 관련 짓는 기록이 보이기도 했다. 이러한 점에 비추어 볼 때 百濟 國號를 사용하는 사찰들은 백제 왕족이나 왜 왕실과 엮어져 있었던 것으로 판단된다. 어쨌든 倭의 대표적인 사찰 이름이 '百濟'였다. 여기에는 백제 불교와의 一體 내지는 그러한 권위의 계승이라는 의식이 저변에 깔려 있었던 것으로 보인다. 왜왕은 자국에 불교를 전파해 주었을 뿐 아니라 釋迦를 가리키는 法王까지 자처한 佛國土 백제와 일치시키려고 한 것 같다. 倭王은 백제 불교를 왜에 재현하는 동시에 일본열도내 佛敎 儀式의 주재자로 자리매김하고자 했다. 그럼으로써 倭王權을 강화하고자 한 것이다.

「倭의 佛敎 受容과 백제계 사찰의 건립배경 및 성격」『백제와 고대 동아시아』2014. 10. 1;
『충청학과 충청문화』19, 2014.

교류

百濟의 海外 活動 記事에 대한 검증

백제와 印度와의 交流에 대한 접근

百濟의 海外 活動 記事에 대한 검증

1. 머리말

백제를 '해양강국'이나 '교류왕국'으로 云謂하고 있다. 해양강국은 海上에 대한 경제·군사적 지배권의 비중이 주변 국가들 보다 지대해야만 할 뿐 아니라 海上으로부터 얻은 有·無形의 收益이 財政과 군사력의 일정 부분에 충당되어야 한다. 바로 이 점을 확인하기 위한 前提로서 관련 사료에 대한 분석과 검증을 시도하고자 했다.

이와 관련해 저명한 민족주의 사학자인 丹齋 申采浩는 일찍이 "朝鮮 歷代 이래로 바다를 건너 領土를 둔 자는, 오직 백제의 近仇首王과 東城大王의 兩代이다"라고 설파한 바 있다. 그는 나아가 백제의 '海外植民地'를 云謂하기까지 했다.[2] 孫晋泰의 경우도 백제가 빼어난 항해술을 기반으로 중국 대륙 및 일본열도와 활발히 交易한 것으로 摘示한 바 있다.[3] 삼국 가운데 백제의 海運業이 가장 盛行했음을 알려준다. 백제는 기본 생산력의 근원이 農業이었다. 그럼에도 백제는 주변의 고구려나 신라 그리고 중국이나 倭 보다 항해 구간이 廣闊하였고, 해상활동도 훨씬 활발하였다.

그렇지만 정작 백제인들의 해외 활동에 대해서는 중국대륙과 일본열도에만 국한시켜 간주하는 견해가 지배적이다. 조선왕조의 경우는 중국대륙이나 일본열도는 말할 것도 없고, 暹羅(태국)나 琉球國(오키나와) 및 자바(인도네시아)와의 교류도 활발했다.[4] 이럴바에야 차라리 조선왕조를 '교류왕국'으로 말하는 게 합당하지 않을까 싶기도 하다. 그러나 海禁政策을 실시했던 조선왕조를 교류왕국이나 해상강국으로 일컫는 것은 걸맞지 않다.

그러면 많은 이들이 말하듯이 백제인들의 활동 공간은 과연 중국대륙과 일본열도를 벗어나지 못한 것일까? 더구나 백제의 요서경략이나 북위와의 전쟁 기사에 대해 회의적인 견해가 많았다. 그렇다면 백제인들의 중국대륙과의 교류는 기실 조공을 비롯한 외교

---

1   丹齋申采浩先生紀念事業會,「朝鮮上古史」『改訂版 丹齋申采浩(上卷)』, 螢雪出版社, 1987, 224쪽.
2   丹齋申采浩先生紀念事業會,『改訂版 丹齋申采浩(上卷)』, 螢雪出版社, 1987, 224쪽; 金哲埈,『韓國古代社會研究』, 知識産業社, 1975, 54쪽.
3   孫晋泰,『國史大要』, 乙酉文化社, 1949, 36쪽.
4   한영우,『다시찾는 우리 역사』, 경세원, 2010, 285쪽.

의례상의 명분적인 常例에 국한되어진다. 따라서 이 정도의 교류를 놓고 의미를 부여하기는 어렵다. 게다가 백제의 동남아시아 제국과의 교류도 비판적인 견해가 없지 않다.[5]

이렇듯 백제의 해외 활동과 관련한 상반된 인식과 평가가 엄존하였다. 그렇지만 백제가 넓은 세계를 운영했음은 숱한 기록과 물증을 통해 확인된다. 가령 最近 江蘇省 連雲港 周邊에서 確認된 無慮 789基에 달하는 石室墳의 성격은 백제의 남중국 진출과 무관해 보이지 않는다. 그러한 백제는 일본열도를 넘어 동남 아시아 지역과도 활발한 교류를 가졌다. 예컨대 6세기대에 접어들어 백제 僧侶 謙益은 中印度 즉 中天竺까지 항해하여 梵本의 佛經을 가져 왔다. 이러한 大航海는 단순한 求道의 열정만 가지고 되는 일은 아니었다. 백제로부터 인도와 인도차이나 半島에 이르는 거대한 바닷길이 열려 있고, 造船術이 뒷받침되었기에 가능했을 것이다.[6] 백제는 中印度를 비롯하여 扶南國과 崑崙 등 이 지역의 諸國들과 활발히 교섭을 가졌다. 이때 백제가 이용했던 통로는 海上 실크로드로 지목할 수 있다.

본고에서는 지금까지 거론된 백제의 해외 활동에 관한 기록을 물증과 연관지어 하나하나 짚어 보기로 했다. 그럼으로써 해양강국이나 교류왕국 개념의 정당성을 확인하는 동시에, 백제의 해외 활동에 관한 구체적인 사실을 구명하고자 한다. 아울러 본고는 필자가 최근까지 발표했던 관련 논문을 집대성했음을 밝힌다. 결국 이 작업을 통해 '교류왕국, 대백제'의 구체적인 실체가 파악될 것으로 기대해 본다.

참고로 본고에서는 백제인들의 활동 기록이 넘치는 일본열도와의 관계는 배제하였다. 이에 대해서는 연구 성과도 일정하게 이루어진 관계로 필자의 저서를 활용하면 좋을 것 같다.[7]

---

5 이에 대해서는 李道學, 「백제금동대향로는 중국제인가?」『이도학 역사 에세이―누구를 위한 역사인가』, 서경문화사, 2010, 36~45쪽을 참고하기 바란다.
6 李道學, 『백제 사비성시대 연구』, 일지사, 2010, 291쪽.
7 李道學, 「백제문화의 일본열도 전파」『살아 있는 백제사』, 휴머니스트, 2003, 686~745쪽.

2. 중국대륙과의 관련 기사

1) 遼西經略 記事의 실체

마한의 일원으로서 백제가 중국대륙과 교류하였음은 두루 알려졌고, 고고물증 역시 이 사실을 입증하고 있다. 특히 백제는 근초고왕이 동진으로부터 책봉됨에 따라 남조와 교류의 물꼬를 크게 텄다고 본다. 그런데 4세기말 백제는 고구려가 신라와 同盟線을 구축한 것에 대항하여 倭 뿐만 아니라 後燕과도 연계했을 가능성이다. 고구려의 남진 압박에 苦戰하고 있던 백제 개로왕이 북중국의 北魏를 통해 생존을 모색한 한 바 있다.[8] 5세기 후반에 백제는 목단강유역의 勿吉과 함께 고구려를 협공할 계획을 가지기도 했다.[9] 이와 마찬 가지로 백제는 국가 생존 차원에서 고구려를 견제할 수 있는 가장 효과적인 대안 세력으로 後燕의 존재를 의식하고 연계를 시도했을 가능성이다. 396년에 고구려에 항복한 굴욕을 만회할 수 있는 보복 준비 차원에서 백제가 후연을 이용했을 가능성은 매우 높다.

이와 관련해 다음과 같은 사건이 주목된다. 즉 400년 정월에 광개토왕이 이례적으로 後燕에 사신을 보내어 조공했다. 그럼에도 불구하고 후연은 그 다음 달인 2월에 오히려 고구려를 기습·공격하여 西方 7백여 里의 땅을 略取하였다. 이 사건은 이해하기 어렵지만 백제와 왜가 연계하여 신라를 공격해서 고구려군을 낙동강유역 깊숙이 유인한 것이다. 그런 직후에 백제와 연계된 후연이 고구려의 후방을 급습한 데서 비롯되었을 정황이 농후하다.[10] 이 전쟁은 중국 전국시대의 사례가 이해를 도울 수 있다. 즉 魏가 韓을 공격하자, 韓은 합종의 약속에 따라 齊에 구원을 요청하였다. 그러자 齊는 곧장 魏를 침공하자 韓으로 진격했던 魏軍은 황급히 회군하여 齊軍을 뒤쫓았다.[11] 이와 마찬 가지로 고구려는 자국에 침입한 왜군을 격퇴해 달라는 신라의 요청에 따라 낙동강유역에 출병했다. 그와 동시에 고구려군은 후연의 본토 침공으로 인해 급히 회군하여 후연과 격돌했던

---

8 『三國史記』권25, 개로왕 18년 조.
9 『魏書』권100, 勿吉國傳.
10 李道學, 「高句麗와 百濟의 對立과 東아시아 世界」『高句麗研究』21, 2005;『고구려 광개토왕릉비문 연구』, 서경문화사, 2006, 103~109쪽.
11 『史記』권65, 孫子·吳起傳.

것이다. 여기서 고구려의 大軍을 황급히 철수하게 만든 後燕은 일련의 정황에 비추어 볼 때 백제와 연계했을 가능성을 짚어준다.

일단 백제와 후연 간 교류의 산물인 人的 존재가 확인된다. 가령 백제 조정에는 將軍 號를 지닌 王茂와 張塞 그리고 陳明과 같은 중국계 인물들이 존재한다.[12] 이와 더불어 西 河太守에 임명된 馮野夫는 後燕 계통이 분명하다. 이 점 눈여겨 주시했어야 할 사안이 아닐 수 없다. 고고물증을 통해서도 백제가 後燕과 연계한 흔적이 확인된다.[13] 즉 중국 요녕성 北票 喇嘛洞 II M71에서 출토된 것과 동일한 귀고리 양식이 석촌동 4호분 주변과 곡성 석곡 그리고 익산 입점리 1호묘에서 출토되었다.[14] 그리고 원주 법천리 등자와 천안 용원리 108호분 경판비와 두정동 고분에서 출토된 재갈은 북방 지역, 특히 鮮卑系 마구 특징을 잘 반영하고 있다고 한다.[15] 이처럼 백제 지역에서 출토된 선비계의 귀고리와 마 구류는 백제와 후연간의 교류를 입증해 주는 움직일 수 없는 물증인 것이다. 이와 더불 어 충청북도 淸州 지역에서 출토된 鮮卑系 馬鐸과 鐵鍑은 백제의 기원을 암시해 주는 物 證이지만[16] 양국 간의 긴밀한 연관성을 부정하기도 어렵게 한다. 이러한 여러 가지 요인 을 놓고 볼 때 백제는 연계된 倭로 하여금 신라를 침공함으로써 고구려군을 낙동강유역 으로 유인하는데 성공한 것 같다. 이 틈을 놓치지 않고 후연은 허를 찌르듯이 고구려의 후방을 急襲한 것이다. 광개토왕은 죽는 순간까지 자신이 백제의 誘因 덫에 걸려 든 것 을 몰랐을 수 있다.

이러한 연장선상에서 요서경략 기사를 음미해 보지 않을 수 없다. 즉「양직공도」에서 진나라 말기에 駒麗 즉, 고구려가 요동을 경략하자 낙랑 또한 요서 진평현을 점유했다는 기사이다. 이 기록의 연원과 관련해『송서』와『양서』백제 조의 관련 구절을 인용해 보면 다음과 같다.

a. 백제국은 본래 高驪와 함께 요동의 동쪽 천여 리에 있었는데, 그 후 고려가 요동을 경략하자, 백
제는 요서를 경략하였다. 백제가 다스리는 곳을 진평군 진평현이라고 했다(百濟國 本與高驪俱在遼東

---

12 李道學,「漢城末·熊津時代 百濟王位繼承과 王權의 性格」『韓國史研究』50·51合集, 1985, 9쪽.

13 李道學,『고구려 광개토왕릉비문 연구』, 서경문화사, 2006, 105~106쪽.

14 이에 대해서는 李道學,『서울의 백제 고분, 석촌동고분』, 송파문화원, 2004, 232~234쪽에 서술되어 있다.

15 成正鏞,「大伽倻와 百濟」『大伽倻와 周邊諸國』, 학술문화사, 2002, 101쪽.

16 李道學,「百濟의 起源과 慕容鮮卑」『충북문화재연구』4, 충청북도문화재연구원, 2010, 14~18쪽.

之東千餘里 其後高驪略有遼東 百濟略有遼西 百濟所治 謂之晋平郡晋平縣(『宋書』).

　b. 백제는 옛날의 來夷로 마한의 무리이다. 晋末에 고구려가 요동의 낙랑을 경략하자, (백제) 역시 요서의 晋平縣을 (경략함이) 있었다(百濟舊來夷 馬韓之屬 晋末駒麗略有遼東 樂浪亦有遼西晋平縣(『梁職貢圖』).

　c. 그 나라는 본래 句驪와 더불어 요동의 동쪽에 있었다. 晋世에 구려가 이미 요동을 경략하자 백제 역시 요서와 진평 2군에 거처하였다. 스스로 백제군을 두었다(其國本與句驪在遼東之東 晋世句驪旣略有 遼東 百濟亦據有遼西·晋平二郡地矣 自置百濟郡(『梁書』).

　고구려의 遼東經略 기사에 이어 백제의 진평군 설치 기사가 보인다. 백제의 요서경략 시점은 명시되지 않았지만 「양직공도」에서 '晋末', 『양서』에서 '晋世', 『송서』에서도 백제 가 설치한 郡名을 晋平郡이라고 하여, 모두 '晋'의 존재가 거론되었다. 백제의 요서경략 기사는 488년에 편찬된 晋의 後身인 劉宋의 역사를 담은『송서』에 제일 먼저 적혀 있다. 여기서 西晋과 東晋은 후대의 구분일 뿐 당시는 모두 '晋'으로 일컬어졌다. 그러므로 晋 末은 東晋末로 지목하는 게 자연스럽다. 더구나 고구려가 요동을 완점한 시점과 결부 지 어 본다면, 백제의 요서경략은 동진이 멸망하는 420년을 下限으로 한다. 대략 東晋末인 400년~420년 어느 시점으로 볼 수 있다.

　이러한 배경하에서 당시 후연은 요동 지역의 지배권을 놓고 고구려와 격돌하는 상황 이었다. 즉 400년에 후연은 기습공격으로 신성과 남소성을 비롯한 고구려 서방의 700여 里의 영역을 略取했다.[17] 이에 대한 일대 반격 과정에서 고구려군은 402년에는 대릉하유 역의 宿軍城을 점령하였다.[18] 고구려는 요하 서쪽의 대릉하까지 진출한 것이다. 404년에 고구려는 깊숙이 후연의 內地까지 진격했다.[19] 405년에 후연은 고구려의 요동성을 공격 했지만 이기지 못하고 물러갔다.[20] 406년에 후연군은 고구려의 목저성을 공격했지만 역

17　『資治通鑑』권111, 隆安 4년 조.
18　『資治通鑑』권112, 元興 원년 조.
19　『資治通鑑』권113, 元興 3년 조.
20　『資治通鑑』권114, 義熙 원년 조.

시 패퇴하였다.[21] 후연은 고구려의 요동 지역을 공격했다가 연패한 것이다. 고구려는 이미 402년의 대릉하유역 진출과 더불어 404년에 지금의 北京에 소재한 燕郡을 공격했을 정도로 후연을 크게 위협하고 있었다. 고구려군의 燕郡 공격이 후연 몰락의 직접적인 요인이 되었다고 한다.[22]

그러할 정도로 고구려에 대한 후연의 위기감은 어느 때보다 高潮된 상황이었다. 후연과 고구려의 팽팽한 대결 구도 속에서 결국 후연이 몰리게 되었다. 이 상황에서 후연이 선택할 수 있는 길은 고구려와 적대 관계인 백제로부터의 지원이었다. 백제가 이러한 후연의 제의를 거절하기는 어려웠을 것이다. 백제가 내심 기다렸던 시나리오일 수도 있었기에, 백제군의 海外出兵이 단행된 것으로 보인다. 그럼에 따라 한반도 내에서 백제와 고구려의 군사적 대결이 이제는 공간을 훌쩍 뛰어넘어 요하 일대로까지 확대된 것이다.

그런데 408년에 後燕을 이어 갑자기 등장한 高雲의 북연 정권은 고구려와의 관계를 개선했다.[23] 그러자 요서 지역에 출병한 백제군은 입장이 모호해진 상황에 놓였다. 이제는 백제가 북연을 겨냥해야 하는 현실이 되었다. 결국 "自置百濟郡(c)"라고 하였듯이 백제는 출병했던 요서 지역에 진평군을 설치하여 실효지배 과정을 밟게 되었다. 遼西 지역의 백제군은 북위가 東進하여 北燕을 압박할 때 협조했던 관계로 그곳에서의 '自置'를 묵인받았을 수 있었을 것이다.

그러나 북위가 북중국을 통일한 이후 어느 때부터 진평군은 북위에게 눈엣가시같은 존재였을 게 자명하다. 고구려와 대결하고 있던 백제는 사세가 다급하자 어쩔 수 없이 처음이자 마지막인 472년에야 북위에 지원을 요청하는 사신을 파견하였다. 백제가 북위에 지원을 호소한 시기가 너무 늦다는 것이다. 그 이유도 진평군을 에워싼 양자 간의 이해가 상충한데서 그 원인을 찾을 수 있을 것 같다. 당시 백제가 이상하리 만치 南朝 일변도의 외교를 펼친 것도 북위 영역의 진평군으로 말미암은 불가피한 선택으로 보여진다. 진평군은 동성왕대인 488년과 490년에 백제와 북위의 전쟁 때까지도 존속했던 것 같다. 어쨌든 이 과정에서 확보한 중국인들의 백제로의 이주도 상당했을 것으로 추측된다.

21 『資治通鑑』권114, 義熙 2년 조.
22 池培善, 「고구려 광개토왕의 燕郡(北京) 침공원인에 대하여」 『白山學報』83, 2009, 177~208쪽.
23 『資治通鑑』권114, 義熙 4년 조.

2) 北魏와의 전쟁 배경

백제가 북위와 전쟁한 기사는 화북 진출이나 요서경략과 관련해 일찍부터 주목을 받아 왔다. 이와 관련하여 많은 논의가 제기되었지만 사료 중심으로 다음의 기사를 검토해 보기로 한다.

> d. 魏에서 군대를 보내어 와서 정벌하였으나 우리에게 패했다.[24]

> e. 魏가 군대를 보내어 백제를 쳤으나 백제에게 패하였다.[25]

> f. 이 해에 魏虜가 또 騎兵 수십만을 동원하여 백제를 공격하여 그 境界에 들어 가니 牟大가 장군 沙法名・贊首流・解禮昆・木干那를 파견하여 무리를 거느리고 虜軍을 기습 공격하여 그들을 크게 무찔렀다. 建武 2년(495년 ; 동성왕 17)에 모대가 사신을 보내어 표문을 올려 말하기를 "지난 庚午年(490년)에 獫狁이 잘못을 뉘우치지 않고 군사를 일으켜 깊숙히 쳐들어 왔습니다. 臣이 沙法名 등을 파견하여 군사를 거느리고 역습케 하여 밤에 번개처럼 기습 공격하니, 匈梨가 당황하여 마치 바닷물이 들끓듯 붕괴되었습니다. 이 기회를 타서 쫓아가 베니 시체가 들을 붉게 했습니다. 이로 말미암아 그 예리한 기세가 꺾이어 고래처럼 사납던 것이 그 흉포함을 감추었습니다. 지금 천하가 조용해진 것은 실상 사법명 등의 꾀이오니 그 공훈을 찾아 마땅히 표창해 주어야 할 것입니다. 이제 사법명을 임시로 征虜將軍 邁羅王으로, 贊首流를 임시로 安國將軍 辟中王으로, 解禮昆을 임시로 武威將軍 弗中侯로 삼고, 木干那는 과거에 軍功이 있는 데다가 또 臺와 舫을 때려 부수었으므로 임시로 廣威將軍 面中侯로 삼았습니다. 엎드려 바라옵건대 天恩을 베푸시어 특별히 관작을 제수하여 주십시오"라고 하였다.[26]

위와 같은 사료 등에 근거해서 단재 신채호는 백제의 요서경략을 본격적으로 제기하였다. 즉 "근구수가 기원 375년에 즉위하여 재위 10년 동안에 고구려에 대하여는 겨우 1차 평양의 침입만 있었으나, 바다를 건너 支那 대륙을 경략하여, 선비 모용씨의 燕과 苻

---

24 『三國史記』권26, 동성왕 10년 조.
25 『資治通鑑』권136, 永明 6년 조
26 『南齊書』권58, 東夷傳 百濟國 條.

氏의 秦을 정벌, 今 遼西·山東·江蘇·浙江 등지를 경략하여 광대한 토지를 장만하였다. 이런 말이 비록 백제본기에는 오르지 않았으나, 『양서』와 『송서』에 '백제가 요서와 진평군을 공략하여 차지하였다'고 했고…근구수가 또 진과 싸우니, 今 山東 등지를 자주 정벌하여 이를 奔疲케 하였으며, 남으로 今 강소·절강 등지를 가진 晉을 쳐서 또한 다소의 州郡을 빼앗으므로, 諸書의 기록이 대략 이 같음이니라"[27]라고 하였다. 이러한 서술의 實證 與否를 떠나 백제가 중국 대륙 일각에 거점을 확보하면서 北魏 정권과 자웅을 겨뤘다는 기록은 의미심장한 일대 사건이 아닐 수 없다.

그러나 이와는 달리 백제가 해상 진출할 수 없다는 전제하에서 『남제서』에 수록된 동성왕대 北魏와의 전쟁 기사를 고구려와의 전쟁으로 단정하는 이들이 많았다. 이러한 주장은 일본 학자 岡田英弘이 처음 제기하였다. 즉 그는 동성왕이 남제에 보낸 국서에 등장하는 '獫狁'과 '匈梨'를 고구려로 간주하면서 고구려의 남진을 저지하는 전쟁으로 언급했다.[28] 여기서 한 걸음 나아가 '匈梨'를 '句梨'의 誤寫로 간주하여 고구려로 지목한다. 그렇지만 匈梨와 동일한 대상인 '獫狁'이나 '魏虜'는 北魏를 가리키고 있지 않은가? 따라서 이 문제는 岡田英弘과 後學들의 생각처럼 간단하게 해석할 수 있는 문제는 아니다. 북위를 구성하는 지배 종족인 鮮卑와 연관 짓는 종족이 흉노였다. 실제 '험윤'과 '흉리'는 흉노를 가리키고 있다. 가령 『魏書』冒頭에서 獫狁을 山戎과 더불어 "匈奴之屬"이라고 하였다. 그리고 『남제서』 백제 조의 해당 구절 註釋에 따르면 "匈梨는 匈奴單于와 같은 말이다"[29]고 했다. 게다가 '魏虜'라고하여 분명히 백제와의 전쟁 대상을 명시했다. 그럼에도 이것이 '고구려'로 둔갑할 수 있는 지 자못 의아하다. 고구려를 '魏에 종속된 오랑캐'라는 의미로 魏虜로 지칭했다는 혹자의 해석은 너무나 자의적이다. 『남제서』는 "魏虜匈奴種也"[30]라고 하였듯이 魏虜를 匈奴와 일치시켜 인식했었다.

당시 남조에서 '虜'라고 표기한 대상은 북위였다. 이 것 역시 '魏虜'를 가리키는 것이다. 실제 상기한 인용에서도 魏軍을 '虜軍'이라고 했다. 그럼에도 백제가 고구려를 '魏虜'라고 지칭한 국서를 남조에 보냈다고 하자. 이 때 남조에서는 '魏虜'를 고구려로 받아들일 수

---

27   丹齋申采浩先生紀念事業會, 『改訂版 丹齋 申采浩全集(上卷)』, 螢雪出版社, 1987, 204쪽.
28   岡田英弘, 『倭國』, 中央公論社, 1977, 143쪽.
29   中華書局, 『南齊書 3』 1983, 1020쪽.
30   『南齊書』 권57, 魏虜傳.

있었을까? 더구나 『南齊書』에 魏虜傳까지 있다.[31] 동성왕 국서에는 일관되게 북위를 가리키는 '험윤'·'흉리'·'위로'라는 단어를 구사하였다. 실제 e의 『자치통감』이나 d의 『삼국사기』에도 백제와 북위와의 전쟁 기사가 게재되어 있지 않은가? 따라서 『남제서』에 보이는 이러한 용어들이 북위를 가리킴은 재론할 여지조차 없다. 다만 지리적으로 볼 때 백제가 북위와 격돌할 가능성이 어려운 관계로 고구려로 바꿔서 해석하고는 했다. 그러나 이 자체가 백제의 해상 능력에 대한 無知에서 초래된 偏見으로 보인다.

그러면 위의 기사를 검토해 보기로 한다. 먼저 f의 '이 해에'는 동성왕의 "制詔行都督百濟諸軍事 鎭東大將軍百濟王牟大今以大襲祖父牟都爲百濟王 卽位章綬等玉銅虎竹符四 其拜受 不亦休乎"라는 책봉 기사에 바로 이어서 등장하는 기사이다. 그러므로 이와 동일한 해로 지목할 수 있다. 그런데 『남제서』에서 동성왕이 남제로부터 책봉된 시점은 언급이 없다. 그러나 이 기사는 『南史』 영명 8년(490) 조에서 "백제왕 泰를 진동대장군 백제왕으로 삼았다"[32]고 한 기사와 부합된다. 그렇다면 f 기사는 '이 해에(490년)'로 시작하는 북위군 격파 기사에 이어 '建武 2년(495년)'에 동성왕이 表文을 올려 예하 신하들의 授爵을 요청하면서 과거인 '지난 庚午年(490년)에' 있었던 북위와의 전쟁에 대한 戰果가 구체적으로 수록된 것임을 알 수 있다. 여기서 '이 해에(490년)'로 시작되는 기사와 '지난 庚午年(490년)에'로 시작하는 기사는 동일한 사건을 가리킨다고 보겠다.

백제와 북위와의 전쟁은 "이 해에 魏虜가 또 騎兵 수십만을 동원하여"라고 한 구절의 '又'에서 알 수 있듯이 490년 이전에 이미 있었던 것이다. 이는 바로 d와 e의 永明 6년(488)에 있었던 전쟁을 가리킨다고 보면 지극히 자연스럽다. 그런데 d와 e의 '騎兵 수십만'의 動員과 f의 경오년(490)에는 "시체가 들을 붉게 하였습니다"라고 한 만큼 육상전으로 보일 수 있다. 그런데 f에서 백제군 장수들의 전공에 "舫을 때려 부수었다"고 하였다. 그러므로 육상전과 해상전의 배합을 헤아릴 수 있다. 이와 관련해 백제군이 때려부순 '臺'는 영토안의 접경 지역이나 해안 지역의 감시가 쉬운 곳에 마련한 초소라는 점과 舫의 파괴와 연계되어 있다. 이러한 점에 비추어 볼 때 백제는 육상에서 북위군의 공격을 받았지만, 臺와 舫을 때려부술 정도로 역습에 성공했다고 하므로, 戰場은 북위 연안에서의 상륙전을 가리킬 수 있다. 그렇다고 한다면 여기서 북위군 '騎兵 수십만'이 당초 침공해 온 백

---

31 『南齊書』 권57, 魏虜傳.
32 『南史』 권4, 永明 8년 조.

제 영역은 北魏와 陸續된 遼西 지역으로 지목하는 게 자연스럽다.[33]

이와 관련해 흔히 지적하는 문제가 백제 선단의 고구려 沿海 通過 件이다. 그런데 3세기대에 이미 고구려 동천왕은 東吳의 孫權과, 그리고 장수왕은 戰馬 800필을 劉宋에 보내는 등 남중국과 활발하게 교류한 바 있다.[34] 고구려는 북중국 정권의 위협을 뚫고 남중국과 교류한 것이다. 백제의 해상 활동 역시 웅진성 도읍 초기에 단 한차례 고구려의 해상 통제를 받은 바 있지만, 그 밖에는 없었다. 따라서 백제가 고구려의 해상 통제로 북중국 연안에 얼씬도 못했으리라는 생각은 杞憂에 불과하다.

3) 南中國 거점 확보 문제

百濟는 중국 最南端의 廣西壯族自治區나 福州 등지에 교역망을 확보하고 있었다. 廣西壯族自治區 南寧市 邑寧區 百濟鄕에 속한 '百濟墟'의 존재가 그것이다.[35] 그 밖에도 백제가 中國大陸과 긴밀히 연계된 기록이 보인다. 가령 崔致遠의 「上太師侍中狀」에서 "高句麗와 百濟의 全盛 時節에는 强兵이 百萬이나 되어 南쪽으로는 吳越을 侵犯하였고, 北으로는 幽·燕·齊·魯 地域을 흔들어서 中國의 큰 좀[蠹]이 되었다"라고 했다. 여기서 吳越은 『舊唐書』에서 百濟의 西界를 "西쪽으로는 바다를 건너 越州에 이르렀다"고 하여, 지금의 浙江省 紹興市 부근이라고 한 기록과 연결되어진다. 물론 『舊唐書』에서 바다를 건너 백제가 고구려·倭와 각각 境界를 이루고 있는 문구를 거론하며 지배 영역과는 무관한 구절로 해석할 수도 있다. 그러나 이 구절은 백제 國界를 高句麗·倭라는 國號가 아니라 中國 內의 越州라는 특정 地名을 거론하였다. 따라서 越州는 백제의 영향력이 미친 空間이라는 추정이 가능해진다.

이와 관련해 최근 江蘇省 連雲港 周邊에서 확인된 무려 789基에 달하는 石室墳의[36] 성격이 주목된다.[37] 지금까지의 연구에 따르면 連雲港 地區의 石室墳은 古代 韓國人의 墳

---

33 이상의 서술은 李道學, 「百濟의 海外活動 記錄에 관한 檢證」『충청학과 충청문화』 11, 2010, 3~11쪽에 의하였다.

34 이에 대해서는 윤명철, 『한민족의 해양활동과 동아지중해』, 학연문화사, 2002, 254~272쪽 참조 바란다.

35 李道學, 「中國 廣西壯族自治區의 百濟墟 探索」『위례문화』 13, 하남문화원, 2010. 27~32쪽.

36 張學鋒, 「江蘇連雲港'土墩石室'遺存性質芻議」『東南文化』 2011-4, 108쪽.

37 連雲港 주변 石室墳들은 白龍山 등지에 분포하고 있다. 필자는 중학교 교사 출신으로서 현지 민속학회 부회장인 최초 발견자의 안내를 받아 2014년 1월 10일에 현장을 폭넓게 확인했음을 밝혀둔다. 이에 대해

墓일 가능성이 韓·中 兩國에서 유력하게 제기되었다. 즉 新羅人의 墳墓[38] 내지는 백제 멸망 직후 唐으로 押送된 百濟人들의 墳墓라는 견해이다.[39] 그런데, 이곳에 百濟 遺民들이 거주했다는 기록은 없다. 連雲港을 백제 유민들이 이주당한 공간이라고 하자. 그러면 故國인 백제로의 海外脫出이 용이한 海邊 지역에 徙民시킬 이유가 없다. 더구나 緣故地와 격절시킨다는 徙民의 通常 원칙과도 맞지 않다. 실제 連雲港 地區는 '百濟 遺民들의 痕迹이 확인된 지역'[40]과도 관련이 없다. 오히려 백제인들이 진출하기에 용이한 港口都市 連雲港에 백제 석실분이 소재하였다. 더구나 連雲港의 石室墳은 泗沘城 都邑期 백제 墓制와 부합하는 면이 많다고 한다.

그렇다면 連雲港의 석실분은 백제 멸망 이후가 아니라 백제 당시, 백제인의 분묘일 가능성은 없는 것일까? 이에 대해 신라인의 활동은 주로 江蘇省 揚州부터 山東省 威海에서 이루어진 것이 훨씬 많은데, 신라인의 분묘라면 連雲港의 中雲臺山에서만 封土石室墳이 발견되고 山東省에서는 발견되지 않는데 대한 의문이 제기되었다.[41] 대단히 銳利하면서도 적절한 지적인 것이다. 그 행간에는 이들 石室墳들이 백제 분묘일 가능성을 간파했음을 암시해준다. 이와 관련해 後唐에서 高麗 太祖를 冊封한 詔에서 "卿은 長淮의 茂族이며 漲海의 雄蕃이다"라는 구절이 주목된다. 여기서 太祖를 가리켜 '長淮의 茂族'이라고 했다. 이와 더불어 『高麗史』成宗 4年(984) 5월 조에 보면 宋 皇帝가 高麗 成宗을 冊封하고 내린 詔書에 "恒常 百濟의 百姓을 便安하게 하고, 永遠히 長·淮의 族屬을 茂盛하게 하라(常安百濟之民 永茂長淮之族)"는 구절이 상기된다. 여기서 '長淮'는 揚子江과 淮水를 가리킨다. 이 곳과 '百濟之民'은 관련이 있다고 본 것이다. 곧 이들은 중국대륙의 百濟 百姓들을 가리키는 게 분명하다. 또 이들의 정치적 귀속성은 高麗와 연결됨을 암시하고 있다. 그렇지 않았다면 詔書에서 언급할 하등의 이유가 없기 때문이다.[42] 더욱이 중국 학자들도 소개했듯이 連雲港 주변의 中雲臺山 花果行 石室墳은 論山 表井里 百濟 石室墳

서는 李道學 外, 『육조고도 남경』, 주류성, 2014, 451~461쪽을 참고하기 바란다.

38 張學鋒, 「江蘇連雲港'土墩石室'遺存性質芻議」『東南文化』2011-4, 112~116쪽.

39 박순발, 「렌윈강(連雲港) 봉토석실묘의 역사 성격」『百濟의 中國 使行路』, 충남대학교 백제연구소, 2012, 112~113쪽.

40 양종국, 「의자왕 후손 찾기」『대백제, 백제의 숨결을 찾아서』, 부여군문화재보존센터, 2009, 173쪽.

41 高偉·許莉, 「연운항시 봉토석실의 조사 보고」『百濟의 中國 使行路』, 충남대학교 백제연구소, 2012, 94쪽.

42 李道學, 「해상왕국 대백제와 백제 왕도 부여」『백제문화 세계화와 백제고도 부여』, 대전일보사, 2009; 『백제 사비성시대 연구』, 일지사, 2010, 509쪽.

과 구조적으로 연결된다.[43] 그 뿐 아니라 連雲港의 소재지인 淮河는 백제인들이 居住했던 '長淮' 가운데 淮水와 연결되고 있다. 따라서 連雲港 石室墳을 백제와 연관 짓는 게 가능해진다. 그리고 古墳群의 규모가 크다는 점에서 오랜 기간에 걸쳐 조성되었음을 알 수 있다. 동시에 이 곳이 백제인들의 대단위 常住 據點이었음을 암시해준다. 나아가 史書에 적힌 백제의 중국 진출 기록이 결코 虛辭가 아니었음을 입증해 주는 不動의 물증이 된다.[44]

3. 東南아시아 諸國과의 교류 기사

1) 백제의 黑齒 진출

백제는 제주도 뿐 아니라 北九州와 지금의 오키나와를 중간 기항지로 삼고 대만해협을 지나 필리핀 군도까지 항로를 연장시켰다. 필리핀 군도는 黑齒國으로 알려졌던 곳이다. 중국 낙양의 북망산에서 출토된 흑치상지 묘지석에 의하면 그 가문은 부여씨 왕족에서 나왔지만 선조들이 '흑치'에 分封된 관계로 그 지명을 따서 氏를 삼았다고 한다. 왕족을 지방의 거점에 파견하여 통치하는 담로제의 일면을 엿볼 수 있다.[45] 즉 「黑齒常之墓誌銘」에서 흑치상지 가문의 내력을 적고 있는 다음의 敍述 體裁와 결부지어 살펴 보자.

g. 府君의 이름은 常之이고 字는 恒元인데 百濟人이다. 그 先祖는 扶餘氏에서 나와 黑齒에 封해진 까닭에 子孫이 인하여 氏를 삼았다(府君諱常之 字恒元 百濟人也 其先出自扶餘氏 封於黑齒 子孫因以爲氏焉).

h. 그 집안은 대대로 서로 이어서 達率이 되었다. 達率의 직책은 지금의 兵部尚書와 같다. 本國에서 二品官이다. 曾祖 이름은 文大이고, 祖의 이름은 德顯이며, 父의 이름은 沙次인데, 모두 官位가 達率

---

43   張學鋒, 「江蘇連雲港'土墩石室'遺存性質芻議」『東南文化』2011-4, 110~114쪽.

44   이상의 서술은 李道學, 「윤명철, '해양사연구방법론'(학연문화사, 2012)에 대한 서평」『고조선단군학』28, 2013, 420~423쪽에 근거하였다.

45   黑齒=禮山說의 문제점은 李道學, 「백제와 동남아 세계의 만남에 대한 逆比判」『대백제/ 백제의 숨결을 찾아서』, 동아시아국제학술포럼, 2009, 406~412쪽에서 詳論하였다.

에 이르렀다(其家世相承爲達率 達率之職 猶今兵部尚書 於本國二品官也 曾祖諱文大 祖諱德顯考諱沙次 並官至達率).

   i. 府君은 어려서부터 사나이답고 화통했으며…弱官이 되지 않아 地籍으로서 達率을 제수받았다. 唐顯慶 중에 邢國公 蘇定方을 보내어 그 나라를 평정하자 그 主인 扶餘隆과 더불어 함께 入朝했다. 붙여져 萬年縣人이 되었다(府君少而雄爽…未弱官 以地籍授達率 唐顯慶中 遣邢國公蘇定方 平其國与其主扶餘隆 俱入朝 隸爲萬年縣人也).

위의 인용은 흑치상지가 唐에 소위 入朝하기 전까지의 官歷이다. 당연히 가문의 내력을 필두로 백제에서의 官歷을 담고 있다. 그런데 h에 보면 흑치상지 선조들이 역임했던 달솔 관등을 설명하면서 唐에서의 官格을 언급하였다. 묘지명은 분명히 唐人 讀者를 염두에 두고 백제의 달솔이 지닌 관격을 설명한 것이다. i는 흑치상지가 당에 귀부하는 과정을 소개하면서 부여융의 존재를 '其主'라고 하여 흑치상지의 주군임을 밝혔다. 이 역시 唐人 讀者를 염두에 두고 흑치상지의 入朝 배경을 설명하기 위한 것이었다. 이러한 맥락에서 g의 흑치상지 가문의 내력 곧 氏의 기원이 되는 '흑치'에 대한 위치를 검토해 본다. 묘지명의 黑齒가 지명을 가리킴은 두 말할 나위 없다. 그런데 묘지명은 '黑齒'라는 지명에 대해 일체 언급하지 않았다. 이것은 묘지명의 독자들을 궁금하게 하는 사안일 수 있다. 그럼에도 흑치의 소재지에 대해 전혀 언급하지 않았다. 이 사실은 唐人들이 '흑치'를 익히 알고 있거나 자신들의 세계관 속에서 포착된 지역임을 뜻한다. 그러니 애써 '흑치'에 대해 소개할 이유가 없는 것이다.

  그러면 「흑치상지묘지명」이 작성된 唐代를 기준해서 중국인들이 예전부터 알고 있던 흑치의 위치를 추적하는 게 타당할 것 같다. 그 墓誌銘의 작성자는 중국인이었다. 黑齒常之 역시 중국의 唐에서 武將으로 활약하다가 사망했다. 그런 만큼 중국적인 세계관 속에서 黑齒의 위치를 찾는 게 지극히 온당하다고 본다.

  이와 관련해 唐의 房玄齡(578~648)이 註釋한 『管子』에 따르면 黑齒를 "모두 南夷의 國號이다"[46]고 했다. 그렇듯이 唐代人들은 흑치가 東南아시아 지역이라는 공간적 인식을 지녔다. 이러한 맥락에서 볼 때 『삼국지』 倭人 條의 "또 侏儒國이 그 (여왕국) 남쪽에 있는

---

46 『管子』권8, 第二十 小匡. "黑齒, 皆南夷之國號也"

데, 사람들의 키는 3~4尺이며, 여왕(국; 邪馬臺國)으로부터 4천여 里 떨어져 있다. 또 裸國 · 黑齒國이 다시금 그 (주유국) 동남쪽에 있는데 船行으로 1년이면 도달할 수 있다"[47]는 기사가 주목된다. 『신당서』南蠻傳에도 "群小 蠻夷의 종류는 많아서 기록할 수 없는데, 黑齒 · 金齒 · 銀齒 세 종류가 있다. 사람을 만날 때는 漆 및 鏤金 · 銀飾으로써 치아를 장식하였지만 취침시나 식사 때는 이것을 떼어 내었다"[48]고 하여 보인다. 후자의 '黑齒'는 풍속과 연관지어 등장하고 있다. 실제 鄭夢周의 詩에 의하면 南越의 풍속으로 黑齒 습속이 보인다.[49] 어쨌든 '黑齒'가 남만전에 수록되어 있는 관계로 대략의 그 위치를 가늠하게 한다. 이러한 기사를 토대로 중국의 梁嘉彬은 일찍이 黑齒의 위치를 지금의 필리핀 群島로 비정했다.[50] 즉, 앞서 소개한 『삼국지』왜인 조에 따르면 지금의 琉球인 侏儒國에서 동남쪽으로 나가면 太平洋이 된다. 그러므로 裸國과 흑치국은 반드시 琉球의 西南쪽으로 지목해야 마땅하다. 게다가 『삼국지』와 『양서』의 同 條를 비교하면 裸國과 흑치국은 모두 주유국(琉球)의 남쪽에 소재하였다. 그리고 흑치국은 裸國의 東南에 소재한 것이다. 그런데 呂宋(필리핀)에 관한 중국과 일본 관련 기록을 놓고 볼 때 呂宋은 臺灣의 東南方에 소재하였다. 따라서 裸國은 臺灣이고, 그 東南에 소재한 흑치국은 명백하게 필리핀임을 입증했다.

이와 더불어 『梁書』倭 條는 裸國과 黑齒國 外의 세계에 대한 기사를 덧 붙였다. 즉 "(이곳에서) 또 西南으로 萬里에는 海人이 있는데, 몸은 검고 눈은 하얀데, 벗고 있으나 醜하다. 그들은 살찐 것을 좋아하는데, 지나가는 者를 혹은 쏘아서 그를 잡아 먹는다"[51]고 했다. '海人'은 대만과 필리핀 群島의 서남방 萬里 海中에 있으며 唐 · 宋時代에는 이들을 '崑崙奴'라고 통칭하였다. 훗날 西洋人들이 南海 중에 散居한 이들을 '小黑人'이라고 불렀다. 이들은 漆黑人種으로서 흑치국인들과 비교하면 더욱 새카맣고 形貌는 醜怪한데, 활

47 『三國志』권30, 東夷傳 倭人 條. "又有侏儒國 在其南 人長三四尺 去女王四千餘里 又有裸國 · 黑齒國 復在 其東南 船行一年可至"

48 『新唐書』권222, 南蠻下. "群蠻種類多 不可記 有黑齒 · 金齒 · 銀齒三種 見人以漆 及鏤金銀飾齒 寢食則去 之"

49 『圃隱集』권1, (洪武 丁巳) 奉使日本作(其七).

50 梁嘉彬, 「魏志朱儒國(今琉球) 裸國(今台灣)黑齒國(今菲律賓)考」 『大陸雜誌』特刊 第2輯, 1962, 337~344 쪽; 梁嘉彬, 『琉球及東南諸海島與中國』, 私立東海大學, 1979, 278~279쪽.

51 『梁書』권54, 倭 條.

을 쏘아 사람을 잡아 먹었다는 것이다.[52] 요컨대 이러한 '海人' 기록들 역시 梁代의 중국인들이 대만이나 필리핀 보다 훨씬 멀리 있는 東南아시아 세계에 대해 희미하나마 정보를 접했음을 뜻한다. 이 사실은 逆으로 당시 중국인들이 나국과 흑치국을 대만과 필리핀으로 분명히 인식했음을 방증하는 지표가 될 수 있다.

실제 이와 관련해 梁의 昭明太子(501~531)가 지은 『文選』에 보면 "…於是舟人漁子 徂南極東 或屑没於黿鼉之穴 或挂脂於岑巇之峯 或瀄汩洩洩於裸人之國 或汎汎悠悠於黑齒之邦 … 徒識觀怪之多駭 乃不悟所歷之近遠 爾其爲大量也 …"라는 기록이 주목된다. 이 기록을 통해 梁代에는 중국인 漁夫들이 臺灣[裸人之國]과 필리핀 群島[黑齒之邦]에 도달했음을 알 수 있다. 閩浙에서 出航하면 여름에는 西南信風을 타는 까닭에 "易極東"이라 하였고, 回航은 겨울철에 東北信風을 탔고, 겨울철에는 또 매번 北風이 갑자기 불기 때문에 "易徂南"이라고 했다. 중국의 華北人이 연안을 이용하고 또 섬을 따라서 항해를 할 때는 반드시 먼저 한반도와 일본열도 및 琉球[侏儒國]를 지나 대만[裸國]에 이른다. 대만에서 필리핀 간의 항로는 지극히 순조로워서 臺灣 동남으로부터 항해한 즉 필리핀 群島[黑齒國]에 이를 수 있다. 아울러 대만인들이 나체 생활했음을 부차적으로 입증했다.[53] 따라서 흑치의 소재지는 동남아시아 지역임이 분명해진다.

여기서 백제 왕실이 흑치상지의 祖先을 黑齒에 封했다고 한다. 이러한 分封은 領域的 개념이 수반된 것이므로 백제의 海外 거점과 연결 지을 수 있는 사안이다. 아울러 백제 왕족인 黑齒常之의 祖先들이 黑齒에 分封될 수 있는 토대가 구축되었다고 본다. 黑齒의 위치는 명백히 지금의 필리핀 群島임은 숱한 문헌 자료를 통해 입증된다. 필리핀 북부 지역에서 확인된 蒙古斑點의 존재가 무엇을 말하겠는가?[54] 그럼에도 黑齒의 소재지를 필리핀으로 지목하는 견해에 반대하는 주장이 있다. 즉 黑齒의 소재지를 禮山으로 지목한 견해가 있지만 고증상의 문제점은 너무도 많았다.[55] 흑치=예산설의 핵심 근거는 지금의 예산군 예산읍을 백제 때 烏山이라고 한 사실에 두고 있다. 즉 烏山은 '검은山'이므로 黑齒와 연관이 있다는 것이다. 이 문제를 보완해서 검증해 본다. 백제 때 烏山은 통일신라

---

52 梁嘉彬, 『琉球及東南諸海島與中國』, 私立東海大學, 1979, 279쪽.

53 梁嘉彬, 『琉球及東南諸海島與中國』, 私立東海大學, 1979, 280쪽.

54 2012년 11월 6일에 서울에서 만난 필리핀 Santo Tomas 대학 교수 박정현이 그러한 사실을 제보해 주었다.

55 이에 대해서는 李道學, 『백제 사비성시대 연구』, 일지사, 2010, 274~275쪽에서 詳論하였다.

경덕왕대를 전후해서 孤山으로 지명이 바뀌었다. 그리고 고려 초에는 현재의 禮山 지명이 생겨났다. 여기서 경덕왕대를 전후해서 행정지명을 바꿀 때는 종전에 사용한 지명의 音을 漢譯하는 형식이 많다. 그러니 '烏山'을 '외山'으로 읽었기에 '외로울' '孤' 字를 넣어서 孤山으로 지명을 바꾼 것임을 알 수 있다. 혹자의 주장처럼 결코 烏山을 '검은 山'과 관련 짓지 않았음을 알게 된다. 烏山을 '검은 山'과 관련지었다면 '黑山'으로 고쳤어야 마땅하다.[56] 실제 경상북도 안동의 군자 마을에 소재한 烏川을 '검은 내'가 아니라 '외내'로 읽고 있다. 이것만 보더라도 烏山은 '외山'으로 읽었기에 孤山으로 바뀐 사실이 다시금 확인된다. 따라서 烏山=黑山이라는 心證에 근거한 막연한 黑齒=禮山說은 근거를 완전히 상실했다. 그랬기에 앞으로는 이 件을 재론해서는 안될 것 같다.

필자는 최근에 필리핀 국립박물관에 소장된 우리나라 삼국시대 토기들을 확인할 수 있었다. 게다가 푸켓박물관 타와치이 학예관이 "비록 작은 수이지만 태국 일부 지역에서는 한국식 도자기가 발견되고 있습니다"[57]라는 증언까지 제기되었다. 그러니 이제는 누구라도 백제의 필리핀 진출을 확신하게 될 것 같다.

2) 백제의 扶南國 및 印度, 그리고 崑崙과의 交涉

백제는 다시금 항로를 확장시켜 인도차이나 반도까지 이르렀다. 다음의 기사에서 보듯이 백제는 지금의 캄보디아를 가리키는 扶南國과 교역하였다.

> j. 가을 9월에 백제 聖明王이 前部 奈率 眞牟貴文과 護德 己州己婁와 더불어 物部 施德 麻奇牟 등을 보내어 와서 扶南 財物과 奴 2口를 바쳤다.[58]

543년(성왕 21)에 백제가 扶南 곧 메콩강 하류 유역과 그 삼각주를 거점으로 한 지금의 캄보디아 지역의 財物과 노비 2口를 倭에 보냈다. 『晋書』 南蠻傳에 보면 "扶南은 林邑에서 서쪽으로 3천여 里 떨어져 있다. 바다의 大灣 중에 있는데, 그 땅의 넓이는 가로 세로

56　李道學, 『백제 사비성시대 연구』, 일지사, 274쪽.

57　註 81을 참조하기 바란다.

58　『日本書紀』 권19, 欽明 4년 조. "秋九月 百濟聖明王遣前部奈率眞牟貴文·護德己州己婁與物部施德麻奇牟等 來獻扶南財物與奴二口"

가 3千里이다"[59]고 하였다. 여기서 임읍은 지금의 중부 베트남을 가리킨다. 그런데 혹자
는 이때 백제가 중국을 경유해서 부남의 재물을 확보하지 않았을까 추측한다. 그러면 이
주장을 검토해 보자. 그 이전부터 간헐적으로 조공을 해 오던 부남국이 梁에 마지막으로
조공한 시점이 539년이었다. 539년에 부남국이 梁에 진상한 물품은 기록에는 보이지 않
지만 토산물이나 불교 관련 물품이었을 가능성은 있다. 그러나 부남국이 梁에 奴 즉 生
口를 진상한 기록은 어디에도 없다.

　백제는 534년과 541년에 梁에 조공하였다. 이때 梁은 백제측이 요구한 열반경을 비롯
한 經典과 毛詩博士 및 工匠과 畫工 등을 내려주었다. 그런데 백제가 扶南의 財物이라고
할 수 있는 물품을 梁에서 얻었다는 증거는 없다. 또 그러한 물품이나 奴를 백제가 梁에
요구하지도 않았다. 중국과 무관한 이국산 물품을, 그것도 자국에서도 희귀하여 조공받
은 것을 梁이 다시금 백제에 내려줬다는 근거는 어디에도 없다. 백제가 倭에 보내줄 정
도였다면 부남의 재물과 奴를 일정하게 확보한 선상에서 그 잉여물을 보냈다고 보아야
맞다. 그러나 백제가 그러한 물품을 梁에 요구하지도 않았고, 받은 바도 없다.

　539년 이후에 부남국의 梁 朝貢도 끊기고 만 정황에 비추어 볼 때 543년에 백제가 倭
에 보내 줄 수 있던 부남의 재물과 奴의 源泉은 드러난다. 곧 이는 백제가 梁에 의존했다
면 扶南의 재물이나 奴 등을 확보할 수 없는 상황에 도달했음을 뜻한다. 그런 만큼 扶南
의 재물과 奴는 백제인들이 부남국을 직접 찾았을 때 확보가 가능한 資産인 것이다.[60] 이
와 관련해 562년에 신라가 점령한 대가야의 王城門인 旃檀梁의 '旃檀'은 扶南에서 '王'을
가리키는 호칭이었다. 따라서 전단량은 '王門'의 뜻으로 밝혀졌다. 이로써 扶南語의 가야
침투를 상정할 수 있다.[61] 그 遠因은 백제와 부남과의 관계에서 찾을 수 있다. 이와 관련
지어 512년 4월 梁에 파견된 백제 사신이 처음으로 扶南·林邑과 함께 조공한 다음 기사
가 유의된다.

　　k. 百濟·扶南·林邑國이 함께 사신을 보내어 方物을 바쳤다.[62]

59　『晋書』권97, 南蠻傳. "扶南 西去林邑三千餘里 在海大灣中 其境廣袤三千里"
60　李道學, 「백제의 동남아시아 交流論은 妄想인가?」『慶州史學』30, 2009, 73~75쪽.
61　李道學, 「百濟의 交易網과 그 體系의 變遷」『韓國學報』63, 1991, 79~80쪽.
62　『梁書』권2, 武帝中, 天監 11년 4월 조. "百濟·扶南·林邑國 并遣使獻方物"

위의 기사는 백제와 부남 및 임읍간의 일종의 연계성을 암시해 준다. 설령 그렇지 않더라도 적어도 512년 4월에는 위의 삼국 사신이 梁의 수도에서 遭遇했음을 뜻한다. 이때 백제와 부남국 등과 교류의 물꼬가 트였을 수 있다. 그리고 554년(성왕 32)에 백제가 왜에 보낸 물품 가운데 羊毛를 주성분으로 하는 페르시아 직물로서 북인도 지방에서 산출되는 氍毹의 존재가[63] 다음에서 확인된다.

l. 또 奏上하기를 "臣은 별도로 軍士 萬人을 보내어 任那를 도울 겁니다. 아울러 들은 것을 아뢰기를 지금 일이 바야흐로 급하므로 배 한 척을 奏上합니다. 다만 좋은 비단 2필·氍毹 1領·도끼 300口 및 捕獲한 城民 남자 2명과 여자 5명을 바칩니다…"라고 했다.[64]

위에 보이는 氍毹은 페르시아語의 Taptan·Tapetan의 漢音 표기라고 한다. 氍毹의 産地는 "天竺國; 細布와 좋은 氍毹이 나온다"[65]라고 했듯이 印度에서 품질 좋은 氍毹이 산출되었다. 백제인들의 이 같은 氍毹 수입은 동남아시아 諸國과의 접촉을 뜻한다.

백제는 북인도 지방의 모직물을 재료로 하여 제작한 氍毹과 같은 카페트를 수입하여 倭에 선물하기까지 했다. 모두 6세기 중반에서 7세기 중반 경의 일이었다. 이러한 항해 루트 덕분에 성왕대의 승려인 謙益이 中印度 곧 中天竺에서 佛經을 가져 올 수 있었다. 백제가 동남아시아 諸國과 교류한 흔적은 구체적으로 포착된다. 백제 律宗의 鼻祖인 謙益에 대한 기사가 「彌勒佛光寺事蹟」을 인용한 『조선불교통사』에 다음과 같이 보인다.

m. 丙午 4년(신라 법흥왕 13년, 고구려 안장왕 8년, 梁 보통 7년)에 백제 沙門 겸익이 중인도 상가나대 율사에 이르러 梵文을 배우고 律部를 공부하고 梵僧 倍達多三藏과 같이 범문 律文을 가지고 귀국하여 72권을 번역하여 완성하였다. 이것으로 백제 율종의 시작으로 삼는다. 曇旭과 惠仁 두 법사가 律疏 36권을 저술하였다.

n. 미륵불광사사적에 이르기를 백제 성왕 4년(526) 丙午에 沙門 謙益이 마음 속으로 맹세하여 律을

---

63 李龍範, 「處容說話의 一考察」 『震檀學報』 32, 1969; 『處容研究論叢』 1989, 258쪽.

64 『日本書紀』 권19, 欽明 15년 12월 조. "又奏 臣別遣軍士萬人 助任那 并以奏聞 今事方急 單 船遣奏 但奉好 錦二匹·氍毹一領·斧三百口 及所獲城民 男二女五名"

65 『兩漢博聞』 西域傳 78. "天竺國 出細布好氍毹"

구하기 위해 航海로써 中印度 常伽那大律寺에 이르렀다. 梵語를 5년 동안 배워 깨우치는 한편 律部를 깊이 공부하여 戒體를 장엄하고 梵僧 倍達多三藏과 더불어 범문 阿曇藏과 五部律文을 가지고 귀국하였다. 백제왕은 羽葆와 鼓吹로 교외에서 맞이하여 興輪寺에 안치하였다. 국내의 명승 28인을 불러들여 겸익법사와 더불어 율부 72권을 번역하게 하니 이가 곧 백제 율종의 鼻祖이다. 이에 曇旭과 惠仁 두 법사가 律疏 36권을 지어 왕에게 바쳤다. 왕이 毗曇과 新律에 서문을 써서 台耀殿에 보관하였다. 장차 목판에 글자를 새겨 널리 펴려고 하였으나 미처 겨를을 내지 못하다가 돌아 가셨다.[66]

위의 인용 가운데 m은 이능화가 n을 요약해 놓은 글에 불과하다. 그러므로 「彌勒佛光寺事蹟」을 인용한 n이 검토 대상이다. 그런데 n은 현재 전하지 않는 「彌勒佛光寺事蹟」을 인용하였다. 미륵불광사는 그 연원이 중인도에서 귀국한 겸익이 주석했던 興輪寺까지 올라 가는 것 같다. n에 보이는 겸익의 사적과 관련해 다음과 같은 평가가 뒤따랐다.

o. … 이 보다 앞서 同王 四年(西紀 五二六)에는 謙益이 印度에 가서 五部律의 梵本을 갖고 돌아와 二十八人의 名僧과 함께 律部 七十二卷을 飜譯하여 百濟 律宗의 鼻祖가 되었다. 또 이때 曇旭·惠仁 兩法師는 律疏 三十六卷을 著述하는 등 戒學이 크게 發達하였다.[67]

p. 이 시대에 가장 중요한 종파는 戒律宗이었다. 백제의 謙益이나 신라의 慈藏 등이 그 대표적 인물이지만 …[68]

이와 더불어 「彌勒佛光寺事蹟」의 신빙성을 높이 평가하면서 해상 실크로드를 이용하여 겸익이 다녀왔다고 분석했다. 즉 백제에 불교가 전해진지 100년이 지나 불교 교단의 팽창에 따른 새로운 律文의 필요를 느꼈다는 것이다. 무녕왕과 성왕 治世에 백제는 국가 증흥 계획에 따라 새로운 문물 수입에 적극적이었다. 겸익은 국가에서 파견한 유학생이었을 것이다. 「彌勒佛光寺事蹟」이 전하는 당시의 백제 사정은 역사상의 제반 사실과 모순되지 않는다고 했다.[69] 겸익의 이 같은 활약상은 더욱 보강되었다. 겸익이 백제를 출발

---

66 李能和,『朝鮮佛教通史(上篇)』, 新文館, 1918, 聖王 31년 조 備考.

67 李丙燾,『韓國史 古代篇』, 乙酉文化社, 1959, 578~579쪽.

68 李基白,『韓國史新論』, 一潮閣, 1990, 91쪽.

69 小玉大圓,「百濟求法僧謙益とその周邊 上·下」『馬韓百濟文化』8·10, 1985·1987, 27~53쪽. 167~200쪽.

한 시기를 512년(무녕왕 12)으로, 귀국은 542년(성왕 20)으로 새롭게 설정했다. 사비성 천도 후 백제의 문화적 우위를 견지하기 위해 인도까지 가서 求法이 필요했다는 것이다. 중국의 남조는 계율에 대한 연구나 실천에서 본받을 만한 것이 없었다고 한다. 해서 겸익이 가지고 온 계율은 소승 계통의 논장과 율장이었다.[70] 더욱이 西晉代 이후로 중국과 印度 間에는 陸路 외에 海路가 더욱 활발하게 이용되었다고 한다.[71] 겸익은 이러한 기왕의 해상로를 이용한 것이었다. 그 밖에도 백제와 東南아시아와의 교류는 다음의 기사에서도 확인된다.

q. 또 백제 使人이 崑崙 사신을 바다 속에 던져버렸다.[72]

위의 기사만으로는 백제 使人이 곤륜 사신을 水葬시킨 장소는 불확실하다. 그러나 곤륜은 『구당서』 南蠻傳에 "林邑 以南부터는 모두 곱슬머리에 신체는 새카만데 통상적으로 崑崙이라고 부른다"[73]고 하여 보인다. 崑崙은 지금의 남베트남·캄보디아·타이·미얀마·남부 말레이半島 등을 일괄한 동남아시아 지역에 대한 호칭이었다.[74]

그러면 海難 중에 이방인들은 왜 제거된 것일까? 전통적으로 不淨이나 怪奇한 것은 海難의 原因으로 말해져 왔다.[75] 이러한 맥락에서 본다면 백제 使人들이 崑崙 사신을 海擲시킨 이유가 구명되어 진다. 즉 백제가 동남아시아 諸國과 교섭할 때 崑崙使를 乘船시켜 歸國하다가 遭難당하자 넝큼 '異邦人'들을 水葬시켰을 가능성이다.[76] 이러한 추론은 지금까지의 정황과 결부 지어 본다면 일반인이 아닌 '百濟使人'의 船舶이 동남아시아 諸國에 공식적으로 닿았음을 뜻한다. 水葬 사건은 백제 海域이거나 백제 선박이 미치는 공간에서 발생한 게 분명하다. 더욱이 곤륜 사신들을 수장한 곳을 '바닷속[海裏]'이라고 한 데서 海洋的인 분위기를 느낄 수 있다. 요컨대 이는 백제와 곤륜 즉 동남아시아 諸國과의 교류 없이는 발생할 수 없는 사건이다. 혹은 이 사건을 일본열도 海域에서 백제 사신이 곤륜 사신을 살해

70　심경순, 「6세기 전반 謙益의 求法活動과 그 의미」 『梨大史苑』 33·34合集, 2001, 31~54쪽.

71　季羨林, 『中印文化交流史』, 中國社會科學出版社, 2008, 28쪽.

72　『日本書紀』 권24, 皇極 원년 2월 조. "去年十一月 大佐平智積卒 百濟使人擲崑崙使於海裏"

73　『舊唐書』 권197, 南蠻傳. "自林邑以南 皆卷髮黑身 通號爲崑崙"

74　G. Codes 著·山本智敎 譯, 『東南アシ"ア文化史』, 大藏出版, 1989, 32~33쪽.

75　大林太良, 『邪馬臺國』, 中央公論社, 1977, 50~51쪽.

76　李道學, 「百濟 泗沘都城의 編制와 海外 交流」 『東아시아 古代學』 30, 2013, 254~259쪽.

한 것으로 추측할 수도 있다. 그러나 이는 전혀 타당하지 않다. 799년에 小船을 타고 漂着한 단 1명의 곤륜인과 그 이듬 해에 綿種를 가져 온 곤륜인에 관한 기록이 일본 史書에서 처음으로 눈에 띈다. 그런 만큼 곤륜 사신 水葬 사건의 공간적 배경은 일본열도와는 무관하다. 799년 이전에는 일본열도에 崑崙人이 얼씬도 하지 않았기 때문이다.[77]

3) 物證이 말하는 백제와 東南아시아와의 교류

백제금동대향로를 통해서도 백제와 동남아시아 세계와의 접촉 사실을 포착할 수 있다.[78] 백제금동대향로에 보이는 코끼리의 존재는 백제인들이 불교를 통한 간접 접촉이 아니라 實見한 것일 수 있다. 이는 백제금동대향로의 코끼리 위에 봇짐을 지고 올라 탄 사내의 모습을 통해 유추가 가능하다. 코끼리를 이 처럼 탈 것, 즉 운송 수단으로 이용한 광경은 동남아시아 지역에 실제로 가 보아야만 재현할 수 있는 모티브이다. 실제 백제금동대향로의 코끼리像은 아프리카産이 아니라 동남아시아産 코끼리로 밝혀졌다. 백제금동대향로의 코끼리는 상상의 작품이 아니라 實景 再現임이 밝혀졌다. 바로 이 점에 의미가 있지 않겠는가? 이러한 맥락에서 볼 때 백제금동대향로에 보이는 鰐魚像의 존재도 백제인들의 활동 반경과 무관하지 않겠다.

물론 백제금동대향로의 제작지를 중국으로 지목하는 견해도 있지만 다음과 같은 이유에서 수긍이 어렵다. 첫째 중국의 향로에서 코끼리나 악어 圖像이 확인된 바 없다. 둘째 백제금동대향로와의 유사성을 운위하는 중국의 화상전에 보이는 향로 받침대는 陝西省 興平縣에서 출토된 금동향로처럼 막대기 형태이다. 이에 반해 백제금동대향로는 용을 받침으로 삼았다. 물론 용을 받침으로 하는 예는 중국에도 있지만, 백제금동대향로처럼 향로의 받침을 용이 실제로 역동적인 용트림을 하는 표현을 구사한 작품은 중국에서도 찾기 힘들다. 셋째 백제금동대향로에 보면 5樂師의 머리 모습은 禿頭에다가 오른쪽 귀언저리에 머리채를 끌어 모아 묶은 형식[兩角髻]에 속한다. 즉 이같은 두발 양식은 剃頭辮髮에 속하는 것으로 유목민족 사회의 두발 형태가 된다. 백제금동대향로가 중국에

---

77 李道學, 「백제의 동남아시아 交流論은 妄想인가?」 『慶州史學』 30, 2009; 『백제 사비성시대 연구』 일지사, 2010, 284~285쪽.

78 백제금동대향로의 기능과 상징성에 대해서는 李道學, 「百濟의 祭儀와 百濟金銅大香爐」 『충청학과 충청문화』 17, 2013, 29~49쪽을 참조하기 바란다.

서 제작되었다면 상상할 수 없는 모티브인 것이다.

그리고 日本 正倉院 北倉에는 의자왕이 倭 朝廷의 실권자인 藤原鎌足에게 선물한 바둑함과 바둑돌 그리고 바둑판이 전한다. 뚜껑에 코끼리 문양이 있는 銀製 바둑함 속에 담긴 白・黑・紅・紺色의 4 종류로 된 총 516개의 바둑돌 가운데 紅色과 紺色은 재료가 象牙이다.[79] 扶蘇山寺址에서 출토된 塑造 코끼리상 양 옆면의 구멍에는 상아를 삽입하였을 것으로 판단된다.[80] 게다가 익산 왕궁평성 탑에 부장되었던 금제 금강경판은 상아로 만든 각필로 새긴 것이라고 한다. 이처럼 백제에서는 상아의 사용이 일상화되었고, 그러한 需要에 따라 東南아시아産 물품의 공급이 잇따랐을 것이다. 실제 원산지가 스리랑카인 紫檀木으로 제작된 바둑판의 17개 화점 숫자는 중국 바둑판과는 전혀 다르다. 지금은 사실상 명맥이 끊긴 국산 순장바둑판과 동일한 것으로 밝혀졌다. 따라서 의자왕이 보낸 바둑판은 백제 제작이 명백하다. 백제금동대향로에 보이는 봇짐을 지고 코끼리에 올라탄 사내의 모습은 백제와 東南아시아 諸國間 교류의 一端을 躍如하게 보여주고 있다. 더구나 코끼리상은 아프리카産이 아니라 東南아시아産으로 밝혀졌다. 實景 코끼리상으로 드러난 것이다.

그리고 백제는 '使人'이라는 공식 사절을 동남아시아 諸國의 일원인 崑崙과 접촉시킨 사실이 포착되었다.[81] 이렇듯 백제는 필리핀 群島를 통과해 그 보다 훨씬 원거리에 소재한 인도차이나半島 諸國들과 교류하였다.[82] 백제가 東南아시아 諸國과 교류한 사실은 물증을 통해서도 밝혀진다. 가령 무령왕릉에서 출토된 황색의 유리 구슬을 인도-퍼시픽 유리라고 한다. 이 유리의 납 성분은 현지 조사 결과 태국 송토 납광산이 원산지로 밝혀졌다. 그리고 무녕왕릉에서 출토된 소다 유리는 印度나 스마투라를 비롯한 동남아시아 지역에서 확인된다고 한다.[83] 이와 더불어 익산 미륵사지 서탑에 부장되었던 진주조개의 존재도 오키나와 이남 東南아시아 지역과의 교류를 암시해준다.

---

79 東京國立博物館,『特別展 正倉院寶物』1981, 그림 24・25; 奈良國立博物館,『正倉院展』1982, 82~85쪽; 奈良國立博物館,『第五十七回 正倉院展』2005, 32쪽.

80 梁銀景,「百濟 扶蘇山寺址 出土品의 再檢討와 寺刹의 性格」『대백제/ 백제의 숨결을 찾아서』, 동아시아국제학술포럼, 2009, 367쪽.

81 『日本書紀』권24, 皇極 원년 2월 조.

82 이와 관련해 TJB TV 백제기획에서 푸켓박물관 타와치이 학예관이 "비록 작은 수이지만 태국 일부 지역에서는 한국식 도자기가 발견되고 있습니다(2012. 11. 12. 오후 8시 뉴스)"라는 증언이 중요한 참고 자료가 된다.

83 MBC,「네트워크 특선, 무령왕의 꿈 갱위강국」2011. 12. 30(오후 2시 5분~3시).

아울러 백제가 남방 조류인 鸚鵡를 倭에 선물한 바 있다.[84] 혹자는 鸚鵡는 중국을 통해 백제로 전해진 것으로 추측하기도 한다. 그러나 세계 최대의 영역을 자랑하는 元帝國의 관리가 14세기 전반에 작성한 견문에서도 "새 가운데 공작과 비취새와 앵무새는 중국에 없는 것이다"[85]고 斷言했다. 그러니 6~7세기 상황에서 백제가 중국을 통해서 앵무를 얻었을 가능성은 없다. 貞元 연간(785~805)에 신라가 당에 孔雀을 바치자 德宗이 邊鸞으로 하여금 그리게 하였다.[86] 중국인들이 궁중에서라도 孔雀을 접하는 일이 있었다면 신라가 조공하지 않았을 것이다. 세계국가의 首長인 唐帝도 名畵家를 동원해 공작을 그리게까지 하지는 않았을 게 분명하다. 따라서 신라의 조공품인 공작은 중국에서 수입한 게 아니었다. 이는 독자적 교역의 산물이라는 사실이 명백해진다. 백제의 남방산 물자의 所持도 중국과는 무관한 경로를 통해 입수했음을 뜻한다. 의자왕이 후지와라노 가마다리에게 선물한 廚子에 들어있는 무소의 뿔[犀角]도[87] 동일한 맥락에서 살필 수 있다. 게다가 백제금동대향로에 보이는 猩猩은 적은 숫자이지만 캄보디아에 서식하였다.[88] 캄보디아를 비롯한 東南아시아에서는 백제금동대향로에 보이는 鰐魚의 서식지였다.

이와 더불어 가칭 정림사지에서[89] 출토된 陶俑 가운데 2개의 곱슬머리 頭像이 주목된다.[90] 물론 이러한 陶俑은 북위 낙양 영녕사지에서도 출토된 바 있다. 그랬기에 北魏나 南朝 梁의 기술자가 백제에 와서 제작해 준 것으로 추측하기도 한다. 그러나 가칭 정림사지의 조성 연대는 考古地磁氣 측정 결과 7세기대로 드러났다.[91] 따라서 北魏나 梁의 기술자와 연계시켜서 陶俑의 제작 배경을 云謂할 수 없게 된다. 더구나 영녕사지 등에서 곱슬머리 頭像 陶俑이 출토된 사례가 있던가? 「梁職貢圖」에 등장하는 使臣圖와 맞추어 볼 때 곱슬머리 頭像의 주인공은 西域人이기 보다는 동남아시아인이 분명하다. 특히 「王

---

84 『日本書紀』권26, 齊明 2년 조.

85 周達觀 著・전자불전・문화재콘텐츠연구소 篇, 『진랍풍토기』, 백산자료원, 2007, 87쪽.

86 朱景玄, 『唐朝名畵錄』妙品中 五人 邊鸞.

87 사카에하라 토와오 著・이병호 譯, 『정창원문서입문』, 태학사, 2012, 91쪽.

88 周達觀 著・전자불전・문화재콘텐츠연구소 篇, 『진랍풍토기』, 백산자료원, 2007, 88쪽.

89 李道學, 「泗沘城 遷都와 都城 企劃, 그리고 '定林寺'」『정림사복원 국제학술심포지엄』, 부여군문화재보존센터, 2012.6.13, 183~195쪽; 李道學, 「百濟 泗沘都城과 '定林寺'」『白山學報』94, 2012, 107~136쪽.

90 국립부여박물관, 『백제인의 얼굴, 백제를 만나다』2012, 160~161쪽.

91 國立扶餘文化財硏究所, 『扶餘 官北里 遺蹟發掘報告Ⅴ-2001~2007년 調査區域 統一新羅時代以後遺蹟篇-』2011, 321쪽.

會圖」에서 지금의 印度人을 가리키는 中天竺人과 北天竺人은 陶俑처럼 곱슬머리에 수염도 없다. 『구당서』 南蠻傳에서도 "林邑 以南부터는 모두 곱슬 머리에 신체는 새카만데"[92]라고 하였다. 더욱이 백제 사찰터에서 확인된 도용인 것이다. 그리고 백제가 불경을 얻어 왔던 불교 발상지가 天竺이 아닌가? 그러니 가칭 정림사지 출토 곱슬머리 頭像은 백제와 동남아시아 지역간 교류의 산물일 수 있다.[93]

이와 더불어 백제는 곤륜과의 교류를 통해 綿種을 입수했을 가능성이 농후해졌다. 근래에 부여 능산리 절터에서 확인된 면직물의 유입로는 그간 추측했던 중국이나 중앙아시아와 결부 지을 수 없게 되었다. 중국 본토에는 宋代 이후에야 면화가 印度에서 유입되었기 때문이다.[94] 일본열도에서는 800년에 와서야 곤륜을 통해 綿種을 수입한 사례가 있었다. 그러한 綿種을 확보한 곤륜이나 목면의 원산지인 印度와도 백제는 교류하였다. 따라서 능산리 절터에서 면직물까지 확인된 것을 볼 때 그 기원은 명백해 지는 것이다.

그 밖에 무령왕릉에서 출토된 方格規矩神獸文鏡은 베트남과 같은 南方製일 가능성이 제기되었다[95]. 656년에 왜 사신이 백제에서 받아간 선물 가운데 鸚鵡는 열대 아시아 지역에서 서식하는 조류이다. 즉 "앵무는 본래 서역의 靈禽이온데, 저 琉球가 南蠻과 같이 바친 공물이옵니다"[96]고 하였듯이, 백제는 오키나와나 그 이남의 東南아시아 諸國을 통해 입수하였다. 백제의 영향권이었던 대가야의 고령 지산동 44호분에서 출토된 국자의 재료인 夜光貝는 奄美大島 이남의 열대 인도양과 태평양에 분포하는 암초에 서식한다. 백제에서 제작한 木畵紫檀碁局의 재료인 紫檀은 원산지가 스리랑카로 알려져 있다. 이러한 추세에 비추어 볼 때 야광패는 가야와 왜의 교류 보다는 역시 백제와 東南아시아 諸國間 교류의 산물로 보인다. 요컨대 이 같은 물품들을 통해서도 백제와 동남아시아 諸國間의 교류를 확인할 수 있다.

이와 관련해 부여군 구아리에서 출토된 백제 때 塑造 獅子像의 존재가 주목된다.[97] 그

---

92 『舊唐書』권197, 南蠻傳.

93 백제와 동남아시아와의 교류에 대한 전반적인 골자는 李道學, 「百濟의 海上실크로드 探究」 『東亞海洋文化國際學術會議 論文集』, 浙江大學, 2013. 8. 20, 173~192쪽에 의하였다.

94 李道學, 「백제의 해양 활동사」 『동북아역사문제』 90, 동북아역사재단, 2014, 10쪽.

95 尹武炳, 「百濟武寧王陵과 藤ノ木古墳」 『古代史國際シンポジウム硏究報告集』 6쪽.

96 『東文選』권33, 「賀琉球國獻鸚鵡箋」.

97 梁銀景, 「百濟 扶蘇山寺址 出土品의 再檢討와 寺刹의 性格」 『대백제/ 백제의 숨결을 찾아서』, 동아시아국제학술포럼, 2009, 371쪽.

리고 5세기 말경에 조성된 신라 고분에서 출토된 土偶의 경우 신라인들도 머나먼 세계에 대한 체험을 했음을 알려준다. 즉 개미핥기나 물소 土偶 외에 역시 한반도에서 서식하지 않는 원숭이나 앵무새와 駝鳥까지 묘사되었다.[98] 구세계원숭이는 열대성 삼림에서 수상 생활을 한다. 신라인들이 5세기말에 이미 체험한 東南아시아 世界는 백제인들에게도 결단코 신기할 수 없음을 반증해 준다. 요컨대 삼국 중 지형적으로 볼 때 해외 체험이 가장 활발했을 백제의 항해 반경은 넉넉히 짐작이 가는 것이다.

훗날의 후백제왕 甄萱은 사신을 고려로 보내어 지난 번과 마찬가지로 孔雀扇과 지리산의 竹箭을 바쳤다.[99] 공작선은 공작의 꼬리털로 만든 부채로서, 후백제인들이 공작을 직접 사육했다 하더라도 교역을 통해서만이 확보할 수 있다. 신라가 조공품으로 唐에 보낸 孔雀이나, 후백제왕이 고려왕에게 선물한 孔雀扇의 존재는 신라가 東南아시아 지역과 연결된 루트를 독자적으로 확보했음을 알려준다. 그러면 시대를 내려와서 살펴 보자.

1030년(天聖 8, 고려 현종 21)에 고려 조정이 宋에 조공한 공물 가운데 硫黃이 보인다. 硫黃은 일본이나 유구국 등을 통해서 입수할 수 있다. 실제 유구국왕이 고려에 유황 300斤을 바친 적이 있었다.[100] 그리고 공민왕이 文殊會를 개경 연복사에서 설치했을 때 사자와 코끼리가 동원된 바 있다.[101] 印度에서 서식하는 獅子와 코끼리가 고려로 매입된 것이다. 백제 이래의 航路가 활용되었음을 뜻한다고 보겠다.

4. 航路와 造船術

백제는 5세기 후반에는 쌍배인 舫이라는 선박을 운용하여 중국 대륙에 사신을 파견하였다. 그리고 왜에서 2척의 선박을 건조하였는데, 이것을 일러 '百濟船'라고 했을 정도로[102] 백제 선박은 크고 성능 좋은 선박의 대명사가 되었다. 백제에서 중국 대륙에 이르는 항로는 서해 연안을 끼고서 항진하는 연안 항로와, 山東半島의 登州까지 도달하는 최단

98 국립경주박물관, 『신라토우』 1997, 73쪽. 84쪽. 125쪽.

99 『高麗史』 권1, 太祖 3년 조.

100 『高麗史』 권137, 신창 원년 8월 조.

101 『高麗史』 권132, 申旽傳.

102 李道學, 『새로 쓰는 백제사』, 푸른역사, 1997, 62쪽. 577쪽.

거리인 斜斷航路, 흑산도 방면을 지나 남중국의 寧波로 가는 항로 등이 있었다.[103] 또 대표적인 항구로서 인천·화성·부안·영암 등을 꼽을 수 있다.

백제에서 인도에 이르는 항로와 조선술은 뒷받침되었을까? 백제가 중국 선박을 이용하여 中天竺과 왕래했으리라는 견해가 제기될 수 있다. 또 백제는 중국에서 진귀한 물산을 수입한 후 왜에 선물했으리라는 막연히 선입견에 기댄 주장도 나온다. 백제의 동남아시아 물산 확보의 매개자로서 중국의 존재를 설정하는 경우가 있다. 이는 백제 교류의 독자성을 부인하는 것이다. 그러나 백제는 중국을 거치지 않고 이미 부남국이나 곤륜과 직접 교류하였다. 그러므로 백제와 동남아시아 諸國 사이에 '中國'을 설정한 견해는 타당성 없음이 드러난다.

이와 관련해 671년 10월에 天智 천황이 法興寺 佛前에 올린 珍財 가운데 象牙와 浸水香·栴檀香과 같은 남방 산물이 보인다.[104] 아울러 675년 정월에 "大學寮 諸學生·陰陽寮·外藥寮 및 舍衛國女·墮羅의 女·백제왕 善光·신라 仕丁 등이 捧藥 및 珍異한 물건을 진상하였다"[105]는 기사가 주목된다. 정월 초하루에 천황의 무병장수를 기원하는 행사에 등장하는 사위국은 인도의 사위국이다. 墮羅는 태국 메남강 하류의 왕국 가운데 하나로 지목하는 데는 이견이 없다. 그런데 이들 나라가 675년 이전에 왜와 교류한 적은 없다. 다만 분명한 것은 당시 인도를 비롯한 인도차이나 諸國이 일본열도에 이를 수 있을 정도의 항해술이 담보되었다는 것이다. 이렇듯 675년에 인도를 비롯한 인도차이나 諸國이 왜에 사신을 보냈다. 바꿔 말해 이 사실은 백제의 동남아시아 교역 체계가 백제 멸망 후 왜에 넘어 간 사실을 암시한다. 나아가 백제가 중국을 통해 남방 문물을 흡수했으리라는 견해가 막연한 추측에 불과했다는 사실이 다시금 드러난 것이다.[106]

그러면 백제의 동남아시아 諸國에 이르는 항로는 어떻게 이어지고 있었을까? 금강에서부터 西海沿岸을 돌아 제주도 내지는 北九州→오키나와[琉球]를 중간 기항지로 하면서 대만해협을 통과하여, 중국 남부 연안의 福州나 필리핀 群島에서 인도차이나반도를 통과하여 印度에 이르는 거대한 海上실크로드였을 것으로 생각된다. 백제에서 인도로 이어지는 航路는 다음과 같이 설정할 수 있다.

103   윤명철,『해양사연구 방법론』, 학연문화사, 2012, 181~237쪽.
104   『日本書紀』권27, 天智 10年 10月 庚午 條.
105   『日本書紀』권29, 天武 4年 正月 丙午朔 條.
106   李道學,「百濟의 對倭交易의 展開 樣相」『민족발전연구』제13-14호, 2006, 110쪽.

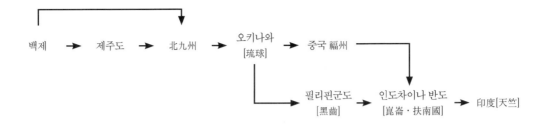

혹은 남인도→동남 아시아→중국 산동성으로 이어지는 남방 해로 가운데 '靑州 루트'는 한반도까지 연결된다고 한다.[107] 바로 이 루트를 이용해서 백제가 동남 아시아와 직접 교류했을 가능성도 모색될 수 있다. 백제는 금강에서 남중국 연안→福州→대만해협→필리핀群島→인도차이나반도→印度로 이어지는 大航路가 되겠다. 이와 더불어 7세기대 신라 불상을 놓고 볼 때 해로를 통해 인도 불상 양식이 직접 전해진 것으로 추정된다. 진흥왕대에 인도 阿育王이 배에 실어 보낸 황금에 의해 불상을 조성했다는 기록도 해로를 통한 兩者間의 교류가 생각 보다 활발했음을 알려준다.[108]

5. 맺음말

백제는 굴곡이 많은 리아시스식 해안이 발달한 지형적 특질을 한껏 활용해서 드 넓은 세계를 호흡하였다. 이와 관련해 조선술과 항해술이 자연 뒷받침되었던 것이다. 본고에서는 백제의 해외 활동에 관한 문헌 기록 가운데 진부하다시피한 일본열도와의 관계는 제외하였다. 반면 쟁점이 되고 있는 중국대륙이나 동남아시아 지역과의 교류를 에워싼 기사를 검토해 보았다. 그 결과 다음과 같은 결론을 얻을 수 있었다.

백제의 요서경략 기사는 그간 진출 동기가 석연찮았던 관계로 기록의 명료함에도 불구하고 설득력을 얻지 못하였다. 고구려를 견제하기 위해 출병한 것처럼 적혀 있지만 구태여 그 먼 곳까지 바다를 건너와 고구려와 대결을 벌여야한다는 당위성이 부족하였던 것이다. 그렇지만 사료를 분석하는 과정에 '晉末'이 東晉末인 420년을 하한으로 한다는 점에서 後燕과 백제와의 연계성을 찾을 수 있었다. 후연은 고구려가 400년에 낙동강유

---

107   金春實,「中國 山東省 佛像과 三國時代 佛像」『美術史論壇』19, 2004, 27쪽.

108   金春實,「中國 山東省 佛像과 三國時代 佛像」『美術史論壇』19, 2004, 37쪽.

역으로 진출한 틈을 타고 기습적으로 그 후방의 700여 里의 땅을 약취하는 데 성공하였다. 그러나 곧 고구려의 반격으로 인해 대릉하 일대까지 빼앗기는 위기적인 상황에서 백제에 지원을 요청하였던 것이다. 이로 인해 백제군이 요서 지역에 진출하였지만 곧 北燕 정권이 등장하여 고구려와 우호 관계를 열었다. 이때 상황이 애매해진 遼西 駐屯 백제군은 주둔지를 實效支配하였는데, 곧 진평군의 설치인 것이다. 진평군의 존속은 488년 ~490년에 발생한 백제와 북위와의 군사적 격돌과 무관하지 않다는 심증을 안겨주었다.

『신당서』에서 백제의 서쪽 경계를 지금의 절강성 소흥시를 가리키는 越州로 지목한 것은 남중국 세계에도 일정한 연관성을 맺었음을 뜻한다. 백제가 吳越을 공략하였다는 기록과 무관하지 많은 않을뿐더러 이러한 기사를 부정할 만한 근거도 없기 때문이다. 더욱이 최근에 江蘇省 連雲港 周邊에서 확인된 무려 789基에 달하는 石室墳의 소재지는 백제인들이 居住했던 '長淮' 가운데 淮水와 연결되고 있다. 連雲港 石室墳의 조성 주체를 백제와 연관 짓는 게 가능해진다. 그리고 古墳群의 규모가 크다는 점에서 오랜 기간에 걸쳐 조성되었음을 알 수 있다. 이 곳이 백제인들의 대단위 常住 據點이었음을 암시해준다. 나아가 史書에 적힌 백제의 중국 진출 기록이 결코 虛辭가 아니었음을 입증해 주는 不動의 물증이 된다.

백제가 동남아시아 諸國과 교류하였음은 고고학적 물증으로서도 방증할 수 있었다. 그러던 터에 문헌 기록의 경우는 크나 큰 힘이 되지 않을 수 없다. 謙益의 중인도 來往이 사실이라면 黑齒의 소재지를 필리핀으로 지목하는 견해가 허황될 리는 없기 때문이다. 더구나 黑齒의 소재지를 충청남도 禮山으로 비정한 견해의 허구성을 낱낱이 밝혔기 때문에 黑齒=禮山說은 더 이상 존립할 수 없게 되었다. 그 밖에 백제와 扶南國인 캄보디아와의 교류도 중국 경유설의 허구성을 밝혔다. 부남국은 539년에 중국의 梁과의 교류가 마지막이었다. 그러나 백제는 543년에 扶南의 財物과 奴를 倭로 보내었다. 이로 보더라도 백제가 梁을 경유해서 부남의 재물을 간접적으로 취득했다는 주장의 허구성이 드러났다.

끝으로 부여군 능산리 절터에서 확인된 면직물의 유입로에 관한 단서도 얻을 수 있었다. 이 면직물의 기원을 중국이나 중앙아시아로 지목하였지만 막연한 추측에 불과하였다. 백제는 綿種을 일본열도에 전래해 준 崑崙이나 목면의 원산지인 印度와 교류한 사실이 확인되었기 때문이다. 백제 면직물의 기원은 동남아시아로 밝혀지게 되었다. 이것보다 더 분명한 사실이 어디 있을까?

지금까지 백제의 해양 활동에 관한 기록을 검증함으로써 전통시대의 한국 역사상 백제야 말로 가장 광활한 영역을 누비고 다녔던 국가로 밝혀졌다. 백제 문화의 국제성과 광대한 세계관이 갖추어진 공간적 범위가 확인된 것이다.

「百濟의 海外活動 記錄에 관한 檢證」『2010세계대백제전 국제학술회의』,
2010세계대백제전조직위원회, 2010. 10. 1;
『충청학과 충청문화』11, 충청남도역사문화연구원, 2010;
『한국과 동부 유라시아 교류사』, 학연문화사, 2015.

백제와 印度와의 交流에 대한 접근

1. 머리말

고대 한반도와 東南아시아 諸國과의 교류에 대해 필자는 적어도 역사 분야에서는 거의 독보적이라고 할 정도로 일찍부터 많은 논문을 발표한 바 있다. 이와 관련해 항시 붙는 주장은 "신중해야 한다"는 타령이었다. 외연상 학자로서의 중심을 잡고 있는데서 비롯한 훈수정도로 여길 수 있다. 그러나 先學은 신중 타령의 실체가 무능을 가장한 위선임을 폭로한 바 있었다.

사실 삼면이 바다로 둘러싸여 있었기에 한반도는 이슬람 문헌에서는 섬으로 간주되기까지 했다. 그럴 정도로 한반도 지역의 주민들은 바다를 숙명으로 여기며 波高를 헤치며 나가는 삶을 영위해 왔다. 신라의 경우는 지금의 해양수산부에 해당하는 船府를 일찍부터 개설했다. 그리고 신라 왕은 舟楫의 이로움을 설파한 바도 있었다. 大世와 仇柒이라는 신라 청년은 자국을 갑갑하게 여겼다. 그들은 배를 띄워 東南아시아로 항진했다. 호기로운 기상을 지닌 고대인들의 정취를 엿 볼 수 있다.

그럼에도 조선 후기의 海防政策으로 인해 방어 개념에 갇힌 관계로 바다 너머의 세계에 대한 관심을 거두거나 가능하지 않은 일로 돌리는 思考가 많았다. 가령 혹자는 백제가 동남아시아 지역과 교류했다면 그곳에서 좌초한 선박이라도 발굴 引揚되었어야하지 않겠냐고 했다. 이러한 논리라면 중국 동부 沿岸에서 백제나 신라의 선박이 단 한 척도 발굴·인양된 바 없으므로, 문헌에 적혀 있는 교류 기록을 부정해야만 하는 것이다. 더욱이 삼국과 교류가 가장 활발했던 일본열도에서는 왜 삼국의 선박이 단 한 척도 발굴·인양되지 않았을까?[1] 혹자의 주장대로라면 삼국의 倭로의 문화 전파도 허구라는 말인가? 이러한 사례는 연구자들이 얼마나 갇힌 사고에 머물러 있는 지를 단적으로 웅변해준다. 또 하나를 덧붙인다면 백제의 遼西 經略을 부정하는 근거로서 乘船 인원이 밝혀져야 한다는 요구 조건까지 걸기도 했다. 이러한 주장은 쉽게 말해 船票까지 제시해야 수용할지

---

[1] 李道學, 「백제의 동남아시아 交流論은 妄想인가?」『慶州史學』 30, 동국대학교 국사학과, 2009, 63~89쪽.

여부를 검토하겠다는 정서와 진배 없다. 이러한 외눈박이 의식의 전환 없이는 아무리 많은 자료와 근거를 제시한다고 한들, 보고도 볼 수 없게 되는 것이다.

본고에서는 東南아시아를 넘어 백제와 印度와의 교류 사실을 摘出하고자 했다. 이에 대해서는 謙益의 求法 航海를 통해 드러난 바 있다. 이 경우도 부정할 수 없다 보니까 단 한번 가지고 말할 수는 없고 정기적인 항해가 지속되었다는 증거 제시를 요구한 이도 있었다. 한국인들에게 심정적으로 멀게만 느껴졌던 印度였다. 그렇지만 阿踰陀國 허황옥의 국제항인 金海 來到, 阿育王의 메시지가 담긴 선박의 신라 關門 울산항 입항 기록도 兩者間의 정서적 거리를 좁혀주는 역할을 할 것이다.

사실 백제는 印度와의 교류를 통해 확보한 木花를 통한 綿織物 착용 여부를 구명해야 할 상황에 놓였다. 부여 능산리 절터에서 발굴된 면직물을 통해 그 유입 경로의 추적이 필요해졌기 때문이다. 이 점은 謙益의 求法 航海 뿐 아니라 백제와 崑崙과의 교류 기록을 비롯한 동남아시아 諸國과의 교류 사실을 통해 파악되어 질 수 있다. 그럼에 따라 고대 한국 문화의 流入路로서 중국 뿐 아니라 東南아시아를 비롯한 印度까지 상정할 수 있게 되었다. 나아가 고대 한국 문화의 복합성과 重層性을 확인할 수 있는 계기가 될 것이다.

우리나라 역사상 6~7世紀는 '大航海의 時代'였다. 이러한 力動的인 시대 흐름 속에서 백제 문화에 보이는 국제성을 살필 수 있는 구체적인 근거를 찾고자 했다. 국가간 교류에서 그러한 촉매제 역할을 하는 기제가 보편성을 지닌 宗敎였다. 백제와 印度와의 교류에도 이 점은 확인되었기 때문이다. 이와 관련해 동아시아 전반에 미친 불교 문화의 전파 과정을 언급하고자 했다. 백제의 謙益이 印度까지 求法 大航海의 동기일 수 있기 때문이다. 요컨대 본고는 한국 고대문화 유입로의 범위를 비롯하여 활동 공간을 새롭게 인식하는 데 기여하고자 한다.

2. 한반도와 印度 交流 序說

한국인들의 긍지 가운데 하나로서 과학적인 문자 한글을 꼽는다. 그러한 한글의 기원에 대해 "우리나라 諺文 글자 모양은 모두 古代 印度의 글자를 모방한 것이다. 이것은 世

宗朝 때 비로소 局을 설치하고 지어낸 것이다"[2]라는 인식이 있다. 이러한 주장의 사실 與否를 떠나 한반도와 印度와의 교류를 상정했다는 것이다. 그러면 언제부터 한국과 인도와의 교류는 시작되었을까?

駕洛國 설화에는 印度 阿踰陀國의 公主 許黃玉이 이주해 온 사실이 다음과 같이 적혀 있다.

* … 이에 왕이 왕후와 함께 寢殿에 있는데 왕후가 조용히 왕에게 말하였다. "저는 阿踰陀國의 공주로 성은 許이고 이름은 黃玉이며 나이는 16살입니다. 본국에 있을 때 금년 5월에 부왕과 모후께서 저에게 말씀하시기를, '우리가 어젯밤 꿈에 함께 皇天을 뵈었는데, 황천은 가락국의 왕 首露라는 자는 하늘이 내려 보내서 왕위에 오르게 하였으니 곧 신령스럽고 성스러운 것이 이 사람이다. 또 나라를 새로 다스림에 있어 아직 배필을 정하지 못했으니 경들은 공주를 보내서 그 배필을 삼게 하라 하고, 말을 마치자 하늘로 올라갔다. 꿈을 깬 뒤에도 황천의 말이 아직도 귓가에 그대로 남아 있으니, 너는 이 자리에서 곧 부모를 작별하고 그곳을 향해 떠나라'라고 하였습니다. 저는 배를 타고 멀리 蒸棗를 찾고, 하늘로 가서 蟠桃를 찾아 이제 아름다운 모습으로 龍顔을 가까이하게 되었습니다." 왕이 대답하기를 "나는 나면서부터 자못 성스러워서 공주가 멀리에서 올 것을 미리 알고 있어서 신하들이 왕비를 맞으라는 청을 하였으나 따르지 않았다. 이제 현숙한 공주가 스스로 왔으니 이 사람에게는 매우 다행한 일이다"라고 하였다. 드디어 그와 혼인해서 함께 이틀 밤을 지내고 또 하루 낮을 지냈다. 이에 그들이 타고 온 배를 돌려보내는 데 뱃사공이 모두 15명이니 이들에게 각각 쌀 10석과 베 30필씩을 주어 본국으로 돌아가게 하였다.

8월 1일에 왕은 대궐로 돌아오는데 왕후와 한 수레를 타고, 잉신 내외도 역시 재갈을 나란히 수레를 함께 탔으며, 중국의 여러 가지 물건도 모두 수레에 싣고 천천히 대궐로 들어오니 이때 시간은 午正이 되려 하였다. 왕후는 이에 中宮에 거처하고 잉신 내외와 그들의 私屬들은 비어 있는 두 집을 주어 나누어 들어가게 하였고, 나머지 따라온 자들도 20여 칸 되는 賓館 한 채를 주어서 사람 수에 맞추어 구별해서 편안히 있게 하였다. 그리고 날마다 지급하는 것은 풍부하게 하고, 그들이 싣고 온 진귀한 물건들은 內庫에 두고 왕후의 四時 비용으로 쓰게 하였다.[3]

---

2 『芝峯類說』권18, 技藝部, 書.
3 『三國遺事』권2, 紀異, 駕洛國記 條; 『三國遺事』권3, 塔像, 金官城婆娑石塔 條.

＊金官의 婆娑石塔이라는 것은 옛날에 이 읍이 금관국이었을 때 시조 首露王의 妃인 許皇后 黃玉이 東漢 建武 24년 戊申에 서역의 阿踰陁國에서 싣고 온 것이다. 처음 공주가 부모의 명을 받들어 바다를 건너 장차 동쪽으로 가려 하였는데 파도신의 노여움에 막혀 이기지 못하고 돌아가 父王에게 말하였다. 부왕이 이 탑을 싣고 가라고 명하니 곧 쉽게 건널 수 있어서 남쪽 해안에 정박하였다. 붉은 돛, 붉은 깃발, 珠玉 등 아름다운 것을 실었기 때문에 지금 主浦라고 부른다. 처음 언덕 위에서 비단 바지를 풀은 곳은 綾峴이라고 하며, 붉은 깃발이 처음 들어온 해안은 旗出邊이라고 한다.

수로왕이 그를 맞이하고 함께 나라를 다스린 것이 150여 년이었다. 이때에 해동에 아직 절을 세우고 불법을 받드는 일이 없었다. 대개 불교가 아직 들어오지 못하여 토착인들이 신복하지 않았으므로 본기에는 절을 세웠다는 기록이 없다.

제8대 銍知王 2년 임진(452년)에 이르러서야 그 땅에 절을 세웠다. 또 王后寺[阿道: 訥祇王의 시대로 법흥왕대의 전이다]를 창건하여 오늘날에 이르기까지 복을 빌고 겸하여 남쪽의 왜를 진압하고 있는데 가락국 본기에 자세히 보인다. 탑은 모가 4면으로 5층이고 그 조각이 매우 특이하다. 돌에 미세한 붉은 반점 색이 있고 그 질은 무르니 우리나라에서 나는 것이 아니다. 『本草』에서 말하는 닭벼슬의 피를 찍어 검사했다는 것이 이것이다. 금관국은 또한 駕洛國이라고도 하는데 본기에 자세히 실려 있다[4].

『삼국유사』에 수록된 위의 2건 기사는 고대 印度와 한반도 남부 沿岸 지역인 金海 지역과의 교류 사실을 전한다.[5] 허황옥의 출신지로 적혀 있는 아유타국은 인도 갠지스 강의 상류인 사라유 강의 左岸에 있던 고대 도시국가인 아요디아(Ayodha)왕국으로 밝혀졌기 때문이다.[6] 신라 진흥왕대에는 印度 阿育王이 배에 실어 보낸 황금과 鐵로 불상을 조성했다는 기록이 다음에 보인다.

얼마 지나지 않아 바다 남쪽에 큰 배가 河曲縣 絲浦[지금 울주 谷浦이다]에 정박하였다. 조사하여 보니 첩문이 있었는데 "西쪽의 阿育王이 黃鐵 5만 7천근과 황금 3만푼[別傳에는 철 40만 7천 근, 금 천 냥이라고 하는데 잘못된 것인 듯하다. 혹은 3만 7천근이라고 한다]을 모아 장차 석가삼존상을 주조하

4　『三國遺事』권3, 塔像, 金官城婆娑石塔 條.
5　駕洛國과 印度와의 교류 가능성에 대한 최근의 논문으로는 다음의 논고가 크게 도움이 된다.
　　석길암, 「駕洛國의 佛敎 傳來 문화와 성격에 대한 검토」『동아시아불교문화』25, 2016, 129~149쪽.
　　한지연, 「고대 해상루트를 통한 불교 전파의 가능성과 의미」『동아시아불교문화』25, 2016, 177~197쪽.
6　이종기, 『가락국탐사』, 일지사, 1977, 99~100쪽.

려고 하였으나 아직 이루지 못해 배에 실어 바다에 띄웠고 축원하여 '원컨대 인연이 있는 나라에 이르러 丈六尊容을 이루어라'라고 하고, 아울러 一佛二菩薩像의 모형도 실었다." 縣의 관리가 장계를 갖추어 왕에게 아뢰니 사자를 시켜 그 현의 성 동쪽 시원하고 높은 곳을 골라 東竺寺를 창건하고 그 삼존불을 맞아서 안치하였다. 그 금과 철은 서울로 옮겨와서 大建 6년 갑오 3월[사중기에는 계사 10월 17일(573년)이라고 한다]에 장육존상을 주성하여 한 번에 이루었다. 무게는 3만 5천 7근으로 황금 1만 1백 9십 8푼이 들어갔고, 두 보살에는 철 1만 2천 근과 황금 1만 1백 3십 6푼이 들어갔다. 황룡사에 안치하였다.… 지금 병화가 이미 있어서 큰 불상과 두 보살상은 모두 녹아서 사라졌고 작은 석가상은 아직 남아 있다.[7]

위의 기사를 놓고 볼 때 加羅나 新羅가 인도와 교류했음을 알려준다. 적어도 그렇게 해석할 수는 있을 것이다. 그러면 백제와 印度와의 교류는 실제 가능했을까? 백제는 흔히 '해양국가'라는 이름으로 말해지고 있다.[8] 이 같은 '해양왕국' 용어의 타당성 여부를 떠나 "朝鮮 歷代 이래로 바다를 건너 領土를 둔 자는, 오직 백제의 近仇首王과 東城大王의 兩代이다"[9]라고 하면서 백제의 '海外植民地'를 云謂하였다.[10] 이러한 서술의 적확성 여부와는 상관 없이 백제는 삼국 가운데 바다를 잘 이용했다. 그랬기에 백제는 중국 대륙 및 일본열도와 활발히 交易한 것으로 인식했다.[11] 문제는 백제인들의 활동 공간이 중국대륙과 일본열도를 넘어 印度를 비롯한 東南아시아 諸國까지 미친 사실이다.

이와 관련해 663년 9월의 白江 敗戰 8년 후인 671년 10월에 일본의 天智天皇이 法興寺 佛前에 올린 珍財 가운데 象牙와 浸水香·栴檀香과 같은 남방 산물이 주목된다.[12] 여기서 香이 있는 旃檀은 東印度와 오스트레일리아가 原産인 白檀을 가리킨다.[13] 아울러 676년

7 『三國遺事』권3, 塔像, 皇龍寺丈六 條.
8 백제의 전방위적인 해상활동에 대해서는 李道學, 「해양강국 백제의 꿈」 『해양과 문화』 3, 해양문화재단, 2000, 56~63쪽에 서술되어 있다.
9 丹齋申采浩先生紀念事業會, 「朝鮮上古史」 『改訂版 丹齋申采浩(上卷)』, 螢雪出版社, 1987, 224쪽.
10 丹齋申采浩先生紀念事業會, 『改訂版 丹齋申采浩(上卷)』, 螢雪出版社, 1987, 224쪽.
    金哲埈, 『韓國古代社會研究』, 知識産業社, 1975, 54쪽.
11 孫晉泰, 『國史大要』, 乙酉文化社, 1949, 36쪽; 李道學, 「백제의 요서경략과 중·고등학교 한국사 교과서의 서술」 『한국전통문화연구』 15, 한국전통문화대학교, 2015, 189~221쪽.
12 『日本書紀』권27, 天智 10年 10月 庚午 條.
13 坂本太郎 等 校注, 『岩波文庫-日本書紀(五)』, 岩波書店, 1995, 61쪽 註4.

정월에 "大學寮 諸學生·陰陽寮·外藥寮 및 舍衛國女·墮羅의 女·백제왕 善光·신라 仕丁 등이 捧藥 및 珍異한 물건을 진상하였다"[14]는 기사가 뒤따른다.

정월 초하루에 천황의 무병장수를 기원하는 행사에 등장하는 舍衛國은 印度의 갠지즈강 중류에 소재한 舍衛城 일대에 소재했다. 墮羅는 태국 메남강 하류의 왕국으로 지목된다.[15] 이들 지역 주민이 일본열도에 漂着한 적은 더러 있었지만 進上은 676년이 처음이었다.

그러면 676년에 印度와 泰國 주민이 倭 조정에 進上한 일은 어떻게 가능하였을까? 이들은 그 이전에 일본열도에 漂着한 이들로 보인다. 『일본서기』에 따르면 654년(白雉 5)과 657년(齊明 3)에 이들의 漂着과 659년(齊明 6)에 일본열도 거주가 확인되기 때문이다. 이러한 倭와는 달리 백제는 印度를 비롯한 東南아시아 諸國과 직접 교류한 기록과 물증이 적지 않게 摘出되었다.[16] 그리고 676년에 백제왕 善光의 진상품 역시 '珍異한 물건'으로 보여진다. 그렇다면 이러한 珍異物의 공급처는 異國으로 돌릴 수밖에 없다. 백제와 관련 깊은 大加羅의 高靈 지산동 고분에서 출토된 奄美大島産 夜光貝로 만든 국자는 琉球와 교류한 징표였다.

이러한 교역체계는 백제 멸망 후 倭로 넘어 간 것으로 보인다.[17] 따라서 백제가 중국을 통해 남방 문물을 흡수했으리라는 견해는 막연한 추측에 불과했다는 사실이 다시금 드러난 것이다.[18]

그러면 백제의 東南아시아 諸國에 이르는 항로는 어떻게 설정할 수 있을까? 금강에서부터 西海沿岸을 돌아 제주도 내지는 北九州→오키나와[琉球]를 중간 기항지로 하면서 대만해협을 통과하여, 중국 남부 연안의 福州나 필리핀 群島에서 인도차이나반도를 통과하여 印度에 이르는 거대한 海上실크로드였을 것으로 생각된다. 혹은 남인도→東南아시아→중국 산동성으로 이어지는 남방 해로 가운데 '靑州 루트'는 한반도까지 연결된다

---

14 『日本書紀』권29, 天武 4년 正月 丙午朔 條.

15 坂本太郎 等 校注, 『岩波文庫--日本書紀(四)』, 岩波書店, 1995, 423~425쪽.

16 李道學, 「百濟의 海外活動 記事에 대한 檢證」『한국과 동부유라시아 교류사』, 학연문화사, 2015, 187~208 쪽.

17 李道學, 「百濟의 對倭交易의 展開 樣相」『민족발전연구』 제13-14호, 중앙대학교 민족발전연구소, 2006, 110쪽.

18 李道學, 「百濟의 對倭交易의 展開 樣相」『민족발전연구』 제13-14호, 중앙대학교 민족발전연구소, 2006, 110쪽.

고 한다.[19] 바로 이 航路를 이용해서 백제가 東南아시아와 직접 교류했을 가능성도 모색될 수 있다. 백제는 금강에서 남중국 연안→福州→대만해협→필리핀群島→인도차이나반도→印度로 이어지는 大航路를 개척했을 가능성이다. 이와 더불어 7세기대 신라 불상을 놓고 볼 때 해로를 통해 인도 불상 양식이 직접 전해진 것으로 추정하기도 한다.[20]

3. 동아시아의 불교 수용 배경과 그 과정

백제가 求法僧을 印度에 파견한 사실과 관련해 불교가 동아시아에 전파된 과정을 살펴 보고자 한다. 주지하듯이 중국에 불교가 전래된 시기에 대한 일반적인 통설은 後漢明帝 때이다. 67년에 명제가 現夢을 통해 서방에 불교가 있다는 사실을 자각한 후 18人을 西域에 파견하였다. 그들은 白馬에 불상과 불경, 그리고 승려 2人을 대동하고 수도인 洛陽으로 귀환했다고 한다. 현재 낙양에 남아 있는 白馬寺 전설인 것이다. 그런데 당시 부처를 종종 黃老佛陀로 일컬었거나 불교를 道敎의 한 宗派로 간주했다.[21] 또 유사한 中國思想에 맞추어 이해한 格義佛敎 형식을 띠었을 정도로 초기 중국 불교의 기반은 취약하였다.[22] 이렇게 하여 중국에 스며든 불교가 크게 융창한 시기는 삼국의 吳와 南北朝時代를 거치면서였다.[23] 그에 앞서 西晋 末의 화북 지역은 북방 유목민족들에게 유린당하였다. 약탈과 살육이라는 비참한 현실에서 북중국의 漢族들은 영험한 기적과 윤회전생 사상에 기대어 심리적으로 보상받고자 하는 경향이 두드러졌다. 이때 高僧의 영험을 빌어 정복전의 승리와 같은 현실 욕망을 구현하려는 정치적 의도와 佛法의 효과적인 弘布를 위해서는 군사나 정치적 실권자와 결탁해야 된다는 양자 간의 이해가 맞아 떨어져서 결합된 경우가 많았다. 이는 道安이 "지금 凶年을 만나 國主에 의지하지 않고서는 法事를 세우기 어렵다"[24]고 한 말에 잘 집약되어 있다. 요컨대 승려와 國主의 이해가 결합된

---

19 金春實,「中國 山東省 佛像과 三國時代 佛像」『美術史論壇』19, 한국미술연구소, 2004, 27쪽.

20 金春實,「中國 山東省 佛像과 三國時代 佛像」『美術史論壇』19, 한국미술연구소, 2004, 37쪽.

21 木村淸孝 著·朴太源 譯,『中國佛敎思想史』, 경서원, 1988, 15~17쪽.

22 Arthur F. Wright 著·양필승 譯,『중국사와 불교』, 신서원, 1994, 59~60쪽.

23 중국 불교사에 대해서는 任繼愈,『中國佛敎史』, 中國社會科學出版社, 1981을 참조바란다.

24 『高僧傳』권5, 道安傳.

사례로서는 서역의 승려 佛圖澄과 後趙의 石勒과의 결합이 대표적이다. 북중국을 점유한 胡族君主들은 불교의 심오한 진리보다는 적군의 來襲, 전쟁의 승패, 군주의 안위, 길흉을 점치는 沙門의 영험한 능력을 필요로 하였다.[25]

5胡16國時代의 각국 군주들은 沙門을 자신의 참모나 정치적 고문으로 삼았다. 이는 後趙의 佛圖澄・前秦의 道安・後秦의 鳩摩羅什・沮渠蒙遜과 曇無讖의 경우가 대표적이다.[26] 호족군주들은 사문을 통해 불교의 영험한 힘을 빌어 영역 확장에 이용하고자 하였다.[26] 신라 진흥왕의 황초령이나 마운령 巡狩에 보면 碑文의 隨駕行列 가운데 道人 2명이 제일 앞에 적혀 있다. 道人으로 적혀 있는 승려의 비중이 高官들 보다 우위에 위치했다. 곧 "이들이 국정의 자문역 뿐 아니라 영토의 개척과 관련 있는 巡境에 隨駕하고 있는 만큼 전략가로서의 임무도 수행하였으리라고 지적된다"[27]고 했다. 진흥왕이 승려들을 軍國의 顧問으로 삼았음을[28] 암시해 준다. 신라 자장율사가 선덕여왕에게 황룡사 구층탑의 건립을 제의한 것도 동일한 범주에 속한다. 戰士團인 화랑도에 승려가 배속된 것도 같은 맥락에서 살필 수 있다. 승려를 軍事的 顧問으로 하는 전통은 고려 太祖代까지 이어져 왔다.[29]

그러면 동란기에 帝王들이 긴 잠복기를 거친 불교 수용에 적극적이었던 배경은 무엇이었을까? 북위 태조의 경우 화북 통일을 위해서는 胡와 漢이 雜居하는 지역을 점령해야만 했다. 또 이들을 북위의 臣民으로 예속시키기 위해서는 초민족적 종교인 불교가 교화와 세력 융합에 긴요하다고 느꼈다. 더구나 전란으로 인한 미래와 생명에 대한 불안을 최고 통치자가 숭배하는 불교를 통해 질병과 고통 및 전란을 피하고 福을 구하려는 열망이 증대하였다. 나아가 胡漢의 잡다한 세력을 北魏에 心腹하게 하고 상호간의 대립과 갈등을 완화시켜 정권의 안정을 기하고자 한 것이다.[30] 불교의 유용성은 보편적인 진리와 함께 종족과 시대, 그리고 문화의 차이를 뛰어넘는 호소력을 지녔다. 불교는 胡族君主의 현안인 사회적 분열을 막고, 통일되고 안정된 사회를 이루는데 기여하였기에 끊임없

---

25 이영석,『南北朝佛教史』, 혜안, 2010, 17~33쪽.

26 이영석,『南北朝佛教史』, 혜안, 2010, 72쪽.

27 李道學,「磨雲嶺 眞興王巡狩碑의 近侍 隨駕人의 檢討」『新羅文化』9, 1992, 122쪽.

28 李基白,『新羅思想史研究』, 일조각, 1986, 119쪽.

29 李道學,「磨雲嶺 眞興王巡狩碑의 近侍 隨駕人의 檢討」『新羅文化』9, 1992, 122쪽; 李道學,「弓裔의 北原京 占領과 그 意義」『東國史學』43, 2007, 209쪽.

30 이영석,『南北朝佛教史』, 혜안, 2010, 54쪽. 77쪽.

는 후원과 보호를 받을 수 있었다.[31] 사실 앞날을 장담할 수 없는 動亂의 시기에 주민들은 죽음의 공포에 직면해 있었다. 그런데 불교의 죽음을 넘어선 영혼 구원과 같은 내세관은 그러한 공포를 누그러뜨리는데 一助했다. 그러나 호족군주들이 불교를 선호한 근본적 이유는 불교가 황제권 강화에 이바지하는 思想임을 발견하면서 일 것이다. 다른 집단 보다 優位에서 勢力 통합을 하려면 群小 勢力의 신앙과는 차원을 달리하는 다른 권위의 배경을 갖지 않으면 안 되었다. 이민족의 종교임에도 불구하고 불교가 세계성을 띄고 수용·보급된 데에는 戰亂期의 불안정한 지배자들의 배경을 보장해 주는 이념적 장치였던데서 요인을 찾을 수 있을 것 같다.

372년에 전진왕 부견의 불상과 승려인 順道 파견은 고구려 불교 수용의 계기였다. 물론 그 이전부터 고구려에는 불교가 전래되었지만 국가적 차원의 수용은 이때가 처음이었다. 부견이 고구려에 불교를 전파한 것은 북중국을 통일한 시점에서 불교의 영험을 직접 체험한 결과이기도 했다. 그와 동시에 초민족적 종교인 불교를 통해 兩國間의 관계를 안정시켜 중원 통일과 관련한 後顧를 덜려는 정치적 계산이 깔려 있었다. 唐 高祖가 叔達과 같은 道士와 『도덕경』을 비롯한 자국 황실의 종교인 道敎를 고구려에 전래해 준 것과[32] 유사한 정황을 연상시킨다. 前秦의 불교 전래는 종교를 매개로 한 국가간의 우호 관계 추진 의도였다. 아울러 佛僧을 매개로 한 고구려와 東晉間의 교류를 차단하려는 意圖도 작용했다.[33]

고구려는 전진으로부터의 불교를 흔쾌히 수용한 것으로 보인다. 전진왕 부견이 불교를 崇信했기에 영역 확장의 성과인 화북 통일을 확인하였기 때문일 것이다. 고구려 왕실에서는 국가의 세력 확장에 크게 도움이 되는 종교가 불교라는 확신이 들었던 것 같다. 그러나 무엇 보다 고구려 왕실은 불교가 주변의 잡다한 세력들의 신앙을 통합할 정도의 보편성과 세계성, 그리고 교리 체계의 우월성을 깨달았기 때문으로 보인다. 그랬기에 고구려는 전진에서 불교가 전래된 지 3년이 되는 375년에 省(尙)門寺를 창건하여 順道를 주석하게 했다. 또 그 1년 전에 고구려에 온 阿道를 새로 창건한 伊佛蘭寺에 주석시켰다. 이것을 가리켜 『삼국사기』는 "해동 불법의 시초이다"[34]라고 評했다.

---

31 Arthur F. Wright 著 · 양필승 譯, 『중국사와 불교』, 신서원, 1994, 83쪽.

32 『三國史記』 권21, 보장왕 2년 조.

33 李道學, 「제3장 백제의 불교 수용 배경과 위덕왕대의 불교」 『백제 사비성시대 연구』, 일지사, 2010, 69쪽.

34 『三國史記』 권6, 소수림왕 5년 조.

고구려는 불교를 매개로 하여 전진과 교류의 물꼬를 텄다. 그랬기에 사신과 불승을 보내온 372년에 고구려는 즉각 答使를 파견하여 방물을 바쳤다. 377년에도 고구려는 부견의 전진에 사신을 보내 조공하였다. 그런데 전진왕 부견이 383년의 비수 전투에서 敗死한 직후인 385년에 고구려는 요동으로의 진출을 시도했다.[35] 고구려는 요동 지역의 지배권을 놓고 재건된 모용씨 일족의 後燕과 격돌하였다. 동시에 고구려는 백제와도 공방전을 전개했다. 이러한 국제 관계 속에서 고구려는 신라를 祐軍으로 껴안았다. 이 무렵 고구려 고국양왕은 敎를 내려 "佛法을 崇信하여 福을 구하라"[36]고 했다. 이 같은 고국양왕의 敎는 인과응보론에 입각해서 현재 불행의 원인을 짚어주면서 거듭된 전란으로 피폐해진 민심을 다독이기 위한 조치였다. 요컨대 饑饉과 거듭된 戰亂으로 인한 질곡에서 연유한 왕권에 대한 불만의 분출 통로가 시급한 문제였다. 그러자 고국양왕은 來世의 安樂을 보장하는 불교의 인과응보론으로써 현실의 고통을 희석시켜 정치적 통솔을 강화하고자 한 의도로 풀이된다. 특히 부처의 救濟 利得은 生者는 물론이고 死者에게도 미친다는 意識이었다. 이는 戰歿者들은 往生思想으로, 일반 주민들에게는 勝戰을 통한 太平世上의 到來에 대한 믿음을 고취하였을 것이다.[37]

백제는 384년 7월에 사신을 동진에 파견했다. 그해 9월에 동진에서 온 胡僧 마라난타를 대궐에 맞아들였다. 이것을 일러 "佛法이 이로부터 시작되었다"[38]고 했다. 전후 정황으로 볼 때 백제가 동진에 파견한 사신과 함께 마라난타가 귀국한 것으로 추정된다.[39] 사신이 귀국할 때 佛僧을 同伴하는 경우는 백제에서 있었다.[40] 신라 高僧인 圓光(600년)·智明(602년)·曇育(605년)도 自國 사신과 함께 귀국했기 때문이다. 그리고 백제가 선뜻 불교를 수용하게 된 배경은 383년 동진이 前秦軍을 淝水에서 大破한 勝因을 전적으로 佛德에서 찾았기 때문이었을 것이다. 戰力의 절대 열세임에도 불구하고 前秦을 大破한 東晉이었다. 그러한 東晉에서 불교를 수용하는 일을 백제는 國運上昇의 요체로 파악했을 법하다.

---

35 『三國史記』 권6, 고국양왕 2년 조.

36 『三國史記』 권6, 고국양왕 9년 조.

37 李道學, 「제3장 백제의 불교 수용 배경과 위덕왕대의 불교」『백제 사비성시대 연구』 일지사, 2010, 72~73쪽.

38 『三國史記』 권 24, 침류왕 원년 조.

39 李基白은 마라난타가 "답례로 온 晉의 使節과 동행했던 것으로 보인다"(李基白, 『新羅思想史硏究』, 일조각, 1986, 114쪽)고 했다.

40 李道學, 「제3장 백제의 불교 수용 배경과 위덕왕대의 불교」『백제 사비성시대 연구』 일지사, 2010, 68쪽.

당시 백제는 國運을 건 공방전 相對인 고구려를 꺾는 일이 懸案이었다. 전쟁과 관련해 北魏의 무위장군 費穆이 爾朱榮에게 "戰勝의 위엄이 없으면 대중들은 본래 복종하지 않습니다"[41]라고 한 바 있다. 이 구절은 모든 통치자들에게는 긴요한 사안이었다. 침류왕도 東晋이 前秦을 大破한 戰勝 요인을 당시 풍미하고 있던 佛德으로 이해했을 수 있다. 백제가 거부감 없이 불교를 적극 수용한 것은 고구려와의 대결에서 승리할 수 있는 방편으로 여긴 측면도 배제할 수 없다. 이후 백제는 남조 불교와 긴밀한 관련을 맺었다. 그 一例가 梁武帝 때의 연호를 취한 大通寺 창건이다. 宋 孝武帝의 大明 年號(457~464)에서 大明寺가 기원했다.[42] 景明寺도 景明 연간(500~503)에 건립했기에 이름을 그 같이 지었다.[43] 그랬기에 "또 大通 元年 丁未에 武帝를 위하여 熊川州에 절을 지었는데, 이름을 大通寺라 하였다"[44]라고 한 백제 大通寺의 寺名 유래도 액면대로 수용할 수 있게 된다. 大通門에서 기원했다는 '大通' 名 年號[45] 자체도 불교에서 유래했다고 보여진다.[46]

그 밖에 駕洛國의 불교 수용 과정과 그 가능성에 대해서는 최근의 논고가 도움이 될 것 같다.[47] 이와 관련해 駕洛國 연구에서 빼놓을 수 없는 문헌이 『삼국유사』에 인용된 「開皇錄」 혹은 「開皇曆」이다. 兩者는 同一한 문헌을 異記한 것이 분명하다. 당초 「駕洛國記」에 轉載되었던 「開皇錄(曆)」은 『삼국유사』에 다음과 같이 인용되어 있다.

* 首露王壬寅二月卯生. 是月即位, 理一百五十八年. 因金卯而生, 故姓金氏. 開皇曆載(王曆)

* 開皇曆云 姓金氏, 盖國 世祖從金卵而生, 故以金爲姓尒(居登王)

* 開皇録云 梁中大通四年壬子降于新羅(仇衡王)

「開皇錄(曆)」의 편찬 시기에 대해 書名인 '開皇'은 隋 文帝代의 연호(581~600)와 부합한

41　『魏書』권44, 費于附費穆傳.

42　馬家鼎 外, 『大明寺』, 南京出版社, 2005, 1쪽.

43　『洛陽伽藍記』권3, 城南, 景明寺.

44　『三國遺事』권3, 興法, 原宗興法 條.

45　鎌田茂雄 著・章輝玉 譯, 『중국 불교사 3』, 장승, 1996, 220쪽.

46　이상의 서술은 李道學, 「고대 동아시아의 불교와 왕권」『충청학과 충청문화』13, 충청남도역사문화연구원, 2011, 46~50쪽을 참조하였다.

47　석길암, 「駕洛國의 佛敎 傳來 문화와 성격에 대한 검토」『동아시아불교문화』25, 2016, 129~149쪽; 한지연, 「고대 해상루트를 통한 불교 전파의 가능성과 의미」, 『동아시아불교문화』25, 2016, 177~197쪽.

다는데 유의했다. 그 결과 「開皇錄(曆)」을 신라 진평왕대(579년~632)에 편찬한 서적으로 지목하였다.[48] 그런데 「開皇錄(曆)」이 '開皇' 연간에 편찬되었다는 근거는 어디에도 없다. 이때는 가락국이 신라에 합병된지 50년이 지난 시점이다. 게다가 開皇 연간에 신라에서는 鴻濟(572~584)와 建福(584~632)이라는 독자 연호를 각각 사용하고 있었다. 그럼에도 가락국 왕족들이 굳이 隋 연호에서 취하여 駕洛國 왕실의 역사나 國家史를 편찬했다는 것은 어색하다. 비록 개황 연간이 아니라 그 보다 후대에 편찬되었다고 하자. 그렇다고 하더라도 가락국 왕족들이 隋 연호로써 書籍 名을 붙여야할 당위성은 어디에도 없다. 가락국 왕족들이 신라에서 重用되고 있었기에 더욱 그러한 생각이 든다. 따라서 기존의 견해와는 다른 시각에서 「開皇錄(曆)」書名이 지닌 의미를 탐색해야 할 것 같다.[49]

「開皇錄(曆)」의 '皇'에는 "惟皇上帝(『書經』)"에서처럼 '大'의 뜻이 담겼다. 그렇다면 '開皇'은 '크게 열었다'는 뜻이 된다. 이에 의하면「開皇錄(曆)」은 가락국 開國부터 멸망할 때까지의 全史를 기록한 史書일 수 있다. 혹은 皇은 "信上皇而質正(『楚辭』)" 즉 天帝나 萬物의 主宰者라는 의미로도 사용되었다. 이에 의한다면 「開皇錄(曆)」은 "천제께서 열으셨던 기록"·"천제께서 펴신 기록"·"천제께서 다스리신 기록"·"천제께서 다스리신 해" 등의 해석이 가능해진다. 이 중 「開皇錄(曆)」을 "천제께서 열으셨던 기록"이라고 한 해석은 "皇天이 나에게 명하기를 이곳에 가서 나라를 새로 세우고 임금이 되라고 하여 이런 이유로 여기에 내려왔으니"[50]라는 「駕洛國記」 首露王 天降 설화와 어긋나지 않는다.

---

48 三品彰英, 「三國遺事考證·駕洛國記(二)」『朝鮮學報』30, 1964;『三國遺事考證(中)』, 塙書房, 1979, 369~370쪽.

49 이와 관련해 鄭仲煥, 『加羅史研究』, 혜안, 2000, 362쪽에서 "… '開皇'이란 말은 '皇國을 개창하였다'라는 뜻에서 나온 것이라 할 것이다"라고 하여 이미 비슷한 견해가 제기되었음을 발견했다. 이로써 본 논지는 힘을 얻게 되었다.

50 『三國遺事』권2, 紀異, 駕洛國記 條. "皇天所以命我者御是處惟新家邦為君后 為玆故降矣"

4. 백제와 印度와의 교류

1) 「彌勒佛光寺事蹟」

일본에 소재한 『善光寺緣起』에 따르면 東印度의 불상이 백제를 거쳐 일본 善光寺에 전래되었다고 한다.[51] 백제와 印度와의 직접 교류를 암시하는 전승이다. 실제 1907년 부여 규암에서 출토된 맨발에 관능적인 金銅觀音立像은 "…寶冠·장식품·옷의 무늬가 매우 정밀하고 치밀하여 멀리 中印度의 굽타 양식과의 관계를 연상시킨다"[52]고 했다. 물론 이러한 전승과 물증이 백제와 인도와의 교류를 보장해준다고 확신하기는 어렵다. 그러나 백제와 東南아시아 諸國과의 교류 사실을 비롯하여 東南亞産 물증들은 그 가능성을 제기해 준다.

백제가 印度와 교류한 흔적은 구체적으로 포착된다. 백제 律宗의 鼻祖인 謙益에 대한 기사가 「彌勒佛光寺事蹟」을 인용한 『조선불교통사』에 다음과 같이 보인다.

a. 丙午 4년(신라 법흥왕 13년, 고구려 안장왕 8년, 梁 보통 7년)에 백제 沙門 겸익이 중인도 상가나대 율사에 이르러 梵文을 배우고 律部를 공부하고 梵僧 倍達多三藏과 같이 범문 律文을 가지고 귀국하여 72권을 번역하여 완성하였다. 이것으로 백제 율종의 시작으로 삼는다. 曇旭과 惠仁 두 법사가 律疏 36권을 저술하였다.

b. 미륵불광사사적에 이르기를 백제 성왕 4년(526) 丙午에 沙門 謙益이 마음 속으로 맹세하여 律을 구하기 위해 航海로써 中印度 常伽那大律寺에 이르렀다. 梵語를 5년 동안 배워 깨우치는 한편 律部를 깊이 공부하여 戒體를 장엄하고 梵僧 倍達多三藏과 더불어 범문 阿曇藏과 五部律文을 가지고 귀국하였다. 백제 왕은 羽葆와 鼓吹로 교외에서 맞이하여 興輪寺에 안치하였다. 국내의 명승 28인을 불러들여 겸익법사와 더불어 율부 72권을 번역하게 하니 이가 곧 백제 율종의 鼻祖이다. 이에 曇旭과 惠仁 두 법사가 律疏 36권을 지어 왕에게 바쳤다. 왕이 毗曇과 新律에 서문을 써서 台耀殿에 보관하였다.

---

51   金春實, 「中國 山東省 佛像과 三國時代 佛像」 『美術史論壇』 19, 한국미술연구소, 2004, 33쪽.
52   關野貞, 『朝鮮美術史』, 朝鮮史學會, 1932; 關野貞 著·沈雨晟 譯, 『朝鮮美術史』, 東文選, 2003, 135쪽.

장차 목판에 글자를 새겨 널리 펴려고 하였으나 미처 겨를을 내지 못하다가 돌아 가셨다.[53]

위의 인용 가운데 a는 이능화가 b를 요약해 놓은 글이다. 그러므로 「彌勒佛光寺事蹟」을 인용한 b가 주요 기록이 된다. b는 현재 전하지 않는 「彌勒佛光寺事蹟」을 인용하였다. 여기의 미륵불광사는 그 연원이 중인도에서 귀국한 겸익이 주석했던 興輪寺까지 올라 간다고 한다.

그러면 겸익이 중인도에 들어간 이유는 무엇일까? 사비성 천도 후 백제의 문화적 우위를 견지하기 위해 인도까지 가서 求法이 필요했다는 것이다. 중국의 남조는 계율에 대한 연구나 실천에서 본받을 만한 것이 없었다고 한다. 해서 겸익이 가지고 온 계율은 소승 계통의 논장과 율장이었다. 더욱이 西晉代 이후로 중국과 印度間에는 陸路 외에 海路가 더욱 활발하게 이용되었다고 한다. 겸익은 이러한 기왕의 해상로를 이용했다는 결론에 이르게 된다.[54]

최근 백제와 印度와의 교류에 대해 부정적으로 판단하는 논자 중에는 다음의 근거를 제시했다. 즉 "1402년에 조선에서 제작된 「혼일강리역대국도지도」를 보면, 아라비아반도나 아프리카 대륙까지 묘사되어 있지만, 인도는 작은 삼각주처럼 나타난다. 이 지도는 유라시아 대륙을 석권한 몽골이 획득한 지리정보를 반영한 것으로 생각되는데, 인도에 대한 정보는 충분하지 않았던 것이다"고 했다.

이러한 주장은 15세기에도 한국인들에게는 이 정도의 견문밖에 없었다. 그런데 이 보다 900년 전인 백제 때 어떻게 印度와의 교류가 가능했냐는 시각이다. 그러나 「혼일강리역대국도지도」를 보면 멀리 印度까지 살필 것도 없이 일본열도의 경우 한반도보다도 몹시 작게 그려져 있다. 地圖 왜곡이 심한 것이다. 중국적인 천하관에서 자국에 朝貢하지 않은 주변국들에 대해서는 弱小하게 그린 것으로 보인다. 따라서 "유라시아 대륙을 석권한 몽골이 획득한 지리정보"라는 주장은 傾聽하기 어렵다. 오히려 몽골이 장악하지 못한

---

53 李能和, 『朝鮮佛教通史(上篇)』, 新文館, 1918, 聖王 31년 조 備考. "彌勒佛光寺事蹟云 百濟聖王四年丙午 沙門謙益 矢心求律 航海以轉至中印度常伽那大律寺 學梵文五載 洞曉竺語 深攻律部 莊嚴戒體 與梵僧倍達 多三藏 齎梵本阿曇藏五部律文歸國 百濟王 以羽葆鼓吹 郊迎 安于興輪寺 召國內名釋二十八人與謙益法師 譯律部七十二卷 是爲百濟律宗之鼻祖也 於是 曇旭惠仁兩法師 著律疏三十六卷 獻于王 王作毗曇新律序 奉 藏于台耀殿 將欲剞劂廣佈 未 遑而薨"

54 이에 대한 자세한 논의는 李道學, 「百濟의 海外活動 記錄에 관한 檢證」『충청학과 충청문화』 11, 충청남도 역사문화연구원, 2010, 297~314쪽을 참고하기 바란다.

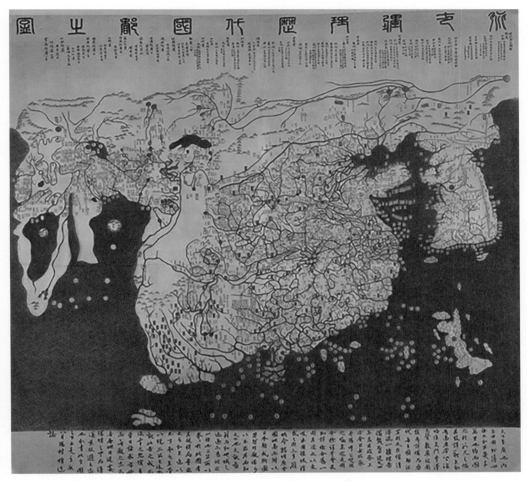

도 1 | 「혼일강리역대국도지도」

印度나 日本과 같은 諸國에 대한 왜곡된 지리정보로 제작한 정치적 성격의 地圖에 불과하다. 따라서 본 지도를 근거로 백제가 印度와 교류하기 어려웠다는 주장은 성립되지 않는다.

2) 백제와 印度와의 交易

백제가 印度와 交易한 사실이 포착된다. 554년(성왕 32)에 백제가 倭에 보낸 물품 가운데 羊毛를 주성분으로 하는 페르시아 직물로서 북인도 지방에서 산출되는 毾㲪의 존재가

55 다음에서 확인된다.

　　또 奏上하기를 "臣은 별도로 軍士 萬人을 보내어 任那를 도울 겁니다. 아울러 들은 것 을 아뢰기를 지금 일이 바야흐로 급하므로 배 한 척을 奏上합니다. 다만 좋은 비단 2필·氍氀 1領·도끼 300口 및 捕獲한 城民 남자 2명과 여자 5명을 바칩니다…"라고 했다.[56]

　　위에 보이는 氍氀은 페르시아語의 Taptan · Tapetan의 漢音 표기라고 한다. 氍氀의 産地는 "天竺國; 細布와 좋은 氍氀이 나온다"[57]라고 했듯이 印度에서 품질 좋은 氍氀이 산출되었다. 백제인들의 氍氀 수입은 동남아시아 諸國과의 접촉을 뜻한다.

　　백제는 북인도 지방의 모직물을 재료로 하여 제작한 氍氀과 같은 카펫을 수입하여 倭에 선물하기까지 했다. 6세기 중반 경의 일이었다. 航路가 이미 개척되었기에 謙益이 中印度 곧 中天竺에서 佛經을 가져 올 수 있었다. 이와 관련해 부여 능산리 절터에서 확인된 면직물의 유입로를 검토해 본다.

　　국립부여박물관에서 절터 유물을 분석·정리하는 과정에서 목화를 원료로 만든 면직물이 나타났다. 면직물은 폭 2㎝, 길이 12㎝ 크기로 1999년 능산리 절터 6차 발굴 때 대나무편 사이에 끼인 채 수습되었다. 국립부여박물관은 이 면직물이 나온 유적층에서 함께 출토된 창왕명사리감의 제작 연도가 567년이므로 면직물의 연대도 그때쯤일 것이라고 밝혔다. 이 유물은 꼬임을 아주 많이 써서 만든 緯絲를 사용한 직조 방식의 면직물로 드러났다. 이러한 솜씨는 우리나라 특유의 직조 기술로 알려졌다.[58] 주지하듯이 면직물은 면사로 짠 직물의 총칭이다. 면사는 식물성 섬유의 하나로 아욱과에 속하는 목화속 식물의 종자를 덮어싼 백색 섬유질의 솜털에서 얻는다.

　　그러면 능산리 절터에서 출토된 면직물의 유입로는 어떻게 설정할 수 있을까? 그간 막연히 추측했던 중국이나 중앙아시아와 결부 지을 수 없다. 다음에서 서술하겠지만 백제가 崑崙 등과의 교류를 통해 綿種을 입수했을 가능성이 크다.

55　李龍範, 「處容說話의 一考察」 『震檀學報』 32, 진단학회, 1969; 『處容研究論叢』, 울산문화원, 1989, 258쪽.

56　『日本書紀』 권19, 欽明 15년 12월 조. "又奏 臣別遣軍士萬人 助任那 幷以奏聞 今事方急 單 船遣奏 但奉好 錦二匹·氍氀一領·斧三百口 及所獲城民 男二女五名"

57　『兩漢博聞』 西域傳 78. "天竺國 出細布好氍氀"

58　국립부여박물관, 『백제 중흥을 꿈꾸다-능산리사지』 2010, 174~175쪽.

또 백제 使人이 崑崙 사신을 바다 속에 던져버렸다.[59]

　위의 기사만으로는 백제 使人이 곤륜 사신을 水葬시킨 장소는 불확실하다. 그러나 곤륜은 『구당서』南蠻傳에 "林邑 以南부터는 모두 곱슬 머리에 신체는 새카만데 통상적으로 崑崙이라고 부른다"[60]고 하여 보인다. 崑崙은 지금의 남베트남·캄보디아·타이·미얀마·남부 말레이半島 등을 일괄한 동남아시아 지역에 대한 호칭이었다.[61] 어쨌든 곤륜 사신 水葬 사건은 백제 海域이거나 백제 선박이 미치는 공간에서 발생한 게 분명하다. 더욱이 곤륜 사신들을 수장한 곳을 '바닷속[海裏]'이라고 하였다. 이는 백제와 곤륜 즉 동남아시아 諸國과의 교류 없이는 발생할 수 없는 사건이다.

　그러면 海難 중에 이방인들은 왜 제거된 것일까? 전통적으로 不淨이나 怪奇한 것은 海難의 原因으로 말해져 왔다. 이러한 맥락에서 본다면 백제 使人들이 崑崙 사신을 海擲시킨 이유가 구명되어 진다. 즉 백제가 동남아시아 諸國과 교섭할 때 崑崙使를 乘船시켜 歸國하다가 遭難당하자 넌즘 '異邦人'들을 水葬시켰을 가능성이다.[62] 이러한 추론은 지금까지의 정황과 결부지어 본다면 일반인이 아닌 '百濟使人'의 船舶이 동남아시아 諸國에 공식적으로 닿았음을 뜻한다. 요컨대 이는 백제와 곤륜 즉 동남아시아 諸國과의 교류 없이는 발생할 수 없는 사건이다.[63]

　799년에 小船을 타고 漂着한 단 1명의 곤륜인과 그 이듬 해에 綿種을 가져 온 곤륜인에 관한 기록이 일본 史書에서 처음으로 눈에 띈다. 그런 만큼 곤륜 사신 水葬 사건의 공간적 배경은 일본열도와는 무관하다. 799년 이전에는 일본열도에 崑崙人이 얼씬도 하지 않았기 때문이다.[64]

　중국 본토에서는 宋代 이후에야 면화가 印度에서 유입되었다.[65] 일본열도에서는 800

59　『日本書紀』권24, 皇極 원년 2월 조. "去年十一月 大佐平智積卒 百濟使人擲崑崙使於海裏"

60　『舊唐書』권197, 南蠻傳. "自林邑以南 皆卷髮黑身 通號爲崑崙"

61　G. Codes 著·山本智教 譯, 『東南アジア文化史』, 大藏出版, 1989. 32~33쪽.

62　李道學, 「百濟 泗沘都城의 編制와 海外 交流」『東아시아 古代學』30, 동아시아고대학회, 2013, 254~259쪽.

63　李道學, 「百濟 泗沘都城의 編制와 海外 交流」『東아시아 古代學』30, 동아시아고대학회, 2013, 231~267쪽.

64　李道學, 「백제의 동남아시아 交流論은 妄想인가?」『慶州史學』30, 2009; 『백제 사비성시대 연구』, 일지사, 2010, 284~285쪽.

65　李道學, 「백제의 해양 활동사」『동북아역사문제』90, 동북아역사재단, 2014, 10쪽.

년에 와서야 崑崙을 통해 綿種을 수입하였다.[66] 백제는 그러한 綿種을 확보한 崑崙이나 목면의 원산지인 印度와도 교류했다. 따라서 능산리 절터에서 확인된 면직물은 백제와 印度間 교류를 뜻하는 證左인 것이다.

이와 더불어 고구려에서 생산된 白氎布[67]와 869년(경문왕 9)에 신라가 唐에 바친 공물 가운데 白氎布는 무엇일까?[68] 白氎布와 白氎布는 동일한 織物로서 高昌이 產地로 보인다.[69] 신라의 白氎布는 적어도 唐代까지는 중국에서 생산되지 않았기에 조공품이 되었을 것이다. 白氎布와 白氎布는 高昌 등에서 유입된 草綿을 가리킨다고 한다.[70] 『삼국지』동이전 濊 項과 馬韓 項에 각각 기재된 '縑'이나 '綿布'는 누에고치솜으로 만든 것이었다.[71] 이 구절을 보면 "有麻布 蠶桑作縑(예 항)" "知蠶桑 作綿布(마한 항)" "曉蠶桑 作縑布(변진 항)"라고 했다. 즉 예에서는 蠶桑으로 縑을 만들었고, 마한에서는 蠶桑을 알아 綿布를 만들었다고 한다. 그런데 변진에서는 蠶桑을 환히 알아 縑布를 만들었다고 했다. 여기서 예와 마한은 蠶桑을 통해 綿을 만들었지만, 변진은 縑布를 만들었던 것이다. 縑布는 비단을 가리킨다. 그렇다면 綿은 무엇일까? 바로 누에고치솜으로 만든 베였던 것이다.

그러면 印度나 崑崙과의 교류를 통해 백제가 확보한 綿種은 왜 단절된 것일까? 단절되었기에 고려 말 문익점에 의해 도입된 것으로 보아야 한다. 이는 확실히 답변해야 하는 중요한 사안이다. 그렇지만 근거 자료가 없는 것도 분명하다. 여기서 綿種의 백제 유입은 분명한 사실에 속한다. 그렇다고할 때 綿種은 신분제 사회인 백제 상류층의 직물로만 소용되었기에 확산에 한계가 있었던 것 같다. 게다가 백제는 綿種의 전략화로 倭에는 禁

66　『類聚國史』권199, 殊俗 崑崙.

67　『翰苑』권30, 蕃夷部 高麗 條.

68　『三國史記』권11, 경문왕 9년 조. "九年 秋七月 遣王子蘇判金胤等 入唐謝恩兼進奉馬二匹·麩金一百兩·銀二百兩·牛黃十五兩·人蔘一百斤·大花魚牙錦一十匹·小花魚牙錦一十匹·朝霞錦二十匹·四十升白氎布四十匹·三十升紵衫段四十匹·四尺五寸頭髮百五十兩·三尺五寸頭髮三百兩校勘·金頭五色棊帶并班胷各一十條·鷹金鎖鏇子并紛錯紅帶二十副·新樣鷹金鎖鏇子紛錯五色帶三十副·鷹銀鎖鏇子紛錯紅帶二十副·新樣鷹銀鎖鏇子紛錯五色帶三十副·鶻子金鎖鏇子紛錯紅帶二十副·新樣鶻子金鎖鏇子紛錯五色帶三十副·鶻子銀鎖鏇子紛錯紅帶二十副·新樣鶻子銀鎖鏇子紛錯五色帶三十副·金花鷹錯鈴子二百顆·金花鶻子鈴子二百顆·金鏤鷹尾筒五十雙·金鏤鶻子尾筒五十雙·銀鏤鷹尾筒五十雙·銀鏤鶻子尾筒五十雙·繫鷹緋纈皮一百雙·繫鶻子緋纈皮一百雙·瑟瑟鈿金針筒三十具·金花銀針筒三十具·針一千五百 又遣學生 李同等三人 隨進奉使 金胤 入唐習業 仍賜買書銀三百兩"

69　『梁書』권54, 西北諸戎傳 高昌.

70　박선희, 『한국 고대 복식-그 원형과 정체』, 지식산업사, 2002, 215~217쪽.

71　박선희, 『한국 고대 복식-그 원형과 정체』, 지식산업사, 2002, 205~206쪽.

輸시킨 것으로 판단된다. 그렇지 않고서야 백제와 긴밀했던 倭에서 면직물이 등장하지 않는 이유를 설명하기 어렵다. 또 이런 연유로 인해 國亡 후 백제 綿種이 한반도에서 절멸한 것으로 해석된다.

綿種과 같은 禁輸 사례는 중국의 茶에서도 찾아 볼 수 있다. 淸은 茶나무의 유출을 엄금했고, 茶 제작도 비밀에 붙였다. 당시 영국에서는 동인도회사를 통해 중국으로부터 막대한 양의 차를 수입하면서 지불 대금으로 대량의 銀이 유출되자, 산업 스파이를 통해 茶種을 몰래 가져와 재배한 바 있다.

5. 맺음말

선사시대 이래로 한반도 주민들은 오키나와를 매개로 동남아시아 세계와 직·간접으로 교류하였다. 특히 백제는 굴곡이 많은 리아시스식 해안이 발달한 지형적 특질을 활용했다. 이와 연동해 조선술과 항해술도 증진되었다. 5세기 후반 경에 백제는 탐라(제주도)를 정치적으로 복속시켰다. 이를 기반으로 백제는 北九州와 오키나와 및 남중국의 福州를 잇는 항로를 개척하였다. 아울러 백제는 그간 고구려가 탐라를 통해 北魏에 조공품으로 보냈던 珂를 확보했다. 한반도의 西南海岸 航路 支配權 경쟁에서 백제가 고구려를 제쳤던 것이다.

백제는 이후 항로를 東南아시아 세계로 延長하였다. 6세기대에 접어들어 僧侶 謙益이 中印度 즉 中天竺까지 항해하여 梵本의 佛經을 가져 왔다. 이러한 大航海는 단순한 求道의 열정만으로는 설명되지 않는다. 백제에서 印度에 이르는 거대한 바닷길이 열려 있고, 造船術이 뒷받침되었기에 가능했다. 왕족인 黑齒常之의 祖先들이 지금의 필리핀인 黑齒에 分封될 수 있는 토대가 구축되었던 것이다.

이렇듯 6~7세기는 한국 역사상 '大航海의 時代'였다. 신라의 경우 505년(지증마립간 6)에 王命으로 "또 舟楫의 이로움을 勸하였다"고 했다. 512년(지증마립간 13)에 신라는 우산국을 복속시켰고, 583년(진평왕 5)에는 선박을 관장하는 船府署를 두었다. 신라 관등 가운데 波珍湌은 '파달찬' 곧 '바다 칸'으로서 바다를 관장했던 직책에서 유래했다. 신라 17 관등 가운데 제4관등인 파진찬은 일명 '海干'이라고도 하였다. 그 명칭을 볼 때 바다와 관련 깊은 관직에서 기인한 해군 사령관으로 지목되고 있다. 그리고 678년(문무왕 18)에 신라는 船

府令을 두어 船府署를 兵部에서 독립시켰다. 신라는 바다를 관장하는 독립된 官府를 설치한 것이다. 신라 고분에서 출토된 개미핥기와 駝鳥를 비롯한 熱帶 地域 동물의 형상을 묘사한 土偶의 존재는 이 무렵에 이루어진 대항해의 산물이었다.

대항해는 교류처의 다변화를 가져왔다. 그간 중국 중심의 朝貢的 성격을 띤 교류에서 교역으로 성격 변화가 따랐다. 교류 목적이 정치 일변도에서 벗어나 경제적 성격으로 전환되거나 兩者가 合致되었다. 이때는 '외교통상부'와 마찬 가지로 교류 자체가 외교와 통상이라는 양면성을 지녔다.

6세기 중반 경에 접어들어 백제는 物産이 유사하거나 이제는 食傷한 중국·한반도·일본열도를 벗어나고자 했다. 백제는 그 대안으로 교역 창구의 다변화를 추구한 결과 南方産 珍物을 확보·공급할 수 있었다. 즉 백제는 희소성과 경제적 가치를 지닌 印度를 비롯한 東南아시아 諸國과의 교류를 통해 독점적인 교역체계를 구축하였다. 그 결과 백제 왕실은 需要者인 귀족들에게 공급할 목적으로 印度産 琥珀이나 印度-퍼시픽 유리, 象牙와 같은 사치품을 비롯하여 완상 동물인 鸚鵡 등을 수입하였다. 백제 왕은 이들 물품을 귀족들에게 分與함으로써 왕권을 강화하거나 확대할 수 있었다. 이로써 교역 주체인 백제 왕은 자국민에 대한 경제적 욕구 해소와 더불어, 倭를 지속적으로 정치적 영향권 하에 묶어두는 게 가능해졌다.

이와 더불어 백제는 印度와의 교류를 통해 綿種을 수입하는 데 성공했다. 백제의 衣服材料로서 확인된 면직물은 그 顯著한 성과였다. 그런데 백제는 綿種을 倭에는 전파하지 않았다. 마치 고려 말 文益漸이 元에서 구한 목화씨를 붓두껍에 숨겨 왔다는 만들어진 이야기를 연상시킨다. 그렇듯이 백제는 엄격하게 綿種을 통제했던 것이다. 백제는 선진 물품과 남방산 珍物을 倭에 선물했었다. 그렇지만 전략적 가치가 크거나 일회성 소모품이 아닌 綿種 등과 같은 작물에 대해서는 禁輸시키는 등 엄격히 통제한 사실을 확인했다.

백제가 印度 및 東南아시아 諸國과 교류한 데는 梵本 佛經의 확보에서 알 수 있듯이 求道的 측면도 배제할 수 없었다. 즉 거국적 차원에서 謙益의 中印度 파견을 통한 敎義에 대한 욕구 충족이라는 敎學的 측면도 분명 존재하였다. 이와 더불어 紫檀木이나 茶種, 栴檀香을 비롯한 香·染料·佛具 등을 비롯한 불교 관련 물품의 수입도 절실했을 것이다.

결국 정치적 성격과 경제적 의미까지 복합적으로 내재된 백제의 印度 및 東南아시아 諸國과의 교류는, 조선술과 항해술을 비약적으로 增進시킨 動因이었다. 이는 백제 문화의 국제성 확립에도 기여했다.

이와 관련해 駕洛國과 印度와의 교류를 기록한 『삼국유사』의 「駕洛國記」에 인용된 「開皇錄(曆)」의 성격을 검토해 보았다. 흔히들 「開皇錄(曆)」을 隋의 開皇 연간과 결부 지어 왔다. 그러나 이러한 견해는 수긍되지 않았기에 '開皇'의 뜻을 근본적으로 탐색했다. 그 결과 「開皇錄(曆)」은 "天帝께서 열으셨던 기록" 등으로 풀이된다. 이러한 해석은 "皇天이 나에게 명하기를 이곳에 가서 나라를 새로 세우고 임금이 되라고 하여 이런 이유로 여기에 내려왔으니"라는 『駕洛國記』 首露王 天降 설화와 어긋나지 않았다.

「백제와 인도 및 동남아시아 제국과의 교류」 『한국 인도 문화교류의 역사와 미래』, 동명대학교 인도문화교류연구소/ 동아시아불교문화학회 추계 국제학술대회, 2016. 11. 4; 「백제와 인도와의 교류에 대한 접근」 『동아시아불교문화연구』 29, 2017.

제의와 문화

百濟의 祭儀와 百濟金銅大香爐

1. 머리말

人類의 역사는 儀禮 共同體에서 출발하여 祭儀가 점진적으로 쇠퇴해가는 단계로 이행해 왔다고 본다. 이는 祭儀를 비롯한 작금의 儀禮 간소화 현상이 반증하고 있다. 사실 儀禮 가운데 吉禮든 凶禮든 제의적 속성을 지니지 않은 바는 없었다.[1] 그 만큼 인류의 儀禮에서 祭儀만큼 비중이 지대했던 바는 없었던 것 같다. 이와 관련해 당초에는 백제금동대향로에 나타난 圖象을 통한 儀禮 抽出을 부여받았지만 識見 부족으로 儀禮 확인을 다수 발견하기는 어려웠다. 다만 백제금동대향로의 본질은 祭儀에 사용하는 祭具임은 분명했다. 祭具인 백제금동대향로의 속성과 관련해 백제 祭儀 전반의 흐름과 그 체계를 살펴 보고자 한다. 그러한 후에 백제금동대향로에 재현된 世界像과 그 用途를 찾아 보고자 했다.

2. 國祖廟 祭儀

백제에서 가장 비중이 큰 祭儀는 무엇이었을까? 국가 최고 조상신인 國祖神과 宇宙의 最高神인 天神에 대한 祭儀라고 본다. 이와 관련해 『삼국사기』에 보이는 祭儀處로는 國初부터 등장하는 東明廟와 國母廟 그리고 南壇이다. 동명묘는 '始祖東明廟(다루왕 2년 조)'라고 하였다. 따라서 동명묘는 백제 始祖廟임을 알 수 있다. 國母廟는 "4월에 廟를 세우고 國母를 제사지냈다"[2]라고 하였다. 여기서 國母는 백제 시조와 함께 南下하였다가 사망한 王母를 가리킨다. 이는 "왕모가 61세로 돌아가셨다"라고 한 기사에 이어 "國母가 세상을 뜨는 등"[3]라고한데서 알 수 있다. 王母가 백제 시조와 함께 남하한 사실은 『삼국사

1 　백제와 중국의 儀禮에 대해서는 장인성, 『백제의 종교와 사회』, 서경문화사, 2001이 참고된다.
2 　『三國史記』권23, 시조왕 17년 조.
3 　『三國史記』권23, 시조왕 13년 조.

기』온조 기사에는 보이지 않는다. 그러나 비류 전승에는 그 사실이 다음과 같이 보인다.

a. 일설에는 "시조 비류왕은 그 아버지가 優台이니 북부여왕 解扶婁의 庶孫이요 어머니는 召西奴이니 졸본 사람 延陁勃의 딸이다. 처음 우태에게로 시집을 와서 두 아들을 낳았는데 맏이는 비류요 둘째는 온조였다. 우태가 죽자 졸본에 홀로 살았다. 뒤에 주몽이 부여에서 용납되지 못하여 前漢 建昭 2년 봄 2월에 남쪽으로 도망하여 졸본에 이르러 도읍을 정하고 고구려라고 하였다. 소서노에게 장가 들어 왕비를 삼았다. 그가 창업하여 기반을 개척하는데 자못 내조가 있었으므로 주몽이 그녀를 특별히 사랑하여 후하게 대하였고 비류 등을 자기 아들처럼 여겼었다. 주몽이 부여에서 낳았던 禮氏의 아들 孺留가 찾아 오자 그를 세워 태자를 삼았고 왕위를 잇게 하였다. 이에 비류가 아우인 온조에게 이르기를 '처음 대왕이 부여에서의 난을 피하여 도망하여 이곳에 왔을 때에 우리 어머니가 가산을 털어서 邦業을 이루는 것을 도왔으니 그 공로가 컸었다. 대왕이 세상을 뜨신 후 나라가 유류에게 귀속되니 우리들이 공연히 이곳에 있으면서 몸에 군더더기 살처럼 울울하게 지내기보다는 차라리 어머니를 모시고 남쪽으로 가서 땅을 선택하여 따로 國都를 세우는 것만 같지 못하다'하였다. 드디어 아우와 함께 무리를 데리고 浿水와 帶水를 건너 미추홀에 이르러서 거주했다"고 한다.[4]

그러면 '始祖 東明'의 정체는 누구일까? 이와 관련해 '始祖 東明'을 고구려 시조 鄒牟라고 가정해 보자. 그러면 鄒牟王의 왕모가 국모인 것이다. 백제 시조인 추모왕의 왕모인 류화부인은 사망한 동부여에 사당이 건립되었다.[5] 따라서 '시조 동명'과 『삼국사기』백제본기의 國母는 서로 관련 없음을 알 수 있다. 그렇다면 『삼국사기』백제본기의 國母는 백제 건국자의 王母라고 보아야 한다. 온조 기사에 따른다면 온조는 고구려 추모왕의 아들이다. 이렇게 본다면 형식논리상 '國母'는 추모왕의 妃여야만 한다. 그녀는 온조기록대로 한다면 졸본부여왕의 女인 것이다. 그런데 온조 기사에는 백제 건국자가 王母를 대동하여 남하한 기록이 없다.

국모가 백제 건국자의 왕모임이 분명하다고 하자. 그러면 '시조 동명'은 도저히 비류와 같은 '백제 시조'를 가리킬 수는 없다. 일단 이름에서 연관성이 전혀 없기 때문이다. 오히려 '동명'은 백제인들이 관념적으로 시조로 인식했던 者라고 보아야 한다. 바로 그러한

---

4 『三國史記』권23, 온조왕 즉위년 조
5 『三國史記』권13, 동명성왕 14년 조.

선상에서 볼 때 백제 '시조 동명'은 부여 시조 동명왕을 가리킨다고 하겠다.

이 사실은 백제가 부여에서 기원했다는 주장과 깊은 연관을 맺고 있다.[6] 일단『삼국사기』백제본기의 비류왕 시조전승에 따르면 백제 건국자는 부여에서 남하했다. 비류왕의 족계는 북부여 해부루왕의 庶孫인 우태의 아들이었다. 비류왕은 부여계임을 알려준다. 더구나 고구려계 온조 전승과는 달리 비류왕은 소서노라는 王母를 대동하고 내려왔다.[7] 그 왕모가 사망하자 國母廟를 세웠던 것이다. 게다가 백제 왕실은 부여씨였고, 백제왕 스스로 자신들의 출원지를 부여라고 천명하였다. 성왕이 사비성으로 천도한 후의 국호로 '부여'가 생겨났다. 이렇듯 백제 왕실은 일관되게 자신들의 출원지를 부여라고 했었다.[8] 이러한 맥락에서 볼 때 백제 왕실이 부여 시조 동명을 자국의 遠祖 내지는 元祖로 충분히 언명할 수 있는 상황이었다. 더구나 족원이 동일한 백제와 고구려가 대결하는 구도에서 동명왕을 시조로 하는 廟의 건립은 정치적 優位 선점이라는 의미까지 지녔다.[9]

'백제 시조 동명왕' 사당은『삼국사기』기록대로 국초부터 존재했다고 단정하기는 어렵다.『삼국사기』온조왕본기는 근초고왕대 사실의 投影이라고 할 때[10] 더욱 그러한 생각이든다. 오히려 고구려와의 대결구도 속에서 갈등이 심화되었고, 또 고구려에 대한 우위를확보했던 근초고왕대에 건립되었을 수 있다고 본다. 문제는 백제왕들이 즉위 초, 정확하게 말하면 재위 2년째 되던 해 정월에 동명묘에 배알하는 기사가 보인다. 즉 책계왕・분서왕・아화왕・전지왕본기 2년 조가 그것이다.[11] 물론 확인되지 않는 왕들의 경우도 많지만, 책계왕 이전 개루왕・초고왕・구수왕・고이왕본기의 경우는 재위 2년째 기록 자체가 없다. 따라서 이 경우는 기사 누락이 분명하다고 보겠다. 여기서 재위 2년은 「창왕

---

6 이에 대한 구체적이고도 상세한 논의는 고고학적 물증까지 제시한 李道學, 「百濟 建國勢力의 系統과 漢城期 墓制」『百濟學報』10, 2013을 참조하기 바란다.

7 필자는 7가지 근거를 제시하면서『삼국사기』온조왕본기가 기실은 비류왕본기임을 입증했다(李道學, 「『삼국사기』온조왕본기'의 主體에 대한 再解釋』『21세기의 한국고고학 V』, 주류성, 2012, 676~678쪽).

8 李道學, 『백제 고대국가연구』, 일지사, 1995, 52~55쪽.

9 李道學, 「百濟 慰禮文化의 史的 性格」『東大新聞』1981.5.12;『한국고대문화산책』, 서문문화사, 1999, 53쪽.

10 李道學, 「百濟의 起源과 國家發展過程에 관한 檢討」『韓國學論集』19, 1991, 183~184쪽;『백제 한성・웅진성시대 연구』, 일지사, 2010, 30~32쪽.

11 다만 비류왕은 9년 4월에 동명묘 배알을 하였는데(『三國史記』권24, 비류왕 9년 조), 즉위 의례와는 무관한 특별한 동기가 있었던 것 같다. 동명묘에서 기우제를 지내기도 하는 등 所請이나 관직 제수와 관련 있을 수 있다.

사리감 명문」의 기년과 맞추어 볼 때 즉위 원년으로 새로 설정해야 맞을 것 같다.[12] 그렇다고 한다면 백제왕들의 즉위 의례로서 동명묘 배알을 상정할 수 있다. 그런데, 동명묘 배알이 웅진성 도읍기 이후부터는 전혀 확인되지 않는다. 이 사실은 단순히 기사 누락으로만 돌리기 어렵다. 백제는 한강유역 상실 이후에는 동명묘에 배알할 수 없는 상황이었음을 암시해준다. 이와 관련해 고구려는 천도에도 불구하고 시조묘 배알을 위해 평양성에서 졸본까지 국왕들이 행차했다. 이와 마찬 가지로 '시조 동명묘'는 不遷位처럼 옮길 수 없는 신성불가침 구역으로 보인다. 그렇기 때문에 한강유역을 상실한 웅진성 천도 이후에는 동명묘 배알 기사가 등장하지 않은 것 같다.[13]

사비성 천도와 더불어 부여 계승을 표방하면서 국호까지 改號했음에도 동명묘가 부활되지 않은 이유는 이러한 데 있었던 것 같다. 그렇다고 백제 왕실이 부여 계승을 포기한 것은 아니었다. 국호를 '부여'로 改號하는 등 오히려 부여 계승의지가 고조된 정황이 비치기 때문이다. 이와 관련해 555년에 倭側에서 거론했던 建邦之神에 대한 제사 소홀 문제를 다음의 인용을 통해 살펴 보고자 한다.

b. 근원인 대저 建邦神은 天地가 생겨나는 代에 草木도 말을 하는 때에 하늘로부터 내려와 國家를 만든 神이다. 근래에 듣자니 너희 나라는 (建邦神을) 돌보지 않고 제사지내지 않는다고 하니 바야흐로 지금 前過를 뉘우치고 고쳐서 神宮을 修理하고 神靈을 받들어 제사하면 나라가 가히 昌盛할 것이니 너희는 마땅히 잊지 말라.[14]

위의 기사는 관산성 패전의 요인을 倭側에서 경고조로 언급하였다. 여기서 建邦神은 위의 인용 문구 바로 앞 구절에서 "옛적에 웅략천황대에 백제가 고구려의 핍박을 받아 심히 累卵의 위기에 놓여 있었지만, 건방신에게 청탁하라는 신탁에 따라 부탁하였더니 백제를 구했다"라고 하여 보인다. 여기서 '累卵의 위기'는 475년에 한성 함락으로 백제가 위기에 처한 상황을 염두에 둔 것 같다. 그때 백제는 건방신에게 부탁해서 국가를 再興시켰지만 지금은 제사지내지 않는다는 것이다. 여기서 建邦神은 '天地' 云云하는 구절만

---

12 李道學, 『백제 사비성시대 연구』, 일지사, 2010, 168쪽 註 29.

13 李道學, 「百濟 慰禮文化의 史的 性格」『東大新聞』1981. 5. 12; 『한국고대문화산책』, 서문문화사, 1999, 53쪽.

14 『日本書紀』권19, 欽明 16년 2월 조.

본다면 宇宙創造를 연상시킨다. 그러나 建邦神은 문자 그대로 건국시조를 일컫는 게 맞을 것 같다.[15] 백제인들이 건국시조로 인식했던 神格은 동명묘의 '시조 동명'으로 지목하는 게 사리에 맞다. 그러한 동명묘 제사가 웅진성 도읍기 이래로 단절되자 경고하는 것으로 보인다.[16]

그러면 동명묘 대신 어떠한 제사가 대안으로 생겨났을까? 기존의 백제 시조묘인 동명묘를 대신하는 시조의 사묘로서 등장하는 게 仇台廟였다. 즉 "또 每歲 그 시조인 仇台의 廟에 4회 祭祀지낸다"고 했다.[17] 여기서 구태는 동일한 『주서』에서 "(백제는) 부여의 別種이다. 仇台라는 이가 처음에 帶方故地에서 나라를 세웠다"[18]고 하여 백제 시조임을 분명히 하였다. 이와 계통이 동일한 『北史』에서는 백제의 출원지를 索離國에서 찾았다. 색리국을 탈출한 東明의 후손으로 구태를 거론했다. 그러면서 "東明의 후손인 구태는 매우 어질고 신의가 두터웠다. 처음에 대방고지에서 나라를 세웠다. 漢의 요동태수 공손도는 딸을 (구태에게) 시집보냈는데, 마침내 東夷 중에서 強國이 되었다"[19]고 했다. 물론 이 기사의 구태를 부여 위구태왕의 誤謬라는 지적도 있지만.[20] 誤謬 여부는 뒤에서 곧 밝혀질 것이다. 어쨌든 백제인들이 자국 시조 구태의 계통을 부여와 연관 지어 인식한 것은 분명하다.

仇台는 국모를 대동해서 남하한 始祖 비류왕의 父인 優台와 音似하다. 그리고 부여왕 위구태의 뒷 이름과도 音이 연결된다. 그렇지만 흔히들 氏나 姓을 생략하거나 2字 名을 單字로 표기한 사례가 많다. 가령 고구려왕 位宮(동천왕)의 '位'를 빼고 그 曾祖 태조왕을 가리키는 '宮'으로 표기하기도 한다.[21] 이러한 맥락에서 본다면 구태와 위구태는 동일 일물일 가능성이 있다. 실제 『通典』에서 "백제는 곧 後漢末 부여왕 위구태의 후손이다"[22]고 못밖기까지 했다. 구태의 정체를 부여왕 위구태라고 한 것이다. 부여왕 위구태는 강성했

---

15 建邦之神을 백제의 建國神 즉 백제 王家의 祖上神으로 보는 견해(石田一良, 「建邦の神」『社會科學의 方法』82, 1976; 洪淳昶 譯, 『韓日關係研究所紀要』8, 1978, 21~31쪽)를 취한다.
16 李道學, 『백제 고대국가연구』, 일지사, 1995, 71쪽.
17 『周書』권49, 異域上 百濟 條.
18 『周書』권49, 異域上 百濟 條.
19 『北史』권94, 백제전.
20 李丙燾, 『韓國古代史研究』, 박영사, 1976, 473쪽.
21 『三國志』권30, 동이전 고구려 조.
22 『通典』권185, 邊防 東夷上 백제 조.

던 요동태수 공손도와 동맹하여 고구려와 鮮卑를 견제했을 정도로 자국의 위상을 높였다. 문제는 위구태 이후 부여는 쇠락의 길을 걸었다는 것이다.[23] 그럴수록 부여인들에게 위구태는 中興의 祖로 인식되었음이 분명하다. 게다가 앞에서 인용한 사비성 도읍기를 시대적 배경으로 한 史書에서 백제의 계통을 부여에서 찾았다. 즉 백제를 한결같이 '夫餘別種'이라고 하였다.[24] 이러한 맥락에서 볼 때 구태묘는 부여계 神格을 제사하는 곳임을 알 수 있다. 실제 『翰苑』에서도 "仇台의 祠를 받들고, 夫餘의 胄를 纂하였다"[25]라고 했다. 게다가 국호를 '부여'로 改號했을 정도로 부여로부터의 계승 의식이 高潮되던 시기였다. 그랬기에 백제는 상실한 동명묘에 대한 代案을 모색했을 수 있다. 그 결과 역시 부여에서 중시조적인 위상을 지닌 위구태를 자국의 시조로 수용한 것 같다.[26] 구태는 온조도 비류도 아니고 부여왕 위구태였다. 앞에서 언급했듯이 백제인들은 부여 시조 동명을 자국의 연원과 결부 지었다. 그렇듯이 부여의 중시조격인 구태도 이와 동일한 맥락에서 살필수 있다. 『翰苑』에 인용된 「括地志」에 따르면 "百濟城에 그 祖인 구태묘를 세워놓고 四時에 이곳에서 제사지낸다"고 했다. 구태묘는 백제 왕성 안에 소재한, 그것도 1년에 4회나 정기적으로 제사했던 位格 높은 國祠였다.

3. 國家 祭儀

1) 祭天

『翰苑』에 인용된 「括地志」에 따르면 백제에서는 四仲之月에 '天及五帝之神'에게 제사 지냈다고 한다. 그러면서 "겨울과 여름에는 鼓角을 사용하여 歌舞를 연주하며, 봄과 가을에는 노래만 할 뿐이다"[27]고 했다. 이로 볼 때 백제에서는 天이나 五帝神에 대한 제사 중 겨울과 여름을 가장 성대하게 집전했음을 알 수 있다. 이는 다음과 같은 백제의 天地

---

23 『三國志』권30, 동이전 부여 조.
24 『舊唐書』권199, 동이전 백제 조.
25 『翰苑』권30, 蕃夷部 百濟 條.
26 李道學, 『백제 고대국가연구』, 일지사, 1995, 70~72쪽.
27 『翰苑』권30, 蕃夷部 百濟 條.

祭儀 기사를 통해서도 뒷받침된다.

    c-1. 2월에 왕은 大壇을 설치하고 친히 天地에 제사지냈는데, 異鳥 5마리가 와서 날았다.[28]

    c-2. 정월에 天地에 제사하는데 鼓吹를 사용했다.[29]

    c-3. 정월에 왕은 大壇을 설치하고 天地와 山川에 제사를 지냈다.[30]

    c-4. 정월에 왕은 南壇에서 天地에 제사를 지냈다.[31]

    c-5. 정월에 南郊에서 天地에 제사지냈는데 왕이 친히 犧牲을 베었다.[32]

    c-6. 정월에 天地 神祇에게 제사지냈다.[33]

    c-7. 정월에 동명묘에 배알하고, 또 南壇에서 天地에 제사지냈다.[34]

    c-8. 정월에 왕이 동명묘에 배알하고, 南壇에서 天地에 제사지냈으며, 罪囚를 大赦하였다.[35]

    c-9. 10월에 왕이 壇을 설치하고 天地에 제사지냈다.[36]

    위의 c-7과 c-8 기사를 통해 동명묘와 天地에 대한 제의는 서로 별개였음을 알려준다. 이와 관련해 부여의 祭天 행사가 주목된다. 즉 "殷正月에 하늘에 제사지내는데, 國中大會에서는 연일 飮食歌舞하는데, 이름하여 迎鼓라고 한다. 이때는 刑獄을 집행하고 죄수를 풀어준다"[37]고 한 祭天 의례이다. 여기서 迎鼓의 字意는 '북 맞이'인데, '북'은 샤먼을 대변하는 물체였다. 청동기시대 이래로 샤먼이 사용한 북의 존재는 시베리아 지역에서 확인되었다. 그리고 러시아 서부를 흐르는 볼가강(Volga) 지류에 해당하는 오카(Oka) 江 암벽에 그려진 폭 18cm 규모의 북 그림으로 증명되어졌다. 북소리는 샤먼이 神과 접촉을 유도하는데 반드시 필요한 것이었다. 게다가 神을 즐겁게 하고 神을 돌려보내는 것 역시

28　『三國史記』권23, 시조왕 20년 조.

29　『三國史記』권24, 고이왕 5년 조.

30　『三國史記』권24, 고이왕 10년 조.

31　『三國史記』권24, 고이왕 14년 조.

32　『三國史記』권24, 비류왕 10년 조.

33　『三國史記』권24, 근초고왕 2년 조.

34　『三國史記』권25, 아화왕 2년 조.

35　『三國史記』권25, 전지왕 2년 조.

36　『三國史記』권26, 동성왕 11년 조.

37　『三國志』권30, 동이전 부여 조.

북소리 역할이었다.[38] 부여인들은 북을 맞아 神을 불러들이고, 神을 坐定시킴으로써 축제 시작을 알렸다.

迎鼓라고 한 제천 의례는 殷正月인 음력 12월에 행하여졌다. 그런데 고구려의 동맹이나 동예의 무천, 삼한의 상달제 등은 음력 10월에 행하여졌기에 추수감사제적인 성격을 지녔다.[39] 이와는 달리 부여의 영고는 한겨울에 행하여졌다. 이 사실은 부여가 농경사회가 아니라는 게 아니다. 부여를 건국한 세력이 북방에서 내려왔다는 사실이다. 그렇기 때문에 迎鼓는 북방 수렵민 사회의 전통을 계승한 證左라고 볼 수 있다. 즉 부여인들은 자신들의 정체성을 유지하였다. 또 부여인들은 제의 공동체를 통하여 그것을 지키려고 했음을 알게 된다.

그런데 백제의 天地 제의는 2월과 10월에도 있었지만 주로 正月에 집전되었다. 正月은 음력 절기로 본다면 '春'에 속한다. 그렇지만 "겨울과 여름에는 鼓角을 사용하였다"고 한 『翰苑』기록과 c-2의 『삼국사기』에 보이는 정월 天地 제의와 鼓吹 사용이 서로 부합한다. 그러므로 『삼국사기』의 '正月'은 『翰苑』에서 말하고 있는 '겨울'의 범주에 속한다고 하겠다. 요컨대 백제에서 天地 祭儀는 정월에 집중되었다. 이 사실은 일단 匈奴와 같은 유목·수렵민 사회와의 연관성을 시사해준다. 흉노에서는 3차례에 걸친 큰 회합이 있었다. 즉 매년 정월 單于庭에서의 제사, 5월 蘢城에서 大會 때 祖上이나 天地 등에 대한 제사, 가을에 蹛林에서의 大會 때 인구와 가축수를 헤아리는 것이다.[40] 이 중 세 번째는 祭儀야 행해졌겠지만 본질상 앞의 두 번의 大祭와는 성격이 다르다. 그리고 첫째와 둘째 祭儀는 계절적으로 겨울과 여름에 해당한다. 이는 백제의 祭天이 겨울과 여름에 가장 성한 사실과 부합한다. 사실 백제에는 5세기 중엽에 좌현왕이나 우현왕과 같은 유목민 사회의 職制가 확인된 바 있다.[41] 그러므로 이제는 祭儀와 관련해서도 백제와 유목민 내지는 수렵민 사회와의 연관성을 운위할만하다.

백제의 祭天 儀禮는 부여의 영고 이래의 전통을 유지하고 있는 것 같다. 부여의 '迎鼓'는 그 의미가 '북 맞이'인데, 백제의 冬·夏 祭天에서는 鼓角이나 鼓吹 즉 북을 사용한 사

---

38 양종승, 「샤머니즘의 본질과 내세관 그리고 샤먼 유산들」 『하늘과 땅을 잇는 사람들, 샤먼』, 국립민속박물관, 2011, 311쪽.
39 李丙燾, 『韓國古代史研究』, 博英社, 1976, 223쪽.
40 『史記』권110, 匈奴傳.
41 『宋書』권97, 夷蠻傳 百濟國 條.

실이 보인다. 그리고 백제에서는 天地 제사를 대부분 정월에 거행한 사실과 鼓吹의 사용이 확인된다. 사비성 도읍기를 기록한 「괄지지」의 기록과 결부 지어 볼 때 부여의 迎鼓와 동일한 분위기를 자아내고 있다. 게다가 『翰苑』에 게재된 사비성 도읍기의 "鼓角을 사용하여 歌舞를 연주"한 겨울 제천 의례는 '飮食歌舞'한 부여의 國中大會와 유사하다. 이는 마한에서 파종기인 5월과 추수기인 10월에 "鬼神에게 제사하고 무리가 모여서 歌舞한다"[42]는 농경 의례와는 성격이 다르다.

2) 五帝 祭儀

국가적 차원에서 집전했던 백제의 제의와 관련해 다음과 같은 기사가 보인다.

> d. 왕은 四仲之月에 天 및 五帝의 神에게 제사한다.[43]

위에 보이는 五帝의 성격에 대해서는 天神과 地神으로 각각 지목하는 견해로 나뉘어진다. 그런데 五帝가 天神이라면 그 앞에 적힌 '天'과 겹친다. 그리고 제의에서 天과 함께 연접된 제의 대상으로는 '天地'처럼 地가 함께 붙어 다니는 경우가 많았다. 그렇기에 五帝를 地神처럼 여길 수 있게 된다. 하지만, 五帝는 중국에서 天上神을 가리킴은 분명하다.[44] 그리고 地神을 五帝라고 한 경우는 어디에도 없다. 더구나 중국 사서에서만 백제의 五帝 신앙을 게재한 것이다. 따라서 五帝는 중국인들의 관념에서 확인되는 天上神으로 간주하는 게 순리라고 본다. 백제의 제의 대상인 天이 전통적인 최고신이라면, 五帝는 사비성 도읍기에 중국에서 유입된 祭儀 대상으로 분류될 것 같다.[45]

이와 관련해 「무녕왕릉 매지권」에 보이는 '不從律令'에 대한 재해석이다. 여기서 '따르지 않는다'는 律令의 속성에 대해서는 명확하지 않았다. 중국에서 발견된 대부분의 매지권에는 '從律令'으로 적혀 있기 때문이다. 그런데 吳 永安 2년(259) 陳重 매지권에서 '如天

---

42 『三國志』권30, 동이전 마한 조.
43 『周書』권49, 異域上 百濟 條.
44 徐永大, 「국가제사」『百濟의 祭儀와 宗教』, 충청남도역사문화연구원, 2007, 157~165쪽.
45 徐永大, 「국가제사」『百濟의 祭儀와 宗教』, 충청남도역사문화연구원, 2007, 182~184쪽.

帝律令'이라는 구절이 보인다.[46] 즉 律令은 天帝의 律令임을 알 수 있다. 그렇다고 할 때 「무녕왕릉 매지권」의 '不從律令'은 (天帝의) 律令에 따르지 않는다는 의미이다. 즉 天神이 아니라 地神의 令에만 국한된다는 의미로 해석된다. 이러한 추정이 맞다면 묘터 구입과 관련한 所管者를 地神으로만 한정시킨 것이다. 백제에서는 天神과 地神의 역할을 구분하고 있음을 알 수 있다.

3) 農耕 祭儀

農耕 社會인 백제에서는 마한 이래로 농경 제의가 존재하였다.[47] 마한에서 播種期와 收穫期의 제의는 다음과 같이 전한다.

> e. 항상 오월에 씨뿌리기를 마치면, 귀신에게 제사지내고, 무리지어 노래하고 춤을 춘다. 밤낮없이 쉴 줄 모르고 술을 마신다. 그 춤은 수십 사람이 함께 일어나 따라가면서 땅을 밟는데, 손과 발로 서로 장단을 맞춘다. 가락과 율동은 탁무와 비슷함이 있다. 10월 농사가 끝나면 다시 이와 같이 한다.[48]

백제에서도 이때 국왕이 親耕한다든가 농경 의례에 참여했는지는 알 수 없다. 다만 농사의 흉풍과 직결된 氣象에 대해서는 비상하게 관심을 투사했을 수 있다. 이는 백제의 기원이 되는 다음과 같은 부여의 사례를 통해서도 짐작할 수 있다.

> f. 옛 부여의 풍속에는 가뭄이나 장마가 계속되어 5穀이 영글지 않으면 그 허물을 왕에게 돌려 갈자느니 혹은 죽이자느니 하였다고 한다.[49]

위의 사례는 농사의 흉풍이 국왕의 운명을 결정 지었음을 말해준다. 반면 왕이 농사에 비상하게 신경을 투사할 수밖에 없는 상황임을 반증해준다. 이와 마찬 가지로 백제에서

---

46 胡海帆·湯燕 編著, 『中國古代磚刻銘文集(上)』, 文物出版社, 2008, 191쪽.
47 백제의 토착 신앙에 대해서는 송화섭, 「토착신앙」 『百濟의 祭儀와 宗教』, 충청남도역사문화연구원, 2007, 33~129쪽이 크게 참고된다.
48 『三國志』 권30, 동이전 마한 조.
49 『三國志』 권30, 동이전 부여 조.

도 다음에서 보듯이 국왕이 祈雨祭를 지낸 데서도 그 비중을 헤아릴 수 있다.

　　g-1. 4월에 크게 가물었다. 왕이 동명묘에 빌었더니 비가 왔다.[50]

　　g-2. 여름에 크게 가물어 볏모가 말라 죽으므로 王이 친히 橫岳에서 제사 지내자 곧 비가 왔다.[51]

　　g-3. 크게 한발이 들어 王이 漆岳寺에 행차하여 祈雨祭를 지냈다.[52]

　위의 기사를 통해 백제 최고의 사묘인 동명묘에서 기우제가 행해졌음을 알게 된다. 부여 시조인 동명은 日光에 感應하여 출생하였다고 한다. 게다가 동명은 天帝의 子로 자처하였다.[53] 이러한 맥락에서 볼 때 天帝의 子인 동명왕을 제사지내는 동명묘에서의 기우제는 당연한 제의로 여겨질 수 있다. 백제왕이 東明王의 父이자 天上을 주재하는 日神인 天帝를 통해 旱魃을 해소하고자 한 것이다. 그리고 祈雨祭와 관련해 역대 백제왕들은 國祖神→山岳神→佛神 順으로 제의가 집전되어 왔음을 알 수 있다. 祭儀 대상의 進化와 擴大를 읽을 수 있게 된다.

4. 國土 保護靈 祭儀

1) 3山 祭儀

　백제에서는 국가의 터전이 되는 國土와 더불어 그에 깃든 山川에 대한 제의가 있었다. 백제 王都와 그 인근에 주목할만한 山이 보인다. 『삼국유사』에 의하면 다음과 같이 적혀 있다.

　h. 또 도성에는 3山이 있는데, 말하자면 日山·吳山·浮山으로, 國家 전성시절에는 각각 神人이 그

50　『三國史記』권24, 仇首王 14년 조

51　『三國史記』권25, 阿莘王 11년 조.

52　『三國史記』권27, 法王 2년 조.

53　『三國志』권30, 동이전 부여 조.

꼭대기에 살고 있었는데, 날아서 서로 왕래하기를 朝夕으로 끊어지지 않았다.[54]

즉 백제 왕도였던 부여군에 3山이 존재했음을 알려준다. 이러한 3山은 사비성천도 이후에 설정되었을 것이다. 실제 3山 중 吳山은 부여읍 능산리와 염창리에 걸쳐 있는 해발 160m의 吳山에, 浮山은 백마강 對岸인 부여군 규암면 津邊里와 新里 경계에 있는 해발 170m의 浮山에 해당된다. 日山의 위치는 吳山과 浮山이 서로 일직선상에서 연결 되는 부여읍 구아리·쌍북리·가탑리·동남리에 걸쳐 있는 錦城山으로 지목할 수 있다.[55]

3山에는 神人이 각각 거주하면서 "날아서 서로 왕래하기를 朝夕으로 끊어지지 않았다"고 한다. 그러했던 시기가 '國家全盛之時'였던 점에 비추어 볼 때, 그 역할은 국가 鎭護였음을 암시해 준다. 그러한 국가 흥성의 지표인 3山의 神人은 백제 국력이 쇠미해졌거나 國亡 後에는 더 이상 존재하지 않았으리라고 인식되었던 것 같다. 실제 국가의 존망과 山神에 대한 祭儀와는 현저한 관계에 있었다고 한다.[56] 이 같은 王都와 그 주변의 3山은 백제의 山景文塼에 보이는 3神山에서 짐작되듯이 道敎와 관련 있을 것 같다. 가령 고구려의 執權者인 淵蓋蘇文이 도교를 진흥시켜 "道士들은 국내의 유명 산천을 돌아다니며 진압시켰다"[57]라고 한 사실과 맥이 닿는 면이 있기 때문이다. 그렇다고 할 때 도교와 관련한 백제의 3山 의식은 무왕 때 생성되었을 가능성이다. 무왕 때는 宮南地에 方丈仙山을 모방할만치,[58] 도교사상이 高揚된 시점이었다. 게다가 이때는 대외적인 정복전쟁에서 줄기찬 승리를 구가하던 '國家全盛之時'였기 때문이다.

3山에 대한 祭儀는 백제 祀典 체계에서 가장 격이 높았으리라고 본다. 이는 신라의 3山 5岳 가운데 전자가 大祀로, 후자가 中祀로 편제된[59] 데서 미루어 볼 수 있다.

---

54 『三國遺事』권2, 南扶餘 後百濟 條.
55 한글학회, 『한국지명총람 4(충남편 上)』1974, 438쪽에서도 日山을 錦城山으로 간주하였다.
56 三品彰英, 『新羅花郎の硏究』, 平凡社, 1974, 155쪽.
57 『三國遺事』권3, 紀異, 寶藏奉老 普德移庵 條.
58 『三國史記』권27, 武王 35년 조.
59 『三國史記』권32, 雜志 祭祀 條.

2) 5岳 祭儀

『한원』에 인용된 「括地志」에 의하면 백제는 국토 四界에 각각의 산악을 설정했음을 알 수 있다. 즉 北界에는 烏山, 國東에는 鷄藍山, 남쪽에는 祖粗山, 南界에는 霧五山, 西界에는 旦那山, 그 밖에 山旦山, 禮母山이 國南에 소재한 것으로 기록되어 있다. 이처럼 백제를 대표하는 7山 가운데, 그 4方界에 자리잡은 4山은 사비성 도읍기의 영역관을 반영한다. 우선 烏山은 『삼국사기』 祭祀志에서 통일신라가 中祀를 지낸 烏西岳으로 지목할 수 있다. 이곳은 지금의 보령군 성인면에 소재한 해발 791m의 烏棲山에 해당된다. 여기서 오산을 烏西岳(烏栖山·烏棲山)과 일치시킬 수 있는 근거는 兩者 모두 오합사 북쪽에 소재한 백제의 북방 영역을 대표하는 산악으로 등장하기 때문이다. 가령 『擇里志』에 의하면 烏栖山의 한 地脈은 西南으로 향하여 오합사의 鎭山인 보령의 聖住山이 된다고 했다.[60] 그러므로 烏西岳(烏栖山)은 오합사와 짝을 이루는 '北岳 烏合寺'의 북악으로 간주할 수 있다. 그리고 오서악이 통일신라의 국가적 祭儀 대상인 中祀處였음은[61] 백제 때도 崇信의 대상이었음을 시사한다.[62] 이는 백제 북방을 대표하는 산악인 오산의 비중과도 걸맞고 있다. 더욱이 烏合寺라는 寺名은 烏西岳에서 유래한 게 거의 분명하다. 그러므로 烏山 역시 오합사와의 상호 관련성을 배제하기는 어렵기 때문이다.

그리고 鷄藍山은 이미 지적된 바 있듯이 충청남도 공주의 鷄龍山에 비정할 수 있다.[63] 鷄藍山 남쪽에 있는 祖粗山은 대둔산이나 雲長山 혹은 김제의 母岳山도 가능하다. 한편 國南界의 霧五山은 智異山에 비정된다. 旦那山은 백제 때 進禮郡 丹川縣(武州郡 赤裳面) 관내 冬老岳[64]과 音相似하다. 이로 볼 때 단나산은 적상산을 가리킬 수 있다. 그러나 적상산은 백제의 東界는 될 수 있지만 "在國西界"라는 旦那山과는 전혀 방위가 맞지 않다. 반면 단나산은 『삼국사기』 제사지 小祀 條에 보이는 전라남도 영암군 월출산의 古名인 月奈岳과 관련 지을 여지가 크다. 왜냐하면 단나산의 '旦'을 '月'의 誤寫로 가정한다

---

60 『擇里志』권9, 忠淸道 條.

61 『三國史記』권32, 祭祀 條.

62 이는 통일신라의 5岳에 백제의 계룡산과 무오산(지리산)이 포함된 데서도 유추된다. 이들 山岳은 『三國史記』 제사지에 의하면 中祀 대상이었다.

63 李基白, 「新羅 五岳의 成立과 그 意義」 『新羅 政治社會史硏究』, 일조각, 1974, 204쪽.

64 『三國史記』권32, 祭祀志 小祀 條.

면--실제『한원』에는 誤寫가 많기로 알려진 바 있지만--月那山이므로 月奈岳과 符合되기 때문이다. 더욱이 지리산으로 추정되는 무오산이 '國南界'라면 月那山은 그 西界로 인식될 소지가 충분하다. 따라서 旦那山 즉 月那山은 서해안에 소재한 지금의 전라남도 영암군의 月出山을 가리킨다고 본다. 月那山의 '那'는 '出'의 訓讀이 되는 것이다. 혹은 旦那山의 '旦'이 '月'의 訓이라고 한다면 '달날山'이 된다. 이는 곧 '月出山'에 다름 아니기 때문이다.[65]

그 밖에 山旦山은 백제 때 伯海郡 難珍阿縣(難知可縣 ; 전라북도 진안군 용담면)에 소재한 西多山[66]을 가리킨다고 생각된다. 서다산은 통일신라 때 小祀를 지냈던 산악이므로, 山旦山 곧 서다산은 지금의 德裕山이 된다. 마지막으로 禮母山의 현재 山名은 알 수 없다.

지금까지 살펴본 바에 따라『한원』所引의 백제를 대표하는 7山 가운데, 국토의 4方界에 소재한 산악들의 소재지가 거의 밝혀졌다. 즉 東界의 鷄藍山(鷄龍山), 西界의 旦那山(月出山), 南界의 霧五山(智異山), 北界의 烏山(烏棲山)이다. 모두 통일신라 때 국가적 제사 대상이 되고 있다. 가령 무오산은 大祀, 오산과 계람산은 中祀, 단나산은 小祀의 대상이었다. 이들 4방계산은 백제 당시 국가적 鎭護山岳이었으며, 崇信의 대상이었다.[67]

---

65 노중국은 旦那山의 '旦'이 '月'의 誤記라면 그 아래에 나오는 '山旦山'의 '旦'도 '月'의 誤記로 보아 '山月山'으로 읽어야 한다고 했다(노중국,『백제사회사상사』, 지식산업사, 2010, 538쪽). 노중국은 필자의 고증이 일관성이 없다는 주장을 한 것이다. 여기서 誤記는 우연이나 실수에서 비롯한 결과일 뿐 誤記의 일관성을 찾는다면 그 자체가 작위성을 지닌 것인 만큼 誤記라고 할 수도 없다. 더구나 板刻도 아닌 필사본인『翰苑』에서 誤記의 규칙성을 요구한다는 것은 누가 보다라도 생트집인 것이다. 그리고 노중국은 영암의 월출산은 서악으로 보기에는 방위상 너무 남쪽에 치우쳐 있다고 했다. 그렇다면 氏가 서방성으로 지목하는 예산 임존성은 방위상 당시 도성인 부여의 서쪽 보다는 북쪽에 치우쳐 있는 것을 어떻게 설명할 것인가? 더구나 남방성은 남원이나 광주 광역시 북쪽의 장성으로 비정되고 있는데, 그 어느 지역이든 간에 남방성치고는 백제의 중방성인 정읍에 가까운 편중성을 띄고 있다. 따라서 지금의 기준으로 편중성 여부를 반대의 근거로 삼는 것은 설득력이 떨어진다. 비근한 예로 고려시대의 서경(평양)이나 남경(서울), 그리고 동경(경주)이 방위상에 꼭 맞추어서 설정된 것이던가? 그리고 임존성은 서방의 방성인 刀先城 혹은 力光城 그 어느 지역과도 음운상으로 근사치에도 접근하지 않는다. 그러므로 노중국은 자신 주장의 근거부터 명확히 전제한 후 他說에 관심을 보이는 게 순서일 것이다. 이어서 노중국은 아무런 근거 제시도 없이 태안의 秦山을 旦那山의 축약이라고 했다. 그런데 이는 새로운 대안이 되기는커녕 누가 보다라도 지극히 자의적인 주장에 불과한 것이다.

66 『三國史記』권32, 祭祀志, 小祀 條.

67 이상의 3山과 5岳에 대한 서술은 李道學,「泗沘時代 百濟의 4方界山과 護國寺刹의 성립」『百濟研究』20, 1989;『백제 사비성시대연구』, 일지사, 2010, 244~257쪽에 의하였다.

5. 百濟金銅大香爐의 用途와 象徵性

香爐는 제사 때 香을 지피는 容器를 가리킨다. 그러한 향로의 기능은 여러 가지였지만 대체로 불교의 전래와 함께 부처에게 향과 꽃을 공양하는 香華供養 의식과 관련 짓는다.[68] 백제 당시 향로의 용도와 관련해 다음의 기사가 주목된다.

> j. 봄 2월에 왕흥사가 이룩되었다. 그 절은 강을 내려다 보고, 채색과 장식이 장엄하고 화려하였다. 왕은 매번 배를 타고 절에 들어가 香을 피웠다.[69]

위의 기사를 통해 사찰에서 香을 올리는 祭具가 香爐임을 알 수 있다. 백제금동대향로의 출토지가 능산리 절터였다. 백제금동대향로 역시 사찰에서도 사용된 祭具임이 드러났다. 그러나 寺址를 비롯한 삼국시대 건물지에서 香爐가 출토된 사례는 거의 없다. 그렇지만 祭具로서 응당 향로가 사용된 것은 분명하다. 이와 관련해 백제금동대향로는 향로 중의 최고 秀作이라는 점이다. 이 점에 비추어 볼 때 백제금동대향로는 왕실 전용 香爐로서 국가나 왕실 관련 제의 때만 사용된 제구로 추측된다. 백제금동대향로는 능산리 절터 水槽에 급히 매납된 채로 발견되었다. 이러한 정황은 신라와 당나라 군대가 침공해 오는 초유의 국가적 위기 속에 先靈을 제사지내는 능사에서 긴박하게 제의를 치렀음을 상정하게 한다.[70]

그러면 백제금동대향로가 지닌 상징성에 접근해 보자. 백제금동대향로는 몸체와 뚜껑, 그리고 받침의 세 부분으로 구성된 61.8cm 높이다. 그러한 백제금동대향로의 뚜껑에 장식된 博山은 중국의 동쪽 바다인 渤海 가운데 불로장생의 신선들이 산다는 三神山(蓬萊·方丈·瀛洲山)을 상징적으로 표현한 것으로 말해진다.[71] 대향로의 중첩된 山을 정돈하

---

68 전영래, 「香爐의 起源과 型式變遷」『백제금동대향로 발굴 10주년 기념연구논문자료집 百濟金銅大香爐』, 국립부여박물관, 2003, 48~76쪽.

69 『三國史記』권27, 무왕 35년 조.

70 猪熊兼勝, 「百濟·陵寺 출토 香爐의 디자인과 성격」『백제금동대향로 발굴 10주년 기념 국제학술심포지엄 百濟金銅大香爐와 古代東亞細亞』, 국립부여박물관, 2003, 151쪽.

71 『史記』권28, 封禪書; 윤무병, 「百濟 美術에 나타난 道教的 要素」『백제금동대향로 발굴 10주년 기념연구논문자료집 百濟金銅大香爐』, 국립부여박물관, 2003, 12쪽; 국립부여박물관, 『陵寺(本文)』2000, 83쪽.

여 보면 모두 5段이며 각 단은 5개의 봉우리로 이루어진 결과 모두 25개의 봉우리가 나타난다. 이 山에는 16인의 인물과 39 마리의 동물이 측면 모습으로 조성되었다. 인물상은 여러 종류이지만 동물을 부르는 듯한 사람·말을 달리며 뒤를 돌아 보며 활시위를 겨누는 사람·봇짐 지고 코끼리 등을 탄 사람 등등이 보인다. 그리고 樂師들이 阮咸·長嘯·排簫·북·거문고를 연주한다. 동일한 순서로 동물들을 살펴 보면 곰·새·호랑이를 비롯해서 얼굴은 사람이지만 몸은 새인 人面鳥身·부리가 긴 새·코끼리와 사슴 등등의 동물들이 나타나고 있다.[72]

백제금동대향로 꼭대기에서처럼 봉황과 같은 새가 앉아 있는 모티브는 중국 향로나 화상전에서 자주 보인다. 뚜껑 전체를 에워싸고 있는 山 모양 역시 중국 향로에서 흔히 보이는 소재이다. 그런데 뚜껑이나 받침 그릇과 밑받침대의 圖像에는 중국 향로에서 찾을 수 없는 부분이 적지 않다고 한다. 이 점 백제만의 고유한 특색이자 세계관의 반영일 수 있다. 특히 奏樂이 기본적으로 제의에서 출발했다고 할 때 五樂師는 祭儀 관련 場面일 수 있다. 여기서 山岳·神仙·鳥·樂師라는 모티브를 통해 산악과 천상을 연결하는 鳥와 奏樂을 엮어서 볼 때 하늘이나 산악에 대한 제의 場面을 연상시킨다.

백제금동대향로는 水中에 솟아 있는 理想鄕 博山의 모양을 재현했을 수 있다.[73] 그런데 奏樂하는 五樂師 頭髮은 禿頭에다가 오른쪽 귀언저리에 머리채를 끌어 모아 묶은 형식[兩角髻]에 속한다.[74] 즉 剃頭辮髮에 속하는 이같은 두발 양식은 북방 유목민족 사회의 그것과 동일하다.[75] 그렇다면 이는 부여에서 출원한 백제인들의 자국 정체성과 연계된 모습으로써 산악과 하늘에 대한 제의 장면으로 보인다.[76] 실제 백제금동대향로에 등장하는 인물들은 긴 소매[長袖]의 큰 겉옷[大袍]을 입었다.[77] 이러한 의복은 부여에서의 "白布

---

72 국립부여박물관, 『陵寺(本文)』 2000, 84~85쪽; 국립부여박물관, 『백제금동대향로 발굴 10주년 기념 백제금동대향로』 2003.

73 백제금동대향로에는 백제 王都를 鎭護하는 3山信仰이 투영되었다는 견해도 있다(장인성, 「백제금동대향로의 도교 문화적 배경」 『백제금동대향로 발굴 10주년 기념 국제학술심포지엄 百濟金銅大香爐와 古代東亞細亞』 국립부여박물관, 2003, 95쪽).

74 권태원, 『백제의 의복과 장신구』, 주류성, 2004, 81쪽.

75 백제인들의 頭髮과 服裝 뿐 아니라 고조선인들의 頭髮에 대해서도 2013년 10월 11일 하남문화원에서의 학술세미나 때 정리된 견해를 발표할 예정이다.

76 제례는 예나 이제나 가장 보수성이 강한 관계로 오악사들이 고유한 복장과 두발을 견지한 것으로 보인다.

77 猪熊兼勝, 「百濟·陵寺 출토 香爐의 디자인과 성격」 『백제금동대향로 발굴 10주년 기념 국제학술심

大袂袍袴"[78]와 연결되고 있다. 즉 백제금동대향로의 인물들 복장은 부여와 다르지 않았다. 이러한 제반 요소들은 사비성으로 천도한 백제가 '부여'로 改號하면서 국가적 정체성을 찾고자 한 흐름과 연관된다.[79]

백제금동대향로에는 鸚鵡와 獅子, 그리고 鰐魚를 비롯한 珍貴한 남방산 동물들과 더불어 봇짐을 짊어진 사내가 코끼리 등 위에 올라탄 情景 등 모두 異國風들이다. 백제금동대향로에는 앵무새나 악어를 비롯해서 코끼리·원숭이·羊·사자에 이르기까지 백제에서 서식하지 않은 진귀한 동물들이 등장한다. 이는 백제가 왜에 선물한 낙타·노새·양·흰꿩·앵무새·당나귀 등과 같은 동물들의 실재와 결부 짓는 게 가능하다. 백제 의자왕이 倭의 權臣인 藤原鎌足에게 선물한 바둑함에도 코끼리 모습이 담겨 있다. 그러므로 백제금동대향로의 동물들은 이 같은 천하의 만물이 집결하고 서식한다는 백제인들의 자국 중심 천하관을 반영한다.[80] 실제로 백제금동대향로가 출토된 능사에서는 서역과의 교류를 암시해 주는 유리편까지 출토된 바 있다.[81] 요컨대 백제금동대향로에는 백제 영역이나 활동권 및 세계관의 확장에 따라 확보된 물산의 풍부함을 과시하고 있다.[82] 그럼으로써 자국의 위상을 높이고자 한 세계관의 표출이었다.

백제금동대향로에는 신화에나 등장하는 환상적인 귀신의 모습인 畏獸나 怪獸를 비롯해서 각종의 기이한 동물과 초목들을 가미시켰다. 게다가 현악기·타악기·관악기로 구성된 5종류의 악기가 마치 연주되는 것 같은 분위기 속에서 향이 피어오르는 모습은 신비감을 증폭시켰을 것이다. 백제금동대향로는 이같은 樂土의 이미지를 과시하려는 의도가 담긴 것으로 평가된다. 이러한 情景은 500년(동성왕 22) 시점에 보이는 다음의 k 기사와 관련해 주목된다.

포지엄 百濟金銅大香爐와 古代東亞細亞』, 국립부여박물관, 2003, 148쪽.

78 『三國志』권30, 동이전 부여 조.

79 백제금동대향로의 인물상은 오악사 외에도 대부분 禿頭였다. 그리고 왼편 얼굴만 보이는 경우가 많았다. 그렇기 때문에 오른 편의 머리채를 제대로 살피기는 어렵다.

80 李道學, 『백제 사비성시대 연구』, 일지사, 2010, 470쪽.

81 김종만, 「扶餘 陵山里寺址 出土遺物의 國際的 性格」『백제금동대향로 발굴 10주년 기념 국제학술심포지엄 百濟金銅大香爐와 古代東亞細亞』, 국립부여박물관, 2003, 73쪽; 국립부여박물관, 『백제 중흥을 꿈꾸다 능산리사지』, 2010, 158쪽.

82 이에 대해서는 李道學, 「백제와 동남아시아 諸國과의 교류」『백제 사비성시대 연구』, 일지사, 2010, 258~293쪽을 참고하기 바란다.

k. 봄에 임류각을 대궐 동쪽에 세웠는데, 높이가 5丈이나 되었다. 또 못을 파서 奇異한 새들을 기르자 諫官이 글을 올렸으나 듣지 않고, 다시 諫하는 자가 있을까 두려워하여 궁문을 닫아버렸다.[83]

l. 3월에 궁성의 남쪽에 못을 파고 물을 20여 리에서 끌어들이고, 사방의 언덕에 버드나무를 심고 못 가운데 섬을 쌓았는데, 이는 方丈仙山을 모방했다.[84]

위의 l 기사에 보면 궁남지 복판의 인공섬은 渤海 가운데 있다고 하는 三神山의 한 곳인 方丈仙山을 모방한 것이다. 董仲舒의 天人感應說에 따르면[85] 무왕은 神仙을 감응시키기 위해 仙界를 본뜬 모형을 궁남지에 재현한 것이다. 自國 안에 仙界를 구현하려는 무왕의 열망이 담겨 있음은 두 말할 나위 없다. 그러한 못 속에는 龍이 살고 있다고 믿어졌다. 池龍의 아들이라는 俗傳을 지닌 이가 무왕이었다.[86] 이렇게 보면 백제금동대향로의 받침대인 龍 발톱과 연꽃이 넘치는 水中世界, 그 위에 솟아 있는 山岳은 궁남지 방장선산의 재현일 수 있다. 더욱이 의자왕을 가리켜 海東曾子라고 하였듯이 백제는 海東 즉 발해 동쪽으로 지칭되어졌다. 그렇기에 백제는 渤海 중에 있는 삼신산의 소재지와 크게 어긋나지 않는다. 또 그렇다면 백제는 백제금동대향로 속에 방장선산을 재현해 놓았을 수 있다.

앞서 인용한 "못을 파서 奇異한 새들을 기른(k)" 곳은 '못 가운데 섬'의 존재를 암시해준다. 섬 안에 재현한 l 기사의 방장선산에도 "奇異한 새들을 길렀다"고 할 수 있다. 백제금동대향로에 보이는 鸚鵡를 비롯한 '奇異한 새'나 怪獸의 경우도 이 같은 방장선산의 구성과 관련 있을 것이다. 결국 백제금동대향로는 神仙의 理想世界를 재현해 놓은 것으로 판단된다. 不老長生의 神仙世界에 대한 希求는 무령왕릉에 부장된 銅鏡에서 "천상에는 仙人이 있어 늙음을 모르고, 갈증이 나면 玉泉을 마시고, 굶주리면 대추를 먹으니, 수명이 金石과 같다"라고 하여 보인다. 따라서 사비성 천도 이후에는 이 같은 神仙思想이 왕실 저변에 깔려 있었을 수 있다.

---

83 『三國史記』권26, 동성왕 22년 조.
84 『三國史記』권27, 무왕 35년 조.
85 천인감응설에 대해서는 박경은, 「博山香爐의 昇仙圖像 硏究」『백제금동대향로 발굴 10주년 기념연구논문자료집 百濟金銅大香爐』, 국립부여박물관, 2003, 172쪽을 참고하기 바란다.
86 『三國遺事』권2, 紀異, 武王 條.

진시황이 불로초를 구하도록 동남동녀 3千 명과 함께 파견한 서복과 관련한 東海의 理想鄕이 三神山이다. 그러한 삼신산은 지금의 제주도로 인식되기도 한다.[87] 또 그렇기에 사실 여부를 떠나 서복 전설과 제주도를 결부 짓기도 했다.[88] 그런데 이 무렵 백제는 神仙이 산다는 제주도를 영향권 내에 복속시켰다.[89] 그렇게 되면 백제는 삼신산이라는 이상향을 포용한 것이다. 주지하듯이 무왕대에는 정복전쟁에서 승리를 구가했다. 동시에 익산 천도와 맞물려서 新首都를 '积慕蜜地' 즉 '樂土'나 '福地' 개념으로 설정하였다.[90] 이와 더불어 미륵부처의 하생과 엮어서 미륵신앙의 요람임을 과시했다. 특히 미륵사지 서탑 「사리봉안기」에 따르면 무왕의 長壽를 기원하고 있다.[91] 이는 정복군주의 성향인 神仙思想에 대한 憧憬이 담겨 질 수 있는 정황이 된다.[92] 이러한 맥락에서 본다면 무왕대 미륵국토 구현 의지와 관련해 蓮華藏 위에 피어오르는 方丈仙山의 모습은 궁남지 모습과 다르지 않을 것이다. 요컨대 이미 지적되었듯이 佛敎의 蓮華藏 世界와 道家의 理想鄕이 응결된 그 재현물이 百濟金銅大香爐라고 하겠다.[93]

6. 맺음말

백제의 국가적 祭儀로서 가장 격이 높았던 제의처는 국왕이 집전하는 國祖神을 모신

87　『新增東國輿地勝覽』권38, 旌義縣, 山川 條.
　　물론 16세기 문헌인『新增東國輿地勝覽』의 기록이기는 하지만 '古記'를 인용한 내용이다. 그러한 만큼 삼신산과 제주도를 연결지는 由緒는 이 보다 훨씬 이전으로 상정할 수 있다.
88　이에 대해서는 다음의 논고가 참고된다.
　　辛鍾遠,「이른바 '서불석각'의 실체와 서불 전설의 의미」『東亞海洋文化國際學術會議 論文集』, 浙江大學, 2013, 136~164쪽.
89　백제와 탐라의 관계는『삼국사기』와『일본서기』에서 476(문주왕 2)과 498년(동성왕 20), 그리고 508년(무녕왕 8)에 보인다. 모두 백제의 형향력이 탐라에 미쳤음을 뜻하는 동시에 武王 이전의 사실이다.
90　李道學,「古都 益山의 眞正性에 관한 多角的 分析」『마한백제문화연구』19, 2010, 100쪽.
91　李道學,『백제 사비성시대 연구』, 일지사, 2010, 125~126쪽.
92　이러한 맥락에서 백제금동대향로의 제작 시기를 7세기 전반으로 고찰한 다음의 논고는 확실히 주목된다.
　　조용중,「百濟金銅大香爐에 관한 硏究」『백제금동대향로 발굴 10주년 기념연구논문자료집 百濟金銅大香爐』, 국립부여박물관, 2003, 149쪽.
93　梁起錫,「百濟 文化의 優秀性과 國際性」『百濟文化』40, 2009, 106쪽.

東明廟였다. 동명묘는 부여 시조인 동명왕을 제사지내는 사당이었다. 백제 건국 세력은 부여로부터 내려오는 정통성을 자국이 지녔다고 믿었기에 부여 시조를 제사지냈다. 동명묘는 不遷位와 같은 절대적 위상을 지닌 사묘였다. 그랬기에 동명묘가 소재한 한성을 상실하고 웅진성으로 천도한 이후 백제왕들의 동명묘 拜謁은 가능하지 않았다. 반면 사비성 도읍기에 백제는 그 代案으로 부여의 중시조격인 위구태를 제사지냈다. 바로 1년에 4회나 제사 지내던 백제 '始祖 仇台廟'였다.

백제왕이 겨울과 여름에 집전하는 제의 대상으로서는 天地가 있었다. 특히 祭天의 경우 대부분 겨울에 하였고 가장 盛大하였다. 이때는 북[鼓]을 사용하였고 '歌舞'를 했다. 이는 殷正月에 하였던 부여 迎鼓의 '飮食歌舞'와 유사하다. 그리고 흉노에서 겨울과 여름에 天地 제의가 있었던 것처럼 백제 제의에는 북방적 색채가 보인다. 이는 백제 건국 세력의 정체성을 반영하는 것이다. 이 같은 祭天을 통해 백제 왕실을 비롯한 건국 세력은 일체감을 조성하고자 했던 것 같다.

백제에서는 天地神에 대한 제의가 있었다. 그런데 「무녕왕릉 매지권」은 天帝의 律令을 배제하고 있다. 백제에서는 天神과 地神의 관할 공간을 구분했음을 알려준다. 이 점 백제만의 특색으로서 제의 대상인 天地의 主管者가 엄격하게 兩分되었음을 뜻한다. 그리고 백제에서는 사비성 도읍기에 중국에서 유입된 五帝 제의가 있었다. 그 밖에 부여 왕국 이래로 국왕의 운명을 결정 지었던 사안이 農事의 凶豊이었다. 이와 관련해 역대 백제왕들은 직접 國祖神→山岳神→佛神 順으로 祈雨祭를 지낸 바 있다. 祭儀 대상의 進化와 擴大를 읽을 수 있게 된다.

백제에서는 국가의 터전이 되는 國土와 더불어 그에 깃든 山川에 대한 제의가 있었다. 백제는 사비성 천도 이후 王都와 그 인근에 3山을 설정하였다. 즉 日山과 吳山 그리고 浮山이다. 3山에는 神人이 각각 거주하면서 "날아서 서로 왕래하기를 朝夕으로 끊어지지 않았다"고 한다. 그러한 시기가 '國家全盛之時'였던 점에 비추어 볼 때, 神人의 역할은 국가 鎭護였음을 암시해 준다. 나아가 백제는 사비성 도읍기에 국토의 4方界에 국토를 鎭護해 주는 산악을 설정하였다. 즉 東界의 鷄藍山(鷄龍山), 西界의 旦那山(月出山), 南界의 霧五山(智異山), 北界의 烏山(烏棲山)이었다. 이러한 3山 5岳 의식은 백제가 대외적으로 팽창해 가던 무왕대의 정서가 투영된 것으로 보인다. 그리고 3山 5岳은 백제의 祀典 體系에 편제된 것으로 간주된다.

백제금동대향로는 국가나 왕실과 관련한 祭儀에 사용된 祭具였다. 五樂師 頭髮은 禿

頭에다가 오른쪽 귀언저리에 머리채를 끌어 모아 묶은 형식[兩角髻]에 속한다. 즉 剃頭辮髮에 속하는 것으로 역시 북방 유목민족 사회의 頭髮 형태가 된다. 그렇다면 이는 부여에서 출원한 백제인들이 자국의 정체성과 연계된 모습으로써 산악과 하늘에 제의하는 장면으로 볼 수 있다. 그리고 이는 사비성으로 천도한 백제가 '부여'로 改號하면서 국가의 정체성을 찾고자 한 흐름과 연관된다.

백제는 神仙이 산다는 봉래산으로 간주되기도 했던 지금의 제주도를 영향권 내에 두었다. 백제는 三神山의 이상향을 포용한 것이다. 이와 더불어 무왕대에는 정복전쟁에서 승리를 구가했다. 동시에 익산 천도와 맞물려서 新首都를 '枳慕蜜地' 즉 '樂土'나 '福地' 개념으로 설정하였다. 동시에 백제는 미래불인 미륵부처의 하생과 엮어서 미륵신앙의 요람임을 과시했다. 미륵사지 서탑 「사리봉안기」에서 武王의 長壽를 기원하는 염원이 담겨 있었다. 이는 정복군주의 성향인 神仙思想에 대한 동경이 담겨 질 수 있는 정황이었다. 결국 무왕대 미륵국토 구현 의지와 관련해 연화장 위에 피어오르는 方丈仙山의 모습은 궁남지 모습의 재현일 수 있다. 요컨대 불교의 연화장 세계와 도교사상이 응결된 그 재현물이 백제금동대향로였다.

「百濟의 祭儀와 百濟金銅大香爐」『제59회 백제문화제국제학술대회』2013. 10. 1;

『충청학과 충청문화』17, 충청남도역사문화연구원, 2013.

界線으로서 韓國史 속 百濟人들의 頭髮과 服飾

1. 머리말

人間의 頭髮 형태는 種族마다 차이가 있어 왔다. 그리고 두발의 본래 형태를 후대까지 보존하는 경향이 있었던 것 같다. 이러한 두발 형태는 종족의 정체성을 반영할 뿐 아니라 다른 종족과 구분 짓는 要諦이기도 했다. 대표적인 사례가 만주족이 건국한 淸이 중국대륙의 漢族들에게 자신들의 剃頭辮髮을 강요하였다. 두발의 통일을 통한 동질화와 더불어 정복의 마침표를 찍으려고 한 조치라고 하겠다.

우리나라의 경우는 조선시대 한국인 남자들이 상투를 틀었던 사실은 어렵지 않게 확인된다. 그 이전 시기 한국인의 두발에 대해서도 문헌에서 보인다. 그런데 고조선 시기의 두발의 형태에 대해서 심도 있는 논의가 진행된 바는 없었다. 다만 위만이 고조선으로 망명할 때의 기록에 보이는 "魋結蠻夷服"을 '북상투'로 해석하여 조선시대인들의 상투와 동일한 것으로 판단하여 왔다. 그러나 이 문제에 대해서는 재검증이 필요하다고 보았다. 나아가 이러한 두발 문제는 백제의 경우와 관련해서도 살펴 보고자하는 것이다. 백제인들의 두발에 대해서도 당위론적인 상상과는 다르게 볼 수 있는 근거가 있기 때문이다. 동시에 백제의 복장에 대해서도 살펴 보고자 한다. 주지하듯이 고구려는 부여에서 갈라져 나왔기에 언어와 풍속에서 유사함이 많았다고 한다. 그러나 부여인과 고구려인들은 氣質과 의복에서 차이가 있었다고 했다.[1] 이러한 기록은 두발과 더불어 복장이 지닌 종족의 정체성을 대별한다고 본다.

본고에서는 고조선의 두발에 대한 검토에 이어 삼국시대의 두발과 복장에 대한 고찰을 시도하였다. 그런 후에 백제인들의 두발과 복식에 대한 접근을 통해 이들의 종족적 계통과 정체성을 구명하는 계기로 삼고자 했다. 끝으로 한국사 전반에서 頭髮과 復飾이 지닌 정체성 문제를 領域의 界線이 지닌 고구려 千里長城 축조 動機와 결부지어 환기시

---

1 『三國志』권30, 東夷傳 高句麗 條.

키고자 하였다.

2. 한국사에서의 辮髮 문제

한국은 역사시대 이래로 응당 상투를 틀었을 것으로 간주해 왔다. 의심없이 그렇게 간주하는 의식의 저변에는 소위 箕子東來로 인한 중국 문명의 세례와 小中華 의식이 가세한 것이었다. 가령『三國志』濊 條에 적혀 있는 "옛적에 箕子가 朝鮮에 가서 8條의 教를 만들어 가르치자 문을 닫지 않아도 백성들이 도둑질 하지 않았다"[2]라는 구절도 한 사례에 속한다. 그런데 한국에서의 변발 가능성을 최초로 지적한 이가 일본의 국민작가였던 故 司馬遼太郎이었다. 그는 좌담회 석상에서 다음과 같은 발언을 하였다.

저는 고대의 한국, 그러니까 삼국시대 이전에는 변발을 하지 않았을까 생각하는데, 과연 어땠을까요? 요컨대 중국 중심부 이외에는 전부 변발을 하고 있었어요. 일본식 상투는 머리 앞 부분을 밀어요. 그것이 변발의 변형이라는 사실을 발견한 것은 여기 계시는 陳舜臣 선생의 공적이지요. 진 선생과 아우되시는 분이 함께 쓴 책에 그런 내용이 보입니다. 정말 타당한 지적이라고 생각해요. … 도쿠가와 쇼군을 비롯하여 다이묘도 모두 앞머리를 깎고 상투를 올렸던 것이죠. 그러니까 진 선생님으로 말하자면 변발을 하고 있었던 겁니다.[3]

司馬遼太郎은 고대 한국인들이 변발했을 가능성을 처음으로 제기한 것이다. 종족의 정체성을 반영하는 게 頭髮에 대한 풍속이다. 유목민족의 경우 剃頭辮髮을 하고 있다. 가령 禿髮氏의 경우 氏名을 통해 剃頭임을 알 수 있다. 실제 365년에 "선비족 禿髮椎斤이 죽었다"[4]는 기사에 보이듯이 독발씨는 선비계인 것이다. 이와 관련해『史記』朝鮮傳의 다음 기사가 주목을 요한다.

---

2 『三國志』권30, 濊 條.
3 김달수·진순신·시바료타로,『역사의 교차로에서』, 책과함께, 2004, 105~106쪽.
4 『資治通鑑』권101, 興寧 3년 조.

燕王 盧綰이 [漢을] 배반하고 匈奴로 들어가자 滿도 亡命했다. 무리 천여 명을 모아 북상투[魋結]에 蠻夷의 복장을 하고서, 동쪽으로 도망하여 [遼東의] 요새를 나와 浿水를 건너 秦의 옛 空地인 上下鄣에 살았다. 점차 眞番과 朝鮮의 蠻夷 및 옛 燕·齊의 亡命者를 복속시켜 거느리고 王이 되었으며 王險에 도읍을 정했다.[5]

위의 기사에 보면 衛滿이 고조선으로 망명할 때 "魋結蠻夷服"라고 했다. 이에 대해서는 일찍이 斗溪 李丙燾가 깊은 관심을 가지고 언급한 바 있다. 그는 衛滿이 중국인 아니라 한국인이라는 차원에서 "魋結蠻夷服"에 대한 의미를 부여했다. 다음과 같은 두계 이병도의 관련 내용을 인용해 보았다.

그런데 여기서 또 注意할 事項이 있다. 滿이 朝鮮에 入國할 때에 '魋結蠻夷服'하고 왔다는 史記의 記事가 그것이다. 漢書 朝鮮傳에는 魋結을 椎結로 書하였으나, 실상은 마찬가지의 뜻으로, 古代朝鮮人의 男子結髮인 '상투'를 말한 것이니, '상투'의 樣式이 中國과 倭의 그것과는 달라, 특히 방망이(椎)와 같이 삐죽하다 하여, 魋結 혹은 椎結이라 한 것이다. 時代는 뒤떨어지지만, 魏志 東夷傳 韓條에 馬韓人의 男子結髮을 評하여 '魋頭露紒'(冠帽를 쓰지 아니한 '날상투'를 말한 것)라 한 것을 보면, 우리 古代社會의 南北의 結髮이 대개 같았음을 알 수 있다. 東亞에 있어서의 椎結民族은 古來로 우리나라와 苗族(南越)뿐 이었으니, 위의 '魋結蠻夷服'은 확실히 朝鮮式의 結髮(상투)과 衣服을 指稱한 것임은 더 말할 것도 없다. (魏略의 胡服云云도 이를 簡單히 表現한 것으로 보아야 하겠다). 그러면 衛滿一黨이 그러한 結髮과 服飾을 하고 온 것은 무슨 까닭인가. 여기서 나는 그가 純粹한 漢人系統의 燕人이 아님을 주장하고 싶다. 혹은 그가 純粹한 漢人으로서 朝鮮人의 歡迎을 받기 위하여 朝鮮의 習俗(服飾)을 假裝하고 온 것이 아니었을까 하는 疑心도 나지만, 그보다도 나는 그가 본시 朝鮮人系統의 子孫으로서 燕王의 亡命과 漢(官)軍의 征討로 인한 燕領內의 動搖를 契機로 하여 즉 그 틈을 타서, 本然의 姿態로 장식하고 集團的으로 무리를 이끌고 母國에 들어 온 것으로 보는 것이 더 自然스럽고 合理的인 解釋일 것이다.[6]

조선 仁祖가 남한산성에서 나와 항복할 때 淸國 복장을 하였다. 의복 하사를 비롯한

---

5 『史記』 권115, 朝鮮傳.
6 李丙燾, 「衛氏朝鮮興亡考」 『韓國古代史研究』, 박영사, 1976, 80쪽.

정치적 행위에 보이는 의복은 자고로 복속 의례와 관련을 맺고 있다. 그러므로 위만이 망명할 때의 "魋結蠻夷服"은 歸巢本能이 아니라 고조선에 복속하겠다는 선언이기도 했다. 그런데 이병도는 망명시 衛滿의 頭髮을 가리켜 "방망이[椎]와 같이 삐죽하다 하여, 魋結 혹은 椎結이라 한 것이다"고 했다. 그런데 '魋結'을 『漢書』朝鮮傳에서는 '椎結'로 적었다. 그리고 '魋結'은 동일한 『史記』에서 남월왕 趙他를 비롯하여 西南夷傳(권 116)과 貨殖傳(권 129)에서도 보인다. 흉노에 항복한 李陵의 경우도 '胡服椎結'이었다.[7] 蒙古와 滿洲에서 정수리에만 손바닥만큼 머리를 남겨 뒤로 땋아 드리웠다. 이것을 뒤에서 보면 마치 올챙이 같은데, 올챙이 모양이 방망이[椎]와 비슷하였기에 '椎髻'라고 한 것으로 추정하였다.[8] 어쨌거나 위만의 '魋結'은 중국 漢族과 구분되는 고조선인들의 두발 풍모였음은 분명하다고 본다. 그랬기에 '蠻夷服'과 倂記된 것이라고 하겠다.

망명할 때 위만의 두발을 가리키는 '魋結'의 '魋'는 '몽치머리(추)'이다. '魋結'의 意味는 "머리를 뒤로 늘여 땋은 몽치 모양의 머리"라고 한다. 몽치는 '단단하고 짧막한 몽둥이'를 가리킨다. 그리고 '魋'에는 '북상투'의 뜻이 있다. 북상투는 "아무렇게나 튼 상투/ 함부로 뭉쳐 튼 여자 머리"[10]를 가리킨다. 여기서 위만의 두발인 '魋'는 북상투가 아니라 머리를 뒤로 늘여 땋은 辮髮임을 알 수 있다. 흔히 조선시대 문헌에서 箕子의 敎化와 관련해 운위되는 '編髮'이야 말로 변발을 가리키는 것이다. 그런데 위만이 틀었던 '魋'는 고조선의 두발 형태로서 여진의 두발과 부합한다. 여진의 조상이 고조선 시기의 肅愼이다. 종족의 정체성을 반영해 주는 게 頭髮이다. 이러한 점에서 볼 때 고조선은 숙신과의 연관성이 엿보인다. 女眞史를 한국사에 편제시켜야 하는 근원적인 요인이기도 하다.[11] 아울러 고조선의 종족적 계통은 물론이고 문화적 기반 역시 漢族과는 판이하게 구분됨을 가리킨다. 이 점에 있어서 衛滿의 "魋結蠻夷服" 기사가 응축한 정보는 의미심장한 것이다.

이와 관련해 백제의 두발을 살펴보지 않을 수 없다. 백제금동대향로에 보면 5인의 주악상 머리 모습은 禿頭에다가 오른쪽 귀언저리에 머리채를 끌어 모아 묶은 형식[兩角髻]

---

7 『漢書』권54, 李廣蘇建傳.

8 이덕무, 『靑莊館全書』권59, 盎葉記 6.

9 民衆書林 編輯局, 『全面改訂增補版 漢韓大字典』2007, 2323쪽.

10 동아출판사, 『동아 새국어사전』1995, 940쪽.

11 李道學, 「韓國史의 擴大過程과 女眞史의 歸屬 問題」『한민족연구』13, 2012, 179~200쪽.

에 속한다.[12] 즉 이같은 두발 양식은 剃頭辮髮에 속하는 것으로 역시 유목민족 사회의 두발 형태가 된다. 이러한 경우는 백제와 유목민족 사회와의 연관성이 방증되어야 신빙성을 담보할 수 있을 것 같다. 실제 관련 근거들이 다음과 같이 보인다. 우선 鞬吉支라는 백제왕의 호칭을 비롯하여 左·右賢王制에 이르기까지 북방 유목적인 요소들이 백제에서 확인되었다. 문헌적인 근거 외에 유물이 가세하였다. 백제 지역에서 출토된 4세기 후반 ~5세기대 귀고리나 마구류 가운데 모용선비계가 확인되었다. 위신재와 마구류에 있어서 鮮卑系가 확인된다는 것은 중요한 의미를 지녔다. 백제가 최소한 4세기 후반 이전부터 모용선비와 접촉했음을 뜻하는 동시에 兩者間의 지리적 인접 가능성을 암시해준다. 이와 관련해 청주 일원에서 출토된 선비계의 馬鐸 2점은 중국의 요녕성 북표시 西溝에서 출토된 마탁과 동일한 계통으로 간주할 수 있었다. 보다 중요한 사실은 청주 신봉동 고분에서 수습한 것으로 전하는 鐵鍑의 존재였다. 동복과 철복은 한반도에서는 모두 5개밖에 확인되지 않았다. 평양의 낙랑 유적에서 1개, 김해에서 3개, 그리고 청주에서 1개인 것이다. 김해 대성동 고분에서 출토된 동복 2개는 부여족의 이동과 결부지어 의미를 크게 부여하기도 했다. 반면 선비계의 북방적인 문화 요소는 백제 지역에서도 확인되었다. 특히 청주 지역에서 출토된 馬鐸과 鐵鍑의 존재는 새롭게 조명될 수 있다. 戰士團의 墓地로 불릴 정도로 군사적인 성격의 부장품이 유달리도 많았던 신봉동 고분의 성격과 결부지어 볼 수 있었다. 즉 청주 일원에서 확인된 북방적인 선비계 유물은 백제가 남방 경영과 관련해 이곳을 중시했음을 뜻한다. 교통의 要路인 천안에서도 선비계 마구류가 출토되는 현상과 결부지어 볼 때 더욱 그러한 생각이 든다.

　문헌이나 유물을 통해 백제는 선비를 비롯한 북방문화의 영향을 지대하게 받았음이 확인되었다. 백제의 북방적 요소는 어느 면에서는 고구려와도 크게 구별되는 사안이기에 확실히 주목을 요한다. 그런데 백제 사신이 중국을 방문한 근거로 남겨진 「양직공도」를 비롯한 모두 3종의 백제인 모습에는 체두변발이 보이지 않는다. 그렇기 때문에 백제 금동대향로에 보이는 오악사의 두발은 실제와 부합하지 않는다고 할 수 있다. 이 경우는 백제의 기원이 될 뿐 아니라 의복에 있어서 연관성이 확인되는 부여의 다음과 같은 사례가 도움이 된다.

12　권태원, 『백제의 의복과 장신구』, 주류성, 2004, 81쪽.

국내에 있을 때 의복은 흰색을 숭상하며, 흰 베로 만든 큰 소매 달린 도포와 바지를 입고 가죽신을 신는다. 외국에 나갈 때는 비단옷 · 수놓은 옷 · 모직 옷을 즐겨 입고, 대인은 그 위에다가 여우 · 살쾡이 · 원숭이 · 검고 흰 담비가죽으로 만든 갓옷을 입으며, 또 金銀으로 모자를 장식하였다.[13]

위의 기사를 통해 확인할 수 있는 사실은 부여인들은 국내와 국외에 행차했을 때 복장이 서로 구분되었다는 것이다. 이와 유사한 사례는 백제인들의 氏는 扶餘氏 · 沙宅氏하듯이 본디 複姓이었다. 그런데 중국 사서에서 백제 王氏는 單姓으로 기재되었다. 그 이유는 백제가 중국에 사신을 파견하는 외교 목적일 때는 單字 氏를 사용했음을 뜻한다고 본다. 중국에서는 複姓은 이민족이 주로 사용하는 경우인 반면 單姓은 중국의 성씨로 간주하는 경향이 지배적이었다. 그렇기에 複姓에서 중국처럼 單姓으로 표기한 결과 扶餘氏가 餘氏로 기재된 것이다. 이러한 맥락에서 볼 때「양직공도」등과 같은 사신도의 두발과 금동대향로 오악사의 두발은 차이가 날 수밖에 없었다고 하겠다. 물론 백제에서 체두변발이 주류는 아니었겠지만 종족의 기원과 관련한 두발로서 보존되었던 것으로 보인다.

頭髮과 관련하여 고구려에서 부녀자들은 머리를 올렸고, 처녀들은 머리를 내렸다고 한다.[14] 백제에서도 처녀는 머리를 땋아 뒤로 드리웠다가 시집을 가면 두 갈래로 나누어 머리 위로 틀어 올렸다.[15] 신라에서도 마찬 가지로 婦人은 "땋아 내려진 머리카락을 머리 위로 올린다"[16]고 하였다. 얼마 전까지만 해도 남아 있었던 우리나라 여성들의 두발 풍습이 아닐 수 없다.

3. 백제의 服飾

1) 服飾의 정체성

服飾은 그 종족이 처한 기후나 자연 환경을 비롯하여 정체성을 반영하는 중요한 요체

---

13 『삼국지』권30, 동이전 부여 조.
14 과학백과사전 종합출판사,『조선전사 3』1979, 380쪽.
15 『隋書』권81, 東夷傳 百濟 條.
16 『隋書』권81, 東夷傳 新羅國 條.

이기도 하다. 의복은 신분의 지표인 동시에 타 공동체와 구분 짓는 역할을 하였다. 이는 『삼국지』동이전에서 "言語와 諸事는 夫餘와 더불어 동일한 게 많다. 그 性氣와 衣服은 차이가 있다(고구려 조)"거나 "언어와 법속은 대체로 고구려와 더불어 동일하나 의복은 다름이 있다(濊 條)"라는 기사에서 확인된다. 그리고 「충주고구려비문」에 보면 고구려가 신라왕과 그 신료들에게 의복을 하사하고 있다. 이는 널리 알려져 있듯이 복속 의례와도 관련 있는 일종의 정치적 성격을 지닌 것이다. 신라 진덕여왕이 복속 의례로서 독자 연호를 폐기하고 당의 연호와 관복을 수용한 것처럼[17] 의복 자체의 성격은 그 국가와 종족의 정체성을 반영하고 있다. 이러한 맥락에서 백제를 비롯한 삼국의 관모와 의복의 현상을 파악해 볼 필요가 있을 것 같다. 민족지적인 성격을 지닌 『삼국지』동이전에 보면 관모와 의복에 대해 다음과 같은 기록을 남겼다.

* 국내에 있을 때 의복은 흰색을 숭상하며, 흰 베로 만든 큰 소매 달린 도포와 바지를 입고 가죽신을 신는다. 외국에 나갈 때는 비단옷 · 수놓은 옷 · 모직 옷을 즐겨 입고, 대인은 그 위에다가 여우 · 살쾡이 · 원숭이 · 검고 흰 담비가죽으로 만든 갓옷을 입으며, 또 金銀으로 모자를 장식하였다(부여 조).

* 言語와 諸事는 夫餘와 더불어 동일한 게 많다. 그 性氣와 衣服은 차이가 있다. … 10월에 하늘에 제사를 지내는데, 국중 대회를 이름하여 동맹이라고 한다. 그 公會에서는 모두 수를 놓은 비단옷을 입고 금은으로 장식한다. 大加와 主簿는 머리에 幘을 쓰는데, (중국의) 幘과 같지만 뒷면이 없다. 그 小加는 折風을 쓰는데 형태가 고깔과 같다(고구려 조).

* 언어와 법속은 대체로 고구려와 더불어 동일하나 의복은 다름이 있다. 남녀 옷은 모두 曲領을 입고, 남자들은 넓이가 數寸이나 되는 銀花를 매어 장식을 한다(濊 條).

* 그곳 사람들의 성질은 강인하고 용감하다. 머리카락을 틀어 묶고 상투를 밖에 드러내어 마치 예리한 兵器 같다. 옷은 베로 만든 도포를 입고, 발에는 가죽신을 신고 발을 약간 높이 들어서 걷는다(韓 條).

* 州胡가 馬韓의 서쪽 바다 가운데의 큰 섬에 있다. 그 사람들은 대체로 키가 작고 언어도 韓과 같지

---

17 『三國史記』권5, 진덕왕 3년 조.

않다. 모두 鮮卑처럼 머리를 삭발하였으며, 옷은 오직 가죽으로 해 입고 소나 돼지 기르기를 좋아한다. 그들의 옷은 上衣만 입고 下衣는 없기 때문에 거의 나체와 같다(韓 條).

 * 의복과 居處는 진한과 같다. … 의복은 청결하며, 머리카락은 길다(변진 조).

 * 남자들은 모두 상투를 드러내고, 무명으로 머리를 묶었다. 그 옷은 넓은 폭으로 된 옷감을 다만 서로 연결하여 묶는데, 꿰메지는 않았다. 부인들도 머리카락을 풀어헤치거나 말아서 뒤로 묶었으며, 옷을 만드는 것이 단피(홑이불)와 같은데, 그 중앙을 뚫고 그곳으로 머리를 넣어 입는다(왜인 조).

주지하듯이 고구려는 부여에서 출원했다. 그렇지만 고구려는 부여와의 풍속을 비롯한 문화 전반의 유사성에도 불구하고 동일하지 않은 요소가 있다. 가령『삼국지』동이전 고구려 조에서는 "言語와 諸事는 夫餘와 더불어 동일한 게 많지만, 그 性氣와 衣服은 차이가 있다"라고 하였다. 실제 부여에서 "金銀으로 모자를 장식하였다"고 하였지만, 고구려에서는 "大加와 主簿는 머리에 幘을 쓰는데, (중국의) 幘과 같지만 뒷면이 없다. 그 小加는 折風을 쓰는데 형태가 고깔과 같다"라고 하였다. 양국 간에 있어서 관모에 있어서 차이가 보이는 것이다. 그리고 부여인들의 경우는 성정이 온유한 것으로 묘사되었다. 반면 고구려인들의 경우는 일도양단식의 급하고도 엄혹한 면면을 보여주었다. 그리고 衣服의 차이를 말하고 있는데, 구체적으로 한 가지만 짚어서 말한다면 부여와 고구려는 冠帽에서 차이가 보인다. 반면 夫餘의 金銀 冠飾은 백제의 金銀花 冠飾과 연결되고 있다. 金花飾烏羅冠을 착용한[18] 백제왕 冠帽의 金花飾을 가리키기 때문이다. 백제에서 6품 이상의 官人은 銀花冠飾을 착용하였다.[19] 실제 왕릉을 비롯한 백제 고분에서 金銀花 冠飾이 출토된 바 있다. 물론 고구려도 7세기대에는 관련 기록이 보이지만, 백제는 신분의 지표로서 상징성이 지대한 冠帽와 관련해 계통적으로 부여와 연결된다.

---

18 『三國史記』권24, 고이왕 28년 조.
19 『三國史記』권24, 고이왕 27년 조.

2) 삼국시대의 冠帽와 衣服

　　백제를 비롯한 삼국의 관모와 의복의 현상을 파악해 볼 필요가 있을 것 같다.[20] 우선 부여에서는 "金銀으로써 관모를 장식하였다"[21]고 했다. 고구려에서도 "귀인은 冠에 紫色 비단을 사용하고 金銀으로써 장식한다"[22]라고 하여 귀인의 관모에 金銀으로 장식했다고 한다. 唐의 저명한 시인 李白이 지은 고구려 춤을 소재로 한 詩句 가운데 '金花折風帽'[23] 라고하여 折風 관모에 장착한 金花의 존재를 언급하고 있다. 백제왕은 "烏羅冠에 金銀으로 장식한다"[24]고 했다. 백제 무령왕릉과 충청남도 부여·논산과 남원·나주 등지의 백제 고분에서 각각 출토된 金銀製 冠飾이 그것을 확인시켜주고 있다.[25] 이렇듯 부여에서 비롯하여 고구려·백제 모두 지배층 신분의 관모에 金銀으로 장식했다. 이와 관련해 고려 현종이 귀주대첩에서 승리하고 개선한 姜邯讚 장군의 머리에 金花 8가지를 꽂아 준 사실이 상기된다.[26] 여기서 머리 곧 관모에 金花를 꽂아 준 것은 고구려를 비롯한 삼국시대 이래의 전통이었음을 다시금 확인시켜 준다. 한편 고구려인들은 모자에 鳥羽를 꽂는다고 했다.[27] 백제에서도 "그 冠의 양 곁에는 꼬리 긴 깃털을 꽂는다"[28]라고하여 고구려처럼 관모 양 곁에 새깃을 꽂는 풍속이 존재했었다. 신라에서도 깃털을 관모의 양 곁에 꽂았다고 한다.[29] 의성 탑리 고분·천마총·나주 반남면 신촌리 9호분 등등에서 출토된 관모는 고구려의 영향과 그 연관성이 강조되고 있다. 그러한 고구려 관모는 중국과는 근본적으로 다르다고 한다.[30] 고구려 고분인 龜神塚 벽화에 의하면 銳角三角形이 3개 연결된 관모 착용한 여인상이 보인다. 이러한 관모는 알타이 고분이나 돌궐을 비롯한 유목문화의

20　이 부분의 서술은 李道學, 「三國의 相互關係를 통해 본 高句麗 正體性」『高句麗研究』18, 2004;『광개토왕릉비문연구』, 서경문화사, 2006, 150~152쪽에 의하였다.

21　『三國志』권30, 東夷傳 夫餘 條.

22　『隋書』권81, 東夷傳 高麗 條.

23　『李白集校注』권6, 「高句麗」.

24　『舊唐書』권199, 東夷傳 百濟 條.

25　국립부여박물관, 『백제』1999, 68쪽.

26　『高麗史』권94, 姜邯讚傳.

27　『隋書』권81, 東夷傳 高麗 條.

28　『周書』권49, 東夷傳 百濟 條.

29　리광희, 「고구려의 금속제 관모와 관모 장식에 대한 간단한 고찰」『조선고고연구』127, 2003, 21쪽.

30　리광희, 「고구려의 금속제 관모와 관모 장식에 대한 간단한 고찰」『조선고고연구』127, 2003, 21~25쪽.

移入 흔적으로 볼 수 있다.[31]

백제금동대향로에 등장하는 인물들은 긴 소매[長袖]의 큰 겉옷[大袍]을 입었다.[32] 이러한 의복은 부여에서의 "白布大袂袍袴"[33]와 연결되고 있다. 즉 백제금동대향로의 인물들 복장은 부여와 다르지 않았다. 이러한 제반 요소들은 사비성으로 천도한 백제가 '부여'로 改號하면서 국가적 정체성을 찾고자 한 흐름과 연관된다.[34] 그리고 고구려와 차이가 있다는 부여의 복장은 "白布大袂袍袴履革鞜"라고 하였다. 고이왕의 복장을 "紫大袖袍"에 '烏韋履'라고 하였다. 이러한 백제의 衣服은 부여와 부합하고 있다. 「양직공도」에 보이는 백제 사신은 左衽의 커다란 도포를 무릎을 약간 덮을 만큼 착용하였다. 관모 앞 부분은 지워져서 자세히 살필 수는 없으나 銀花 장식이 있었을 것으로 보인다. 도포 밑에는 바지 부리가 넓은 開口袴를 입었다.[35] 이러한 복장 역시 부여와 부합한다. 의복에 있어서 백제왕은 보라색 옷을 착용했다. 즉위를 나타내는 登極의 極은 北極을 가리킨다. 칠성신앙과 관련해 보라색 옷을 至高한 색깔로 간주하여 백제왕은 이러한 色服을 착용한 것이다. 반면 일반인들은 "그(백제) 의복은 남자는 대략 고려와 동일하다"[36]·"그(백제) 의복은 고려와 더불어 대략 동일하다"[37]라고 하였다. 그러므로 服制上 고구려와 백제간의 동질성을 찾을 수 있다. 그런데 신라의 경우도 "의복은 대략 고려·백제와 더불어 같다"[38]라고 했으므로 삼국은 의복 체계가 거의 동일했던 것 같다. 그러한 신라에서 "色服은 흰색을 숭상했다"[39]고 하였다. 신라 박혁거세와 김알지의 출생과 관련한 동물이 각각 '白馬'와 '白鷄'인 데서도 그러한 정서가 엿보여진다. 이는 부여와의 관련성을 생각하게 한다. 부

---

31 이용범,「高句麗의 遼西 進出企圖와 突厥」『史學研究』4, 1959, 78~79쪽.

32 猪熊兼勝,「百濟·陵寺 출토 香爐의 디자인과 성격」『백제금동대향로 발굴 10주년 기념 국제학술심 포지엄 百濟金銅大香爐와 古代東亞細亞』, 국립부여박물관, 2003, 148쪽.

33 『三國志』권30, 東夷傳 夫餘 條.

34 백제금동대향로의 인물상은 오악사 외에도 대부분 禿頭였다. 그리고 왼편 얼굴만 보이는 경우가 많았다. 그렇기 때문에 오른 편의 머리채를 제대로 살피기는 어렵다.

35 李道學,「梁職貢圖의 百濟 使臣圖와 題記」『百濟文化 海外調査報告書 6』, 국립공주박물관, 2008;『백제 한성·웅진성시대 연구』, 一志社, 2010, 452쪽.

36 『周書』권49, 百濟 條.

37 『隋書』권81, 百濟 條.

38 『隋書』권81, 新羅國 條.

39 『隋書』권81, 新羅國 條.

여에서는 "나라 안에 있을 때는 옷은 흰색을 숭상했는데, 白布大袂 · 袍 · 袴가 있다"[40]고 했듯이 백색을 숭상했기 때문이다. 한국 민족을 '백의민족'으로 일컬은 것은 적어도 부여 이래의 전통이었음을 알 수 있다. 고구려 고분벽화에서도 白袍와 袴를 입은 이들이 눈에 많이 띈다고 한다.[41]

한편 고구려 고분벽화에 보이는 騎馬人의 上衣는 다양한 여밈새를 하고 있다. 바지는 上衣의 통수에 어울리는 그리 좁지 않은 통으로 했고, 바지 부리를 좁혀 깔끔하게 처리했다. 이러한 복식은 기마인 외에 고구려 일반인들도 모두 입고 있는 것으로, 전국시대에 북방 민족이 입은 통이 좁은 고습이나 三國 · 兩晉 · 南北朝時代의 袴褶과는 완전히 다른 모양이다. 또한 고구려에서는 북방 민족처럼 모든 계층이 동일한 성격의 의복을 일률적으로 입은 것이 아니다. 성별과 신분 및 직업에 따라 차이를 보인다고 한다. 구체적으로 살펴 보면 다음과 같다. 각저총 벽화에서는 주인공과 시녀들의 袍와 襦는 모두 左衽直領으로 나타나고 있다. 이는 쌍영총 벽화에서 여자 주인공과 시중군이 함께 右衽直領의 옷을 입은 것과 마찬 가지로 衽形이 사회적 지위와는 관련이 없음을 알려준다. 약수리 고분벽화에서는 기마인과 수렵인들을 대상으로 살펴 볼 때 동일한 의복에서 좌임과 우임이 자연스럽게 혼용되었다. 이들 복장에서는 북방 호복 계통의 窄袖와 細袴는 보이지 않으며 삼국 · 양진 · 남북조시대 袴褶의 모양도 역시 보이지 않는다. 따라서 고구려 기마인과 수렵인의 복식 역시 북방계 호복 형태에 속한다고는 볼 수 없다. 그리고 장천 1호 고분벽화를 볼 때 고구려인들이 帶를 묶는 방향과 매듭의 모양이 신분에 관계없이 자유스러웠지만, 帶의 넓이는 신분에 따라 달랐다. 또 고구려 복식에서는 袍나 襦에 帶를 매기도 하고, 매지 않기도 했다. 이는 북방 계통의 호복에서 거의 일률적으로 帶를 착용한 것과는 차이가 난다. 衽形에서는 좌임과 우임을 자유롭게 혼용하고 있어, 임형은 신분과는 관계가 없음을 말해주고 있다. 그 밖에 삼실총 벽화에서는 주인공 부부의 襦나 袍의 소매 모양과 바지통이 모두 廣袖와 寬袴였다. 시중군들의 경우도 소매는 약간 좁으나 바지의 폭은 역시 寬袴로 북방 계통의 細袴나 窄袖가 아님이 확인되었다. 또 삼국에서 모두 大口袴가 확인되고 있으며, 금동 신발 바닥에 釘을 달았는데, 이러한 신발은 중국이나

40 『三國志』권30, 東夷傳 夫餘 條.
41 耿鐵華,『中國 高句麗史』, 吉林人民出版社, 2002, 47쪽.

북방 지역에서는 보이지 않는다.[42]

4. 맺음말

두발과 의복은 종족의 정체성과 긴밀히 관련되어 있다. 그리고 두발과 의복은 일종의 경계선 역할을 하였다. 이와 관련해 고구려가 631년(영류왕 14)부터 16년 간에 걸쳐 축조한 千里長城이 지닌 의미를 상기하고자 한다. 즉 "2월에 왕이 백성을 동원하여 長城을 쌓되 東北은 扶餘城에서 西南은 바다에까지 이르니 길이가 千餘里요, 통히 16년만에 준공되었다"[43]고 했다. 이러한 천리장성 축조의 동기를 "唐이 고구려 所立의 京觀을 헐었으므로, 王은 혹 (唐이) 自國을 칠까 두려워하여 西境 방비의 目的으로 시작한 것이니"[44]라고 해석하기도 하였다. 그러나 이러한 해석은 지극히 현상적인 이해에 불과하다. 당 태종 이전인 통일제국 隋代 이래 중국인들은 遼東 지역이 당초 중국 영역이었음을 강조하였다. 중국이 곧 탈환해야할 지역으로 설정하였다. 소위 四郡 지역이 그러한 범주에 속하게 된다. 唐은 고구려 영역 가운데 과거 한사군의 영역과 魏代 이후의 요동군을 수복지로 지목하였다. 이에 대한 대응으로 고구려는 自國의 世界 내지는 圈域 설정 개념으로 천리장성 축조를 단행한 것이다. 요컨대 중국 진시황의 만리장성이 훗날 華와 夷의 界線이 되었던 것처럼 고구려 천리장성도 중국과 고구려를 구분 짓는 界線이라는 의미로 축조한 것이었다. 그렇게 보아야만이 唐의 침공시 고구려 천리장성이 방어적 기능으로서는 의미가 없었던 이유를 알 수 있게 된다. 즉 고구려 천리장성은 고구려 세계와 권역의 설정으로서 상징성을 지니고 있었고, 唐의 침공 動機에 對應한다는 차원에서 그 築造 동기를 살펴야 맞을 것 같다.

이 같은 國境 의식과 마찬 가지로 頭髮과 服飾 역시 종족이나 국가의 정체성을 뜻하는 일종의 界線 역할을 하였다. 또 그러한 두발과 복식이라는 遺制는 지속성을 지니고 있다는 것이다. 이와 관련해 고조선의 두발 형태는 망명하는 위만의 "魋結蠻夷服" 기사를 통

---

42   박선희, 『한국 고대 복식―그 원형과 정체』, 지식산업사, 2002, 308~519쪽.

43   『三國史記』 권20, 영류왕 14년 조.

44   李丙燾, 『國譯 三國史記』, 乙酉文化社, 1976, 319쪽 註6.

해서 확인할 수 있다. 종전에는 이 기사의 魋結을 북상투로 간주하였지만 타당하지 않은 해석이었다. '椎結'로도 적혀 있는 이러한 두발은 올챙이 머리로서 剃頭辮髮을 가리키는 용어였다. 고조선인들은 중국인과는 구분되는 두발과 복장을 하였음을 알 수 있다. 그러한 전통은 후대에도 계승되었다고 본다.

백제의 경우는 백제금동대향로의 五樂師는 禿頭에다가 오른쪽 귀언저리에 머리채를 끌어 모아 묶은 형식[兩角髻]에 속한다. 즉 이같은 두발 양식은 剃頭辮髮에 속하는 것으로 역시 유목민족 사회의 두발 형태가 된다. 백제 건국 세력의 정체성을 암시해주는 근거라고 하겠다. 실제 백제에서는 左・右賢王制를 비롯하여 물적 자료로도 북방적인 요소가 상당히 확인되고 있다. 복장에 있어서 백제는 부여와의 연관성이 강하게 확인되었다. 백제 건국 세력이 부여에서 남하했음을 알려주는 물적 증거인 것이다.

「界線으로서 韓國史 속 百濟人들의 頭髮과 服飾」『백제 하남인들은 어떻게 살았는가』 2013. 10. 11;
『위례문화』 16, 하남문화원, 2013.

恩山別神祭 主神의 變化 過程

1. 머리말--恩山別神祭의 현황과 관련하여

중요 무형문화재 제9호로 지정된 恩山別神祭의 기원에 대해서는 다양한 견해가 제기된 바 있다. 백제가 멸망한 이후 국가를 회복하기 위해 항쟁했던 復國軍의 원혼을 풀기 위한 목적에서 비롯되었다는 견해가 대세를 이루고 있다. 그러나 이와는 달리 조선시대의 산신당 제의에서 비롯하였다가 19세기 이후 은산 場市의 형성 및 발전과 관련해 생성되었을 것으로 추정하기도 한다. 본고에서는 1935년에 恩山別神祭에 대한 조사가 이루어진 이래 지금까지 축적된 자료를 토대로 그 생성 시기와 변개 과정을 살펴 보고자 하였다. 이와 관련해 지금까지 통용되고 있는 '復興運動'이라는 용어의 부당성을 짚고 넘어가고자 하였다.

그러면 먼저 恩山別神祭의 기원과 현황에 대해 소개해 보고자 한다. 은산은 부여읍에서 서북쪽으로 떨어져 있는 곳으로 驛院이 있던 곳이다. 그러한 은산면 은산리의 마을 뒷산을 堂山이라고 부르는데, 구릉에 불과한 당산에는 二重山城이라는 소규모의 土城이 축조되어 있다. 이곳은 무수히 많은 百濟 復國軍이 전몰한 장소로 전해진다. 당산 서쪽은 절벽이며 그 아래로 恩山川이 흐른다. 당산의 남쪽에는 고목이 울창한 숲이 있고, 그 앞의 평평한 둔덕 위에는 두 그루의 괴목나무가 서 있고, 그 오른편에는 기와집으로 한 칸의 방과 마루로 된 별신당이 자리잡고 있다.

별신당 안으로 들어 가 다시금 문짝을 열면 중앙에는 山神畵가 안치되어 있고 좌측편에는 福信將軍, 우측편에는 土進大師의 위패와 초상화가 각각 봉안되었음이 눈에 띈다. 主神으로 산신을 모셔놓은 것으로 보아 원래는 산신당이었는데 후대에 와서 두 신을 더 모시게 되었을 것으로 추측하기도 하지만, 그 반대일 수도 있다. 여하간 여기서 복신장군은 백제 복국운동의 명장이며, 토진대사는 어떤 연유로 道琛大師를 잘못 기록한 것이라고 하겠다.

이들을 제사지내는 은산별신제에는 다음과 같은 기원 전설이 깃들여 있다. 옛날 은산 지방에 역질이 유행하여 마을에서는 날마다 많은 장정들이 죽어 가고 있었으므로 마을 사람들의 불안은 대단하였다. 어느날 마을의 한 노인이 잠시 낮잠이 들었는데, 백마

사진 1 | 은산별신당 모습

를 탄 한 장군이 나타나 하는 말이 "나는 백제를 지키던 장군인데 많은 부하들과 함께 억울하게 죽어 백골이 산야에 흩어져 있다. 그러나 아무도 돌보아주는 사람이 없어 白骨이 비바람에 시달리고 있으니 백골을 거두어 묻어주면 마을에 퍼져 있는 역질을 쫓아내주겠다"는 것이었다. 잠에 서 깬 노인은 마을 사람들을 모아 놓고 꿈 이야기를 하고 백마 탄 장군이 꿈에 가르쳐 준 장소에 가 보았더니 과연 백골이 흩어져 있었다. 마을 사람들은 역질을 없애주기를 바라면서 백골을 정성껏 주어 모아 장사를 지내고 제사를 거행하였다. 그랬더니 마을에서 역질이 없어졌으므로, 이후 病魔를 없애고 마을을 태평하게 해달라며 사당을 지어 백제 복국운동을 위해 희생당한 冤魂을 위로하는 제사를 지내게 되었다. 그 제사가 곧 오늘날의 별신제이다. 별신제는 3년에 한번씩 정월에 지내는 일이 많지만 윤달에는 지내지 않으며 祭官이 武裝을 하는 것이 특징이라고 한다[1].

---

1   李道學, 『살아 있는 백제사』, 휴머니스트, 2003, 310~311쪽.

2. '부흥운동' 개념의 생성과 底意

현재 통용되고 있는 '부흥운동' 개념의 정합성에 대한 검증이 필요할 것 같다. 또 그러한 용어가 생성된 배경을 고찰해 보고자 한다. 백제가 660년 7월에 신라와 당군의 공격을 받아 의자왕이 항복하는 등 국가가 일대 파국에 빠졌다. 그러나 백제인들은 이내 국권을 회복하기 위한 전쟁을 줄기차게 전개하였다. 이 전쟁의 성격과 결부된 것이 적절한 용어의 驅使가 되겠다. 그런데 이에 앞서 백제가 의자왕대 멸망했는가 여부에 대한 前提이다. 조선 후기 학자들 가운데서 백제 멸망을 663년 9월로 지목한 것은 풍왕을 수반으로 하는 세력을 정통으로 인정한데서 비롯되었다. 가령 安鼎福은 『東史綱目』에서 白江敗戰을 언급한 직후에 "백제는 모두 32왕 681년만에 망하였다"고 했다. 權悳奎의 경우도 '百濟傳世圖' 즉 백제 왕위 계승표에서 '三十二世 王'으로 豊王을 기재하였다.[2] 이러한 인식은 의자왕대 백제가 멸망하지 않았다는 인식에 기인한 것이었다. 혹은 의자왕대 일시 백제가 멸망했지만 곧바로 復國되었다는 인식에서 연유하였다.

그런데 언제부터 백제가 한 번 멸망한 후에 주민들이 일제히 궐기하여 국권 회복 투쟁을 전개한 것을 '부흥운동'으로 일컫기 시작했을까? 필자가 지금까지 확인한 바로는 1923년에 小田省吾가 「朝鮮上世史」 『朝鮮史講座 一般史』에서 '百濟復興'이라는 용어를 사용한[3] 것이 가장 오래된 용례에 속한다. 아마도 이보다 더 이전에 그러한 용어를 사용한 사례가 있었을 가능성도 충분히 고려해야만 할 것이다. 일본인이 저술한 최초의 韓國通史인 林泰輔의 『朝鮮史』에서는 任那 再建과 관련해 "또 백제에 命하여 興復을 圖謀"[4]라고 하였다. 1892년에 간행된 『朝鮮史』에서는 비록 任那 再建과 관련해 興復은 사용했을지언정 백제 재건과 결부 지어 '復興' 용어가 등장하지는 않았다. 그리고 서울대학교 국사연구회에서 1946년에 펴낸 『國史槪說』에서도 '百濟의 復興運動'·'復興軍'이라는 용어를 사용하였다.[5] 李弘稙도 '復興運動'·'復興軍'이라고 했다[6]. 李丙燾 역시 1959년에 '百濟人의 復興運動'이라는 소제목에서 "泗沘城의 陷落과 義慈王의 항복으로써 百濟의 國家

---

2   權悳奎, 『朝鮮遺記』, 正音社, 1945, 4쪽.

3   小田省吾, 「朝鮮上世史」 『朝鮮史講座 一般史』, 朝鮮史學會, 1923, 187쪽. 191쪽.

4   林泰輔, 『朝鮮史 2』1892, 21쪽.

5   서울대학교 국사연구회, 『國史槪說』1946, 124~125쪽.

6   李弘稙 外, 『國史新講』, 一潮閣, 1958, 66~67쪽.

的 運命은 最後를 告한 셈이었다. 그러나 이것이 곧 百濟의 完全한 平定을 意味하는 것은 아니었다. 百濟의 遺臣·遺將들은 各地에서 國家復興運動을 일으켜 百濟 最後의 幕을 裝飾하였다"[7]고 한 바 있다. 井上秀雄도 '백제의 부흥군'이라는 용어를 사용하였다.[8] 노중국도 '부흥운동'이라는 용어를 사용하는 배경으로서 여러 가지 다양한 표현을 소개한 후 " … 만 3년의 부흥운동 기간이 전쟁의 연속이었다는 점을 감안한다면 전쟁이라는 표현은 부흥운동의 내용을 잘 나타내는 표현이다. … 그러나 부흥이라는 용어가 이미 일반화되어 버린 상태여서 … 이 책에서는 현재 가장 많이 쓰이는 부흥운동을 사용하기로 한다"[9]라고 했다. 노중국은 '부흥' 개념의 문제점을 인지하기는 했다. 그렇지만 '현재 가장 많이 쓰이는'이라는 이유만으로 '부흥'이라는 용어를 그대로 사용했다고 한다.

노중국은 최근에는 한 걸음 더 나아가 부흥운동 기간의 백제를 '부흥백제국'이라는 용어를 사용하자는 견해까지 제기하였다. 즉 '부흥백제국'을 당당한 왕국으로 인정하고 나·당군 중심의 서술을 회복군 중심으로 재해석하는 것이 필요하다고 역설했다.[10] 그러나 이는 지극히 당연한 서술로서 현재 학자 중에 풍왕 중심의 회복운동 세력을 '당당한 왕국'으로 인정하지 않은 이는 없다. 반대 주장이 없다는 것이다. 조선 후기 학자들 가운데서도 백제 멸망을 663년 9월로 지목한 것은 풍왕을 수반으로 하는 이른바 회복군 세력을 정통으로 인정했기 때문이다.[11] 그럼에도 노중국이 새삼 이러한 주장을 하는 것은 이해하기 어렵다. 그리고 보니 일종의 百濟通史인 노중국의 力著 『百濟政治史研究』에는 의자왕 이후의 역사에 대한 서술이 없다. 노중국은 소위 백제부흥운동을 백제사에 담지 않던 것이다. 그러므로 노중국이 豊王을 수반으로 하는 정권을 '당당한 왕국'으로 인정하자고 이제서 力說할 이유를 알 것도 같다.

그리고 '復興'이 과연 적합한 개념인지 여부를 검토해 볼 필요가 있다. 현재 사용되는 '復興' 개념은 나라가 망한 후 국권을 되찾는 투쟁이다. 그러므로 한 국가가 쇠퇴해졌다가 다시 흥기하는 개념의 '부흥'과는 본질적으로 그 성격이 다르다. 부흥의 개념을 신기철·신용철, 『새우리말 큰사전』에서는 "한 번 쇠퇴한 것이 다시 성하여 일어남. 또는 일

7   李丙燾, 『韓國史 古代篇』, 乙酉文化社, 1959, 512쪽.
8   井上秀雄, 『古代朝鮮』, 日本放送出版協會, 1972, 203쪽.
9   盧重國, 『백제부흥운동사』, 일조각, 2003, 21쪽.
10   盧重國, 『백제부흥운동사』, 일조각, 2003, 20쪽.
11   安鼎福은 『東史綱目』에서 白江敗戰을 언급한 직후에 "백제는 모두 32왕 681년만에 망하였다"고 했다.

어나게 함"[12] 이라고 정의하였다. 이숭녕, 『현대 국어대사전』에서는 부흥을 "일단 쇠잔한 것이 다시 일어남. 또는 다시 일어나게 함"[13] 이라고 하였다.

자유당 시절의 復興部도 국가가 존재한 상황에서 부흥 개념이 사용된 것이다. 흔히 길거리의 포스터에서 눈에 띄는 '심령 부흥회'라는 것도 비신자에게는 해당되지 않는다. 어디까지나 믿음이 전제된 신자들이 약화된 믿음을 크게 진작시키기 위한 목적에서 나온 신앙 행위인 것이다. 이미 믿음이 없어진 사람이나 비신자에게는 부흥 개념이 적용되지도 않는다. 물론 백제부흥군은 풍왕을 수반으로 한 국가 체제를 갖추었으므로 국가의 존재가 전제되었기 때문에 부흥이라는 개념을 사용할 수 있다고 주장할 수도 있다. 이러한 논리라면 일제하의 독립운동도 부흥운동이라고 불러야하는 것이다. 상해임시정부가 수립되어 있었고, 대통령을 수반으로 하는 국가 조직을 갖추었을 뿐 아니라 비록 국외이기는 하지만 국권을 회복하기 위한 투쟁을 집요하게 전개했었기 때문이다. 물론 백제부흥운동의 지휘부는 국내에 있었고, 상해임시정부는 국외에 소재했었기 때문에 경우가 다르다고 말할 수 있다. 그러나 이것은 현상이 아니라 본질적인 면에서 접근해야 되는 사안인데, 누가 보더라도 양자 간에 그러한 차이는 없다.

게다가 그 속성에 있어서 소위 백제부흥운동은 국가를 진흥시키려는 운동과는 차원이 다르다. 唐과 신라가 강점하고 있는 백제 자국 영토에 대한 주권을 회복하려는 일종의 독립 투쟁인 것이다. 아무리 자국 영토의 일각에서 국가 체제를 갖추었다고 하더라도 국가의 상징인 국왕과 수도를 빼앗겼다. 따라서 그것의 회복이 절체절명 목전의 현안인 상황이었다. 그러므로 국가를 온전히 회복하고 있을 때의 국가 진흥이나 중흥 개념의 부흥과는 동일시할 수가 없다. 『後漢書』 祭遵傳에 "廢而復興 絶而復續者也"[14]라고 하여 '復興'이 보인다. 이 구절은 漢의 유구한 내력을 설명하면서 後漢의 등장과 관련해 "廢했다가 다시 興하고 絶했다가 다시 이어진 것이다"로 해석된다. 그러나 여기서 復興과 復續은 문법적으로 副詞에 불과한 "이전 상태로"·"전과 같이"라는 의미에 불과하다. 즉 국가 재건 개념의 독립된 용어로 사용된 것은 아니었다. 따라서 이러한 경우는 '復興' 개념을 취할 수는 없다. 오히려 "興復漢室(『後漢書』 권59, 鮑永傳)"·"遂興復乎大漢(『後漢書』 권110, 上)"

---

12 신기철·신용철, 『새우리말 큰사전』, 三省出版社, 1975, 1542쪽.

13 이숭녕, 『현대 국어대사전』, 한서출판, 1975, 371쪽.

14 『後漢書』 권20, 祭遵傳.

라고 하였듯이 興復을 사용해야 적합하다. 「유인원기공비문」에서 백제인 스스로 "興亡繼絶"이라고 한 것처럼 되어 있다. 그러나 이 역시 劉仁願이 扶餘隆 및 신라 문무왕과 함께 공주 취리산에서 맹세한 글에서 "망한 것을 일으켜 주고 끊어진 것을 이어주는 것은 지난 賢哲들의 통상적인 규범으로 …"[15]라는 구절과 동일하다. 이는 唐이 백제를 형식상 재건한 것을 劉仁願이 생색내면서 한 말이었다. 唐으로서는 신라를 견제하기 위한 목적에서 扶餘隆을 수반으로 하는 친당정권을 수립했던 것이다. 그리고 왜왕이 백제 재건 명분으로 내세운 '위태로움을 돕고 끊어진 것을 잇는 것은(扶危繼絶)'[16]이라는 표현 역시 이와 동일하다. 그러니까 이는 어디까지나 의례적인 명분에 불과한 문구라고 하겠다. 즉 백제인들이 자국을 회복하기 위한 명분이 아니라 唐人이나 倭人들의 의례적인 套語에 불과하다. 그렇기 때문에 '復興'은 선뜻 백제인들의 의지가 개재된 전쟁 명분으로 단정하기 어렵다. 요컨대 '復興'이라는 용어는 여전히 따르기 어려운 개념인 것이다.

그러면 정작 '復興' 개념은 어떤 것일까? '復興' 개념에 대한 顯著한 사례는 『史記』에서 簡明하게 확인된다. 즉 "後의 14世에 帝인 武丁이 傅說을 얻어 相을 삼으니 殷이 復興하였기에 高宗이라 일컬었다"[17]라고 하였다. 여기서 復興은 中興 개념으로 사용된 것이었다. 그랬기에 商 나라를 부흥시킨 武丁이라고 칭송하는 것이다. 요컨대 復興은 멸망한 국가를 되찾기 위한 개념으로 사용된 것은 아니었다. 궁색하게 맞지도 않는 復興 용례를 억지로 꿰어 맞출 게 아니다. 기록에 있는 그대로 보여주면 되지 않은가?

이와 더불어 『삼국사기』에서는 국가 회복운동을 어떻게 표현하였을까? 여기서 해답을 찾는 게 가장 바람직한 일로 생각된다. 관련 기록을 다음과 같이 摘出해 보았다.

* 가을 7월에 부여왕의 從弟가 國人들에게 말하였다. "우리 선왕이 죽고 나라가 망하여 백성들이 의지할 데 없는데 왕의 동생이 도망쳐 갈사에서 도읍하였다. 나도 역시 불초하여 '興復'시킬 수가 없다." 이에 만여 명과 더불어 와서 투항하자 왕은 (그를) 왕으로 봉하여 연나부에 두고, 그의 등에 줄무늬가 있었으므로 絡氏 姓을 주었다(秋七月 扶餘王從弟謂國人曰 "我先王身亡國滅 民無所依 王弟逃竄 都於曷思 吾亦不肖 無以興復 乃與萬餘人來投 王封爲王 安置椽那部 以其背有絡文 賜姓絡氏(『삼국사기』 권14, 대무신

---

15 『三國史記』 권6, 문무왕 5년 조. "興亡繼絶 往哲之通規"

16 『日本書紀』 권26, 齊明 6년 10월 조.

17 『史記』 권28, 封禪書 6. "後十四世 帝武丁得傅說爲相 殷復興焉 稱高宗"

왕 5년 조).

　＊咸亨 원년 경오년 여름 4월에 이르러 劍牟岑이 국가를 ‘興復’하려고 唐을 배반하고 왕의 외손 安舜[新羅紀에는 勝이라고 했다]을 세워 임금을 삼았다. 당고종이 대장군 고간을 보내 東州道行軍摠管으로 삼아 군사를 징발해 그들을 토벌하자 안순은 검모잠을 죽이고 신라로 달아났다(咸亨元年庚午歲 夏四月 劍牟岑欲興復國家 叛唐 立王外孫安舜 羅紀作勝 爲主 唐高宗遣大將軍高侃 爲東州道行軍摠管 發兵討之 安舜殺劍牟岑 奔新羅(『삼국사기』 권22, 보장왕 말년 조).

　＊龍朔 3년 계해에 백제의 여러 성들이 몰래 ‘興復’을 도모하여 그 渠帥들이 豆率城에 근거하며 왜에 군사를 청하여 도움을 삼았다(龍朔三年癸亥 百濟諸城 潛圖興復 其渠帥據豆率城 乞師於倭爲援助(『삼국사기』 권42, 김유신전(中))

　＊말세에 태어나 세상을 다스림을 자임하고 삼한 땅을 순회하여 백제를 ‘復邦’하고 도탄을 제거하여 백성을 편안하게 살게 하였으므로 즐거워 북치고 춤추는 것이 바람과 번개처럼 나타났고, 멀리와 가까이에서 발 빠르게 달려와 功業이 거의 中興에 이르렀다(生丁衰季 自任經綸 徇地三韓 復邦百濟 廓淸塗炭 而黎元安集 鼓舞風雷 而邇遐駿奔 功業幾於重興(『삼국사기』 권50, 진훤전).

　위에서 인용한 『삼국사기』에 따르면 국가회복운동을 ‘興復’이나 ‘復邦’ 곧 ‘復國’으로 표기하였다. 그런 만큼 ‘부흥’ 보다는 오히려 『삼국사기』에 보이는 ‘興復’이라는 용어가 적절하지 않을까 한다. ‘興復’은 한 번 망한 漢을 재건하여 後漢을 세운 光武帝 관련 故事에 등장하는 용어로서 그 성격이 서로 부합되기 때문이다. 이와 관련해 1217년(고종 4)에 서경을 근거로 해서 반란을 일으켰던 崔光秀가 스스로를 ‘句高麗興復兵馬使’라고 했는데,[18] ‘句高麗’는 ‘高句麗’의 誤記로 보인다. 여기서 중요한 사실은 최광수가 고구려의 재건을 가리켜 ‘興復’이라고 했다는 점이다. 실제로 崔南善은 “백제가 믿지도 못할 倭를 믿다가 허무하게 나라를 지니지 못하매 遺民들의 怨恨이 깊어서 祖國興復運動이 그치지 않고 이짓 저짓이 다 無效하매 遺將의 中에는 唐으로 건너간 이가 적지 아니하니 저 唐 高宗 때에 河源軍經略大使로서 吐藩 突厥 等 西方의 强族을 制服하야 그 이름이 內外를 드날

18　『高麗史』 권121, 鄭顗傳.

린 黑齒常之가 그 一人이다. 吐藩은 시방 西藏族(Tibet)이오 突厥은 시방 土耳其族(Turk)이니 다 唐人의 능히 制御하지 못하는 것이다"[19]고 하였다. 崔南善은 '興復' 개념을 사용하여 이를 '祖國興復運動'이라고 했던 것이다.

그런데 현재 통용되는 '백제부흥운동'은 국가를 부흥시키려는 운동이 아니다. 당나라와 신라가 강점하고 있는 백제 자국 영토에 대한 주권을 회복하려는 일종의 독립 투쟁인 것이다. 그랬기에 일찍부터 이것을 '구국항전'[20] 혹은 "국가의 回復을 圖"[21]하는 것으로 규정하였다. 또 그러한 군대를 '獨立軍'[22]이나 '義兵'[23]으로 命名하기까지 했다. 아무리 자국 영토의 일각에서 국가 체제를 갖추었다고 하자. 그렇더라도 국가의 상징인 국왕과 수도를 빼앗겨서, 그것의 회복이 절체절명 목전의 현안인 상황이었다. 그러므로 그것을 온전히 회복하고 있을 때의 국가 振興이나 中興 개념의 '復興'과는 동일시하기는 어렵다.

따라서 단재 신채호는 백제 주민들이 조국을 찾기 위한 항쟁을 '백제의 多勿 운동'이라고 하였다.[24] 多勿은 "6월에 松讓이 나라를 들어 와 항복하므로 그곳을 多勿都라 하였다. 松讓을 封하여 그곳의 主를 삼았다. 고구려말에 舊土의 回復을 多勿이라 하므로 그와 같이 이름한 것이다"[25]라고 하였듯이 復舊疆土 즉 舊土 回復을 가리키는 말이었다. 일제하에 독립운동을 多勿運動이라고 하였는데, '국권을 회복하자'는 뜻으로 사용된 것이다.[26] 그러므로 단재는 '백제의 다물운동'을 失地 回復과 관련하여 상실된 국권 회복 운동으로 사용했음을 알 수 있다. 손진태가 이것을 '祖國回復運動'이라고 命名한 것은[27] 그 본질을 꿰뚫어 본 적확한 표현이었다고 본다. 그런데 '운동'이라는 용어는 하나의 큰 흐름 속에서는 이해가 되지만, 일제하의 '신간회 운동'과 '물산장려 운동' 등에서 느낄 수 있듯이 비폭력적인 인상을 준다. 그러므로 '조국회복운동'은 그 내용상 663년까지는 '祖國回復戰爭'으로 命名하는 게 좀더 온당하지 않을까 한다. 이러한 맥락에서 볼 때 기존의 부흥운

19   崔南善, 『國民朝鮮歷史』, 東明社, 1947, 35쪽.

20   과학백과사전 종합출판사, 『조선전사 4』 1991, 114~115쪽.

21   權悳奎, 『朝鮮史』, 正音社, 1945, 43~44쪽.

22   權悳奎, 『朝鮮史』, 正音社, 1945, 44쪽.

23   丹齋申采浩先生紀念事業會, 『改訂版 丹齋申采浩全集(上卷)』, 螢雪出版社, 1987, 341~ 342쪽.

24   丹齋申采浩先生紀念事業會, 『改訂版 丹齋申采浩全集(上卷)』, 螢雪出版社, 1987, 341쪽.

25   『三國史記』 권13, 동명성왕 2년 6월 조.

26   李萬烈 註釋, 『譯註 朝鮮上古史(下)』, 螢雪出版社, 1983, 478~479쪽, 註 1316.

27   孫晉泰, 『朝鮮民族史槪論(上)』, 乙酉文化社, 1948, 171쪽; 孫晉泰, 『國史大要』, 乙酉文化社, 1950, 74쪽.

동 용어는 전체적인 큰 틀 속에서 볼 때는 '復國運動'으로, 부흥군은 '復國軍'으로 일컫는 것도 일리 있다고 하겠다.[28]

지금까지의 검토를 통해 소위 '백제부흥운동'의 '백제부흥'이라는 용어는 일본인이 최초로 사용한 것으로 밝혀 보았다. 그러면 일본인 小田省吾가 백제인들의 독립투쟁을 '부흥'으로 표기한 배경은 어디에 있었을까? '復興'과 관련한 용례가 『일본서기』에 다음과 같이 보인다.

* 夏 6월 壬辰 朔 甲午에 近江毛野臣은 6만의 군사를 이끌고 任那에 가서 新羅에 격파된 바 있는 南加羅·喙己吞을 復興시켜 세우고 任那에 합하고자 하였다.[29]

* 秋 7월 丁酉朔에 詔하여 "나의 先考 天皇의 世에 新羅는 內官家의 나라를 멸망시켰다[欽明天皇 23년에 任那는 신라에게 멸망된 까닭에 新羅가 內官家를 멸망시켰다고 한다]. 先考 天皇은 任那를 회복하려고 도모하였으나 실행하지 못하고 돌아가셨기에 뜻을 이루지 못하였다. 이에 朕은 마땅히 神謀를 받들어 도와 任那를 復興시키려고 한다".[30]

위의 기사에는 任那諸國이나 任那의 再建과 관련하여 한결같이 '復興'이라는 용어가 사용되었다. 즉 任那의 재건과 관련한 倭의 역할과 종주국으로서의 위상을 과시하는 구절에서 나타나고 있다. 천황권의 역사적 승리를 과시하고 미화시키기 위한 목적에서 편찬된 『일본서기』속의 천하관에 보이는 용어가 '復興'이다. 그러한 개념을 일본인들이 백제의 재건과 회복을 위한 항쟁을 가리키는 용어로 고스란히 옮겨서 사용한 것이다. 이는 任那 問題에서와 마찬가지로 백제 재건에 있어서도 倭의 역할과 종주권 행사에 대한 의식이 저변에 깔려 있었다. 임나를 멸망시킨 신라도 倭의 臣民인 관계로 倭의 허락이나

---

28 이와 관련해 다음과 같은 기사가 주목을 요한다. 즉 "그 후에 한산 스님과 예산 봉수산 대련사로 갔는데 거기서 저 멀리 가면 네 아버지가 태어난 고향이 있다. 지금도 가면 친구들이 몇 사람 살고 있지만 절대 찾아가서는 안된다고 했어요. 백제의 임존성과 흑치상지의 복국운동을 감격어린 말로 설명하기도 했어요. 백제의 복국운동을 얘기하면서 자신이 가담했던 공산주의운동의 처지를 드러내려고 한 것처럼 보이는군요(임경석,『이정 박헌영 일대기』, 역사비평사, 2004, 519쪽)"라고 했다. '복국운동'이라는 용어를 사용한 게 의미 깊다.

29 『日本書紀』권17, 繼體 21년 조.

30 『日本書紀』권17, 敏達 12년 조.

승인 없이 역시 倭의 신민인 임나의 멸망은 상정할 수도 없다는 전제에서 나온 것이었다. 즉 임나의 멸망은 멸망이 아니라 倭가 재건해 줄 수 있기 때문에 부흥으로 사용해야 한다는 의도가 깔린 것이다. 倭가 건재한데 倭의 臣民인 임나를 멸망시킬 수 있는 세력은 누구도 없다는 底意를 깔고 있다. 이러한 추정은 475년 백제 한성 함락과 관련한 다음의 기사에서도 확인된다.

> 천황이 백제가 高麗에게 격파되었다는 소식을 듣고는 久麻那利를 문주왕에게 내려주어서 그 나라를 救興시켰다. 그때 사람들이 모두 말하기를 "백제국은 비록 이미 망하였기에 모두 倉下에 모여 걱정하였지만, 실은 천황에게 의지하여 그 나라를 다시 만들었다[更造]"고 했다.[31]

위의 기사에서 분명히 백제는 한번 망했지만 천황에 의해 재건되었다는 메시지를 전하고 있다. 소위 천황에 의한 백제 재건과 관련해 '救興'이나 '更造'라는 용어를 사용하였다. 이러한 용어는 두 말할 나위 없이 '任那復興'의 그 '復興'과 동일한 개념으로 사용된 것이다. 따라서 이러한 배경에서 생겨난 '백제부흥'이라는 용어는 더 이상 사용되어서는 안 될 것 같다. 백제인들의 국가회복운동은 중흥 개념의 '復興'이나 황국사관에서 사용된 '復興'이 아니라 '復國'·'興復'·'조국회복운동(남창 손진태)'이라는 용어를 사용하는 것이 적합하다.[32]

3. 恩山別神祭 성격의 변화 과정

1) 恩山別神祭의 진행 과정

恩山別神祭는 『新增東國輿地勝覽』을 비롯한 조선시대 지리지나 여타 전통시대 문헌에서는 언급되지 않았다. 각 지방의 巫風이나 神祠에도 은산별신당이나 별신제는 빠져

---

31 『日本書紀』권14, 雄略 21년 조.
32 이상의 내용은 필자의 舊稿에 수록된 내용이지만 사안의 중대성에 비추어 제대로 摘示할 필요가 있다고 판단하여 정리된 李道學, 「백제 국가회복운동에 관한 몇 가지 검토」 『백제 사비성시대 연구』, 일지사, 2010, 323~330쪽을 인용하였음을 밝혀둔다.

있다. 1927년에 간행된 李能和의『조선무속고』에서도 은산별신제는 채록된 바 없다.[33] 은산별신제에 대한 가장 이른 기록이 1935년에 大板六村이 현지 조사한 자료이다. 이에 따르면 恩山別神祭는 1935년 3월 16일부터 1주일간 진행되었다고 한다. 즉 3년마다 음력 2월중에서 택일하여 1주일간 열렸던 것이다. 이때는 은산 사람들은 물론이고 멀리는 예산, 그리고 공주와 정산 등지에서도 몰려와 은산장이 인산인해를 이루었다고 한다. 당산성 즉 이중산성 밑에 한칸 기와집인 별신당 내부 정면에는 산신 탱화가 있고, 그 좌우에 堂祭에 필요한 祭器들과 깃발이 놓여 있었다.[34]

村山智順의 조사(『釋奠 · 祈雨 · 安宅』, 朝鮮總督府調査資料, 1938)에 따르면 1938년 기준으로 약 40여년 전에는 별신제가 매년 음력 3월 24~25일에 열렸으나 경비 문제로 3년마다 치르는 행사로 바뀌었다고 한다. 또한 은산 일원의 共同祭로서 규모도 일반 洞祭와는 비교되지 않을 만큼 컸으며, 만일 별신제를 올리지 않으면 재앙이 뒤따르기에 큰 경비가 들더라도 지금까지 행한다고 했다. 이로써 은산별신제는 적어도 19세기 후반에는 존재한 사실이 확인된다.[35] 그런데 이때의 조사에서 유의할 사안은 현재 별신당 안에 봉안된 복신장군과 토진대사의 영정과 위패에 대한 언급이 없다는 것이다. 丙子年(1936)에 작성된 별신제 축문에 보면 중국 장군 88명과 마지막에 조선장군 7명이 덧붙여졌다. 백제장군 이름은 없다.[36] 1947년에 李義純이 지은「山神堂重修記」懸板에 보면 다음과 같은 내용이 적혀 있다.

서쪽으로 扶風 治所에서 20里 떨어진 곳에 恩山里가 있다. 마을이 즐비하고 인물이 繁華하니 한 고을의 都會라고 이를만 하다. 마을 뒷山의 맥이 羅領으로부터 10여 里를 달려오면 우뚝하게 그 봉우리가 시내를 돌고 들이 트여져 있는 가운데 솟아 있고 古色蒼然한 바위가 壁처럼 서 있고, 오래된 괴목나무가 엉켜 있어서 鬱鬱蒼蒼한데, 한 신당이 괴목 사이에 있으니 어느 때 창건되었는지는 알 수가 없다. 대개 생각해 보니 마을이 생기면서 이 신당이 있었던 것 같다. 세월이 오래 지나며 이 집이 마멸이 되고 기둥이 기울어지고 기와가 무너져서 거의 집이 지탱하지 못할 때 그곳 주민들이 걱정해서 마을

33 이필영,「은산별신제」『비교민속학』13, 1996, 163쪽.

34 大板六村,「恩山の別神祭」『朝鮮』241, 1935, 84~88쪽.

35 이필영,「은산별신제」『비교민속학』13, 1996, 163~164쪽.

36 김선풍,「恩山別神祭의 民俗學的 考察」『민속연구』2, 안동대학교 민속학연구소, 1992, 23~27쪽; 이필영,「은산별신제」『비교민속학』13, 1996, 164~165쪽.

구장 유상렬이 여러 사람들에게 도모해 말하기를 "내가 이 고을의 父老들에게 들어 보니 전하는 바에 의하면 이 은산리는 옛날 백제 때의 戰場이니, 그 전쟁에서 죽은 장수와 병졸들의 원통하고 분한 魂魄들이 오래도록 흩어지지 않아, 때때로 때 아닌 바람과 비와 바르지 못한 역질을 일으키고, 사람과 가축들이 그 재앙을 입었다. 그러므로 이 신당을 세워서 토지신 簇子圖를 主壁에 봉안하고 옛날 名將들을 東西 兩壁에 畵幅으로써 配享하고 제사를 지내서 (이러한 혼백들을) 진압시켰다. 매년 1월 1일이면 정성을 다해서 제사를 지내고, 3년마다 大祭를 지내는데, 兵馬旗幟를 설치하고, 북치고 고함을 질러 근엄하게 전투행사와 같이 해서 숨어 있어서 답답하고 억눌려 있는 氣를 위로해 주니 이것이 이른바 別神大祭이다. …"[37]

그런데 위의 「山神堂重修記」는 매우 중요한 단서를 제공해 주고 있다. 별신당의 主神이 土地神이었음을 알려준다. 1936년 별신제 축문에 중국의 장군 88명과 조선장군 7명이 올라 있는 이유를 설명해준다. 바로 이들이 「山神堂重修記」에 보이는 '古名將'이었기 때문이다. 「山神堂重修記」는 축문과 화폭에 '古名將'들이 등장하는 이유에 대한 해답을 주고 있다. 즉 "이 은산리는 옛날 백제 때의 戰場이니, 그 전쟁에서 죽은 장수와 병졸들의 원통하고 분한 魂魄들이 오래도록 흩어지지 않아, 때때로 때 아닌 바람과 비와 바르지 못한 역질을 일으키고, 사람과 가축들이 그 재앙을 입었다. 그러므로 이 신당을 세워서 토지신 簇子를 主壁에 봉안하고 옛날 名將들을 東西 兩壁에 畵幅으로써 配享하고 제사를 지내서 (이러한 혼백들을) 진압시켰다"고 했기 때문이다. 실제 祝文에서 敵將인 金庾信 將軍의 이름이 보이는데서도 '鎭壓'이라는 의도를 짐작할 수 있다.

1947년까지만 하더라도 별신당에는 현재와 같은 복신장군 영정이나 토진대사 영정 및 위패가 없었다. 그러면 언제부터 별신당에 복신장군과 토진대사 영정과 위패가 모셔진 것일까? 1956년에 출간된 홍사준의 저서에는 산신령이 호랑이를 안고 있는 족자만 언급했을 뿐 장군 영정이나 위패에 대한 언급이 없다. 그러다가 1961년인 辛丑年 축문에는 '福信將軍 土進大師外 三千神位'가 모셔졌다.[38] 여기서 '三千神位'는 三千宮女 神位를 가리킨다. 지금은 별신당에서 '三千神位'는 없어졌다. 그렇지만 '福信將軍 土進大師 神位'는 그대로 모셔져 있다. 어쨌든 1947년 이후 1961년 이전 어느 때 '福信將軍 土進大師 神位'

37   김선풍, 「恩山別神祭의 民俗學的 考察『민속연구』2, 안동대학교 민속학연구소, 1992, 10~11쪽.
38   강현모, 「은산별신제 배경설화의 전승양상」『한국언어문학』60, 한국언어문학회, 2007, 142~143쪽.

가 별신당에 모셔졌음을 알게 된다. 여기서 土進大師의 정체에 대해서는 몇 가지 추정이 있다. 그렇지만 土進大師를 僧將 道琛으로 비정하는 견해가 통설을 이룬다. 여기서 土進과 道琛이 音似한 것은 부인할 수 없다. 그렇다고 오랜 전승에 따른 訛傳은 전혀 아닌 것이다. 이 경우는 당초 '福信將軍 道琛大師 神位'였을 것으로 보인다. 그러나 누군가 이의 제기를 한 것으로 추측된다. 왜냐하면 도침대사는 복신장군에게 피살되었기 때문이다. 원수 관계인 兩人이 함께 神堂에서 제사를 받는다고 하자. 누가 보더라도 부자연스러운 일임은 분명하다. 그렇다고 도침대사를 위한 별도의 신당이 있는 것도 아니었다. 양자는 백제 복국을 위하여 항쟁했던 인물들로서 추앙받을 만한 요소를 함께 구비하였다. 결국 道琛과 음이 닮은 '土進'으로 표기하여 별신당에서 도침대사를 존치시킨 것으로 보인다.

그렇다면 별신제는 당초 福信將軍이나 土進大師와는 관계가 없는 것일까? 1935년에 은산별신제를 조사할 당시 大板六村은 관련 설화 2꼭지를 채록하여 다음과 같이 소개하였다.[39]

* 옛날 이 지방에는 별신이라는 장군이 있었다. 언젠가 나라에 大亂이 났을 때 그의 의견이 쓰여 지지 못했다. 도리어 그는 나라 사람의 의심을 받아 죽임을 당했다. 장군의 영혼은 악귀가 되어 적을 무찌르고 나라를 구하였다. 그래서 후세에 그 나라 사람들은 장군의 위대함을 깨닫고 제사를 지내 영혼을 위로했다.

* 이 제사의 유래에 대해 은산 지방 사람들의 설이 다양하다. 이곳은 백제 말기의 장군 귀실복신의 고사가 전하고 있다. 즉 백제가 멸망한 직후에 백제의 遺臣들이 은산을 근거로 의병을 봉기하여 맹렬한 부흥운동을 일으켰다. 특히 현재 예산군 대흥면의 임존성에 근거하여 백제 왕족 귀실복신이 최고로 용감하여 나당군을 공격하여 國都를 회복하려고 도모했다. 또 일방으로는 일본에 거주하는 왕자 풍장을 맞아들여서 왕으로 삼았다. 일본의 지원군을 얻어 위세가 크게 신장하였는데 왕 풍장과 間隙이 생겨 드디어 사살되었다. 그런 연유로 백제는 가장 우수한 장군을 잃게 되었고, 드디어 敵이 그 승기를 타고 일거에 근거지를 공격하니 멸망의 운명을 보게 되었다. 복신의 역사적 사실로 봤을 때 이곳 지방 사람들은 복신의 橫死에 대한 심한 비극적 성정을 느꼈다. 이 별신제는 복신의 위령제로 칭하는 것도 무리가 아니다.

---

39 大板六村, 「恩山の別神祭」『朝鮮』241, 1935, 87~88쪽.

위의 인용문에도 적혀 있듯이 별신제의 기원에 대해서는 은산면 주민들도 각각 다르게 증언하고 있다는 것이다. 이 가운데 별신제를 '복신의 위령제'的인 성격을 지녔음을 언급하고 있다. 여기서 별신제와 복신장군과의 연관성이 나타나고 있다. 별신제 神主로서 福信의 존재가 포착된 것이다. 사실 1935년의 기록에 따르면 별신제 때 멀리 예산에서도 찾아왔다고 한다. 이는 예산의 임존성은 백제 복국운동의 거점인데다가 별신제 때 복신장군을 제사지내기 때문에 참여한 것으로 보인다. 그런데 1947년에 지어진 「山神堂重修記」에 등장하는 "이 은산리는 옛날 백제 때의 전장이니, 그 전쟁에서 죽은 장수와 병졸들의 원통하고 분한 魂魄들이 오래도록 흩어지지 않아, 때때로 때 아닌 바람과 비와 바르지 못한 역질을 일으키고, 사람과 가축들이 그 재앙을 입었다"라는 전설을 복신과 결합시켜 보자. 그러면 현재 알려진 것과 같은 별신제 기원설과 大同小異한 골격을 갖추게 된다. 물론 「山神堂重修記」에서는 韓信이나 樊噲 같은 중국의 '古名將'을 통해 백제군 將卒들의 원혼을 진압했다.[40] 그러나 1961년에 별신당 위패에 복신장군이 보태지면서 제사 주체가 분명해지는 동시에, 종전의 원혼을 鎭壓하는 정서에서 벗어나 원혼을 慰勞하는 기능으로 바뀌게 된 것이다. 여기에는 冤魂과의 일정한 타협이 있었음을 시사한다. 실제 백마를 탄 한 장군이 노인 꿈에 나타나 하는 말이 "나는 백제를 지키던 장군인데… 백골을 거두어 묻어주면 마을에 퍼져 있는 역질을 쫓아내주겠다. … 백골을 정성껏 주어 모아 장사를 지내고 제사를 거행하였다"고 한 데서 알 수 있다.

지금까지 살펴 본 바에 따르면 은산별신제는 福信을 비롯한 백제군 將卒들의 冤魂으로 인한 疾疫을 막기 위한 목적의 洞祭에서 비롯되었다. 이때 백제군 원혼들을 진압하기 위한 목적에서 중국의 '古名將'들을 총동원하다시피했다. 무려 88명이나 되는 중국 역대 장군 가운데 唐將은 薛仁貴 등 6명에 불과하였다. 그것도 소정방이나 유인궤 및 유인원·계필하력·이근행 등과 같은 삼국통일전쟁에 참전한 유수한 장군들은 보이지 않았다. 백제군이나 신라군에게 패한 바 있는 이들로서는 백제군 冤魂을 진압할 수 없다고 여겨서일까? 그러다가 백제군 혼령을 위로하는 형태로 정서가 바뀌면서 福信이 主神이 되었던 것으로 보인다.

40　'古名將'을 백제의 장수로 간주하는 견해도 있지만(강현모, 「은산별신제 배경설화의 전승양상」『한국언어문학』60, 한국언어문학회, 2007, 150쪽) 전혀 맞지 않다.

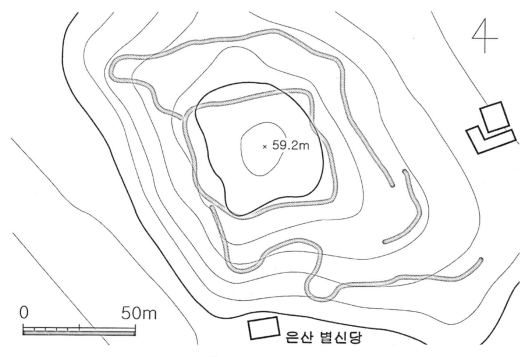

도 1 | 은산별신당과 그 뒤편의 당산성 도면[41]

2) 福信의 身元에 대한 검토

별신당의 主神인 복신에 대해서는 무왕의 조카 즉 백제 왕족으로 널리 알려져 있다. 그렇지만 복신의 身元에 대해서는 재검토해 볼 여지가 충분히 존재한다. 「유인원기공비문」에 보면 "反逆卽有僞僧道琛 僞扦率鬼室福信 出自閭巷爲其魁首 招集狂狡 堡據任存 蜂屯蝟起 彌山滿谷 假名盜位"라고하여 도침과 복신이 閭巷 출신으로서 남의 이름을 빌리고 지위를 훔쳐서 행세했다는 서술을 하였다.[42] 여기서 '假名盜位'는 앞에 적혀 있는 '僞僧'과 '僞扦率'을 가리킨다고 하겠다. 이 기록은 唐側에서 회복군 지도부를 폄훼시키기 위한 목적에서 쓰여진 것이다. 그러나 깡그리 허위 사실이라기 보다는 이러한 표현이 나오게 된 것과 관련해 일말의 사실성은 없는지 타진해 볼 필요가 있다. 가령 '假名' 즉 이름까

---

41   부여군, 『부여군 산성문화재--지표조사(2차) 보고서』 2013, 89쪽.

42   이에 대한 해석은 韓國古代社會研究所, 『譯註 韓國古代金石文 Ⅰ』 1992, 485쪽에 의한다.

지 빌렸다는 것과 관련해 무왕의 조카인 扶餘福信과 鬼室福信을 각각 서로 다른 인물로 볼 여지는 없을까?

　복신은 627년에 당에 사신으로 파견되었지만 무려 34년의 장구한 세월이 흘렀음에도 은솔과 한솔로 기록에 보인다. 이것은 납득하기 어려운 일이다. 백제가 당에 보낸 사신 이름으로 유일하게 확인되는 복신의 관등이 상급 국가에 대한 외교 의례상 低級하지 않았을 것임은 분명하기 때문이다. 더구나 당태종의 답서에 보면 "나는 왕의 조카 복신과, 고구려와 신라의 사신에게 모두 和好를 통하여 모두 화목할 것을 일러 두었다"라고 하면서, 백제 외교 사절의 우두머리로서 복신을 직접 거론하기까지 했다. 그러한 복신의 관등이 그로부터 34년이 지난 연후에도 은솔이나 한솔 따위에 머물러 있을 수는 없었을 것이다. 오히려 627년 당시에 무왕의 조카 복신은 이보다 높은 관등을 지니고 있었다고 보아야 마땅하다. 게다가 의자왕의 사촌형제 그러니까 일반 왕족도 아니고 국왕의 핵심 가계를 이루는 사촌 가계가 귀실씨로 分枝한다는 것은 사세에 맞지도 않다. 그밖에 「유인원기공비문」에서 복신을 왕족이 아니라 '閭巷' 출신이라고까지 했다. 이러한 맥락에서 볼 때 귀실복신이 왕족으로서의 권위와 명성을 함께 지닌 부여복신을 '假名'한 것으로 보는 게 타당해 보인다.[43]

3) 기시스 신사[鬼室神社]

　기시스 신사(滋賀県 蒲生郡 日野町 小野村)는 백제인들이 국가를 회복하기 위해 항쟁했던 福信 將軍의 아들인 좌평 鬼室集斯를 제사지내는 신사이다. 663년 9월의 백강 전투에서 패전한 직후 백제 유민들은 망국의 한을 안고 일본열도로 건너왔다. 669년에 귀실집사는 좌평 餘自信과 함께 유민 7백 명을 데리고 오미국[近江國]의 가모군[蒲生郡]으로 옮겨 거주하였다. 이곳은 지금의 시카현[滋賀縣] 동남부 일대가 된다. 671년 1월에 여자신은 일본 조정으로부터 종4위하에 상당하는 大錦下의 관위를 제수받았다. 이때 小錦下의 관위를 제수 받은 귀실집사는 學職頭를 제수 받았다. 이 직책은 오미[近江] 令官制에서 大學寮의 장관에 필적하다. 그러한 귀실집사의 묘비와 신사가 가모군 히노정[日野町] 고노촌[小野村]에 소재한 것이다.

43　李道學, 「백제 국가회복운동에 관한 몇 가지 검토」『백제사비성시대연구』, 일지사, 2010, 340~341쪽.

사진 2 | 기시스 신사

신사는 농가에서 떨어진 논 한복판에 자리하고 있다. 현지에 세워진 안내판에 기시스 신사의 내력과 현황이 다음과 같이 적혀 있다.

오미[近江] 조정이 오쓰[大津]에 도읍을 정했을 무렵, 현재의 한국, 당시의 백제국에서부터 우리나라로 渡來한 다수의 도래인 중, 우수한 문화인이었던 귀실집사라는 고관의 묘비가 이 신사의 본전 뒤의 石祠에 모셔져 있으므로, 이 신사의 이름이 붙게 되었다. 옛날에는 不動堂이라고 하며, 고노[小野] 마을의 서쪽의 宮으로서 에도[江戶]시대까지 崇敬된 신사이고, 고노의 宮座에 있는 室徒들에 의하여 護持되고 있다. 또한 오늘에는 귀실집사의 아버지인 복실 장군이 대한민국 충청남도 부여군 은산면의 은산별신당에서 모셔져 있으므로, 자매도시로서 교류가 왕성하게 이루어지고 있다. 日野町 國際親善協會

신사의 본전 뒤에 있는 석사 안의 묘비에는 '귀실집사의 묘, 朱鳥 3년 戊子 11월 8일 沒'이라고 새겨져 있다. 매년 귀실집사가 사망한 날에는 제례가 행해지고 있다고 한다.

그리고 히노정과 은산면은 자매교류도시 제휴 20주년을 기념하여 1989년에 대한민국 국화인 무궁화를 이 곳에 식수하였다. 그리고 단청을 하는 등 한국 고대 건국 양식을 모방한 정자를 건립하여 교류의 심볼로 삼고 있다.

4. 맺음말

백제인들이 망해버린 조국을 되찾기 위한 항쟁을 '부흥운동'으로 일컬을 수는 없다. 일본인들이 처음 사용한 '백제부흥'의 '復興'이라는 용어는 그 실체가 본시 皇國史觀의 본체인 『일본서기』에서 비롯된 것이었다. 즉 倭가 任那를 재건해 준다는 구절에서 復興이라는 용어가 사용되었다. 倭의 역할과 종주국으로서의 위상과 관련해 사용된 용어를 백제 재건과 관련된 상황에서 다시금 사용한 것이다. 말할 나위없이 이는 日本書紀的인 皇國史觀의 산물이라고 하겠다. 따라서 '부흥운동'은 백제인들의 국가 재건운동을 가리키는 용어로서는 부적절한 것이다. 오히려 '興復'을 비롯해서 '국가회복운동'이나 '조국회복전쟁' 등이 적합한 용어인 것이다. 요컨대 이러한 용어는 '復國'이라는 개념 속에 포함된다고 하겠다. 따라서 '復國運動'이나 '復國軍'이라는 개념도 온당하다.

은산별신제는 福信을 비롯한 백제군 將卒들의 冤魂으로 인한 疾疫을 막기 위한 목적의 洞祭에서 비롯되었다. 이때 백제군 원혼들을 진압하기 위한 목적에서 중국의 韓信이나 樊噲를 비롯한 '古名將'들을 총동원하다시피했다. 그러다가 지역 정체성의 강한 흡입력이 가세하면서 백제 復國軍의 영웅 福信將軍이 疾疫을 막아주는 역할을 부여받게 된다. 은산 주민들의 백제군 혼령에 대한 정서는 지금까지의 鎭壓과 忌避에서 이제는 慰勞하고 接近하는 形式으로 바뀐 것이다. 그 결과 福信이 별신당의 主神이 되었다. 지금 전하는 별신제 유래는 이러한 과정을 거쳐 생겨난 것으로 보인다. 본 연구를 통해 새롭게 밝혀진 사실인 것이다.

별신당에 모셔졌던 土進大師의 정체에 대해서는 僧將 道琛으로 비정하는 견해가 통설을 이룬다. 여기서 土進과 道琛이 音似한 것은 부인할 수 없다. 그렇다고 오랜 전승에 따른 訛傳은 전혀 아닌 것이다. 이 경우는 당초 '福信將軍 道琛大師 神位'였을 것으로 보인다. 그러나 도침대사는 복신장군에게 피살된 원수 관계인 神堂에서 함께 제사를 받는다고 하자. 누가 보더라도 부자연스러운 일임은 분명하다. 그렇다고 도침대사를 위한 별도

사진 3 | 별신당의 복신장군. 토진대사 영정

의 신당이 있는 것도 아니었다. 또 도침대사 위패를 퇴출시킬 수도 없었다. 결국 道琛과 음이 닮은 '土進'으로 표기하여 별신당에서 도침대사를 존치시킨 것으로 보인다.

福信의 身元은 널리 알려진 바와는 달리 백제 왕족은 아니었던 것 같다. 福信 당시의 상황을 적고 있는 「유인원기공비문」에서 복신을 왕족이 아니라 '閭巷' 출신이라고 했다. 이 점을 꼼꼼이 검토해 본 결과 귀실복신이 왕족으로서의 권위와 명성을 함께 지닌 부여 복신을 '假名'한 것으로 판단되었다.

「恩山別神祭 主神의 變化 過程」『扶餘學』 4, 부여고도육성포럼, 2014.

사진 4 | 별신당에 모셔졌던 또 다른 영정들

〈부록〉 은산별신제 제문에 보이는 장군 호칭

〈其1〉

維 歲次 丙申正月 乙卯朔十七日 乙丑 將軍 000 敢昭告于

將軍列座之位

　東方靑帝將軍

　南方赤帝將軍

　西方白帝將軍

　北方黑帝將軍

　中央黃帝將軍

　乙支文德將軍

　金庾信 將軍

　金德齡 將軍

　李舜臣 將軍

　林慶業 將軍

　李 浣 將軍

郭再祐 將軍

張鵬翼 將軍

金應瑞 將軍

姜弘立 將軍

謹以淸酌庶羞敬伸奠獻尙饗[44]

〈其 2〉

維 歲次 丙子正月 乙巳朔十一日 乙卯 將帥 000 敢昭告于

將軍列座之位

東方靑帝將軍

南方赤帝將軍

西方白帝將軍

北方黑帝將軍

中央黃帝將軍

晉將軍 邰穀

楚將軍 子玉

趙將軍 趙奢

〃 趙括

蔡將軍 甘茂

趙將軍 廉頗

〃 李牧

衛將軍 吳起

〃 樂羊

齊將軍 孫臏

〃 田單

燕將軍 樂毅

秦將軍 白起

---

44 임동권,『韓國民俗學論攷』, 宣明文化社, 1973, 198쪽.

〃　王翦

〃　章邯

漢將軍　紀信

〃　韓信

〃　焚噲

〃　彭越

〃　灌嬰

〃　英布

〃　季布

〃　魏尙

〃　周亞夫

〃　韓安國

〃　衞靑

〃　李廣

〃　霍去病

〃　李陵

〃　趙充國

〃　馮異

〃　吳漢

〃　賈復

〃　耿弇

〃　冠恂

〃　蔡遵

〃　王覇

〃　來歙

〃　馬武

〃　馬援

〃　岑彭

〃　耿恭

〃　班超

〃　關羽

〃　張飛

〃　趙雲

〃　馬超

〃　黃忠

〃　姜維

〃　麋竺

〃　馬謖

〃　諸葛瞻

〃　周倉

〃　關興

〃　張苞

〃　龐統

吳將軍　周瑜

〃　魯肅

〃　陸遜

〃　陸抗

晉將軍　羊祜

〃　杜預

〃　王渾

〃　租狄

〃　周處

〃　劉琨

〃　陶侃

〃　溫嶠

〃　王猛

〃　劉牢之

〃　桓石慶

〃　王玄模

〃　射玄

〃　瘦翼

〃　李靖

〃　李勣

唐將軍　蔚遲敬德

〃　薛仁貴

〃　王思禮

〃　郭子儀

〃　李光弼

〃　李愬

明將軍　李遇春

〃　張輔

〃　李文忠

〃　李成樑

〃　鄧愈

〃　李如松

〃　李如栢

朝鮮將軍　林慶業

〃　李舜臣

〃　柳成龍

〃　金德齡

〃　郭再祐

〃　李浣

〃　張鵬翼

謹以清酌庶羞敬伸奠獻尙饗[45]

45　村山智順, 『朝鮮總督府 調査資料 45집 釋奠・祈雨 安宅』, 朝鮮總督府, 1938, 179~182쪽.

참고문헌

1. 사료 및 전통시대 문헌

『三國史記』『海東高僧傳』『三國遺事』『東國李相國集』『稼亭集』『益齋亂藁』『龍飛御天歌』『高麗史』『高麗史節要』『太宗實錄』『經國大典 後集』『世宗實錄』『端宗實錄』『東國通鑑』『東文選』『林白湖集』『農巖集』『四佳集』『四佳詩集補遺』『芝峯類說』『星湖僿說』『擇里志』『東史綱目』『日省錄』『正祖實錄』『於于集』『海東繹史』『與猶堂全書』『靑莊館全書』『輿地圖書』『大東地志』『淸陰集』『雲養集』「輿地圖」「廣輿圖」『說文解字』『管子』『史記』『漢書』『三國志』『後漢書』『晉書』『宋書』「梁職貢圖」『梁書』『魏書』『洛陽伽藍記』『周書』『北史』『南史』『隋書』『舊唐書』『新唐書』『翰苑』『梵網經』『通典』『册府元龜』『通志』『高僧傳』『重修政和經史證類本草』『資治通鑑』『兩漢博聞』『唐朝名畵錄』『佛祖統記』『武經總要』『遼史』『欽定 盛京通志』『李白集校注』『日本書紀』『新撰姓氏錄』『類聚國史』『扶桑略記』『신·구약성경』

2. 논저

강인구·김두진·김상현·장충식·황패강,『역주 삼국유사1』, 이회문화사, 2002.

국립경주박물관,『신라토우』1997.

국립경주박물관,『文字로 본 新羅』2002.

국립광주박물관,『羅州潘南古墳群 綜合調査報告書』1988.

국립공주박물관,『百濟와 冠』, 통천문화사, 2011.

국립나주문화재연구소,『나주 복암리 3호분』2006.

국립나주문화재연구소,『영산강유역의 고분 1 甕棺』2010.

국립나주문화재연구소,『羅州 伏岩里遺蹟Ⅰ』2010.

국립나주문화재연구소,『영암 옥야리 방대형고분 - 제1호분 발굴조사보고서』2012.

국립문화재연구소,『익산 입점리고분』1989.

국립문화재연구소,『풍납토성 ⅩⅢ』2012.

국립문화재연구소,『풍납토성 ⅩⅣ』2012.

國立扶餘文化財研究所,『扶餘 官北里 遺蹟發掘報告Ⅴ-2001~2007년 調査區域 統一新羅時代以
　　　後遺蹟篇-』2011.

국립부여박물관,『백제』1999.

국립부여박물관,『陵寺(本文)』2000.

국립부여박물관,『百濟의 文字』2002.

국립부여박물관·부여군,『百濟金銅大香爐』2003.

국립부여박물관,『백제금동대향로 발굴 10주년 기념 백제금동대향로』2003.

국립부여박물관,『백제 중흥을 꿈꾸다-능산리사지』2010.

국립부여박물관,『백제인의 얼굴, 백제를 만나다』2012.

국립청주박물관,『충청북도 박물관 미술관 찾아가기』2009.

국립청주박물관,『불비상 염원을 새기다』2013.

국사편찬위원회,『中國正史 朝鮮傳 譯註1』, 신서원, 2004.

高寬敏,『三國史記の原典的研究』, 雄山閣出版, 1996.

孔錫龜,『高句麗領域擴張史研究』, 서경문화사, 1998.

교육과학기술부,『고등학교 국사』2010.

교육인적자원부,『고등학교 국사』2002.

權悳奎,『朝鮮遺記』, 正音社, 1945.

權悳奎,『朝鮮史』, 正音社, 1945.

權鍾湳,『皇龍寺九層塔』, 미술문화, 2006.

권태원,『백제의 의복과 장신구』, 주류성, 2004.

과학백과사전 종합출판사,『조선전사 3』1979.

곽장근,『전북고대문화 역동성』, 서경문화사, 2021.

김달수,『日本の中の朝鮮文化 3』, 講談社, 1972.

김달수,『일본 속의 한국문화 유적을 찾아서 2』, 대원사, 1997.

金杜珍,『建國神話와 祭儀』, 일조각, 1999.

金善基,『益山 金馬渚의 百濟文化』, 서경문화사, 2012.

김성근·윤태림·이지호,『중학교 사회Ⅱ』, 교육출판사, 1971.

金世基,『고분 자료로 본 대가야 연구』, 학연문화사, 2003.

金哲埈,『韓國古代社會研究』, 知識産業社, 1975.

노명호 외,『韓國古代中世古文書研究(上)』, 서울대학교 출판부, 2000.

노중국,『백제정치사연구』, 일조각, 1988.

盧重國,『백제부흥운동사』, 일조각, 2003.

노중국,『백제사회사상사』, 지식산업사, 2010.

노태돈,『삼국통일전쟁사』, 서울대학교출판부, 2009.

논산시사편찬위원회,『논산시지 2』2005.

단국대학교 동양학연구소,『韓漢大辭典 14』2008.

丹齋申采浩先生紀念事業會,『改訂版 丹齋 申采浩全集(上卷)』, 螢雪出版社, 1987.

도수희,『백제의 언어와 문학』, 주류성, 2005.

동아출판사,『동아 새국어사전』1995.

馬家鼎 外,『大明寺』, 南京出版社, 2005.

문경현,『百濟 武王과 善化公主攷』, 경주시 · 경주대학교 경주학연구소, 2009.

民衆書林,『漢韓大字典』1997.

民衆書林 編輯局,『全面改訂增補版 漢韓大字典』2007.

민족문화추진회,『국역 신증동국여지승람 Ⅳ』1978.

朴淳發,『한성백제의 誕生』, 서경문화사, 2001.

박선희,『한국 고대 복식-그 원형과 정체』, 지식산업사, 2002.

박천수,『새로 쓰는 고대한일교섭사』, 사회평론, 2007.

박한제,『대당제국과 그 유산』, 세창출판사, 2015.

부여군,『부여군 산성문화재—지표조사(2차) 보고서』2013.

卞麟錫,『白江口戰爭과 百濟 · 倭 관계』, 한울아카데미, 1994.

사회과학원 고전연구실,『삼국사기 (상)』, 아름출판공사, 1958.

손영종,『조선단대사(고구려사 4)』, 과학백과사전출판사, 2008.

孫晉泰,『朝鮮民族史槪論(上)』, 乙酉文化社, 1948.

孫晉泰,『國史大要』, 乙酉文化社, 1949.

서울대학교 국사연구회,『國史槪說』1946.

서울大學校 博物館,『石村洞3號墳 東쪽古墳群 整理調査報告』1986.

서울大學校 博物館,『石村洞 古墳群 發掘調査報告』1987.

서울大學校 博物館,『발굴유물도록』1997.

서울특별시 시립박물관,『서울 강동구지역 문화적 지표조사 보고서』2001.

徐程錫,『百濟의 城郭』, 학연문화사, 2002.

신기철·신용철,『새 우리말 큰사전(상)』, 三省出版社, 1980.

신기철·신용철,『새 우리말 큰사전(하)』, 三省出版社, 1980.

六堂全集編纂委員會,『六堂崔南善全集 1』, 현암사, 1973.

尹乃鉉,『고조선연구』, 일지사, 1994.

윤명철,『한민족의 해양활동과 동아지중해』, 학연문화사, 2002.

李康來,『三國史記 典據論』, 민족사, 1996.

李基白,『新羅 政治社會史 研究』, 일조각, 1974.

李基白·李基東,『韓國史講座Ⅰ(古代篇)』, 일조각, 1982.

李基白,『新羅思想史研究』, 일조각, 1986.

李基白,『韓國史新論』, 一潮閣, 1990.

李能和 主幹,『朝鮮佛敎叢報』, 三十本山聯合事務所, 1917.

李能和,『朝鮮佛敎通史(上篇)』, 新文館, 1918.

李道學,『백제고대국가연구』, 일지사, 1995.

李道學,『꿈이 담긴 한국고대사노트(상)』, 일지사, 1996.

李道學,『새로 쓰는 백제사』, 푸른역사, 1997.

이도학,『한국고대문화산책』, 서문문화사, 1999.

李道學,『한국 고대사 그 의문과 진실』, 김영사, 2001.

李道學,『살아 있는 백제사』, 휴머니스트, 2003.

李道學,『서울의 백제고분, 석촌동고분』, 송파문화원, 2004.

李道學,『고구려 광개토왕릉비문연구』, 서경문화사, 2006.

이도학,『역사가 기억해 주는 이름』, 서경문화사, 2007.

李道學,『백제 한성·웅진성시대 연구』, 일지사, 2010.

李道學,『백제 사비성시대 연구』, 일지사, 2010.

이도학,『누구를 위한 역사인가』, 서경문화사, 2010.

李道學 外,『육조고도 남경』, 주류성, 2014.

李道學,『후백제 진훤대왕』, 주류성, 2015.

李道學, 『후삼국시대 전쟁연구』, 주류성, 2015.

李道學, 『삼국통일 어떻게 이루었나』, 학연문화사, 2018.

李道學, 『가야는 철의 왕국인가』, 학연문화사, 2019.

李萬烈 註釋, 『譯註 朝鮮上古史(下)』, 螢雪出版社, 1983.

李丙燾, 『韓國史 古代篇』, 을유문화사, 1959.

李丙燾, 『韓國古代史研究』, 박영사, 1976.

李丙燾, 『國譯 三國史記』, 乙酉文化社, 1977.

李相玉, 『韓國의 歷史』, 敎文社, 1963.

이숭녕 監修, 『현대국어대사전』, 한서출판사, 1974.

이용현, 『가야제국과 동아시아』, 통천문화사, 2007.

이영석, 『南北朝佛敎史』, 혜안, 2010.

李在成, 『고구려와 유목민족의 관계사연구』, 소나무, 2018.

이재호 譯, 『삼국사기』, 솔, 1997.

이종기, 『가락국탐사』, 일지사, 1977.

李鍾學, 『동북아시아의 전쟁과 평화』, 충남대학교 출판문화원, 2016.

李弘稙 外, 『國史新講』, 一潮閣, 1958.

李弘稙, 『韓國古代史의 研究』, 新丘文化社, 1971.

李弘稙, 『한 史家의 流薰』, 통문관, 1972.

이한상, 『장신구 사여체제로 본 백제의 지방 지배』, 서경문화사, 2009.

이한상, 『삼국시대 장식대도 문화연구』, 서경문화사, 2016.

인천광역시, 『문학산성 지표조사 보고서』 1997.

인하대학교 박물관, 『인천 문학산 주변 지역 일대 지표조사』 2002.

임경석, 『이정 박헌영 일대기』, 역사비평사, 2004.

장인성, 『백제의 종교와 사회』, 서경문화사, 2001.

中央文化財研究院·韓國土地住宅公社, 『燕岐 羅城里遺蹟』 2015.

전북문화재연구원, 『전북 고부 구읍성Ⅰ』 2007.

全榮來, 「古阜隱仙里古墳群」 『全北遺蹟調査報告 2』, 全羅北道博物館, 1973.

全榮來, 「井邑 雲鶴里古墳群」 『全北遺蹟調査報告 3』, 全羅北道博物館, 1974.

全榮來, 『周留城·白江位置比定에 관한 新研究』, 扶安郡, 1976.

全榮來,『古沙夫里-古阜地方 古代文化圈 調査報告書』, 井邑郡, 1980.

정구복 외,『역주 삼국사기4 주석편(하)』, 한국정신문화연구원, 1997.

정동준,『동아시아 속의 백제 정치제도』, 일지사, 2013.

정읍시영원면·영원면지추진위원회,『永元--영원 사람들의 삶과 역사』2005.

鄭寅普,『朝鮮史研究(上)』, 서울신문사, 1946.

鄭仲煥,『加羅史研究』, 혜안, 2000.

崔南善,『國民朝鮮歷史』, 東明社, 1947.

최준채,『고등학교 한국사』, 법문사, 2011.

최한우,『중앙아시아』, 도서출판 펴내기, 1992.

최형락,『천주교 용어사전』, 도서출판 작은예수, 1995.

千寬宇,『古朝鮮史·三韓史研究』, 일조각, 1989.

忠北大學校博物館,『淸州 新鳳洞 百濟古墳群發掘調査報告書』1983.

忠北大學校博物館,『淸州 新鳳洞古墳群』1995.

충청남도역사문화연구원,『百濟史資料譯註集(日本篇)』2008.

忠淸埋葬文化財硏究院·舒川郡,『韓山 乾至山城』, 2001.

한강문화재연구원,『김포 운양동 유적Ⅱ(1권)』2013.

한강문화재연구원,『김포 운양동 유적Ⅱ(2권)』2013.

韓國古代社會硏究所,『譯註 韓國古代金石文 Ⅱ』1992.

한국역사연구회,「葛陽寺惠居國師碑」『譯註 羅末麗初金石文(上·下)』, 혜안, 1996,

韓國精神文化硏究院,『譯註 經國大典 註釋篇』1986.

한국정신문화연구원,『한국민족문화대백과사전(10)』1991.

한글학회,『한국지명총람 1(서울편)』1966.

한글학회,『한국지명총람 4(충남편 上)』1974

한성백제박물관,『온조, 서울의 역사를 열다』2013.

한신대학교 박물관,『風納土城Ⅳ(本文·圖面)』2004.

한영우,『다시찾는 우리 역사』, 경세원, 2010.

황보경,『신라문화연구』, 주류성, 2009.

黃壽永,「忠南 燕岐 石像 調査」『韓國 佛像의 硏究』, 三和出版社, 1973.

황수영,『한국의 불상』, 문예출판사, 1989.

黃壽永, 『黃壽永全集(1)』, 혜안, 1998.

홍사준, 『백제의 전설』, 통문관, 1956.

홍윤기, 『일본 속의 백제 구다라(百濟)』, 한누리 미디어, 2008.

許興植, 『高麗佛敎史硏究』, 一潮閣, 1986.

Arthur F. Wright 著·양필승 譯, 『중국사와 불교』, 신서원, 1994.

데이비드 데이 著·이경식 譯, 『정복의 법칙』, Human&Books, 2006.

Gari K. Ledyard, "Galloping Along With the Horseriders" Journal of Japanese Studies, Vol. 1, No. 2, 1975.

G. Codes 著·山本智敎 譯, 『東南アシ"ア文化史』, 大藏出版, 1989.

존 킹 페어뱅크·멀골드만 著·김행종·신성곤 譯, 『신중국사』, 까치글방, 2005.

季羨林, 『中印文化交流史』, 中國社會科學出版社, 2008.

耿鐵華, 『中國 高句麗史』, 吉林人民出版社, 2002.

吉林省文物考古硏究所, 『楡樹老河深』, 文物出版社, 1987.

賴永海, 『中國佛敎文化論』, 中國人民大學出版社, 2009.

馬家鼎 外, 『大明寺』, 南京出版社, 2005.

梁嘉彬, 『琉球及東南諸海島與中國』, 私立東海大學, 1979.

遼寧省文物考古硏究所, 『三燕文物精髓』, 遼寧人民出版社, 2002.

任繼愈, 『中國佛敎史』, 中國社會科學出版社, 1981.

周達觀 著·전자불전·문화재콘텐츠연구소 篇, 『진랍풍토기』, 백산자료원, 2007.

中文大辭典編纂委員會, 『中文大辭典 1』 1973.

中文辭典編纂委員會, 『中文大辭典 9』, 中華文化大學出版部, 1985.

中華書局, 『南齊書 3』 1983.

湯錫予, 『漢魏兩晋南北朝佛敎史』, 漢聲出版社, 1973.

胡戟·榮新江 主編, 『大唐西市博物館所藏墓志』, 北京大學出版社, 2012.

胡海帆·湯燕 編著, 『中國古代磚刻銘文集(上)』, 文物出版社, 2008.

가와카스 요시오·임대희, 『중국의 역사—위진남북조』, 혜안, 2004.

岡本東三, 『古代寺院の成立と展開』, 山川出版社, 2002.

岡田英弘,『倭國』, 中央公論社, 1977.

關野貞,『朝鮮美術史』, 朝鮮史學會, 1932.

鎌田茂雄,『新羅佛教史序說』, 東京大學校, 1988.

鎌田茂雄 著·章輝玉 譯,『중국 불교사 1』, 장승, 1992.

鎌田茂雄 著·章輝玉 譯,『중국 불교사 3』, 장승, 1996.

今西龍,『百濟史研究』, 近澤書店, 1934.

김달수·진순신·시바료타로,『역사의 교차로에서』, 책과함께, 2004.

奈良國立文化財研究所 飛鳥資料館,『飛鳥資料館案內』1994.

奈良國立博物館,『正倉院展』1982.

奈良國立博物館,『第五十七回 正倉院展』2005.

大林太良,『邪馬臺國』, 中央公論社, 1977,

大阪市文化財協會,『大阪遺跡』, 創元社, 2008.

東京國立博物館,『特別展 正倉院寶物』1981.

東京國立博物館,『江田船山古墳出土 國寶銀象嵌銘大刀』, 吉川弘文館, 1993.

末松保和,『新羅史の諸問題』, 東洋文庫, 1954.

末松保和,『任那興亡史』, 吉川弘文館, 1956.

門脇禎二,『新版 飛鳥--その古代史と風土』, 日本放送出版協會, 1977.

木村淸孝 著·朴太源· 譯,『中國佛教思想史』, 경서원, 1988.

五味文彦·鳥海靖 編,『もういちど讀む山川日本史』, 山川出版社, 2010.

北川博邦,『偏類碑別字』, 法仁文化社, 1990.

佛書刊行會,『大日本佛教全書』, 第一書房, 1978.

사와다 이사오·김숙경 譯,『지금은 사라진 고대 유목국가 이야기, 흉노』, 아이필드, 2007.

사카에하라 토와오 著·이병호 譯,『정창원문서입문』, 태학사, 2012.

山尾幸久,『古代の日朝關係』, 塙書房, 1989.

山本西郎·上田正昭·井上滿郎,『解明新日本史』, 文英堂, 1983.

森浩一,『檢證 古代日本と百濟』, 大巧社, 2003.

三品彰英,『新羅花郎の研究』, 平凡社, 1974.

三品彰英,『三國遺事考證(中)』, 塙書房, 1979.

上原和,『法隆寺を歩く』, 岩波書店, 2009.

小田省吾, 『朝鮮史講座 一般史』, 朝鮮史學會, 1923.

安田元久 外, 『高等 日本史』, 帝國書院, 1981.

林泰輔, 『朝鮮史 2』 1892.

田村圓澄, 『百濟文化と飛鳥文化』, 吉川弘文館, 1978.

朝鮮總督府, 『昭和二年度古跡調査報告(第二冊)』, 朝鮮印刷株式會社, 1935.

佐伯有淸, 『新撰姓氏錄の硏究(考證篇 第1)』, 吉川弘文館, 1981.

佐野光一, 『木簡字典』, 雲林筆房, 1985.

諸橋轍次, 『大漢和辭典 2』, 大修館書店, 1985.

田村晃一, 『樂浪ど高句麗の考古學』, 同成社, 2001.

井上光貞, 『日本の歷史-神話はら歷史へ 1』, 中央公論社, 1973.

井上光貞, 『日本の歷史(3) 飛鳥の朝廷』, 小學館, 1974.

井上光貞 外, 『詳說 日本史』, 山川出版社, 1982.

井上秀雄, 『古代朝鮮』, 日本放送出版協會, 1972.

竹內理三 校訂・解說, 『翰苑』, 太宰府天滿宮文化硏究所, 1977.

池內宏, 『滿鮮史硏究(上世篇 第一冊)』, 吉川弘文館, 1951.

津田左右吉, 『津田左右吉全集(第11卷)』, 岩波書店, 1964.

佐伯有淸, 『新撰姓氏錄の硏究(考證篇 第1)』, 吉川弘文館, 1981.

直木孝次郎, 『日本の歷史 2』, 中央公論社, 1973.

直木孝次郎, 『飛鳥寺の法隆寺』, 吉川弘文館, 2009.

村山智順, 『朝鮮總督府 調査資料 45집 釋尊・祈雨 安宅』, 朝鮮總督府, 1938.

川勝義雄 著・임대희 譯, 『중국의 역사─위진남북조』, 혜안, 2004.

台明寺岩人, 『日羅伝』, 南方新社, 2011.

坂本太郎・小島憲之 外, 『日本書紀(下)』, 岩波書店, 1980.

坂元義種, 『古代東アジアの日本と朝鮮』, 吉川弘文館, 1978.

平野邦雄, 『歸化人と古代國家』, 吉川弘文館, 1993.

黑田達也, 『朝鮮・中國と日本古代大臣制』, 京都大學學術出版會, 2007.

3. 논문 등

강진원, 「癸酉銘 阿彌陀三尊四面石像 銘文 검토」『목간과 문자』12, 2014.

강현모, 「은산별신제 배경설화의 전승양상」『한국언어문학』60, 한국언어문학회, 2007.

姜賢淑, 「考古學에서 본 4·5世紀代 高句麗와 加耶의 成長」『加耶와 廣開土大王』, 金海市, 2003.

공주대학교 박물관. 「공산성 성안마을 내 백제왕궁 부속시설유적 현장설명회 자료」2011.

권오영, 「백제의 성립과 발전」『한국사 6』, 국사편찬위원회, 1995.

곽장근, 「호남 동부지역 가야문화유산 현황」『경남발전』138, 경남발전연구원, 2017.

김기옥, 「한강 하류역 원삼국시대 외래계 유물」『崇實大學校韓國基督教博物館誌』9, 2013.

김병남, 「百濟 武王代의 영역 확대와 그 의의」『韓國上古史學報』38, 2002.

金三龍, 「總括--익산의 선사와 고대 문화」『益山의 先史와 古代文化』, 마한백제문화연구소·익산시, 2003.

김수태, 「新羅 文武王代의 對服屬民 政策」『新羅文化』16, 1999.

김선풍, 「恩山別神祭의 民俗學的 考察」『민속연구』2, 안동대학교 민속학연구소, 1992.

김영관, 「백제 유민 진법자 묘지명 연구」『백제문화』50, 2014.

김영심, 「백제 누가 세웠나--문헌학적 측면」『백제, 누가 언제 세웠나』, 한성백제박물관, 2012.

金煐泰, 「彌勒仙花攷」『佛敎學報』3·4합집, 1966.

김재홍, 「전북 동부지역 백제, 가야, 신라의 지역지배」『한국상고사학보』78, 2012.

김종만, 「扶餘 陵山里寺址 出土遺物의 國際的 性格」『백제금동대향로 발굴 10주년 기념 국제학술심포지 엄 百濟金銅大香爐와 古代東亞細亞』, 국립부여박물관, 2003.

金周成, 「百濟 法王과 武王의 佛敎政策」『馬韓百濟文化』15, 2001.

김주성, 「百濟 武王의 大耶城 進出 企圖」『백제연구』49, 2009.

金周成, 「벽골제의 축조와 변화」『한국고대사탐구』21, 2015.

김창겸, 「하남 교산동 마애여래좌상 重修의 의미」『하남불교문화재연구』, 경인문화사, 2010.

金昌錫, 「6세기 후반~7세기 전반 百濟·新羅의 전쟁과 大耶城」『新羅文化』34, 2009.

김춘실, 「하남시 교산동 태평 2년명 마애약사여래좌상의 조성시기 검토」『미술사연구』15, 2002.

金春實, 「中國 山東省 佛像과 三國時代 佛像」『美術史論壇』19, 한국미술연구소, 2004.

김철준, 「신라 상대의 Dual Ogganization (下)」『역사학보』2, 1952.

김태식, 「百濟의 加耶地域 關係史: 交涉과 征服」 『백제의 중앙과 지방』, 충남대학교 백제연구소, 1997.

金賢淑, 「百濟와 高句麗의 相互認識」 『2010세계대백제전 국제학술회의』 2010.

노중국, 「백제의 영토 확장에 대한 몇 가지 검토」 『근초고왕 때 백제 영토는 어디까지였나』, 한성백제박물관, 2013.

리광희, 「고구려의 금속제 관모와 관모 장식에 대한 간단한 고찰」 『조선고고연구』 127, 2003.

文明大, 「廣州地域 寺刹發掘의 성과와 의의」 『佛敎美術』 10, 동국대학교 박물관, 1991.

박경은, 「博山香爐의 昇仙圖像 研究」 『백제금동대향로 발굴 10주년 기념연구논문자료집 百濟金銅大香爐』, 국립부여박물관, 2003.

박대재, 「백제 초기의 회의체와 南堂」 『韓國史研究』 124, 2004.

박상현, 「청주 고분서 출토--부여 유목문화와 마한 교류 입증하는 사료」 『연합뉴스』 2016. 8. 31.

박순발, 「漢城百濟 成立期 諸墓制의 編年 檢討」 『백제 고고학의 제문제』, 한국고대학회 제5회 학술발표회 발표문, 1993.

朴淳發, 「한성백제 성립기 諸墓制의 編年 檢討」 『先史와 古代』 6, 1994.

박순발, 「롄윈강(連雲港) 봉토석실묘의 역사 성격」 『百濟의 中國 使行路』, 충남대학교 백제연구소, 2012.

박순발, 「동아시아적 관점에서 본 사비도성」 『부여학』 3, 2013.

朴仲煥, 「馬韓勢力의 變遷過程에 對한 一考察」, 전남대학교 사학과 석사학위청구논문, 1992.

박중환, 「백제권역 동물희생 관련 考古자료의 성격」 『百濟文化』 47, 2012.

박종욱, 「602년 阿莫城 戰鬪의 배경과 성격」 『한국고대사연구』 69, 2013.

박종욱, 「百濟 泗沘期 新羅와의 전쟁과 영역 변천」, 고려대학교 대학원 한국사학과 박사학위청구논문, 2021.

박종욱, 「椵岑城의 지리적 환경과 7세기 전반 百濟·新羅의 攻防」 『韓國史學報』 84, 2021.

朴天秀, 「5世紀 後葉 高句麗의 南進과 百濟, 倭」 『동아시아 속에서의 고구려와 왜』, 경인문화사, 2007.

박천수, 「영산강유역 전방후원분에 대한 연구사 검토와 새로운 조명」 『한반도의 전방후원분』, 학연문화사, 2011.

朴泰祐, 「統一新羅時代의 地方都市에 對한 研究」 『百濟研究』 18, 1987.

朴漢濟, 「七世紀 隋唐 兩朝의 韓半島進出 經緯에 대한 一考」 『東洋史學研究』 43집, 1993.

白承忠, 「任那日本府와 百濟倭系官僚」 『강좌한국고대사』 4, 2004.

부여군백제문화선양위원회, 『2016년 제2차-부여군 백제문화선양위원회 회의』 2016. 12. 12.

徐永大, 『한국고대 神觀念의 사회적 의미』, 서울대학교 박사학위청구논문, 1991.

徐永大, 「국가제사」 『百濟의 祭儀와 宗敎』, 충청남도역사문화연구원, 2007.

서현주, 「영산강유역 장고분의 특징과 출현 배경」 『한국고대사연구』 47, 2007.

석길암, 「駕洛國의 佛敎 傳來 문화와 성격에 대한 검토」 『동아시아불교문화』 25, 2016.

成洛俊, 「榮山江流域의 甕棺墓硏究」 『百濟文化』 15, 1983.

成周鐸, 「百濟 泗沘都城硏究」 『百濟硏究』 13, 1982.

成正鏞, 「中西部 馬韓地域의 百濟 領域化過程硏究」, 서울대학교 박사학위청구논문, 2000.

成正鏞, 「大伽倻와 百濟」 『大加耶와 周邊諸國』, 학술문화사, 2002.

송호정, 「고고학 자료를 통해 본 백제의 기원」 『백제의 기원과 건국』(백제문화사대계 연구총서 2), 충남역사문화연구원, 2007.

송화섭, 「토착신앙」 『百濟의 祭儀와 宗敎』, 충청남도역사문화연구원, 2007.

申敬澈, 「金海 大成洞 古墳群의 발굴조사 성과」 『慶南鄕土史論叢』 1992.

신경철, 「백제 문화의 원류, 백제와 고구려 문화; 토론문」 『백제사람들 서울 역사를 열다』, 한성백제박물관 국제학술회의, 2011.

申鐘煥, 「淸州 新鳳洞 出土 遺物의 外來的 要素에 關한 一考」 『嶺南考古學』 18, 1996.

심상순, 「6세기 전반 謙益의 求法活動과 그 의미」 『梨大史苑』 33·34合集, 2001.

沈正輔, 「百濟復興軍의 主要據點에 관한 硏究」 『百濟硏究』 14, 1983.

오은석, 「백제 '銀花冠飾'의 형상과 정치적 성격 검증」 『동아시아고대학』 35, 2014.

梁起錫, 「百濟 文化의 優秀性과 國際性」 『百濟文化』 40, 2009.

梁銀景, 「百濟 扶蘇山寺址 出土品의 再檢討와 寺刹의 性格」 『대백제/ 백제의 숨결을 찾아서』, 동아시아국제학술포럼, 2009.

양종국, 「의자왕 후손 찾기」 『대백제, 백제의 숨결을 찾아서』, 부여군문화재보존센터, 2009.

양종승, 「샤머니즘의 본질과 내세관 그리고 샤먼 유산들」 『하늘과 땅을 잇는 사람들, 샤먼』, 국립민속박물관, 2011.

유근자, 「황수영 박사의 한국불상 연구」 『황수영 박사의 미술사연구 업적』, 한국미술사연구소, 2014.

尹武炳, 「金堤 碧骨堤 發掘報告」 『百濟硏究』 7, 1976.

윤무병,「百濟 美術에 나타난 道敎的 要素」『백제금동대향로 발굴 10주년 기념연구논문자료집 百濟金銅大香 爐』, 국립부여박물관, 2003.

이근우,「웅진시대 백제의 남방경역에 대하여」『백제연구』27, 1997.

이경섭,「함안 城山山城 출토 新羅木簡 연구의 흐름과 전망」『木簡과 文字』10, 2013.

李基白,「百濟王位繼承考」『歷史學報』11, 1959.

李基白,「百濟史上의 武寧王」『武寧王陵』, 문화공보부 문화재관리국, 1974.

이남석,「百濟 熊津城(公州 公山城)의 2011년 發掘資料 檢討」,『한국 고대 城의 재발견』, 한국고대학회, 2011.12.23.

이남석,「발표 개요: 2011년 발굴, 공산성 성안마을 연못현황과 명문 칠갑옷」, 한국목간학회 제13회 정기발표회, 2012.1.18.

李道學,「百濟 慰禮文化의 史的 性格」『東大新聞』1981.5.12.

李道學,「百濟 王系에 對한 異說의 檢討」『東國』18, 東國大學校 校紙編輯委員會, 1982.

李道學,「漢城末・熊津時代 百濟 王系의 檢討」『韓國史硏究』45, 1984.

李道學,「漢城末・熊津時代 百濟王位繼承과 王權의 性格」『韓國史硏究』50・51合集. 1985.

李道學,「羅唐同盟의 性格과 蘇定方被殺說」『新羅文化』2, 1985.

李道學,「옛터를 찾아서-광주 춘궁리 사지」『월간 金剛』, 월간금강사, 1986, 1월호.

李道學,「熊津都督府의 支配組織과 對日本政策」『白山學報』34, 1987.

李道學,「書評-沸流百濟와 日本의 國家起源」『國學硏究』2, 1988.

李道學,「泗沘時代 百濟의 4方界山과 護國寺刹의 성립」『百濟硏究』20, 1989.

李道學,「平壤 九梯宮의 性格과 그 認識」『國學硏究』3, 1990.

李道學,「百濟의 起源과 國家形成에 관한 재검토」『한국 고대국가의 형성』, 민음사, 1990.

李道學,「漢城後期의 百濟王權과 支配體制의 整備」『百濟論叢』2, 백제문화개발연구원, 1990.

李道學,「百濟의 起源과 國家發展過程에 관한 檢討」『韓國學論集』19, 1991.

李道學,「百濟集權國家形成過程硏究」, 한양대학교 사학과박사학위청구논문, 1991.

李道學,「백제국의 성장과 소금통로의 확보」『우리 문화』, 전국문화원연합회, 1991-2.

李道學,「百濟의 交易網과 그 體系의 變遷」『韓國學報』63, 1991.

李道學,「百濟 黑齒常之 墓誌銘의 檢討」『鄕土文化』6, 嶺南大學校鄕土文化硏究會, 1991.

李道學,「磨雲嶺 眞興王巡狩碑의 近侍 隨駕人의 檢討」『新羅文化』9, 1992.

李道學,「百濟 初期史에 관한 文獻資料의 檢討」『韓國學論集』23, 1993.

李道學, 「二聖山城 出土 木簡의 檢討」『韓國上古史學報』12, 1993.

李道學, 「부여 능산리 고분군 출토 사리감 銘文의 의의」『서울신문』1995.11.6.

李道學, 「銅鍑文化의 移動과 금관가야의 탄생」『우리문화』, 전국문화원연합회, 1995-2.

李道學, 「모란 같은 향훈(香薰)의 선덕여왕, 그 설화의 허와 실」『꿈이 담긴 한국고대사노트 (상)』, 一志社, 1996.

李道學, 「'日月'의 무대 하남시 춘궁동을 찾아서」『꿈이 담긴 한국고대사 노트(하)』, 일지사, 1996.

李道學, 「'日本書紀'의 百濟 義慈王代 政變 記事의 檢討」『韓國古代史研究』11, 1997.

李道學, 「새로운 모색을 위한 점검, 목지국 연구의 현단계」『마한사의 새로운 인식』, 충남대학교 백제연구소, 1997.

李道學, 「새로운 摸索을 위한 點檢, 目支國 研究의 現段階」『馬韓史研究』, 충남대학교 출판부, 1998.

李道學, 「백제의 불교」『불교신문』1998.7.21.

李道學, 「百濟의 交易과 그 性格」『STRATEGY21』2-2, 1999.

李道學, 「百濟 復興運動의 시작과 끝, 任存城」『百濟文化』28, 1999.

李道學, 「해양강국 백제의 꿈」『해양과 문화』3, 해양문화재단, 2000.

李道學, 「古朝鮮史의 몇 가지 問題에 관한 再檢討」『東國史學』37, 2002.

李道學, 「古代史 속의 南原」『남원문화유산의 탐구』, 전북전통문화연구소·남원사회봉사단체협의회·원광대학교평생교육원, 2002.

李道學, 「'백제부흥운동'에 관한 몇 가지 검토」『東國史學』38, 2002.

李道學, 「加羅聯盟과 高句麗」『광개토대왕, 제9회 가야사 국제학술회의』, 김해시, 2003.

李道學, 「三國史記에 보이는 溫祚王像」『先史와 古代』19, 2003.

李道學, 「백제 무왕대 익산 천도설의 검토」『익산 문화권 연구의 성과와 과제』, 마한백제문화연구소 설립30주년기념 제16회 국제학술회의, 2003.

李道學, 「백제 무왕대 익산 천도설의 재해석」『馬韓百濟文化』16, 2004.

李道學, 「三國의 相互關係를 통해 본 高句麗 正體性」『高句麗研究』18, 2004.

李道學, 「高句麗와 百濟의 出系 認識 檢討」『高句麗研究』20, 2005.

李道學, 「高句麗와 百濟의 對立과 東아시아 世界」『高句麗研究』21, 2005.

李道學, 「漢城 陷落 以後 高句麗와 百濟의 關係」『전통문화논총』3, 한국전통문화대학교, 2005.

李道學,「百濟의 對倭交易의 展開 樣相」『민족발전연구』제13-14호, 중앙대학교 민족발전연구
　　　소, 2006.

李道學,「금동관이 출토된 고흥 안동 고분의 피장자는 누구인가?」『한국전통문화학보』37,
　　　2006. 4. 2.

李道學,「高句麗와 夫餘 關係에 對한 再檢討」『고구려의 역사와 대외관계』, 한국학중앙연구원
　　　동아시아고대사연구소, 2006.

李道學,「高句麗의 內紛과 內戰」『高句麗研究』24, 2006.

李道學,「불교의 도입과 발전」『불교의 나라 백제, 사비성』, 부여군, 2006.

李道學,「사비시대의 백제 왕실과 불교」『불교의 나라 백제, 사비성』, 부여군, 2006.

李道學,「高句麗의 夫餘 出源에 관한 認識의 變遷」『高句麗研究』27, 2007.

李道學,「'禰寔進墓誌銘'을 통해 본 百濟 禰氏 家門」『전통문화논총』5, 한국전통문화대학교,
　　　2007.

李道學,「弓裔의 北原京 占領과 그 意義」『東國史學』43, 2007.

李道學,「梁職貢圖의 百濟 使臣圖와 題記」『百濟文化 海外調査報告書 6』, 국립공주박물관,
　　　2008.

李道學,「백제와 동남 아시아諸國과의 교류」『대백제국의 국제교류사』, 충청남도역사문화
　　　연구원, 2008. 10. 7;『충청학과 충청문화』7호, 충청남도역사문화연구원, 2008.

李道學,「백제와 동남아 세계의 만남에 대한 逆批判」『대백제/ 백제의 숨결을 찾아서』, 동아시아
　　　국제학술포럼, 한국전통문화학교·부여군문화재보존센터, 2009.

李道學,「백제의 동남아시아 交流論은 妄想인가?」『경주사학』30, 2009.

李道學,「彌勒寺址 西塔 '舍利奉安記'의 分析」『白山學報』83, 2009.

李道學,「해상왕국 대백제와 백제 왕도 부여」『백제문화 세계화와 백제고도 부여』, 대전일보사,
　　　2009.

李道學,「백제와 동남아 세계의 만남에 대한 逆批判」『대백제/ 백제의 숨결을 찾아서』, 동아시아
　　　국제학술포럼, 2009.

李道學,「백제 무녕왕과의 인연」『한국전통문화학보』56, 2009. 5. 15.

李道學,「百濟의 起源과 慕容鮮卑」『충북문화재연구』4, 충청북도문화재연구원, 2010.

李道學,「百濟의 海上活動 記錄에 관한 檢證」『2010 세계대백제전 국제학술회의』, 세계대백제전
　　　조직위원회, 2010.

李道學, 「古都 益山의 眞正性에 관한 多角的 分析」 『馬韓百濟文化』 19, 2010.

李道學, 「百濟의 海外活動 記錄에 관한 檢證」 『충청학과 충청문화』 11, 2010.

李道學, 「中國 廣西壯族自治區의 百濟墟 探索」 『위례문화』 13, 하남문화원, 2010.

李道學, 「'史料와 考古學 자료로 본 백제 王都 益山'에 대한 檢證」 『한국전통문화연구』 9, 2011.

李道學, 「谷那鐵山과 百濟」 『東아시아古代學』 25, 2011.

李道學, 「백제(구다라) 관련 지명과 명칭」 『백제의 발자취를 찾아서』, 부여군, 2011.

李道學, 「百濟尼寺」 『백제의 발자취를 찾아서』, 부여군, 2011.

李道學, 「百濟寺」 『백제의 발자취를 찾아서』, 부여군, 2011.

李道學, 「법륭사」 『백제의 발자취를 찾아서』, 부여군, 2011.

李道學, 「古代 東아시아의 佛敎와 王權」 『충청학과 충청문화』 13, 2011.

李道學, 「檀君 國祖 意識과 境域 認識의 變遷-『舊三國史』와 관련하여-」 『한국사상사학보』 40, 2012.

李道學, 「公山城 出土 漆甲의 性格에 대한 再檢討」 『인문학논총』 28, 경성대학교 인문학연구소, 2012.

李道學, 「『삼국사기』온조왕본기'의 主體에 대한 再解釋」 『21세기의 한국고고학Ⅴ』, 주류성, 2012.

李道學, 「馬韓 殘餘故地 前方後圓墳의 造成 背景」 『東아시아 古代學』 28, 2012.

李道學, 「廣開土王代 南方 政策과 韓半島 諸國 및 倭의 動向」 『한국고대사연구』 67, 2012.

李道學, 「泗沘城 遷都와 都城 企劃, 그리고 '定林寺'」 『정림사복원 국제학술심포지엄』, 부여군문화재보존센터, 2012.6.13.

李道學, 「百濟 泗沘都城과 '定林寺'」 『白山學報』 94, 2012.

李道學, 「韓國史의 擴大過程과 女眞史의 歸屬 問題」 『한민족연구』 13, 2012.

李道學, 「백제 건국 세력의 계통과 한성기 묘제」 『한성지역 백제 고분의 새로운 인식과 해석』 제13회 백제학회정기발표회, 2013.3.2.

李道學, 「百濟 建國勢力의 系統과 漢城期 墓制」 『百濟學報』 10, 2013.

李道學, 「百濟의 祭儀와 百濟金銅大香爐」 『충청학과 충청문화』 17, 충청남도역사문화연구원, 2013.

李道學, 「「廣開土王陵碑文」에 보이는 '南方'」 『嶺南學』 24, 2013.

李道學, 「榮山江流域 馬韓諸國의 推移와 百濟」 『百濟文化』 49, 2013.

李道學, 「한국사 교과서는 문화유산을 어떻게 다루고 있나?--역사 부분」 『한국사교육과 문화유산』, 한국전통문화대학교 전통문화연구소, 2013.

李道學, 「百濟 泗沘都城의 編制와 海外 交流」 『동아시아의 고대 도시와 문화』, 동아시아고대학회, 2012.

李道學, 「百濟 泗沘都城의 編制와 海外 交流」 『東아시아 古代學』 30, 2013.

李道學, 「百濟의 海上실크로드 探究」 『東亞海洋文化國際學術會議 論文集』, 浙江大學, 2013.

李道學, 「윤명철, '해양사연구방법론'(학연문화사, 2012)에 대한 서평」 『고조선단군학』 28, 2013.

李道學, 「三國統一期 新羅의 北界 確定 問題」 『東國史學』 57, 2014.

李道學, 「倭의 佛敎 受容과 백제계 사찰의 건립배경 및 성격」 『충청학과 충청문화』 19, 2014.

李道學, 「李丙燾 韓國古代史 硏究의 '實證性' 檢證」 『白山學報』 98, 2014.

李道學, 「益山 遷都 物證 '首府' 銘瓦에 대한 反論 檢證」 『東아시아 古代學』 35, 2014.

李道學, 「後百濟의 全州 遷都와 彌勒寺 開塔」 『한국사연구』 165, 2014.

李道學, 「李丙燾 韓國古代史 硏究의 '實證性' 檢證」 『白山學報』 98, 2014.

李道學, 「백제의 해양 활동사」 『동북아역사문제』 90, 동북아역사재단, 2014.

李道學, 「백제사 속의 익산에 대한 재조명」 『마한백제문화』 25, 2015.

李道學, 「노중국, '백제유산의 가치와 세계유산 등재 의의'에 대한 토론문」 『백제문화유산 유네스코 등재 의의와 향후 과제』, 충남연구원, 2015.7.9.

李道學, 「百濟 官制 運營의 實際 - 旣存 資料와의 差異를 中心으로-」 『한국고대사탐구』 19, 2015.

李道學, 「백제의 요서경략과 중·고등학교 한국사 교과서의 서술」 『한국전통문화연구』 15, 한국전통문화대학교, 2015.

이도학, 「백제사에서 전라북도의 位相」 『전라북도 백제를 다시 본다』, 전라일보, 2016.8.10.

李道學, 「世宗市 일원 佛碑像의 造像 목적과 百濟 姓氏」 『한국학연구』 56, 고려대학교 한국학연구소, 2016.

李道學, 「한국 고대사회에서 술의 기능」 『東아시아古代學』 44, 2016.

李道學, 「後百濟와 高麗의 吳越國 交流 硏究와 爭點」 『한국고대사탐구』 22, 2016.

李道學, 「後百濟의 降服 動線과 馬城」 『동아시아문화연구』 65, 한양대학교 동아시아문화연구소, 2016.

李道學, 「백제와 인도와의 교류에 대한 접근」 『동아시아불교문화연구』 29, 2017.

李道學, 「高句麗와 倭의 關係 分析」『東아시아古代學會 第66回 定期學術大會』, 東아시아古代學會, 2017.

이도학, 「전북가야의 태동과 반파국」『문헌과 고고학으로 본 전북가야』, 호남고고학회, 2020.

이문기, 「사비시대 백제 전내부체제의 운영과 변화」『백제연구』42, 2005.

이수훈, 「城山山城 木簡의 本波와 阿那·末那」『역사와 세계』38, 2010.

李宇泰, 「韓國古代의 尺度」『泰東古典研究』1, 1984.

이용범, 「高句麗의 遼西 進出企圖와 突厥」『史學研究』4, 1959.

李龍範, 「處容說話의 一考察」『震檀學報』32, 1969.

이용현, 「함안성산산성 출토 목간의 負, 本波, 奴人 시론」, 신라사학회 제67차 학술발표회 발표문, 2007.

이장웅, 「신라 眞平王 시기 백제 관계와 薯童 說話」『신라사학보』44, 2018.

李在碩, 「소위 倭系百濟官僚와 야마토 王權」『韓國古代史研究』20, 2000.

이재성, 「南匈奴列傳 譯註」『譯註 中國正史外國傳 3』, 동북아역사재단, 2009.

李鍾旭, 「百濟의 佐平--三國史記를 중심으로」『震檀學報』45, 1978.

이필영, 「은산별신제」『비교민속학』13, 1996.

李漢祥, 「百濟 耳飾에 대한 基礎的 研究」『湖西史學』3, 2000.

이한상, 「김포 운양동 유적 출토 금제 이식에 대한 검토」『김포 운양동 유적Ⅱ (2권)』, 한강문화재연구원, 2013.

李賢惠, 「4세기 가야사회의 교역체계의 변천」『한국고대사연구』1, 1988.

이홍종·허의행, 「漢城百濟期 據點都市의 構造와 機能--羅城里遺蹟을 중심으로」『百濟研究』60, 2014.

李弘稙, 「京畿道 廣州郡 東部面 校里 磨崖佛」『考古美術』1-2(통권 2호), 1960.

李弘稙, 「日本에 傳授된 百濟文化」『韓國思想』9, 한국사상편집위원회, 1968.

인천일보, 「"백제"가 중심이었던 인천 고대사」 2001.4.11.

林起煥, 「百濟 始祖傳乘의 형성과 변천에 관한 고찰」『百濟研究』28, 1998.

임영진, 「영산강유역권 장고분 조사연구」『영산강유역권 장고분조사연구보고서』, 백제문화개발연구원, 2009.

장인성, 「백제금동대향로의 도교 문화적 배경」『백제금동대향로 발굴 10주년 기념 국제학술심

　　　포지엄 百濟金銅大香爐와 古代東亞細亞』, 국립부여박물관, 2003.

장일규, 「하남 교산동 마애여래좌상 重修의 의미' 토론문」·「종합토론」『하남불교문화재연구』,
　　　경인문화사, 2010.

장창은, 「7세기 전반~중반 백제·신라의 각축과 국경 변천」『한국고대사탐구』 33, 2019.

장홍선, 「인천 중산동유적 백제 주거지 출토 토기 고찰」『인천 중산동유적』 2012.

조용중, 「百濟金銅大香爐에 관한 研究」『백제금동대향로 발굴 10주년 기념연구논문자료집 百濟
　　　金銅大香爐』, 국립부여박물관, 2003.

전덕재, 「椴岾城의 位置와 그 戰鬪의 역사적 성격」『역사와 경계』 87, 2013.

전영래, 「百濟 南方 境域의 變遷」『千寬宇先生還曆紀念韓國史學論叢』, 正音文化社, 1985.

全榮來, 「百濟地方制度와 城郭」『百濟研究』 19, 忠南大學校 百濟研究所, 1988.

전영래, 「周留城·白江 위치 비정에 관한 신연구」『百濟最後 抗爭史研究』, 전주문화원, 1990.

전영래, 「香爐의 起源과 型式變遷」『백제금동대향로 발굴 10주년 기념연구논문자료집 百濟金銅
　　　大香爐』, 국립부여박물관, 2003.

정동준, 「'진법자묘지명'의 검토와 백제 관제」『한국고대사연구』 74, 2014.

鄭寅普, 「五千年間 朝鮮의 '얼' (95)」『東亞日報』 1935. 7. 9.

정재윤, 「웅진시대 백제 정치사의 전개와 그 특성」, 서강대학교 박사학위청구논문, 1999.

鄭載潤, 「東城王의 卽位와 政局 運營」『한국고대사연구』 20, 2000.

정재윤, 「영산강유역 前方後圓形墳의 축조와 그 주체」『역사와 담론』 56, 2010.

정재윤, 「문헌 자료로 본 比利辟中布彌支半古四邑」『百濟學報』 9, 2013.

주보돈, 「百濟의 榮山江流域 支配方式과 前方後圓墳 被葬者의 性格」『韓國의 前方後圓墳』, 충남
　　　대학교 출판부, 2000.

池培善, 「고구려 광개토왕의 燕郡(北京) 침공원인에 대하여」『白山學報』 83, 2009.

秦弘燮, 「宿水寺址 出土 銅佛」『考古美術』 2-12, 1961.

千寬宇, 「三韓의 國家形成(下)」『韓國學報』 3, 1976.

千寬宇, 「馬韓諸國의 位置試論」『東洋學』 9, 1979.

채민석, 「百濟 王·侯制의 도입과 운영에 대한 試論」『韓國史研究』 166, 2014.

채웅석, 「고려시대 향도의 사회적 성격과 변화」『國史館論叢』 2, 1989.

崔秉鉉, 「墓制를 통해서 본 4~5세기 韓國古代社會」『韓國古代史論叢』 6, 1994.

최병현, 「고고학으로 본 신라의 전북지방 진출과정」『조사성과와 미래전략』, 전라북도,

2021. 12. 20.

최성락, 「영산강유역 옹관고분의 발생과 동인」 『영산강유역의 고분 1 甕棺』, 국립나주문화재연구소, 2010.

최성은, 「고려 초기 광주 철불좌상 연구」 『佛敎美術硏究』 2, 1996.

최완규, 「김제 벽골제와 백제 중방성」 『호남고고학보』 44, 2013.

한지연, 「고대 해상루트를 통한 불교 전파의 가능성과 의미」 『동아시아불교문화』 25, 2016.

홍승우, 「함안 성산산성 출토 부찰목간의 지명 및 인명 기재방식과 서식」 『木簡과 文字』 22, 2019.

洪潤植, 「益山 彌勒寺創建 背景을 통해 본 百濟文化의 性格」 『馬韓百濟文化』 6, 1983.

허중권 · 정덕기, 「602년 阿莫城 戰鬪의 전개과정에 대한 고찰」 『軍史』 85, 2012.

黃壽永, 「忠南 燕岐 石像調査--百濟遺民에 의한 石像」 『藝術院論文集』 3, 1964.

高偉 · 許莉, 「연운항시 봉토석실의 조사 보고」 『百濟의 中國 使行路』, 충남대학교 백제연구소, 2012.

顧志界, 「鄂尔多斯式銅(鐵)釜的形態分析」 『北方文物』 3, 1986.

安文榮 · 唐音, 「鴨綠江右岸雲鳳水庫淹沒區古墓葬調査與發掘」 『2007中國重要考古發現』, 文物出版社, 2008.

梁嘉彬, 「魏志朱儒國(今琉球) 裸國(今台灣)黑齒國(今菲律賓)考」 『大陸雜誌』 特刊 第2輯, 1962.

張學鋒, 「江蘇連雲港'土墩石室'遺存性質芻議」 『東南文化』 2011-4.

鎌田茂雄, 「朝鮮三國の佛敎」 『日本古代史講座 4』, 學生社, 1980.

大板六村, 「恩山の別神祭」 『朝鮮』 241, 1935.

末松保和, 「舊三國史と三國史記」 『朝鮮學報』 39 · 40合輯, 1966.

武田幸男, 「六世紀における朝鮮三國の國家體制」 『東アジア世界における日本古代史講座 4』, 學生社, 1980.

武田幸男, 新羅 '毗曇の亂'の一視覺 『三上次男博士喜壽記念論文集(歷史編)』, 平凡社, 1985.

山尾幸久, 「五 · 六世紀の日朝關係-韓國の前方後圓墳の解釋」 『朝鮮學報』 179, 2001.

小玉大圓, 「百濟求法僧謙益とその周邊 上 · 下」 『馬韓百濟文化』 8 · 10, 1985 · 1987.

石田一良, 「建邦の神」 『社會科學の方法』 82, 1976 ; 洪淳昶 譯, 『韓日關係硏究所紀要』 8, 1978.

鈴木靖民, 『倭와 百濟의 府官制』『古代東亞細亞와 百濟』, 충남대학교 백제연구소, 2003.

笠井倭人, 「欽明朝百濟の對倭外交」『日本書紀研究 1』, 塙書房, 1964.

岸俊男, 「紀氏に關する一試考」『日本古代政治史研究』, 塙書房, 1966.

田村圓澄, 「百濟佛教史序說」『百濟文化と飛鳥文化』, 吉川弘文館, 1978.

猪熊兼勝, 「百濟・陵寺 출토 香爐의 디자인과 성격」『백제금동대향로 발굴 10주년 기념 국제학술심포지엄 百濟金銅大香爐와 古代東亞細亞』, 국립부여박물관, 2003.

日夜開三郎, 「夫餘國考」『史淵』34, 1946.

坂元義種, 「고대에 있어서의 고구려와 왜」『동아시아 속에서의 高句麗와 倭』, 경인문화사, 2007.

찾아보기